Van Dale Pocketwoordenboek

Nederlands-Engels

Vierde druk

Onder redactie van J.P.M. Jansen

Utrecht – Antwerpen

De vorige druk van dit woordenboek werd geredigeerd door N.E. Osselton en R. Hempelman

Vormgeving: TEFF Typography
Illustratie omslag: Martijn Rijven
Zetwerk: Van Dale Lexicografie bv, TEFF Typography
Druk- en bindwerk: Clausen & Bosse, Leck, Duitsland

Bibliografische gegevens

Van Dale Pocketwoordenboek Nederlands-Engels
Vierde druk, onder redactie van J.P.M. Jansen
Utrecht – Antwerpen; Van Dale Lexicografie
ISBN 90 6648 767 4
NUR 627
R. 8767401
Depotnummer D/2006/0108/703

Van Dale Pocketwoordenboek **Nederlands-Engels**

Van Dale Pocketwoordenboeken

Nederlands
Nederlands voor de basisschool

Engels-Nederlands
Nederlands-Engels

Frans-Nederlands
Nederlands-Frans

Duits-Nederlands
Nederlands-Duits

Spaans-Nederlands
Nederlands-Spaans

Is dit woordenboek geschikt voor mij?

Er zijn veel verschillende woordenboeken op de markt, van goedkoop tot duur, van dun tot dik en van slecht tot goed. Deze inleiding geeft antwoord op de vraag of dit *Van Dale Pocketwoordenboek Nederlands-Engels* het meest geschikte woordenboek voor je is.

In dit woordenboek zijn 32.000 woordbetekenissen opgenomen. Van al die betekenissen is zorgvuldig nagegaan hoe frequent en actueel ze zijn, of met andere woorden, hoe vaak ze voorkomen in (school)boeken, tijdschriften, op internet enzovoort. Hierdoor is de kans groot dat je de woorden die je wilt opzoeken ook vindt; vaker dan in vergelijkbare woordenboeken het geval is.

Dit woordenboek is heel geschikt voor mensen die beginnen een taal te leren, bijvoorbeeld in de onderbouw van het middelbaar onderwijs. Als je verder komt, wil je steeds meer woorden kunnen opzoeken en is een *Van Dale Studiewoordenboek* of een *Van Dale Groot woordenboek* een betere keuze.

De vormgeving is er helemaal op gericht om het zoeken zo snel en makkelijk mogelijk te maken. De duimblokken helpen je om snel bij de goede letter in het alfabet te komen en door de trefwoorden in kleur kun je makkelijk het woord vinden dat je zoekt. Door de slijtvaste kaft blijven de boeken ook mooi in je tas.

Met het downloadable woordenboek is zoeken natuurlijk helemaal makkelijk. Dankzij de unieke activeringscode achterin kun je het complete woordenboek met een simpele muisklik in je computer zetten en in een handomdraai elk trefwoord vinden dat je zoekt.

Op 15 oktober 2005 is er een nieuwe editie van *het Groene Boekje* (ook wel bekend als de *Woordenlijst Nederlandse Taal*) verschenen. Uiteraard is dit *Van Dale Pocketwoordenboek* geheel aangepast aan de nieuwe officiële spellingregels van het Nederlands, die per 1 augustus 2006 voor het onderwijs en de overheid van kracht zijn.

Als deze kenmerken je aanspreken, is dit *Van Dale Pocketwoordenboek Nederlands-Engels* de beste keuze.

Een woordenboek is nooit af. Ondanks alle aan het woordenboek bestede zorg blijft het voor verbetering vatbaar. Wij houden ons voor commentaar en suggesties dan ook van harte aanbevolen. Je opmerkingen zijn welkom op www.vandale.nl of www.vandale.be.

Ik hoop dat je veel plezier zult beleven aan het gebruiken van dit woordenboek.

Utrecht – Antwerpen, voorjaar 2006
F.K. Gildemacher, uitgever

Lijst van afkortingen

aanw	aanwijzend
aardr	aardrijkskunde
abstr	abstract
afk	afkorting
algem	algemeen
Am	Amerikaans, in de Verenigde Staten
anat	anatomie
astrol	astrologie
Belg	in België, Belgisch(e)
bep	bepaald
betr	betrekkelijk
bez	bezittelijk
biol	biologie
bn	bijvoeglijk naamwoord
bouwk	bouwkunde
bw	bijwoord
chem	chemie, scheikunde
comp	computer
concr	concreet
cul	culinair
dierk	dierkunde
econ	economie
elektr	elektriciteit, elektrisch
euf	eufemisme
ev	enkelvoud
fig	figuurlijk
fin	financiën
form	formeel
foto	fotografie
geol	geologie
godsd	godsdienst(ig)
hist	historisch
hoofdtelw	hoofdtelwoord
hulpww	hulpwerkwoord
iem	iemand
inform	informeel
intr	intransitief (werkwoord)
iron	ironisch
jur	juridisch
koppelww	koppelwerkwoord
landb	landbouw
lett	letterlijk
luchtv	luchtvaart
lw	lidwoord
mbt	met betrekking tot
med	medisch
meetk	meetkunde
mil	militair
min	minachtend
muz	muziek
mv	meervoud
nat	natuurkunde
Ned	Nederlands, in Nederland
onbep	onbepaald
ond	onderwijs
ongev	ongeveer
onpers	onpersoonlijk
overtr	overtreffend(e)
ovt	onvoltooid verleden tijd
pers	persoon, persoonlijk
plantk	plantkunde
pol	politiek
prot	protestants(e)
psych	psychologie
rangtelw	rangtelwoord
r-k	rooms-katholiek(e)
ruimtev	ruimtevaart

sam	samenstelling
scheepv	scheepvaart
scheldw	scheldwoord
s.o.	someone
spoorw	spoorwegen
sterrenk	sterrenkunde
sth	something
taalk	taalkunde
techn	techniek
telec	telecommunicatie
telw	telwoord
tegenst	tegenstelling
theat	theater
tr	transitief (werkwoord)
tw	tussenwerpsel
typ	typografie
vd	van de
ve	van een
vergr	vergrotend(e)
verk	verkorting
vh	van het
vnl	voornamelijk
vnw	voornaamwoord
volt	voltooid(e)
vrl	vrouwelijk
vw	voegwoord
vz	voorzetsel
weerk	weerkunde
wielersp	wielersport
wisk	wiskunde
wtsch	wetenschap
ww	werkwoord
zelfst	zelfstandig
zn	zelfstandig naamwoord

Gebruiksaanwijzing

De gebruikte afkortingen worden verklaard in de Lijst van afkortingen op de voorgaande pagina's.

De trefwoorden zijn in rood gedrukt

aandenken keepsake, memento: *iets bewaren als ~* keep sth as a keepsake

Wanneer de klemtoon van een trefwoord verwarring kan opleveren, staat er een streepje onder de beklemtoonde klinker

kartel cartel, trust

Trefwoorden die gelijk geschreven worden, maar tot verschillende woordsoorten behoren of verschillen qua herkomst, worden voor aan de regel genummerd met 1, 2 enz.

[1]**achteruit** *bw* back(wards)
[2]**achteruit** *zn* reverse (gear): *een auto in zijn ~ zetten* put a car into reverse (gear)
[1]**aas** bait: *levend ~* live bait; *van ~ voorzien* bait (the hook, trap)
[2]**aas** *(kaartspel)* ace

Vertalingen die zeer dicht bij elkaar liggen, worden gescheiden door een komma

aardbol earth, world, globe

Is het verschil wat groter, dan wordt tussen de vertalingen een puntkomma gezet; vaak wordt dan ook tussen haakjes een verklaring van dit kleine verschil in betekenis gegeven

aap monkey; *(mensaap)* ape

Wanneer het trefwoord duidelijk verschillende betekenissen heeft, worden de vertalingen genummerd met 1, 2 enz.

aanschieten 1 hit: *een aangeschoten hert* a wounded deer **2** *(aanspreken)* buttonhole, accost: *een voorbijganger ~* buttonhole a passer-by

Soms is bij de vertaling een toelichting nodig, een beperking van het gebruik van een woord, een vakgebied, een korte verklaring. Zo'n toelichting staat cursief tussen haakjes

aanmaken 1 *(bereiden)* mix *(verf, deeg);* prepare *(groenten): sla ~* dress a salad **2** light: *een vuur* (of: *de kachel) ~* light a fire (*of:* the stove)

De vertaling kan worden gevolgd door voorbeelden en uitdrukkingen. Deze staan cursief. In voorbeelden vervangt het teken ~ het trefwoord. Voorbeelden en uitdrukkingen worden altijd gevolgd door een vertaling

aanbellen ring (at the door): *bij iem ~* ring s.o.'s doorbell

Soms wordt een trefwoord alleen in één of meer uitdrukkingen gegeven, zonder dat het zelf vertaald wordt. De uitdrukking volgt dan direct na een dubbelepunt

apegapen: *op ~ liggen* be at one's last gasp

Uitdrukkingen die niet duidelijk aansluiten bij een van de verschillende betekenissen van een trefwoord, worden achteraan behandeld en van de (genummerde) betekenissen gescheiden door het teken ||

balk beam || *het geld over de ~ gooien* spend money like water

Alternatieve vormen die een afzonderlijke vertaling hebben, worden tussen haakjes gezet en ingeleid met *of.* Dikwijls wordt ook de vertaling ingeleid met *of.* Hier wordt *nieuwe aanplant* vertaald met *new plantings* en *jonge aanplant* met *young plantings*

aanplant plantings, plants: *nieuwe* (of: *jonge*) *~* new (*of:* young) plantings

Vertalingen die voornamelijk in het Amerikaans-Engels worden gebruikt, zijn aangegeven met *Am.* Deze aanduiding wordt ook gegeven in samenstellingen. *Op de eerste etage* wordt in het Amerikaans-Engels doorgaans vertaald met *on the second floor*

appartement flat, *(Am)* apartment: *een driekamerappartement* a 2-bedroom flat
etage floor, storey: *op de eerste ~* on the first (*Am:* second) floor

Van trefwoorden die afkortingen zijn wordt eerst de (Nederlandse) verklaring gegeven

a.s. *afk van aanstaande* next: *~ maandag* next Monday

a

a a, A: *van a tot z kennen* know from A to Z (*of:* from beginning to end); *wie a zegt, moet ook b zeggen* in for a penny, in for a pound
à 1 *(ongev)* (from …) to,or: *2 ~ 3 maal* 2 or 3 times; *er waren zo'n 10 ~ 15 personen* there were some 10 to 15 people **2** *(per eenheid)* at (the rate of): *5 meter ~ 6 euro, is 30 euro* 5 metres at 6 euros is 30 euros
AA *afk van Anonieme Alcoholisten* Alcoholics Anonymous
aaien stroke; *(romantisch)* caress
aak barge
aal eel
aalbes currant: *rode* (of: *witte*) *~sen* red (*of:* white) currants
aalmoes alms
aalmoezenier chaplain
aalscholver cormorant
aambeeld anvil
aambeien piles
[1]**aan** *bn* on: *een vrouw met een groene jurk ~* a woman in (*of:* wearing) a green dress; *de kachel is ~* the stove is on || *het is weer dik ~ tussen hen* it's on again between them; *daar is niets ~: a) (gemakkelijk)* there's nothing to it, it's dead easy; *b) (saai)* it's a waste of time
[2]**aan** *bw* (met *wat)* about, around, away: *ik rotzooi maar wat ~* I'm just messing about || *stel je niet zo ~!* stop carrying on like that!; *daar heeft zij niets ~* that's no use to her; *daar zijn we nog niet ~ toe* we haven't got that far yet; *(fig) zij weet niet waar zij ~ toe is* she doesn't know where she stands; *rustig ~!* calm down!, take it easy!; *van nu af ~* from now on; *van voren af ~* from the beginning; *van jongs af ~* from childhood; *jij kunt er-van op ~ dat …* you can count on it that …
[3]**aan** *vz* **1** on, at, by: *vruchten ~ de bomen* fruit on the trees; *~ een verslag werken* work on a report; *~ zee* (of: *de kust*) *wonen* live by the sea (*of:* on the coast) **2** *(mbt een fig. verbondenheid)* by, with: *dag ~ dag* day by day; *doen ~* do, go in for; *twee ~ twee* two by two **3** *(bij ww die een beweging aanduiden)* to: *hij geeft les ~ de universiteit* he lectures at the university; *~ wal gaan* go ashore; *hoe kom je ~ dat spul?* how did you get hold of that stuff? **4** *(ten gevolge van)* of, from: *sterven ~ een ziekte* die of a disease **5** *(wat betreft)* of: *een tekort ~ kennis* a lack of knowledge **6** *(in de macht van)* up to: *het is ~ mij ervoor te zorgen dat …* it is up to me to see that …; *dat ligt ~ haar (haar fout)* that's her fault || *hij heeft het ~ zijn hart* he has got heart trouble; *hij is ~ het joggen* he's out jogging; *hij is ~ het strijken* he's (busy) ironing; *ze zijn ~ vakantie toe* they could do with (*of:* are badly in need of) a holiday
aanbakken burn, get burnt
aanbellen ring (at the door): *bij iem ~* ring s.o.'s doorbell
aanbesteding tender; *(aan iem)* contract: *inschrijven op een ~* (submit a) tender for a contract
aanbetaling down payment; *(mbt huurverkoop ook)* deposit: *een ~ doen van 200 euro* make a down payment of 200 euros
aanbevelen recommend: *dat kan ik je warm ~* I can recommend it warmly to you
aanbeveling recommendation
aanbidden 1 worship; *(van heilige)* venerate **2** *(fig)* worship; *(romantisch ook)* adore: *Jan aanbad zijn vrouw* Jan worshipped (*of:* adored) his wife
aanbidder 1 worshipper **2** *(bewonderaar)* admirer: *een stille ~* a secret admirer
aanbieden 1 offer, give: *iem een geschenk ~* present a gift to s.o.; *hulp* (of: *diensten*) *~* offer help (*of:* services); *zijn ontslag ~* tender one's resignation; *zijn verontschuldigingen ~* offer one's apologies **2** *(verkrijgbaar stellen)* offer: *iets te koop* (of: *huur*) *~* put sth up for sale (*of:* rent)
aanbieding special offer, bargain: *goedkope (speciale) ~* special offer, bargain; *koffie is in de ~ deze week* coffee is on special offer this week, coffee's reduced this week
aanblijven stay on: *zij blijft aan als minister* she is staying on as minister
aanblik 1 sight, glance: *bij de eerste ~* at first sight (*of:* glance) **2** sight; *(persoon)* appearance: *een troosteloze ~ opleveren* be a sorry sight, make a sorry spectacle
aanbod 1 offer: *iem een ~ doen* make s.o. an offer; *zij nam het ~ aan* she accepted (*of:* took up) the offer; *zij sloeg het ~ af* she rejected the offer **2** supply: *vraag en ~* supply and demand
aanbouw 1 building; construction *(gebouw, schip): dit huis is in ~* this house is under construction **2** extension, annexe: *een ~ aan een huis* an extension (*of:* annexe) to a house
aanbouwen build on, add: *een aangebouwde keuken* a built-on kitchen
aanbranden burn (on): *laat de aardappelen niet ~* mind the potatoes don't boil dry (*of:* get burnt)
[1]**aanbreken** *intr* come, break; dawn *(dag);* fall *(nacht): het moment was aangebroken om afscheid te nemen* the moment had come to say goodbye
[2]**aanbreken** *tr (aanspreken)* break into *(voorraad);* break (into) *(geld);* open (up) *(fles): er*

staat nog een aangebroken fles there's a bottle that's already been opened

aanbrengen 1 *(in-, toevoegen)* put in, put on, install; introduce *(veranderingen enz.)*; apply *(lijm e.d.)*: *verbeteringen ~* make improvements; *een gat in de muur ~* make a hole in the wall 2 *(aangeven)* inform on *(misdadiger)*; report *(misdaad)*: *een zaak ~* report a matter

aandacht attention, notice: *(persoonlijke) ~ besteden aan* give (*of:* pay) (personal) attention to; *aan de ~ ontsnappen* escape notice; *al zijn ~ richten op …* focus all one's attention on …; *iemands ~ trekken* attract s.o.'s attention, catch s.o.'s eye; *de ~ vestigen op* draw attention to; *onder de ~ komen* (of: *brengen*) *van* come (*of:* bring) to the attention of

aandachtig attentive, intent: *~ luisteren* listen attentively (*of:* intently)

aandeel 1 share, portion: *~ hebben in een zaak* (of: *de winst*) have a share in a business (*of:* the profits) 2 *(bijdrage)* contribution, part: *een actief ~ hebben in iets* take an active part in sth 3 *(bewijs van aandeel)* share (certificate); *(Am)* stock (certificate): *~ op naam* nominative share, registered share

aandeelhouder shareholder

aandenken keepsake, memento: *iets bewaren als ~* keep sth as a keepsake

aandoen 1 *(aantrekken)* put on 2 *(berokkenen)* do to, cause: *iem een proces ~* take s.o. to court; *iem verdriet, onrecht ~* cause s.o. grief, do s.o. an injustice; *dat kun je haar niet ~!* you can't do that to her! 3 *(in werking stellen)* turn on, switch on

aandoening disorder, complaint: *een lichte ~ van de luchtwegen* a touch of bronchitis

aandoenlijk moving, touching

aandraaien *(vastdraaien)* tighten, screw tighter

aandragen carry, bring (up, along, to)

aandrang insistence, instigation: *~ uitoefenen op* exert pressure on; *op ~ van mijn vader doe ik het* I'm doing it at my father's insistence

aandrijven drive: *door een elektromotor aangedreven* driven by an electric motor

aandringen 1 urge: *niet verder ~* not press the point, not insist; *bij iem op hulp ~* urge s.o. to help 2 insist: *er sterk op ~ dat* strongly insist that; *~ op iets* insist on sth

aanduiden indicate: *niet nader aangeduid* unspecified; *iem ~ als X* refer to s.o. as X

aandurven dare to (do), feel up to: *een taak ~* feel up to a task; *het ~ om* dare (*of:* presume) to

aaneengesloten unbroken, connected, continuous; *(fig)* united

aaneenschakelen link up (*of:* together), connect, join together; *(treinen)* couple

aaneenschakeling chain, succession, sequence: *een ~ van ongelukken* a series (*of:* sequence) of accidents

aaneensluiten, zich join together; *(firma, vakbond ook)* merge; *(fig ook)* join forces; *(fig ook)* unite: *zich ~ tot* join together in

aanfluiting mockery

[1]**aangaan** *intr* 1 go (towards), head (for, towards): *achter iem (iets) ~: a) (lett)* chase s.o. (sth) (up); *b) (fig)* go after s.o., go for sth 2 go on; *(verwarming, licht ook)* switch on; light *(vuur, lucifer)*

[2]**aangaan** *tr* 1 enter into; *(schulden, huwelijk ook)* contract: *een lening ~* contract a loan 2 *(betreffen)* concern: *dat gaat hem niets aan* that's none of his business; *wat mij aangaat* as far as I'm concerned

aangapen gape (at), gawp at, gawk at: *sta me niet zo dom aan te gapen!* stop gaping at me like an idiot!

aangeboren innate, inborn; *(med)* congenital

aangedaan 1 moved, touched 2 *(door ziekte)* affected

aangeklaagde accused, defendant

aangelegd -minded: *artistiek ~ zijn* have an artistic bent

aangelegenheid affair, business, matter

aangenaam pleasant; *(stem, beeld)* pleasing; *(omgeving ook)* congenial: *ze was ~ verrast* she was pleasantly surprised; *~ (met u kennis te maken)* pleased to meet you; *het was me ~* it was nice (*of:* a pleasure) meeting you

aangenomen: *een ~ kind* an adopted child; *~ werk* contract work

aangepast (specially) adapted; *(geestelijk ook)* adjusted: *een ~e versie* an adapted version; *goed ~ zijn* be well-adapted (*of:* well-adjusted); *slecht ~ zijn* be poorly adapted (*of:* adjusted)

aangeschoten 1 *(beetje dronken)* under the influence, tipsy 2 *(sport)* unintentional: *~ hands* unintentional hands

aangeslagen affected; *(sterker)* shaken: *de bokser maakte een ~ indruk* the boxer looked unsteady

aangetekend registered: *je moet die stukken ~ versturen* you must send those items by registered mail

aangetrouwd related by marriage: *~e familie* in-laws

aangeven 1 hand, pass 2 *(bekendmaken)* indicate, declare: *de trein vertrok op de aangegeven tijd* the train left on time; *tenzij anders aangegeven* except where otherwise specified, unless stated otherwise 3 *(bij overheid)* report, notify; *(douane)* declare: *een diefstal ~* report a theft (to the police); *een geboorte* (of: *huwelijk*) *~* register a birth (*of:* marriage); *hebt u nog iets aan te geven?* do you have anything (else) to declare? 4 *(met tekens)* indicate, mark: *de thermometer geeft 30 graden aan* the thermometer is registering 30 degrees; *de maat ~* beat time 5 *(voetbal)* feed; *(volleybal)* set

aangewezen: *de ~ persoon* the obvious (*of:* right) person (for the job); *op iets ~ zijn* rely on sth; *op zichzelf ~ zijn* be left to one's own devices

aangezicht countenance, face

aangezien since, as, seeing (that)
aangifte declaration *(waarde, belasting, douane)*; report *(misdaad)*; registration *(bevolkingsregister)*: ~ *inkomstenbelasting* income tax return; ~ *doen van een misdrijf* report a crime; *(belasting)* ~ *doen* make a declaration; ~ *doen van geboorte* register a birth; *bij diefstal wordt altijd ~ gedaan* shoplifters will be prosecuted
aangifteformulier tax form; *(douane)* declaration; *(geboorte, overlijden)* registration form
aangrenzend adjoining; *(huis, vertrek)* adjacent; *(naburig; land)* neighbouring
aangrijpen 1 grip; *(emotioneel ook)* move; make a deep impression on: *dit boek heeft me zeer aangegrepen* this book has made a deep impression on me **2** *(beetpakken)* seize (at, upon), grip: *een gelegenheid met beide handen ~* seize (at, upon) an opportunity with both hands
aangrijpend moving, touching, poignant
aanhalen 1 caress, fondle **2** *(noemen)* quote: *als voorbeeld* (of: *bewijs*) ~ quote as an example (*of:* as evidence) **3** pull in; *(touw)* haul in: *de teugels ~* tighten the reins
aanhalig affectionate: *hij kon zeer ~ doen* he could be very affectionate
aanhaling quotation; *(inform)* quote
aanhalingsteken quotation mark; *(inform)* quote; inverted comma: *tussen ~s* in quotation marks, in inverted commas
aanhang following; *(partij)* supporters: *over een grote ~ beschikken* have a large following; *veel ~ vinden onder* find considerable support among, have a large following among
aanhangen adhere to, be attached to, support: *een geloof ~* adhere to a faith; *een partij ~* support a party
aanhanger 1 follower; *(partij)* supporter: *een vurig* (of: *trouw*) ~ *van* an ardent (*of:* a faithful) supporter of **2** *(v wagen)* trailer
aanhangig pending, before the courts: *een kwestie ~ maken bij de autoriteiten* take a matter up with the authorities
aanhangsel appendix: *een ~ bij een e-mail* an attachment to an e-mail; *een ~ bij een polis* an appendix to a policy
aanhangwagen trailer
aanhankelijk affectionate, devoted
aanhebben *(dragen)* have on, be wearing
aanhechten attach; *(met draad)* fasten on; *(plakken)* affix
aanhechting attachment
aanhef opening words; *(brief)* salutation
aanheffen start, begin; break into *(lied)*; raise *(gejuich)*
aanhoren listen to, hear: *iemands relaas geduldig* ~ listen patiently to s.o.'s story
[1]**aanhouden** *intr* **1** *(niet ophouden te doen)* keep on, go on, persist (in): *blijven ~* persevere, insist; *je moet niet zo ~* you shouldn't keep going on about it (like that) **2** *(voortduren)* go on, continue; hold, last, keep up *(ook van weer)* **3** (met *op*) keep *(links of rechts)*; make (for), head (for) *(bepaald doel)*: *links* (of: *rechts*) ~ keep to the left (*of:* right), *(van richting veranderen)* bear left (*of:* right)
[2]**aanhouden** *tr* **1** stop; *(door politie)* arrest; hold *(vasthouden)*: *een verdachte ~* take a suspect into custody **2** *(bij zich houden)* hold on to, keep; continue *(abonnement)*; stick to *(methode)* **3** *(aan het lijf houden)* keep on **4** *(aan de gang houden)* keep on, keep up; leave on *(radio, licht)*; keep going *(vuur)* || *als je het recept aanhoudt, kan er niets misgaan* if you stick to the recipe, nothing can go wrong
aanhoudend 1 continuous, persistent, constant, all the time: *een ~e droogte* a prolonged period of drought **2** *(met tussenpozen)* continual, repeated, time and again, always
aanhouding arrest
aankijken look at: *elkaar veelbetekenend ~* give each other a meaningful look; *het ~ niet waard* not worth looking at
aanklacht charge; *(officieel)* indictment; complaint: *een ~ indienen tegen iem (bij)* lodge a complaint against s.o. (with); *de ~ werd ingetrokken* the charge was dropped
aanklagen *(officieel)* bring charges against, lodge a complaint against: *iem ~ wegens diefstal* (of: *moord*) charge s.o. with theft (*of:* murder)
aanklager accuser; *(eiser in zaak)* complainant; *(jurist)* plaintiff; prosecutor: *openbare ~* public prosecutor, Crown Prosecutor
aankleden dress, get dressed; *(van kleren voorzien)* clothe; *(van kleren voorzien)* fit out: *je moet die jongen warm ~* you must wrap the boy up well; *zich ~* get dressed
aankleding furnishing; *(ve kamer)* decor; furnishings; *(toneel)* decor; set(ting)
aanklikken click (on)
aankloppen knock (at the door); *(fig)* come with a request; appeal (to): *tevergeefs bij iem ~ om hulp* appeal to s.o. for help in vain
aanknopen 1 tie on: *(fig) we hebben er nog maar een dagje aangeknoopt* we're staying on another day (*of:* a day extra) **2** enter into: *betrekkingen ~ met* establish relations with; *onderhandelingen ~ met* enter into negotiations with
aanknopingspunt clue, lead; *(als uitgangspunt)* starting point
[1]**aankomen** *intr* **1** arrive, reach; *(trein, boot ook)* come in, pull in; *(sport)* finish: *de trein kan elk ogenblik ~* the train is due at any moment; *daar komt iem aan* s.o. is coming; *als derde ~* come in third **2** *(treffen)* hit hard: *de klap is hard aangekomen: a)* it was a heavy blow; *b) (fig)* it was a great blow to him **3** *(komen aanzetten)* come (with): *en daar kom je nu pas mee aan?* and now you tell me!; *je hoeft met dat plan bij hem niet aan te ko-*

men it's no use going to him with that plan 4 *(naderen)* come (along), approach: *ik zag het* ~ I could see it coming 5 *(bij toeval aanraken)* touch, hit, come up (against): *niet (nergens) ~!* don't touch!, hands off! 6 *(in gewicht toenemen)* put on weight

[2]**aankomen** *onpers ww* come (down) (to): *als het op betalen aankomt* when it comes to paying; *waar het op aankomt* what really matters || *als het erop aan komt* when it comes to the crunch

aankomend prospective, future; *(onbedreven)* budding; *(leerjongen)* apprentice; trainee: *een ~ actrice* a starlet, an up-and-coming actress; *een ~ schrijver* a budding author

aankomst arrival, coming (in); *(sport)* finish(ing); *(vliegtuig)* landing: *(sport) in volgorde van ~* in (the) order of finishing; *bij ~* on arrival

aankomsttijd time of arrival

aankondigen announce: *de volgende plaat ~* announce (*of:* introduce) the next record; *~ iets te zullen doen* announce that one will do sth

aankondiging announcement, notice; *(teken)* signal; *(inluiding)* foreboding; *(plechtig)* proclamation: *tot nadere ~* until further notice

aankopen buy, purchase, acquire

aankrijgen get going: *ik krijg de kachel niet aan* I can't get the stove to burn (*of:* light)

aankruisen tick: *~ wat van toepassing is* tick where appropriate

aankunnen 1 be a match for, (be able to) hold one's own against: *het alleen ~* hold one's own 2 be equal *(of:* up) to, be able to manage *(of:* cope with): *zij kon het werk niet aan* she couldn't cope (with the work) || *kan ik ervan op aan, dat je komt?* can I rely on your coming?

aanlanden land (up), arrive at: *waar zijn we nu aangeland?* where have we got to now?

aanleg 1 construction, building; *(weg ook)* laying; *(kanaal)* digging; *(stad, tuin)* layout: *in ~* under construction; *~ van elektriciteit* installation of electricity 2 *(kunstzinnig)* talent; *(zaken)* aptitude: *~ tonen voor talen* show an aptitude for languages; *~ voor muziek* a talent for music 3 tendency, predisposition, inclination: *~ voor griep hebben* be susceptible to flu || *(Belg) rechtbank van eerste ~ (ongev)* county court

[1]**aanleggen** *intr (scheepv)* moor, tie up; *(aandoen)* touch (at); berth

[2]**aanleggen** *tr* 1 construct, build; *(straat ook)* lay; dig *(kanaal);* lay out *(park, tuin);* install *(voorzieningen);* build up *(voorraad): een spoorweg* (of: *weg*) ~ construct a railway (*of:* road); *een nieuwe wijk* ~ build a new estate (*of Am:* development) 2 aim: *leg aan!* take aim!

aanlegplaats landing stage *(of:* place), mooring (place); berth *(vast)*

aanleiding occasion, reason, cause: *er bestaat geen ~ om* (of: *tot*) there is no reason to (*of:* for); *iem (geen) ~ geven* give s.o. (no) cause; *~ geven tot klachten* give cause for complaints; *~ zijn (geven) tot* give rise to; *naar ~ van* as a result of; *naar ~ van uw schrijven* in reply (*of:* with reference) to your letter

aanlengen dilute

aanleren 1 learn, acquire: *slechte manieren ~* acquire bad manners 2 *(onderwijzen)* teach: *een hond kunstjes ~* teach a dog tricks

aanleunwoning granny house, sheltered accommodation

aanlijnen leash: *aangelijnd houden* keep on the leash (*of:* lead)

aanlokkelijk tempting, alluring, attractive

aanloop 1 run-up: *een ~ nemen* take a run-up; *een sprong met* (of: *zonder*) ~ a running (*of:* standing) jump 2 visitors, callers; *(klanten)* customers: *zij hebben altijd veel ~* they always have lots of visitors

aanlopen 1 walk (towards), come (towards); *(bezoeken)* drop in, drop by: *tegen iets ~: a)* walk into sth; *b) (fig)* chance (*of:* stumble) on sth 2 *(in zijn loop gehinderd worden) (rem)* rub; drag 3 *(een kleur krijgen)* turn … (in the face): *rood ~* turn red in the face

aanmaken 1 *(bereiden)* mix *(verf, deeg);* prepare *(groenten): sla ~* dress a salad 2 light: *een vuur* (of: *de kachel*) ~ light a fire (*of:* the stove)

aanmanen 1 urge: *tot voorzichtigheid ~* urge caution 2 *(sommeren)* order: *iem tot betaling ~* demand payment from s.o.

aanmaning 1 reminder: *een vriendelijke ~* a gentle reminder 2 request for payment, notice to pay

aanmelden 1 announce, report 2 *(opgeven)* present, enter forward (s.o.'s name), put forward (s.o.'s name)

aanmelding entry; *(baan)* application; *(toetreding)* enlistment; enrolment: *de ~ is gesloten* applications will no longer be accepted

aanmeren moor, tie up

aanmerkelijk considerable; *(merkbaar)* appreciable; marked, noticeable: *een ~ verschil met vroeger* a considerable change from the past; *het gaat ~ beter* things have improved noticeably

aanmerken comment, criticize: *op zijn gedrag valt niets aan te merken* his conduct is beyond reproach

aanmerking comment, criticism, remark: *~en maken (hebben) op* find fault with, criticize || *in ~ nemen* consider; *in ~ komen voor* qualify for *(bijv. van kosten, voor vergoeding)*

aanmodderen muddle on: *maar wat ~* mess around

aanmoedigen encourage; *(vnl. sport)* cheer on: *iem tot iets ~* encourage s.o. to do sth

aanmoediging encouragement; *(vnl. sport)* cheers: *onder ~ van het publiek* while the spectators cheered him (*of:* her, them) on

aanmonsteren sign on

aannemelijk 1 plausible: *een ~e verklaring ge-*

ven voor iets give a plausible explanation for sth **2** *(aanvaardbaar)* acceptable, reasonable: *tegen elk ~ bod* any reasonable offer accepted

aannemen 1 take, accept; *(telefoon)* pick up; *(telefoon)* answer: *kan ik een boodschap ~?* can I take a message? **2** *(accepteren)* accept, take (on); *(wet)* pass; carry: *een aanbod met beide handen ~* jump at an offer; *een opdracht* (*of: voorstel*) *~* accept a commission (*of:* proposal); *met algemene stemmen ~* carry unanimously **3** *(geloven)* accept, believe: *stilzwijgend ~* tacitly accept; *u kunt het van mij ~* you can take it from me **4** assume, suppose: *algemeen werd aangenomen dat …* it was generally assumed that …; *als vaststaand (vanzelfsprekend) ~* take for granted **5** *(via een contract)* undertake, contract for: *de bouw van een blok woningen ~* contract for (the building of) a block of houses **6** *(in dienst nemen)* engage, take on: *iem op proef ~* appoint s.o. for a trial period

aannemer (building) contractor, builder

aanpak approach: *de ~ van dit probleem* the way to deal with (*of:* tackle) this problem

aanpakken 1 take, take, catch, get hold of **2** *(behandelen)* go (*of:* set) about (it); deal with *(probleem);* handle *(probleem);* tackle *(probleem);* seize *(gelegenheid);* take *(gelegenheid): een probleem ~* tackle a problem; *hoe zullen we dat ~?* how shall we set about it?; *een zaak goed* (of: *verkeerd*) *~* go the right (*of:* wrong) way about a matter; *hij weet van ~* he's a tremendous worker **3** *((persoon) onder handen nemen)* deal with; *(aanvallen)* attack; *(jur)* proceed against: *iem flink ~* take a firm line with s.o., be tough on s.o.

aanpappen chum (*of:* pal) up (with)

[1]**aanpassen** *tr* **1** try on, fit on: *een nieuwe jas ~* try on a new coat **2** *(passend maken)* adapt (to), adjust (to), fit (to): *de lonen zullen opnieuw aangepast worden* wages will be readjusted

[2]**aanpassen, zich** *(zich schikken)* adapt oneself (to)

aanpassing adaptation (to), adjustment (to)

aanplakbiljet poster, bill

aanplakbord notice board; *(reclame)* boarding; *(Am)* billboard

aanplakken affix, paste (up); post (up) *(aanplakbiljet): verboden aan te plakken* no billposting

aanplant plantings, plants: *nieuwe* (of: *jonge*) *~* new (*of:* young) plantings

aanplanten plant (out), cultivate, grow; afforest *(bos)*

aanpoten hurry (up), slog away

aanpraten palm off on, talk into: *iem iets ~* talk s.o. into (doing) sth, palm sth off on s.o.

aanprijzen recommend, praise

aanraakscherm *(comp)* touchscreen

aanraden advise; recommend *(product);* suggest *(plan): de dokter ried hem rust aan* the doctor advised him to take rest; *iem dringend ~ iets te doen* advise s.o. urgently to do sth

aanraken touch: *verboden aan te raken* (please) do not touch; *met geen vinger ~* not lay a finger on

aanranden assault

aanrander assailant

aanranding (criminal, indecent) assault

aanrecht kitchen (sink) unit

aanrechtblad worktop, working top

aanrichten cause, bring about: *een bloedbad ~ (onder)* bring about a massacre (among); *grote verwoestingen ~ (bij)* create (*of:* wreak) havoc (on)

aanrijden collide (with), crash (into), run into: *hij heeft een hond aangereden* he hit a dog; *tegen een muur ~* run (*of:* crash) into a wall

aanrijding collision, crash: *een ~ hebben* be involved in a collision (*of:* crash)

aanroeren 1 touch: *het eten was nauwelijks aangeroerd* the food had hardly been touched **2** *(behandelen)* touch upon

aanrommelen mess around

aanschaf purchase, buy, acquisition

aanschaffen purchase, acquire

aanscherpen 1 sharpen **2** *(fig)* accentuate, highlight

aanschieten 1 hit: *een aangeschoten hert* a wounded deer **2** *(aanspreken)* buttonhole, accost: *een voorbijganger ~* buttonhole a passer-by

aanschouwen behold, see: *het levenslicht ~* (first) see the light

aanschuiven draw up, pull up

[1]**aanslaan** *intr* **1** *(mbt een motor)* start **2** *(mbt verkoop, ideeën)* catch on, be successful: *dat plan is bij hen goed aangeslagen* that plan has caught on (well) with them

[2]**aanslaan** *tr* **1** touch, strike, hit: *een toets ~* strike a key; *een snaar ~* touch a string **2** *(van waarde)* estimate; assess *(onroerend goed e.d.);* tax *(belasting e.d.): iem hoog ~ (waarderen)* think highly of s.o.

aanslag 1 *(muz)* touch: *een lichte* (of: *zware*) *~* a light (*of:* heavy) touch **2** *(mbt een vuurwapen)* ready: *met het geweer in de ~* with one's rifle at the ready **3** *(aanval)* attempt, attack, assault: *een ~ op iemands leven plegen* make an attempt on s.o.'s life **4** *(aangekoekte laag)* deposit; moisture *(op ruit): een vieze ~ op het plafond* a filthy (smoke) deposit on the ceiling **5** *(mbt belasting)* assessment: *een ~ van €1000,- ontvangen* get assessed €1000.00

aanslagbiljet assessment (notice) *(onroerendgoedbelasting);* (income) tax return (*of:* form) *(inkomstenbelasting)*

aanslibben form a deposit: *aangeslibd land* alluvium, alluvial land

[1]**aansluiten** *tr (verbinden)* connect, join, link: *een nieuwe abonnee ~* connect a new subscriber *(telefoon)* || *wilt u daar ~?* will you queue up there, please?

[2]**aansluiten, zich** join (in), become a member of:

aa

zich bij de vorige spreker ~ agree with the preceding speaker; *zich bij een partij* ~ join a party; *daar sluit ik me graag bij aan* I would like to second that

aansluiting 1 joining, association (with): ~ *vinden bij iem (iets)* join in with s.o. (sth); *(fig)* ~ *zoeken bij* seek contact with 2 *(verkeer)* connection: *de* ~ *missen* miss the connection 3 connection: ~ *op het gasnet* connection to the gas mains

aansmeren palm off (on): *iem een veel te dure auto* ~ cajole s.o. into buying far too expensive a car

aansnijden 1 cut (into) 2 *(fig)* broach, bring up

aanspannen institute: *een proces (tegen iem)* ~ institute (legal) proceedings (against s.o.)

aanspoelen wash ashore, be washed ashore: *er is een fles met een briefje erin aangespoeld* a bottle containing a letter has been washed ashore

aansporen urge (on); spur (on) *(dieren): iem* ~ *tot grotere inspanning* incite s.o. to greater efforts

aansporing incentive: *die beloning was een echte* ~ *voor hem* that reward was a real incentive to him

aanspraak 1 claim: *geen* ~ *kunnen doen gelden (op iets)* not be able to lay any claim (to sth); ~ *maken op iets* lay claim to sth 2 contacts: *weinig* ~ *hebben* have few contacts

aansprakelijk responsible (for); *(jur)* liable (for): *zich voor iets* ~ *stellen* take responsibility for sth; *iem* ~ *stellen voor iets* hold s.o. responsible for sth

aansprakelijkheid liability (for), responsibility: *wettelijke* ~, *(Belg) burgerlijke* ~ (legal) liability, liability in law; ~ *tegenover derden* third-party liability

aanspreken 1 draw on, break into: *zijn kapitaal* ~ break into one's capital; *een spaarrekening* ~ remove (*of:* withdraw) money from a savings account 2 *(toespreken)* speak to, talk to, address: *iem (op straat)* ~ approach s.o. (in the street); *ik voel mij niet aangesproken* it doesn't concern me; *iem met mevrouw* (of: *meneer*) ~ address s.o. as madam (*of:* sir); *iem over zijn gedrag* ~ talk to s.o. about his conduct 3 *(in de smaak vallen)* appeal to

aanstaan 1 please: *zijn gezicht staat mij niet aan* I do not like the look of him 2 *(motor e.d.)* be running; be (turned) on *(radio enz.)*

[1]**aanstaande** *zn* fiancé; *(vrl)* fiancée

[2]**aanstaande** *bn* 1 next *(in de volgende week);* this *(deze week):* ~ *vrijdag* this Friday 2 *(toekomstig)* (forth)coming; *(komend)* approaching: *een* ~ *moeder* an expectant mother, a mother-to-be

aanstalten: ~ *maken om te vertrekken* get ready to leave; *geen* ~ *maken (om)* show no sign (*of:* intention) (of)

aanstaren stare at, gaze at: *iem met open mond* ~ stare open-mouthed at s.o., gape at s.o.; *iem vol bewondering* ~ gaze at s.o. admiringly

aanstekelijk infectious, contagious, catching

aansteken 1 light; *(vuur ook)* kindle; *(elektriciteit)* turn on, switch on: *die brand is aangestoken* that fire was started deliberately; *een kaars* ~ light a candle 2 *(besmetten)* infect, contaminate: *(fig) ze steken elkaar aan* they are a bad (*of:* good) influence on one another

aansteker (cigarette) lighter

[1]**aanstellen** *tr* appoint: *iem vast* ~ appoint s.o. permanently

[2]**aanstellen, zich** show off, put on airs, act: *zich belachelijk* ~ make a fool of oneself; *stel je niet aan!* be your age!, stop behaving like a child!

aansteller poseur; *(mbt kinderachtig gedrag)* baby

aanstellerig affected, theatrical

aanstellerij affectation, pose, showing off || *is het nu uit met die* ~*?* are you quite finished?

aanstelling appointment: *een vaste* (of: *tijdelijke*) ~ *hebben* have a permanent (*of:* temporary) appointment

aansterken get stronger, recuperate, regain one's strength

aanstichten instigate

aanstippen 1 *(terloops vermelden)* mention briefly, touch on 2 *(med)* dab

aanstoken stir up, incite

aanstoot offence: ~ *geven* give offence; ~ *nemen aan* take offence at

aanstootgevend offensive, objectionable; *(sterker)* scandalous; *(sterker)* shocking: ~*e passages in een boek* offensive passages in a book

[1]**aanstoten** *intr (botsen)* knock (against), bump (into): *hij stootte tegen de tafel aan* he bumped into the table

[2]**aanstoten** *tr* nudge: *zijn buurman* ~ nudge one's neighbour

aanstrepen mark, check (off), tick (off): *een plaats in een boek* ~ mark a place in a book

aansturen (met *op*) *(trachten te bereiken, verkrijgen)* aim for, aim at, steer towards; *(bedoelen)* drive at: *ik zou niet weten waar hij op aanstuurt* I don't know what he is driving at

aantal number: *een* ~ *jaren lang* for a number of years; *een* ~ *gasten kwam te laat* a number of guests were late; *een flink* ~ *boeken* quite a few books; *het totale* ~ *werkende kinderen* the total number of working children

aantasten 1 affect *(negatief, schadelijk);* harm, attack: *dit zuur tast metalen aan* this acid corrodes metals; *die roddels tasten onze goede naam aan* those rumours damage (*of:* harm) our reputation 2 *(aanvallen)* attack: *door een ziekte aangetast worden* be stricken with a disease

aantekenen 1 take (*of:* make) a note of, note down, write down, record; *(bijv. in register)* register: *brieven laten* ~ have letters registered 2 *(vermelden)* comment, note, remark: *daarbij tekende hij aan, dat …* he further observed that …

aantekening note: ~*en maken* take notes

aantocht: *in ~ zijn* be on the way
aantonen demonstrate, prove, show: *er werd ruimschoots aangetoond dat …* ample evidence was given to show that …
aantreffen 1 *(mbt personen)* meet, encounter, find: *iem in bed ~* find s.o. in bed; *iem niet thuis ~* find s.o. out 2 *(mbt zaken)* find, come across
aantrekkelijk attractive; inviting *(bijv. aanbod): ik vind ze erg ~* I find them very attractive
[1]**aantrekken** *tr* 1 attract, draw: *de aarde wordt door de zon aangetrokken* the earth gravitates towards the sun 2 *(vaster trekken)* tighten: *een knoop ~* tighten a knot 3 *(aantrekkelijk zijn)* draw, attract: *zich aangetrokken voelen door* (of: *tot) iem (iets)* feel attracted to s.o. (sth); *dat trekt mij wel aan* that appeals to me 4 *(bij zich verzamelen, werven)* attract; draw *(een menigte): nieuwe medewerkers ~* take on (*of:* recruit) new staff 5 *(aandoen)* put on: *andere kleren ~* change one's clothes; *ik heb niets om aan te trekken* I have nothing to wear
[2]**aantrekken, zich** be concerned about, take seriously: *zich iemands lot ~* be concerned about s.o.('s fate); *trek het je niet aan* don't let that worry you; *zich alles persoonlijk ~* take everything personally
aantrekkingskracht 1 attraction, appeal: *een grote ~ bezitten voor iem* hold (a) great attraction for s.o.; *~ uitoefenen op iem* attract s.o. 2 (force of) attraction; gravitational force *(mbt planeet)*
aanvaardbaar acceptable: *~ voor* acceptable to
aanvaarden 1 accept, agree to; take *(tegenslag): ik aanvaard uw aanbod* I accept your offer; *de consequenties ~* take (*of:* accept) the consequences; *een voorstel ~* accept a proposal 2 *(op zich nemen)* accept, assume: *de verantwoordelijkheid ~* assume the responsibility
aanval 1 attack, assault, offensive: *een ~ ondernemen* (of: *afslaan*) launch (*of:* beat off) an attack; *tot de ~ overgaan* take the offensive; *in de ~ gaan* go on the offensive; *de ~ is de beste verdediging* attack is the best form of defence 2 *(med)* attack, fit: *een ~ van koorts* an attack of fever; *een ~ van woede* an attack of anger
aanvallen attack, assail, assault: *de vijand in de rug ~* attack (*of:* take) the enemy from the rear
aanvallend offensive, aggressive
aanvaller 1 assailant, attacker 2 *(sport)* attacker; *(voetbal)* forward; striker
aanvangen begin, start, commence: *met die jongen is niets aan te vangen* that boy is hopeless
aanvankelijk initially, at first, in (*of:* at) the beginning
aanvaren run into, collide with: *een ander schip ~* collide with another ship
aanvaring collision, crash: *in ~ komen met* collide with
aanvechtbaar contestable, disputable: *een ~ standpunt* a debatable point of view
aanvechten *(betwisten)* dispute: *een beslissing ~* challenge a decision
aanvechting *(fig)* temptation, impulse: *een ~ van (de) slaap* an attack of sleepiness
aanvegen sweep, sweep out
aanverwant related, allied: *de geneeskunde en ~e vakken* medicine and related professions
[1]**aanvliegen** *intr* fly (towards): *tegen iets ~* fly (towards) against sth, *(auto ook)* crash into sth
[2]**aanvliegen** *tr* fly at, attack: *de hond vloog de postbode aan* the dog flew at the postman
aanvoelen feel, sense: *iem ~* understand s.o., *(sterker)* empathize with s.o.; *een stemming ~* sense an atmosphere; *elkaar goed ~* speak the same language || *het voelt koud aan* it feels cold
aanvoer supply, delivery: *de ~ van levensmiddelen* food supplies
aanvoerder leader, captain
aanvoerdersband captain's arm band
aanvoeren 1 lead, command, captain: *een leger ~* command an army 2 *(brengen)* supply; import *(uit buitenland): hulpgoederen werden per vliegtuig aangevoerd* relief supplies were flown in 3 *(als bewijs)* bring forward, advance; produce *(reden);* argue: *hij voerde aan dat …* he argued that …
aanvoering command, leadership, captaincy: *onder ~ van* under the command (*of:* leadership) of
aanvraag 1 application, request; inquiry *(om inlichtingen): een ~ indienen* submit an application; *op ~ te vertonen* to be shown on demand; *~ voor een uitkering* application for social welfare payment 2 *(bestelling)* request, demand, order: *wij konden niet aan alle aanvragen voldoen* we couldn't meet the demand; *op ~ verkrijgbaar* available on request
aanvragen 1 apply for, request: *ontslag ~* apply for permission to make redundant; *een vergunning ~* apply for a licence 2 *(verzoeken)* request, order: *vraag een gratis folder aan* send for free brochure; *informatie ~ over treinen in Engeland* inquire about trains in England
aanvrager applicant
aanvullen complete, finish, fill (up): *de voorraad ~* replenish stocks; *zij vullen elkaar goed aan* they complement each other well
aanvullend supplementary, additional: *een ~e cursus* a follow-up course; *een ~ pensioen* a supplementary pension
aanvulling supplement, addition
aanvuren fire; *(mbt personen)* rouse; incite: *iemands ijver ~* fire s.o.'s zeal; *de troepen ~* rouse the troops
aanwaaien come naturally to: *alles waait hem zomaar aan* everything just falls into his lap
aanwakkeren 1 stir up: *het vuur ~* fan the fire 2 stimulate, stir up: *de kooplust ~* stimulate buying
aanwas growth, accretion

aanwenden apply, use: *zijn gezag* ~ use one's authority; *zijn invloed* ~ exert one's influence
aanwennen, zich get into the habit of: *zich slechte gewoonten* ~ fall into (*of:* acquire) bad habits
aanwezig present: *Trudie is vandaag niet* ~ Trudie is not in (*of:* here) today; ~ *zijn bij* be present at; *niet* ~ absent
aanwezigheid presence; *(vergadering, school ook)* attendance: *uw* ~ *is niet noodzakelijk* your presence is not necessary (*of:* required); *in* ~ *van* in the presence of
aanwijzen 1 point to, point out, indicate, show: *een fout* ~ point out a mistake; *gasten hun plaats* ~ show guests to their seats **2** *(toewijzen)* designate, assign, allocate: *een acteur* ~ *voor een rol* cast an actor for a part; *een erfgenaam* ~ designate an heir **3** *(aangeven)* indicate, point to, show: *de klok wijst de tijd aan* the clock shows the time
aanwijzing 1 indication, sign, clue: *er bestaat geen enkele* ~ *dat …* there is no indication whatever that … **2** *(inlichting)* instruction, direction: *hij gaf nauwkeurige* ~*en* he gave precise instructions; *de* ~*en opvolgen* follow the directions; ~*en voor het gebruik* directions for use
aanwinst 1 acquisition, addition: *een mooie* ~ *voor het museum* a beautiful acquisition for the museum **2** *(verbetering)* gain, improvement, asset: *de computer is een* ~ *voor ieder bedrijf* the computer is an asset in every business
aanzet start, initiative: *de (eerste)* ~ *geven tot iets* initiate sth, give the initial impetus to sth
aanzetten 1 put on, sew on, stitch on: *een mouw* ~ sew on (*of:* set in) a sleeve **2** *(in werking stellen)* start up, turn on: *de radio* ~ turn on the radio **3** *(aansporen)* spur on, urge, incite: *iem tot diefstal* ~ incite s.o. to steal || *ergens laat komen* ~ turn up late somewhere; *met iets komen* ~ turn up with sth, *(idee)* come up with sth
aanzicht aspect, look, view: *nu krijgt de zaak een ander* ~ that puts a different light on the matter
[1]**aanzien** *zn* **1** looking (at), watching: *dat is het* ~ *waard* that is worth watching (*of:* looking at); *ten* ~ *van* with regard (*of:* respect) to **2** *(aanblik)* look, aspect, appearance: *iets een ander* ~ *geven* put a different complexion on sth **3** *(achting)* standing, regard: *een man van* ~ a man of distinction; *hij is sterk in* ~ *gestegen* his prestige has risen sharply
[2]**aanzien** *tr* **1** look at, watch, see: *die film is niet om aan te zien* it's an awful film; *ik kon het niet langer* ~ I couldn't bear to watch it any longer **2** *(beschouwen)* consider, regard: *waar zie je mij voor aan?* what do you take me for?; *iem voor een ander* ~ (mis)take s.o. for s.o. else || *ik zie haar er best voor aan* I think she's quite capable of it
aanzienlijk considerable, substantial: ~*e schade* serious damage; *een* ~*e verbetering* a substantial improvement
aanzoek proposal: *de knappe prins deed het meisje een* ~ the handsome prince proposed to the girl
aanzwellen swell (up, out), rise
aap monkey; *(mensaap)* ape
aapmens apeman
aar ear
aard 1 *(mbt personen)* nature, disposition, character: *zijn ware* ~ *tonen* show one's true character **2** *(mbt dingen)* nature, sort, kind: *schilderijen van allerlei* ~ various kinds (*of:* all kinds) of paintings
aardappel potato: *gekookte* (of: *gebakken*) ~*s* boiled (*of:* fried) potatoes
aardappelmesje potato peeler
aardappelpuree mashed potato(es)
aardas axis of the earth
aardbei strawberry
aardbeving earthquake
aardbodem surface (*of:* face) of the earth: *honderden huizen werden van de* ~ *weggevaagd* hundreds of houses were wiped off the face of the earth
aardbol earth, world, globe
aarde 1 earth, world: *in een baan om de* ~ in orbit round the earth; *op* ~ on earth, under the sun **2** *(bodem)* ground; earth *(ook elektr)* **3** *(grond)* earth, soil: *dat zal bij haar niet in goede* ~ *vallen* she is not going to like that; *het plan viel in goede* ~ the plan was well received
[1]**aarden** *bn* earthen, clay: ~ *potten* earthenware pots
[2]**aarden** *intr (groeien, wennen)* thrive: *zij kan hier niet* ~ she can't settle in here, she can't find her niche; *ik aard hier best* I fit in here, I feel at home here; *dit diertje aardt hier goed* this animal thrives here
[3]**aarden** *tr (techn)* earth
[1]**aardewerk** *zn* earthenware, pottery
[2]**aardewerk** *bn: een* ~ *schotel* an earthenware dish
aardgas natural gas
[1]**aardig** *bn* **1** nice, friendly: *(iron) wat doe je* ~ (how) charming (you are)!; *dat is* ~ *van je!, wat* ~ *van je!* how nice of you **2** *(aantrekkelijk)* nice, pretty: *het is een* ~*e meid* she's a nice girl; *een* ~ *tuintje* a nice (*of:* pretty) garden **3** *(vrij groot)* fair, nice: *een* ~ *inkomen* a nice income
[2]**aardig** *bw (behoorlijk)* nicely, pretty, fairly: *dat komt* ~ *in de richting* that's more like it; ~ *wat mensen* quite a few people; *hij is* ~ *op weg om … te worden* he is well on his way to becoming …
aardigheid small present: *ik heb een* ~*je meegebracht* I have brought a little something
aardolie petroleum
aardrijkskunde geography
aardrijkskundig geographic(al)
aards earthly, worldly: ~*e machten* earthly powers; *een* ~ *paradijs* paradise on earth; ~*e genoegens* worldly pleasures
aardworm (earth)worm
aars arse
aartsbisschop archbishop
aartsengel archangel

aartshertog archduke
aartsvijand arch-enemy
aarzelen hesitate: ~ *iets te doen* hesitate about doing sth; *ik aarzel nog* I am still in doubt
aarzeling hesitancy *(vnl. weifelachtigheid);* hesitation *(vnl. weifeling); (geaarzel)* shilly-shallying; *(twijfel)* doubt: *na enige* ~ after some hesitation
[1]**aas** *zn* bait: *levend* ~ live bait; *van* ~ *voorzien* bait (the hook, trap)
[2]**aas** *zn (kaartspel)* ace
aasgier vulture
abattoir abattoir, slaughterhouse
abc ABC
abdij abbey
ABN *afk van Algemeen Beschaafd Nederlands* (received) standard Dutch
abnormaal abnormal; *(mbt gedrag)* deviant; aberrant; *(mbt vorm)* deformed: *een* ~ *groot hoofd* an abnormally large head
abonnee subscriber (to)
abonneenummer subscriber('s) number
abonnement 1 subscription (to) *(krant);* taking (*of:* buying) a season ticket *(trein, concertzaal): een* ~ *nemen op … (krant enz.)* subscribe to …; *een* ~ *opzeggen* (of: *vernieuwen*) *(krant enz.)* cancel (*of:* renew) a subscription **2** *(kaart)* season ticket
abonneren, zich subscribe (to), take out a subscription (to)
abortus abortion; *(miskraam ook)* miscarriage
abrikoos apricot
abrupt abrupt, sudden: ~ *halt houden* stop abruptly (*of:* suddenly)
abseilen abseil
absent absent
absentie absence
absoluut absolute, perfect: ~ *gehoor* perfect pitch; *dat is* ~ *onmogelijk* that's absolutely impossible; ~ *niet* definitely (*of:* absolutely) not; *ik heb* ~ *geen tijd* I simply have no time; *weet je het zeker?* ~*!* are you sure? absolutely!
absorberen absorb: ~*d middel* absorbent, absorbing agent
abstract abstract: ~*e denkbeelden* abstract (*of:* theoretical) ideas; ~ *schilderen* paint abstractly
absurd absurd, ridiculous, ludicrous: ~ *toneel* theatre of the absurd
abt abbot
[1]**abuis** *zn* mistake: *per (bij)* ~ by mistake
[2]**abuis** *bn* mistaken: *u bent* ~ you are mistaken
abusievelijk mistakenly, erroneously
acacia locust (tree), (false) acacia
academie university, college: *pedagogische* ~ college of education; *sociale* ~ college of social studies
academisch academic, university: *een* ~*e graad* a university degree; ~ *ziekenhuis* university (*of:* teaching) hospital
acceleratie acceleration
accelereren accelerate
accent accent; stress *(ook fig): een sterk* (of: *licht*) *noordelijk* ~ a strong (*of:* slight) northern accent; *het* ~ *hebben op de eerste lettergreep* have the accent on the first syllable; *het* ~ *leggen op* stress
accentueren stress, emphasize, accentuate
acceptabel acceptable
accepteren accept, take: *een wissel* ~ accept a bill (of exchange); *zijn gedrag kan ik niet* ~ I can't accept (*of:* condone) his behaviour
accessoire accessory
accijns excise (duty, tax): *accijnzen heffen (op)* charge excise (on)
acclimatiseren acclimatize, become acclimatized
accolade brace, bracket
accommodatie accommodation; *(voorzieningen)* facilities: *er is* ~ *voor tien passagiers* there are facilities for ten passengers
accordeon accordion
accordeonist accordionist
accountant accountant; *(controleur)* auditor
accu battery: *de* ~ *is leeg* the battery is dead
accuraat accurate, precise, meticulous: ~ *werken* work accurately
accuratesse accuracy, precision, meticulousness
ace *(tennis)* ace
ach oh, ah: ~ *wat, ik doe het gewoon!* oh who cares, I'll just do it!; ~, *je kunt niet alles hebben!* oh well, you can't have everything!
achillespees Achilles tendon
[1]**acht** *zn* attention, consideration: ~ *slaan op: a) (aandacht)* pay attention to; *b) (zorg)* take notice of; *de regels in* ~ *nemen* comply with (*of:* observe) the rules; *voorzichtigheid in* ~ *nemen* take due care
[2]**acht** *telw* eight: *nog* ~ *dagen* another eight days, eight more days; *iets in* ~*en breken* break sth into eight pieces; *zij kwamen met hun* ~*en* eight of them came; *zij zijn met hun* ~*en* there are eight of them
achtbaan roller coaster
achteloos *(gedachteloos)* careless; negligent, casual; *(onbedachtzaam)* inconsiderate
achten 1 esteem, respect **2** *(menen)* consider, think
[1]**achter** *bw* **1** behind, at the rear (*of:* back): ~ *in de tuin* at the bottom of the garden **2** *(mbt tijd)* slow, behind(hand): *jouw horloge loopt* ~ your watch is slow || *ik ben* ~ *met mijn werk* I am behind(hand) with my work; *(sport)* ~ *staan* be behind (*of:* trailing); *(sport) vier punten* ~ *staan* be four points down
[2]**achter** *vz* **1** behind, at the back (*of:* rear) of: ~ *het huis* behind (*of:* at the back of) the house; ~ *haar ouders' rug om* behind her parents' back; *zet een kruisje* ~ *je naam* put a tick against your name; ~ *zijn computer* at his computer **2** *(mbt tijd)* after: ~ *elkaar* one after the other, in succession, in a row

|| ~ *iets komen* find out about sth, *(mbt een raadsel)* get to the bottom of sth; ~ *iem staan* stand behind s.o.; ~ *iets staan* approve of sth, back sth; *er zit (steekt) meer* ~ there is more to it

achteraan at the back, at *(of:* in) the rear: *wij wandelden* ~ we were walking at the back; ~ *in de zaal* at the back of the hall

achteraangaan go after: *ik zou er maar eens* ~ you'd better look into that, I'd do sth about it if I were you

achteraankomen come last: *wij komen wel achteraan* we'll follow on after

achteraanlopen walk on behind

achteraanzicht rear view

achteraf 1 at the back, in *(of:* at) the rear; *(afgelegen)* out of the way: ~ *wonen* live out in the sticks, live in the middle of nowhere 2 *(later)* afterwards, later (on), now, as it is: ~ *bekeken zou ik zeggen dat ...* looking back I would say that ...; ~ *is het makkelijk praten* it is easy to be wise after the event; ~ *ben ik blij dat ...* now I'm glad that ...

achterbak boot

achterbaks underhand, sneaky

achterban supporters, backing; *(mbt politieke partij)* grassroots (support)

achterblijven 1 stay behind, remain (behind) 2 *(achtergelaten worden)* be *(of:* get) left (behind) 3 *(blijven leven)* be left: *zij bleef achter met drie kinderen* she was left with three children

achterbuurt slum

achterdeur back door; rear door *(auto)*

achterdocht suspicion (of, about): *hij begon* ~ *te krijgen* he began to get suspicious

achterdochtig suspicious

achtereenvolgend successive, consecutive

achtereenvolgens successively

achtereind rear end; *(dier)* hindquarters

achteren (the) back: *verder naar* ~ further back(wards); *van* ~ from behind

achtergebleven backward, underdeveloped: ~ *gebieden* backward *(of:* underdeveloped) areas

achtergrond background: *de ~en van een conflict* the background to *(of:* of) a dispute || *zich op de* ~ *houden* keep in the background

achterhaald out of date, irrelevant

achterhalen 1 overtake; *(bereiken)* catch up with: *de politie heeft de dief kunnen* ~ the police were able to run down the thief 2 *(terugvinden)* retrieve: *die gegevens zijn niet meer te* ~ those data can no longer be accessed *(of:* retrieved) || *die gegevens zijn allang achterhaald* that information is totally out of date

achterhoede *(sport)* defence

achterhoedespeler defender, back

achterhoofd back of the head: *iets in zijn* ~ *hebben* have sth at the back of one's mind

achterhouden 1 *(verduisteren)* keep back, withhold 2 *(nog niet geven, mededelen)* hold back

achterin in the back *(of:* rear); *(achteraan in)* at the back *(of:* rear)

achterkant back, rear (side), reverse (side): *op de* ~ *van het papier* on the back of the paper

achterkleindochter great-granddaughter

achterkleinkind great-grandchild

achterkleinzoon great-grandson

achterklep lid of the boot *(auto met koffer);* hatchback, liftback

achterlaten leave (behind): *een bericht* (of: *boodschap)* ~ leave (behind) a note *(of:* message)

achterliggen lie behind; *(fig)* lag (behind): *drie ronden* ~ be three laps behind, be trailing by three laps

achterlijf 1 rump; *(van insecten e.d.)* abdomen 2 *(van kleren)* back

[1]**achterlijk** *bn* backward, (mentally) retarded: *hij is niet* ~ he's no fool

[2]**achterlijk** *bw* like a moron, like an idiot: *doe niet zo* ~ don't be such a moron

achterlopen 1 be slow, lose time; *(van werkzaamheden e.d.)* be behind, lag behind 2 *(mbt personen)* be behind the times

achterna 1 *(iem, iets volgend)* after, behind 2 *(naderhand)* afterwards, after the event

achternaam surname, last name, family name

achternagaan go after, follow (behind)

achternazitten chase: *de politie zit ons achterna* the police are after us *(of:* on our heels, on our tail)

achterneef second cousin; great-nephew *(kind van oom-, tantezegger)*

achternicht second cousin; great-niece *(kind van oom-, tantezegger)*

achterom round the back: *een blik* ~ a backward glance

achterop 1 at *(of:* on) the back: *spring maar ~!* jump on behind me! 2 *(mbt werk, mode)* behind

achteropraken *(werk, betaling)* get *(of:* fall) behind; *(school, lopen)* drop behind

achterover back(wards): *hij viel* ~ *op de stenen* he fell back(wards) onto the stones

achteroverdrukken pinch

achteroverhellen tilt, slope backwards

achterplaats courtyard, backyard

achterpoot hind leg

achterruit rear window, back window

achterruitverwarming (rear window) demister

achterspeler back

achterst back, rear, hind(most): *de ~e rijen* the back rows

achterstallig back, overdue, in arrears: *~e huur* rent arrears, back rent; ~ *onderhoud* overdue maintenance

achterstand arrears: *(sport) een grote* ~ *hebben* be well down *(of:* behind); *de* ~ *inlopen* make up arrears; *een* ~ *oplopen (ook sport)* fall behind; *(sport) de ploeg probeerde de* ~ *weg te werken* the team tried to draw level

achterstandswijk disadvantaged urban area

[1]**achterste** *zn* 1 back (part) 2 *(zitvlak)* backside,

rear (end): *op zijn ~ vallen* fall on one's bottom
[2]**achterste** *zn (mbt plaats)* back one, hindmost one, rear(most) one
achterstellen slight, neglect: *hij voelde zich achtergesteld* he felt discriminated against
achtersteven stern
achterstevoren back to front
[1]**achteruit** *zn* reverse (gear): *een auto in zijn ~ zetten* put a car into reverse (gear)
[2]**achteruit** *bw* back(wards)
achteruitgaan 1 go back(wards); go astern *(schip);* reverse *(auto);* back *(auto): ga eens wat achteruit!* stand back a little! **2** *(fig) (verminderen)* decline, get worse, grow worse; *(gezondheid ook)* fail: *zijn prestaties gaan achteruit* his performance is on the decline; *haar gezondheid gaat snel achteruit* her health is failing rapidly; *ik ben er per maand honderd euro op achteruitgegaan* I am a hundred euros worse off per month
[1]**achteruitgang** *zn* back exit, rear exit, back door
[2]**achteruitgang** *zn* decline: *de huidige economische ~* the present economic decline
achteruitkijkspiegel rear-view mirror
achteruitrijden reverse (into), back (into)
achteruitwijken back away, step back, fall back
achtervolgen 1 follow: *die gedachte achtervolgt mij* that thought haunts (*of:* obsesses) me **2** *(met vijandige bedoelingen)* pursue; *(politie e.d.)* persecute
achtervolging pursuit *(ook wielersport);* chase; *(vervolging)* persecution: *de ~ inzetten* pursue, set off in pursuit (of)
[1]**achterwaarts** *bn* backward, rearward: *een ~e beweging* a backward movement
[2]**achterwaarts** *bw* back(wards): *een stap ~* a step back(wards)
achterwand back wall, rear wall
achterwege: *een antwoord bleef ~* an answer was not forthcoming; *~ laten* omit, *(niet doen ook)* leave undone
achterwerk backside, rear (end)
achterwiel back wheel, rear wheel
achterzijde back, rear
achthoek octagon
achting regard, esteem: *~ voor iem hebben* have respect for s.o.; *in (iemands) ~ dalen* come down in s.o.'s estimation; *in (iemands) ~ stijgen* go up in s.o.'s estimation
achtste eighth: *een ~ liter* one eighth of a litre
achttien eighteen
achttiende eighteenth
achttiende-eeuws eighteenth-century
acne acne
acquisitie acquisition
acrobaat acrobat
acrobatisch acrobatic
acryl acrylic (fibre)
acteren act, perform
acteur actor, performer
actie 1 action, activity: *er zit geen ~ in dat toneelstuk* there's no action in that play; *in ~ komen* go into action **2** *(beweging, campagne)* (protest) campaign: *~ voeren (eenmalig)* hold a demonstration; *~ voeren tegen* campaign against
actief active *(ook fin);* busy; *(vol energie)* energetic: *in actieve dienst: a)* on active duty; *b) (mil)* on active service; *een actieve handelsbalans* a favourable balance of trade; *iets ~ en passief steunen* support sth (both) directly and indirectly || *actieve handel* export (trade)
actiepunt point of action
actievoerder campaigner, activist
activa assets: *~ en passiva* assets and liabilities; *vaste ~* fixed assets; *vlottende ~* current assets
activeren activate
activiteit activity: *~en ontplooien* undertake activities
actrice actress
actualiseren update
actualiteit topical matter *(of:* subject); *(gebeurtenis)* current event; *(mv ook)* news; *(mv ook)* current affairs
actueel current, topical: *een ~ onderwerp* a topical subject, *(mv ook)* current affairs
acupunctuur acupuncture
[1]**acuut** *bn* acute, critical: *~ gevaar* acute danger
[2]**acuut** *bw (onmiddellijk)* immediately, right away, at once
A.D. *afk van anno Domini* AD
adamsappel Adam's apple
adder viper, adder: *(fig) er schuilt een ~(tje) onder het gras* there's a snake in the grass, there's a catch in it somewhere
adel nobility, peerage: *hij is van ~* he is a peer, he belongs to the nobility
adelaar eagle
adellijk noble: *van ~e afkomst* of noble birth; *~ bloed* noble blood
adem breath: *de laatste ~ uitblazen* breathe one's last; *slechte ~* bad breath, halitosis; *zijn ~ inhouden (ook fig)* hold one's breath; *naar ~ happen* gasp for breath; *buiten ~ zijn* be out of breath; *in één ~* in the same breath; *weer op ~ komen* catch one's breath
adembenemend breathtaking: *een ~ schouwspel* a breathtaking scene
ademen breathe, inhale: *vrij ~ (ook fig)* breathe freely; *de lucht die we hier ~ is verpest* the air we are breathing here is poisoned
ademhalen breathe: *weer adem kunnen halen* be able to breathe again; *haal eens diep adem* take a deep breath
ademhaling breathing, respiration: *kunstmatige ~* artificial respiration; *een onrustige ~* irregular breathing
ademloos breathless: *een ademloze stilte* a breathless hush
ademtest breath test: *iem de ~ afnemen* breathalyse s.o.

adequaat appropriate, effective; *(net voldoende)* adequate: ~ *reageren* react appropriately (*of:* effectively)
ader vein, blood vessel; *(slagader)* artery: *een gesprongen* ~ a burst blood vessel
aderverkalking arteriosclerosis, hardening of the arteries
ADHD *afk van attention deficit hyperactivity disorder* ADHD
adhesie adherence
adjudant 1 *(stafofficier)* adjutant, aide(-de-camp) **2** *(adjudant-onderofficier) (ongev)* warrant officer
adjunct-directeur deputy director (*of:* manager); *(ond)* deputy headmaster
administrateur administrator: *de ~ van een universiteit* the administrative director of a university
administratie 1 *(beheer)* administration; *(bestuur)* management; *(boekhouding)* accounts: *de ~ voeren* do the administrative work, *(boekhouding)* keep the accounts **2** *(gebouw, vertrek) (afdeling)* administrative department; *(gebouw)* administrative building (*of:* offices): *hij zit op de ~* he's in the administrative (*of:* clerical) department
administratief administrative; *(mbt alg. kantoor-, schrijfwerk)* clerical: ~ *personeel* administrative (*of:* clerical) staff; *(Belg)* ~ *centrum* administrative centre
administratiekosten administrative costs, service charge(s)
admiraal admiral
adopteren adopt
adoptie adoption
adoptiekind adopted child
adoptieouder adoptive parent
adrenaline adrenaline
adres address, (place of) residence: *(fig) je bent aan het juiste ~* you've come to the right place; *hij verhuisde zonder een ~ achter te laten* he moved without leaving a forwarding address; *per ~* care of, *(als afk)* c/o
adresseren address: *een brief vergeten te ~* forget to address a letter
adreswijziging change of address
Adriatisch Adriatic: *~e Zee* Adriatic Sea
ADSL *afk van asymmetric digital subscriber line* ADSL
adv *afk van arbeidsduurverkorting* shorter working hours
advent Advent
adverteerder advertiser
advertentie advertisement, ad(vert): *een ~ plaatsen* put an advertisement in the paper(s)
adverteren advertise; *(aankondigen)* announce: *er wordt veel geadverteerd voor nieuwe computerspelletjes* new computer games are being heavily advertised
advies advice: ~ *geven* give advice; *iemands ~ opvolgen* follow s.o.'s advice; *iem om ~ vragen* ask s.o.'s advice; *een ~* a piece of advice, a recommendation
adviseren 1 recommend, advise (s.o.): *hij adviseerde mij de auto te laten repareren* he advised me to have the car mended **2** advise, counsel: *ik kan je in deze lastige kwestie niet ~* I can't offer you advice in this complicated matter
adviseur adviser, advisor, counsellor; *(handel, med ook)* consultant: *rechtskundig ~* legal advisor, lawyer, solicitor
advocaat *(alg)* lawyer; *(voor hogere rechtbank)* barrister; *(voor lagere rechtbank)* solicitor: *een ~ nemen* engage a lawyer
aerobics aerobics
[1]**af** *bn* **1** *(afgewerkt)* finished, done, completed; *(verzorgd)* polished; *(verzorgd)* well-finished: *het werk is af* the work is done (*of:* finished) **2** *(spel)* out: *je bent af* you're out || *teruggaan naar af* go back to square one
[2]**af** *bw* **1** off, away: *mensen liepen af en aan* people came and went; *af en toe* (every) now and then; *klaar? af!* ready, steady, go!, get set! go! **2** (met *van*) from: *van die dag af* from that day (on, onwards); *van kind af (aan) woon ik in deze straat* since I was a child I have been living in this street; *van de grond af* from ground level **3** away, off: *(fig) dat kan er bij ons niet af* we can't afford that; *de verf is er af* the paint has come off; *ver af* a long way off; *hij woont een eindje van de weg af* he lives a little way away from the road; *van iem af zijn* be rid of s.o.; *u bent nog niet van me af* you haven't seen (*of:* heard) the last of me, I haven't finished with you yet **4** *(mbt rivier, trap)* down: *de trap af* down the stairs **5** to; *(met op)* towards; up to: *ze komen op ons af* they are coming towards us || *goed* (of: *beter, slecht) af zijn* have come off well (*of:* better, badly); *ik weet er niets van af* I don't know anything about it; *van voren af aan beginnen* start from scratch, start all over again
afbakenen mark out; stake out *(perceel);* define *(grens);* demarcate *(gebied, taak);* mark off *(met scheidslijn)*
afbeelden depict, portray, picture
afbeelding picture, image; *(in boek)* illustration; *(in boek)* figure
afbellen 1 cancel (by telephone) **2** *(per telefoon langsgaan)* ring round: *hij belde de halve stad af om een taxi* he rang round half the city for a taxi
afbetalen pay off *(persoon, schuld);* pay for *(goederen): het huis is helemaal afbetaald* the house is completely paid for
afbetaling hire purchase, payment by instalment (*of:* in instalments): *op ~* on hire purchase
afbijten 1 *(met de tanden afsnijden)* bite off **2** *(van verf)* strip, remove || *van zich ~* stick up for oneself
afbladderen flake (off), peel (off): *de verf bladdert af* the paint is flaking (*of:* peeling) off

afblazen blow off *(of:* away): *stof van de tafel ~* blow the dust off the table || *de scheidsrechter had (de wedstrijd) al afgeblazen* the referee had already blown the final whistle
afblijven keep off, leave alone, let alone, keep *(of:* stay) away (from): *blijf van de koekjes af* leave the biscuits alone
afboeken 1 *(overboeken)* transfer 2 *(als verlies boeken)* write off
afborstelen brush (down): *zijn kleren ~* give one's clothes a brush
afbouwen 1 *(geleidelijk beëindigen)* cut back (on), down (on), phase out: *we zijn de therapie aan het ~* we're phasing out the therapy 2 *(van bouwwerk)* complete, finish
afbraak demolition
afbranden burn down
afbreekbaar decomposable, degradable; *(biologisch)* biodegradable: *biologisch afbreekbare wasmiddelen* biodegradable detergents
[1]**afbreken** *intr* break off *(of:* away); *(knappend)* snap (off): *de punt brak (van de stok) af* the end broke off (the stick); *een draad ~* break a thread
[2]**afbreken** *tr* 1 *(plotseling doen ophouden)* break off, interrupt; cut short *(ook reis): onderhandelingen ~* break off negotiations; *de wedstrijd werd afgebroken* the game was stopped 2 *(slopen)* pull down, demolish; break down, tear down *(schutting e.d.); (aan stukken slaan)* break up; *(ontmantelen)* dismantle: *de boel ~* smash the place up 3 decompose, degrade || *afvalstoffen worden in het lichaam afgebroken* waste-products are broken down in the body
afbrengen put off: *ze zijn er niet van af te brengen* they can't be put off *(of:* deterred) || *het er goed ~* do well; *het er levend ~* escape with one's life; *het er heelhuids ~* come out of it unscathed
afbrokkelen crumble (off, away), fragment: *het plafond brokkelt af* the ceiling is crumbling
afbuigen turn off, bear off, branch off: *hier buigt de weg naar rechts af* here the road bears (to the) right
afdak lean-to
afdalen go down, come down, descend: *een berg ~* go *(of:* come) down a mountain
afdaling 1 descent 2 *(skiën)* downhill
afdanken 1 *(buiten gebruik stellen)* discard; cast off *(kleren); (van schip, machine)* (send for) scrap 2 *(ontslaan)* dismiss; disband *(troepen): personeel ~* pay off staff
afdankertje cast-off, hand-me-down
afdekken cover (over, up)
afdeling department, division; section *(van maatschappij);* ward *(van patiënten in ziekenhuis): de ~ Utrecht van onze vereniging* the Utrecht branch of our society; *Kees werkt op de ~ financiën* Kees works in the finance department
afdingen bargain *(of:* haggle) (with s.o.)
afdoen 1 take off, remove: *zijn hoed ~* take off one's hat 2 *(wegnemen)* take off: *iets van de prijs ~* knock a bit off the price, come down a bit (in price)
afdoend *(voldoende)* sufficient, adequate; *(doeltreffend)* effective: *een ~ middel* an effective method
afdraaien twist off: *de dop van een vulpen ~* unscrew the cap of a fountain pen || *hier moet u rechts ~* you turn right *(of:* turn off to the right) here
afdragen 1 *(overdragen)* make over, transfer, hand over, turn over 2 *(afslijten)* wear out: *afgedragen schoenen* worn-out shoes
afdrijven drift off; *(scheepv)* go adrift || *de bui drijft af* the shower is blowing over
afdrogen dry (up); wipe dry *(met doek): zijn handen ~* dry one's hands (on a towel); *zich ~* dry oneself (off)
afdroogdoek tea towel
afdruk *(van voet, vinger)* print; imprint; *(afgietsel)* mould; cast: *de wielen lieten een ~ achter* the wheels left an impression
afdrukken print (off); *(kopiëren)* copy; *(kopiëren)* run off
afdwalen stray (off) (from), go astray; *(fig ook)* wander (off): *zijn gedachten dwaalden af naar haar* his thoughts wandered off to her; *van zijn onderwerp ~* stray from one's subject
afdwingen exact (from) *(informatie);* extort (from) *(geld, belofte)*
affaire affair
affiche poster; *(theater)* (play)bill
afgaan 1 go down, descend: *de trap ~* go down the stairs 2 (met *op*) *(fig)* rely on, depend on: *~de op wat hij zegt* judging by what he says; *op zijn gevoel ~* play it by ear 3 *(afgenomen worden ve geheel)* come off; *(van geld ook)* be deducted: *daar gaat 10 % van af* 10 % is taken off that 4 *(van vuurwapen)* go off: *een geweer doen ~* fire a rifle 5 *(een gek figuur slaan)* lose face, flop, fail
afgang (embarrassing) failure, flop
afgeladen (jam-)packed, crammed
afgelasten cancel; call off *(staking); (sport)* postpone
afgelegen remote, far(-away), far-off: *een ~ dorp* a remote *(of:* an out-of-the-way) village
afgeleid diverted, distracted: *hij is gauw ~* he is easily distracted
afgelopen last, past: *de ~ maanden hadden wij geen woning* for the last few months we haven't had anywhere to live; *de ~ tijd* recently; *de ~ weken* the past weeks, the last few weeks || *~!* stop it!, that's enough!
afgemeten measured (off, out): *met ~ passen* with measured steps
afgepeigerd knackered, exhausted
afgericht (well-)trained
afgerond 1 (well-)rounded: *het vormt een ~ geheel* it forms a complete whole 2 *(mbt bedragen, getallen)* round

afgesproken agreed, settled || *dat is dan ~* it's a deal!
afgestompt dull(ed), deadened
afgestudeerde graduate
afgetakeld decrepit: *er ~ uitzien* look decrepit
afgevaardigde delegate, representative; *(volksvertegenwoordiger ook)* member (of parliament): *de geachte ~* the honourable member
[1]**afgeven** *intr* 1 *(mbt kleurstof)* run 2 (met *op*) run down: *op iem (iets) ~* run s.o. (sth) down
[2]**afgeven** *tr* 1 *(overhandigen)* hand in *(brief)*; deliver; leave *(boodschap, krant)*; *(onvrijwillig)* hand over; give up: *hij weigerde zijn geld af te geven* he refused to part with his money; *een pakje bij iem ~* leave a parcel with s.o. 2 *(licht, warmte)* give off: *de kachel geeft veel warmte af* the stove gives off a lot of heat
afgewerkt used (up), spent: *~e olie* used oil
afgewogen balanced
afgezaagd *(fig)* stale *(grap)*; hackneyed *(uitdrukking, onderwerp)*
afgezant envoy, ambassador
afgezien: *~ van* besides, apart from; *~ van de kosten* (of: *moeite*) apart from the cost (*of:* trouble)
afgezonderd isolated, cut off; segregated *(patiënten, gevangenen)*; remote *(plaats)*
Afghaan Afghan
Afghaans Afghan
Afghanistan Afghanistan
afgieten pour off; *(door vergiet ook)* strain; drain: *aardappels ~* drain potatoes; *groente ~* strain vegetables
afgietsel cast, mould
afgifte delivery *(brief)*; issue *(kaartjes enz.)*
afgod idol
afgooien throw down; *(met kracht)* fling down: *pas op dat je het er niet afgooit* take care that you don't knock it off
afgraven dig up, dig off; *(vlak maken)* level
afgrendelen *(fig)* seal off, close off; *(lett)* bolt up
afgrijselijk 1 horrible, horrid, atrocious: *een ~e moord* a gruesome murder 2 *(zeer lelijk)* hideous, ghastly
afgrijzen horror, dread: *met ~ vervullen* horrify
afgrond abyss, chasm
afgunst envy, jealousy
afhaken pull out, drop out
afhakken chop off, cut off
afhalen 1 collect, call for 2 *((iem) ergens gaan halen)* collect, meet: *ik kom je over een uur ~* I'll pick you up in an hour; *iem van de trein ~* meet s.o. at the station
afhandelen settle, conclude, deal with, dispose of: *de spreker handelde eerst de bezwaren af* the speaker first dealt with the objections
afhandeling settlement, transaction
afhandig: *iem iets ~ maken* trick s.o. out of sth
afhangen depend (on): *hij danste alsof zijn leven ervan afhing* he danced for dear life (*of:* as though his life depended on it); *het hangt van het weer af* it depends on the weather
afhankelijk dependent (on), depending (on): *ik ben van niemand ~* I am quite independent; *de beslissing is ~ van het weer* the decision is dependent on (*of:* depends on) the weather
afhankelijkheid dependence
afhouden 1 *(verwijderd houden)* keep off, keep out: *zij kon haar ogen niet van de taart ~* she couldn't keep her eyes off the cake; *(fig) iem van zijn werk ~* keep s.o. from his work 2 *(aftrekken, inhouden)* keep back: *een deel van het loon ~* withhold a part of the wages
afhuren hire, rent
afijn so, well
afkammen *(bekritiseren)* run down, tear (to pieces); *(boek ook)* slash (to shreds); slate
afkeer aversion (to), dislike (of): *een ~ hebben* (of: *tonen*) have (*of:* display) an aversion (to)
afkeren turn away (*of:* aside), avert: *het hoofd ~* turn one's head away; *zich ~ van iem (iets)* turn away from s.o. (sth)
[1]**afketsen** *intr* 1 bounce off, glance off 2 *(fig)* fall through, fail: *het plan is afgeketst op geldgebrek* the plan fell through because of a lack of money
[2]**afketsen** *tr (fig)* reject; defeat *(voorstel)*; frustrate *(plannen)*
afkeuren 1 reject, turn down, declare unfit: *hij is voor 70% afgekeurd* he has a 70% disability 2 *(veroordelen)* disapprove of, condemn || *een doelpunt ~* disallow a goal
afkeuring disapproval, condemnation: *zijn ~ uitspreken over* express one's disapproval of
afkickcentrum drug rehabilitation centre
afkicken kick the habit; dry out *(drank)*: *hij is afgekickt* he has kicked the habit
afkijken 1 copy, crib 2 see out, see to the end: *we hebben die film niet afgekeken* we didn't see the film out || *bij* (of: *van*) *zijn buurman ~* copy (*of:* crib) from one's neighbour
afkloppen knock on wood, touch wood: *even ~!* touch wood!
afknappen break down, have a breakdown: *~ op iem (iets)* get fed up with s.o. (sth)
afknippen cut (off); *(haar ook)* trim
afkoelen cool (off, down); chill *(bijv. wijn)*; refrigerate *(in koelkast)*: *iets laten ~* leave sth to cool
afkomen 1 (met *op*) come up to (*of:* towards): *(dreigend) op iem ~* approach s.o. (menacingly); *zij zag de auto recht op zich ~* she saw the car heading straight for her (*of:* coming straight at her) 2 *(ontslagen, bevrijd raken)* get rid of; be done (*of:* finished) with *(iets vervelends)*; *(ontsnappen)* get off (*of:* away); get out of *(uitnodiging, verplichting)*: *er gemakkelijk ~* get off easily (*of:* lightly)
afkomst descent, origin; *(geboorte)* birth; *(woord)* derivation: *Jean is van Franse ~* Jean is

French by birth *(van Franse ouders)*

afkomstig 1 from, coming (from), originating (from): ~ *uit Spanje* of Spanish origin 2 *(afgeleid)* originating (from), derived (from): *dat woord is ~ uit het Turks* that word is derived (*of:* borrowed) from Turkish

afkondigen proclaim, give notice of

afkondiging proclamation *(vrede, noodtoestand);* declaration *(onafhankelijkheid)*

afkopen buy (from), purchase (from), buy off; redeem *(verplichting); (loskopen)* ransom: *een hypotheek* ~ redeem a mortgage; *een polis* ~ surrender a policy

afkoppelen uncouple *(wagon);* disconnect *(machine)*

afkorten shorten; *(woorden ook)* abbreviate

afkorting abbreviation, shortening

afkrabben scratch off, scrape off (*of:* from)

afkraken run down: *de criticus kraakte haar boek volledig af* the reviewer ran her book into the ground

afkrijgen 1 get off, get out: *hij kreeg de vlek er niet af* he couldn't get the stain out 2 *(kunnen voltooien)* get done (*of:* finished): *het werk op tijd* ~ get the work done (*of:* finished) in time

afleggen 1 take off; lay down *(wapens)* 2 make *(verklaring);* take *(examen, eed): een bezoek* ~ pay a visit; *een examen* ~ take an exam(ination), sit (for) an examination 3 *(van afstand)* cover: *500 mijl per dag* ~ cover 500 miles a day

afleiden 1 lead (*of:* guide) away (from); divert (from) *(weg enz.);* conduct *(bliksem): de stroom* ~ divert the stream 2 *(ontspanning brengen; storen)* divert, distract: *ik leidde hem af van zijn werk* I kept him from doing his work 3 *(de oorsprong verklaren)* trace back (to); *(mbt woorden)* derive (from): *'spraak' is afgeleid van 'spreken'* 'spraak' is derived from 'spreken'

afleiding distraction, diversion: *ik heb echt ~ nodig* I really need sth to take my mind off it (*of:* things); *voor ~ zorgen* take s.o.'s mind off things

afleren 1 unlearn, get out of (a habit): *ik heb het stotteren afgeleerd* I have overcome my stammer 2 *(een ander)* cure of, break of: *ik zal je dat liegen wel* ~ I'll teach you to tell lies || *nog eentje om het af te leren* one for the road

afleveren deliver: *de bestelling is op tijd afgeleverd* the order was delivered on time

aflevering 1 delivery: *bij ~ betalen* cash on delivery 2 *(radio, tv)* episode

aflezen 1 read out (the whole of): *een lijst* ~ read out a list 2 *(mbt meetwerktuigen)* read (off)

aflikken lick: *zijn vingers* (of: *een lepel*) ~ lick one's fingers (*of:* a spoon)

afloop 1 end, close: *na ~ van de voorstelling* after the performance 2 result, outcome: *ongeluk met dodelijke* ~ fatal accident

aflopen 1 (come to an) end, finish; expire *(termijn, contract): de cursus is afgelopen* the course is finished; *dit jaar loopt het huurcontract af* the lease expires this year; *het verhaal liep goed af* the story had a happy ending; *het loopt af met hem* he is sinking fast (*of:* is near the end) 2 run (*of:* go, walk) down

aflopend: *het is een ~e zaak* we're fighting a losing battle

aflossen 1 *(vervangen)* relieve *(wacht): laten we elkaar* ~ let's take turns 2 *(terugbetalen)* pay off: *een bedrag op een lening* ~ pay off an part of a loan

aflossing 1 changing, change: *de ~ van de wacht* the changing of the guard 2 *(het terugbetalen)* (re)payment 3 *(termijn; bedrag)* (re)payment (period), instalment: *een maandelijkse* (of: *jaarlijkse*) ~ a monthly (*of:* an annual) payment

afluisteren eavesdrop (on), listen in to (*of:* in on), monitor; (wire-)tap *(telefoongesprek): iem* ~ eavesdrop on s.o., *(door politie)* monitor s.o.; *een telefoongesprek* ~ listen in to a phone call

[1]**afmaken** *tr* 1 finish, complete: *een werkje* ~ finish (*of:* complete) a bit of work 2 *(doden)* kill: *ze hebben de hond moeten laten* ~ they had to have the dog put down

[2]**afmaken, zich**: *hij maakte er zich met een grap van af* he brushed it aside with a joke; *zich er wat al te gemakkelijk van* ~ shrug sth off too lightly

afmatten exhaust, wear out, tire out

afmelden cancel: *zich* ~ check (*of:* sign) (oneself) out

afmeten measure, judge: *de kwaliteit van een opleiding ~ aan het aantal geslaagden* judge the quality of a course from (*of:* by) the number of passes

afmeting dimension, proportion, size: *de ~en van de kamer* the dimensions (*of:* size) of the room

afname 1 *(het kopen)* purchase: *bij ~ van 25 exemplaren* for quantities of 25, if 25 copies are ordered (*of:* bought) 2 *(het verkocht worden)* sale 3 *(het minder worden)* decline, decrease: *de ~ van de werkloosheid* the reduction in unemployment

afneembaar detachable, removable

[1]**afnemen** *intr (verminderen)* decrease, decline: *onze belangstelling nam af* our interest faded; *in gewicht* ~ lose weight

[2]**afnemen** *tr* 1 *(ve plaats verwijderen)* take off (*of:* away), remove (from): *zijn hoed* ~ take off one's hat, *(als groet)* raise one's hat; *het kleed van de tafel* ~ take (*of:* remove) the cloth from the table 2 *(wegnemen)* remove: *iem bloed* ~ take blood (*of:* a blood sample) 3 clean: *de tafel met een natte doek* ~ wipe the table with a damp cloth 4 deprive: *iem zijn rijbewijs* ~ take away s.o.'s driving licence 5 hold, administer: *iem de biecht* ~ hear s.o.'s confession; *iem een eed* ~ administer an oath to s.o., swear s.o. in *(bijv. getuige, nieuw lid); iem een examen* ~ examine s.o. 6 buy, purchase

afnemer buyer, customer: *Duitsland is onze grootste ~ van snijbloemen* Germany is our larg-

est customer for cut flowers
afpakken take (away), snatch (away): *iem een mes* ~ take away a knife from s.o.
afpersen extort *(of:* wring), force: *iem geld* ~ extort money from s.o.
afperser blackmailer
afpersing extortion; *(chantage)* blackmail
afpingelen haggle: *proberen af te pingelen* try to beat down the price
afplakken tape up, cover with tape
afplukken pick, pluck: *de veren van een kip* ~ pluck a chicken
afpoeieren brush off, put off
afprijzen reduce, mark down: *alles is afgeprijsd* everything is reduced (in price)
afraden advise against: *(iem) iets* ~ dissuade (*of:* discourage) s.o. from (doing) sth
afraffelen rush (through): *zijn huiswerk* ~ rush (through) one's homework
aframmeling beating, hiding
afranselen beat (up); flog *(als straf);* cane
afrastering fencing, fence; railings *(mv; van ijzer)*
afreageren work off *(of:* vent) one's emotions, let off steam: *iets op iem* ~ take sth out on s.o.
afrekenen settle (up), settle *(of:* pay) one's bill, settle one's account(s): *ober, mag ik ~!* waiter, the bill please!
afrekening 1 payment **2** *(geschreven stuk)* receipt; statement *(van bank, giro)*
afremmen 1 slow down, brake, put the brake(s) on: *hij kon niet meer* ~ it was too late for him to brake; *voor een bocht* ~ slow down to take a curve **2** *(fig)* curb, check: *iem in zijn enthousiasme* ~ curb s.o.'s enthusiasm
africhten train: *valken ~ voor de jacht* train falcons for hunting
[1]**afrijden** *intr* drive down; ride down *(te paard): een heuvel* ~ ride (*of:* drive) down a hill
[2]**afrijden** *tr* drive to the end of; ride to the end of *(te paard, met de fiets): de hele stad* ~ ride (*of:* drive) all over town
Afrika Africa
Afrikaan African
Afrikaans 1 *(uit, van Afrika)* African **2** *(Zuid-Afrikaans)* South African
afrikaantje *(plantk)* African marigold
Afrikaner Afrikaner, Boer
afrit exit *(ve autoweg): op- en ~ten* slip roads; *bij de volgende* ~ at the next exit
afritsbroek zip-off trousers
afroep: *op ~ beschikbaar* available on demand, *(mbt persoon, dienst)* on call
afroepen call out; call off *(namen, nummers)*
afrollen 1 unwind; unroll *(een rol)* **2** roll down
afromen 1 skim **2** *(fig)* cream off
afronden 1 *(een eind maken aan)* wind up, round off: *wilt u (uw betoog) ~?* would you like to wind up (what you have to say)?; *een afgerond geheel vormen* form a complete whole **2** *(mbt getallen, bedragen)* round off: *naar boven* (of: *beneden*) ~ round up (*of:* down); *een bedrag op hele euro* ~ round off an amount to the nearest euro
afronding winding up, rounding off, completion, conclusion: *als ~ van je studie moet je een werkstuk maken* to complete your study, you have to do a project
afruimen clear (away), clear the table
afschaffen abolish, do away with: *de doodstraf* ~ abolish capital punishment
afschaffing abolition: *de ~ van de slavernij* the abolition of slavery
afscheid parting, leaving, farewell, departure: *van iem ~ nemen* take leave of s.o.; *officieel ~ nemen (van)* take formal leave (of); *bij zijn ~ kreeg hij een gouden horloge* when he left he received a gold watch
afscheiden 1 *(opsplitsen)* divide (off), partition off: *een ruimte met een gordijn* ~ curtain off an area **2** discharge *(pus);* secrete *(vloeistof): sommige bomen scheiden hars af* some trees secrete (*of:* produce) resin
afscheiding 1 separation; *(van partij ook)* secession; schism *(in kerk); (afbakening)* demarcation **2** *(scheiding)* partition; *(scheidslijn)* dividing line: *een ~ aanbrengen* put up a partition **3** *(afgescheiden stof)* discharge, secretion
afschepen (met *met)* palm (sth) off on (s.o.), fob (s.o.) off with (sth): *zij laat zich niet zo gemakkelijk* ~ she is not so easily put off; *zich niet laten ~ (met een smoesje)* not be fobbed off (with an excuse)
afscheren shave (off) *(haren);* shear (off) *(wol)*
afschermen screen; *(beschermen ook)* protect (from)
afscheuren tear off
afschieten 1 fire (off); *(vuurwapen ook)* discharge: *een geweer* ~ fire a gun **2** *(doodschieten)* shoot: *wild* ~ shoot game
afschilderen 1 paint **2** portray, depict: *iem ~ als* portray s.o. as, make s.o. out to be
afschrapen scrape off
afschrift copy: *een ~ van een (lopende) rekening* a current account statement
afschrijven 1 debit: *geld van een rekening* ~ withdraw money from an account **2** *(uit het hoofd zetten)* write off: *die auto kun je wel* ~ you might as well write that car off; *we hadden haar al afgeschreven* we had already written her off **3** *(de boekwaarde verlagen)* write down; *(voor waardevermindering)* write off (as depreciation)
afschrijving 1 *(van bankrekening e.d.)* debit **2** *(op vaste activa)* depreciation; write-off; *(op immateriële activa)* amortization: *voor ~ op de machines* for depreciation of the machines
afschrikken deter, put off; *(wegjagen)* frighten off, scare off: *zo'n benadering schrikt de mensen af* an approach like that scares (*of:* puts) people

off; *hij liet zich door niets* ~ he was not to be put off (*of:* deterred)

afschrikkingsmiddel deterrent

afschudden shake off; cast off *(belemmeringen): een tegenstander van zich* ~ shake off an opponent

afschuiven *(op een ander laten neerkomen)* pass (on to s.o.): *de verantwoordelijkheid op een ander* ~ pass the buck; *zijn verantwoordelijkheid van zich* ~ shirk one's responsibility

afschuren rub down; sand down *(met schuurpapier)*

afschuw horror, disgust: *een* ~ *hebben van iets* loathe (*of:* detest) sth; *van* ~ *vervuld* horrified, appalled

afschuwelijk 1 horrible 2 *(ontzettend slecht, lelijk)* shocking, awful, appalling: *ik heb een ~e dag gehad* I've had an awful day; *die rok staat je* ~ that dress looks awful on you

[1]**afslaan** *intr* 1 turn (off) *(persoon, voertuig);* branch off *(weg)* 2 *(mbt motor e.d.)* cut out, stall || *van zich* ~ hit out

[2]**afslaan** *tr (afwijzen)* turn down *(aanbod);* refuse; decline *(uitnodiging): nou, een kopje koffie sla ik niet af* I won't say no to a cup of coffee || *een thermometer* ~ shake down a thermometer

afslachten slaughter, massacre

afslag 1 *(afrit)* turn(ing); *(op autoweg)* exit: *de volgende* ~ *rechts nemen* take the next turning on the right 2 *(openbare verkoping)* Dutch auction: ~ *van vis* fish auction; *bij* ~ *veilen* sell by Dutch auction

afslanken slim (down), trim down: *het bedrijf moet aanzienlijk* ~ the company has to slim down considerably

[1]**afslijten** *intr* wear out, wear off

[2]**afslijten** *tr* wear (off, down)

afsluitdijk dam, causeway: *de* ~ *(van het IJsselmeer)* the IJsselmeer Dam

afsluiten 1 close (off, up): *een weg* ~ *voor verkeer* close a road to traffic 2 *(op slot doen)* lock (up); close *(bus, fles enz.): heb je de voordeur goed afgesloten?* have you locked the front door? 3 *(van gas, elektriciteit e.d.)* cut off, shut off, turn off, disconnect; *(programma)* exit: *de stroom* ~ cut off the electricity 4 *(van overeenkomst e.d.)* conclude *(bijv. contract);* enter into *(overeenkomst);* negotiate *(hypotheek): een levensverzekering* ~ take out a life insurance policy 5 *(een eind maken aan)* close, conclude: *een (dienst)jaar* ~ close a year || *zich* ~ cut oneself off

afsluiting 1 closing off, closing up 2 *(het op slot doen)* locking (up, away) 3 *(van gas, water e.d.)* shut-off, cut-off, disconnection 4 *(van overeenkomst e.d.)* conclusion 5 closing *(rekening);* close *(jaar);* balancing *(boek, jaar)* 6 seclusion, isolation

afsnijden 1 cut off: *bloemen* ~ cut flowers 2 *(afsluiten, versperren)* cut off || *de bocht* ~ cut the corner; *een stuk (weg)* ~ take a short cut

[1]**afspelen** *tr (afdraaien)* play: *een bandje op een bandrecorder* ~ play a tape on a tape recorder

[2]**afspelen, zich** happen, take place, occur: *waar heeft het ongeluk zich afgespeeld?* where did the accident take place (*of:* occur)?

afspiegelen depict, portray: *men spiegelt hem af als een misdadiger* he is represented as a criminal

afspiegeling reflection, mirror image

afspoelen rinse (down, off), wash (down, off): *het stof van zijn handen* ~ rinse the dust off one's hands

afspraak appointment *(met arts enz.);* engagement *(bijv. voor zaken, met vrienden); (overeenkomst)* agreement: *een* ~ *maken* (of: *hebben*) *bij de tandarts* make (*of:* have) an appointment with the dentist; *een* ~ *nakomen, zich aan een* ~ *houden: a) (met iem)* keep an appointment; *b) (overeenkomst)* stick to an agreement

afspraakje date

[1]**afspreken** *intr* make an appointment

[2]**afspreken** *tr* agree (on), arrange: *een plan* ~ agree on a plan; *dat is dus afgesproken* that's a deal, that's settled then; ~ *iets te zullen doen* agree to do sth; *zoals afgesproken* as agreed

afstaan give up; hand over *(afdragen): zijn plaats* ~ *(bijv. aan jongere collega)* step down

afstammeling descendant

afstammen descend (from)

afstamming descent: *van Italiaanse* ~ of Italian extraction

afstand 1 distance (to, from): *een* ~ *afleggen* cover a distance; ~ *houden (bewaren)* keep one's distance, *(fig ook)* keep aloof; ~ *nemen van een onderwerp* distance oneself from a subject; *op een* ~: *a)* at a distance; *b) (fig)* distant, aloof; *iem op een* ~ *houden (fig ook)* keep s.o. at arm's length; *erg op een* ~ *zijn tegen iem* be very standoffish to s.o. 2 renunciation: ~ *doen van* renounce, disclaim, give up; ~ *doen van zijn bezit* part with one's possessions

afstandelijk distant, aloof

afstandsbediening remote control (unit)

afstandsonderwijs distance learning

afstapje step: *denk om het* ~ mind the step

afstappen step down, come down, come off, dismount; *(mbt fiets)* get off (one's bike)

[1]**afsteken** *intr* stand out: *de kerktoren stak (donker) af tegen de hemel* the church tower stood out against the sky

[2]**afsteken** *tr* 1 *(doen ontbranden, afgaan)* let off: *vuurwerk* ~ let off fireworks 2 deliver: *een speech* ~ hold forth, make a speech

afstel cancellation

afstellen adjust (to), set; tune (up) *(motor)*

afstemmen 1 tune 2 tune (to); *(aanzetten)* tune in (to): *een radio op een zender* ~ tune a radio in to a station 3 tune (to): *alle werkzaamheden zijn op elkaar afgestemd* all activities are geared to one another

afstempelen stamp, cancel, postmark: *een paspoort* (of: *kaartje*) ~ stamp a passport (*of:* ticket)
afsterven die (off); *(plantk ook)* die back
afstevenen *(met op)* make for, head for *(of:* towards)
afstoffen dust (off)
[1]**afstompen** *intr* become blunt(ed) *(of:* numb)
[2]**afstompen** *tr* blunt, dull, numb
afstoten 1 dispose of; reject *(verwerpen);* hive off *(bedrijfstakken): arbeidsplaatsen* ~ cut jobs 2 repel: *zo'n onvriendelijke behandeling stoot af* such unfriendly treatment is off-putting
afstraffen punish *(ook sport)*
afstrijken 1 strike, light 2 wipe off, level (off): *een afgestreken eetlepel* a level tablespoonful
afstropen 1 strip (off): *een haas de huid* ~ skin a hare 2 *(plunderend aflopen)* pillage, ransack: *enkele benden stroopten het platteland af* a few bands pillaged the countryside
afstudeerrichting main subject
afstuderen graduate (from), complete *(of:* finish) one's studies (at)
afstuiten *(afketsen)* rebound; *(niet doorgaan)* be frustrated: *de bal stuit af tegen de paal* the ball rebounds off the post; *het voorstel stuitte af op haar koppigheid* the proposal fell through owing to her obstinacy
afstuiven (met *op*) rush, dash
afsturen (met *op)* send (towards): *de hond op iem* ~ set the dog on s.o.
aftakelen go *(of:* run) to seed, go downhill: *hij begint al flink af te takelen* he really is starting to go downhill, *(geestelijk)* he is really starting to lose his faculties
aftakeling deterioration, decline
aftands broken down, worn out: *een ~e piano* a worn-out (*of:* dilapidated) piano
aftappen 1 draw off, drain: *als het hard vriest, moet je de waterleiding* ~ when it freezes hard you have to drain the pipes; *een telefoonlijn* ~ tap a telephone line 2 tap: *de benzine* ~ siphon (off) the petrol
aftasten 1 feel, sense: *een oppervlak* ~ explore a surface with one's hands 2 *(fig)* feel out, sound out
[1]**aftekenen** *tr* 1 outline, mark off: *de plattegrond van een plein* ~ map out a (town) square 2 *(aantekenen op een kaart)* register, record: *ik heb mijn gewerkte uren laten* ~ I've had my working hours registered
[2]**aftekenen, zich** stand out, become visible: *zich ~ tegen* stand out against
aftellen count (out, off): *de dagen* ~ count the days
afterparty after party
aftershave aftershave
aftersun after sun
aftikken *(kindertaal)* tag (out)
aftiteling credit titles, credits
aftocht retreat: *de* ~ *slaan* (of: *blazen*) beat a retreat
aftrap kick-off: *de* ~ *doen* kick off
aftreden resign (one's post)
aftrek 1 deduction: ~ *van voorarrest* reduction in sentence for time already served; *na* ~ *van onkosten* less expenses 2 *(bedrag)* deduction; *(belasting ook)* allowance
aftrekbaar deductible; tax-deductible *(voor de belasting)*
aftrekken 1 subtract: *als je acht van veertien aftrekt houd je zes over* if you take eight from fourteen you have six left 2 deduct 3 *(seksueel bevredigen)* masturbate, jerk off
aftrekpost deduction, tax-deductible item *(of:* expense)
aftreksom subtraction (sum)
aftroeven score (points) off
aftroggelen wheedle out of: *iem iets weten af te troggelen* succeed in wheedling sth out of s.o.
aftuigen beat up, mug
afvaardigen send *(of:* appoint) as delegate: *hij was naar de leerlingenraad afgevaardigd* he had been appointed as delegate to the students' council
afvaardiging delegation
afval waste (matter); *(vuilnis)* refuse; *(vuilnis)* rubbish: *radioactief* ~ radioactive waste
afvalbak litter bin *(of:* basket); *(vuilnisbak)* dustbin; rubbish bin
afvalbedrijf waste-processing firm
afvallen 1 fall off *(of:* down): *de bladeren vallen af* the leaves are falling 2 *(niet meer meetellen)* drop out: *dat alternatief viel af* that option was dropped (*of:* was no longer available) 3 *(afslanken)* lose weight: *ik ben drie kilo afgevallen* I've lost three kilos
afvalproduct by-product, waste product
afvalrace elimination race
afvalstof waste product; *(mv ook)* waste (matter): *schadelijke ~fen* harmful (*of:* noxious) waste
afvalverwerking processing of waste, waste disposal *(of:* treatment)
afvalwater waste water
afvegen wipe (off), brush away, wipe away: *de tafel* ~ wipe (off) the table
afvloeien be made redundant, be laid off; *(ook)* be given early retirement *(via VUT)*
afvloeiing *(mbt personeel)* release, gradual dismissal *(of:* discharge)
afvoer 1 transport, conveyance: *de* ~ *van goederen* transport (*of:* removal) of goods 2 *(pijp)* drain(pipe), outlet; exhaust (pipe) *(voor gassen e.d.): de* ~ *is verstopt* the drain is blocked
afvoeren 1 transport; drain away, drain off *(water);* lead away *(van zijn voorgenomen route af)* 2 *(naar beneden, afwaarts voeren)* carry off *(of:* down), lead down
afvragen, zich wonder, ask oneself; *(betwijfelen*

ook) (be in) doubt (as to): *ik vraag mij af, wie ...* I wonder who ...; *ik vraag mij af of dat juist is* I wonder if (*of:* whether) that is correct

afvuren fire, let off, discharge; launch *(raket)*

afwachten wait (for), await; *(tegemoet zien)* anticipate: *zijn beurt* ~ wait (for) one's turn; *we moeten maar* ~ we'll have to wait and see

afwachting expectation; *(tegemoet zien)* anticipation: *in ~ van uw antwoord* we look forward to receiving your reply

afwas 1 dishes, washing-up **2** doing *(of:* washing) the dishes, washing-up: *hij is aan de* ~ he is washing up (*of:* doing) the dishes

afwasbaar washable

afwasborstel washing-up brush

afwasmachine dishwasher, washing-up machine

afwasmiddel washing-up liquid; *(Am)* dishwashing liquid

[1]**afwassen** *intr* do *(of:* wash) the dishes

[2]**afwassen** *tr* **1** wash (up) **2** wash off *(of:* away): *bloed van zijn handen* ~ wash blood from his hands

afwatering 1 drainage **2** *(inrichting)* drainage, drains

afweer defence

afwegen 1 weigh **2** *(overwegen)* weigh (up), consider: *de voor- en nadelen (tegen elkaar)* ~ weigh the pros and cons (against each other)

[1]**afweken** *intr* come off, come unstuck *(of:* undone): *de pleister is afgeweekt* the plaster has come off

[2]**afweken** *tr* soak off

afwenden 1 turn away *(of:* aside); *(blik, gedachten ook)* avert: *het hoofd* (of: *de ogen*) ~ turn one's head *(of:* eyes) away, look away; *de ogen niet ~ van iem (iets)* not take one's eyes off s.o. (sth) **2** *(afweren)* avert, ward off, stave off; *(aanval ook)* parry

afwennen cure of, break of: *iem het nagelbijten proberen af te wennen* try to get s.o. out of the habit of biting his nails

afwentelen shift, transfer

afweren keep off *(of:* away), hold off; *(fig)* fend off, ward off: *nieuwsgierigen* ~ keep bystanders at a distance; *een aanval* (of: *aanvaller*) ~ repel an attack (*of:* attacker)

afwerken 1 finish (off): *een opstel* (of: *roman*) ~ add the finishing touches to an essay (*of:* a novel) **2** *(volbrengen)* finish (off), complete: *een programma* ~ complete a programme

afwerking finish(ing), finishing touch

afweten: *het laten* ~ fail, refuse to work, *(niet op komen dagen)* not show up

afwezig 1 absent; *(weg)* away; *(weg)* gone: *Jansen is op het ogenblik* ~ Jansen is away at the moment **2** *(verstrooid)* absent-minded, preoccupied

afwezigheid 1 absence: *tijdens Pauls* ~ during Paul's absence; *in (bij) ~ van* in the absence of **2** *(verstrooidheid)* absent-mindedness: *in een ogenblik van* ~ in a forgetful moment, in a momentary fit of absent-mindedness

afwijken 1 deviate (from) *(ook fig);* depart (from) *(onderwerp);* diverge (from) *(lijn e.d.): doen* ~ divert, turn (away); *(fig) van het rechte pad* ~ deviate from the straight and narrow **2** *(niet overeenkomen)* differ, deviate, vary; disagree (with) *(persoon)*

afwijkend different: ~ *gedrag* abnormal behaviour; *~e mening* different opinion

afwijking 1 defect, abnormality, aberration: *een geestelijke* ~ a mental abnormality; *een lichamelijke* ~ a physical defect **2** *(verschil)* difference, deviation: *dit horloge vertoont een ~ van één seconde* this watch is accurate to within one second

afwijzen 1 not admit, turn away: *een bezoeker* ~ turn away a visitor; *iem als lid (van een vereniging)* ~ refuse s.o. membership (of an association) **2** *(weigeren)* refuse, decline, reject; *(verwerpen)* repudiate: *een kopje thee* ~ refuse a cup of tea

afwijzing refusal, rejection; *(verwerping)* repudiation

afwikkelen complete, settle: *een contract* (of: *kwestie*) ~ settle a contract (*of:* question)

afwisselen 1 alternate with, take turns; *(aflossen)* relieve: *elkaar* ~ take turns **2** *(variëren)* vary: *zijn werk ~ met ontspanning* alternate one's work with relaxation

[1]**afwisselend** *bn* **1** alternate **2** *(gevarieerd)* varied

[2]**afwisselend** *bw* alternately, in turn

afwisseling variety, variation, change: *een welkome ~ vormen* make a welcome change; *voor de* ~ for a change

afzeggen cancel, call off: *de staking werd afgezegd* the strike was called off

afzender sender; shipper *(goederen): ~ ... (achterop brief)* from ...

afzet 1 sale, market **2** *(verkochte waren)* sales

afzetten 1 switch off, turn off *(radio, motor);* disconnect *(telefoon, alarm)* **2** *(van ledematen)* cut off, amputate **3** *(oplichten)* cheat, swindle; overcharge *(klanten): een klant voor tien euro* ~ cheat a customer out of ten euros **4** *(van terrein e.d.)* enclose, fence off, fence in; block off, close off *(toegangsweg): een bouwterrein* ~ fence off a building site **5** *(van, tegen iets afduwen)* push off: *(fig) zich ~ tegen (iets, iem)* react against (sth, s.o.); *zich ~ voor een sprong* take off **6** *(ontslaan)* dismiss, remove: *een koning* ~ depose a king **7** *(laten uitstappen)* drop, set down, put down: *een vriend thuis* ~ drop a friend at his home || *dat moet je van je af (kunnen) zetten* (you should be able to) get that out of your mind

afzetter cheat, swindler

afzetting enclosure, fence; cordon *(politie)*

afzichtelijk ghastly, hideous

afzien 1 (met *van*) abandon, give up; *(afstand doen van)* renounce *(bijv. rechten): naderhand za-*

gen ze toch van samenwerking af afterwards they decided not to cooperate 2 have a hard time (of it), sweat it out: *dat wordt* ~ we'd better roll up our sleeves

afzijdig aloof: *zich ~ houden van, ~ blijven van* keep aloof from

afzonderen, zich separate *(of:* seclude) oneself (from), retire (from), withdraw (from): *zich van de wereld* ~ withdraw from the world

afzondering separation, isolation, seclusion: *in strikte (strenge)* ~ in strict isolation

afzonderlijk separate, individual, single: *de keuze wordt aan ieder ~ kind overgelaten* the choice is left to each individual child

afzuigkap (cooker) hood

afzwemmen take a swimming test

afzweren renounce, forswear: *de drank ~: a)* give up drink(ing); *b) (inform)* swear off drink(ing); *zijn geloof* (of: *beginselen*) ~ renounce one's faith *(of:* principles)

agenda 1 *(notitieboekje)* diary 2 *(van vergadering)* agenda: *op de ~ staan* be on the agenda

agent 1 policeman, constable: *een stille ~, een ~ in burger* a plain-clothes policeman 2 *(vertegenwoordiger)* agent || *een geheim* ~ a secret agent

agglomeratie conurbation

aggregatietoestand *(nat)* physical state

agrariër farmer

agrarisch agrarian, agricultural, farming: *~e school* school of agriculture

agressie aggression: *een daad van* ~ an act of aggression; *~ opwekken* provoke aggression

agressief aggressive: *een agressieve politiek voeren* pursue an aggressive policy

ah ah, oh

ai *(pijn)* ouch; ow; *(verdriet)* ah; oh || *ai!, dat was maar net mis* oops! that was a close shave

aids Aids

air air, look: *met het ~ van* with an air of

airconditioning air-conditioning

ajuin *(Belg)* onion

akelig 1 unpleasant, nasty, dismal; *(weer ook)* dreary; *(weer ook)* bleak; *(spookachtig)* ghastly: *een ~ gezicht* (of: *beeld*) a nasty sight *(of:* picture); *een ~ verhaal* a ghastly story; *~ weer* nasty weather 2 *(onwel)* ill, sick: *ik word er ~ van* it turns my stomach

akker field

akkerbouw (arable) farming, agriculture

akkoord 1 agreement, arrangement, settlement; *(koop)* bargain: *een ~ aangaan* (of: *sluiten*) come to an arrangement; *tot een ~ komen* reach an agreement 2 *(muz)* chord || *~ gaan (met)* agree (to), be agreeable (to); *niet ~ gaan (met)* disagree (with)

akoestiek acoustics *(ww steeds mv)*

akte 1 *(notariële)* deed; *(koop)* contract: *~ van geboorte* (of: *overlijden, huwelijk*) birth *(of:* death, marriage) certificate; *een ~ opmaken* draw up a deed; *~ opmaken van* make a record of 2 *(diploma)* certificate; diploma; *(vergunning)* licence 3 *(theat, film)* act

aktetas briefcase

[1]al *onbep vnw* 1 *(geheel)* all, whole: *al de moeite* all our (*of:* their) trouble; *het was één en al geweld op tv gisteren* there was nothing but violence on TV yesterday 2 *(mbt elk deel ve verzameling)* all (of)

[2]al *bw* 1 *(tijd)* yet; *(al)* already: *al een hele tijd* for a long time now; *al enige tijd, al vanaf juli* for some time past (*of:* now), (ever) since July; *dat dacht ik al* I thought so; *is zij er nu al? (met klemtoon op nu)* is she here already?; *is Jan er al?* is John here yet?; *ik heb het altijd al geweten* I've known it all along; *daar heb je het al* there you are 2 *(versterking)* all: *dat alleen al* that alone; *al te snel* (of: *spoedig*) far too fast (*of:* soon); *ze weten het maar al te goed* they know only too well; *hij had het toch al moeilijk* he had enough problems as it was || *het is al laat* (of: *duur*) *genoeg* it is late (*of:* expensive) enough as it is; *dat lijkt er al meer op, dat is al beter* that's more like it

[3]al *hoofdtelw* all (of); *(alle afzonderlijke)* every; each: *al zijn gedachten* his every thought; *al de kinderen* all (of) the children

[4]al *vw* though, although, even though, even if: *al ben ik arm, ik ben gelukkig* I may be poor, but I'm happy; *al zeg ik het zelf* even though I say so myself; *al was het alleen maar omdat* if only because; *ook al is het erg* bad as it is (*of:* may be); *ik deed het niet, al kreeg ik een miljoen* I wouldn't do it for a million pounds

alarm alarm: *groot* ~ full (*of:* red) alert; *loos (vals)* ~ false alarm; *een stil* ~ a silent alarm; *~ slaan* (of: *geven*) give (*of:* sound) the alarm

alarmcentrale emergency centre, (general) emergency number

alarmeren 1 alert, call out: *de brandweer* ~ call (out) the fire brigade 2 *(in opschudding brengen)* alarm: *~de berichten* disturbing reports

alarmlichten *(van auto)* hazard warning lights

alarmnummer emergency number

alarmsignaal alarm, alert

[1]Albanees *zn (persoon)* Albanian

[2]Albanees *zn (taal)* Albanian

[3]Albanees *bn* Albanian

Albanië Albania

albast alabaster

albatros albatross

albino albino

album album

alchemie alchemy

alcohol alcohol: *pure* ~ pure alcohol; *verslaafd aan* ~ addicted to alcohol

alcoholisch alcoholic: *~e dranken* alcoholic drinks; *een niet ~ drankje* a non-alcoholic drink

alcoholisme alcoholism

alcoholist alcoholic

alcoholvrij non-alcoholic, soft: *~e dranken* non-

alcoholic beverages, soft drinks
aldaar there, at *(of:* of) that place
alert alert: ~ *zijn op spelfouten* be on the alert (*of:* lookout) for spelling mistakes
alfa *(ond) (ongev)* languages, humanities, arts || *zij is een echte* ~ all her talents are on the arts side
alfabet alphabet: *alle letters van het* ~ all the letters in the alphabet; *de boeken staan op* ~ the books are arranged in alphabetical order
alfabetisch alphabetical: *een ~(e) gids* (of: ~ *spoorboekje*) an ABC, *(stratengids ook)* an A to Z; *in ~e volgorde* in alphabetical order
alfabetiseren alphabetize
alfanumeriek alphanumeric(al)
algebra algebra
algeheel complete, total: *met algehele steun* with (everyone's) full support; *met mijn algehele instemming* with my wholehearted consent; *tot algehele tevredenheid* to everyone's satisfaction
algemeen 1 public, general, universal, common: *een algemene regel* a general rule; *voor ~ gebruik* for general use; *algemene ontwikkeling* general knowledge; *in algemene zin* in a general sense; *algemene middelen* public funds; *het is ~ bekend* it is common knowledge; ~ *beschouwd worden als* be generally known as **2** *(onbepaald)* general(ized), broad: *in algemene bewoordingen* in general terms || *in het ~ hebt u gelijk* on the whole, you're right; *zij zijn in het ~ betrouwbaar* for the most part they are reliable; *in (over) het ~* in general
algemeenheid generality; *(onnauwkeurigheid)* indefiniteness || *(Belg) met ~ van stemmen* unanimously
algen algae
Algerije Algeria
Algerijn Algerian
Algerijns Algerian
alhoewel although
alias alias, also *(of:* otherwise) known as
alibi alibi *(ook jur)*; excuse: *iem een ~ bezorgen (geven)* cover up for s.o.
alien alien
alimentatie maintenance (allowance, money); *(bij scheiding)* alimony
alinea paragraph: *een nieuwe ~ beginnen* start a new paragraph
Allah Allah
allang for a long time, a long time ago: *ik ben ~ blij dat je er bent* I'm pleased that you're here at all
[1]**alle** *onbep vnw* all, every, each: *uit ~ macht iets proberen* try one's utmost; *hij had ~ reden om* he had every reason to; *boven ~ twijfel* beyond all doubt; *voor ~ zekerheid* to make quite (*of:* doubly) sure
[2]**alle** *hoofdtelw* all, every, each; *(mbt personen, zelfst; ook)* everyone; *(mbt personen, zelfst; ook)* everybody: *van ~ kanten* from all sides, from every side; *in ~ opzichten* in all respects; *zij gingen met hun ~n naar het zwembad* they went all together to the swimming pool; *geen van ~n wist het* not one of them knew
allebei both; *(de een of de ander)* either: ~ *de kinderen waren bang* both (of the) children were afraid; *het was ~ juist geweest* either would have been correct
alledaags daily, everyday: *de ~e beslommeringen* day-to-day worries; *de kleine, ~e dingen van het leven* the little everyday things of life; *dat is niet iets ~* that's not an everyday occurrence
[1]**alleen** *bn, bw* **1** alone, by oneself, on one's own: *hij is graag ~* he likes to be alone (*of:* by himself); *het ~ klaarspelen* manage it alone (*of:* on one's own); *helemaal ~* all (*of:* completely) alone; *een kamer voor hem ~* a room (all) to himself **2** *(uitsluitend)* only, alone: ~ *in het weekeinde geopend* only open at weekends
[2]**alleen** *bw* only, merely, just: *de gedachte ~ al* the mere (*of:* very) thought; *ik wilde u ~ maar even spreken* I just wanted to talk to you; ~ *maar aan zichzelf denken* only think of oneself
alleenheerschappij absolute power; *(fig)* monopoly: *de ~ voeren (over)* reign supreme (over)
alleenrecht exclusive right(s)
alleenstaand single: *een ~e ouder* a single parent
alleenverdiener sole wage-earner
allegorie allegory
[1]**allemaal** *bw* all, only: *hij zag ~ sterretjes* all he saw was little stars
[2]**allemaal** *hoofdtelw* all; *(mensen)* everybody; everyone; *(dingen)* everything: *beste van ~* best of all; ~ *onzin* all nonsense; *ik houd van jullie ~* I love you all; *zoals wij ~* like all of us; ~ *samen (tegelijk)* all together; *tot ziens ~* goodbye everybody
allemachtig *(geweldig)* amazingly: *een ~ groot huis* an amazingly big house
allerbest very best: *zijn ~e vrienden* his very best friends; *ik wens je het ~e* I wish you all the best
allereerst first of all, very first: *vanaf het ~e begin* from the very beginning
allergie allergy
allergisch allergic (to)
allerhande all sorts (of), all kinds (of)
Allerheiligen All Saints' (Day)
allerhoogst highest of all; very highest *(berg)*; supreme; paramount *(belang)*; maximum *(bedrag)*; top *(functionaris)*: *van het ~e belang* of supreme (*of:* paramount) importance; *het is de ~e tijd* it's high time
allerlaatst last of all, very last, very latest: *de ~e bus* the (very) last bus; *de ~e mode* the very latest style; *op het ~* at the very last moment; *tot op het ~* right up to the (very) end
allerlei all sorts *(of:* kinds) of: ~ *speelgoed* all sorts of toys
allerliefst 1 *(zeer lief)* (very) dearest *(of:* sweetest): *een ~ kind* a very dear (*of:* sweet) child **2** more

than anything: *hij wil het ~ acteur worden* he wants to be an actor to be an actor more than anything

allerminst 1 least (of all): *ik heb er niet het ~e op aan te merken* I don't have the slightest objection 2 *(in aantal)* (very) least, (very) slightest: *op zijn ~* at the very least

Allerzielen All Souls' (Day)

alles everything, all, anything: *hij heeft (van) ~ geprobeerd* he has tried everything; *is dat ~? (in winkel)* will that be all?; *dat is ~* that's it (*of:* everything); *ik weet er ~ van* I know all about it; *(het is) ~ of niets* (it's) all or nothing; *~ op ~ zetten* go all out; *van ~ (en nog wat)* all sorts of things; *~ bij elkaar viel het mee* all in all (*of:* all things considered) it was better than expected; *~ op zijn tijd* all in due course, all in good time

allesbehalve anything but: *het was ~ een succes* it was anything but a success; *~ vriendelijk* anything but friendly

alleseter omnivore

allesomvattend all-embracing, comprehensive, universal

allesoverheersend overpowering: *een ~e smaak van knoflook* an overpowering taste of garlic

allesreiniger all-purpose cleaner

alliantie alliance

allicht most probably *(of:* likely), of course: *ja ~* yes, of course

alligator alligator

[1]**allochtoon** *zn* immigrant, foreigner

[2]**allochtoon** *bn* foreign

allrisk comprehensive: *~ verzekerd zijn* have a comprehensive policy

allriskverzekering comprehensive insurance policy

allure air, style: *~ hebben* have style; *iem van ~* a striking personality; *een gebouw met ~* an imposing building

almaar constantly, continuously, all the time: *kinderen die ~ om snoep vragen* children who are always asking for sweets

almachtig almighty, all-powerful: *de Almachtige* the Almighty

almanak almanac

alo *afk van academie voor lichamelijke opvoeding* college of physical education

alom everywhere, on all sides: *~ gevreesd* (of: *bekend*) generally feared (*of:* known)

alp alp

alpino (Basque) beret

als 1 like, as: *zich ~ een dame gedragen* behave like a lady; *hetzelfde ~ ik* the same as me, just like me; *hij is even groot ~ jij* he is as tall as you; *de brief luidt ~ volgt* the letter reads as follows; *zowel in de stad ~ op het land* both in the city and in the country 2 as, as if: *~ bij toverslag veranderde alles* as if by magic everything changed; *~ ware het je eigen kind* as if it were your own child 3 *(hoedanigheid)* for, as: *poppen ~ geschenk* dolls for presents; *ik heb die man nog ~ jongen gekend* I knew that man when he was still a boy; *~ vrienden uit elkaar gaan* part as friends 4 *(mbt tijd)* when: *telkens ~ wij elkaar tegenkomen keert hij zich af* whenever we meet, he turns away 5 *(mbt voorwaarde)* if, as long as: *~ zij er niet geweest was …* if she had not been there …; *maar wat ~ het regent, ~ het nu eens regent?* but what if it rains?; *~ het mogelijk is* if possible; *~ ze al komen* if they come at all

alsmaar constantly, all the time: *~ praten* talk constantly

alsnog still, yet: *je kunt ~ van studie veranderen* you can still change your course

alsof as if: *je doet maar ~* you're just pretending; *hij keek ~ hij mij niet begreep* he looked as if he didn't understand me

[1]**alstublieft** *bw* please: *een ogenblikje ~* just a minute, please; *wees ~ rustig* please be quiet

[2]**alstublieft** *tw* please; *(bij het aanreiken van iets)* here you are: *~, dat is dan €6,50* (thank you,) that will be €6.50

[1]**alt** *zn (muz) (zanger)* alto

[2]**alt** *zn (muz) (stem)* alto

altaar altar

alternatief alternative: *er is geen enkel ~* there is no alternative; *als ~* as an alternative

altijd always, forever: *ik heb het ~ wel gedacht* I've thought so all along, I've always thought so; *je kunt niet ~ winnen* you can't win them all; *~ weer* again and again; *wat je ook doet, je verliest ~* no matter what you do, you always lose; *bijna ~* nearly always; *wonen ze nog ~ in Almere?* are they still living in Almere?; *voor eens en ~* once and for all; *hetzelfde als ~* the same as always, the usual; *ze ging ~ op woensdag winkelen* she always went shopping on Wednesdays

altsaxofoon alto saxophone

altviolist violist

altviool viola

aluin alum

[1]**aluminium** *zn* aluminium

[2]**aluminium** *bn* aluminium

alvast meanwhile, in the meantime: *jullie hadden ~ kunnen beginnen zonder mij* you could have started without me

alvleesklier pancreas

alweer again, once more: *het wordt ~ herfst* autumn has come round again

alzheimer Alzheimer's (disease)

ama *(alleenstaande minderjarige asielzoeker)* single under-aged asylum seeker

amalgaam amalgam

amandel 1 almond 2 *(med)* tonsil: *zijn ~en laten knippen* have one's tonsils (taken) out

amanuensis laboratory assistant

amateur amateur

amateuristisch amateur(ish): *~e sportbeoefening* amateur sports; *dat is zeer ~ gedaan* that was

done very amateurishly
amazone horsewoman
Amazone Amazon
ambacht trade, (handi)craft: *het ~ uitoefenen van …* practise the trade of …
ambassade embassy
ambassadeur ambassador
amber amber
ambiëren aspire to: *een baan ~* aspire to a job
ambitie ambition: *een man van grote ~* a man with great ambitions
ambitieus ambitious: *ambitieuze plannen* ambitious plans
¹**Ambonees** *zn* Amboinese, Moluccan
²**Ambonees** *bn* Amboinese, Moluccan
ambt office: *een ~ uitoefenen* carry out one's duties
ambtelijk official: *~e stukken* official documents
ambtenaar official, civil servant, public servant: *~ van de burgerlijke stand* registrar, *(Am)* county clerk; *burgerlijk ~* civil (*of:* public) servant
ambtenarij bureaucracy, red tape
ambtsperiode term of office: *de ~ van de burgemeester loopt binnenkort af* the mayor's term of office is drawing to a close
ambulance ambulance
amen amen || *(Belg) ~ en uit* that's enough!, stop it!
Amerika America
Amerikaan American: *tot ~ naturaliseren* naturalize as an American
Amerikaans American: *de ~e burgeroorlog* the American Civil War; *het ~e congres* Congress; *~e whiskey* bourbon, rye, corn whiskey
Amerikaanse American (woman)
amfetamine amphetamine
amfibie amphibian
aminozuur amino acid
ammonia ammonia (water)
amnestie amnesty: *~ verlenen (aan)* grant an amnesty (to)
amoebe amoeba
amok: *~ maken* run amok
amoreel amoral
amper scarcely, barely, hardly: *hij kon ~ schrijven* he could barely write
ampère ampere
ampul ampoule
amputatie amputation
amputeren amputate
amulet amulet
amusant amusing: *een ~ verhaal* an amusing story; *iets ~ vinden* find sth amusing (*of:* entertaining)
amusement amusement, entertainment
amusementshal amusement arcade
amuseren, zich amuse oneself, entertain oneself, enjoy oneself: *zich kostelijk (uitstekend) ~* thoroughly enjoy oneself
anaal anal
anabool anabolic: *anabole steroïden* anabolic steroids
anachronisme anachronism
analfabeet illiterate
analfabetisme illiteracy
analist (chemical) analyst, lab(oratory) technician
analoog analogue
analyse analysis: *een kritische ~ van een roman* a critical analysis of a novel
analyseren analyse: *grondig ~: a)* analyse thoroughly; *b) (fig)* dissect
analytisch analytical: *~ denken* think analytically
ananas pineapple
anarchie anarchy
anarchisme anarchism
anarchist anarchist
anatomie anatomy
anatomisch anatomical
ancien *(Belg)* veteran, ex-serviceman
Andalusië Andalusia
¹**ander** *bn* **1** other, another: *aan de ~e kant (anderzijds)* on the other hand; *een ~e keer misschien!* maybe some other time!; *(de) een of ~e voorbijganger* some passer-by; *met ~e woorden* in other words; *om de één of ~e reden* for some reason, for one reason or another **2** *(zich onderscheidend)* different: *ik voel me nu een ~ mens* I feel a different man (*of:* woman) now; *dat is een heel ~e zaak* that's quite a different matter, that's a different matter altogether
²**ander** *onbep vnw* **1** another; *(mv)* others: *de een of ~* somebody, someone; *sommigen wel, ~en niet* some do (*of:* are), some don't (*of:* aren't); *de ene of de ~e* (choose) one thing or the other **2** *(zaak)* another matter *(of:* thing); *(mv)* other matters *(of:* things): *je hebt het een en ~ nodig om te …* you need a few things in order to …; *onder ~e* among other things, including; *of het één, of het ~!* you can't have it both ways
³**ander** *hoofdtelw* next, other: *om de ~e dag* every other day, on alternative days
anderhalf one and a half: *~ maal zoveel* half as much (*of:* many) again; *~ maal zo hoog* one and a half times as high; *~ uur* an hour and a half
¹**anders** *bn* different (from): *niemand ~* nobody else; *wilt u nog iets ~?* do you want anything else?; *over iets ~ beginnen (te praten)* change the subject; *er zit niets ~ op dan …* there is nothing for it but to …
²**anders** *bw* **1** normally, differently: *het ~ aanpakken* handle it differently; *~ gezegd, …* in other words …; *in jouw geval liggen de zaken ~* in your case things are different; *(zo is het) en niet ~* that's the way it is (*of:* how things are); *net als ~* just as usual; *niet meer zo vaak als ~* less often than usual **2** *(voor het overige)* otherwise, else: *wat kon ik ~ (doen) (dan …)?* what else could I do (but …);

~ *niets? (bijv. in winkel)* will that be all? || *ergens* ~ somewhere else

andersom the other way round
anderstalige non-native speaker
anderzijds on the other hand
andijvie endive
andreaskruis cross of St Andrew
anekdote anecdote
anemoon anemone
anesthesie anaesthesia: *lokale* (of: *totale*) ~ local (*of:* general) anaesthesia
anesthesist anaesthetist
angel sting
Angelsaksisch 1 English(-speaking) 2 *(vd Angelsaksen)* Anglo-Saxon
angina *(med)* tonsillitis
anglicaan Anglican
anglicaans Anglican: *de ~e kerk* the Church of England
anglist specialist *(of:* student) of English (language and literature)
Angola Angola
Angolees Angolan
angst fear (of) *(vaak mv);* dread, terror (of); *(psych)* anxiety: ~ *aanjagen* frighten, *(sterker)* terrify; ~ *hebben voor* be afraid (*of:* scared) of; *uit ~ voor straf* for fear of punishment; *verlamd van ~* numb with fear
angstaanjagend terrifying, frightening
angstig 1 *(angst voelend)* anxious; *(na ww)* afraid: *een ~e schreeuw* an anxious cry; *dat maakte mij ~* that frightened me, that made me afraid 2 *(angst verwekkend)* fearful, anxious, terrifying: *~e gedachten* anxious thoughts; *het waren ~e tijden* those were anxious times
angstvallig 1 *(nauwgezet)* scrupulous, meticulous 2 *(bangelijk)* anxious, nervous: ~ *keek hij om* he glanced back anxiously
angstzweet cold sweat
anijs aniseed
animatie animation: *(Belg) kinderanimatie* children's activities (during an event)
animo zest (for): *met ~ iets doen* do sth with gusto
anjer carnation
anker anchor: *het ~ lichten* raise (the) anchor, *(ook fig)* get under way
ankerplaats anchorage, berth
annexatie annexation; incorporation *(vnl. mbt gemeenten)*
annexeren annex; incorporate *(vnl. mbt gemeenten)*
anno in the year: ~ *1981* in the year 1981
annonce advertisement, announcement
annuleren cancel: *een bestelling* ~ cancel an order
annulering cancellation: ~ *van een reservering* cancellation of a reservation
anoniem anonymous, nameless, incognito
anorak anorak
ANP *afk van Algemeen Nederlands Persbureau* Dutch press agency
ansichtkaart (picture) postcard
ansjovis anchovy
Antarctica Antarctica
antecedent antecedent: *iemands ~en natrekken* look into s.o.'s past record
antenne aerial; *(techn)* antenna
antibioticum antibiotic: *ik neem antibiotica* I'm taking antibiotics
anticiperen anticipate
anticlimax anticlimax
anticonceptie contraception, birth control
anticonceptiemiddel contraceptive
[1]**antiek** *zn* antiques *(mv)*
[2]**antiek** *bn* antique, ancient: *~e meubels* antique furniture
antiglobalist antiglobalist
Antillen (the) Antilles: *de Nederlandse ~* the Netherlands Antilles
Antilliaan Antillean
antilope antelope
antipathie antipathy (towards)
antiquair antique dealer
antisemitisme anti-Semitism
antiseptisch antiseptic
antistof antibody
antivries antifreeze
antraciet anthracite (coal)
antropologie anthropology: *culturele ~* cultural anthropology, ethnology
antropoloog anthropologist
Antwerpen Antwerp
antwoord answer, reply: *een afwijzend (ontkennend) ~* a negative answer; *een bevestigend ~* an affirmative answer; *een positief ~* a favourable answer; ~ *geven op* reply to, answer; *een ~ geven* give an answer; *in ~ op uw brief (schrijven)* in reply to your letter; *dat is geen ~ op mijn vraag* that doesn't answer my question
antwoordapparaat answering machine, answerphone
antwoorden answer, reply, respond: *bevestigend (positief) ~* answer in the affirmative; *ik antwoord niet op zulke vragen* I don't answer such questions
antwoordnummer *(ongev)* Freepost
anus anus
ANWB *afk van Algemene Nederlandse Wielrijdersbond (ongev)* Dutch AA *(of Am:* AAA), Royal Dutch Touring Club
aorta aorta
AOW 1 *afk van Algemene Ouderdomswet* general retirement pensions act 2 *(uitkering)* (old-age retirement) pension
AOW'er OAP (old-age pensioner), senior citizen
apart 1 separate, apart: *elk geval ~ behandelen* deal with each case individually; *iem ~ nemen*

(spreken) take s.o. aside; *onderdelen ~ verkopen* sell parts separately 2 *(exclusief)* special, exclusive: *zij vormen een klasse ~* they are in a class of their own 3 *(anders, raar)* different, unusual: *hij ziet er wat ~ uit* he looks a bit unusual
apartheid apartheid
apegapen: *op ~ liggen* be at one's last gasp
apenkop monkey, brat
Apennijnen Apennines
apennoot peanut, monkey nut
apenstaartje at sign
aperitief aperitif
apk-keuring motor vehicle test, MOT test
Apocalyps Apocalypse
apostel apostle
apostrof apostrophe
apotheek (dispensing) chemist's; *(Am)* drugstore
apparaat machine, appliance, device: *huishoudelijke apparaten* household appliances
apparatuur apparatus, equipment, machinery; hardware *(ook comp)*
appartement flat; *(Am)* apartment: *een driekamerappartement* a 2-bedroom flat
appartementsgebouw *(Belg)* block of flats
appel apple
appelflap apple turnover
appelgebak *(ongev)* apple tart
appelmoes apple-sauce
appelsien *(Belg)* orange
appelstroop apple spread
appendix appendix
applaudisseren applaud, clap: *~ voor iem* applaud s.o.
applaus applause, clapping: *de motie werd met ~ begroet* the motion was received with applause; *een ~je voor Marleen!* let's give a big hand to Marleen!
après-ski après-ski
après-skiën indulge in amusements after skiing
april April: *één ~* April Fools' Day
aprilgrap April Fool's joke
[1]**à propos:** *van zijn ~ raken (zijn)* lose the thread of one's argument
[2]**à propos** *tw* apropos, by the way, incidentally
aquaduct aqueduct
aquajoggen aquajog
aquarel water colour, aquarelle
aquarium aquarium
Arabië Arabia
Arabier 1 *(burger van Saudi-Arabië)* Saudi (Arabian) 2 *(bewoner van Midden-Oosten)* Arab
[1]**Arabisch** *zn* Arabic *(taal, schrift)*: *in het ~* in Arabic
[2]**Arabisch** *bn* Arabic *(taal, schrift, cijfers)*; *(mbt Arabië)* Arabian; Arab *(volk, cultuur)*: *de ~e literatuur* Arabic literature
arbeid labour, work: *de Dag van de Arbeid* Labour Day; *de Partij van de Arbeid* the Labour Party; *(on)geschoolde ~* (un)skilled labour *(of:* work); *~ verrichten* labour, work
arbeider worker, workman: *landarbeiders* agricultural labourers; *geschoolde ~s* skilled workers; *ongeschoolde ~s* unskilled workers
arbeiderspartij Labour Party, Socialist Party
arbeidsbureau employment office, jobcentre: *zich inschrijven bij het ~* sign on at the employment office
arbeidsintensief labour-intensive
arbeidsmarkt labour market, job market: *de situatie op de ~* the employment situation
arbeidsongeschikt disabled, unable to work: *gedeeltelijk ~ verklaard worden* be declared partially disabled
arbeidsovereenkomst employment contract: *een collectieve ~* a collective agreement; *een individuele ~* an individual employment contract
arbeidstijdverkorting reduction of working hours, shorter working week
arbeidsvoorwaarde term *(of:* condition) of employment: *secundaire ~n* fringe benefits
arbiter *(sport)* referee; *(vnl. bij tennis e.d.)* umpire
Arbowet (Dutch) occupational health and safety act, Factories Act; *(Am; ongev)* Labor Law
arceren shade: *het gearceerde gedeelte* the shaded area
archaïsch archaic; *(ouderwets)* antiquated
archeologie archaeology
archeologisch archaeological: *~e opgravingen* archaeological excavation(s)
archeoloog archaeologist
archief archives *(mv)*; record office; *(registers, burgerlijke stand)* registry (office); *(bij bedrijf)* files: *iets in het ~ opbergen* file sth (away)
archiefkast filing cabinet
archipel archipelago
architect architect
architectuur architecture, building (style): *voorbeelden van moderne ~* examples of modern architecture
archivaris archivist, keeper of the archives *(of:* records); registrar *(van registers, burgerlijke stand)*
Ardennen (the) Ardennes
are are: *één ~ is honderd vierkante meter* one are is a hundred square metres
arena arena
arend eagle
argeloos unsuspecting, innocent
Argentijn Argentine, Argentinian
Argentinië Argentina
arglistig crafty, cunning
argument argument: *een steekhoudend ~* a watertight argument; *~en aanvoeren voor iets* make out a case for sth; *~en voor en tegen* pros and cons; *dat is geen ~* that's no reason
argumentatie 1 argumentation, reasoning, line of reasoning 2 argument

argwaan suspicion: ~ *koesteren tegen iem (omtrent iets)* be suspicious of s.o. (sth); ~ *krijgen* grow suspicious
argwanend suspicious: *een ~e blik* a suspicious look
aria aria
aristocraat aristocrat
aristocratie aristocracy
ark 1 *(woonschip)* houseboat 2 Ark: *de ~ van Noach* Noah's Ark
[1]**arm** *zn* 1 arm: *een gebroken ~* a broken (*of:* fractured) arm; *met open ~en ontvangen* receive (*of:* welcome) with open arms; *hij sloeg zijn ~en om haar heen* he threw his arms around her; *zij liepen ~ in ~* they walked arm in arm; *een advocaat in de ~ nemen* consult a solicitor 2 *(mouw)* arm, sleeve: *de ~ zit niet goed* the arm doesn't fit well
[2]**arm** *bn* 1 poor: *de ~e landen* the poor countries; *de ~en en de rijken* the rich and the poor 2 *(het genoemde niet hebbend)* poor (in), lacking 3 *(zielig)* poor, wretched: *het ~e schaap* the poor thing (*of:* soul)
armatuur fitting, bracket
armband bracelet
[1]**Armeens** *zn* Armenian
[2]**Armeens** *bn* Armenian
Armenië Armenia
Armeniër Armenian
armetierig miserable, paltry
armleuning arm(rest)
armoede poverty; *(sterker)* destitution: *geestelijke ~* intellectual (*of:* spiritual) poverty; *schrijnende* (of: *bittere*) ~ abject (*of:* grinding) poverty
armoedig poor; shabby *(kleding, woning, uiterlijk)*: ~ *gekleed* shabbily dressed; *dat staat zo ~* that looks so shabby
armsgat armhole
armslag elbow room
armzalig poor, paltry, miserable: *een ~ pensioentje* a meagre pension
aroma aroma, flavour
arrangement arrangement; *(vorm)* format; *(rangschikking)* order: *een ~ voor piano* an arrangement for piano
arrangeren 1 *(rangschikken)* arrange; *(uitstallen)* set out 2 *(organiseren)* arrange, organize, get up 3 *(muz)* arrange, score: *voor orkest ~* orchestrate, score
arrenslee horse sleigh
arrest arrest, detention; *(voorarrest)* custody: *u staat onder ~* you are under arrest
arrestant arrested man (*of:* woman); detainee *(gedetineerde); (gevangene)* prisoner
arrestatie arrest: *een ~ verrichten* make an arrest
arrestatiebevel arrest warrant
arresteren arrest; detain *(vasthouden)*: *iem laten ~* have s.o. arrested, *(in verzekerde bewaring)* place s.o. in charge
arriveren arrive
arrogant arrogant; *(uit de hoogte)* superior: *een ~e houding hebben* have a haughty manner
arrondissement district
arrondissementsrechtbank district court
arsenaal arsenal
arsenicum arsenic
articuleren articulate, enunciate: *goed* (of: *duidelijk*) ~ articulate well (*of:* distinctly); *slecht ~* articulate badly (*of:* poorly)
artiest artist, entertainer; performer *(vnl. zang en dans)*
artikel 1 *(in nieuwsblad)* article, paper; *(in krant ook)* story: *een redactioneel ~* an editorial; *de krant wijdde er een speciaal ~ aan* the newspaper ran a feature on it 2 *(voorwerp van handel)* article, item: *huishoudelijke ~en* household goods (*of:* items) 3 *(jur)* article, section, clause: *~ 80 van de Grondwet* section 80 of the constitution
artillerie artillery: *lichte* (of: *zware*) ~ light (*of:* heavy) artillery
[1]**artisanaal** *bn (Belg)* craft-
[2]**artisanaal** *bw (Belg)* by craftsmen, by traditional methods
artisjok artichoke
artistiek artistic: *een ~e zin voor verhoudingen* an artistic feeling for proportions
arts doctor, physician: *zijn ~ raadplegen* consult one's doctor
Aruba Aruba
as 1 *(verbrande resten)* ashes; ash *(van sigaret)*: *gloeiende as* (glowing) embers 2 axle; *(drijfas)* shaft 3 *(meetk)* axis: *om zijn as draaien* revolve on its axis 4 *(muz)* A-flat
a.s. *afk van aanstaande* next: ~ *maandag* next Monday
asbak ashtray
asbest asbestos
asfalt asphalt
asiel 1 asylum, sanctuary: *politiek ~ vragen* (of: *krijgen*) seek (*of:* obtain) political asylum 2 *(voor dieren)* animal home (*of:* shelter); *(voor zwerfdieren)* pound
asielzoeker asylum seeker
asjemenou oh dear!, my goodness!
a.s.o. *(Belg) afk van algemeen secundair onderwijs* general secondary education
asociaal antisocial, unsociable; asocial *(ook egoïstisch)*: ~ *gedrag* antisocial behaviour
aspect aspect: *we moeten alle ~en van de zaak bestuderen* we must consider every aspect of the matter
asperge asparagus
aspirant 1 trainee, student 2 junior: *hij speelt nog bij de ~en* he is still (playing) in the junior league
aspirant- prospective: *~student* prospective student
assemblage assembly, assembling
assembleren assemble
assenstelsel co-ordinate system

Assepoester Cinderella
assertief assertive: ~ *gedrag* assertive behaviour
assertiviteit assertiveness
assisen *(Belg): hof van ~ (ongev)* Crown Court
assist assist
assistent assistant, aid, helper
assistentie assistance, aid, help: ~ *verlenen* give assistance; *de politie verzocht om ~* the police asked for assistance
assisteren assist, help, aid
associatie association
associëren associate (with) || *zich ~ met* associate with
assortiment assortment, selection: *een ruim* (of: *beperkt*) *~ hebben* have a broad (*of:* limited) assortment
assurantie insurance
aster aster
asterisk asterisk
astma asthma: ~ *hebben* suffer from (*of:* have) asthma
astmatisch asthmatic
astrologie astrology
astroloog astrologer
astronaut astronaut
astronomie astronomy
astronomisch 1 astronomical: *~e kijker* astronomical telescope 2 *(onvoorstelbaar groot)* astronomic(al): *~e bedragen* astronomic amounts
astronoom astronomer
Aswoensdag Ash Wednesday
asymmetrisch asymmetric(al)
atalanta *(dierk)* red admiral
atechnisch untechnical
atelier studio *(van kunstenaar, fotograaf)*; workshop: *werken op een ~* work in a studio
Atheens Athenian
atheïsme atheism
atheïst atheist
Athene Athens
atheneum *(Ned; ongev)* grammar school; *(Am)* high school: *op het ~ zitten (ongev)* be at grammar school
Atlantisch Atlantic: *de ~e Oceaan* the Atlantic (Ocean)
atlas atlas
atleet athlete
atletiek athletics
atletisch athletic
atmosfeer atmosphere; *(omgeving ook)* environment: *de hogere* (of: *lagere*) ~ the upper (*of:* lower) atmosphere
atmosferisch atmospheric: *~e storing* static interference, atmospheric disturbance
atol atoll
atoom atom
atoombom atom bomb, A-bomb
attaché *(Belg) (adviseur van minister)* ministerial adviser
at-teken at-sign
attenderen point out, draw attention to: *ik attendeer u erop dat …* I draw your attention to (the fact that) …
attent 1 attentive: *iem ~ maken op iets* draw s.o.'s attention to sth 2 *(beleefd, voorkomend)* considerate, thoughtful: *hij was altijd heel ~ voor hen* he was always very considerate towards them
attentie attention, mark of attention; *(cadeau)* present: *ik heb een kleine ~ meegebracht* I've brought a small present; *ter ~ van* for the attention of
attest certificate
attractie attraction: *zij is de grootste ~ vanavond* she is the main attraction this evening
attractiepark amusement park
attribuut attribute, characteristic
atv *afk van arbeidstijdverkorting* reduction of working hours
au ow, ouch
a.u.b. *afk van alstublieft* please
aubergine aubergine, eggplant
audiëntie audience: ~ *geven (verlenen)* grant an audience (to s.o.)
audiovisueel audio-visual
audit audit
auditie audition, try-out; *(film)* screen test: *een ~ doen* (do an) audition
[1]**auditor** *zn (uitvoerder van een audit)* auditor
[2]**auditor** *zn (toehoorder)* (student) listener
auditorium auditorium
augurk gherkin
augustus August
aula great hall, auditorium
au pair au pair
ausputzer *(sport)* sweeper
Australië Australia
Australiër Australian
Australisch Australian
auteur author, writer
auteursrecht copyright: *overtreding van het ~* infringement of copyright
authentiek authentic; *(rechtsgeldig ook)* legitimate; *(niet vervalst ook)* genuine: *een ~e tekst* an authentic text; *een ~ kunstwerk* an original (*of:* authentic) work of art
autistisch autistic
auto car: *in een ~ rijden* drive, go by car; *het is een uur rijden met de ~* it's an hour's drive by car
autobiografie autobiography
autobotsing car crash
autobus bus
autochtoon autochthonous, indigenous, native
autodidact autodidact, self-taught person
autodiefstal car theft
autogas LPG *(afk van liquefied petroleum gas)*
autogordel seat belt, safety belt: *het dragen van ~s is verplicht* the wearing of seat belts is compulsory

autohandelaar car dealer
autokaart road map; road atlas *(in boekvorm)*
autokerkhof junkyard, (used) car dump
automaat 1 automaton, robot **2** *(werkend op munt)* slot machine, vending machine; ticket machine: *munten in een ~ gooien* feed coins into a slot machine
automatenhal *(ongev)* amusement arcade
automatiek automat
automatisch automatic: *machtiging voor ~e afschrijving* standing order; *een ~e piloot* an automatic pilot, an autopilot; *iets ~ doen* do sth automatically; *~ sluitende deuren* self-closing doors
automatiseren automate, automatize; *(met computers)* computerize: *een administratie ~* computerize an accounting department
automatisering automation, computerization
automobiel (motor) car
automobilist motorist, driver
automonteur car mechanic
auto-ongeluk car crash, (road) accident: *bij het ~ zijn drie mensen gewond geraakt* three people were injured in the car crash
autopapieren car (registration) papers
autopech breakdown, car trouble
autoped scooter
autopsie autopsy: *(een) ~ verrichten op* perform an autopsy on
autorace car race
autorijschool driving school
autorisatie authorization, sanction, authority: *de ~ van de regering verkrijgen om* be authorized by the government to
autoritair authoritarian
autoriteit authority: *de plaatselijke ~en* the local government; *een ~ op het gebied van slakken* an authority on snails
autoruit car window; *(voorruit)* windscreen
autosloperij breaker's yard, wrecker's yard
autosnelweg motorway
autostop *(Belg)*: *~ doen* hitch-hike
autostrade *(Belg)* motorway
autoverkeer car traffic
autowasstraat automatic car wash
autoweg motorway
avenue avenue
[1]**averechts** *bn* **1** *(misplaatst)* misplaced, wrong: *een ~e uitwerking hebben* have a contrary effect, be counter-productive **2** *(onjuist)* unsound, contrary, wrong
[2]**averechts** *bw* **1** back-to-front, inside out, upside down **2** *(anders dan gehoopt, bedoeld)* (all) wrong: *het valt ~ uit* it goes all wrong
averij damage; *(verzekeringen)* average: *zware ~ oplopen* sustain heavy damage
A4 1 A4 **2** side
avocado avocado
avond evening, night: *in de loop van de ~* during the evening; *de hele ~* all evening, the whole evening; *het is zijn vrije ~* it is his night off; *een ~je tv kijken* (of: *lezen*) spend the evening watching TV (*of:* reading); *een ~je uit* a night out, an evening out; *tegen de ~* towards the evening; *de ~ voor de grote wedstrijd* the eve of the big match; *'s ~s* at night, in the evening
avondcursus evening classes
avondeten dinner, supper, evening meal: *het ~ klaarmaken* prepare dinner (*of:* supper)
avondkleding evening dress *(of:* wear)
avondklok curfew
avondmaal dinner, supper: *het Laatste Avondmaal* the Last Supper; *het ~ vieren* celebrate (Holy) Communion
avondschool night school; evening classes *(mv)*: *op een ~ zitten* go to night school
avondspits evening rush-hour
avonturier adventurer, adventuress
avontuur 1 adventure: *een vreemd ~ beleven* have a strange adventure **2** *(riskante onderneming)* venture: *niet van avonturen houden* not like risky ventures **3** *(geluk, kans)* luck, chance: *het rad van ~* the wheel of fortune
avontuurlijk 1 *(persoon)* adventurous **2** *(avonturen opleverend)* full of adventure, exciting
avontuurtje affair: *een ~ hebben met …* have an affair with …
axioma axiom
azalea azalea
Azerbeidzjaan Azerbaijani
Azerbeidzjaans Azerbaijani
Azerbeidzjan Azerbaijan
Aziaat Asian
Aziatisch Asian
Azië Asia
azijn vinegar
Azteken Aztecs
azuur azure

b

baai bay; *(klein)* cove; inlet
baal bag, sack; *(geperst)* bale: *een ~ katoen* a bale of cotton
baaldag off-day
baan 1 job: *een vaste ~ hebben* have a permanent job **2** *(weg)* path; *(rijstrook)* lane: *iets op de lange ~ schuiven* shelve sth **3** *(sport)* track; *(tennis)* court; *(ijs)* rink; *(schaatsen)* speed-skating track; *(golf)* course: *starten in ~ drie* start in lane three **4** orbit: *een ~ om de aarde maken* orbit the earth
baanbrekend pioneering, groundbreaking, pathbreaking: *~ werk verrichten* do pioneering work, break new ground
baanvak section (of track)
baar 1 *(draagbaar)* litter, stretcher **2** ingot, bar: *een ~ goud* a gold bar (*of:* ingot)
baard beard: *hij krijgt de ~ in de keel* his voice is breaking; *zijn ~ laten staan* grow a beard
baarmoeder womb
baars perch, bass
baas 1 boss: *de situatie de ~ zijn* be in control of the situation **2** *(eigenaar)* boss, owner
baat 1 benefit, advantage **2** *(geldelijk voordeel)* profit(s), benefit
babbel chat: *hij heeft een vlotte ~* he's a smooth talker
babbelen chatter, chat
babbellijn chatline
babe babe
baby baby: *een te vroeg geboren ~* a premature baby
babybedje (baby's) cot
babyboom baby boom
babyboomer baby boomer
babydoll baby-doll (nightdress)
babyfoon baby alarm
babysit babysitter
babysitten babysit
bachelorstudie undergraduate degree programme
bacil bacillus, bacterium, germ; *(inform)* bug
bacterie bacterium, microbe
bad 1 bath **2** *(zwembad)* pool
[1]**baden** *intr* **1** *(in kuip)* bath; *(Am)* bathe; *(in zee)* (go for a) swim; bathe; *(inform)* take a dip **2** *(een overvloed bezitten van)* roll (in), wallow (in), swim (in)
[2]**baden** *tr (een bad geven)* bath
badgast seaside visitor, bather
badge (name) badge, (name) tag; *(mil ook)* insignia
badjas (bath)robe, bath(ing) wrap
badjuffrouw female bath attendant
badkamer bathroom
badkleding swimwear, bathing wear *(of:* gear)
badkuip bathtub, bath
badmeester bath superintendent *(of:* attendant), lifeguard
badminton badminton
badpak swimsuit, bathing suit
badplaats *(aan zee)* seaside resort
badstof towelling, terry (cloth) *(of:* towelling)
bagage 1 luggage **2** *(beschikbare kennis)* intellectual baggage, stock-in-trade
bagagedrager (rear) carrier
bagagekluis (luggage) locker
bagageruim luggage *(of:* baggage) compartment, hold
bagageruimte boot; *(Am)* trunk
bagatel bagatelle, trifle
bagger mud; *(opgehaald)* dredgings
baggeren dredge
bah ugh!, yuck!
Bahama's the Bahamas
bahco adjustable spanner
bajes can, cooler, jug, stir
bajesklant jailbird, lag, con
bajonet bayonet
bak 1 (storage) bin; *(reservoir)* cistern; tank; *(ondiep)* tray; *(trog)* trough; *(etensbak)* dish; bowl; *(kattenbak)* tray **2** *(grap)* joke: *een goede* (of: *schuine*) *~* a good (*of:* dirty) joke **3** *(gevangenis)* can, jug, clink **4** *(kopje koffie)* cup (of coffee)
bakbeest whopper, monster
bakblik baking tin, cake tin
bakboord port
bakeliet bakelite
baken *(scheepv)* beacon
bakermat cradle, origin
bakfiets 1 carrier tricycle **2** *(fiets)* delivery bicycle, carrier cycle
bakkebaard (side) whiskers; *(inform)* sideboards; *(op wang)* muttonchop; muttonchop whisker
bakken 1 *(mbt deeg, beslag)* bake: *vers gebakken brood* freshly-baked bread **2** fry; *(frituren)* deep-fry: *friet ~* deep-fry chips
bakker 1 baker **2** *(winkel)* bakery, baker's shop: *een warme ~* a fresh bakery || *(dat is) voor de ~* that's settled *(of:* fixed)
bakkerij bakery, baker's shop
bakkie *(zendapparatuur)* rig
bakmeel self-raising flour
bakoven oven
baksteen brick: *(bij een examen) zakken als een ~* fail (abysmally)

bakstenen brick
bakvorm baking tin, cake tin
[1]**bal** *zn* 1 *(sport)* ball: *(fig) een ~letje over iets opgooien* put out feelers about sth; *een ~(letje) gehakt* a meatball; *een ~letje slaan* hit a ball 2 *(persoon)* snob
[2]**bal** *zn* ball: *gekostumeerd ~* fancy-dress ball
balanceren balance: *~ op de rand van de dood* hover between life and death
balans 1 *(evenwicht)* balance, equilibrium 2 (pair of) scales; *(wet)* balance 3 *(handel)* balance sheet, audit (report): *de ~ opmaken: a)* draw up the balance sheet; *b) (fig)* take stock (of sth)
baldadig rowdy, boisterous
baldakijn canopy, baldachin
balein whalebone, rib
balen be fed up (with), be sick (and tired) (of)
balg bellows
balie 1 counter; desk *(ook receptie): aan de ~ verstrekt men u graag alle informatie* you can obtain all the information you need at the desk 2 *(advocaten(stand))* bar
baliemedewerker desk cleck, receptionist
balk beam || *het geld over de ~ gooien* spend money like water
Balkan (the) Balkans
balken bray
balkon 1 balcony 2 *(theater)* balcony, (dress) circle, gallery 3 *(tram, trein)* platform
ballade ballad
ballast 1 *(scheepv, spoorw)* ballast 2 *(overbodige last)* lumber, dead weight; *(vnl. mbt mensen)* dead wood
[1]**ballen** *intr* play (with a) ball
[2]**ballen** *tr* clench: *de vuist(en) ~* clench one's fist(s)
ballerig arrogant, loudmouthed, snooty
ballerina ballerina
ballet ballet: *op ~ zitten* take ballet lessons
balletdanseres ballet dancer
balletje-balletje shell game
balling exile
ballingschap exile, banishment: *in ~ gaan* go into exile
ballon balloon: *een ~ opblazen* blow up a balloon
ballpoint ballpoint
balpen ballpoint (pen)
balsem balm, balsam, ointment, salve
balsemen *(mbt een lijk)* embalm, mummify
Baltisch Baltic: *~e Zee* Baltic (Sea), the Baltic
balts display, courtship
balustrade balustrade, railing; *(van trap)* banister(s)
balzaal ballroom
bamastructuur two-cycle university system
[1]**bamboe** *zn* bamboo
[2]**bamboe** *bn* bamboo
bami chow mein: *~ goreng* chow mein, fried noodles
ban 1 excommunication, ban 2 *(betovering)* spell, fascination: *in de ~ van iets raken* fall under the spell of sth
banaal banal, trite
banaan banana
banaliteit platitude, cliché
bananenschil banana peel *(of:* skin): *uitglijden over een ~* slip on a banana skin
[1]**band** *zn* 1 band, ribbon, tape; *(karate, judo)* belt: *een ~ afspelen* play a tape back; *iets op de ~ opnemen* tape sth; *zwarte ~* black belt 2 *(om een wiel)* tyre: *een lekke ~* a flat tyre, a puncture 3 *(transportband)* conveyor (belt): *de lopende ~* the conveyor belt; *aan de ~ staan* work on the assembly line 4 *(nauwe betrekking)* tie, bond, link, alliance, association: *~en van vriendschap* ties of friendship 5 *(reclame)* (wave)band, wave: *27MC-band* citizens band 6 *(biljart)* cushion, bank || *aan de lopende ~ doelpunten scoren* pile on scores; *uit de ~ springen* get out of hand
[2]**band** *zn* band, orchestra; *(popmuziek ook)* group; *(vnl. jazz, kleine groep)* combo
[3]**band** *zn* tape; *(breed)* ribbon; *(smal)* string; *(hoed)* band
bandage bandage
bandenlichter tyre lever
bandenpech tyre trouble; *(lekke band)* flat (tyre); puncture
bandiet 1 bandit; *(struikrover)* brigand 2 *(schavuit)* hooligan
bandje 1 band, strip, ribbon, string 2 *(cassettebandje)* tape 3 *(opname)* tape recording 4 *(schouderbandje)* strap
bandleider bandleader
bandrecorder tape recorder
bang 1 afraid (of), frightened (of), scared (of); *(doodsbang)* terrified (of): *~ maken* scare, frighten; *~ in het donker* afraid of the dark 2 *(angstig makend)* frightening, anxious, scary 3 *(gauw angstig)* timid, fearful 4 *(bezorgd)* afraid, anxious: *ik ben ~ dat het niet lukt* I'm afraid it won't work; *wees daar maar niet ~ voor* don't worry about it
bangerd coward, chicken
banier banner
banjo banjo
bank 1 bench; *(bekleed)* couch; settee, sofa; *(in voertuig)* seat 2 *(instelling, gebouw, ook in sam)* bank: *geld op de ~ hebben* have money in the bank 3 *(schoolbank)* desk: *ga in je ~ zitten* sit down at your desk 4 *(kerkbank)* pew 5 *(zandbank)* bank, shoal || *door de ~ (genomen)* on average
bankafschrift bank statement
bankbiljet (bank)note; *(mv ook)* paper currency
bankemployé bank employee
banket 1 banquet, feast 2 *(gebak) (ongev)* (almond) pastry
banketbakker confectioner, pastry-cook
banketbakkerij confectionery, patisserie, confectioner's (shop)

banketletter (almond) pastry letter
bankier banker
bankkluis bank vault *(of:* strongroom); *(voor cliënt)* safe-deposit box
bankoverval bank hold-up, bank robbery
bankpas bank(er's) card
bankrekening bank account: *een ~ openen bij een bank* open an account with a bank
[1]**bankroet** *zn* bankruptcy
[2]**bankroet** *bn* bankrupt, broke; *(inform)* bust: *~ gaan* go bankrupt, (go) bust
bankroof bank robbery
bankschroef vice
bankspeler *(sport)* reserve, substitute (player)
bankstel lounge suite
banneling exile
bannen exile (from), expel (from); *(vnl. fig)* banish: *ban de bom* ban the bomb
bantamgewicht bantam(weight)
bapao Chinese steamed bread
[1]**bar** *zn* bar: *aan de ~ zitten* sit at the bar; *wie staat er achter de ~?* who's behind the bar?; *hakkenbar* heel bar
[2]**bar** *bn* **1** *(kaal)* barren **2** *(koud)* severe: *~ weer* severe weather **3** *(grof)* rough, gross: *jij maakt het wat al te ~* you are carrying things too far || *~ en boos* really dreadful
[3]**bar** *bw (erg)* extremely, awfully
barak shed, hut; *(mil)* barracks
barbaar barbarian
barbaars barbarian, barbarous; *(woest)* barbaric; *(woest)* savage
barbecue barbecue (party)
barbecueën barbecue
barbediende barman, barwoman
bareel *(Belg)* barrier
barema *(Belg)* wage scale, salary scale
baren bear, give birth to
baret beret, (academic) cap
[1]**Bargoens** *zn* **1** (thieves') slang, argot **2** *(onverstaanbare taal)* jargon
[2]**Bargoens** *bn* slangy
bariton baritone (singer)
barjuffrouw barmaid
barkeeper barman
barmhartig merciful, charitable: *de ~e Samaritaan* the Good Samaritan
barmhartigheid mercy, clemency; *(het weldoen)* charity
[1]**barok** *zn* baroque
[2]**barok** *bn* baroque
barometer barometer: *de ~ staat op mooi weer* (of: *storm*): *a)* the barometer is set fair *(of:* is pointing to storm); *b) (fig)* things are looking good *(of:* bad)
baron baron: *meneer de ~* his *(of:* your) Lordship
barones baroness
barracuda barracuda
barrage *(sport)* decider, play-off
barre *(ballet)* barre; *(gymnastiek)* parallel bar: *oefeningen aan de ~* exercises at the bar
barricade **1** barricade: *voor iets op de ~ gaan staan (fig)* fight on the barricades for sth **2** *(fig)* barrier
barricaderen barricade; *(deur ook)* bar
barrière barrier: *een onoverkomelijke ~* an insurmountable barrier
bars stern, grim; forbidding *(uiterlijk);* harsh *(stem)*
barsheid sternness, grimness, harshness, gruffness
barst crack; *(in huid)* chap: *er komen ~en in* it is cracking
barsten **1** crack, split; burst *(ook fig); (huid ook)* chap; get chapped **2** *(uit elkaar springen)* burst, explode || *het barst hier van de cafés* the place is full of pubs
bas **1** bass (singer, player); *(zanger ook, vnl. opera, solo)* basso **2** *(contrabas)* double bass, (contra)bass: *~ spelen* play the bass **3** *(basgitaar)* bass (guitar)
baseballen play baseball
[1]**baseren** *tr* base (on), found (on)
[2]**baseren, zich** base oneself on, go on: *we hadden niets om ons op te ~* we had nothing to go on
basgitaar bass (guitar)
basilicum basil
basiliek basilica
basis **1** basis, foundation: *de ~ leggen voor iets* lay the foundation of sth **2** *(hoofdbestanddeel)* base, basis
basisbeurs basic grant
basiscursus basic course, elementary course
basisonderwijs primary education
basisopstelling *(sport)* (the team's) starting line-up
basisschool primary school
basisvorming basic (secondary school) curriculum
Baskenland the Basque Country
basketbal basketball
Baskisch Basque
bassin **1** (swimming) pool **2** *(waterbekken, kom)* basin
bassist bass player
bast **1** *(schors)* bark; *(schil, peul)* husk **2** *(inform) (huid)* skin, hide
basta stop!, enough!: *en daarmee ~!* and there's an end to it!
bastaard **1** bastard **2** *(rasloos dier)* mongrel, cross-breed **3** *(nieuwe plantenvorm)* hybrid, cross(-breed)
bastaardhond mongrel
basterdsuiker soft brown sugar
bastion bastion
bataljon battalion
Batavier Batavian
bate: *ten ~ van* for the benefit of

baten avail: *wij zouden erbij gebaat zijn* it would be very helpful to us; *baat het niet, dan schaadt het niet* no harm in trying
batig: ~ *saldo* surplus, credit balance
batikken batik: *gebatikte stoffen* batiks
batje bat
batterij battery: *lege* ~ dead battery
batterijlader battery charger
bauxiet bauxite
baviaan baboon
baxter *(Belg; med)* drip
bazaar *(oosterse marktplaats)* bazaar; *(voor liefdadig doel ook)* (fancy)fair
bazelen drivel (on), waffle
bazig overbearing, domineering, bossy
bazin 1 *(eigenares ve huisdier)* mistress **2** *(vrouw des huizes)* lady of the house
beachvolleybal beach volleyball
beademen 1 breathe air into **2** *(met een beademingstoestel)* apply artificial respiration to
beademing 1 breathing of air into **2** *(met een beademingstoestel)* artificial respiration
beambte functionary, (junior) official
beamen endorse; *(het eens zijn met)* agree (with): *een bewering* ~ endorse a claim
beamer beamer
beangstigen *(verontrusten)* alarm; *(bang maken)* frighten
[1]**beantwoorden** *intr* answer, meet, comply with: *aan al de vereisten* ~ meet all the requirements; *niet* ~ *aan de verwachtingen* fall short of expectations
[2]**beantwoorden** *tr (antwoord geven op)* answer; *(mbt brief ook)* reply to *(meestal niet mbt vraag)*
beargumenteren substantiate: *zijn standpunt kunnen* ~ be able to substantiate one's point of view
beautycase vanity case
bebloed bloody, blood-stained: *zijn gezicht was geheel* ~ his face was completely covered in blood
beboeten fine: *beboet worden* be fined, incur a fine; *iem* ~ *met 100 euro* fine s.o. 100 euros
bebossen (af)forest: *bebost terrein* woodland
bebouwd built-on: *de ~e kom* the built-up area
bebouwen 1 *(met gebouwen)* build on **2** *(met gewassen)* cultivate, farm: *de grond* ~ cultivate the land
bebouwing buildings
becijferen calculate; *(schatten)* compute; *(schatten)* estimate: *de schade valt niet te* ~ it is impossible to calculate the damage
becommentariëren comment (on)
beconcurreren compete with: *de banken* ~ *elkaar scherp* there is fierce competition among the banks
bed bed: *het* ~ *(moeten) houden* be confined to bed; *zijn ~je is gespreid* he has got it made; *het* ~ *opmaken* make the bed; *naar* ~ *gaan* go to bed; *naar* ~ *gaan met iem* go to bed with s.o.; *hij gaat ermee naar* ~ *en staat er weer mee op* he can't stop thinking about it; *dat is ver van mijn* ~ that does not concern me; *een* ~ *rozen* a bed of roses
bedaard 1 composed, collected **2** *(kalm)* calm, quiet: ~ *optreden* act calmly
bedacht prepared (for): *op zoveel verzet waren ze niet* ~ *geweest* they had not bargained for so much resistance
bedachtzaam cautious, circumspect; deliberate: *heel* ~ *te werk gaan* set about sth with great caution
bedankbrief letter of thanks
[1]**bedanken** *intr (niet aannemen)* decline, refuse
[2]**bedanken** *tr* thank: *iem voor iets* ~ thank s.o. for sth
bedankje thank-you; *(brief)* letter of thanks; *(dankwoord)* word of thanks: *er kon nauwelijks een* ~ *af!* (and) small thanks I got (for it)!
bedankt thanks: *reuze* ~ thanks a lot
bedaren quiet down, calm down: *iem tot* ~ *brengen* calm (*of:* quieten) s.o. down
beddengoed (bed)clothes, bedding
beddensprei bedspread
bedding bed, channel
bedeesd shy, diffident, timid
bedekken cover; *(toedekken)* cover up; *(geheel)* cover over: *geheel* ~ *met iets* cover in sth
bedekking cover(ing)
bedekt 1 covered; overcast *(lucht)* **2** *(niet openlijk)* covert: *in ~e termen* in guarded terms
bedelaar beggar
bedelarij begging
bedelarmband charm bracelet
bedelen beg (for)
bedelven bury; *(fig ook)* swamp: *zij werden door het puin bedolven* they were buried under the rubble
bedenkelijk 1 worrying; *(twijfelachtig)* dubious; *(twijfelachtig)* questionable; *(kritiek)* serious: *een* ~ *geval* a worrying (*of:* serious) case **2** doubtful, dubious: *een* ~ *gezicht* a doubtful (*of:* serious) face
[1]**bedenken** *tr* **1** think (about), consider: *als je bedenkt, dat …* considering (*of:* bearing in mind) (that) … **2** *(uitdenken)* think of, think up, invent, devise
[2]**bedenken, zich 1** think (about), consider: *zij zal zich wel tweemaal* ~ *voordat …* she'll think twice before …; *zonder zich te* ~ without a moment's thought **2** *(van gedachten veranderen)* change one's mind, have second thoughts
bedenking objection: *~en hebben tegen iets* have objections to sth
bederf decay, rot
bederfelijk perishable: *~e goederen* perishables
[1]**bederven** *intr* decay, rot
[2]**bederven** *tr* spoil: *die jurk is totaal bedorven* that dress is completely ruined; *iemands plezier* ~ spoil s.o.'s fun

bedevaart pilgrimage: *een ~ doen* make (*of:* go) on a pilgrimage
bedevaartganger pilgrim
bedevaartsoord place of pilgrimage
bediende 1 employee; *(kantoor ook)* clerk; *(winkel ook)* assistant; *(lift e.d.)* attendant: *jongste ~: a)* office junior; *b) (inform)* dogsbody **2** *(in huis)* servant: *eerste ~* butler **3** *(Belg)* official
[1]**bedienen** *tr* **1** serve: *iem op zijn wenken ~* wait on s.o. hand and foot; *aan tafel ~* wait at (the) table **2** *(van machines)* operate
[2]**bedienen, zich** *(gebruiken)* use, make use of
bediening 1 service: *al onze prijzen zijn inclusief ~* all prices include service (charges) **2** *(mbt machines)* operation: *de ~ van een apparaat* the operation of a machine
bedieningspaneel control panel; *(in auto, boot, vliegtuig)* dash(board); *(comp)* console
beding condition, stipulation: *onder geen ~* under no circumstances
bedingen stipulate (for, that); *(eisen)* insist on; require; *(overeenkomen)* agree (on)
bedlampje bedside lamp, bedhead light
bedlegerig ill in bed; *(chronisch)* bedridden
bedoeïen Bedouin
bedoelen mean, intend: *wat bedoel je?* what do you mean?; *het was goed bedoeld* it was meant well (*of:* well meant); *~ met* mean by
bedoeling 1 intention, aim, purpose, object: *dat was niet de ~* that was not intended (*of:* the intention); *met de ~ om te …* with a view to (…ing) **2** *(zin, strekking)* meaning; drift *(mbt brief, toespraak)*
bedoening to-do, job, fuss: *het was een hele ~* it was quite a business
bedolven 1 covered (with) **2** *(overmand door)* snowed under (with), swamped (with): *~ onder het werk* snowed under with work, up to one's ears in work
bedompt stuffy; *(kamer ook)* close; airless; *(lucht ook)* stale: *een ~e atmosfeer* a stuffy atmosphere
bedorven bad, off; *(fig)* spoilt: *de melk is ~* the milk has gone off
bedotten fool, take in
bedplassen bed-wetting
bedrading wiring, circuit
bedrag 1 amount **2** *(geldsom)* sum: *een rond ~* a round sum; *een ~ ineens* a lump sum
bedragen amount to; number *(aantal)*; *(geld ook)* come to be
bedreigen threaten: *bedreigde (dier- of planten)-soorten* endangered species
bedreiging threat: *onder ~ van een vuurwapen* at gunpoint
bedreven adept (at, in); *(vakkundig)* skilled (in); *(vaardig)* skilful (in); *(goed op de hoogte)* (well-)versed (in): *niet ~ zijn in iets* lack experience in sth
bedrevenheid expertise, proficiency, skill
bedriegen deceive, cheat; *(oplichten)* swindle: *hij bedriegt zijn vrouw* he cheats on his wife
bedrieger cheat, fraud, impostor; *(oplichter)* swindler
bedrieglijk deceptive, false; deceitful *(karakter)*; fraudulent *(praktijken)*: *dit licht is ~* this light is deceptive
bedrijf 1 business, company, enterprise, firm; *(groot)* concern; *(landb)* farm: *gemengd ~* mixed farm; *openbare bedrijven* public services **2** *(van toneelstuk)* act **3** *(werking)* operation; (working) order *(mbt apparaat)*: *buiten ~ zijn* be out of order
bedrijfsadministratie business administration; *(boekhouding)* business accountancy, industrial accountancy
bedrijfscultuur corporate culture
bedrijfseconomie business economics, industrial economics
bedrijfskapitaal working capital
bedrijfskunde business administration, management
bedrijfsleider manager
bedrijfsleiding management, board (of directors)
bedrijfsleven business, trade and industry: *het particuliere ~* private enterprise
bedrijfsresultaat trading results, company results
bedrijfsrevisor *(Belg)* auditor
bedrijfssluiting shutdown, close-down
bedrijfsvereniging industrial insurance board
bedrijfsvoering management
bedrijven commit, perpetrate
bedrijvend: *de ~e vorm van een werkwoord* the active voice of a verb
bedrijvig active, busy; *(hard werkend)* industrious; *(altijd bezig)* bustling: *een ~ type* an industrious type
bedroefd sad (about), dejected; *(van streek)* upset (about), distressed (about)
bedroefdheid sadness, sorrow, dejection, distress
[1]**bedroevend** *bn* **1** sad(dening), depressing **2** *(armzalig)* pathetic: *~e resultaten* pitiful results
[2]**bedroevend** *bw (zeer)* pathetically, miserably: *zijn werk is ~ slecht* his work is lamentable
bedrog 1 deceit, deception; *(oplichting)* fraud; *(oplichting)* swindle: *~ plegen* cheat, swindle, deceive, commit fraud **2** *(bedrieglijke voorstelling)* deception, delusion: *optisch ~* optical illusion
bedrukken print, inscribe
bedrukt dejected, depressed
bedrust bedrest
bedtijd bedtime
beduidend significant, considerable: *~ minder* considerably less
beduusd taken aback, flabbergasted
bedwang control, restraint: *iem in ~ houden (ook fig)* keep s.o. in check

bedwelmd 1 stunned, dazed; knocked out *(ook door klap): door alcohol ~* intoxicated 2 *(onder narcose)* anaesthetized, drugged

bedwelmen stun, stupefy; intoxicate *(door alcohol)*

bedwingen suppress, subdue; *(gevoelens)* restrain: *zijn tranen ~* hold back one's tears

beëdigd sworn; chartered *(accountant, landmeter): ~ getuige* sworn witness

beëdigen swear (in), administer an oath to: *een getuige ~* swear (in) a witness

beëdiging 1 swearing, confirmation on oath 2 *(het afnemen ve eed)* swearing (in), administration of the oath

beëindigen 1 end, finish; *(voltooien)* complete: *een vriendschap ~* break off a friendship 2 *(d.m.v. een overeenkomst)* end; close *(ook vergadering); (afbreken)* discontinue; terminate

beek brook, stream

beeld 1 statue, sculpture 2 *(op papier, linnen, beeldscherm e.d.)* picture, image; view *(ook in de geest);* illustration: *in ~ zijn* be on (the screen); *in ~ brengen* show (a picture, pictures of) 3 *(beschrijving)* picture, description

beeldbuis 1 cathode ray tube 2 *(televisietoestel)* screen; *(inform)* box: *elke avond voor de ~ zitten* sit in front of the box every evening

beeldenstorm 1 *(fig)* image breaking 2 *(het vernielen van kunstwerken)* iconoclasm

beeldhouwen sculpture, sculpt; carve *(hout, ivoor enz.)*

beeldhouwer sculptor, sculptress; woodcarver *(hout)*

beeldhouwkunst sculpture

beeldhouwwerk sculpture; *(in hout)* carving

beeldmerk logo(type)

beeldpunt pixel

beeldscherm (TV, television) screen; *(comp)* display

beeldschrift pictography, picture writing

beeldspraak metaphor, imagery, metaphorical language, figurative language

beeldtelefoon videophone

beeldverhaal comic strip

been 1 leg; *(in uitdrukkingen vaak)* foot: *op eigen benen staan* stand on one's own (two) feet; *hij is met het verkeerde ~ uit bed gestapt* he got out of bed on the wrong side; *de benen nemen* run for it; *met beide benen op de grond staan (fig)* have one's feet firmly on the ground 2 *(mbt een dier)* leg 3 *(bot)* bone 4 *(gebeente)* bones *(mv)* 5 *(wisk)* side, leg: *de benen van een driehoek* the sides of an triangle || *(Belg) het (spek) aan zijn ~ hebben* be deceived, be had

beenbeschermer leg-guard, pad

beenhouwer *(Belg)* butcher

beenhouwerij *(Belg)* butcher's shop

beer 1 bear; *(jong)* (bear) cub 2 *(mannetjesvarken)* boar

beerput cesspool; cesspit *(ook fig): (fig) de ~ opentrekken* blow (*of:* take) the lid off

beest 1 beast *(ook in fabels);* animal: *(fig) het ~je bij zijn naam noemen* call a spade a spade 2 *(huisdier)* animal; *(grote viervoeter)* beast; *(mv; vee)* cattle 3 *(eng dier)* creepy-crawly

[1]**beestachtig** *bn* bestial; *(wreed)* brutal; savage

[2]**beestachtig** *bw (verschrikkelijk)* terribly, dreadfully

beet bite

[1]**beethebben** *intr (visserij)* have a bite

[2]**beethebben** *tr* 1 have (got) (a) hold of 2 *(bedriegen)* take in, cheat, fool; *(in de maling nemen)* make a fool of

[1]**beetje** *zn* (little) bit, little: *een ~ Frans kennen* know a little French, have a smattering of French; *een ~ melk graag* a little milk (*of:* a drop of milk), please; *bij stukjes en bij ~s* bit by bit, little by little; *alle ~s helpen* every little helps

[2]**beetje** *bw* (a) (little) bit, (a) little, rather: *dat is een ~ weinig* that's not very much; *een ~ vervelend zijn: a) (lastig)* be a bit of a nuisance, be rather annoying; *b) (saai)* be rather boring, be a bit of a bore; *een ~ opschieten* get a move on

beetnemen *(bij de neus nemen)* take in, make a fool of, fool: *je bent beetgenomen!* you've been had!

beetpakken lay hold of, get one's (*of:* lay) hands on

befaamd famous, renowned

begaafd 1 gifted, talented 2 *(bedeeld met)* gifted (with), endowed (with)

begaafdheid 1 talent, ability; *(intelligentie)* intelligence; *(genialiteit)* genius 2 *(talent)* talent (for), gift (for)

[1]**begaan** *intr* do as one likes (*of:* pleases)

[2]**begaan** *tr (bedrijven)* commit; *(fouten ook)* make

begaanbaar passable, practicable

begeerte desire (for), wish (for), craving (for)

begeleiden 1 accompany, escort 2 *(met raad en daad bijstaan)* guide, counsel, support; *(bij studie ook)* supervise; coach 3 *(samengaan met)* accompany *(ook muz);* go with

begeleidend accompanying, attendant: *(film, theater) ~e muziek* incidental music

begeleider 1 companion; escort *(met eerbetoon, bescherming)* 2 *(adviseur)* guide, counsellor; *(bij studie ook)* supervisor; *(bij studie ook)* coach 3 *(muz)* accompanist

begeleiding 1 accompaniment, accompanying; escort(ing) *(met eerbetoon, bescherming)* 2 *(het bijstaan)* guidance, counselling, support; *(bij studie ook)* supervision; coaching: *de ~ na de operatie was erg goed* the follow-up care after the operation was very good; *onder ~ van* under the guidance of 3 *(muz)* accompaniment

begeren desire, crave, long for: *alles wat zijn hartje maar kon ~* all one could possibly wish for

begerenswaardig desirable; *(mens ook)* eligible;

(benijdenswaardig) enviable
begerig desirous (of), longing (for), eager (for); *(hongerig)* hungry (for): *~e blikken* hungry looks
[1]**begeven** *tr* 1 break down, fail; *(instorten)* collapse; *(doorzakken)* give way: *de auto kan het elk ogenblik ~* the car is liable to break down any minute 2 *(verlaten)* forsake, leave; fail *(kracht, hoop): zijn stem begaf het* his voice broke
[2]**begeven, zich** *(ergens heengaan)* proceed; embark (on, upon) *(reis, onderneming);* adjourn (to) *(naar andere kamer): zich op weg ~ (naar)* set out (for)
begin beginning, start; opening *(boek, wedstrijd, rede): ~ mei* early in May, (at) the beginning of May; *een veelbelovend ~* a promising start; *dit is nog maar het ~* this is only the beginning; *een ~ maken met iets* begin (*of:* start) sth; *(weer) helemaal bij het ~ (moeten) ~nen* (have to) start from scratch; *in het ~* at the beginning, at first, initially; *een boek van ~ tot eind lezen* read a book from cover to cover
beginletter initial letter, first letter; *(mbt naam)* initial
beginneling beginner, novice
[1]**beginnen** *intr* 1 begin, start (to do sth, doing sth); *(form)* commence; set about (doing): *(inform) begin maar!* go ahead!, *(met vragen ook)* fire away!; *laten we ~* let's get started; *het begint er op te lijken* that's more like it; *weer van voren af aan moeten ~* go back to square one; *hij begon met te zeggen …* he began by saying …; *het begint donker te worden* it is getting dark; *je weet niet waar je aan begint* you don't know what you are letting yourself in for 2 (met *over*) *(gaan praten)* bring up, raise: *over politiek ~* bring up politics; *over iets anders ~* change the subject || *daar kunnen we niet aan ~* that's out of the question; *om te ~ …* for a start …; *voor zichzelf ~* start one's own business
[2]**beginnen** *tr (starten, openen)* begin, start; open *(toespraak, spel, onderhandelingen, brief): een gesprek ~* begin (*of:* start) a conversation; *een zaak ~* start a business
beginner beginner: *~scursus* beginners' course
beginpunt starting point, point of departure
beginsel principle, rudiment: *in ~* in principle
beglazing glazing
begoed *(Belg)* well off
begraafplaats cemetery, graveyard, burial ground
begrafenis 1 funeral 2 *(handeling)* burial
begrafenisondernemer undertaker, funeral director
begrafenisstoet funeral procession
begraven bury: *dood en ~ zijn* be dead and gone
begrensd limited, finite, restricted
begrenzen 1 border: *door de zee begrensd* bordered by the sea 2 *(fig)* define 3 *(beperken)* limit, restrict
[1]**begrijpelijk** *bn* 1 understandable, comprehensible, intelligible 2 *(verklaarbaar)* natural, obvious: *dat is nogal ~* that is hardly surprising; *het is heel ~ dat hij bang is* it's only natural that he should be frightened
[2]**begrijpelijk** *bw (op duidelijke wijze)* clearly
begrijpen 1 understand, comprehend, grasp: *hij begreep de hint* he took the hint, he got the message; *dat kan ik ~* I (can) understand that; *o, ik begrijp het* oh, I see; *laten we dat goed ~* let's get that clear; *begrijp je me nog?* are you still with me?; *dat laat je voortaan, begrepen!* I'll have no more of that, is that clear? (*of:* do you hear?); *als je begrijpt wat ik bedoel* if you see what I mean 2 *(opvatten)* understand, gather: *begrijp me goed* don't get me wrong; *iem (iets) verkeerd ~* misunderstand s.o. (sth)
begrip 1 understanding, comprehension, conception: *vlug van ~* quick-witted 2 *(denkbeeld; eenheid van denken)* concept, idea, notion 3 *(het willen, kunnen begrijpen van)* understanding, sympathy: *~ voor iets kunnen opbrengen* appreciate; *ze was vol ~* she was very understanding
begroeid grown over (with), overgrown (with); *(met bos)* wooded
begroeten greet; *(roepend)* hail; *(met een handgebaar ook)* salute: *elkaar ~* exchange greetings; *het voorstel werd met applaus begroet* the proposal was greeted with applause
begroeting greeting, salutation
begroten estimate (at), cost (at): *de kosten van het gehele project worden begroot op 12 miljoen* the whole project is costed at 12 million
begroting *(berekening)* estimate, budget: *een ~ maken* make an estimate
begrotingstekort budget deficit
begunstigde beneficiary; payee *(cheque)*
beha bra
behaaglijk 1 pleasant, comfortable: *een ~ gevoel* a comfortable feeling 2 *(op zijn gemak)* comfortable, relaxed 3 *(knus)* cosy, snug
behalen gain, obtain, achieve, score, win: *een hoog cijfer ~* get (*of:* obtain) a high mark
behalve 1 *(uitgezonderd)* except (for), but (for), with the exception of, excepting: *~ mij heeft hij geen enkele vriend* except for me he hasn't got a single friend 2 *(naast, afgezien van)* besides, in addition to
behandelen 1 *(omgaan met)* handle, deal with, treat; *(afhandelen)* attend to: *dergelijke aangelegenheden behandelt de rector zelf* the director attends to such matters himself; *eerlijk behandeld worden* be treated fairly; *de dieren werden goed behandeld* the animals were well looked after; *iem oneerlijk ~* do s.o. (a) wrong; *iem voorzichtig ~* go easy with s.o. 2 *(uiteenzetten)* treat (of), discuss, deal with: *een onderwerp ~* discuss a subject 3 *(als arts verzorgen)* treat; *(verplegen)* nurse
behandeling 1 *(het omgaan met iets)* treatment, use, handling; operation *(machine); (het afhande-*

len) handling; management: *een wetsontwerp in ~ nemen* discuss a bill; *in ~ nemen* deal with 2 *(uiteenzetting)* treatment, discussion 3 *(med)* treatment, attention: *zich onder ~ stellen* go to a doctor

behandelkamer surgery

behang wallpaper

[1]**behangen** *ww* (wall)paper (a room), hang (wallpaper)

[2]**behangen** *tr (bedekken)* hang (with), drape (with)

behanger paperhanger

behartigen look after, promote

behartiging promotion (of), protection (of)

beheer 1 management; *(toezicht)* control; supervision: *de penningmeester heeft het ~ over de kas* the treasurer is in charge of the funds 2 *(administratie, bestuur)* administration, management, rule: *dat eiland staat onder Engels ~* that island is under British administration

beheerder 1 administrator, trustee 2 *(exploitant)* manager *(camping, kantine, filiaal)*

beheersen control, govern, rule; *(domineren)* dominate: *die gedachte beheerst zijn leven* that thought dominates his life || *een vreemde taal ~* have a thorough command of a foreign language

beheersing control; command *(ook van taal)*: *de ~ over zichzelf verliezen* lose one's self-control

beheerst controlled, composed

behelpen, zich manage, make do: *hij weet zich te ~* he manages, he can make do

behendig *(handig)* dexterous; adroit; *(vaardig)* skilful; *(bijdehand)* clever; *(bijdehand)* smart: *een ~e jongen* an agile boy; *~ klom ze achterop* she climbed nimbly up on the back

behendigheid dexterity, agility, skill

beheren 1 manage; administer *(financiën)*: *de financiën ~* control the finances 2 *(leiden, exploiteren)* manage, run

behoeden 1 *(beschermen)* guard (from), keep (from), preserve (from): *iem voor gevaar ~* keep s.o. from danger 2 *(waken over)* guard, watch over: *God behoede ons* (may) God preserve us

behoedzaam cautious, wary

behoefte *(gemis)* need (of, for); *(vraag)* demand (for): *in eigen ~ (kunnen) voorzien* be self-sufficient; *~ hebben aan rust* have a need for quiet || *zijn ~ doen* relieve oneself

behoeve: *ten ~ van* for the benefit of

[1]**behoorlijk** *bn* 1 *(fatsoenlijk)* decent, appropriate, proper, fitting: *producten van ~e kwaliteit* good quality products 2 *(voldoende)* adequate, sufficient 3 *(toonbaar)* decent, respectable, presentable 4 *(tamelijk groot, flink)* considerable, substantial: *dat is een ~ eind lopen* that's quite a distance to walk

[2]**behoorlijk** *bw* 1 *(fatsoenlijk)* decently, properly: *gedraag je ~* behave yourself 2 *(in voldoende mate)* adequately, enough 3 *(nogal)* pretty, quite: *~ wat* a fair amount (of) 4 *(goed)* decently, well (enough): *je kunt hier heel ~ eten* you can get a very decent meal here

behoren 1 belong (to); *(toebehoren)* be owned by; *(gerekend worden)* be part of: *dat behoort nu tot het verleden* that's past history 2 *(vereist worden)* require, need, be necessary, be needed: *naar ~* as it should be 3 *(gepast zijn)* should, ought (to): *jongeren ~ op te staan voor ouderen* young people should stand up for older people 4 *(onderdeel uitmaken van)* belong (to), go together *(of:* with): *een tafel met de daarbij ~de stoelen* a table and the chairs to go with it; *hij behoort tot de betere leerlingen* he is one of the better pupils

behoud 1 *(het in stand houden, blijven)* preservation, maintenance; conservation *(ook van natuur, monumenten)* 2 *(het in goede staat houden)* preservation, conservation, care

behouden 1 *(niet verliezen)* preserve, keep; conserve *(ook natuur, monumenten)*; retain: *zijn zetel ~* retain one's seat 2 *(niet opgeven)* maintain, keep: *zijn vorm ~* keep fit

behuizing housing, accommodation; *(woning)* house; dwelling: *passende ~ zoeken* look for suitable accommodation

behulp: *met ~ van iets* with the help (*of:* aid) of sth

behulpzaam helpful: *zij is altijd ~* she's always ready to help

beiaard carillon

beide both, either (one); *(twee)* two: *het is in ons ~r belang* it's in the interest of both of us; *een opvallend verschil tussen hun ~ dochters* a striking difference between their two daughters; *in ~ gevallen* in either case, in both cases; *ze zijn ~n getrouwd* they are both married, both (of them) are married; *wij ~n* both of us, the two of us; *ze weten het geen van ~n* neither of them knows

[1]**beige** *zn* beige

[2]**beige** *bn* beige

beïnvloeden influence, affect: *zich door iets laten ~* be influenced by sth

beïnvloeding: *~ van de jury* influencing the jury

Beiroet Beirut

beitel chisel

beits stain

bejaard elderly, aged, old

bejaarde elderly (*of:* old) person, senior citizen

bejaardentehuis old people's home, home for the elderly

bejaardenverzorger geriatric helper

bek 1 *(snavel)* bill; *(kort en stevig)* beak 2 *(muil)* snout, muzzle 3 *(mond)* mouth, trap, gob: *een grote ~ hebben* be loud-mouthed; *hou je grote ~* shut up! 4 *(gezicht)* mug: *(gekke) ~ken trekken* make (silly) faces

bekaf all-in, knackered, dead tired

bekakt affected, snooty

bekeken 1 settled 2 *(uitgekiend)* well-judged

bekend 1 known: *dit was mij* ~ I knew (of) this; *het is algemeen* ~ it's common knowledge; *voor zover mij* ~ as far as I know; *voor zover* ~ as far as is known 2 *(door velen gekend)* well-known, noted (for), known (for); *(berucht)* notorious (for): ~ *van radio en tv* of radio and TV fame 3 *(niet vreemd)* familiar: *u komt me* ~ *voor* haven't we met (somewhere) (before)?

bekende acquaintance

bekendheid 1 *(het bekend zijn met)* familiarity (with), acquaintance (with), experience (of) 2 reputation, name, fame

bekendmaken 1 *(aankondigen)* announce 2 *(publiek maken)* publish, make public *(of:* known): *de verkiezingsuitslag* ~ declare the results of the election 3 *(vertrouwd maken)* familiarize (with), acquaint

bekendmaking 1 *(aankondiging)* announcement 2 *(publicatie)* publication; *(in krant, op bord)* notice; *(van verkiezingsuitslag)* declaration

bekennen 1 *(jur)* confess; *(voor het gerecht)* plead guilty (to): *schuld* ~ admit one's guilt 2 *(toegeven)* confess, admit, acknowledge: *schuld* ~ admit one's guilt; *je kunt beter eerlijk* ~ you'd better come clean 3 *(bespeuren)* see, detect: *hij was nergens te* ~ there was no sign *(of:* trace) of him (anywhere)

bekentenis confession, admission, acknowledgement; *(voor het gerecht ook)* plea of guilty: *een volledige* ~ *afleggen* make a full confession

beker *(drinkgerei)* beaker, cup; *(met oor)* mug: *de* ~ *winnen* win the cup

bekeren convert; *(ten goede)* reform

bekerfinale cup final

bekering conversion

bekerwedstrijd cup-tie

bekeuren fine (on the spot): *bekeurd worden voor te hard rijden* be fined for speeding

bekeuring (on-the-spot) fine, ticket

bekijken 1 *(bezichtigen)* look at, examine: *iets vluchtig* ~ glance at sth; *van dichtbij* ~ take a close(r) look at 2 *(overwegen)* look at, consider 3 *(opvatten)* see, look at, consider, view: *hoe je het ook bekijkt* whichever way you look at it || *je bekijkt het maar!* please yourself!; *goed bekeken!* well done!, *(slim)* good thinking!

bekken 1 basin 2 *(biol)* pelvis 3 *(muz)* cymbal

beklaagde accused, defendant; *(gedetineerde ook)* prisoner (at the bar)

beklaagdenbank dock

bekladden *(bevlekken) (met inkt)* blot; *(met verf)* daub; plaster *(muur)*

beklag complaint

[1]**beklagen** *tr* pity

[2]**beklagen, zich** complain (to s.o.), make a complaint (to s.o.)

bekleden 1 *(bedekken)* cover; *(met verf enz.)* coat; *(binnenkant)* line: *een kamer* ~ carpet a room 2 *(uitoefenen, bezetten)* hold, occupy: *een hoge positie* ~ hold a high position

bekleding covering, coating, lining

beklemd *(vast)* jammed, wedged, stuck, trapped

beklemtonen *(klemtoon leggen op)* stress, accent(uate); emphasize *(ook fig)*

beklimmen climb, ascend, scale

beknellen trap: *door een botsing bekneld raken in een auto* be trapped in a car after a collision

beknopt brief(ly-worded), concise, succinct || *een* ~*e uitgave* an abridged edition

bekoelen 1 *(koel(er) worden)* cool (off, down) 2 *(fig)* cool (off), dampen

bekogelen pelt, bombard

bekomen 1 *(goed)* agree with; suit; *(slecht)* disagree with: *dat zal je slecht* ~ you'll be sorry (for that) 2 *(bijkomen)* recover, get over; *(na flauwvallen)* come round, come to: *van de (eerste) schrik* ~ get over the (initial) shock

bekommerd concerned (about), worried (about)

bekommeren, zich worry (about), bother (about), concern *(of:* trouble) oneself (with, about)

bekopen *(boeten)* pay for

bekoring *(aantrekking)* charm(s), appeal

bekostigen bear the cost of, pay for, fund: *ik kan dat niet* ~ I can't afford that

bekrachtigen ratify, confirm; pass *(wet)*; *(koninklijk)* assent to: *(mbt wet) bekrachtigd worden* be passed

bekrachtiging 1 ratification, confirmation 2 *(vonnis)* upholding || *stuurbekrachtiging* power steering

bekritiseren criticize, find fault with

bekrompen *(kleingeestig)* narrow(-minded), petty, blinkered; *(sterker)* bigoted

bekronen award a prize to: *een bekroond ontwerp* a prizewinning design, an award-winning design

bekroning award

bekruipen come over, steal over: *het spijt me, maar nu bekruipt me toch het gevoel dat ...* I'm sorry, but I've got a sneaking feeling that ...

bekvechten argue, bicker

bekwaam *(kundig)* competent, capable, able

bekwaamheid *(eigenschap)* competence, (cap)ability, capacity, skill

bekwamen, zich qualify, train (oneself), study, teach: *zich in iets* ~ train for sth

bel 1 bell; *(aan deur ook)* chime; gong (bell): *de* ~ *gaat* there's s.o. at the door; *op de* ~ *drukken* press the bell 2 *(gas-, luchtbel)* bubble: ~*len blazen* blow bubbles

belabberd rotten, lousy, rough: *ik voel me nogal* ~ I feel pretty rough *(of:* lousy)

belachelijk ridiculous, absurd, laughable, ludicrous: *op een* ~ *vroeg uur* at some ungodly hour; *doe niet zo* ~ stop making such a fool of yourself

[1]**beladen** *bn* emotionally charged

[2]**beladen** *tr* load *(ook fig)*; burden

belagen 1 beset; *(sterker)* besiege 2 *(bedreigen)* menace, endanger
belanden land (up), end up, finish, find oneself: *~ bij* end up at, finish at; *waardoor hij in de gevangenis belandde* which landed him in prison
belang 1 interest, concern; *(baat)* good: *het algemeen ~* the public interest; *~ bij iets hebben* have an interest in sth; *in het ~ van uw gezondheid* for the sake of your health 2 *(belangstelling)* interest (in): *~ stellen in* be interested in, take an interest in 3 *(gewicht, waarde)* importance, significance: *veel ~ hechten aan iets* set great store by sth
belangeloos *(onbaatzuchtig)* unselfish, selfless: *belangeloze hulp* disinterested help
belangenvereniging interest group, pressure group, lobby
belanghebbend interested, concerned
belanghebbende interested party, party concerned
belangrijk 1 important: *de ~ste gebeurtenissen* the main (*of:* major) events; *zijn gezin ~er vinden dan zijn carrière* put one's family before one's career; *en wat nog ~er is …* and, more important(ly), … 2 *(groot)* considerable, substantial, major: *in ~e mate* considerably, substantially
1**belangstellend** *bn* interested: *ze waren heel ~* they were very attentive
2**belangstellend** *bw* interestedly, with interest
belangstellende person interested, interested party
belangstelling interest (in): *in het middelpunt van de ~ staan* be the focus of attention; *een man met een brede ~* a man of wide interests; *zijn ~ voor iets verliezen* lose interest in sth; *daar heb ik geen ~ voor* I'm not interested (in that)
belast *(als toegewezen taak hebbend)* responsible (for), in charge (of)
belastbaar taxable: *~ inkomen* taxable income
belasten 1 load: *iets te zwaar ~* overload sth 2 *(als prestatie vergen van)* (place a) load (on) 3 *(opdracht geven)* make responsible (for), put in charge (of): *iem te zwaar ~* overtax s.o. 4 *(mbt belastingen)* tax
belastend aggravating; *(jur)* incriminating; damning; damaging *(feiten, beweringen)*
belasteren slander; *(in geschrifte)* libel
belasting 1 load, stress: *~ van het milieu met chemische producten* burdening of the environment with chemicals 2 *(psychische druk)* burden, pressure: *de studie is een te grote ~ voor haar* studying is too much for her 3 *(aan de overheid)* tax, taxation; *(plaatselijk)* rate(s): *~ heffen* levy taxes; *~ ontduiken* evade tax
belastingaangifte tax return
belastingaanslag tax assessment
belastingaftrek tax deduction
belastingdienst tax department, Inland Revenue; *(Am)* IRS; Internal Revenue Service
belastingheffing taxation, levying of taxes
belastingontduiking tax evasion, tax dodging
belastingstelsel tax system, system of taxation
belastingvrij tax-free, duty-free; duty-paid *(van goederen);* untaxed *(van accijns)*
belazeren *(plat)* cheat, make a fool of
beledigen offend; *(sterker)* insult: *zich beledigd voelen door* be (*of:* feel) offended by
beledigend offensive (to), insulting (to), abusive
belediging insult, affront: *een grove (zware) ~* a gross insult
beleefd polite, courteous; *(welgemanierd)* well-mannered; *(ook koel)* civil: *dat is niet ~* that's bad manners, that's not polite
beleefdheid *(welgemanierdheid)* politeness, courtesy
beleg 1 siege: *de staat van ~ afkondigen* declare martial law 2 *(op brood)* (sandwich) filling
belegen mature(d); *(kaas ook)* ripe; *(fig)* stale: *jong (licht) ~ kaas* semi-mature(d) cheese
belegeren besiege, lay siege to
belegering siege
1**beleggen** *intr, tr* invest: *in effecten ~* invest in stocks and shares
2**beleggen** *tr* 1 convene, call: *een vergadering ~* call a meeting 2 cover, fill; put meat (*of:* cheese) on *(boterham): belegde broodjes* (ham, cheese etc.) rolls
belegger investor
belegging investment
beleid 1 policy *(vaak mv): het ~ van deze regering* the policies of this government; *verkeerd (slecht) ~* mismanagement 2 *(overleg)* tact, discretion: *met ~ te werk gaan* handle things tactfully
belemmeren hinder, hamper; *(sterker)* impede; *(storend werken op)* interfere with; *(sterker)* obstruct; *(onmogelijk maken)* block: *iem het uitzicht ~* obstruct (*of:* block) s.o.'s view
belemmering hindrance, impediment, interference, obstruction: *een ~ vormen voor* stand in the way of
beletsel obstacle, impediment
beletten prevent (from), obstruct
beleven go through, experience: *de spannendste avonturen ~* have the most exciting adventures
belevenis experience, adventure
Belg Belgian
België Belgium
Belgisch Belgian
Belgrado Belgrade
belichamen embody
belichaming embodiment
belichten 1 illuminate, light (up) 2 *(uiteenzetten)* discuss, shed (*of:* throw) light on: *een probleem van verschillende kanten ~* discuss different aspects of a problem 3 *(foto)* expose
belichting lighting
1**believen** *intr* please
2**believen** *tr* want, desire: *wat belieft u?* (I beg your) pardon?
belijden profess, avow

belijdenis confession (of faith) *(verklaring);* confirmation

belkaart phone card

[1]**bellen** *intr* ring (the bell): *de fietser belde* the cyclist rang his bell

[2]**bellen** *intr, tr (opbellen)* ring (up), call: *kan ik even ~?* may I use the (tele)phone?

bellenblazen blow bubbles

belletje *(telefoontje)* buzz, call, ring

bellettrie belles-lettres, literature

belofte promise; *(plechtig)* pledge: *iem een ~ doen* make s.o. a promise; *zijn ~ (ver)breken* break one's promise

belonen pay, reward, repay

beloning reward; *(loon)* pay(ment): *als ~ (van, voor)* in reward (for)

beloop course, way: *iets op zijn ~ laten* let sth take (*of:* run) its course, *(nalatig zijn ook)* let things slide

beloven promise; *(plechtig)* vow; *(plechtig)* pledge: *dat belooft niet veel goeds* that does not augur well; *het belooft een mooie dag te worden* it looks as if it'll be a lovely day

beluisteren 1 listen to; *(omroep ook)* listen in to: *het programma is iedere zondag te ~* the programme is broadcast every Sunday **2** *(luisterend waarnemen)* hear, overhear

belust (met *op*) bent (on); out (for) *(wraak, sensatie)*

bemachtigen 1 get hold of, get (*of:* lay) one's hands on: *een zitplaats ~* secure a seat **2** *(zich meester maken van)* seize, capture, take (possession of); acquire *(diploma enz.)*

bemannen man, staff; *(schip ook)* crew: *een bemand ruimtevaartuig* a manned spacecraft

bemanning crew; *(schip ook)* ship's company; complement; *(vesting)* garrison

bemanningslid crewman, member of the crew, hand

bemerken notice, note

bemesten manure; *(met kunstmest)* fertilize

bemiddelaar intermediary; *(mbt geschil)* mediator; *(inform)* go-between

bemiddeld affluent, well-to-do

bemiddelen mediate: *~d optreden (in)* act as a mediator (*of:* an arbitrator) (in)

bemiddeling mediation

bemind dear (to), loved (by), much-loved: *door zijn charme maakte hij zich bij iedereen ~* his charm endeared him to everyone

beminde beloved, sweetheart

beminnelijk amiable

beminnen love, hold dear

bemoedigen encourage, hearten

bemoeial busybody

bemoeien, zich (met *met*) meddle (in), interfere (in): *bemoei je niet overal mee!* mind your own business!; *daar bemoei ik me niet mee* I don't want to get mixed up in that

bemoeilijken hamper, hinder; impede *(voortgang); (situatie ook)* aggravate; *(situatie ook)* complicate

benadelen harm, put at a disadvantage, handicap; *(jur)* prejudice: *iem in zijn rechten ~* infringe s.o.'s rights

benaderen 1 approach; *(fig ook)* approximate to; come close to: *moeilijk te ~* unapproachable **2** *(zich wenden tot)* approach, get in touch with: *iem ~ over een kwestie* approach s.o. on a matter **3** *(rekenkundig)* calculate (roughly), estimate (roughly)

benadering 1 approach; *(fig ook)* approximation (to) **2** *(rekenkundig)* (rough) calculation, (rough) estimate, approximation || *bij ~* approximately, roughly

benadrukken emphasize, stress, underline

benard awkward, perilous, distressing

benauwd 1 short of breath **2** *(de ademhaling belemmerend)* close, muggy; *(onfris)* stuffy: *een ~ gevoel op de borst* a tight feeling in one's chest; *~ warm* close, muggy, oppressive **3** *(angstig)* anxious, afraid: *het ~ krijgen* feel anxious **4** *(angstig makend)* upsetting **5** *(mbt ruimte)* narrow, cramped

benauwdheid 1 *(mbt ademhaling)* tightness of the chest **2** *(bedomptheid)* closeness, stuffiness **3** *(angst)* fear, anxiety

bende 1 mess, shambles **2** *(groot aantal)* mass; *(mensen, dieren)* swarm; crowd **3** *(mbt gespuis, dieven)* gang, pack

[1]**beneden** *bw* down, below; *(in huis)* downstairs; *(pagina)* at the bottom: *(via de trap) naar ~ gaan* go down(stairs); *de vijfde regel van ~* the fifth line up, the fifth line from the bottom

[2]**beneden** *vz* under, below, beneath: *kinderen ~ de zes jaar* children under six (years of age)

benedenste lowest, bottom; *(ve stapel ook)* undermost

benedenverdieping ground floor; *(lagere verdieping)* lower floor

benedenwinds leeward

Benelux Benelux, the Benelux countries

benemen take away (from)

benen bone

benepen 1 small-minded, petty **2** *(benauwd)* anxious, timid

benevelen cloud, (be)fog: *licht(elijk) beneveld* tipsy, woozy

Bengaals Bengal; *(inwoners, taal)* Bengali

bengel (little) rascal, scamp, (little) terror

bengelen dangle, swing (to and fro)

benieuwd curious: *ik ben ~ wat hij zal zeggen* I wonder what he'll say; *ze was erg ~ (te horen) wat hij ervan vond* she was dying to hear what he thought of it

benieuwen arouse curiosity: *het zal mij ~ of hij komt* I wonder if he'll come

benijden envy, be envious (of), be jealous (of): *al*

onze vrienden ~ ons om ons huis our house is the envy of all our friends
benijdenswaardig enviable
benodigd required, necessary, wanted
benodigdheden requirements, necessities
benoemen appoint, assign (to), nominate: *iem tot burgemeester ~* appoint s.o. mayor
benoeming appointment, nomination
benul notion, inkling, idea: *hij heeft er geen (flauw) ~ van* he hasn't got the foggiest idea
benutten utilize, make use of: *een strafschop ~* score from a penalty
benzine petrol; *(Am)* gas(oline): *gewone (normale) ~* two star petrol; *loodvrije ~* unleaded petrol
benzinemotor petrol engine
benzinepomp 1 *(benzinestation)* petrol station, filling station **2** *(in auto)* fuel pump
beoefenaar student *(taal, kunst);* practitioner *(geneeskunde, kunst)*
beoefenen practise, pursue, follow, study; *(inform)* go in for: *sport ~* go in for sports
beoordelaar judge, assessor; *(recensent)* reviewer
beoordelen judge, assess: *een boek ~* criticize a book; *dat kan ik zelf wel ~!* I can judge for myself (, thank you very much)!; *dat is moeilijk te ~* that's hard to say; *iem verkeerd ~* misjudge s.o.
beoordeling judg(e)ment, assessment, evaluation; *(ond)* mark; *(kritische)* review
[1]**bepaald** *bn* **1** particular, specific: *heb je een ~ iemand in gedachten?* are you thinking of anyone in particular? **2** *(vastgesteld)* specific, fixed, set, specified; *(willekeurig)* given: *vooraf ~* predetermined **3** *(een of ander, sommige)* certain, particular: *om ~e redenen* for certain reasons
[2]**bepaald** *bw* definitely: *niet ~ slim* not particularly clever
bepakking pack; *(mil)* (marching) kit
bepalen 1 prescribe, lay down, determine, stipulate: *zijn keus ~* make one's choice; *vooraf ~* predetermine; *de prijs werd bepaald op €100,-* the price was set at 100 euros **2** *(vaststellen)* determine, ascertain: *u mag de dag zélf ~* (you can) name the day; *het tempo ~* set the pace
bepaling 1 *(omschrijving)* definition **2** *(voorschrift)* provision, stipulation, regulation: *een wettelijke ~* a legal provision (*of:* stipulation) **3** *(voorwaarde)* condition **4** *(vaststelling)* determination
[1]**beperken** *tr* **1** limit, restrict **2** (met *tot*) restrict (to), limit (to), confine (to), keep (to): *de uitgaven ~* keep expenditure down; *tot het minimum ~* keep (down) to a minimum
[2]**beperken, zich** restrict (oneself to), confine (oneself to)
beperking 1 limitation, restriction: *zijn ~en kennen* know one's limitations **2** *(inkrimping)* reduction, cutback
beperkt limited, restricted, confined; *(verminderd)* reduced: *~ blijven tot* be restricted to; *een ~e keuze* a limited choice
beplanten plant (with); *(zaaien)* sow (with)
beplanting *(gewassen)* planting, plants, crop(s)
bepleiten argue, plead, advocate: *iemands zaak ~ (bij iem)* plead s.o.'s case (with s.o.)
beppen yack, chat
beproeven (put to the) test, try: *zijn geluk ~* try one's luck
beproeving 1 testing **2** *(ongeluk)* ordeal, trial
beraad consideration, deliberation; *(beraadslaging)* consultation *(vaak mv)*: *na rijp ~* after careful consideration
beraadslagen deliberate (upon), consider: *met iem over iets ~* consult with s.o. about sth
beraadslaging deliberation, consideration, consultation
beraden, zich consider, think over: *zich ~ over (op)* deliberate about
beramen 1 devise, plan: *een aanslag ~* plot an attack **2** *(begroten)* estimate, calculate
beraming 1 planning, design **2** *(begroting)* estimate, calculation, budget
berde: *iets te ~ brengen* bring up a matter, raise a point
berechten try
berechting trial; *(uitspraak)* judgement; *(uitspraak)* adjudication
bereden mounted
beredeneren argue, reason (out)
bereid 1 prepared **2** *(genegen te doen)* ready, willing, disposed: *tot alles ~ zijn* be prepared to do anything
bereiden prepare, get ready; *(mbt eten ook)* cook; make, fix: *iem een hartelijke (warme) ontvangst ~* give s.o. a warm welcome
bereidheid readiness, preparedness, willingness
bereiding preparation, making, manufacture, production
bereidingswijze method of preparation, process of manufacture, procedure
bereik reach; *(mbt radio)* range: *buiten (het) ~ van kinderen bewaren* keep away from children
bereikbaar accessible, attainable, within reach: *bent u telefonisch ~?* can you be reached by phone?
bereiken 1 reach, arrive in, arrive at, get to **2** reach, achieve, attain, gain: *zijn doel ~* attain one's goal **3** *(contact krijgen met)* reach, contact; *(verbinding krijgen)* get through (to)
berekend meant for, designed for; *(vnl. mbt mensen)* equal to, suited to: *hij is niet ~ voor zijn taak* he is not up to his job
berekenen 1 calculate, compute, determine, figure out; *(optellen)* add up **2** *(in rekening brengen)* charge: *iem te veel* (of: *weinig*) *~* overcharge (*of:* undercharge) s.o.
berekenend calculating, scheming
berekening 1 calculation, computation: *naar (volgens) een ruwe ~* at a rough estimate **2** *(overwe-*

ging) calculation, evaluation, assessment: *een huwelijk uit ~* a marriage of convenience
berg mountain; hill *(heuvel)*: *~en verzetten* move mountains
bergachtig mountainous, hilly
bergafwaarts downhill
bergbeklimmen mountaineering, (rock-)-climbing
bergbeklimmer mountaineer, (mountain-)-climber
¹bergen *tr* **1** store, put away; stow (away) *(vnl. scheepv)*: *mappen in een la ~* put files away in a drawer **2** *(scheepv)* salvage **3** *(in veiligheid brengen)* rescue, save; shelter *(personen en dieren)*; recover *(wrakstukken)*
²bergen, zich *(maken dat men wegkomt)* get out of harm's *(of:* the) way, take cover
berghelling mountain slope, mountainside
berghok shed; *(in huis)* storeroom; *(in huis)* boxroom
berging **1** *(scheepv)* salvage, recovery **2** storeroom, boxroom; shed
bergkam (mountain) ridge
bergketen mountain range *(of:* chain)
bergkristal rock-crystal, rhinestone
bergop uphill
bergpas (mountain) pass, col
bergplaats storage (space); storeroom *(in huis)*; *(schuur(tje))* shed
bergsport mountaineering, (mountain) climbing; *(in de Alpen, Himalaya enz. ook)* alpinism
bergtop summit, mountain top, peak; *(spits)* pinnacle
bergwand mountain side, face of a mountain, mountain wall
bericht message, notice, communication; *(mbt nieuwsberichten)* report; *(mbt nieuwsberichten)* news: *volgens de laatste ~en* according to the latest reports; *tot nader ~* until further notice; *u krijgt schriftelijk ~* you will receive written notice *(of:* notification); *~ achterlaten dat* leave a message that
berichten report, send word, inform, advise
berichtgeving reporting, (news) coverage, report(s)
berijden **1** ride *(paard e.d.)* **2** *(rijden over)* ride (on), drive (on)
berijder rider *(paard, (motor)fiets)*
berispen reprimand, admonish
berisping reprimand, reproof
berk birch
Berlijn Berlin
berm verge, roadside, shoulder
bermuda Bermuda shorts, Bermudas
beroemd famous, renowned, celebrated, famed: *~ om* famous for
beroemdheid **1** fame, renown **2** *(persoon)* celebrity
beroemen, zich boast (about), take pride (in), pride oneself (on)
beroep **1** occupation, profession, vocation; *(bedrijf, ambacht)* trade; *(zaak)* business: *in de uitoefening van zijn ~* in the exercise of one's profession; *wat ben jij van ~?* what do you do for a living? **2** *(jur)* appeal: *raad van ~: a)* Court of Appeal; *b) (Am)* Court of Appeals; *een ~ doen op iem (iets)* (make an) appeal to s.o. (sth)
beroepen, zich (met *op)* call (upon), appeal (to), refer (to)
beroeps professional: *~ worden (sport)* turn professional
beroepsbevolking employed population, working population, labour force
beroepshalve professionally, in one's professional capacity
beroepskeuze choice of (a) career *(of:* of profession): *begeleiding bij de ~* careers counselling
beroepskeuzeadviseur counsellor, careers master
beroepsonderwijs vocational training, professional training
beroepsopleiding professional *(of:* vocational, occupational) training
beroepsschool *(Belg)* technical school
beroerd **1** miserable, wretched, rotten: *ik word er ~ van* it makes me sick; *hij ziet er ~ uit* he looks terrible **2** *(lui en onwillig)* lazy: *hij is nooit te ~ om mij te helpen* he is always willing to help me
beroeren **1** touch **2** *(verontrusten)* trouble, agitate
beroering trouble, agitation, unrest, commotion
beroerte stroke
berooid destitute
berouw remorse: *~ hebben over* regret
berouwen regret, rue, feel sorry for
beroven **1** rob: *iem ~ van iets* rob s.o. of sth **2** *(bestelen)* deprive of, strip: *iem van zijn vrijheid ~* deprive s.o. of his freedom
beroving robbery
berucht notorious (for), infamous
berusten **1** (met *op)* rest on, be based on, be founded on: *dit moet op een misverstand ~* this must be due to a misunderstanding **2** resign oneself to **3** rest with, be deposited with: *de wetgevende macht berust bij het parlement* legislative power rests with parliament
berusting resignation, acceptance, acquiescence
bes **1** berry; *(aalbes)* currant **2** *(muz)* B-flat
beschaafd *(mbt persoon)* cultured, civilized, refined, well-bred
beschaamd ashamed, shamefaced
beschadigd damaged
beschadigen damage: *door brand beschadigde goederen* fire-damaged goods
beschadiging damage
beschamen **1** (put to) shame **2** *(teleurstellen)* disappoint, betray: *iemands vertrouwen (niet) ~* (not) betray s.o.'s confidence
beschamend *(vernederend)* shameful, humiliating, ignominious: *een ~e vertoning* a humiliating spectacle

beschaving 1 civilization 2 culture, refinement, polish
bescheiden 1 modest, unassuming: *zich ~ terugtrekken* withdraw discreetly; *naar mijn ~ mening* in my humble opinion 2 *(niet groot)* modest, unpretentious: *een ~ optrekje* a modest little place
bescheidenheid modesty, unpretentiousness: *valse ~* false modesty
beschermeling ward, protégé
beschermen protect, shield, preserve, (safe)-guard, shelter: *een beschermd leventje* a sheltered life; *~ tegen de zon* screen from the sun
beschermengel guardian angel
beschermer defender, guardian, protector
beschermheer patron
beschermheilige patron saint, patron, patroness
bescherming protection, (safe)guarding, shelter, cover: *~ bieden aan* offer protection to
beschermlaag protective layer *(of:* coating)
beschieten *(schieten op)* fire on, fire at, shell, bombard, pelt
beschikbaar available, at one's disposal, free
beschikbaarheid availability
beschikken (met *over)* dispose of, have (control of), have at one's disposal: *over genoeg tijd ~* have enough time at one's disposal; *over iemands lot ~* determine s.o.'s fate
beschikking disposition, disposal: *ik sta tot uw ~* I am at your disposal
beschilderen paint
beschildering painting
beschimmeld mouldy: *~e papieren* musty papers
beschouwen 1 consider, contemplate 2 *(houden voor)* consider, regard as, look upon as: *iets als zijn plicht ~* consider sth (as, to be) one's duty
beschouwing consideration, view: *iets buiten ~ laten* leave sth out of account, ignore sth
beschrijven 1 write (on) 2 *(in woorden)* describe, portray: *dat is met geen pen te ~* it defies description 3 *(mbt een gebogen lijn)* describe, trace: *een baan om de aarde ~* trace a path around the earth
beschrijving description; *(beeldend ook)* depiction; *(beknopt)* sketch: *dat gaat alle ~ te boven* that defies description
beschroomd timid, diffident, bashful
beschuit Dutch rusk, biscuit rusk, zwieback
beschuldigde accused, defendant
beschuldigen accuse (of), charge (s.o. with sth), blame (s.o. for sth): *ik beschuldig niemand, maar …* I won't point a finger, but …
beschuldigend accusatory, denunciatory
beschuldiging accusation, imputation; *(aanklacht)* charge; *(tenlastelegging)* indictment: *iem in staat van ~ stellen (wegens)* indict s.o. (for); *onder (op) ~ van diefstal (gearresteerd)* (arrested) on a charge of theft
beschut sheltered, protected
beschutten (met *tegen) (mbt dreigend gevaar)* shelter (from), protect (from, against); *(afschermen)* shield (from)
beschutting shelter, protection: *(geen) ~ bieden* offer (no) protection; *~ tegen de regen* protection from the rain
besef understanding, idea; *(innerlijke overtuiging)* sense: *tot het ~ komen dat* come to realize that
beseffen realize, be aware (of); *(bevatten)* grasp; *(zich bewust zijn)* be conscious (of): *voor ik het besefte, had ik ja gezegd* before I knew it, I had said yes
[1]**beslaan** *intr (mbt ruit, bril)* mist up *(of:* over), steam up *(of:* over): *toen ik binnenkwam, besloeg mijn bril* when I entered, my glasses steamed up
[2]**beslaan** *tr* 1 *(innemen)* take up, cover; *(woorden, tekst ook)* run to: *deze kast beslaat de halve kamer* this cupboard takes up half the room 2 *(mbt paarden)* shoe
beslag 1 *(voor pannenkoeken enz.)* batter 2 *(van metaal)* fitting(s); *(deur, venster)* ironwork; metalwork; *(paard)* shoe 3 possession: *iemands tijd in ~ nemen* take up s.o.'s time; *deze tafel neemt te veel ruimte in ~* this table takes up too much space 4 *(jur)* attachment: *smokkelwaar in ~ nemen* confiscate contraband
beslaglegging *(jur)* attachment, seizure, distress (on)
beslissen decide, resolve: *dit doelpunt zou de wedstrijd ~* this goal was to decide the match
beslissend decisive, conclusive; *(uiteindelijk)* final; *(belangrijkste)* crucial: *in een ~ stadium zijn* have come to a head, be at a critical stage
beslissing decision; *(van bevoegd gezag ook)* ruling
[1]**beslist** *bn* 1 definite 2 *(zonder te aarzelen)* decided
[2]**beslist** *bw (zeker)* certainly, definitely
besloten closed, private: *een ~ vergadering* a meeting behind closed doors
besluipen steal up on, creep up on; stalk *(wild)*: *de vrees besloop hen* (the) fear crept over them
besluit 1 decision, resolution, resolve: *een ~ nemen* take a decision; *mijn ~ staat vast* I'm quite determined 2 conclusion 3 *(maatregel)* order, decree
besluiten 1 conclude, close, end 2 decide, resolve
besluitvaardig decisive, resolute
besmeren butter; daub *(met verf)*
besmet 1 infected, contaminated 2 *(bevuild)* tainted, contaminated, polluted
besmettelijk 1 *(mbt ziekte, ook fig)* infectious, contagious, catching: *een ~e ziekte* an infectious disease 2 *(gemakkelijk te bevuilen)* (be) easily soiled
besmetten 1 infect (with), contaminate (with): *met griep besmet worden (door iem)* catch the flu (from s.o.) 2 *(bevlekken)* taint, soil
besmetting infection; contagion *(door aanra-*

king); (ziekte ook) disease: *radioactieve ~* radioactive contamination

besneden circumcised

besnijden circumcise

besnijdenis circumcision

[1]**besnoeien** *intr (bezuinigen)* cut down (on)

[2]**besnoeien** *tr* 1 trim (off, down), cut (down, back), curtail: *uitgaven ~* cut down (on) expenses 2 *(door snoeien bewerken)* prune; lop *(bomen); (tot bepaalde vorm)* trim

bespannen 1 stretch; string *(viool, racket)* 2 *(mbt paarden enz.)* harness (a horse to a cart): *een rijtuig met paarden ~* put horses to a carriage

bespanning stringing *(van racket, viool)*

besparen 1 save 2 *(niet belasten)* spare, save: *de rest zal ik je maar ~* I'll spare you the rest

besparing 1 saving, economy 2 saving(s), economies: *een ~ op* a saving on

bespelen 1 *(sport)* play on, play in *(veld)* 2 *(muz)* play (on) 3 *(beïnvloeden)* manipulate *(omstandigheden);* play on *(gevoelens): een gehoor ~* play to an audience

bespeuren sense, notice, perceive, find

bespieden spy (on), watch

bespioneren spy on

bespoedigen accelerate, speed up

bespottelijk ridiculous, absurd: *een ~ figuur slaan* (make oneself) look ridiculous

bespotten ridicule, mock, deride, scoff at

bespreken 1 discuss, talk about; *(behandelen)* consider: *een probleem ~* go into a problem 2 *(beoordelen)* discuss, comment on, examine; review *(boek, film)* 3 *(reserveren)* book, reserve: *kaartjes (plaatsen) ~* make reservations

bespreking 1 discussion, talk 2 *(onderhandeling)* meeting, conference, talks 3 *(van boek, film enz.)* review 4 *(mbt plaatskaarten)* booking, reservation

besprenkelen sprinkle

bespringen pounce on, jump

besproeien 1 sprinkle 2 *(landb)* irrigate; spray *(met insecticiden e.d.);* water *(met water)*

[1]**best** *bn* 1 *(overtr trap van* goed*)* best, better, optimum: *met de ~e bedoelingen* with the best of intentions; *~e maatjes zijn met* be very thick with; *Peter ziet er niet al te ~ uit* Peter is looking the worse for wear; *hij kan koken als de ~e* he can cook with the best of them; *op een na de ~e* the second best; *het ~e ermee!* good luck!, *(bij ziekte ook)* best wishes! 2 *(mbt instemming)* well, all right: *(het is) mij ~* I don't mind 3 *(in brieven e.d.)* dear, good: *Beste Jan (als briefaanhef)* Dear Jan || *hij overnacht niet in het eerste het ~e hotel* he doesn't stay at just any (old) hotel

[2]**best** *bw* 1 *(overtr trap van* goed*)* best: *jij kent hem het ~e* you know him best 2 *(uitstekend)* fine 3 sure: *je weet het ~* you know perfectly well; *het zal ~ lukken* it'll work out (all right) 4 really 5 *(mogelijkheid)* possibly, well: *dat zou ~ kunnen* that's quite possible; *ze zou ~ willen …* she wouldn't mind … || *zijn ~ doen* do one's best; *hij is op zijn ~* he is at his best; *ze is op haar ~ (gekleed)* she looks her best

[1]**bestaan** *zn* 1 existence: *die firma viert vandaag haar vijftigjarig ~* that firm is celebrating its fiftieth anniversary today 2 *(broodwinning)* living, livelihood

[2]**bestaan** *intr* 1 exist, be (in existence): *laat daar geen misverstand over ~* let there be no mistake about it; *onze liefde zal altijd blijven ~* our love will live on forever; *ophouden te ~* cease to exist 2 (met *uit*) consist (of); *(opgebouwd zijn)* be made up (of): *dit werk bestaat uit drie delen* this work consists of three parts 3 be possible: *hoe bestaat het!* can you believe it!

bestaand existing, existent, current

bestaansminimum subsistence level

[1]**bestand** *zn* 1 *(wapenstilstand)* truce, armistice 2 *(verzameling (gegevens))* file

[2]**bestand** *bn: ~ zijn tegen* withstand, resist, *(onkwetsbaar)* be immune to; *tegen hitte ~* heat-resistant

bestanddeel constituent, element; *(onderdeel)* component (part); ingredient

besteden 1 spend, devote (to), give (to), employ for: *geen aandacht ~ aan* pay no attention to; *zorg ~ aan (werk)* take care over (work) 2 *(mbt tijd, geld)* spend (on): *ik besteed elke dag een uur aan mijn huiswerk* every day I spend one hour on my homework

besteedbaar disposable

bestek 1 cutlery: *(een) zilveren ~* a set of silver cutlery 2 *(beschrijving van uit te voeren werk)* specifications || *iets in kort ~ uiteenzetten* explain sth in brief

bestel (established) order

bestelbusje delivery van

besteldatum order date, date of order(ing)

bestelen rob

bestellen 1 order, place an order (for); send for *(personen): een taxi ~* call a taxi; *iets ~ bij* order sth from 2 *(bezorgen)* deliver 3 *(reserveren)* book, reserve

besteller 1 delivery man; postman *(brieven)* 2 *(opdrachtgever)* customer

bestelling 1 delivery 2 order 3 *(goederen)* order, goods ordered: *~en afleveren* deliver goods ordered

bestemmeling *(Belg)* addressee

bestemmen mean, intend; *(geschikt maken)* design: *dit boek is voor John bestemd* this book was meant for John

bestemming 1 intention, purpose; allocation *(gelden)* 2 *(van reis e.d.)* destination: *hij is met onbekende ~ vertrokken* he has gone without leaving a forwarding address 3 *(levensdoel)* destiny

bestendig 1 durable *(materialen);* lasting, enduring: *~e vrede* lasting peace 2 *(niet veranderlijk)* stable, steady: ~ *weer* settled weather 3 *(bestand tegen)* -proof, -resistant: *hittebestendig* heat-resistant

bestijgen 1 mount; ascend *(troon)* 2 *(mbt een berg)* climb, ascend

bestijging 1 mounting *(paard)*; ascent; accession (to) *(troon)* 2 *(mbt berg)* climbing, ascent

bestoken harass, press, shell; bomb(ard) *(met bommen, granaten)*: *iem met vragen* ~ bombard s.o. with questions

bestormen storm

bestorming storming, assault

bestraffen punish

bestraffing punishing, chastisement

bestralen give radiation treatment *(of:* radiotherapy)

bestraling irradiation; *(als behandeling)* radiotherapy; radiation treatment

bestraten pave; *(verharden)* surface; *(met keien)* cobble

bestrating pavement, paving, surface, cobbles

bestrijden 1 dispute, challenge, contest; oppose *(plan)*; resist *(plan)* 2 combat, fight, counteract; control *(plaag)*: *het alcoholisme* ~ combat alcoholism

bestrijdingsmiddel *(tegen dieren)* pesticide; *(tegen planten)* herbicide; weed killer

bestrijken 1 cover: *deze krant bestrijkt de hele regio* this newspaper covers the entire area 2 *(besmeren)* spread *(jam)*; coat *(verf)*

bestrooien sprinkle (with) *(met korrels)*; cover (with), spread (with) *(met mest)*; powder (with), dust (with) *(met poeder)*: *gladde wegen met zand* ~ sand icy roads

bestuderen 1 *(goed bekijken)* study, pore over 2 *(onderzoeken ook)* study, investigate, explore

bestuiven pollinate *(bloemen)*; dust; powder *(met meel, stof)*

besturen 1 drive, steer, navigate: *een schip* ~ steer a ship 2 *(mbt een werktuig)* control, operate 3 *(leiden)* govern, administrate, manage, run

besturing control(s), steering, drive

besturingssysteem operating system

bestuur 1 government; rule *(van land)*; administration *(van gemeente, school)*; management *(van bedrijf)*: *de raad van* ~ *van deze school* the Board of Directors of this school 2 *(regeringssysteem)* administration, government; management *(van bedrijf)* 3 *(instantie)* government *(van land)*; council; corporation *(van stad)*: *iem in het* ~ *kiezen* elect s.o. to the board

bestuurbaar controllable, manageable; navigable *(schip, vliegtuig)*: *gemakkelijk* ~ *zijn* be easy to steer *(of:* control); *niet meer* ~ *zijn* be out of control

bestuurder 1 driver *(van auto)*; pilot *(van vliegtuig, luchtballon)*; operator *(van grote machine)* 2 *(van bedrijf)* administrator, manager: *de* ~*s van een instelling* the governors *(of:* managers) of an institution 3 *(directeur)* director, manager

bestuurlijk administrative, governmental, managerial

bestuurslid member of the board; committee member *(van vereniging)*

bestwil: *ik zeg het voor je (eigen)* ~ I'm saying this for your own good

bèta science (side, subjects)

betaalbaar affordable, reasonably priced

betaalcheque (bank-)guaranteed cheque

betaald paid (for), hired, professional: ~ *voetbal* professional soccer

betaalkaart *(giro)* (guaranteed) giro cheque

betaalmiddel tender, currency, circulating medium

betaalpas cheque card

betaal-tv pay TV

betalen pay *(iem, een rekening)*; pay for *(iets)*: *de kosten* ~ bear the cost; *(nog) te* ~ balance due; *contant* ~ pay (in) cash; *die huizen zijn niet te* ~ the price of these houses is prohibitive; *met cheques* ~ pay by cheque; *dit werk betaalt slecht* this work pays badly

betaler payer

betaling payment; *(voor diensten)* reward; remuneration; *(van schulden)* settlement: ~ *in termijnen* payment in instalments

betalingsbalans balance of payments

betalingsbewijs receipt

betalingstermijn instalment

betamelijk decent, fit(ting), seemly, proper

betasten feel, finger

betegelen tile

betekenen 1 *(beduiden)* mean, stand for, signify: *wat heeft dit te* ~? what's the meaning of this?; *wat betekent NN?* what does N.N. stand for? 2 *(van waarde)* mean, count, matter: *mijn auto betekent alles voor mij* my car means everything to me; *niet veel (weinig)* ~ be of little importance; *die baan betekent veel voor haar* that job means a lot to her 3 *(met zich meebrengen)* mean, entail: *dat betekent nog niet dat …* that does not mean that …

betekenis 1 meaning, sense 2 *(belang)* significance, importance: *van doorslaggevende* ~ of decisive importance

beter 1 *(vergr trap van* goed*)* better: *het is* ~ *dat je nu vertrekt* you'd better leave now; *ze is* ~ *in wiskunde dan haar broer* she's better at maths than her brother; *dat is al* ~ that's more like it; ~ *maken* improve; ~ *worden* improve; *wel wat* ~*s te doen hebben* have better things to do; ~ *laat dan nooit* better late than never; *hij is weer helemaal* ~ he has completely recovered; ~ *maken, weer* ~ *maken* cure; ~ *worden, weer* ~ *worden* recover, get well again; *het* ~ *doen (dan een ander)* do better than s.o. else; *je had* ~ *kunnen helpen* you would have done better to help; *de leerling kon* ~ the student could do better; *John tennist* ~ *dan ik* John is a better tennis-player than me; *(iron) het* ~ *weten* know best; *ze weten niet ~ of…* for all they know …; *des te ~ (voor ons)* so much the better (for us); *hoe eerder hoe ~* the sooner the better; *de volgende keer ~* better luck next time **2** better (class of), superior: *uit ~e kringen* upper-class

beterschap recovery (of health): *~!* get well soon!

beteuterd taken aback, dismayed: *~ kijken* look dismayed

betichte *(Belg; jur)* accused, defendant

betimmeren board, panel

betoelaging *(Belg)* subsidy

betogen demonstrate, march

betoger demonstrator, marcher

betoging demonstration, march

beton concrete: *gewapend ~* reinforced concrete; *~ storten* pour concrete

betonen show, display; *(dankbaarheid, medeleven ook)* extend

betonnen concrete

betoog argument; *(pleidooi)* plea

betoveren 1 put *(of:* cast) a spell on, bewitch: *betoverd door haar ogen* bewitched by her eyes **2** *(bekoren)* enchant

betovering 1 spell, bewitchment **2** *(bekoring)* enchantment, charm

betrachten practise, exercise; observe *(geheimhouding);* show *(genade, terughoudendheid)*

betrachting *(Belg)* aim, intention

betrappen catch, surprise: *op heterdaad betrapt* caught redhanded

betreden 1 enter: *het is verboden dit terrein te ~* no entry, keep out *(of:* off) **2** tread: *nieuwe paden ~* break new *(of:* fresh) ground

betreffen 1 concern, regard: *waar het politiek betreft* when it comes to politics; *wat mij betreft is het in orde* as far as I'm concerned it's all right; *wat betreft je broer* with regard to your brother **2** *(handelen over)* concern, relate to

betreffende concerning, regarding

[1]**betrekkelijk** *bn* relative: *dat is ~* that depends (on how you look at it); *alles is ~* everything is relative

[2]**betrekkelijk** *bw* relatively, comparatively

betrekkelijkheid relativity

[1]**betrekken** *intr* **1** *(mbt de lucht)* become overcast *(of:* cloudy), cloud over **2** *(somber worden)* cloud over; darken *(gezicht)*

[2]**betrekken** *tr* involve, concern: *zij deden alles zonder de anderen erin te ~* they did everything without consulting the others

betrekking 1 post, job, position; *(ambtenaar ook)* office: *iem aan een ~ helpen* engage s.o., help s.o. find a job **2** *(band, verhouding)* relation(ship): *nauwe ~en met iem onderhouden* maintain close ties *(of:* connections) with s.o. **3** *(verband)* relation, connection: *met ~ tot* with regard to, with respect to

betreuren 1 regret, be sorry for: *een vergissing ~* regret a mistake **2** *(rouwen over)* mourn (for, over), be sorry for

betreurenswaardig regrettable, sad

betrokken 1 concerned; involved *(na zn): de ~ docent* the teacher concerned **2** *(met wolken bedekt)* overcast, cloudy

betrokkenheid involvement, commitment, concern

betrouwbaar reliable, trustworthy, dependable: *uit betrouwbare bron* on good authority

betrouwbaarheid reliability, dependability; *(personen ook)* trustworthiness

betuigen express: *iem zijn deelneming* (of: *medeleven) ~* express one's condolences *(of:* sympathy) to s.o.

betwijfelen doubt, (call in) question: *het valt te ~ of…* it is doubtful whether …

betwisten dispute, contest, challenge

beu: *iets ~ zijn* be sick of sth

beugel brace: *een ~ dragen* wear braces, wear a brace

beugelslot U-lock

beuk beech

[1]**beuken** *bn* beech

[2]**beuken** *ww* batter, pound; *(golven ook)* lash: *op* (of: *tegen) iets ~* hammer on sth, batter (away) at sth

beul 1 executioner; *(bij ophangen ook)* hangman **2** *(fig)* tyrant, brute

beunen moonlight

beunhaas moonlighter

[1]**beurs** *zn* **1** scholarship, grant: *een ~ hebben, van een ~ studeren* have a grant; *een ~ krijgen* get a grant **2** *(handel)* exchange, market; *(gebouw)* Stock Exchange **3** *(tentoonstelling)* fair, show, exhibition: *antiekbeurs* antique(s) fair **4** *(portemonnee)* purse

[2]**beurs** *bn* overripe, mushy

beurskoers share price, (exchange) rate

beursnotering quotation, share price; *(wisselkoers)* foreign exchange rate

beurt turn: *een goede ~ maken* make a good impression; *een grote ~ (auto)* a big service; *de kamer een grondige ~ geven* give the room a good cleaning; *hij is aan de ~* it's his turn, he's next; *om de ~ iets doen* take turns doing sth; *om de ~* in turn

beurtelings alternately, by turns, in turn: *het ~ warm en koud krijgen* go hot and cold (all over)

beurtrol *(Belg) zie* toerbeurt

bevaarbaar navigable

bevallen 1 *(baren)* give birth (to): *zij is van een dochter ~* she gave birth to a daughter **2** *(aanstaan)* please, suit; *(voldoen)* give satisfaction: *hoe bevalt het je op school?* how do you like school?

bevalling delivery, childbirth

bevangen seize, overcome: *hij werd door angst ~* he was panic-stricken

be

bevaren *(mbt een schip)* navigate *(rivier);* sail *(zee)*
bevattelijk intelligible, comprehensible
bevatten 1 contain, hold 2 *(begrijpen)* comprehend, understand: *niet te ~* incomprehensible
beveiligen protect, secure; *(fig ook)* safeguard
beveiliging 1 protection, security; *(fig ook)* safeguard(s) 2 *(middel)* safety *(of:* protective, security) device
bevel order, command; *(mbt opsporing e.d.)* warrant: *~ geven tot* give the order to; *het ~ voeren over een leger* be in command of an army
bevelen order, command
bevelhebber commander, commanding officer
beven 1 shake, tremble, shiver: *~ van kou* shiver with cold 2 *(bang zijn)* tremble, quake
bever beaver
bevestigen 1 *(vastmaken)* fix, fasten, attach 2 *(erkennen)* confirm, affirm: *de uitzondering bevestigt de regel* the exception proves the rule
bevestigend affirmative
bevestiging 1 fixing, fastening, attachment 2 *(erkenning)* confirmation 3 *(tgov. ontkenning)* affirmation, confirmation
[1]**bevinden** *tr* find: *gezien en goed bevonden* seen and approved; *schuldig ~ (aan een misdaad)* find guilty (of a crime)
[2]**bevinden, zich** *(in een toestand zijn)* be, find oneself: *zich in gevaar ~* be in danger
bevinding finding, result; *(ervaring)* experience; *(slotsom)* conclusion
beving *(mbt personen)* trembling; *(van kou)* shiver
bevlekken soil, stain, spot: *met bloed bevlekt* bloodstained
bevlieging whim, impulse
bevlogen animated, inspired, enthusiastic
bevochtigen moisten, wet; humidify *(lucht)*
bevochtiger humidifier *(van lucht)*
bevoegd *(gerechtigd)* competent, qualified, authorized: *de ~e overheden (autoriteiten)* the proper authorities; *~e personen* authorized persons; *~ zijn* be qualified
bevoegdheid competence, qualification, authority; *(jur)* jurisdiction: *de bevoegdheden van de burgemeester* the powers of the mayor; *de ~ hebben om* have the power to; *zonder ~* unauthorized
bevolken populate, people
bevolking population, inhabitants: *de inheemse ~* the native population
bevolkingsdichtheid population density
bevolkingsgroep community, section of the population
bevolkingsregister register (of births, deaths and marriages)
bevolkt populated: *een dicht-* (of: *dunbevolkte*) *streek* a densely *(of:* sparsely) populated region
bevoordelen benefit, favour: *familieleden ~ boven anderen* favour relatives above others
bevooroordeeld prejudiced, bias(s)ed: *~ zijn tegen* (of: *voor*) be prejudiced against *(of:* in favour of)
bevoorraden provision, supply, stock up
bevoorrechten privilege, favour: *een bevoorrechte positie innemen* occupy a privileged position
bevorderen 1 promote, further, advance; *(helpen)* boost; aid; *(aanmoedigên)* encourage; stimulate; *(leiden tot)* lead to; be conducive to: *dat bevordert de bloedsomloop* that stimulates one's blood circulation; *de verkoop van iets ~* boost the sale of sth, push sth 2 *(mbt rang)* promote: *bevorderd worden* go up (to the next class); *een leerling naar een hogere klas ~* move a pupil up to a higher class; *hij werd tot kapitein bevorderd* he was promoted to (the rank of) captain
bevordering 1 *(het vooruithelpen)* promotion, advancement; *(aanmoediging)* encouragement 2 *(mbt rang)* promotion: *voor ~ in aanmerking komen* be eligible for promotion
bevorderlijk beneficial (to), conducive (to), good (for): *~ zijn voor: a)* promote, further, advance; *b) (helpen)* boost, aid; *c) (leiden tot)* lead to, be conducive to
bevredigen satisfy; *(mbt wensen, lusten ook)* gratify: *zijn nieuwsgierigheid ~* gratify one's curiosity; *moeilijk te ~* hard to please
bevredigend satisfactory, satisfying; *(aangenaam)* gratifying: *een ~e oplossing* a satisfactory solution
bevrediging satisfaction, fulfilment; *(mbt wensen, lusten ook)* gratification: *~ in iets vinden* find satisfaction in sth
bevreesd afraid, fearful
bevriend friendly (with): *een ~e mogendheid* a friendly nation *(of:* power); *goed ~ zijn (met iem)* be close friends (with s.o.)
bevriezen 1 freeze (up, over), become *(of:* be frozen) (up, over): *het water is bevroren* the water is frozen; *alle leidingen zijn bevroren* all the pipes are *(of:* have) frozen (up) 2 *(met een dun ijslaagje)* frost (up, over), become frosted 3 *(niet meer verhogen; lonen, prijzen)* freeze; *(niet uitbetalen ook)* block
bevriezing 1 *(het bevriezen)* freezing (over), frost, frostbite 2 *(stabilisatie)* freeze: *~ van het aantal kernwapens* nuclear freeze
bevrijden free (from), liberate; release *(gevangenen);* set free *(gevangenen); (redden)* rescue; *(maatschappelijk)* emancipate: *een land ~* free *(of:* liberate) a country; *iem uit zijn benarde positie ~* rescue s.o. from a desperate position
bevrijding 1 liberation; *(van gevangenen ook)* release; *(redding)* rescue; *(maatschappelijk)* emancipation: *~ uit slavernij* emancipation from slavery 2 *(fig)* relief: *een gevoel van ~* a feeling of relief
Bevrijdingsdag Liberation Day
bevruchten fertilize; *(zwanger maken)* impreg-

nate; *(kunstmatig)* inseminate

bevruchting fertilization, impregnation, insemination: *kunstmatige ~* artificial insemination; *~ buiten de baarmoeder* in vitro fertilization

bewaarder 1 keeper, guardian; *(van gevangenen ook)* jailer; *(van gevangenen ook)* warder: *ordebewaarder* keeper of the peace **2** *(iem die iets in bewaring heeft)* keeper

bewaarmiddel *(Belg; cul)* preservative

bewaarplaats depository, repository; *(pakhuis)* store(house)

bewaken guard, watch (over); *(controleren)* monitor; *(fig)* watch; *(fig)* mind: *het budget ~* watch the budget; *een gevangene ~* guard a prisoner; *een terrein ~* guard (over) an area; *zwaar* (of: *licht*) *bewaakte gevangenis* maximum (*of:* minimum) security prison

bewaker 1 *(cipier)* guard **2** *(mbt veiligheid)* security guard

bewaking guard(ing), watch(ing), surveillance, control: *onder strenge ~ staan* be kept under strict surveillance

bewakingscamera security camera

bewandelen 1 *(wandelen op)* walk (on, over) **2** *(fig)* take (*of:* follow, steer) a ... course: *de middenweg ~* steer a middle course; *de officiële weg ~* take the official line

bewapenen arm: *zich ~* arm; *zwaar bewapend* heavily armed

bewapening armament, arms

bewaren 1 *(niet wegdoen)* keep, save **2** *(wegbergen)* keep, store; stock (up) *(voorraad): appels ~* store apples; *een onderwerp tot de volgende keer ~* leave a topic for the next time; *~ voor later* save up for a rainy day **3** *(niet verliezen, handhaven)* keep, maintain: *zijn kalmte ~* keep calm **4** *(behoeden)* preserve (from), save (from), guard (from, against)

bewaring 1 keeping, care; *(opslaan)* storage; *(beheer)* custody *(kinderen): in ~ geven (aan, bij)* deposit (at, with) *(bank),* entrust (to), leave (with) **2** *(opsluiting)* custody, detention: *huis van ~* house of detention

beweegbaar movable: *beweegbare delen* moving parts

beweeglijk agile, lively, active: *een zeer ~ kind* a very active child

beweegreden motive; *(mv ook)* grounds: *de ~en van zijn gedrag* the motives underlying his behaviour

bewegen move, stir: *op en neer* (of: *heen en weer*) *~* move up and down (*of:* to and fro); *zich ~* move, stir; *ik kan me nauwelijks ~* I can hardly move; *geen blad bewoog* not a leaf stirred; *~de delen* moving parts; *niet ~!* don't move!

beweging movement, move, motion; *(gebaar)* gesture: *een verkeerde ~ maken* make a wrong move; *er is geen ~ in te krijgen* it won't budge (*of:* move); *in ~ brengen, in ~ zetten* set in motion, *(machines ook)* start; *in ~ blijven* keep moving; *in ~ zijn* be moving, be in motion || *de vredesbeweging* the peace movement

bewegingloos motionless, immobile

bewegingsvrijheid freedom of movement

beweren claim; *(betogen)* contend; allege *(iets onbewezens): durven te ~ dat* dare to claim that; *dat zou ik niet willen ~* I wouldn't (go as far as to) say that; *zij beweerde onschuldig te zijn* she claimed to be innocent; *dat is precies wat wij ~* that's the very point we're making; *hij beweert dat hij niets gehoord heeft* he maintains that he did not hear anything

bewering assertion, statement; *(onbewezen)* allegation; *(aanvechtbaar)* claim; *(mening)* contention: *bij zijn ~ blijven* stick to one's claim; *kun je deze ~ hard maken?* can you substantiate this claim?

bewerken treat; work *(land);* process *(grondstoffen, gegevens); (van een boek, tekst)* edit; *(herzien)* rewrite; *(herzien)* revise; *(omwerken)* adapt: *een studieboek voor het Nederlandse taalgebied ~* adapt a textbook for the Dutch user; *de grond ~* till the land (*of:* soil); *geheel opnieuw bewerkt door* completely revised by; *~ tot een film* adapt for the screen

bewerking 1 treatment; *(van bodem)* cultivation; *(van voedsel, goederen)* process(ing); *(van goederen)* manufacturing; *(van teksten)* editing: *de derde druk van dit schoolboek is in ~* the third edition of this textbook is in preparation **2** *(boek, tekst, film)* adaptation; version; *(muziek)* arrangement; *(herziene uitgave)* revision: *de Nederlandse ~ van dit boek* the Dutch version of this book; *~ voor toneel* (of: *de film*) adaptation for stage (*of:* the screen) **3** *(het beïnvloeden)* manipulation, influencing **4** processing *(gegevens)*

bewerkstelligen bring about, effect, realize: *een ontmoeting* (of: *verzoening*) *~* bring about a meeting (*of:* reconciliation)

bewijs 1 *(feit, redenering)* proof, evidence: *(Belg) ~ van goed gedrag en zeden (ongev)* certificate of good character; *het ~ leveren (dat, van)* produce evidence (that, of); *als ~ aanvoeren* quote (in evidence) *(persoon, passage)* **2** *(teken, blijk)* proof, evidence, sign: *als ~ van erkentelijkheid* as a token of gratitude **3** *(schriftelijk)* proof, certificate: *betalingsbewijs* proof of payment, receipt; *~ van goed gedrag* certificate of good conduct

bewijsbaar demonstrable, provable: *moeilijk ~* hard to prove

bewijslast burden of proof

bewijsmateriaal evidence, proof

bewijzen 1 prove, establish, demonstrate: *dit bewijst dat* this proves that **2** *(betuigen)* render, show, prove || *zichzelf moeten ~* have to prove oneself

bewind 1 government, regime, rule: *aan het ~ komen* come to power **2** *(regerende macht)* administration, government

bewindvoerder administrator, director
bewogen 1 moved: *tot tranen toe* ~ moved to tears 2 *(vol gebeurtenissen)* stirring, eventful
bewolking cloud(s): *laaghangende* ~ low cloud(s)
bewolkt cloudy, overcast
bewonderaar admirer; *(inform)* fan
bewonderen admire, look up to
bewonderenswaardig admirable, wonderful
bewondering admiration, wonder
bewonen inhabit, occupy; live in *(huis)*
bewoner *(stad, land)* inhabitant; *(huis)* occupant; *(stad, tehuis ook)* resident
bewoning occupation, residence
bewoonbaar (in)habitable; *(huis)* liveable
bewoording wording, phrasing; *(mv)* terms: *in krachtige ~en* strongly worded, warmly expressed
[1]**bewust** *bn* 1 concerned, involved: *op die ~e dag* on the day in question 2 *(besef hebbend van)* aware, conscious: *ik ben me niet ~ van enige tekortkomingen* I am not aware of any shortcomings
[2]**bewust** *bw* consciously, knowingly
bewusteloos unconscious, senseless: ~ *raken* pass out
bewusteloosheid unconsciousness
bewustzijn consciousness *(ook met oren, ogen, enz.)*; awareness: *zijn ~ verliezen* lose consciousness
bezaaien strew, stud: *bezaaid met* strewn with *(papier, bladeren enz.)*, studded with *(licht, sterren)*, littered with *(rommel, speelgoed enz.)*, dotted with *(bloemen)*
bezadigd sober, level-headed, dispassionate
bezegelen seal
bezem broom
bezemkast broom cupboard
bezemsteel broomstick, broomhandle
[1]**bezeren** *tr* hurt, bruise
[2]**bezeren, zich** hurt oneself, get hurt; *(sterker)* injure oneself
bezet 1 occupied; *(plaats ook)* taken: ~ *gebied* occupied territory; *geheel ~ (trein, hotel)* full (up) 2 *(mbt tijd)* taken up, occupied 3 *(mbt personen)* engaged, occupied, busy || *de lijn is ~ (telefoon)* the line is engaged, busy
bezeten 1 possessed (by): *als een ~e tekeergaan* go berserk 2 *(dol op)* obsessed (by)
bezetten occupy, take, fill: *een belangrijke plaats ~ in* occupy an important place in, *(toneel, film)* feature in
bezetter *(mil)* occupier(s), occupying force(s)
bezetting 1 occupation; *(mbt een gebouw ook)* sit-in; *(ambt)* filling; *(plaats)* filling up 2 *(toneel)* cast
bezichtigen (pay a) visit (to); *(kasteel enz. ook)* see; *(stad ook)* tour; inspect *(huis, fabriek)*: *een huis ~* view a house
bezichtiging visit, view, inspection, tour
bezielen inspire, animate: *wat bezielt je!* what has got into you!
bezien see, consider, look on
bezienswaardig worth seeing
bezienswaardigheid place of interest, sight
bezig busy (with sth, doing sth), working (on), preoccupied (with), engaged (in): *de wedstrijd is al ~* the match has already started; *als je er toch mee ~ bent* while you are at it (*of:* about it); *vreselijk lang met iets ~ zijn* be an awful long time over sth || *waar ben je eigenlijk mee ~!* what do you think you're up to?; *hij is weer ~* he's at it again
bezigheid activity, occupation, work
[1]**bezighouden** *tr (mbt aandacht)* occupy, keep busy
[2]**bezighouden, zich** occupy (*of:* busy) oneself (with), engage (oneself) (in)
bezinken 1 *(uit een vloeistof, bijv. koffie, neerslaan)* settle (down), sink (to the bottom) 2 *(mbt wijn, enz.)* clarify, settle (out)
bezinksel sediment, deposit, residue
bezinnen, zich 1 contemplate, reflect (on): *bezint eer ge begint* look before you leap 2 *(van gedachten veranderen)* change one's mind
bezinning reflection, contemplation
bezit possession, property: *in ~ houden* keep in one's possession
bezitten possess, own, have
bezitter owner; *(aandelen, titel)* holder; possessor
bezitting property, possession, belongings; *(onroerend goed ook)* estate: *waardevolle ~en* valuables
bezocht visited, attended, frequented: *een druk ~e receptie* a busy reception
bezoek 1 visit; *(kort, formeel of zakelijk)* call: *op ~ gaan bij iem* pay s.o. a visit 2 *(bezoekers)* visitor(s), guest(s), caller(s)
bezoeken visit, pay a visit to: *een school ~* attend a school
bezoeker visitor, guest
bezondigen, zich be guilty of
bezopen 1 sloshed, plastered 2 absurd
bezorgd 1 concerned (for, about): *de ~e moeder* the caring mother 2 *(ongerust)* worried (about): *wees maar niet ~* don't worry
bezorgdheid concern (for, about), worry
bezorgen 1 get, provide: *iem een baan ~* get s.o. a job; *dat bezorgt ons heel wat extra werk* that lands us with a lot of extra work 2 *(veroorzaken)* give, cause: *iem een hoop last ~* put s.o. to great inconvenience 3 *(afleveren)* deliver
bezorger delivery man (*of:* woman)
bezorging delivery
bezuinigen economize, save
bezuiniging 1 economy, cut(back) 2 *(bedrag)* saving(s)
bezwaar 1 *(nadeel)* drawback 2 *(bedenking)* ob-

jection; *(gewetensbezwaar)* scruple: *zonder enig ~* without any objection

bezwaard troubled

bezwaarlijk *(lastig)* troublesome

bezwaarschrift protest, petition

bezweet sweaty, sweating

bezweren 1 *(smeken)* implore 2 *(tijdig afwenden)* avert *(gevaar)*

bezwijken 1 give (way, out) 2 *(toegeven, wijken)* succumb, yield: *voor de verleiding ~* yield to (*of:* give in) to the temptation 3 *(sterven)* go under: *aan een ziekte ~* succumb to a disease

bh *afk van bustehouder* bra

bibberen shiver (with)

bibliografie bibliography

bibliothecaris librarian

bibliotheek library

bidden 1 pray, say one's prayers: *de rozenkrans ~* say the rosary 2 *(smeken)* implore

biecht confession: *iem de ~ afnemen* hear s.o.'s confession

biechten confess, go to confession

bieden 1 *(toesteken)* offer; *(opleveren ook)* present 2 *(kaartspel)* bid: *het is jouw beurt om te ~* it's your (turn to) bid now 3 *(een bod doen)* (make an) offer, (make a) bid: *ik bied er twintig euro voor* I'll give you twenty euros for it

bieder bidder

biefstuk steak: *~ van de haas* fillet steak

biels (railway) sleeper; *(Am)* railroad tie

bier beer: *(Belg) klein ~* small beer; *~ van het vat* draught beer

bierbrouwerij brewery

bierviltje beer mat, coaster

bies 1 *(op kleren)* piping, border, edging 2 *(oevergewas)* rush || *zijn biezen pakken* make oneself scarce

biet beet

bietsen scrounge, cadge

bietsuiker beet sugar

biezen rush: *een ~ zitting* a rush(-bottomed) seat

big piglet; *(kindertaal)* piggy

biggelen trickle

[1]**bij** *zn* (honey) bee

[2]**bij** *bn* 1 up-to-date: *de leerling is weer* (of: *nog niet*) *~ met wiskunde* the pupil has now caught up on (*of:* is still behind in) mathematics 2 *(op de hoogte)* up-to-date: *(goed) ~ zijn* be (thoroughly) on top of things

[3]**bij** *vz* 1 *(nabij)* near (to), close (by, to): *~ iem gaan zitten* sit next to s.o. 2 *(mbt bereiken)* at, to: *~ een kruispunt komen* come to an intersection 3 *(mbt een limiet, grens)* to, with: *alles blijft ~ het oude* everything stays the same; *we zullen het er maar ~ laten* let's leave it at that 4 *(tijdens)* while, during: *~ zijn dood* at his death 5 *(aanwezig)* at: *zij was ~ haar tante* she was at her aunt's; *er niet ~ zijn met zijn gedachten* have only half one's mind on it 6 for, with: *~ een baas werken* work for a boss; *~ de marine* in the navy; *~ ons* at our house, back home, in our country (*of:* family) 7 *(samen met)* with, along: *zij had haar dochter ~ zich* she had her daughter with her; *ik heb geen geld ~ me* I have no money on me 8 *(voor, in tegenwoordigheid van)* with, to: *inlichtingen ~ de balie inwinnen* request information at the desk; *~ zichzelf (denken, zeggen)* (think, say) to oneself 9 *(aan, met)* by: *iem ~ naam kennen* know s.o. by name 10 *(gedurende, onder)* by, at: *~ het lezen van de krant* (when) reading the newspaper; *~ het ontbijt* at breakfast 11 *(in geval van)* in case of, if 12 *(in de ogen van)* for, in the eyes of: *zij kan ~ de buren geen goed doen* she can do no good as far as the neighbours are concerned || *de kamer is 6 ~ 5* the room is 6 by 5; *je bent er ~* the game is up, gotcha!

bijbedoeling ulterior motive *(of:* design)

bijbehorend accompanying, matching

Bijbel Bible

Bijbels biblical

bijbenen keep up (with)

bijbestellen reorder, order a further *(of:* fresh) supply (of)

bijbetalen pay extra, pay an additional *(of:* extra) charge

bijblijven 1 keep pace, keep up 2 *(in het geheugen blijven)* stick in one's memory: *dat zal mij altijd ~* I shall never forget it

bijbrengen impart (to), convey (to), instil (into): *iem bepaalde kennis ~* convey (certain) knowledge to s.o.

bijdehand bright, sharp

bijdrage contribution, offering

bijdragen contribute, add: *zijn steentje ~* do one's bit

bijeen together

bijeenbrengen bring together, get together, raise

bijeenkomen meet, assemble

bijeenkomst *(vergadering)* meeting, gathering

bijeenroepen call together, convene

bijenhouder beekeeper

bijenkoningin queen bee

bijenkorf (bee)hive

bijenteelt apiculture

bijenvolk (swarm of, hive of) bees

bijenwas beeswax

bijgebouw annex, outbuilding

bijgedachte 1 association 2 *(bijbedoeling)* ulterior motive *(of:* design)

bijgeloof superstition

bijgelovig superstitious

bijgelovigheid superstition, superstitiousness

bijgenaamd called; *(mbt spotnaam)* nicknamed

bijhouden 1 hold out *(of:* up) (to): *houd je bord bij* hold out your plate 2 *(gelijk blijven)* keep up (with), keep pace (with): *het onderwijs niet kunnen ~* be unable to keep up at school 3 *(niet achter laten raken)* keep up to date: *de stand ~* keep count *(of:* the score)

bijhuis *(Belg)* branch
bijkantoor branch (office)
bijkeuken scullery
bijklussen have a sideline
bijkomen 1 *(na operatie)* come to *(of:* round) 2 *(op adem komen)* (re)gain (one's) breath, recover (oneself): *niet meer ~ (van het lachen)* be overcome (with laughter)
bijkomend additional, incidental; *(ondergeschikt)* subordinate
bijkomstig accidental, incidental; *(niet belangrijk)* inessential; *(ondergeschikt)* secondary; subordinate
bijkomstigheid incidental circumstance
bijl axe || *het ~tje erbij neerleggen* knock off, call it a day, call it quits
bijlage 1 enclosure, appendix; supplement *(bij krant, enz.)* 2 *(comp)* attachment
bijleggen 1 contribute, pay; *(bijpassen)* make up 2 *(van onenigheid)* settle: *het ~* make up
bijles coaching; *(Am ook)* tutoring
bijleveren supply (in addition, extra)
bijna almost, nearly; *(voor telwoorden ook)* close on; near: *~ nooit* (of: *geen*) almost never (*of:* none), hardly ever (*of:* any)
bijnaam nickname
bijou jewel
bijouterie jewellery
bijpassend matching; to match *(na zn)*
bijpraten catch up: *iem ~* bring s.o. up to date
bijscholen give further training
bijscholing (extra) training
bijschrift 1 caption, legend 2 *(opmerking)* note
bijschrijven enter, include
bijschrijving 1 entering (in the books) 2 *(bedrag, notitie)* amount entered, item entered
bijsluiter information leaflet, instruction leaflet
bijsmaak taste: *deze soep heeft een ~je* this soup has a funny taste to it, this soup doesn't taste right
bijspijkeren brush up: *een zwakke leerling ~* bring a weak pupil up to standard
bijspringen support, help out
[1]**bijstaan** *intr (mbt herinnering)* dimly recollect: *er staat me iets bij van een vergadering waar hij heen zou gaan* I seem to remember that he was to go to a meeting
[2]**bijstaan** *tr* assist, aid
bijstand 1 assistance, aid; *(vd sociale dienst)* social security: *hij leeft van de ~* he's on social security 2 *(instantie)* Social Security
bijstandsmoeder mother on social security
bijstandsuitkering social security (payment)
bijstandswet social security act
bijstelling *(het aanpassen)* (re-)adjustment
bijster unduly, (none) too: *de tuin is niet ~ groot* the garden is none too large || *het spoor ~ zijn* have lost one's way
bijsturen 1 *(mbt een schip, voertuig)* steer (away from, clear of, towards) 2 *(fig)* steer away from (*of:* clear of); adjust *(plan, actie)*
bijt hole (in the ice)
bijten 1 bite: *van zich af ~* give as good as one gets, stick up for oneself 2 *(sterk prikkelen)* sting, smart
bijtend biting; *(invretend ook)* corrosive
bijtijds 1 *(vroegtijdig)* early 2 *(op tijd)* early, (well) in advance
bijtrekken 1 *(zich herstellen)* straighten (out), improve 2 *(in een beter humeur komen)* come (a)round
bijv. *afk van bijvoorbeeld* e.g.
bijvak subsidiary (subject)
bijval approval; *(steun)* support
bijverdienen have an additional income: *een paar pond ~* earn a few pounds extra (*of:* on the side)
bijverdienste extra earnings, extra income, additional income
bijverschijnsel side effect
bijvoegen add; *(bijsluiten)* enclose; *(aanhechten)* attach
bijvoeglijk: *~ naamwoord* adjective
bijvoegsel supplement, addition
bijvoorbeeld for example, for instance, e.g.
bijvullen top up (with); *(vol doen)* fill up (with)
bijwedde *(Belg)* salary supplement for highly qualified teachers
bijwerken improve, catch up (on); *(bij de tijd brengen)* bring up to date; *(bij de tijd brengen)* update
bijwerking side effect
bijwonen attend, be present at
bijwoord adverb
bijzaak side issue, (minor) detail
bijzetten 1 add 2 *(begraven)* inter, bury
bijziend short-sighted
bijziendheid short-sightedness
bijzijn: *in (het) ~ van* in the presence of
bijzin (subordinate) clause: *betrekkelijke ~* relative clause
[1]**bijzonder** *bn* 1 particular: *in het ~* in particular, especially 2 *(ongewoon)* special, unique 3 *(zonderling)* strange, peculiar 4 *(niet vd overheid)* private
[2]**bijzonder** *bw* 1 very (much) 2 *(vooral)* particularly, in particular, especially
bijzonderheid detail, particular
bikini bikini
bikken chip (away) *(muur, steen)*
bil buttock: *dikke* (of: *blote*) *~len* a fat (*of:* bare) bottom
biljart billiards, billiard table
biljarten play billiards
biljarter billiards player
biljartkeu billiard cue
biljet 1 *(kaartje)* ticket; *(aankondiging)* bill; poster 2 *(bankbiljet)* note; *(Am)* bill
biljoen 1 trillion (10^{12}) 2 *(miljard)* billion (10^{9})
billijk fair, reasonable; *(gematigd)* moderate

billijkheid fairness, reasonableness
binair binary
[1]**binden** *tr* 1 tie (up), knot, bind, fasten; strap *(met riem)* 2 *(boeien)* tie (up) 3 *(in zijn vrijheid beperken)* bind: *door voorschriften gebonden zijn* be bound by regulations 4 *(boeken)* bind 5 *(saus)* thicken
[2]**binden, zich** commit oneself (to), bind *(of:* pledge) oneself (to)
bindend binding
binding bond, tie
bingo bingo
bink hunk: *de ~ uithangen* show off, play the tough guy
[1]**binnen** *bw* inside, in; *(in huis ook)* indoors: *hij is ~ (mbt geld)* he has got it made; *daar ~* inside, in there; *naar ~ gaan* go in, go inside, enter; *het wil me niet te ~ schieten* I can't bring it to mind; *van ~* (on the) inside; *'binnen!' (na kloppen)* come in!
[2]**binnen** *vz* inside, within: *het ligt ~ mijn bereik (ook fig)* it is within my reach
binnenband (inner) tube
binnenbrengen bring in, take in, carry in
binnendoor: *~ gaan* take the direct route
binnendringen penetrate (into), enter; *(gewelddadig)* break in(to); *(gewelddadig)* force one's way in(to)
binnendruppelen *(ook fig)* trickle in(to)
binnengaan enter, go in(to), walk in(to)
binnenhalen fetch in, bring in; land *(belangrijke order)*
binnenhaven inland harbour *(of:* port); *(i.t.t. buitenhaven)* inner harbour
binnenhouden keep in(doors)
binnenin inside
binnenkant inside, interior
binnenkomen come in(to), walk in(to), enter; *(trein ook)* arrive: *zij mocht niet ~* she was not allowed (to come) in
binnenkomst entry, entrance; *(mbt goederen, treinen)* arrival
binnenkort soon, shortly, before (very) long
binnenkrijgen 1 get down, swallow 2 *(ontvangen)* get, obtain
binnenland 1 interior, inland 2 *(eigen land)* home
binnenlands home, internal, domestic
binnenlaten let in(to), admit (to); *(naar binnen geleiden ook)* show in(to), usher in(to)
binnenlopen go in(to), walk in(to): *de trein kwam het station ~* the train drew into the station
binnenmuur interior wall, inside wall
binnenplaats (inner) court(yard); yard *(van fabriek)*
binnenpretje secret amusement
binnenscheepvaart inland navigation; *(bedrijfstak ook)* inland shipping
binnenschipper skipper of a barge
binnenshuis indoors, inside, within doors
binnensmonds inarticulately, indistinctly
binnensport indoor sport
binnenstad town centre; city centre *(van grote stad)*; inner city *(vnl. armoedig)*
binnenste inside, in(ner)most part, inner part
binnenstebuiten inside out, wrong side out
binnenstromen *(ook fig)* pour in(to), flow in(to); *(krachtig ook)* rush in(to), surge in(to)
binnenvaart inland shipping
binnenvallen burst in(to), barge in(to); invade *(land)*: *bij iem komen ~* descend on s.o.
binnenvetter introvert
binnenwater 1 inland waterway, canal, river 2 polder water
binnenweg byroad; *(kortere weg)* short cut
binnenzak inside pocket
binnenzee inland sea
bint beam; *(vloer-, plafondbalk)* joist
biobak compost bin
bioboer biological farmer, organic farmer
biochemicus biochemist
biochemie biochemistry
biograaf biographer
biografie biography
biografisch biographic(al)
bio-industrie factory farming *(veehouderij)*; agribusiness
biologie biology
biologisch biological, organic
bioloog biologist
bioscoop cinema
Birma Burma
Birmaans Burmese
bis (once) again, encore
biscuitje biscuit; *(Am)* cookie
bisdom diocese, bishopric
biseksueel bisexual
bisschop bishop
bissen *(Belg; ond.)* repeat (the year)
bisser *(Belg; ond.)* pupil who repeats a class
bistro bistro
[1]**bit** *zn (comp)* bit
[2]**bit** *zn* bit
bitch bitch
bits snappish, short(-tempered)
[1]**bitter** *zn* (gin and) bitters
[2]**bitter** *bn* 1 bitter 2 *(gegriefd)* bitter, sour
bitterheid bitterness
bivak bivouac: *zijn ~ opslaan (fig)* pitch one's tent
bivakkeren 1 bivouac 2 *(voor korte tijd gevestigd zijn)* lodge, stay
bizar bizarre
bizon bison
blaadje 1 leaf(let); *(papier)* sheet (of paper), piece (of paper); *(krant)* paper; *(dienblad)* tray 2 *(plantk)* leaflet; *(bloem)* petal || *bij iem in een goed ~ staan* be in s.o.'s good books
blaam blame

blaar blister
blaas bladder, cyst
blaasinstrument wind instrument
blaasorkest wind orchestra; *(alleen koper)* brass band
blaaspijpje breathalyser
blabla 1 blah(-blah) 2 *(drukte om niets)* fuss
blad 1 *(plantk)* leaf; petal *(bloem)* 2 *(dienblad)* tray 3 *(vel papier)* sheet, leaf; page *(in boek)* 4 *(krant)* (news)paper; *(tijdschrift)* magazine 5 *(plat, breed voorwerp)* sheet; top *(tafel)*; blade *(zaag, gras)*
bladblazer leaf blower
bladderen blister *(van verf)*; bubble; *(losraken)* flake; *(losraken)* peel
bladeraar *(comp)* browser
bladerdeeg puff pastry *(of:* paste)
bladeren thumb, leaf
bladgroen chlorophyll
bladgroente green vegetables
bladluis greenfly, blackfly, aphis
bladmuziek sheet music
bladnerf vein (of a leaf)
bladrand margin of a leaf
bladwijzer bookmark(er)
bladzijde page: *ik sloeg het boek open op ~ 58* I opened the book at page 58
blaffen bark
blaken *(mbt personen)* burn (with), glow (with)
blamage disgrace
blancheren blanch
blanco blank
blank 1 white: *~ hout* natural wood 2 *(onder water)* flooded: *de kelder staat ~* the cellar is flooded
blanke white (man, woman): *de ~n* the whites
blaten bleat
blauw 1 blue: *in het ~ gekleed* dressed in blue 2 *(donkerkleurig)* black, dark: *een ~e plek* a bruise; *iem bont en ~ slaan* beat s.o. black and blue
blauwbaard bluebeard
blauwdruk blueprint
blauwhelm blue helmet
[1]**blazen** *intr* 1 blow: *op de trompet, de fluit, het fluitje, de hoorn ~* sound the trumpet, play the flute, blow the whistle, play the horn 2 *(in het blaaspijpje blazen)* breathe into a breathalyser || *katten ~ als ze kwaad zijn* cats hiss when they are angry
[2]**blazen** *tr* blow || *het is oppassen geblazen* we (*of:* you) need to watch out
blazer *(muz)* player of a wind instrument
bleek 1 *(mbt personen)* pale; *(ziekelijk)* wan: *~ zien* look pale (*of:* wan) 2 *(zeer licht van kleur)* pale, white
bleekheid paleness; *(ongezonde kleur)* pallor
bleekmiddel bleach, bleaching agent
bleekselderij celery
bleekwater bleach, bleaching agent
bleken bleach
blèren 1 squall, howl 2 *(mbt geiten)* bleat
bles blaze, star
blesseren injure, hurt; wound *(vnl. in gevecht, oorlog)*
blessure injury
blessuretijd injury time
bleu timid
blij 1 glad, happy, pleased, cheerful, merry: *daar ben ik ~ om* I'm pleased about it; *~ zijn voor iem* be glad for s.o.'s sake 2 *(tot vreugde stemmend)* happy, joyful, joyous
blijdschap joy, gladness, cheer(fulness), happiness
blijf *(Belg): geen ~ met iets weten* be at a loss, not know what to do about sth
blijf-van-mijn-lijfhuis women's refuge centre, shelter (for battered women)
blijheid gladness, joy, happiness
blijk *(teken)* mark, token: *~ geven van belangstelling* show one's interest
[1]**blijkbaar** *bn* evident, obvious, clear
[2]**blijkbaar** *bw* apparently, evidently
blijken prove, turn out: *doen ~ van* show, express; *hij liet er niets van ~* he gave no sign of it; *dat moet nog ~* that remains to be seen
blijven 1 remain: *het blijft altijd gevaarlijk* it will always be dangerous; *rustig ~* keep quiet; *deze appel blijft lang goed* this apple keeps well; *jong ~* stay young 2 *(niet veranderen)* remain (doing), stay (on) (doing), continue (doing), keep (doing): *~ logeren* stay the night (in the house); *blijft u even aan de lijn?* hold the line, please; *blijf bij de reling vandaan* keep clear of the railings; *je moet op het voetpad ~* you have to keep to the footpath 3 *(niet verder gaan)* be, keep: *~ staan: a) (stoppen)* stand still, stop; *b) (overeind blijven)* remain standing; *waar zijn we gebleven?* where were we?; *waar is mijn portemonnee gebleven?* where has my purse got to? 4 *(sterven)* perish, be left *(of:* remain) behind: *ergens in ~ (van het lachen): a)* choke; *b) (fig)* die (laughing)
blijvend lasting *(vrede, vriendschap)*; enduring, permanent; *(duurzaam)* durable
[1]**blik** *zn* 1 look; *(vluchtig)* glance 2 *(uitdrukking)* look (in one's eyes), expression 3 *(visie)* view, outlook || *een geoefende* (of: *scherpe*) *~* a trained (*of:* sharp) eye
[2]**blik** *zn* 1 tin(plate): *in ~* tinned 2 *(doos, bus)* tin; *(Am)* can *(voor conserven)* 3 *(voorwerp om vuil op te vegen)* dustpan
blikgroente tinned vegetables
[1]**blikken** *bn* tin: *~ doosjes* tin boxes (*of:* canisters)
[2]**blikken** *ww: zonder ~ of blozen* without batting an eyelid
blikopener tin-opener
blikschade bodywork damage
bliksem lightning: *als door de ~ getroffen* thunderstruck; *de ~ slaat in* lightning strikes || *(inform) er als de gesmeerde ~ vandoor gaan* take off

like greased lightning
bliksemafleider lightning conductor
bliksembezoek flying visit, lightning visit
bliksemen flash, blaze
bliksemflits (flash of) lightning
blikseminslag stroke *(of:* bolt) of lightning, thunderbolt
bliksemsnel lightning, at *(of:* with) lightning speed, quick as lightning, like greased lightning
bliksemstart lightning start
blikvanger eye-catcher
blikvoer tinned food; *(Am)* canned food
[1]**blind** *zn* (window) shutter, blind
[2]**blind** *bn* blind: *zich ~ staren (op)* concentrate too much on sth; *~ typen* touch-type; *zij is aan één oog ~* she is blind in one eye
blind date blind date
blinddoek blindfold
blinddoeken blindfold
blinde blind person, blind man, blind woman: *de ~n* the blind
blindedarm appendix
blindelings blindly: *~ volgen (zonder na te denken)* follow blindly
blindengeleidehond guide dog (for the blind)
blindheid blindness
blingbling bling-bling
blinken shine, glisten, glitter: *alles blinkt er* everything is spotless *(of:* spick and span)
blits trendy, hip
blocnote (writing) pad
bloed blood: *mijn eigen vlees en ~* my own flesh and blood; *~ vergieten* shed *(of:* spill) blood; *geen ~ kunnen zien* not be able to stand the sight of blood
bloedarmoede anaemia
bloedbad bloodbath, massacre: *een ~ aanrichten onder de inwoners* massacre the inhabitants
bloedbank blood bank
bloedcel blood cell *(of:* corpuscle)
bloeddorstig bloodthirsty
bloeddruk blood pressure: *de ~ meten* take s.o.'s blood pressure
bloeden bleed
bloederig bloody, gory
bloederziekte haemophilia
bloedgroep blood group *(of:* type)
bloedheet sweltering (hot), boiling (hot)
bloedhond bloodhound
bloedig bloody, gory
bloeding bleeding; *(meestal hevig)* haemorrhage
bloedlichaampje blood corpuscle *(of:* cell)
bloedneus bloody nose
bloedonderzoek blood test(s)
bloedproef blood test
bloedrood blood-red
bloedsomloop (blood) circulation
bloedstollend blood-curdling
bloedtransfusie (blood) transfusion
bloeduitstorting extravasation (of blood)
bloedvat blood vessel
bloedvergieten bloodshed: *een revolutie zonder ~* a bloodless revolution
bloedvergiftiging blood poisoning
bloedverlies loss of blood
bloedverwant (blood) relation, relative, kinsman, kinswoman: *naaste ~en* close relatives, next of kin
bloedworst black pudding
bloedwraak blood feud, vendetta
bloedzuiger leech, bloodsucker
bloei bloom, flower(ing); blossoming *(van vruchtbomen): iem in de ~ van zijn leven* s.o. in the prime of (his) life
bloeien **1** bloom, flower; blossom *(vruchtbomen)* **2** *(fig)* prosper, flourish
bloeiperiode **1** *(plantk)* flowering time *(of:* season) **2** *(fig)* prime
bloem **1** flower, bloom, blossom **2** *(meel)* flour
bloembak planter, flower box; *(aan raam)* window box
bloembed flowerbed
bloemblad petal
bloembol bulb
bloemenhandelaar florist
bloemenstalletje flower stand, flower stall
bloemenvaas (flower) vase
bloemenwinkel florist's (shop), flower shop
bloemetje **1** (little) flower **2** *(boeket)* flowers, nosegay: *iem in de ~s zetten (fig)* fête s.o. || *de ~s buiten zetten* paint the town red
bloemist florist
bloemkool cauliflower
bloemkroon corolla
bloemkwekerij **1** nursery, florist's (business) **2** *(het kweken)* floriculture, flower-growing industry
bloemlezing anthology
bloempot flowerpot
bloemschikken (art of) flower arrangement
bloemstuk flower arrangement
bloemsuiker *(Belg)* icing sugar
bloes *(voor vrouwen)* blouse; *(voor mannen)* shirt
bloesem blossom, bloom, flower
blog blog
blogger blogger
blok **1** *(van hout)* block, chunk; *(ruwe vorm)* log: *slapen als een ~* sleep like a log; *een ~je omlopen* walk around the block; *een doos met ~ken* a box of building blocks **2** *(vierkant)* block; check *(van stof)* **3** *(pol)* bloc(k)
blokfluit recorder
blokhut log cabin
blokje cube, square
blokkade blockade
blokken cram, swot: *~ voor een tentamen* cram for an examination

blokkendoos box of building blocks
blokkeren 1 *(mbt weg enz.)* blockade, block **2** *(mbt bankrekening enz.)* freeze: *een cheque ~* stop a cheque **3** *(de beweging onmogelijk maken)* block, jam, lock **4** *(sport)* block, obstruct
blokletter block letter, printing
blokletteren *(Belg)* headline, splash (news on the front page)
blokuur *(ongev)* double period *(of:* lesson)
blond 1 blond, fair **2** *(lichtkleurig)* golden
blondine blonde
[1]**bloot** *zn* nudity
[2]**bloot** *bn* bare, naked, nude: *op blote voeten lopen* go barefoot(ed); *uit het blote hoofd spreken* speak off the cuff, speak extempore; *met het blote oog iets waarnemen* observe sth with the naked eye; *onder de blote hemel* in the open (air); *een jurk met blote rug* a barebacked dress
blootgeven, zich 1 expose oneself **2** *(van zwakheid)* give oneself away: *zich niet ~* not commit oneself, be non-committal
blootje: *in zijn ~* in the nude
blootleggen lay open *(of:* bare), expose; *(fig ook)* reveal
blootshoofds bareheaded
blootstaan be exposed (to); *(onderhevig zijn)* be subject (to), be open (to)
blootstellen expose (to): *zich aan gevaar ~* expose oneself to danger
blos 1 bloom: *een gezonde ~* a rosy complexion **2** *(van emotie, door koorts)* flush; blush *(van verlegenheid)*
blouse blouse
blozen 1 *(van gezondheid)* bloom (with) **2** flush (with) *(van opwinding);* blush (with) *(van verlegenheid)*
blubber mud
bluf 1 bluff(ing) **2** *(opschepperij)* boast(ing), brag(ging), big talk
bluffen bluff *(ook bij kaartspel); (pochen)* boast; brag, talk big
bluffer bluffer, boaster, braggart
blufpoker: *(fig) hij speelde een partijtje ~* he tried to brazen it out *(of:* bluff his way out)
blunder blunder
blunderen blunder, make a blunder
blusapparaat fire extinguisher
blussen extinguish *(ook fig);* put out
blut broke, skint: *volkomen ~* stony-broke, flat broke
blz. *afk van bladzijde* p.; pp. *(mv)*
BN'er *afk van bekende Nederlander* celebrity, famous Dutch person
bo *(Belg) afk van bijzonder onderwijs* special needs education
boa boa
board hardboard, (fibre)board
bob 1 *(slee)* bobsleigh, bobsled **2** ® *(niet-drinkende chauffeur)* designated driver
bobbel bump, lump
bobo bigwig, big shot
bobslee bob(sleigh)
bobsleeën bobsleigh
bochel *(bult)* hump; *(kromme rug)* hunchback
bocht bend, curve: *zich in allerlei ~en wringen* try to wriggle one's way out of sth; *uit de ~ vliegen* run off the road
bochtig winding
bod offer, bid: *niet aan ~ komen (fig)* not get a chance
bode messenger, postman
bodem 1 bottom; *(als steun)* base: *een dubbele ~* a hidden meaning **2** *(aarde)* ground, soil **3** *(grondgebied)* territory, soil: *producten van eigen ~* home-grown products || *op de ~ van de zee* at the bottom of the sea
bodemverontreiniging soil pollution
bodypainting body painting
Boedapest Budapest
Boeddha Buddha
boeddhisme Buddhism
boeddhist Buddhist
boeddhistisch Buddhist
boedel *(inboedel)* property, household effects
boef scoundrel, rascal
boeg bow(s), prow: *het over een andere ~ gooien* change (one's) tack, *(mbt gesprek)* change the subject
boei 1 *(baken)* buoy: *een kop* (of: *een kleur) als een ~* (a face) as red as a beetroot **2** *(hand-, voet-)* chain, handcuff
boeien 1 chain, (hand)cuff **2** *(van aandacht)* fascinate, captivate: *het stuk kon ons niet (blijven) ~* the play failed to hold our attention
boeiend fascinating, gripping, captivating
boek book: *altijd met zijn neus in de ~en zitten* always have one's nose in a book, always be at one's books; *een ~ over* a book on
Boekarest Bucharest
boekbespreking book review
boekbinden (book)binding
boekbinder (book)binder
boekbinderij *(bedrijf, werkplaats)* bindery, (book)binder's
boekdeel volume
boekdrukkerij 1 printing house *(of:* office), print shop **2** printer's
boekdrukkunst (art of) printing, typography
boeken book, post, enter (up)
boekenbeurs book fair
boekenbon book token
boekenfonds (educational) book fund
boekenkast bookcase
boekenlegger bookmark(er)
boekenlijst (required) reading list, booklist
boekenrek bookshelves
boekensteun bookend
boekentaal 1 literary language **2** *(stijve taal)* bookish language

boekentas briefcase, school bag; satchel *(op rug)*
Boekenweek book week
boekenwurm bookworm
boeket bouquet: *een ~je* a posy, a nosegay
boekhandel *(winkel, zaak)* bookshop
boekhandelaar bookseller
[1]**boekhouden** *zn* bookkeeping, accounting
[2]**boekhouden** *intr* keep the books, do the accounting, do *(of:* keep) the accounts
boekhouder accountant, bookkeeper
boekhouding 1 accounting, bookkeeping 2 *(afdeling)* accounting department *(of:* section), accounts department
boekhoudkundig accounting, bookkeeping
boeking 1 booking, reservation 2 *(voetbal)* booking, caution 3 *(mbt boekhouden)* entry
boekjaar fiscal year, financial year
boekje (small, little) book, booklet || *buiten zijn ~ gaan* exceed one's authority
boekwaarde book value, balance sheet value
boekweit buckwheat
boekwinkel bookshop
boel 1 *(de dingen)* things, matters; *(ongunstig: rommel)* mess: *hij kan zijn ~tje wel pakken* he can *(of:* might) as well pack it in (now); *de ~ aan kant maken* straighten *(of:* tidy) things up 2 *(bedoening)* affair, business, matter, situation: *er een dolle ~ van maken* make quite a party of it; *een mooie ~* a fine mess; *het is er een saaie (dooie) ~* it's a dead-and-alive place 3 *(grote hoeveelheid)* a lot, heaps, lots, loads
boeman bogeyman
boemel: *aan de ~ gaan* go (out) on the razzle
boemeltrein slow train, stopping train
boemerang boomerang
boender *(werktuig om mee te boenen)* scrubbing brush; *(Am)* scrub-brush
boenen 1 *(glanzend wrijven)* polish 2 *(schrobben)* scrub
boenwas beeswax, wax polish
boer 1 farmer, peasant; *(Am; mbt vee ook)* rancher 2 *(lomp persoon)* boor, (country) bumpkin 3 *(oprisping)* burp, belch 4 *(speelkaart)* jack
boerderij farm
boerderijwinkel farmers' market
boeren 1 farm, run a farm 2 *(een boer laten)* burp, belch || *hij heeft goed* (of: *slecht*) *geboerd dit jaar* he has done well *(of:* badly) this year
boerenknecht (farm)hand
boerenkool kale
boerenverstand horse sense
boerenwagen cart
boerenzwaluw swallow
boerin 1 farmer's wife 2 woman farmer
boerka burqa, burk(h)a
boers rustic, rural, peasant: *een ~ accent* a rural accent
boete 1 fine: *een ~ krijgen van €100* be fined 100 euros; *iem een ~ opleggen* fine s.o. 2 *(godsd)* penance 3 *(straf)* penalty
boeten pay ((the penalty, price) for); *(godsd)* atone (for); *(godsd)* do penance (for): *zwaar voor iets ~* pay a heavy penalty for sth
boetiek boutique
boetseren model
boezem 1 bosom, breast: *een zware (flinke) ~ hebben* be full-bosomed 2 *(gemoed, hart)* bosom, heart
boezemvriend bosom friend
bof 1 (good) luck: *wat een ~, dat ik hem nog thuis tref* I'm lucky *(of:* what luck) to find him still at home 2 *(ziekte)* mumps *(mv)*: *de ~ hebben* have mumps
boffen be lucky
bofkont lucky dog
Bohemen Bohemia
boiler water heater, boiler
bok 1 (male) goat, billy goat; *(van herten)* buck; stag 2 *(gymnastiektoestel)* buck
bokaal 1 goblet 2 *(van glas)* beaker
bokkensprong caper || *(rare) ~en maken* behave unpredictably *(of:* in a ridiculous way)
bokking smoked herring
boksbal punchball
boksbeugel knuckleduster
boksen box
bokser boxer
bokshandschoen boxing glove
bokspringen 1 *(kinderspel)* (play) leapfrog 2 *(met toestel)* (squat) vaulting; vaulting exercise
bokswedstrijd boxing match, (prize)fight
[1]**bol** *zn* 1 ball; bulb *(van lamp, ook plantk)* 2 *(wisk)* sphere
[2]**bol** *bn, bw* round: *een ~le lens* a convex lens
boleet boletus
bolero bolero
bolhoed bowler (hat)
bolide racing car
Bolivia Bolivia
Boliviaan Bolivian
bolknak big cigar, fat cigar, Havana
bolleboos high-flyer
bollenkweker bulb grower
bollenteelt bulb-growing (industry)
bollentijd bulb season
bollenveld bulb field
bolletje 1 (little) ball; globule *(druppeltje)* 2 *(broodje)* (soft) roll
bolster shell: *ruwe ~, blanke pit* a rough diamond
bolwassing *(Belg)* dressing down
bolwerk bulwark; *(fig ook)* stronghold; bastion
bolwerken manage, pull off; *(uithouden)* stick it out; hold one's own: *het (kunnen) ~* manage (it), pull it off, stick it out
bom bomb: *het bericht sloeg in als een ~* the news came like a bombshell
bomaanslag bomb attack *(vnl. gericht)*; bombing *(vnl. willekeurig)*; bomb outrage
bomalarm bomb alert; air-raid warning *(in oor-*

logstijd); bomb scare *(niet in oorlogstijd)*
bombardement bombardment
bombarderen 1 bomb 2 *(beschieten)* bombard; *(met granaten ook)* shell 3 *(fig)* bombard, shower
bombrief letter bomb, mail bomb
bommelding bomb alert
bommenwerper bomber
bommetje cannonball
bomvol chock-full, cram-full, packed
bon 1 bill, receipt; *(van kassa ook)* cash-register slip 2 *(waardebon)* voucher, coupon; *(cadeaubon)* token; *(tegoedbon)* credit slip 3 *(bekeuring)* ticket
bonbon chocolate, bonbon
bond 1 (con)federation, confederacy, alliance, union 2 *(vakbond)* union
bondgenoot ally *(ook tijdelijk);* confederate
bondgenootschap alliance *(vaak tijdelijk);* confederacy, (con)federation
bondig concise, terse; *(kernachtig)* pithy
bondscoach national coach
bondselftal national team
bondskanselier Federal Chancellor
Bondsrepubliek Federal Republic (of Germany)
bonenstaak beanpole
bonje rumpus, row
bonk lump: *één ~ zenuwen* a bundle of nerves
bonken 1 *(botsen)* crash (against, into), bump (against, into) 2 *(hard slaan)* bang, pound
bonnefooi: *op de ~ ergens heen gaan* go somewhere on the off chance
bons 1 thud, thump 2 *(persoon)* (big) boss || *iem de ~ geven* give s.o. the push
[1]**bont** *zn* fur: *met ~ gevoerd* fur-lined
[2]**bont** *bn, bw* 1 *(veelkleurig)* multicoloured; *(mbt planten)* variegated: *~e kleuren* bright colours; *iem ~ en blauw slaan* beat s.o. black and blue 2 *(gemengd)* colourful: *een ~ gezelschap: a)* a colourful group of people; *b) (min)* a motley crew || *het te ~ maken* go too far
bontgoed (cotton) prints
bonthandel fur trade
bonthandelaar furrier
bontjas fur coat
bontmuts fur cap, fur hat
bonus bonus, premium
bonzen 1 *(slaan)* bang, hammer 2 *(botsen)* bump (against, into), crash (against, into): *tegen iem aan ~* bump into s.o., crash against (*of:* into) s.o. 3 *(onstuimig kloppen)* pound
boodschap 1 purchase *(vaak mv): die kun je wel om een ~ sturen (fig)* you can leave things to him (*of:* her) 2 *(bericht)* message: *een ~ voor iem achterlaten* leave a message for s.o.; *een ~ krijgen* get a message 3 *(opdracht)* errand; *(missie)* mission
boodschappendienst messenger service
boodschappenlijstje shopping list
boodschappenmand shopping basket
boodschappentas shopping bag
boodschapper messenger, courier
boog 1 bow: *met pijl en ~* with bow and arrow 2 *(bouwk)* arch; *(van brug ook)* span 3 *(in een lijn)* arc; *(bocht)* curve: *met een (grote) ~ om iets heenlopen* go out of one's way to avoid sth
boogbal lob
boogscheut *(Belg)* stone's throw: *op een ~ van* a stone's throw from
boogschieten archery
boogschutter archer
Boogschutter *(astrol)* Sagittarius
bookmaker bookmaker
bookmark bookmark
boom 1 tree: *ze zien door de bomen het bos niet meer* they can't see the wood for the trees 2 *(afsluit-, slagboom)* bar, barrier, gate
boomgaard orchard
boomkwekerij tree nursery
boomschors (tree) bark
boomstam (tree) trunk
boomstronk tree stump
boon bean: *witte bonen* haricot beans
boontje: *~ komt om zijn loontje* serves him right
boor 1 *(hand-)* brace 2 *(boorijzer)* bit 3 *(boormachine)* drill
boord 1 *(mbt kledingstuk)* band, trim 2 *(kraag)* collar 3 *((lucht)vaartuig)* board: *van ~ gaan* disembark || *(Belg) iets goed* (of: *slecht) aan ~ leggen* set about it in the right (*of:* wrong) way
boordevol full (*of:* filled) to overflowing: *~ nieuwe ideeën* bursting with new ideas; *~ mensen* packed (*of:* crammed) with people
booreiland drilling rig (*of:* platform), oilrig
boormachine (electric) drill
boortoren derrick, drilling rig
boos 1 angry, cross, hostile: *~ kijken (naar iem)* scowl (at s.o.); *~ worden op iem* get angry at s.o. 2 *(kwaadaardig)* evil, bad, malicious, wicked; vicious *(hond): het was geen boze opzet* no harm was intended; *de (grote) boze wolf* the big bad wolf 3 *(verdorven)* evil, foul, vile: *de boze geesten* evil spirits
boosaardig 1 malignant *(med)* 2 *(met kwade opzet)* malicious, vicious
boosdoener wrongdoer
boosheid anger; *(grote woede)* fury
boot boat, vessel; *(groot)* steamer; *(groot)* ship; *(veerboot)* ferry: *de ~ missen (ook fig)* miss the boat
bootreis voyage, cruise
bootsman boatswain
boottocht boat trip (*of:* excursion)
bootwerker docker, dockhand
bord 1 *(voor gerechten)* plate: *alle probleemgevallen komen op zijn ~je terecht* he ends up with all the difficult cases on his plate; *van een ~ eten* eat off a plate 2 *(plaat met opschrift)* sign, notice: *de hele route is met ~en aangegeven* it is signposted all the way 3 *(schaak-, dam-)* board; *(school-)*

(black)board; *(mededelingen-)* notice board || *een ~ voor zijn kop hebben* be thick-skinned
bordeaux bordeaux; *(rode)* claret
bordeel brothel, whorehouse
bordenwarmer plate warmer
bordenwasser dishwasher
border border
borderliner borderliner
bordes *(ongev)* steps
bordkrijt chalk
borduren embroider
borduurnaald embroidery needle
borduurwerk embroidery
boren bore, drill
borg 1 surety; *(mbt gevangene)* bail: *zich ~ stellen voor een gevangene* stand bail for a prisoner 2 *(onderpand)* security; *(borgsom)* deposit
borgsom deposit, security (money)
borgtocht bail, recognizance
boring boring, drilling
borrel drink || *iem voor een ~ uitnodigen* ask s.o. round (*of:* invite s.o.) for a drink
borrelen 1 *(mbt water, enz.)* bubble; gurgle *(mbt geluid)* 2 *(borrels drinken)* have a drink
borrelhapje snack, appetizer
borst 1 *(borstkas)* chest: *uit volle ~ zingen* sing lustily 2 *(mbt vrouwen)* breast: *een kind de ~ geven* breastfeed a child
borstcrawl (front) crawl
borstel brush || *(Belg) ergens met de grove ~ door gaan* tackle sth in a rough-and-ready way
borstelen brush
borstelig bristly, bushy
borstkanker breast cancer
borstkas chest
borstslag breaststroke; *(borstcrawl)* (front) crawl
borstvin pectoral fin
borstvoeding breastfeeding
borstwijdte (width of the) chest; *(van dameskleding ook)* bust (measurement)
borstzak breast pocket
[1]**bos** *zn* bundle; *(sleutels, radijs e.d.)* bunch: *een flinke ~ haar* a fine head of hair
[2]**bos** *zn* wood(s), forest
bosbeheer forestry
bosbes bilberry; *(Am)* blueberry
bosbouwschool school of forestry
bosbrand forest fire
bosje 1 bundle, tuft; *(haar, gras ook)* wisp 2 *(klein woud)* grove, coppice 3 *(struik)* bush, shrub
Bosjesman Bushman
bosklas *(Belg)* nature class (in the woods)
bosneger maroon
Bosnië-Hercegovina Bosnia-Herzegovina
Bosnisch Bosnian
bospad woodland path, forest path (*of:* trail)
Bosporus Bosp(h)orus
bosvrucht forest fruit, fruit of the forest
boswachter forester; *(Am)* (forest) ranger; *(privé ook)* gamekeeper
[1]**bot** *zn* flounder *(vis)* || *(fig) ~ vangen* draw a blank, come away empty-handed
[2]**bot** *zn* bone *(been)*: *tot op het ~ verkleumd zijn* chilled to the bone
[3]**bot** *bn* 1 *(mbt mes, enz.)* blunt, dull 2 *(plomp, grof)* blunt, curt: *iets ~ weigeren* refuse sth flat(ly)
botanicus botanist
botanisch botanic(al)
boter butter: *~ bij de vis* cash on the nail || *hij heeft ~ op zijn hoofd* listen who's talking
boterbloem buttercup
boterbriefje marriage lines, marriage certificate
boteren: *het wil tussen hen niet ~* they can't get on
boterham 1 *(snee brood)* slice (*of:* piece) of bread: *(fig) iets op zijn ~ krijgen* get sth on one's plate; *een ~ met ham* a ham sandwich 2 *(levensonderhoud)* living, livelihood: *zijn ~ verdienen met ...* earn one's living by ...
boterhamtrommeltje sandwich box, lunch box
boterhamworst *(ongev)* luncheon meat
boter-kaas-en-eieren noughts and crosses; *(Am)* tic-tac-toe
botermelk buttermilk
botervloot butter dish
botheid 1 *(vnl. mes e.d.)* bluntness, dullness 2 *(grofheid)* bluntness, gruffness
botkanker bone cancer
botontkalking osteoporosis
botsautootje dodgem (car), bumper car
botsen 1 collide (with), bump into (*of:* against); *(voertuigen ook)* crash into (*of:* against): *twee wagens botsten tegen elkaar* two cars collided 2 *(fig)* clash (with)
botsing collision; crash *(vnl. van voertuigen)*: *met elkaar in ~ komen* collide with one another, run into one another
bottelen bottle
botter smack, fishing boat
botulisme botulism
botweg bluntly, flatly
bougie sparking plug
bouillon broth
bouillonblokje beef cube
boulevard 1 boulevard, avenue 2 *(wandelweg langs de zee)* promenade
boulevardblad *(ongev)* tabloid
boulimia nervosa bulimia nervosa; *(Am)* bulimarexia
bouquet *(mbt wijn)* bouquet
bourgogne burgundy
Bourgondiër Burgundian
bourgondisch *(uitbundig)* exuberant
bout 1 *(schroefbout)* (screw) bolt, pin 2 *(konijnenpoot e.d.)* leg, quarter; *(van vogel ook)* drumstick
bouvier Bouvier des Flandres
bouw 1 building, construction 2 *(bouwbedrijf)*

building industry *(of:* trade) 3 *(constructie)* structure, construction; build *(van dieren, mensen)*
bouwbedrijf construction firm, builders
bouwdoos *(montagedoos)* (do-it-yourself) kit
[1]**bouwen** *intr* (met *op) (zich verlaten op)* rely on
[2]**bouwen** *intr, tr* build, construct; *(oprichten)* erect; *(oprichten)* put up
bouwer builder; *(mbt huizen ook)* (building) contractor; *(mbt schepen)* shipbuilder
bouwgrond *(bouwterrein)* building land
bouwjaar year of construction *(of:* manufacture): *te koop: auto van het ~ 1981* for sale: 1981 car
bouwkunde architecture
bouwkundig architectural, constructional, structural: *~ ingenieur* structural engineer
bouwkundige architect, structural engineer
bouwkunst building, construction, architecture
bouwmaatschappij (property) development company, building company
bouwmateriaal building material *(meestal mv)*
bouwpakket (do-it-yourself) kit
bouwpromotor *(Belg)* (property) developer
bouwput (building) excavation
bouwsteen 1 brick **2** *(uit een bouwdoos)* building block
bouwstof building material; *(fig)* material(s)
bouwtekening floor plan, drawing(s)
bouwterrein 1 *(om op te bouwen)* building land **2** *(waar gebouwd wordt)* building site, construction site
bouwvakker construction worker
bouwval ruin
bouwvallig crumbling, dilapidated, rickety
bouwwerk building, structure, construction
[1]**boven** *bw* **1** *(hogergelegen)* above, up; upstairs *(in gebouw): (naar) ~ brengen* take *(of:* carry) up, bring back *(herinneringen); woon je ~ of beneden?* do you live upstairs or down(stairs)?; *naar ~ afronden* round up **2** *(op de hoogste plaats)* on top: *dat gaat mijn verstand (begrip) te ~* that is beyond me, *(te moeilijk ook)* that's over my head; *de vierde regel van ~* the fourth line from the top **3** *(in het voorafgaande)* above **4** (met *aan*) on top, at the top: *~ aan de lijst staan* be at the top *(of:* head) of the list
[2]**boven** *vz* **1** *(hoger dan)* above; *(recht boven)* over: *hij woont ~ een bakker* he lives over a baker's shop; *~ water komen: a)* surface, come up for air; *b) (fig)* turn up; *de flat ~ ons* the flat overhead **2** *(verder dan)* above, beyond: *dat gaat ~ mijn verstand* that is beyond me **3** *(in rangorde hoger)* above, over: *hij stelt zijn carrière ~ zijn gezin* he puts his career before his family; *er gaat niets ~ Belgische friet* there's nothing like Belgian chips; *veiligheid ~ alles* safety first **4** *(mbt een maat, hoeveelheid)* over, above, beyond: *kinderen ~ de drie jaar* children over three; *~ alle twijfel* beyond (all) doubt
bovenaan *(aan het boveneinde)* at the top: *~ staan* be (at the) top
bovenarm upper arm
bovenbeen upper leg, thigh
bovenbouw 1 *(ond)* last 2 or 3 classes (of secondary school) **2** *(ve bouwwerk)* superstructure
bovendien moreover, in addition, furthermore, besides: *~, hij is niet meerderjarig* besides, he's a minor
bovengenoemd above(-mentioned), mentioned above, stated above; *(jur)* (afore)said
bovengrens upper limit
bovengronds aboveground, surface, overhead
bovenkant top
bovenkleding outer clothes, outerwear
bovenkomen 1 *(mbt wateroppervlakte)* come up, come to the surface, break (the) surface, surface **2** *(mbt hogere verdieping)* come up(stairs)
bovenlaag upper layer, surface layer; top coat *(verf)*
bovenlijf upper part of the body: *met ontbloot ~* stripped to the waist
bovenlip upper lip
bovenmenselijk superhuman
bovenmodaal above-average
bovennatuurlijk supernatural
bovenop 1 on top: *(fig) ergens ~ springen* pounce on sth **2** *(in orde)* on one's feet: *de zieke kwam er snel weer ~* the patient made a quick recovery
bovenst top, topmost, upper(most): *van de ~e plank* first class; *de ~e verdieping (ook fig)* the top storey
bovenstaand above, above-mentioned
bovenstuk top, top part, upper part
bovenuit above: *zijn stem klonk overal ~* his voice could be heard above everything
bovenverdieping upper storey, upper floor; *(bovenste)* top floor *(of:* storey)
bovenwinds windward
bovenwoning upstairs flat
bovenzijde *zie* bovenkant
bowl punch
bowlen bowl
bowlingbaan bowling alley
box 1 (loud)speaker **2** *(voor één paard)* (loose) box, stall **3** *(bergruimte)* storeroom **4** *(voor kleine kinderen)* (play)pen
boxer boxer *(hond)*
boxershort boxer shorts
boycot boycott
boycotten boycott; *(persoon, firma ook)* freeze out
braadpan casserole
braadworst 1 (frying) sausage **2** *(gebraden metworst)* German sausage
braaf 1 good, honest; *(vaak iron)* respectable; decent **2** *(oppassend)* well-behaved, obedient
braafheid goodness, decency, honesty; *(soms iron)* respectability; *(gehoorzaamheid)* obedience

braak 1 waste; *(mbt landbouw)* fallow: *~ laten liggen* leave (*of:* lay) fallow **2** *(fig)* fallow, undeveloped, unexplored
braakliggend fallow
braaksel vomit
braam *(bes)* blackberry, bramble
braden roast; *(op fornuis)* fry; *(in pan)* pot-roast; *(op rooster)* grill
braderie fair
braille braille
brak saltish, brinish
braken vomit, be sick, throw up, regurgitate
brallen brag, boast
brancard stretcher
branche branch, department; *(handel ook)* line (of business); *(handel ook)* (branch of) trade
brand fire, blaze: *er is gevaar voor ~* there is a fire hazard; *~ stichten* commit arson; *in ~ staan* be on fire; *in ~ vliegen* catch fire, burst into flames, *(ontbranden)* ignite; *iets in ~ steken* set sth on fire, set fire to sth
brandbaar combustible; *(licht ontvlambaar)* (in)flammable
brandblusinstallatie sprinkler system
brandblusser (fire) extinguisher
[1]**branden** *intr* burn, be on fire; *(fel)* blaze: *de lamp brandt* the lamp is on; *de kachel laten ~* leave the (gas) fire burning || *ze was het huis niet uit te ~* there was no way of getting her out of the house
[2]**branden** *tr* burn; scald *(aan heet water, stoom);* roast *(noten, koffie e.d.): zich de vingers ~ (fig)* burn one's fingers
branderig irritant, caustic
brandewijn brandy
brandgevaar fire hazard, fire risk
brandgevaarlijk flammable
brandglas burning-glass
brandhout firewood
branding surf; *(golven)* breakers
brandkast safe
brandladder escape ladder
brandmerk brand
brandmerken brand
brandnetel nettle
brandpunt 1 focus *(ook wisk)* **2** *(fig)* centre
brandschoon spotless
brandslang fire hose
brandspiritus methylated spirit(s)
brandstapel stake
brandstichten commit arson
brandstichter arsonist
brandstichting arson
brandstof fuel
brandtrap fire escape
brandweer fire brigade
brandweerauto fire engine
brandweercommandant (senior) fire officer
brandweerkazerne fire station
brandweerman fireman
brandwond burn
braspartij binge
brasserie brasserie
bravo bravo!; *(instemming)* hear! hear!
bravoure bravura: *met veel ~* dashing
Braziliaan Brazilian
Braziliaans Brazilian
Brazilië Brazil
breakdancen break-dance
[1]**breed** *bn* wide, broad: *de kamer is 6 m lang en 5 m ~* the room is 6 metres (long) by 5 metres (wide); *niet breder dan twee meter* not more than two metres wide (*of:* in width)
[2]**breed** *bw (in de breedte)* widely; *(kraag enz. ook)* loosely: *een ~ omgeslagen kraag* a wide (*of:* loose) collar
breedband *(comp)* broadband
breedbeeldtelevisie wide-screen TV
breedgebouwd broad(ly-built), square-built
breedte 1 width, breadth: *in de ~* breadthways **2** *(aardr)* latitude
breedtegraad parallel, degree of latitude
breeduit 1 spread (out): *~ gaan zitten* sprawl (on) **2** *(luid)* out loud
breekbaar fragile; *(broos)* brittle
breekijzer crowbar
breekpunt breaking point *(ook fig)*
breezer breezer
breien knit
brein brain; *(fig ook)* brains: *het ~ zijn achter een project* be the brain(s) behind a project, mastermind a project
breinaald knitting needle
breiwerk knitting
[1]**breken** *intr* break; *(med ook)* fracture || *met iem ~* break off (relations) with s.o., break up with s.o.; *met een gewoonte ~* break a habit
[2]**breken** *tr* break; *(licht)* refract || *een record ~* break a record; *de betovering* (of: *het verzet*) *~* break the spell (*of:* resistance)
brem broom
brengen 1 bring; *(weg-)* take: *mensen (weer) bij elkaar ~* bring (*of:* get) people together (again); *naar huis ~* take home; *een kind naar bed ~* put a child to bed **2** *(doen toekomen)* bring, take, give: *zijn mening naar voren ~* put forward, come out with one's opinion; *iets naar voren ~* bring sth up; *een zaak voor het gerecht ~* take a matter to court **3** *(aanzetten tot)* bring, send, put: *iem tot een daad ~* drive s.o. to (sth); *iem aan het twijfelen ~* raise doubt(s) in s.o.'s mind || *het ver ~* go far
bres breach; hole *(ook fig): voor iem in de ~ springen* step into the breach for s.o.
Bretagne Brittany
bretel braces; *(Am)* suspenders *(alleen mv)*
breuk 1 break(ing), breakage **2** *(scheur)* crack, split, fault **3** *(med)* fracture, hernia **4** *(mbt betrekkingen)* rift, breach **5** *(wisk)* fraction: *decimale (tiendelige) ~* decimal fraction; *samengestelde ~*

complex (*of:* compound) fraction
brevet certificate; *(luchtv)* licence
bridgen play bridge

brief letter: *aangetekende ~* registered letter; *in antwoord op uw ~ van de 25e* in reply to your letter of the 25th
briefhoofd letterhead, letter-heading
briefje note: *dat geef ik je op een ~* you can take it from me
briefkaart postcard
briefpapier writing paper, stationery
briefwisseling correspondence: *een ~ voeren (met)* correspond (with)
bries breeze
briesen *(mbt wilde dieren)* roar; *(mbt paarden)* snort
brievenbus 1 postbox, letter box 2 *(bus aan, bij een huis)* letter box; *(Am)* mailbox
brigade 1 brigade 2 *(met een doel)* squad, team
brigadier 1 *(politieagent)* police sergeant 2 *(klaar-over)* (school) crossing guard
brij 1 pulp 2 *(pap)* porridge || *om de hete ~ heen draaien* beat about the bush
brik *(Belg): melk in ~* milk in cartons
bril 1 (pair of) glasses; *(dikke bril als bescherming)* (pair of) goggles: *alles door een donkere* (of: *roze*) *~ zien* take a gloomy (*of:* rosy) view of everything 2 *(wc-zitting)* (toilet) seat
[1]**briljant** *zn* (cut) diamond
[2]**briljant** *bn, bw* brilliant
brillantine brilliantine
brilmontuur glasses frame
brilslang (spectacled) cobra
Brit Briton; *(inform)* Brit
brits plank bed, wooden bed
Brits British
broccoli broccoli
broche brooch
brochure pamphlet
broeden brood || *hij zit op iets te ~* he is working on sth
broeder 1 brother 2 *(r-k)* brother, friar 3 *(verpleger)* (male) nurse
broederschap brotherhood, fraternity
broedmachine incubator, brooder
broedplaats breeding ground *(ook fig)*
broeien 1 heat, get heated, get hot 2 *(zwoel zijn)* be sultry || *er broeit iets* there is sth brewing
broeierig 1 sultry, sweltering, muggy 2 *(zwoel)* sultry, sensual
broeikas hothouse, greenhouse
broeikaseffect greenhouse effect
broek (pair of) trousers; *(korte broek)* shorts || *een proces aan zijn ~ krijgen* get taken to court
broekje *(onderbroek)* briefs; *(slipje)* panties; knickers
broekpak trouser suit
broekriem belt: *(ook fig) de ~ aanhalen* tighten one's belt
broekspijp (trouser-)leg
broekzak trouser(s) pocket: *iets kennen als zijn ~* know sth inside out (*of:* like the back of one's hand)
broer brother
broertje little brother || *een ~ dood aan iets hebben* hate sth, detest sth
brok piece, fragment, chunk: *~ken maken: a)* smash things up; *b) (fig)* mess things up; *hij had een ~ in zijn keel* he had a lump in his throat
brokaat brocade
brokkelen crumble
brokstuk (broken) fragment, piece; *(mv ook)* debris
brom buzz
bromfiets moped
bromfietscertificaat moped licence
bromfietser moped rider (*of:* driver)
bromfietshelm crash helmet, moped helmet
bromfietsplaatje moped number plate
bromfietsrijbewijs moped licence
brommen 1 hum *(insecten, motor, radio);* growl *(persoon, hond)* 2 *(mompelen)* mutter 3 *(op een bromfiets)* ride a moped
brommer moped
bromscooter (motor) scooter
bromvlieg bluebottle, blowfly
bron 1 well, spring: *hete ~* hot springs 2 *(oorsprong, oorzaak)* source *(ook ve rivier);* spring, cause: *~nen van bestaan* means of existence || *hij heeft het uit betrouwbare ~* he has it from a reliable source; *een rijke (onuitputtelijke) ~ van informatie* a mine of information
bronchitis bronchitis
brons bronze
bronstijd Bronze Age
bronwater *(uit bron)* spring water; *(in fles)* mineral water
bronzen bronze: *een ~ medaille* a bronze (medal)
brood 1 bread: *daar is geen droog ~ mee te verdienen* you won't (*of:* wouldn't) make a penny out of it; *(fig) ~ op de plank hebben* be able to make ends meet 2 *(in een bep vorm)* loaf (of bread): *een snee ~* a slice of bread; *twee broden* two loaves (of bread) 3 *(kost, levensonderhoud)* living
broodbeleg sandwich filling
brooddeeg (bread) dough
broodje (bread) roll, bun: *~ aap* monkey's sandwich
broodjeszaak sandwich bar
broodkruimel breadcrumb
broodmaaltijd cold meal (*of:* lunch)
broodmager skinny, bony
broodnodig much-needed, badly needed, highly necessary
broodrooster toaster
broodtrommel 1 breadbin 2 *(lunch-)* lunch box
broodwinner breadwinner

broodwinning livelihood
broos fragile, delicate, frail
bros brittle, crisp(y)
brossen *(Belg)* play truant, skip classes
brouwen brew; *(samenstellen ook)* mix; concoct
brouwer brewer
brouwerij brewery
brouwsel brew, concoction
brownie brownie
browser browser
brug 1 bridge 2 *(mbt gebit)* bridge(work) 3 *(sport)* parallel bars 4 *(scheepv)* bridge || *hij moet over de ~ komen* he has to deliver the goods (*of:* pay up)
Brugge Bruges
brugklas first class *(of:* form) (at secondary school)
brugklasser first-former
brugleuning bridge railing; *(van steen)* parapet
brugwachter bridgekeeper
brui: *er de ~ aan geven* chuck it (in)
bruid bride
bruidegom (bride)groom
bruidsboeket bridal bouquet
bruidsjapon bridal gown, wedding dress
bruidsmeisje bridesmaid
bruidsnacht wedding night
bruidspaar bride and (bride)groom, bridal couple
bruidssuite bridal suite
bruidstaart wedding cake
bruikbaar usable; *(nuttig)* useful; serviceable *(machines, auto's enz.)*; employable *(arbeidskracht)*
bruikleen loan: *iets aan iem in ~ geven* lend sth to s.o.
bruiloft wedding
bruin brown || *wat bak je ze weer ~* you're really going to town on it
bruinbrood brown bread
bruinen brown; *(door de zon)* tan; bronze: *de zon heeft zijn vel gebruind* the sun has tanned his skin
bruinkool brown coal, lignite
bruinvis porpoise
bruisen foam, effervesce: *~ van geestdrift* (of: *energie*) bubble with enthusiasm (*of:* energy)
bruisend exuberant *(ve feest)*
brullen roar, bawl, howl: *~ van het lachen* roar (*of:* howl) with laughter
brunch brunch
brunette brunette
Brussel Brussels
Brussels Brussels
brutaal 1 insolent; *(van kinderen)* cheeky; impudent: *zij was zo ~ om …* she had the cheek (*of:* nerve) to … 2 *(vrijpostig)* bold, forward
brutaliteit cheek, impudence
bruto gross: *het concert heeft ~ €1100 opgebracht* the concert raised 1100 euros gross
brutogewicht gross weight
brutoloon gross income
brutosalaris gross salary
brutowinst gross profit
bruut brute; brutal *(gruwelijk)*
BSE *afk van bovine spongiform encephalopathy* BSE, mad cow disease
bso *(Belg) afk van beroepssecundair onderwijs* secondary vocational education
btw *afk van belasting op de toegevoegde waarde* VAT, value added tax
bubbelbad whirlpool, jacuzzi
budget budget
budgettair budgetary
budgetteren budget
buffel buffalo
buffer buffer
buffervoorraad buffer stock
buffet *(meubelstuk)* sideboard; buffet *(ook in station, enz.)*
buggy buggy
bui 1 shower; (short) storm *(hevig, met onweer; vaak fig)*: *schuilen voor een ~* take shelter from a storm; *de ~ zien hangen (fig)* see the storm coming; *hier en daar een ~* scattered showers 2 *(humeur)* mood: *in een driftige ~* in a fit of temper
buidel 1 purse 2 *(huidplooi)* pouch
buideldier marsupial
[1]**buigen** *intr* 1 bow: *voor iem ~* bow to s.o. 2 (met *voor) (zwichten)* bow (to), bend (before) 3 *(zich krommen)* bend (over)
[2]**buigen** *tr* bend: *het hoofd ~ (fig)* bow (to), submit (to); *de weg buigt naar links* the road curves (*of:* bends) to the left; *zich over de balustrade ~* lean over the railing
buiging 1 bend, curve: *de weg maakt hier een ~* the road bends here 2 *(als groet)* bow; curtsy *(vrouwen)*
buigzaam 1 flexible, supple 2 *(fig)* flexible, adaptable, compliant
buiig showery, gusty
buik *(mbt mensen, dieren)* belly, stomach; *(onderste gedeelte)* abdomen: *(fig) er de ~ van vol hebben* be fed up (with it), be sick and tired of it
buikdanseres belly dancer
buikholte abdomen
buikje paunch, pot belly
buiklanding pancake landing, belly landing
buikpijn stomach-ache, bellyache
buikriem belt
buikspier stomach muscle, abdominal muscle
buikspreken ventriloquize, throw one's voice
buikspreker ventriloquist
buikvin pelvic fin
buikvliesontsteking peritonitis
buil *(bult)* bump
buis 1 tube, pipe; valve *(van radio e.d.)* 2 *(televisie)* box, TV 3 *(Belg; inform)* fail (mark)
buit 1 booty, spoils, loot 2 *(jachtbuit)* catch: *met een flinke ~ thuiskomen* come home with a big catch

buitelen tumble, somersault
[1]**buiten** *bw* outside, out, outdoors: *een dagje ~* a day in the country; *daar wil ik ~ blijven* I want to stay out of that; *naar ~ gaan: a) (buitenshuis)* go outside (*of:* outdoors); *b) (naar het platteland, de stad uit)* go into the country (*of:* out of town); *naar ~ brengen* take out *(voorwerp)*, lead (*of:* show) out *(persoon); een gedicht van ~ leren* (of: *kennen*) learn (*of:* know) a poem by heart
[2]**buiten** *vz* 1 outside, beyond: *~ het bereik van* out of reach of; *hij was ~ zichzelf van woede* he was beside himself with anger 2 out of: *iets ~ beschouwing laten* leave sth out of consideration 3 without: *het is ~ mijn medeweten gebeurd* it happened without my knowledge
buitenaards extraterrestrial
buitenaf outside, external, from *(of:* on) the outside
buitenbaan *(sport)* outside lane
buitenband tyre
buitenbeentje odd man out, outsider
buitenbocht outside curve *(of:* bend)
buitenboordmotor outboard motor
buitendeur front door, outside door
buitenechtelijk extramarital: *~ kind* illegitimate child
[1]**buitengewoon** *bn* special, extra; exceptional, unusual
[2]**buitengewoon** *bw (zeer)* extremely, exceptionally
buitenhuis country house
buitenkansje stroke of luck
buitenkant outside, exterior: *op de ~ afgaan* judge by appearances
buitenland foreign country *(of:* countries): *van* (of: *uit) het ~ terugkeren* return (*of:* come back) from abroad
buitenlander foreigner, alien
buitenlands foreign, international: *een ~e reis* a trip abroad
buitenlucht open (air); country air *(vh (platte)-land)*
buitenshuis outside, out(side) of the house, outdoors: *~ eten* eat out
buitensluiten shut out *(ook kou, licht)*; lock out
buitenspel offside || *(fig) hij werd ~ gezet* he was sidelined
buitensporig extravagant, excessive, exorbitant, inordinate
buitenst out(er)most, exterior, outer
buitenstaander outsider
buitenwacht outside world, public; outsiders *(mv)*
buitenwereld public (at large), outside world
buitenwijk suburb; *(mv ook)* outskirts
buitenwipper *(Belg)* bouncer
buitenzijde outside, exterior; *(fig vnl.)* surface
buitmaken seize; capture *(schip)*
buizen *(Belg; inform)* fail
buizerd buzzard
[1]**bukken** *intr* stoop; *(wegduiken)* duck: *hij gaat gebukt onder veel zorgen* he is weighed down by many worries
[2]**bukken, zich** stoop, bend down
buks (short) rifle
bul degree certificate
bulderen roar, bellow
buldog bulldog
Bulgaar Bulgarian
Bulgaars Bulgarian
Bulgarije Bulgaria
bulkgoederen bulk goods
bulldozer bulldozer
bullebak bully, ogre
bulletin bulletin, report
bult 1 lump; bump *(door stoten enz.)* 2 *(bochel)* hunch, hump: *met een ~* hunchbacked, humpbacked
bumper bumper
bumperklever tailgater
bundel 1 bundle; sheaf *(papieren, pijlen)* 2 *(verzamel-)* collection, volume
bundelen bundle, cluster; combine *(krachten): (fig) krachten ~* join forces
bungalow bungalow; *(zomerhuisje)* (summer) cottage; chalet
bungalowpark holiday park
bungalowtent family (frame) tent
bungeejumpen bungee jump
bungelen dangle, hang
bunker bunker, bomb shelter, air-raid shelter
bunkeren 1 refuel 2 *(flink eten)* stoke up, stuff oneself
bunsenbrander Bunsen burner
bunzing polecat
burcht castle, fortress, citadel, stronghold
bureau 1 *(schrijftafel)* (writing) desk, bureau 2 *(plek)* office, bureau, department, (police) station; *(advies-)* agency
bureaucraat bureaucrat
bureaucratie bureaucracy, officialdom
bureaucratisch bureaucratic: *~e rompslomp* red tape
bureaula (desk) drawer
bureaulamp desk lamp
bureauredacteur copy editor
bureaustoel office chair, desk chair
burgemeester mayor; *(Schotland)* provost: *~ en wethouders* mayor and aldermen, *(gemeentebestuur)* municipal executive
burger 1 citizen 2 *(niet-militair)* civilian: *militairen en ~s* soldiers and civilians
burgerlijk 1 middle-class, bourgeois 2 *(min)* bourgeois, conventional, middle-class; *(vulgair)* philistine; *(klein-)* smug 3 *(behorend bij de staatsburger)* civil, civic: *~e staat* marital status; *(bureau van de) ~e stand* Registry of Births, Deaths and Marriages, Registry Office 4 *(niet militair)* civil(ian)

burgeroorlog civil war
burn-out burn-out
bus 1 bus; *(reisbus)* coach: *met de ~ gaan* go by bus; *~je* minibus, *(bestelwagen)* van **2** *(blikken doos)* tin; *(groot)* drum **3** *(kast, doos met gleuf)* box: *u krijgt de folders morgen in de ~* you will get the brochures in the post tomorrow; *niemand weet wat er uit de ~ komt* nobody knows what the result will be
buschauffeur bus driver, coach driver
busdienst bus service, coach service
bushalte bus stop, coach stop
buskruit gunpowder
buslichting collection
busstrook bus lane
buste bust, bosom
butagas butane (gas)
butler butler
button badge
buur neighbour: *de buren* the (next-door) neighbours
buurland neighbouring country
buurman (next-door) neighbour, man next door
buurt neighbourhood, area, district: *rosse ~* red-light district || *de hele ~ bij elkaar schreeuwen* shout the place down; *in* (of: *uit*) *de ~ wonen* live nearby (*of:* a distance away); *je kunt maar beter bij hem uit de ~ blijven* you'd better give him a wide berth
buurtbewoner local resident
buurthuis community centre
buurtvereniging residents' association
buurvrouw neighbour, woman next door
buzzer buzzer, pager
bv *afk van besloten vennootschap* Ltd; *(Am)* Inc
BV *afk van bekende Vlaming* celebrity, famous Flemish person
bvba *(Belg) afk van besloten vennootschap met beperkte aansprakelijkheid* private company with limited liability
BVD *afk van Binnenlandse Veiligheidsdienst* (Dutch) National Security Service, Dutch Secret Service
Byzantijns Byzantine

C

ca. *afk van circa* approx.; *(bij datums)* ca.
cabaret cabaret
cabaretier cabaret performer, cabaret artist(e)
cabine 1 cabin 2 *(in talenlab, platenzaak enz.)* booth
cabriolet convertible, drophead coupé
cacao cocoa, (drinking) chocolate
cactus cactus
CAD *afk van Computer Assisted Design* CAD
cadans cadence, rhythm
cadeau present, gift: *iem iets ~ geven* give a person sth as a present; *(iron) dat krijg je van me ~!* you can keep it!; *iets niet ~ geven* not give sth away
cadeaubon gift voucher
cadet *(Belg) (Ned aspirant, junior)* junior member of sports club
café café, pub, bar
cafeïne caffeine
cafeïnevrij decaffeinated
cafetaria cafeteria, snack bar
cahier exercise book
caissière cashier, check-out assistant
cake (madeira) cake
calamiteit calamity, disaster
calcium calcium
calculatie calculation, computation
calculator calculator
calculeren calculate, compute
caleidoscoop kaleidoscope
Californië California
calorie calorie
caloriearm low-calorie, low in calories
calorierijk high-calorie, rich in calories
calvinist Calvinist
Cambodja Cambodia
cambrium Cambrian (period)
camera camera: *verborgen ~* hidden camera, candid camera
camerabewaking closed circuit tv, CCTV: *dit winkelgebied kent ~* this shop area is protected by CCTV
cameratoezicht closed circuit tv, CCTV
camouflage camouflage; *(fig)* cover; front
camoufleren camouflage, cover up, disguise
campagne campaign, drive: *~ voeren (voor, tegen)* campaign (for, against)
camper camper
camping camping site
campus campus
Canada Canada
Canadees Canadian
canapé sofa, settee, couch
Canarische Eilanden (the) Canaries, (the) Canary Islands
cannabis cannabis, hemp, marijuana
canon round, canon: *in ~ zingen* sing in a round (*of:* in canon)
cantharel chanterelle
canvas canvas, tarpaulin
cao *afk van collectieve arbeidsovereenkomst* collective wage agreement
capabel capable, able; *(geschikt)* competent; *(bevoegd)* qualified: *voor die functie leek hij uiterst ~* he seemed very well qualified for the job; *hij is niet ~ om te rijden* he's in no shape (*of:* condition) to drive; *ik acht hem ~ om die klus uit te voeren* I reckon he can cope with that job
capaciteit 1 capacity, power: *een motor met kleine ~* a low-powered engine 2 *(bekwaamheid)* ability, capability: *Ans is een vrouw van grote ~en* Ans is a woman of great ability
cape cape
capitulatie capitulation, surrender
capituleren capitulate, surrender
capriool prank, caper
capsule capsule
capuchon hood
carambole cannon
caravan caravan; *(Am)* trailer (home)
carburator carburettor
cardiogram cardiogram
cardioloog cardiologist
Caribisch Caribbean: *het ~ gebied* the Caribbean
cariës caries, tooth decay, dental decay
carillon carillon, chimes: *het spelen van het ~* the ringing of the bells
carnaval carnival (time)
carnavalsvakantie carnival holiday, Shrovetide holiday
carnivoor carnivore
carpoolen *(Am)* carpool
carpoolstrook HOV lane, High Occupancy Vehicle lane
carport carport
carrière career
carrosserie body, bodywork
cartoon cartoon
cartridge cartridge
casco *(schip)* body, vessel; *(scheepsromp)* hull
[1]**cash** *zn* cash
[2]**cash** *bw* cash
cashewnoot cashew (nut)
casino casino
cassatie annulment: *hof van ~* court of appeal

cassette 1 box, casket; coffer *(juwelen)*; slip case; money box *(geld)* 2 *(muziek-)* cassette
cassetteband cassette (tape)
cassettedeck cassette deck, tape deck
cassis cassis, black currant drink
castagnetten castanets
castreren castrate, neuter; doctor *(dier)*
catacombe *(mv)* catacombs
Catalaans Catalan, Catalonian
catalogiseren catalogue, record
catalogus catalogue
Catalonië Catalonia
catamaran catamaran
catastrofaal catastrophic, disastrous
catastrofe catastrophe, disaster
catechismus catechism
categorie category, classification; *(mbt leeftijd, inkomen)* bracket: *in drie ~ën indelen* distinguish into three categories
categoriseren categorize, class
cateren cater (for)
causaal causal, causative: *~ verband* causal connection
cavalerie cavalry, tanks
cavia guinea pig, cavia
cc 1 *afk van kubieke centimeter* cc 2 *afk van kopie conform (ongev)* certified copy
cd *afk van compact disc* CD
cd-i *afk van compact disc interactief* CD-I
cd-i-speler CD-I-player
cd-r *afk van compact disc - recordable* CD-R
cd-rom CD-ROM
cd-romspeler CD-ROM drive, CD-ROM player
cd-single CD single
cd-speler CD player
ceder cedar
ceintuur belt, waistband
cel cell, (call) box; booth *(telefoon-)*: *hij heeft een jaar ~ gekregen* he has been given a year; *in een ~ opsluiten* lock up in a cell
celdeling fission, cell division
celibaat celibacy
cellist cellist
cello (violon)cello
cellulair cellular
[1]**celluloid** *zn* celluloid
[2]**celluloid** *bn* celluloid
Celsius Celsius, centigrade
cement cement
censureren censor; *(fig)* black out *(nieuws, tv)*
censuur censorship
cent 1 cent: *iem tot op de laatste ~ betalen* pay s.o. to the full 2 *(inform)* penny, farthing: *ik geef geen ~ meer voor zijn leven* I wouldn't give a penny for his life; *ik vertrouw hem voor geen ~* I don't trust him an inch 3 *(vnl. mv)* money, cash || *zonder een ~ zitten* be penniless
centiliter centilitre
centime centime
centimeter 1 centimetre: *een kubieke ~* a cubic centimetre; *een vierkante ~* a square centimetre 2 *(meetlint)* tape-measure
centraal central: *(fig) een centrale figuur* a central (*of:* key) figure; *een ~ gelegen punt* a centrally situated point
centrale 1 *(elektr)* power station, powerhouse 2 *(telefoon-)* (telephone) exchange; *(van bedrijf)* switchboard
centralisatie centralization
centreren centre
centrifuge centrifuge; *(voor was)* spin-dryer
centrum centre: *in het ~ van de belangstelling staan* be the centre of attention; *(pol) links* (of: *rechts) van het ~* left (*of:* right) of centre
centrumspits centre forward
ceremonie ceremony
ceremonieel ceremonial, formal: *een ceremoniële ontvangst* a formal reception
ceremoniemeester Master of Ceremonies; *(bij bruiloft)* best man
certificaat certificate
Ceylon Ceylon; *(staat)* Sri Lanka
cfk *afk van chloorfluorkoolwaterstof* CFC
chagrijnig miserable, grouchy: *doe niet zo ~* stop being such a misery; *~ zijn* sulk
chalet chalet, Swiss cottage
champagne champagne
champignon mushroom
chantage blackmail
chanteren blackmail
chaos chaos, disorder, havoc: *er heerst ~ in het land* the country is in chaos
chaotisch chaotic
chaperon chaperon(e)
charcuterie *(Belg)* cold cooked meats
charisma charisma
charmant charming, engaging; winning *(glimlach)*; delightful, attractive: *een ~e jongeman* a charming young man
charme charm
charter 1 charter flight, charter(ed) plane 2 *(oorkonde)* charter
charteren charter, enlist, commission
chartervliegtuig charter(ed) aircraft
chassis chassis
chatbox chatbox
chatroom chat room
chatten *(comp)* chat
chaufferen drive
chauffeur driver, chauffeur
chauvinisme chauvinism
chauvinist chauvinist
checken check (up, out), verify
chef leader; *(inform)* boss *(van bende, delegatie)*; *(van organisatie)* head; chief; *(in leger enz.)* superior (officer); *(bedrijfsleider)* manager; *(op stations)* stationmaster: *~ van een afdeling* head (*of:* manager) of a department; *~ d'équipe* team man-

ager; ~ *de mission* head of the delegation
chef-kok chef
chemicaliën chemicals, chemical products
chemicus chemist
chemie chemistry
chemotherapie chemotherapy
cheque cheque: *een ongedekte* ~ a dud cheque; *een* ~ *innen* cash a cheque
chequeboek chequebook
[1]**chic** *zn* chic, stylishness, elegance
[2]**chic** *bn, bw* **1** chic, stylish, smart: *er* ~ *uitzien* look (very) smart **2** *(deftig)* elegant, distinguished; fashionable *(buurt)*
Chileen Chilean
Chileens Chilean
chili chilli, hot pepper
Chili Chile
chimpansee chimpanzee; *(inform)* chimp
China China
[1]**Chinees** *zn* **1** Chinese, Chinaman **2** Chinese restaurant; *(om mee te nemen)* Chinese takeaway
[2]**Chinees** *zn (taal)* Chinese
[3]**Chinees** *bn* Chinese: *Chinese wijk (buurt)* Chinatown
Chinese Chinese (woman)
chip 1 chip, integrated circuit **2** chip, microprocessor
chipkaart smart card, intelligent card
chipknip smart card (for small amounts)
chippas chip card
chippen pay by chip card
chips (potato) crisps; *(Am)* chips
Chiro *(Belg)* Christian youth movement
chirurg surgeon
chirurgie surgery
chirurgisch surgical: *een ~e ingreep* a surgical operation, surgery
chloor 1 *(chem)* chlorine **2** bleach
chloroform chloroform
chocolaatje chocolate
chocolade 1 chocolate; *(inform)* choc: *pure* ~ plain chocolate **2** *(drank)* (drinking) chocolate, cocoa
chocolademelk (drinking) chocolate, cocoa
chocoladepasta chocolate spread
choke choke
cholera cholera
cholesterol cholesterol
choqueren shock, give offence: *gechoqueerd zijn (door)* be shocked (at, by)
choreograaf choreographer
[1]**christelijk** *bn* Christian: *een ~e school* a protestant school
[2]**christelijk** *bw (fatsoenlijk)* decently
christen Christian
christendemocraat Christian Democrat
christendom Christianity
Christus Christ || *na* ~ AD, after Christ; *voor* ~ BC, before Christ
chromosoom chromosome
chronisch *(mbt ziekten)* chronic, lingering; *(aanhoudend)* recurrent: *een* ~ *zieke* a chronically sick patient
chronologie chronology
chronologisch chronological
chronometer stopwatch, chronograph
chroom chrome
chrysant chrysanthemum
CID *afk van Criminele Inlichtingendienst* criminal investigation department
cider cider
cijfer 1 figure, numeral, digit, cipher: *Romeinse ~s* Roman numerals; *twee ~s achter de komma* two decimal places; *getallen die in de vijf ~s lopen* five-figure numbers **2** *(in school)* mark, grade: *het hoogste* ~ the highest mark
cijferlijst list of marks, (school) report
cilinder cylinder
cineast film maker *(of:* director)
cipier warder, jailer
cipres cypress
circa approximately, about; *(voor datum)* circa
circuit 1 *(sport)* circuit, (race)track **2** *(personen, instanties)* scene: *het zwarte* ~ the black economy
circulatie circulation: *geld in* ~ *brengen* put money into circulation
circuleren circulate, distribute: *geruchten laten* ~ put about *(of:* circulate) rumours
circumcisie *(med)* circumcision
circumflex circumflex (accent)
circus circus
cirkel circle: *halve* ~ semicircle; *een vicieuze* ~ a vicious circle
cirkeldiagram pie chart, circle graph
cirkelen circle, orbit
cirkelomtrek perimeter
citaat quotation, quote; *(niet letterlijk)* citation: *einde* ~ unquote, close quotes
citer zither
citeren quote, cite
Cito-toets secondary education aptitude test; *(ongev)* 11 plus test
citroen lemon
citrusvrucht citrus fruit
city city centre
civiel civil; *(niet-militair)* civilian: ~ *ingenieur* civil engineer; *een politieman in* ~ plain-clothes officer
civilisatie civilization
ckv *afk van culturele en kunstzinnige vorming (ongev)* culture and art classes
claim claim: *een* ~ *indienen (bij)* lodge a claim (with)
claimen (lay) claim (to), file *(of:* lodge) a claim: *een bedrag* ~ *bij de verzekering* claim on one's insurance
clan clan, clique, coterie
clandestien clandestine, illicit: *de ~e pers* under-

ground press; ~ *gestookte whisky* bootleg whiskey, moonshine
clark *(Belg)* fork-lift truck
classeur *(Belg) (ordner)* file
classicus classicist
classificatie classification, ranking, rating
classificeren *(ordenen)* classify, class, rank
claustrofobie claustrophobia
clausule clause, proviso, stipulation: *een ~ opnemen in* build a clause into
claxon (motor) horn: *op de ~ drukken* sound one's horn
claxonneren sound one's horn, hoot
cliché 1 cliché 2 *(druk)* plate, block
clichématig cliché'd, commonplace, trite
cliënt 1 client 2 *(klant)* customer, patron
clientèle clientele, custom(ers)
climax climax: *naar een ~ toewerken* build (up) to a climax
clip 1 paper clip; *(groot)* bulldog clip 2 *(sierspeld)* clip, pin 3 *(video-)* (video)clip
clitoris clitoris
closet lavatory, toilet
closetpot lavatory pan
clou point, essence; *(van grap)* punch line: *de ~ van iets niet snappen* miss the point (of sth)
clown clown, buffoon: *de ~ uithangen* clown around
clownesk clownish: *een ~ gebaar* a comic(al) gesture
club 1 club *(ook golfstok);* society, association 2 *(groep vrienden)* crowd, group, gang
clubhuis 1 club(house); *(sportclub ook)* pavilion 2 community centre; *(voor jeugd)* youth centre
clubkas club funds
cluster cluster
cm *afk van centimeter* cm
co *afk van compagnon* partner
coach coach, trainer; *(begeleider bij opleiding ook)* supervisor; tutor
coachen coach, train; tutor *(van leerling)*
coalitie coalition
coassistent (assistant) houseman; *(Am)* intern(e)
cobra cobra
cocaïne cocaine: ~ *snuiven* snort (*of:* sniff) cocaine
cockpit cockpit; flight deck *(vliegtuig)*
cocktail cocktail
cocktailbar cocktail lounge
cocon cocoon; pod *(van zijderups)*
code code, cipher: *een ~ ontcijferen* crack a code
coderen (en)code, encipher
codicil codicil
coëfficiënt coefficient
coffeeshop coffee shop
cognac cognac
cognitief cognitive
cognossement bill of lading; *(vaak afgekort)* B/L
coherent coherent *(ook nat);* consistent
cohesie cohesion
coke coke; *(cocaïne)* snow
cokes coke
col 1 roll-neck, polo neck 2 *(bergpas)* col, (mountain) pass
cola coke
cola-tic rum (*of:* gin) and coke
colbert jacket
collaborateur collaborator, quisling
collaboratie collaboration
collaboreren collaborate; *(medewerken)* work together
collage collage, montage, paste-up
collectant collector; *(anglicaanse kerk ook)* sidesman
collect call reverse charge call; *(Am)* collect call
collecte collection; *(niet-officieel)* whip-round
collecteren collect, make a collection; *(in kerk)* take the collection
collecteur collector
collectie 1 collection, show: *een fraaie ~ schilderijen* a fine collection of paintings 2 *(groot aantal)* collection, accumulation
[1]**collectief** *zn* collective
[2]**collectief** *bn, bw* collective, corporate, joint, communal: *collectieve arbeidsovereenkomst* collective wage agreement; *collectieve uitgaven* public expenditure
collega colleague, associate; *(mbt handarbeider)* workmate
college 1 college; *(alg)* (university) class; *(hoor-)* (formal) lecture: *de ~s zijn weer begonnen* term has started again; ~ *geven (over)* lecture (on), give lectures (on); ~ *lopen* attend lectures 2 *(bestuurslichaam)* board: ~ *van bestuur: a) (van school, universiteit)* Board of Governors (*of Am:* Regents); *b) (van onderneming)* Board of Directors; *het ~ van burgemeester en wethouders* the (City, Town) Council
collegedictaat lecture notes
collegegeld tuition fee
collegiaal fraternal, brotherly, comradely: *zich ~ opstellen* be loyal to one's colleagues
collie collie
collier necklace
collo package
colofon colophon
Colombia Colombia
Colombiaan Colombian
Colombiaans Colombian
colonnade colonnade, portico
colonne column
colporteren *(huis aan huis)* sell door-to-door, hawk
coltrui roll-neck (pullover, sweater); *(Am)* turtleneck (pullover, sweater)
coma coma: *in (een) ~ raken* lapse into a coma
comapatiënt comatose patient, patient in a coma

combi estate car, station wagon
combikaart all-in-one ticket, combined ticket; train plus admission to an event
combinatie combination *(ook type vrachtwagen)*
combinatietang combination pliers, electrician's pliers
combine combine (harvester)
[1]**combineren** *intr* go (together), match: *deze kleuren ~ niet* these colours don't go (together) (*of:* don't match), these colours clash
[2]**combineren** *tr* 1 combine (with): *twee banen ~* combine two jobs 2 *(met elkaar in verband brengen)* associate (with), link (with)
combo combo
comeback comeback: *een ~ maken* make (*of:* stage) a comeback
comfort comfort *(vaak mv);* convenience *(vaak mv): dit huis is voorzien van het modernste ~* this house is fully equipped with the latest conveniences
comfortabel comfortable
comité committee: *uitvoerend ~* executive committee
commandant 1 *(mil)* commander, commandant 2 *(mbt de brandweer)* chief (fire) officer, (fire) chief
commanderen 1 command, be in command (of) 2 *(bevelen)* give orders; *(min)* boss about, order about
commanditair: *~ vennootschap* limited partnership
commando 1 command: *het ~ voeren (over)* be in command (of) 2 *(order)* (word of) command, order; *(comp)* command: *iets op ~ doen* do sth to order; *huilen op ~* cry at will 3 *(mil)* commando
commentaar 1 comment(s), remark(s), observation(s); *(op teksten ook)* commentary (on): *~ op iets geven* (of: *leveren*) comment (*of:* make comments) on sth; *geen ~* no comment 2 *(kritiek)* (unfavourable) comment, criticism: *een hoop ~ krijgen* receive a lot of unfavourable comment || *rechtstreeks ~* (running) commentary
commentaarstem voice-over
commentator commentator
commercie commerce, trade
commercieel commercial: *op niet-commerciële basis* on a non-profit(-making) basis
commissariaat 1 commissionership: *een ~ bekleden bij een bedrijf* sit on the board of a company 2 *(bureau)* commissioner's office
commissaris 1 commissioner, governor: *~ van de Koningin* (Royal) Commissioner, governor; *~ van politie* Chief Constable, Chief of Police, police commissioner; *raad van ~sen* board of commissioners 2 *(actief bestuurslid)* official, officer
commissie 1 committee, board, commission: *de Europese Commissie* the European Commission; *een ~ instellen* appoint (*of:* set up) a committee 2 *(handel)* commission
commode chest of drawers
commune commune
communicant 1 s.o. making his (*of:* her) first Communion 2 *(iem die ter communie gaat)* communicant
communicatie communication
communicatief communicative
communicatiemiddel means of communication
communiceren *(in verbinding staan)* communicate (with): *~de vaten* communicating vessels
communie (Holy) Communion: *eerste* (of: *plechtige*) *~* first (*of:* solemn) Communion
communiqué communiqué, statement: *een ~ uitgeven* issue a communiqué, put out a statement
communisme Communism
communist Communist
compact compact
compact disc compact disc
compagnie company; *(vennootschap ook)* partnership: *de Oost-Indische Compagnie* the Dutch East India Company
compagnon 1 partner, (business) associate: *de ~ van iem worden* go into partnership with s.o. 2 *(maat)* pal, buddy, chum
compartiment compartment
compatibel compatible
compensatie compensation: *als ~ voor, ter ~ van* by way of compensation for
compenseren compensate for, counterbalance, make good: *dit compenseert de nadelen* this outweighs the disadvantages; *een tekort ~* make good a deficiency (*of:* deficit)
competent 1 competent, able, capable: *hij is (niet) ~ op dat gebied* he is (not) competent in that field 2 *(bevoegd)* competent, qualified, authorized: *dit hof is in deze kwestie niet ~* this court is not competent to settle this matter
competentie competence; *(bevoegdheid)* capacity
competitie league
competitiewedstrijd league match; *(voetbal)* league game
compilatie compilation
compleet 1 complete: *deze jaargang is niet ~* this volume is incomplete 2 *(helemaal)* complete, total, utter: *complete onzin* utter (*of:* sheer) nonsense; *ik was ~ vergeten de oven aan te zetten* I'd clean (*of:* completely) forgotten to switch the oven on
complement complement
complementair complementary
[1]**complex** *zn* complex, aggregate: *een heel ~ van regels* a whole complex of rules
[2]**complex** *bn* complex, complicated, intricate: *een ~ probleem* a complex problem; *een ~ verschijnsel* a complex phenomenon
complicatie complication: *bij dit soort operaties treden zelden ~s op* with this type of surgery com-

plications hardly ever arise
compliceren complicate: *een gecompliceerde breuk* a compound fracture
compliment 1 compliment: *iem een ~ maken over iets* pay s.o. a compliment on sth, compliment s.o. on sth **2** *(begroeting) (meestal mv)* regard; respect: *de ~en van vader en of u even wilt komen* father sends his regards and would you mind calling around
complimenteren compliment: *iem ~ met iets* compliment s.o. on sth
complimenteus complimentary
complot 1 plot: *een ~ smeden* hatch a plot, conspire **2** *(samenzweerders)* conspiracy
component component
componeren compose
componist composer
compositie composition
compost compost
composteren compost
compote stewed fruit
compressor compressor
comprimeren compress, condense
compromis compromise: *een ~ aangaan* (of: *sluiten*) come to (*of:* reach) a compromise
compromitteren compromise
compromitterend compromising, incriminating: *~e verklaringen* (of: *papieren*) incriminating statements (*of:* documents)
computer computer: *gegevens invoeren in een ~* feed data into a computer
computeren be at *(of:* work on, play on) the computer
computerfanaat computer fanatic *(of:* freak)
computergestuurd computer-controlled
computerkraker hacker
computerprogramma computer program
computerprogrammeur computer programmer
computertijd machine time, run time
computervirus computer virus
concentraat concentrate, extract
concentratie concentration: *~ van het gezag* concentration of authority; *zijn ~ verliezen* lose one's concentration
concentratiekamp concentration camp
concentratieschool *(Belg) (school voor migrantenkinderen)* school for ethnic minority children
[1]**concentreren** *tr (verenigen)* concentrate, centre; *(troepen ook)* mass; *(sterker maken ook)* strengthen: *een geconcentreerde oplossing* a concentrated solution
[2]**concentreren, zich** concentrate (on): *zijn hoop concentreerde zich op de zomervakantie* his hopes were pinned on the summer holidays
concentrisch concentric
concept 1 (rough, first) draft, outline: *een ~ maken van* draft **2** *(interpretatie)* concept
conceptie conception
concern group
concert 1 concert; *(solo-instrument)* recital: *naar een ~ gaan* go to a concert **2** *(muziekstuk)* concerto
concertgebouw concert hall
concertpodium concert platform
concertzaal concert hall, auditorium
concessie concession; *(vergunning)* franchise; licence || *~s doen aan iem* make concessions to s.o.
conciërge caretaker, janitor, porter
concluderen conclude, deduce: *wat kunnen we daaruit ~?* what can we conclude from that?
conclusie conclusion, deduction; *(onderzoek, mv)* findings: *de ~ trekken* draw the conclusion
concours competition, contest
concreet 1 concrete, material, real, actual, tangible: *een ~ begrip* a concrete term; *een ~ geval van* a specific case of **2** definite: *concrete toezeggingen* definite promises; *het overleg heeft niets ~s opgeleverd* the discussion did not result in anything concrete
concurrent *(mededinger)* competitor *(ook handel);* rival
concurrentie competition, contest, rivalry
concurrentiepositie competitive position, competitiveness
concurreren compete
concurrerend competitive *(prijs);* competing; rival *(firma);* conflicting *(belangen)*
condens condensation
condenseren condense; *(van melk e.d. ook)* boil down; evaporate
conditie 1 condition, proviso; *(mv ook)* terms: *een ~ stellen* make a condition; *onder (op) ~ dat* on (the) condition that **2** *(toestand)* condition, state; *(lichamelijk)* form; *(lichamelijk)* shape: *de speler is in goede ~* the player is in good shape (*of:* is fit); *je hebt geen ~* you're (badly) out of condition
conditietraining fitness training: *aan ~ doen* work out
condoleance condolence, sympathy: *mag ik u mijn ~s aanbieden* may I offer my condolences
condoleren offer one's condolences (to s.o.)
condoom condom; *(inform)* rubber
condor (Andean) condor
conducteur conductor, ticket collector
confectie ready-to-wear clothes, ready-made clothes
confederatie confederation, confederacy
conference 1 *(voordracht)* (solo) act, (comic) monologue **2** *(praatje)* talk
conferencier entertainer
conferentie conference, meeting
confessie confession, admission
confessioneel confessional; *(mbt onderwijs)* denominational
confetti confetti
confidentieel confidential
confisqueren confiscate

confituren conserves
confituur *(Belg)* jam
conflict conflict, clash: *in ~ komen met* come into conflict with
conform in accordance with

conformeren, zich conform (to), comply (with): *zich ~ aan de publieke opinie* bow to public opinion
confrontatie confrontation
confronteren confront (with): *met de werkelijkheid geconfronteerd worden* be faced (*of:* confronted) with reality
conglomeratie conglomeration
Congo Congo
congres conference; *(groter)* congress
congrescentrum conference centre
congresgebouw conference hall
conifeer conifer
conjunctuur economic situation, market conditions, trade cycle
connectie connection, link || *goede ~s hebben* be well connected
conrector *(ongev)* deputy headmaster
consciëntieus conscientious, scrupulous, painstaking
consecratie consecration
consensus consensus
consequent 1 logical: *~ handelen* act logically, be consistent **2** consistent (with)
consequentie *(logisch, noodzakelijk gevolg)* implication, consequence: *de ~s trekken* draw the obvious conclusion
[1]**conservatief** *zn* conservative; *(pol ook)* Tory
[2]**conservatief** *bn, bw* conservative; *(pol)* Conservative: *de conservatieve partij* the Conservative (*of:* Tory) Party
conservator curator *(van museum);* keeper; custodian *(ve afdeling of collectie)*
conservatorium academy of music, conservatory
conserven canned food(s), tinned food(s), preserved food(s)
conservenblik can, tin (can)
conserveren preserve, conserve; *(inblikken)* can; tin: *goed geconserveerd zijn* be well preserved
conservering 1 preservation *(monumenten);* conservation *(natuur)* **2** *(tegen bederf)* preserving; *(in blik)* canning
conserveringsmiddel preservative
consignatie consignment
consolideren 1 *(duurzaam maken)* consolidate, strengthen **2** *(mbt geldwezen)* consolidate, fund
consorten confederates, associates, buddies: *Hans en ~* Hans and his pals
consortium consortium, syndicate
constant constant, steady, continuous; *(vrienden ook)* staunch; *(vrienden ook)* loyal: *een ~e grootheid* (of: *waarde*) a constant quantity (*of:* value); *hij houdt me ~ voor de gek* he is forever pulling my leg (*of:* making a fool of me)
constante constant
constateren establish *(een feit, de waarheid);* ascertain *(door onderzoek);* record *(door vermelding); (ontdekken)* detect; *(bemerken)* observe: *ik constateer slechts het feit dat* I'm merely stating the fact that, all I'm saying is that
constatering observation; establishment *(ve feit, de waarheid)*
consternatie consternation, alarm: *dat gaf heel wat ~* it caused quite a stir
constipatie constipation: *last hebben van ~* be constipated
constitutie 1 constitution, physique: *een slechte ~ hebben* have a weak constitution **2** *(grondwet)* constitution
constitutioneel constitutional: *constitutionele monarchie* constitutional monarchy
constructeur designer
constructie construction, building, erection, structure
constructief 1 constructive, useful: *~ te werk gaan* go about sth in a constructive way **2** *(mbt een constructie)* constructional, structural
construeren *(samenstellen)* construct; *(bouwen)* build; erect; *(ontwerpen)* design
consul consul
consulaat consulate
consulent consultant, adviser
consult consultation; visit *(arts)*
consultant consultant
consultatiebureau clinic, health centre: *~ voor zuigelingen* infant welfare centre, child health centre, well-baby clinic
consulteren 1 consult **2** *(onderling overleg plegen)* confer, discuss
consument consumer
consumentenbond consumers' organization
consumeren 1 consume, eat, drink **2** *(econ)* deplete, exhaust
consumptie 1 consumption: *(on)geschikt voor ~* (un)fit for (human) consumption **2** food, drink(s), refreshment(s)
consumptiebon food voucher
consumptief consumptive: *~ krediet* consumer credit
consumptiegoederen consumer goods: *duurzame ~* consumer durables
contact 1 contact, connection, touch: *telefonisch ~ opnemen* get in touch by phone; *~ opnemen met iem (over iets)* contact s.o., get in touch with s.o. (about sth); *in ~ blijven met* keep in touch with **2** *(band, verstandhouding)* contact, terms: *een goed ~ met iem hebben* have a good relationship with s.o. **3** *(persoon)* contact (man); *(relatie)* connection: *~en hebben in bepaalde kringen* have connections in certain circles **4** *(schakelaar)* contact, switch; *(van auto)* ignition: *het sleuteltje in het ~ steken* put the key in(to) the ignition

contactadvertentie personal ad(vert), advert in the personal column
contactdoos socket; *(in toestel)* appliance inlet
contactlens contact lens; *(mv ook; inform)* contacts
contactlijm contact adhesive
contactsleutel ignition key
contactueel contactual
container 1 container 2 *(afvalbak)* (rubbish) skip
containerpark *(Belg)* recycling centre, amenity centre
contant cash, ready: *tegen ~e betaling* on cash payment, cash down; *~ geld* ready money
contanten cash, ready money, cash in hand
content content (with), satisfied (with)
context context, framework, background: *je moet dat in de juiste ~ zien* you must put that into its proper context
continent continent
contingent 1 *(verplicht aandeel)* contingent 2 *(toegewezen aandeel)* quota, share, proportion; *(toewijzing)* allocation; *(toewijzing)* allotment
[1]**continu** *bn* continuous; *(lijn)* unbroken
[2]**continu** *bw* continuously: *hij loopt ~ te klagen* he is always complaining
continueren 1 continue (with), carry on (with) 2 *(handhaven)* continue, retain
continuering continuation
continuïteit 1 *(samenhang)* continuity 2 *(voortgang)* continuation
conto account: *(fig) iets op iemands ~ schrijven* hold s.o. accountable for sth
contour contour
contra contra, against; *(jur)* versus: *alle argumenten pro en ~ bekijken* consider all the arguments for and against
contrabas *(instrument)* (double) bass
contraceptie contraception
contract contract, agreement: *zijn ~ loopt af* his contract is running out; *een ~ opzeggen* (of: *verbreken*) terminate (*of:* break) a contract; *volgens ~* according to contract
contracteren 1 engage; *(vnl. sport)* sign (up, on) 2 *(contract sluiten)* contract: *~de partijen* contracting parties
contradictie contradiction
contraspionage counter-espionage
contrast contrast: *een schril ~* a harsh contrast
contreien parts, regions
contributie subscription; *(vrijwillig)* contribution
controle 1 check (on), checking, control; *(toezicht ook)* supervision (of, over); *(med)* check-up; *(ve continu proces)* monitoring: *~ van de bagage* baggage check; *de ~ van de boekhouding* the audit of accounts, the examination of the books; *de ~ over het stuur verliezen* lose control of the steering-wheel 2 *(plaats)* control (point), checkpoint; (ticket) gate *(van toegangsbewijzen)*: *zijn kaartje aan de ~ afgeven* hand in one's ticket at the gate
controleerbaar verifiable
controleren 1 supervise, superintend; monitor *(continu)*: *~d geneesheer (ongev)* medical officer 2 *(checken)* check (up, on), inspect, examine; *(van gegevens ook)* verify: *de boeken ~* audit the books (*of:* accounts); *kaartjes ~* inspect tickets; *iets extra (dubbel) ~* double-check sth
controleur inspector, controller, checker; *(van kaartjes)* ticket inspector (*of:* collector); *(boekhouden)* auditor
controller controller
controverse controversy
convent monastery *(monniken)*; convent *(nonnen)*
conventie convention: *in strijd met de ~ zijn* go against the accepted norm
conventioneel conventional
conversatie conversation, talk
converseren converse (with), engage in conversation (with)
converteren convert (into, to)
cool cool
coolingdown cooling down
coöperatie 1 cooperation, collaboration 2 *(vereniging)* cooperative (society)
coöperatief cooperative
coördinatie coordination
coördinator coordinator
coördineren coordinate, arrange, organize: *werkzaamheden ~* supervise work
copiloot co-pilot
coproductie joint production, co-production
copulatie *(paring)* copulation, sexual intercourse
copyright copyright
corduroy cord(uroy); corded *(stof)*
cornedbeef corned beef, bully (beef)
corner *(sport)* corner
corporatie corporation, corporate body
corps corps
corpsstudent member of a student association
corpulent corpulent
correct 1 correct; *(juist)* right; exact: *~ antwoorden* get the answer(s) right, answer correctly 2 *(onberispelijk)* correct, right, proper: *~e houding* proper conduct (*of:* behaviour); *~e kleding* suitable dress
correctheid 1 correctness, precision 2 *(onberispelijkheid)* correctness, propriety
correctie correction; *(aanpassing)* adjustment; revision *(tekst)*; *(ond ook)* marking: *~s aanbrengen* make corrections, *(aanpassen)* adjust, make adjustments
correctiewerk correction, correcting; *(ond)* marking: *ik moet nog een hoop ~ doen* I still have a lot of correcting (*of:* marking) to do
correctioneel *(Belg)* criminal: *correctionele rechtbank (ongev)* Crown Court

correlatie correlation
correspondent correspondent: *van onze ~ in Parijs* from our Paris correspondent
correspondentie correspondence: *een drukke ~ voeren* carry on a lively correspondence
correspondentievriend penfriend
corresponderen 1 correspond (with), write (to) **2** *(overeenkomen met)* correspond (to, with), match (with), agree (with)
corridor corridor
corrigeren 1 correct; *(aanpassen)* adjust **2** *(nakijken)* correct; *(ond ook)* mark
corrumperen corrupt, pervert: *macht corrumpeert* power corrupts
corrupt corrupt, dishonest
corruptheid corruptness
corruptie corruption
corsage corsage
Corsica Corsica
corso pageant, parade, procession
corvee (household) chores: *~ hebben* do the chores
coryfee star, lion, celebrity
cosinus cosine
cosmetica cosmetics
cosmetisch cosmetic
coulant accommodating, obliging, reasonable
coulisse (side) wing *(vaak mv)*
counter *(sport)* counter-attack, countermove: *op de ~ spelen* rely on the counter-attack
counteren *(sport)* counter(-attack)
countrymuziek country music
coup coup (d'état): *een ~ plegen* stage a coup
coupe 1 cut; style *(van haar)* **2** *(ijsgerecht)* coupe: *~ royale (ongev)* sundae
coupé 1 compartment **2** *(tweedeursauto)* coupé
couperen cut: *een hond ~* dock a dog's tail
coupe soleil highlights *(mv)*
couplet stanza, verse; *(tweeregelig)* couplet
coupon 1 *(lap stof)* remnant **2** *((waarde)bon)* coupon
coupure 1 cut, deletion **2** *(fin)* denomination
courant current
coureur *(wielrenner)* (racing) cyclist; *(motorracer)* racing motorcyclist; *(autoracer)* racing car driver
courgette courgette
courtage brokerage, (broker's) commission
couscous *(gerecht)* couscous
couture couture, dressmaking
couturier couturier, (fashion) designer
couvert 1 cover, envelope **2** *(eetgerei)* cover; cutlery *(messen, vorken, lepels)*
couveuse incubator
cover cover (version), remake
cowboy cowboy
coyote coyote
c.q. *afk van casu quo* and, or
cracker cracker
crashen 1 crash: *het toestel crashte bij de landing* the plane crashed on landing **2** *(bankroet gaan)* crash, go bankrupt
crawl crawl
crawlen do the crawl
creatie creation: *de nieuwste ~s van Dior* Dior's latest creations
creatief creative, original, imaginative: *~ bezig zijn* do creative work
creativiteit creativity, creativeness: *(fig) haar oplossingen getuigen van ~* her solutions show creative talent
crèche crèche, day-care centre, day nursery
credit credit: *debet en ~* debit and credit; *iets op iemands ~ schrijven (ook fig)* put sth to s.o.'s credit, credit s.o. with sth
creditcard credit card
crediteren credit
crediteur creditor; *(mv; boekhouden)* accounts payable
crediteurenadministratie accounts payable
creditpost credit item *(of:* entry), asset
credo 1 credo, creed **2** *(deel van de mis)* Credo, Creed
creëren create
crematie cremation
crematorium crematorium
crème 1 cream: *~ op zijn gezicht smeren* rub cream on one's face **2** *(likeur)* crème || *een ~ japon* a cream(-coloured) dress
cremeren cremate
creool Creole
[1]**creools** *zn* creole
[2]**creools** *bn* creole
crêpepapier crêpe paper
creperen 1 die: *ze lieten haar gewoon ~* they let her die like a dog **2** *(lijden)* suffer: *~ van de pijn* be racked with pain
cricketen play cricket
crime disaster: *het is een ~* it is a disaster
criminaliteit criminality: *de kleine ~* petty crime
criminologie criminology
crisis crisis: *de ~ van de jaren dertig* the depression of the 1930s; *een ~ doormaken* go through a crisis; *een ~ doorstaan* weather a crisis
criterium 1 criterion: *aan de criteria voldoen* meet the criteria; *een ~ vaststellen* lay down a criterion **2** *(wielersport)* criterium
criticus critic, reviewer: *door de critici toegejuicht worden* receive critical acclaim
croissant croissant
croque-monsieur *(Belg)* toasted ham and cheese sandwich
cross cross
crossen 1 take part in a cross-country (event); *(atletiek ook)* do cross-country; do autocross *(of:* rallycross) *(auto)* **2** *(scheuren)* tear about: *hij crost heel wat af op die fiets* he is always tearing about on that bike of his

crossfiets cyclo-cross bike; *(voor kinderen)* BMX bike
crossmotor cross-country motorcycle
[1]**cru** *zn* vintage
[2]**cru** *bn, bw* 1 *(grof)* crude, rude; *(ongemanierd)* rough: *dat klinkt misschien ~, maar …* that sounds a bit harsh, but … 2 *(rauw)* blunt; *(wreed)* cruel
cruciaal crucial
crucifix crucifix
cruise cruise
cruisecontrol cruise control
cryptisch cryptic(al), obscure
cryptogram cryptogram
CS *afk van centraal station* Central Station
Cuba Cuba
Cubaan Cuban
Cubaans Cuban
culinair culinary
cultiveren 1 cultivate *(grond);* till 2 *(beschaven, vormen)* cultivate, improve: *gecultiveerde kringen* cultured (*of:* sophisticated) circles
cultureel cultural: *~ werk* cultural activities, social and creative activities
cultus cult
cultuur 1 *(mbt gewassen)* culture, cultivation: *een stuk grond in ~ brengen* bring land into cultivation 2 *(beschaving)* culture, civilization: *de oosterse ~* eastern civilization
cultuurgrond arable land, cultivated land
cum laude with distinction
cumulatief cumulative
cup cup
Cupido Cupid, Eros
curatele legal restraint; *(minderjarige)* wardship; *(bij faillissement)* receivership
curator curator *(van museum)* || *de firma staat onder het beheer van een ~* the firm is in receivership
curieus curious, strange: *ik vind het maar ~* I find it rather strange
curiositeit curiosity, oddity, strangeness: *… en andere ~en …* and other curiosities (*of:* curiosa)
curriculum curriculum: *~ vitae* curriculum vitae
cursief italic, italicized, cursive: *~ drukken* print in italics
cursist student
cursor cursor
cursus course (of study, lectures): *zich opgeven voor een ~ Frans* sign up for a French course; *een schriftelijke ~* a correspondence course
cursusboek textbook; *(vnl. voor beginners)* coursebook
cursusjaar year, school year; *(universiteit)* academic year
curve curve
custard custard (powder)
cut *(film, video)* cut(ting)
cutter 1 slicer 2 *(film, video) (persoon)* cutter, editor
[1]**cv** *zn* 1 *afk van commanditaire vennootschap* Limited (*of:* Special) Partnership 2 *afk van coöperatieve vereniging* co-op
[2]**cv** *zn afk van centrale verwarming* central heating
[3]**cv** *zn afk van curriculum vitae* cv
CVA *afk van cerebrovasculair accident* CVA, cerebrovascular accident
CVS *afk van chronischevermoeidheidssyndroom* Chronic Fatigue Syndrome, CFS
CWI *afk van Centrum voor Werk en Inkomen (ongev)* Job Centre
cyanide cyanide
cybernetica cybernetics
cyclaam cyclamen
cyclisch cyclic(al): *~e verbindingen* cyclic compounds
cyclocross cyclo-cross
cycloon cyclone, hurricane
cycloop Cyclops
cyclus cycle
cynisch cynical
cynisme cynicism
Cyprioot Cypriot
Cyprus Cyprus
cyrillisch Cyrillic

d

daad act(ion), deed, activity: *een goede ~ verrichten* do a good deed

daadwerkelijk actual, active, practical

[1]**daags** *bn* daily, everyday

[2]**daags** *bw* a day, per day, daily: *tweemaal ~* twice a day

[1]**daar** *bw* 1 (over) there: *zie je dat huis ~* (do you) see that house (over there)?; *tot ~* up to there 2 *(om de aandacht op iets of iem te vestigen)* (just, over, right) there: *wie is ~?* who is it? (*of:* there?)

[2]**daar** *vw* as, because, since

daaraan on (to) it *(of:* them): *wat heb je ~* what good is that

daarachter 1 behind (it, that, them, there): *(fig) wat zou ~ zitten?* I wonder what's behind it 2 *(verderop)* beyond (it, that, them, there)

daarbeneden down there, below

daarbij 1 with it *(of:* that); *(mv)* with these *(of:* those): *~ blijft het* that's how it is, we'll keep it like that 2 *(daarenboven)* besides, moreover, furthermore: *~ komt, dat …* what's more …

daarbinnen in there, inside, in it *(of:* that); *(mv)* in these *(of:* those): *~ is het warm* it's warm in there

daarboven up there, above it

daardoor 1 through it *(of:* that); *(mv)* through these *(of:* those) 2 *(daarom)* therefore; so, consequently; *(door middel daarvan)* by this *(of:* that) means: *zij weigerde, en ~ gaf zij te kennen …* she refused, and by doing so made it clear …; *~ werd hij ziek* that is (*of:* was) what made him ill, because of this (*of:* that) he became ill

daarentegen on the other hand: *hij is zeer radicaal, zijn broer ~ conservatief* he is a strong radical, his brother, on the other hand, is conservative

daarheen (to) there: *wij willen ~* we want to go (over) there

daarin 1 *(mbt een plaats)* in there *(of:* it, those) 2 in that: *hij is ~ handig* he is good at it

daarlangs by *(of:* past, along) that: *we kunnen beter ~ gaan* we had better go that way

daarmee with, by that *(of:* it, those): *~ kun je het vastzetten* you can fasten it with that (*of:* those); *en ~ uit!* and that's that! (*of:* all there is to it!)

daarna after(wards), next, then: *de dag ~* the day after (that); *snel* (of: *kort*) *~* soon (*of:* shortly) after (that); *eerst … en ~ …* first … and then …

daarnaar 1 at *(of:* to, for) that 2 *(overeenkomstig)* accordingly, according to that: *~ moet je handelen* you must act accordingly

daarnaast 1 beside it, next to it 2 *(bovendien)* besides, in addition (to this): *~ is hij nog brutaal ook* what's more he is cheeky (too)

daarnet just now, only a little while ago, only a minute ago

daarom 1 around it 2 *(dus)* therefore, so, because of this *(of:* that), for that reason: *hij wil het niet hebben, ~ doe ik het juist* he doesn't like it, and that's exactly why I do it; *waarom niet? ~ niet!* why not? because (I say so)!, *(met reden)* that's why!

daaromheen around it *(of:* them): *een tuin met een hek ~* a garden with a fence around it

daaronder under(neath) it

daarop 1 (up)on that, on top of that *(of:* those): *de tafel en het kleed ~* the table and the cloth on top of it 2 *(onderwerp)* on that, to that: *uw antwoord* (of: *reactie*) *~* your reply (*of:* reaction) (to that) 3 *(vervolgens)* thereupon: *de dag ~* the next (*of:* following) day, the day after (that); *kort ~* shortly afterwards, soon after (that)

daaropvolgend next, following: *hij kwam in juli en vertrok in juni ~* he arrived in July and left the following June

daarover 1 on top of it, on (*of:* over, above) that: *~ lag een zeil* there was a tarpaulin on top of (*of:* over, across) it 2 *(daaromtrent)* about that: *genoeg ~* enough said, enough of that

daartegen 1 against it, next to it 2 *(mbt die kwestie)* against it *(of:* them): *eventuele bezwaren ~* any objections to it

daartegenaan (right) up against it *(of:* them), (right) onto it *(of:* them): *onze schuur is ~ gebouwd* our shed is built up against (*of:* onto) it

daartegenover 1 opposite *(of:* facing) it/them: *de kerk met de pastorie ~* the church with the vicarage opposite it (*of:* facing it) 2 *(daarentegen)* on the other hand, (but) then again …: *~ staat dat dit systeem duurder is* (but) on the other hand this system costs more

daartoe 1 for that, to that 2 *(voor dat doel)* for that (purpose), to that end: *~ gemachtigd zijn* be authorized to do it

daartussen 1 between them, among them: *die twee ramen en de ruimte ~* those two windows and the space between (them) 2 *(mbt die zaak, kwestie)* between them: *wat is het verschil ~?* what's the difference (between them)?

daaruit 1 out of that *(of:* those): *het water spuit ~* the water spurts out of it 2 *(mbt die kwestie)* from that: *~ kan men afleiden dat …* from this it can be deduced that …

daarvan 1 from it *(of:* that, there) 2 *(mbt een hoeveelheid)* of it *(of:* that), thereof 3 *(mbt materiaal)* of it *(of:* that): *~ maakt men plastic* plastic is made

of that, that is used for making plastic || *niets ~* nothing of the sort
daarvandaan 1 (away) from there, away (from it) **2** *(vandaar)* hence, therefore
daarvoor 1 in front of it, before that *(of:* those) **2** *(voor die tijd)* before (that): *de week ~* the week before (that), the previous week **3** *(voor die zaak)* for that (purpose): *~ heb ik geen tijd* I've no time for that **4** *(in plaats van)* for it *(of:* them): *~ (in de plaats) heb ik een boek gekregen* I got a book instead **5** *(wegens, vanwege)* that's why: *~ ben ik ook gekomen* that's what I've come for; *daar zijn het kinderen voor* that's children for you
dadel date
dadelijk 1 immediately, at once, right away: *kom je haast? ja, ~* are you coming now? yes, in a minute **2** *(straks)* directly, presently: *ik kom (zo) ~ bij u* I'll be right with you
dadelpalm date palm
dader perpetrator, offender: *de vermoedelijke ~* the suspect
[1]**dag** *zn* **1** day, daybreak, daytime: *~ en nacht bereikbaar* available day and night; *bij klaarlichte ~* in broad daylight; *het is kort ~* time is running out (fast), there is not much time (left); *het is morgen vroeg ~* we must get up early *(of:* an early start) tomorrow; *iem de ~ van zijn leven bezorgen* give s.o. the time of his life; *lange ~en maken* work long hours; *er gaat geen ~ voorbij of ik denk aan jou* not a day passes but I think of you; *het is vandaag mijn ~ niet* it just isn't my day (today); *wat is het voor ~?* what day (of the week) is it?; *morgen komt er weer een ~* tomorrow is another day; *~ in, ~ uit* day in day out; *~ na ~* day by day, day after day; *het wordt met de ~ slechter* it gets worse by the day; *om de drie ~en* every three days; *24 uur per ~* 24 hours a day; *van ~ tot ~* daily, from day to day; *van de ene ~ op de andere* from one day to the next; *over veertien ~en* in two weeks' time, in a fortnight **2** *(daglicht)* daylight: *voor de ~ komen* come to light, surface, appear; *met iets voor de ~ komen: a) (een voorstel doen)* come up with sth; *b) (zich presenteren)* come forward, present oneself; *voor de ~ ermee!: a) (vertel eens)* out with it!; *b) (laat zien)* show me!; *goed voor de ~ komen* make a good impression **3** *(tijdperk)* day(s), time: *ouden van ~en* the elderly **4** *(begroeting) (bij aankomst)* hello; hi (there); *(bij vertrek)* bye(-bye); goodbye
[2]**dag** *tw* hello, hi; *(als afscheid)* bye(-bye); goodbye: *dááq!* bye(-bye)!, bye then; *ja, dááq!* forget it!
dagafschrift daily statement (of account)
dagblad (daily) newspaper, (daily) paper
dagboek diary, journal: *een ~ (bij)houden* keep a diary
dagdagelijks *(Belg)* daily, everyday
dagdeel part of the day; *(mbt werk)* shift; *(ochtend)* morning; *(middag)* afternoon; *(avond)* evening; *(nacht)* night
dagdienst daywork, day duty, days; *(ploeg)* day shift: *~ hebben* be on days
dagdromen daydream
[1]**dagelijks** *bn* **1** daily: *zijn ~e bezigheden* his daily routine; *voor ~ gebruik* for everyday use **2** *(gewoon)* everyday, ordinary: *~ bestuur* executive (committee); *in het ~ leven* in everyday life; *dat is ~ werk voor hem* that's routine for him
[2]**dagelijks** *bw (elke dag)* daily, each day, every day: *dat komt ~ voor* it happens every day
dagen 1 summon(s); subpoena *(getuige): iem voor het gerecht ~* summon(s) s.o. **2** dawn: *het begon mij te ~* it began to dawn on me
dageraad dawn, daybreak, break of day
dagje day: *een ~ ouder worden* be getting on (a bit); *een ~ uit* a day out
dagjesmensen (day) trippers
dagkaart day-ticket
dagkoers current rate (of exchange)
daglicht daylight, light of day: *bij iem in een kwaad ~ staan* be in s.o.'s bad books; *iem in een kwaad ~ stellen* put s.o. in the wrong (with)
dagmenu daily menu
dagonderwijs daytime education
dagopleiding daytime course *(of:* study)
dagopvang day nursery, day-care centre
dagprijs current (market) price
dagretour day return, day (return) ticket
dagschotel plat du jour, dish of the day; *(van vandaag)* today's special
dagtaak 1 daily work **2** *(taak voor een dag)* day's work: *daar heb ik een ~ aan* that is a full day's work *(of:* a full-time job)
dagtocht day trip
dagvaarding (writ of) summons, writ; subpoena *(vnl. van getuige)*
dagverblijf 1 day room: *een ~ voor kinderen* a day-care centre, a day nursery, a crèche **2** *(mbt dieren)* outdoor enclosure, outside cage, outside pen
dahlia dahlia
dak roof: *auto met open ~* convertible, soft-top; *een ~ boven het hoofd hebben* have a roof over one's head; *iets van de ~en schreeuwen* shout sth from the rooftops
dakbedekking roofing material
dakgoot gutter
dakkapel dormer (window)
dakloos homeless, (left) without a roof over one's head
dakloze homeless person; *(mv)* street people
daklozenkrant *(ongev)* Big Issue
dakpan (roof(ing)) tile
dakraam skylight, attic window, garret window
dal valley, dale || *hij is door een diep ~ gegaan* he has had a very hard *(of:* rough) time
dalen 1 descend, go down, come down, drop, fall: *het vliegtuig daalt* the (aero)plane is descending; *de temperatuur daalde tot beneden het vriespunt* the temperature fell below zero **2** *(minder*

worden) fall, go down, come down, drop; *(waarde ook)* decline; decrease: *de prijzen zijn een paar euro gedaald* prices are down by a couple of euros

daling 1 descent, fall(ing), drop: *~ van de zeespiegel* drop in the sea level **2** *(helling)* slope, incline, descent, drop; *(klein)* dip **3** *(baisse)* decrease, drop, slump: *de ~ van het geboortecijfer* the fall in the birth rate

dalmatiër Dalmatian

daluren off-peak hours

dam 1 dam: *een ~ leggen* build a dam **2** *(damsport)* king, crowned man: *een ~ halen (maken)* crown a man

damast damask

dambord draughtboard

dame 1 lady **2** *(schaakspel, kaartspel)* queen: *een ~ halen* queen a pawn

dameskapper ladies' hairdresser

damesmode 1 ladies' fashion **2** *(artikelen)* ladies' clothing

damesslipje pair of briefs, (pair of) knickers: *een ~* a pair of briefs

damestoilet ladies' toilet

damhert fallow deer

dammen play draughts

damp 1 *(wasem)* steam; vapour; *(nevel)* mist **2** *(rook)* smoke; *(vaak mv)* fume: *schadelijke ~en* noxious fumes

dampen 1 steam **2** *(roken)* smoke

dampkap *(Belg)* cooker hood, extractor hood

dampkring (earth's) atmosphere

damschijf *(damsport)* draught(sman)

damspel 1 draughts **2** *(bord plus stenen)* set of draughts

[1]**dan** *bw* **1** then: *morgen zijn we vrij, ~ gaan we uit* we have a day off tomorrow, so we're going out; *nu eens dit, ~ weer dat* first one thing, then another; *tot ~* till then, *(als afscheid)* see you then; *hij zei dat hij ~ en ~ zou komen* he said he'd come at such and such a time; *(in verkorte vragen) en je broer ~?* and what about your brother then?; *wat ~ nog?* so what!; *ook goed, ~ niet* all right, we won't then; *al ~ niet groen* green or otherwise, whether green or not; *en ~ zeggen ze nog dat …* and still they say that …; *hij heeft niet gewerkt; hij is ~ ook gezakt* he didn't work, so not surprisingly he failed **2** *(daarna, daarbij)* then; *(daarbij)* besides: *eerst werken, ~ spelen* business before pleasure; *zelfs ~ gaat het niet* even so it won't work; *en ~?* and then what?

[2]**dan** *vw (met vergrotende trap)* than: *hij is groter ~ ik* he is bigger than me || *een ander ~ hij heeft het me verteld* I heard it from s.o. other than him

dance dance

danig soundly, thoroughly, well: *~ in de knoei zitten* be in a terrible mess

dank thanks, gratitude: *iets niet in ~ afnemen* take sth in bad part; *geen ~* you're welcome; *stank voor ~ krijgen* get little thanks for one's pains; *bij voorbaat ~* thank you in advance

dankbaar 1 grateful, thankful: *ik zou u zeer ~ zijn als …* I should be most grateful to you (*of:* obliged) if … **2** *(voldoening gevend)* rewarding, grateful: *een dankbare taak* a rewarding task

dankbaarheid gratitude, thankfulness: *uit ~ voor* in appreciation of

[1]**danken** *intr (afslaan)* decline (with thanks)

[2]**danken** *tr* **1** thank: *ja graag, dank je* yes, please, thank you; *niet(s) te ~* not at all, you're welcome **2** *(verschuldigd zijn)* owe, be indebted: *dit heb ik aan jou te ~* I owe this to you, *(negatief)* I have you to thank for this

dankwoord word(s) of thanks

dankzij thanks to

dans dance, dancing || *de ~ ontspringen* get off scot-free

dansen dance: *uit ~ gaan* go (out) dancing; *~ op muziek* (of: *een plaat*) dance to music (*of:* a record)

danser dancer

dansje dance; *(sprongetje)* hop

dansorkest dance band

dansvloer dance floor

danszaal dance hall; *(in hotel)* ballroom

dapper 1 brave, courageous: *zich ~ verdedigen* put up a brave fight **2** *(flink)* plucky, tough: *klein maar ~* small but tough

dapperheid bravery, courage

dar drone

darm intestine, bowel: *twaalfvingerige ~* duodenum

dartelen romp, frolic, gambol

darts darts

dartsbord dartboard

das 1 *(dier)* badger **2** *(stropdas)* tie: *dat deed hem de ~ om* that did for him, that finished him **3** *(halsdoek)* scarf

dashboard dashboard

dashboardkastje glove compartment

[1]**dat** *aanw vnw* that: *ben ik ~? (op foto)* is that me?; *~ is het hem nu juist* that's just it, that's the problem; *ziezo, ~ was ~* right, that's that (then), so much for that; *~ lijkt er meer op* that's more like it; *mijn boek en ~ van jou* my book and yours; *~ mens* that (dreadful) woman

[2]**dat** *betr vnw* **1** *(beperkend)* that, which; *(mbt personen)* that; who, whom: *het bericht ~ mij gebracht werd …* the message that (*of:* which) was brought me …; *het jongetje ~ ik een appel heb gegeven* the little boy (that, who) I gave an apple to **2** *(uitbreidend)* which; *(mbt personen)* who; *(mbt personen)* whom: *het huis, ~ onlangs opgeknapt was, werd verkocht* the house, which had recently been done up, was sold

[3]**dat** *vw* **1** that *(vaak niet vertaald)*: *in plaats (van) ~ je me het vertelt …* instead of telling me, you …; *de reden ~ hij niet komt is …* the reason (why) he is not coming is …; *ik denk ~ hij komt* I think

(that) he'll come; *zonder ~ ik het wist* without me knowing; *het regende ~ het goot* it was pouring (down) 2 *(mbt reden, oorzaak)* that, because: *hij is kwaad ~ hij niet mee mag* he is angry that (*of:* because) he can't come 3 *(mbt doel)* so that: *doe het zo, ~ hij het niet merkt* do it in such a way that he won't notice 4 *(mbt beperking)* as far as: *is hier ook een bioscoop? niet ~ ik weet* is there a cinema here? not that I know 5 *(in uitroepen)* that: *~ mij nu juist zoiets moest overkomen!* that such a thing should happen to me now!

data 1 data 2 *(mv van datum)* dates

databank data bank

datacommunicatie data communication(s)

[1]**dateren** *intr* date (from), go back (to): *het huis dateert al uit de veertiende eeuw* the house goes all the way back to the fourteenth century; *de brief dateert van 6 juni* the letter is dated 6th June

[2]**dateren** *tr* date

datgene what, that which: *~ wat je zegt, is waar* what you say is true

dato date, dated: *drie weken na ~* three weeks later

datum date, time: *zonder ~* undated; *er staat geen ~ op* there is no date on it

dauw dew || *(Belg) van de hemelse ~ leven* live the life of Riley

dauwdruppel dewdrop

daveren thunder, shake, roar; *(weerklinken)* resound: *de vrachtwagen daverde voorbij* the truck thundered (*of:* roared) past

daverend resounding, thunderous: *een ~ succes* a resounding success

davidster Star of David

de the: *eens in de week* once a week; *ze kosten twintig euro de kilo* they are twenty euros a kilo; *dat is dé man voor dat karwei* he is (just) the man for the job

debacle disaster; *(mislukking)* failure; *(ondergang)* downfall

debat debate; *(woordenstrijd ook)* argument

debatteren debate; *(redetwisten)* argue

debet debit(s), debtor side, debit side: *~ en credit* debit(s) and credit(s)

[1]**debiel** *zn* mental defective, moron; *(scheldwoord ook)* imbecile; *(scheldwoord ook)* cretin

[2]**debiel** *bn, bw* mentally deficient; *(scheldwoord ook)* feeble-minded

debiteren debit, charge

debiteur debtor, debt receivable, account(s) receivable

debutant novice; *(club, bijv. in eredivisie)* newcomer

debuut debut: *zijn ~ maken* make one's debut (*of:* first appearance)

decaan 1 dean 2 *(raadgever voor scholieren)* student counsellor

decadent decadent

decafé decaf(f), decaffeinated coffee

decafeïne decaffeinated (coffee)

decameter decametre

december December

decennium decade

decentraal decentralized, local

decentralisatie decentralization; *(vnl. bestuurlijke macht)* deconcentration; *(van voorzieningen)* localization

decentraliseren decentralize; deconcentrate *(bestuurlijke macht)*; localize *(voorzieningen)*

decibel decibel

deciliter decilitre

[1]**decimaal** *zn* decimal (place): *tot op zes decimalen uitrekenen* calculate to six decimal places

[2]**decimaal** *bn* decimal: *decimale breuk* decimal fraction, decimal

decimaalpunt decimal point

decimeter decimetre

declameren declaim, recite

declaratie expenses claim; *(nota)* account; *(bij verzekering)* claim (form): *zijn ~ indienen* put in one's claim

declareren declare: *een bedrag* (of: *driehonderd euro*) *~* charge an amount (*of:* three hundred euros); *heeft u nog iets te ~?* have you anything to declare?

decoder decoder

decoderen decode

decolleté low neckline, cleavage

decor 1 decor, scenery, setting(s); *(film)* set: *~ en kostuums* scenery and costumes 2 *(fig)* background

decoratie decoration, adornment

decoratief decorative, ornamental

decoreren decorate

decreet decree

deeg dough; pastry *(mbt gebak)*

deegrol rolling pin

deel 1 part, piece: *één ~ bloem op één ~ suiker* one part (of) flour to one part (of) sugar; *voor een groot ~* to a great extent; *voor het grootste ~* for the most part; *~ uitmaken van* be part of, belong to 2 *(aandeel)* share: *zijn ~ van de winst* his share of the profits 3 *(boekdeel)* volume

deelbaar divisible: *tien is ~ door twee* ten is divisible by two

deelcertificaat credit, subject certificate

deelnemen participate (in), take part (in); *(aanwezig zijn)* attend; enter *(wedstrijd)*; compete (in) *(wedstrijd)*; join (in) *(gesprek)*: *aan een wedstrijd ~* take part in a contest; *~ aan een examen* take an exam

deelnemend participating: *de ~e landen van de EU* the member countries of the EU

deelnemer participant; *(aan congres ook)* conferee; competitor; entrant *(aan wedstrijd)*; contestant *(aan prijsvraag)*: *een beperkt aantal ~s* a limited number of participants

deelneming 1 participation, attendance, entry:

bij voldoende ~ if there are enough entries **2** *(medelijden)* sympathy; condolence(s) *(bij overlijden)*: *zijn ~ betuigen* extend one's sympathy
deelregering *(Belg) (gewestregering)* regional government *(of:* administration)
deels partly, part
deelsom division (sum)
deelstaat (federal) state
deelteken division sign
deeltijd part-time, half-time
deeltijdbaan part-time job
deeltijdonderwijs part-time education
deeltijdstudie part-time course
deeltje particle
deelwoord participle: *het onvoltooid ~* the present participle; *het voltooid ~* the past participle
Deen Dane
[1]**Deens** *zn* Danish
[2]**Deens** *bn* Danish
[1]**defect** *zn* fault, defect; *(onvolkomenheid)* flaw: *we hebben het ~ aan de machine kunnen verhelpen* we've managed to sort out the trouble with the machine
[2]**defect** *bn* faulty, defective; *(na ww)* out of order; *(beschadigd)* damaged: ~ *(als opschrift)* out of order
defensie defence: *de minister van ~* the Minister of Defence
defensief defensive
deficiënt deficient
defilé parade
definiëren define: *iets nader ~* define sth more closely, be more specific about sth
definitie definition: *per ~* by definition
definitief definitive, final: *de definitieve versie* the definitive version
deflatie deflation
deftig distinguished, fashionable, stately: *een ~e buurt* a fashionable quarter
[1]**degelijk** *bn* **1** reliable, respectable, solid, sound: *een ~ persoon* a respectable person **2** *(deugdelijk)* sound, reliable, solid: *een ~ fabricaat* a reliable product
[2]**degelijk** *bw (danig)* thoroughly, soundly, very much || *wel ~* really, actually, positively; *ik meen het wel ~* I am quite serious
degelijkheid 1 *(deugdelijkheid)* soundness, thoroughness **2** *(betrouwbaarheid)* reliability, solidity, respectability
degen sword; *(schermen)* foil
degene *(ev)* he, she; *(mv)* those: ~ *die …* he who, she who
degeneratie degeneration
degradatie *(vnl. mil)* demotion; *(vnl. sport)* relegation
[1]**degraderen** *intr (gedegradeerd worden)* be relegated (to), be downgraded (to)
[2]**degraderen** *tr* degrade, downgrade (to); *(vnl. mil)* demote (to); *(vnl. sport)* relegate (to)
deinen 1 heave: *de zee deinde sterk* the sea surged wildly **2** *(mbt vaartuigen)* bob, roll
deining 1 swell, roll **2** *(golvende beweging)* rocking motion **3** *(beroering)* commotion: ~ *veroorzaken* cause a stir
dek 1 *(bedekking)* cover(ing); horse-cloth *(paard)* **2** *(scheepv)* deck: *alle hens aan ~* all hands on deck
dekbed continental quilt, duvet
deken 1 blanket: *onder de ~s kruipen* pull the blankets over one's head **2** *(overste, hoofd)* dean
dekenaat deanery
dekhengst stud(-horse), (breeding) stallion
dekken 1 cover; coat *(deklaag)*: *de tafel ~* set the table **2** *(overeenstemmen met)* agree (with), correspond (with, to) **3** *(beschermen)* cover (for), protect: *iem in de rug ~* support s.o., stand up for s.o.; *zich ~* cover *(of:* protect) oneself **4** *(vergoeden)* cover, meet: *deze cheque is niet gedekt* this cheque is not covered; *de verzekering dekt de schade* the insurance covers the damage **5** *(bespringen, paren)* cover; service *(merrie)*
dekking 1 *(mil)* cover, shelter: ~ *zoeken* seek *(of:* take) cover (from) **2** *(bevruchting)* service **3** *(mbt cheques)* cover **4** *(compensatie)* cover: *ter ~ van de (on)kosten* to cover *(of:* meet, make up) the expenses **5** *(zekerheid)* coverage **6** *(voetbal)* marking; cover; guard *(boksen e.d.)*
dekmantel cover, cloak; *(mbt misdadige praktijken)* blind; *(mbt misdadige praktijken)* front: *iem (iets) als ~ gebruiken* use s.o. (sth) as a front
dekschaal tureen, covered dish
dekschuit barge (with a deck)
deksel lid; *(fles ook)* top; cover: *het ~ op zijn neus krijgen* get the door slammed in one's face
dekzeil tarpaulin, canvas
delegatie delegation
delen 1 divide, split **2** *(verdelen)* share, divide: *het verschil ~* split the difference; *je moet kiezen of ~* take it or leave it; *eerlijk ~* share and share alike; *samen ~* go halves **3** *(mbt rekenkunde)* divide; *(ond)* do division: *honderd ~ door tien* divide one hundred by ten || *een mening ~* share an opinion; *iem in zijn vreugde laten ~* share one's joy with s.o.
deler divisor
delfstof mineral
delicatesse delicacy
delict offence; *(misdrijf ook)* indictable offence
delinquent delinquent, offender
delirium delirium
delta 1 delta **2** *(vleugel; vliegtuig)* delta wing
deltavliegen hang-gliding
delven 1 dig **2** *(uitspitten)* extract *(steenkolen)*: *goud* (of: *grondstoffen*) ~ mine gold *(of:* raw materials)
demagoog demagogue
demarreren break away, take a flyer
dement demented

dementeren grow demented, get demented
dementie dementia
demobilisatie demobilization
democraat democrat
democratie democracy, self-government
democratisch democratic
demografie demography
demografisch demographic
demon demon, devil, evil spirit
demoniseren demonize
demonstrant demonstrator, protester
demonstratie 1 demonstration, display, show(ing), exhibition 2 *(betoging)* demonstration, (protest) march: *een ~ tegen kernwapens* a demonstration against nuclear arms
demonstratief ostentatious, demonstrative, showy: *zij liet op demonstratieve wijze haar ongenoegen blijken* she pointedly showed her displeasure
[1]**demonstreren** *intr (een betoging houden)* demonstrate, march, protest: *~ tegen* (of: *voor*) *iets* demonstrate against (*of:* in support of) sth
[2]**demonstreren** *tr* demonstrate, display, show, exhibit
demontage dismantling, disassembling, taking apart; *(van onderdeel)* removal; *(bom)* defusing
demonteren 1 disassemble, dismantle, take apart; remove *(onderdeel)*; *(vnl. passief)* knock down 2 *(onbruikbaar maken)* deactivate; defuse *(bom)*; disarm
demotiveren remove (*of:* reduce) (s.o.'s) motivation, discourage, dishearten
dempen 1 fill (up, in), close (up), stop (up) 2 *(temperen)* subdue; tone down *(kleuren)*; muffle; deaden *(geluid)*; dim; shade *(licht)*: *gedempt licht* subdued (*of:* dimmed, soft) light
demper silencer; *(Am)* muffler
den pine (tree), fir
denderen rumble, thunder; *(snel)* hurtle; roar
Denemarken Denmark
denigrerend disparaging, belittling
denkbaar conceivable, imaginable, possible
denkbeeld 1 concept, idea, thought, notion: *zich een ~ vormen van* form some idea of; *een verkeerd ~ hebben van* have a wrong conception (*of:* idea) of 2 *(mening)* opinion, idea, view: *hij houdt er verouderde ~en op na* he has some antiquated ideas
denkbeeldig 1 notional, theoretical, hypothetical 2 *(niet werkelijk)* imaginary, illusory, unreal; *(bedacht)* fictitious: *het gevaar is niet ~ dat …* there's a (very) real danger that …
[1]**denken** *intr* 1 think, consider, reflect, ponder: *het doet ~ aan* it reminds one of …; *dit doet sterk aan omkoperij ~* this savours strongly of bribery; *waar zit je aan te ~?* what's on your mind?; *ik moet er niet aan ~* I can't bear to think about it; *ik denk er net zo over* I feel just the same about it; *ik zal eraan ~* I'll bear it in mind; *nu ik eraan denk* (now I) come to think of it; *aan iets ~* think (*of:* be thinking) of sth; *ik probeer er niet aan te ~* I try to put it out of my mind; *iem aan het ~ zetten* set s.o. thinking; *ik dacht bij mezelf* I thought (*of:* said) to myself; *denk om je hoofd* mind your head; *er verschillend (anders) over ~* take a different view (of the matter); *zij denkt er nu anders over* she feels differently about it (now); *dat had ik niet van hem gedacht* I should never have thought it of him 2 *(van plan zijn)* think of (*of:* about), intend (to), plan (to): *ik denk erover met roken te stoppen* I'm thinking of giving up smoking || *geen ~ aan!* it's out of the question!
[2]**denken** *tr* 1 *(menen)* think, be of the opinion, consider: *ik weet niet wat ik ervan moet ~* I don't know what to think; *wat dacht je van een ijsje?* what would you say to an ice cream?; *dat dacht je maar, dat had je maar gedacht* that's what you think!; *ik dacht van wel* (of: *van niet*) I thought it was (*of:* wasn't); *wie denk je wel dat je bent?* (just) who do you think you are? 2 *(vermoeden)* think, suppose, expect, imagine: *wie had dat kunnen ~* who would have thought it?; *u moet niet ~ (dat)* … you mustn't suppose (*of:* think) (that) …; *dat dacht ik al* I thought so; *dacht ik het niet!* just as I thought! 3 *(in aanmerking nemen)* think, understand, imagine, appreciate, consider: *de beste arts die men zich maar kan ~* the best (possible) doctor; *denk eens (aan)* imagine!, just think of it! 4 *(van plan zijn)* think of (*of:* about), intend, be going (to), plan: *wat denk je nu te doen?* what do you intend to do now?
denker thinker
denkfout logical error, error of reasoning
denkpiste *(Belg)* cast of mind
denksport puzzle solving, problem solving
denkwijze way of thinking, mode of thought
dennen pine(wood)
dennenappel pine cone *(van grove den)*; fir cone *(van spar)*
deodorant deodorant
depanneren *(Belg)* repair, put back on the road
departement department, ministry
dependance annex(e)
deponeren 1 deposit, place, put (down): *documenten bij de notaris ~* deposit documents with the notary's 2 *(overleggen)* file; lodge *(document)*
deporteren deport; *(naar strafkolonie)* transport: *een gedeporteerde* a deportee (*of:* transportee)
deposito deposit
depot 1 deposit(ing), committing to safe keeping 2 *(iets in bewaring)* (goods on) deposit, deposited goods (*of:* documents) 3 *(magazijn)* depot, store
deppen dab; *(droogdeppen)* pat (dry)
depressie depression
depressief depressed, depressive, low, dejected
deprimeren depress, deject; *(beklemmen)* oppress; *(ontmoedigen)* dishearten
der of (the)

derby *((voetbal)wedstrijd)* local derby
[1]**derde** *zn* 1 *(buitenstaander)* third party: *in aanwezigheid van ~n* in the presence of a third party 2 *(derde klas)* third form: *in de ~ zitten* be in the third form
[2]**derde** *zn* third: *twee ~ van de kiezers* two thirds of the voters
[3]**derde** *rangtelw* third: *de ~ mei* the third of May
derde wereld Third World
derdewereldland Third World country, developing country
derdewereldwinkel Third-World shop
deren hurt, harm, injure
dergelijk similar, (the) like, such(like): *wijn, bier en ~e dranken* wine, beer and drinks of that sort; *iets ~s heb ik nog nooit meegemaakt* I have never experienced anything like it
dermate so (much), to such an extent, such (that)
dermatologie dermatology
dertien thirteen; *(in datum)* thirteenth: *~ is een ongeluksgetal* thirteen is an unlucky number; *zo gaan er ~ in een dozijn* they are two a penny
dertiende thirteenth
dertig thirty; *(in datum)* thirtieth: *zij is rond de ~* she is thirtyish
dertigste thirtieth
derven lose, miss
[1]**des** *bw* wherefore, on that *(of:* which) count || *~ te beter* all the better; *hoe meer mensen er komen, ~ te beter ik me voel* the more people come, the better I feel
[2]**des** *lw* of (the), (the) ...'s: *de heer ~ huizes* the master of the house
desalniettemin nevertheless, nonetheless
desastreus disastrous: *de wedstrijd verliep ~* the match turned into a disaster
desbetreffend relevant; appropriate *(woorden, daden)*; respective: *de ~e afdelingen* the departments concerned *(of:* in question)
deserteren desert: *uit het leger ~* desert (the army)
desertie desertion
desgewenst if required *(of:* desired)
desillusie disillusion; *(gemoedstoestand)* disillusionment
desinfecteren disinfect
desintegratie disintegration, decomposition
desinteresse lack of interest
deskundig expert (in, at), professional: *een zaak ~ beoordelen* judge a matter expertly; *zij is zeer ~ op het gebied van* she's an authority on
deskundige expert (in, at), authority (on), specialist (in)
deskundigheid expertise, professionalism: *zijn grote ~ op dit gebied* his great expertise in this field
desnoods if need be, if necessary; in an emergency, at a pinch
desondanks in spite of this, in spite of (all) that, all the same, for all that: *~ protesteerde hij niet* in spite of all that he did not protest
desoriëntatie disorientation
despoot despot, autocrat, tyrant
dessert dessert, pudding: *wat wil je als ~?* what would you like for dessert?
dessin design, pattern
destijds at the *(of:* that) time, then, in those days
destructie destruction
destructief destructive
detacheren 1 second, send on secondment 2 *(mbt een militair)* attach (to), second, post (to)
detail detail, particular; *(mv)* specifics: *in ~s treden* go into detail
detailhandel retail trade
detailhandelsschool training school for retail trade
detaillist retailer
detective 1 detective: *particulier ~* private detective *(of:* investigator) 2 *(verhaal)* detective novel, whodunit
detentie detention, arrest, custody
determineren 1 determine, establish 2 *(biol)* identify
detineren detain: *in Scheveningen gedetineerd zijn* be on remand in Scheveningen (prison)
deugd 1 virtuousness, morality 2 *(iets goeds)* virtue, merit
deugdelijk sound, good, reliable
deugdelijkheid soundness, good quality; reliability *(van mechanisme)*
deugdzaam virtuous, good, upright, honest
deugdzaamheid virtuousness, uprightness, honesty
deugen 1 *(met ontkenning: niet braaf zijn)* be no good; *(vnl. personen)* be good for nothing: *die jongen heeft nooit willen ~* that boy has always been a bad lot 2 *(met ontkenning: niet geschikt zijn)* be wrong *(of:* unsuitable, unfit): *die man deugt niet voor zijn werk* that man's no good at his job
deugniet *(rakker)* rascal, scamp, scallywag
deuk 1 dent 2 *(fig) (knauw)* blow, shock: *zijn zelfvertrouwen heeft een flinke ~ gekregen* his self-confidence took a terrible knock 3 *(lachstuip)* fit: *we lagen in een ~* we were in stitches
deuken dent; *(fig)* damage
deun tune
deur door: *voor een gesloten ~ komen* find no one in; *de ~ voor iemands neus dichtdoen (dichtgooien)* shut *(of:* slam) the door in s.o.'s face; *zij komt de ~ niet meer uit* she never goes out any more; *iem de ~ uitzetten* turn s.o. out of the house; *aan de ~ kloppen* knock at *(of:* on) the door; *vroeger kwam de bakker bij ons aan de ~* the baker used to call at the house; *buiten de ~ eten* eat out; *met de ~en gooien* slam doors; *met de ~ in huis vallen* come straight to the point
deurbel doorbell

deurknop doorknob
deuropening doorway
deurpost doorpost
deurwaarder process-server, bailiff; *(in rechtszaal)* usher
devaluatie devaluation
devies motto, device
deviezen *(mv) (waardepapieren)* (foreign) exchange
devotie devotion
deze this; *(mv)* these; this one; *(mv)* these (ones): *wil je ~ (hier)?* do you want this one? (*of:* these ones?)
dezelfde the same: *van ~ datum* of the same date; *wil je weer ~?* (would you like the) same again?; *op precies ~ dag* on the very same day
dhr. *afk van de heer* Mr
dia slide, transparency
diabetes diabetes
diabeticus diabetic
diadeem diadem
diafragma diaphragm, stop
diagnose diagnosis
[1]**diagonaal** *zn* diagonal
[2]**diagonaal** *bn* diagonal
diagram diagram, graph, chart
diaken deacon
dialect dialect
dialoog dialogue
dialyse dialysis, (haemo)dialysis
diamant diamond: *~ slijpen* polish (*of:* cut) a diamond
diamanten diamond: *een ~ broche* a diamond brooch
diameter diameter
diaraampje slide frame
diarree diarrhoea
[1]**dicht** *bn* **1** closed, shut; drawn *(gordijnen);* off *(kraan): mondje ~* mum's the word; *de afvoer zit ~* the drain is blocked (up) **2** *(ondoordringbaar)* tight **3** *(niets zeggend)* close-lipped, tight-lipped, close(-mouthed) **4** *(met weinig tussenruimte)* close, thick, dense, compact: *een gebied met een ~e bevolking* a densely populated area; *~e mist* thick (*of:* dense) fog
[2]**dicht** *bw (op geringe afstand)* close (to), near: *ze zaten ~ opeengepakt* they sat tightly packed together; *hij woont ~ in de buurt* he lives near here
dichtbegroeid thick, dense, thickly wooded
dichtbevolkt densely populated
dichtbij close by, near by, nearby: *van ~* from close up
dichtbundel collection of poems, book of poetry
dichtdoen close, shut; draw *(gordijnen): geen oog ~* not sleep a wink
dichtdraaien turn off *(kraan);* close *(deksel)*
dichten 1 write poetry, compose verses **2** *(dichtmaken)* stop (up), fill (up); seal *(dijk): een gat ~* stop a gap, mend a hole
dichter poet
dichterbij nearer, closer
dichterlijk poetic(al): *~e vrijheid* poetic licence
dichtgaan close; shut *(wond);* heal *(wond): de deur gaat niet dicht* the door won't shut; *op zaterdag gaan de winkels vroeg dicht* the shops close early on Saturdays
dichtgooien 1 slam (to, shut) *(deur, boek);* bang **2** *(dempen)* fill up, fill in *(sloot)*
dichtgroeien close; heal (up) *(wond);* grow thick *(bos)*
dichtheid density *(ook nat);* thickness, compactness
dichtklappen snap shut, snap to *(deksel, boek, deurtje);* slam (shut) *(huisdeur, raam)*
dichtknijpen squeeze
dichtknopen button (up), fasten
dichtkunst (art of) poetry
dichtmaken close, fasten
dichtnaaien sew up, stitch up
dichtplakken seal (up) *(brief);* stick down *(omslag);* close; stop *(gat)*
[1]**dichtslaan** *intr* slam shut, bang shut
[2]**dichtslaan** *tr* bang (shut), slam (shut) *(deur);* snap shut *(boek): de deur voor iemands neus ~* slam the door in s.o.'s face
dichtslibben silt up, become silted up
dichtsmijten slam (to, shut) *(deur, boek);* bang
dichtspijkeren nail up (*of:* down), board up
dichtstbijzijnd nearest
dichtstoppen stop (up); *(met allerlei materiaal)* fill (up); *(met een prop)* plug (up)
dichttrekken close; *(gordijnen ook)* draw: *de deur achter zich ~* pull the door to behind one
dichtvallen fall shut, swing to; close *(ogen)*
dichtvouwen fold up
dichtvriezen freeze (over, up); be frozen (up) *(buizen);* be frozen over *(kanaal, meer, e.d.)*
dichtzitten be closed, be blocked (*of:* locked): *mijn neus zit dicht* my nose is blocked up
dictaat 1 (lecture) notes **2** *(het dicteren)* dictation
dictafoon dictaphone
dictator dictator
dictatoriaal dictatorial
dictatuur dictatorship
dictee dictation
dicteren dictate
didactiek didactics
didactisch didactic
[1]**die** *aanw vnw* **1** that; *(mv)* those; *(zonder zn)* that one; *(mv)* those (ones): *heb je ~ nieuwe film van Spielberg al gezien?* have you seen this new film by Spielberg?; *~ grote of ~ kleine?* the big one or the small one?; *niet deze maar ~ (daar)* not this one, that one; *mevrouw ~ en ~* Mrs so and so, Mrs such and such **2** that; *(mv)* those; *(zonder zn)* that one; *(mv)* those (ones): *mijn boeken en ~ van mijn zus* my books and my sister's (*of:* those of my sister); *~ tijd is voorbij* those times are over; *~ van mij,*

jou, hem, haar, ons, jullie, hen mine, yours, his, hers, ours, yours, theirs; *ze draagt altijd van ~ korte rokjes* she always wears (those) short skirts; *ken je ~ van ~ Belg ~ …* do you know the one about the Belgian who …?; *~ is goed* that's a good one; *o, ~!* oh, him! (*of:* her!); *waar is je auto? ~ staat in de garage* where's your car? it's in the garage; *~ zit!* bullseye!, touché!

[2]**die** *betr vnw* that; *(persoon ook)* who; *(als voorwerp ook)* whom; *(zaak ook)* which: *de kleren ~ u besteld heeft* the clothes (that, which) you ordered; *de man ~ daar loopt, is mijn vader* the man (that is, who is) walking over there is my father; *de mensen ~ ik spreek, zijn heel vriendelijk* the people (who, that) I talk to are very nice; *dezelfde ~ ik heb* the same one (as) I've got; *zijn vrouw, ~ arts is, rijdt in een grote Volvo* his wife, who's a doctor, drives a big Volvo

dieet diet: *op ~ zijn* be on a diet

dief thief, robber; *(inbreker)* burglar: *houd de ~!* stop thief!

diefstal theft; robbery *(met geweld);* burglary *(met inbraak)*

diegene he, she: *~n die* those who

dienaar servant

dienblad (dinner-)tray, (serving) tray

[1]**dienen** *intr* **1** serve: *dat dient nergens toe* that is (of) no use **2** *(als middel, werktuig)* serve as, serve for, be used as *(of:* for): *vensters ~ om licht en lucht toe te laten* windows serve the purpose of letting in light and air **3** *(behoren)* need, should, ought to: *u dient onmiddellijk te vertrekken* you are to leave immediately

[2]**dienen** *tr* **1** serve, attend (to), minister: *dat dient het algemeen belang* it is in the public interest **2** *(van dienst zijn)* serve, help: *waarmee kan ik u ~?* are you being served? || *iem van advies ~* give s.o. advice

diens his

dienst 1 service: *zich in ~ stellen van* place oneself in the service of; *ik ben een maand geleden als verkoper in ~ getreden bij deze firma* a month ago I joined this company as a salesman; *in ~ nemen* take on, engage; *in ~ zijn* do one's military service **2** *(het verrichten van werkzaamheden)* duty: *ik heb morgen geen ~* I am off duty tomorrow **3** *(openbare instelling)* service, department: *de ~ openbare werken* the public works department **4** *(voor iemands nut)* service, office: *iem een goede ~ bewijzen* do s.o. a good turn; *je kunt me een ~ bewijzen* you can do me a favour **5** *(betrekking)* place, position: *in vaste* (of: *tijdelijke*) *~ zijn* hold a permanent (*of:* temporary) appointment; *iem in ~ hebben* employ s.o.; *in ~ zijn bij iem* be in s.o.'s service || *~ doen (als)* serve (as, for); *de ~ uitmaken* run the show, call the shots; *tot uw ~* you're welcome; *iem van ~ zijn met* be of service to s.o. with

dienstbetrekking employment

dienstbode servant (girl), maid(servant)

dienstdoend on duty *(agent, wacht);* in charge; *(waarnemend)* acting

dienstensector *(econ)* services sector, service industries

dienstjaar year of service; *(mv ook)* seniority

dienstknecht man(servant), servant

dienstlift service lift

dienstmededeling staff announcement

dienstmeisje maid(servant), housemaid

dienstplicht (compulsory) military service, conscription: *vervangende ~* alternative national service, *(maatschappelijk)* community service

dienstplichtig eligible for military service: *de ~e leeftijd bereiken* become of military age; *niet ~ (ook)* exempt from military service

dienstplichtige conscript

dienstregeling timetable: *een vlucht met vaste ~* a scheduled flight

diensttijd (period, length of) service, term of office: *buiten* (of: *onder*) *~* when off (*of:* on) duty

dienstverband employment: *in los* (of: *vast*) *~ werken* be employed on a temporary (*of:* permanent) basis

dienstverlening service(s)

dienstweigeraar conscientious objector

dientengevolge consequently, as a consequence

[1]**diep** *bn* deep; *(fig ook)* profound; total, impenetrable: *twee meter ~* two metres deep; *~er maken* deepen; *in het ~e gegooid worden* be thrown in at the deep end; *een ~e duisternis* utter darkness; *in ~ gepeins verzonken* (sunk) deep in thought; *alles was in ~e rust* everything was utterly peaceful; *een ~e slaap* a deep sleep; *~ in zijn hart* deep (down) in one's heart; *uit het ~ste van zijn hart* from the bottom of one's heart || *een ~e stem* a deep voice; *~ blauw* deep blue

[2]**diep** *bw* **1** deep(ly), low: *~ zinken (vallen)* sink low; *~ ongelukkig zijn* be deeply unhappy; *hij is ~ verontwaardigd* he is deeply (*of:* mortally) indignant; *een keer ~ ademhalen* take a deep breath; *~ nadenken* think hard **2** *(mbt tijd)* deep, far

diepgaand *(intens)* profound, searching, in-depth: *~e discussie* in-depth (*of:* deep) discussion

diepgang 1 draught **2** depth, profundity

diepte 1 depth, depth(s), profundity **2** *(in water; kuil)* trough, hollow

dieptepunt 1 (absolute) low **2** *(slechtste situatie)* all-time low, rock bottom: *een ~ in een relatie* a low point in a relationship

diepvries deep-freeze, freezer

diepvriezen (deep-)freeze

diepzeeduiken deep-sea diving

diepzinnig 1 *(mbt personen)* profound, discerning **2** profound, pensive: *een ~e blik* a thoughtful (*of:* pensive) look

diepzinnigheid profundity, profoundness, depth

dier animal, creature; *(fabels)* beast

dierbaar dear, much-loved, beloved
dierenarts veterinary surgeon, vet
dierenasiel animal home *(of:* shelter)
dierenbescherming animal protection, prevention of cruelty to animals
dierenbeul s.o. who is cruel to animals
dierendag *(ongev)* animal day, pets' day
dierenmishandeling cruelty to animals, maltreatment of animals
dierenpension (boarding) kennel(s)
dierenriem zodiac
dierentemmer animal trainer; *(leeuwen)* liontamer
dierentuin zoo, animal park
dierenverzorger animal keeper; zookeeper *(in dierentuin)*
dierenwinkel pet shop
diergeneeskunde veterinary medicine
dierlijk animal; *(min)* bestial; *(redeloos)* brute; *(ruw)* brutish: *de ~e aard (natuur)* animal nature
diersoort animal species: *bedreigde ~en* endangered species (of animals)
diesel diesel (oil, fuel), derv: *op ~ rijden* take diesel
diëtist dietitian
dievegge thief; shoplifter *(in winkels)*
diezelfde the same, this same, that same
differentiaal differential
differentiëren differentiate (between), distinguish (between)
diffusie diffusion, mixture
diffuus diffuse *(ook nat)*; scattered
difterie diphtheria
digestie digestion
diggelen: *aan ~ slaan* smash to smithereens
digibeet computer illiterate
digitaal digital
digitaliseren digit(al)ize
dij thigh; ham *(mbt vlees)*
dijbeen thigh bone
dijk bank, embankment; *(mbt Nederland)* dike: *een ~ (aan)leggen* throw up a bank (*of:* an embankment) || *iem aan de ~ zetten* sack s.o., lay s.o. off
[1]**dik** *bn* **1** thick: *10 cm ~* 10 cm thick; *de ~ke darm* the large intestine; *ze stonden tien rijen ~* they stood ten (rows) deep; *~ worden* thicken, set, congeal **2** *(van flinke omvang)* thick, fat, bulky: *een ~ke buik* a paunch **3** *(gezet)* fat, stout, corpulent: *een ~ke man* a fat man **4** *(opgezet, gezwollen)* swollen: *~ke vingers* plump fingers **5** *(van relaties)* thick, close, great: *~ke vrienden zijn* be great (*of:* close) friends || *~ doen* swank, swagger, boast
[2]**dik** *bw* **1** *(ruim)* thick, ample, good: *~ tevreden (zijn)* (be) well-satisfied; *~ onder het stof* thick with dust; *het er ~ bovenop leggen* lay it on thick; *dat zit er ~ in* that's quite on the cards **2** *(dicht)* thick, heavy, dense || *door ~ en dun gaan* go through thick and thin
dikkop *(kikvors)* tadpole
dikoor mumps
dikte 1 fatness, thickness **2** *(afmeting)* thickness; gauge *(glas, metaal)*: *een ~ van vier voet* four feet thick **3** *(dichtheid)* thickness, density
dikwijls often, frequently
dikzak fatty, fatso
dilemma dilemma
diligence (stage)coach
dimensie 1 dimension, measurement, meaning **2** *(element, aspect)* dimension, perspective
dimlicht dipped headlights
[1]**dimmen** *intr (rustig aan doen)* cool it: *effe ~, da's niet leuk meer* cool it, it's not funny any more
[2]**dimmen** *tr* dip (the headlights), shade
diner dinner: *aan het ~* at dinner
dineren dine, have dinner
ding 1 thing, object; *(apparaatje)* gadget: *en (al) dat soort ~en* and (all) that sort of thing **2** *(feit, gebeurtenis)* thing, matter, affair: *doe geen gekke ~en* don't do anything foolish; *de ~en bij hun naam noemen* call a spade a spade
dinges *(inform)* thingummy, what's-his-name, what's-her-name
dinosaurus dinosaur
dinsdag Tuesday: *(Belg) vette ~* Shrove Tuesday
dinsdags Tuesday
diode diode
dioxide dioxide
diploma diploma, certificate: *een ~ behalen* qualify, graduate
diplomaat diplomat
diplomatenkoffertje attaché case
diplomatie 1 diplomacy **2** *(diplomaten)* diplomatic corps, diplomats: *hij gaat in de ~* he is going to enter the diplomatic service
diplomatiek 1 diplomatic: *langs ~e weg* by diplomacy **2** *(omzichtig)* diplomatic, tactful
diplomeren certificate: *niet gediplomeerd* unqualified, untrained
[1]**direct** *bn* **1** direct, immediate, straight: *zijn ~e chef* his immediate superior; *de ~e oorzaak* the immediate cause; *~e uitzending* live broadcast **2** *(ogenblikkelijk)* prompt, immediate: *~e levering* prompt delivery
[2]**direct** *bw* **1** direct(ly), at once: *kom ~* come at once (*of:* straightaway) **2** *(zeer spoedig)* presently, directly: *ik ben ~ klaar* I'll be ready in a minute || *niet ~ vriendelijk* not exactly kind
directeur *(zaak)* manager; (managing) director; *(school)* principal; headmaster; *(ziekenhuis)* superintendent; *(gevangenis)* governor
directheid directness, straightforwardness; *(onbeleefd)* bluntness
directie management
directiekamer boardroom
directielid member of the board (of directors)
dirigeerstok baton
dirigent conductor; *(van koor ook)* choirmaster

dirigeren conduct *(orkest)*; control *(groep mensen)*
discipel disciple, follower
discipline discipline
discman discman
disco disco
disconteren discount
disconto discount
discotheek 1 *(verzameling grammofoonplaten, cd's)* record library *(of:* collection) 2 *(uitleenin-stantie)* record library 3 *(discobar)* discotheque
discreet 1 discreet, delicate, tactful 2 *(zacht)* discreet, unobtrusive: *een ~ tikje op de kamerdeur* a discreet tap on the door 3 *(discretie vereisend)* delicate, secret
discrepantie discrepancy
discretie 1 discretion, tact 2 *(geheimhouding)* discretion, secrecy
discriminatie discrimination
discrimineren discriminate (against); *(tr ook)* segregate
discus discus, disc
discussie discussion, debate: *(het) onderwerp van ~ (zijn)* (be) under discussion; *een hevige (verhitte) ~* a heated discussion; *ter ~ staan* be under discussion, be open to discussion
discussiëren discuss, debate, argue
discuswerpen discus throwing
discutabel debatable, dubious, disputable
disk disk
diskette diskette, floppy (disk)
diskjockey disc jockey
diskrediet discredit: *in ~ geraken* fall into discredit
diskwalificeren disqualify
display display
dispuut *((studenten)vereniging)* debating society
dissen insult, diss
dissertatie (doctoral) dissertation, (doctoral) thesis
[1]**dissident** *zn* dissident
[2]**dissident** *bn* dissident
distantiëren, zich distance, dissociate
distel thistle
distelvink goldfinch
distilleren 1 distil 2 *(afleiden)* deduce, infer: *iets uit iemands woorden ~* deduce sth from what s.o. says
distribueren distribute, dispense, hand out
district district, county
dit this; *(mv)* these: *in ~ geval* in this case; *wat zijn ~?* what are these?
ditmaal this time, for once
diva diva
Divali Diwali
divan divan, couch
divers 1 *(onderscheiden)* diverse, various 2 *(ettelijke)* various, several
diversen sundries, miscellaneous
diversiteit diversity, variety
dividend dividend
divisie division; *(sport ook)* league; class
djembé djembe
dm *afk van decimeter* dm
d.m.v. *afk van door middel van* by means of
DNA-onderzoek DNA-test
do do(h)
dobbelen dice, play (at) dice
dobbelspel dicing, game of dice
dobbelsteen 1 dice: *met dobbelstenen gooien* throw the dice 2 *(kubusvormig voorwerp)* dice, cube
dobber float || *hij had er een zware ~ aan* he found it a tough job
dobberen float, bob: *op het water ~* bob up and down on the water
dobermannpincher Doberman(n)(pinscher)
docent teacher, instructor: *~ aan de universiteit* university lecturer
docentenkamer staffroom
doceren teach; *(universiteit)* lecture
dochter daughter, (little) girl
doctor doctor
doctoraat doctorate
doctorandus (title of) university graduate
doctrine doctrine, dogma
document document, paper
documentair documentary
documentaire documentary
documentatie documentation
documenteren document, support with evidence
dode dead person, the deceased
dodelijk 1 deadly, mortal, lethal, fatal: *een ~ ongeluk, een ongeval met ~e afloop* a fatal accident 2 *(als vd dood)* dead(ly), deathly, killing || *~ vermoeid* dead beat, dead tired
doden kill, murder, slay
dodenherdenking commemoration of the dead
dodental number of deaths *(of:* casualties), death toll
doedelzak bagpipes: *op een ~ spelen* play the bagpipes
doe-het-zelfzaak do-it-yourself shop, DIY shop
doek 1 cloth, fabric 2 *(projectiescherm)* screen: *het witte ~* the silver screen 3 *(schilderstuk, stuk linnen)* canvas, painting 4 *(toneelgordijn)* curtain; *(achterdoek)* backcloth: *het ~ gaat op* the curtain rises || *iets uit de ~en doen* disclose sth
doekje (piece of) cloth; tissue *(van fijne stof)*
doel 1 target, purpose, object(ive), aim, goal; *(reisdoel)* destination 2 goal; *(ijshockey)* net: *in eigen ~ schieten* score an own goal; *zijn ~ bereiken* achieve one's aim; *het ~ heiligt de middelen (niet)* the end justifies (*of:* does not justify) the means
doelbewust determined, resolute
doeleinde 1 purpose, aim, design 2 *(bestemming)* end, aim, purpose, destination: *voor eigen* (of: *pri-*

vé) *~n* for one's own (*of:* private) ends
doelgebied goal area
doelgericht purposeful, purposive
doelloos aimless, idle; *(nutteloos)* pointless
doelman goalkeeper
doelmatig suitable, appropriate, functional, effective
doelmatigheid suitability, expediency, effectiveness
doelpaal (goal)post
doelpunt goal, score: *een ~ afkeuren* disallow a goal; *een ~ maken* kick (*of:* score) a goal; *met twee ~en verschil verliezen* lose by two goals
doelschop goal kick
doelstelling aim, object(ive)
doeltreffend effective, efficient
doelwit target, aim, object: *een dankbaar ~ vormen* make an easy victim (*of:* target)
doem doom
doemdenken doom-mongering, defeatism
doemen doom, destine
doemscenario worst-case scenario
[1]**doen** *intr* **1** do, act, behave: *gewichtig ~* act important; *~ alsof* pretend; *je doet maar* go ahead, suit yourself **2** *(bezig zijn met)* do, be: *ik doe er twee uur over* it takes me two hours; *aan sport ~* do sport(s), take part in sport(s) || *dat is geen manier van ~* that's no way to behave
[2]**doen** *tr* **1** do, make, take: *een oproep ~* make an appeal; *uitspraak ~* pass judgement; *doe mij maar een witte wijn* for me a white wine, I'll have a white wine; *wat kom jij ~?* what do you want?; *wat doet hij (voor de kost)?* what does he do (for a living)? **2** *(ergens plaatsen)* put: *iets in zijn zak ~* put sth in one's pocket **3** *(laten ondergaan)* make, do: *dat doet me plezier* I'm glad about that; *iem verdriet* (of: *pijn*) *~* hurt s.o., cause s.o. grief (*of:* pain) **4** (met *het*) work: *de remmen ~ het niet* the brakes don't work **5** make: *we weten wat ons te ~ staat* we know what (we have, are) to do || *anders krijg je met mij te ~* or else you'll have me to deal with; *dat doet er niet(s) toe* that's beside the point; *niets aan te ~* can't be helped
dof **1** dim, dull; mat(t) *(verf); (aangeslagen, metaal)* tarnished: *~fe tinten* dull (*of:* muted) hues/tints **2** *(mbt geluiden)* dull, muffled: *een ~fe knal (dreun)* a muffled boom
dofheid *(mbt kleuren)* dullness, dimness
dog mastiff
dogma dogma
dok dock(yard)
doka darkroom
dokken fork out, cough up
dokter doctor; *(huisarts)* GP: *een ~ roepen (laten komen)* send for (*of:* call in) a doctor || *~tje spelen* play doctors and nurses
doktersadvies doctor's advice, medical advice
doktersassistente (medical) receptionist
doktersbehandeling medical treatment
doktersrecept (medical) prescription
doktersvoorschrift medical instructions, doctor's orders
dokwerker dockworker, docker
dol **1** *(krankzinnig)* mad, crazy: *het is om ~ van te worden* it is enough to drive you crazy; *~ op iets (iem) zijn* be crazy about sth (s.o.) **2** *(onbezonnen)* mad, wild, crazy: *door het ~le heen zijn* be beside oneself with excitement (*of:* joy) **3** *(dwaas)* foolish, silly, daft: *~le pret hebben* have great fun **4** *(versleten)* worn, slipping, stripped: *die schroef is ~* the screw is stripped (*of:* slipping) **5** *(mbt wijzers)* crazy, whirling (round in circles): *het kompas is ~* the compass has gone crazy **6** *(mbt honden)* mad, rabid
[1]**doldraaien** *intr* **1** (have) strip(ped), slip: *de schroef is dolgedraaid* the screw has slipped **2** *(fig)* run away with itself *(ding);* go off the rails *(persoon)*
[2]**doldraaien** *tr (te ver doordraaien)* drive (*of:* push, turn) too far, overload
dolen wander (about), roam
dolfijn dolphin
dolgraag with the greatest of pleasure: *ga je mee? ~* are you coming? I'd love to
dolk dagger
dollar dollar
dolleman madman, lunatic
dollen lark about, horse around
[1]**dom** *zn* cathedral
[2]**dom** *bn, bw* **1** stupid, simple, dumb: *zo ~ als het achtereind van een varken* as thick as two (short) planks **2** *(onnozel)* silly, daft: *sta niet zo ~ te grijnzen!* wipe that silly grin off your face! **3** *(stomweg)* sheer, pure: *~ geluk* sheer luck, a fluke **4** *(onwetend)* ignorant: *zich van de ~me houden* play ignorant, play (the) innocent
domein domain, territory
domeinnaam domain name
domheid stupidity, idiocy
dominant dominant, overriding
dominee *(aanspreekvorm)* minister
domineren dominate
domino dominoes
dominosteen domino
dommelen doze, drowse
domoor idiot, fool, blockhead, dunce
dompelen plunge, dip, immerse
domper: *dit onverwachte bericht zette een ~ op de feestvreugde* this unexpected news put a damper on the party
dompteur animal trainer (*of:* tamer)
domweg (quite) simply, without a moment's thought, just
donateur donor; *(van vereniging)* contributor; supporter
donatie donation, gift
Donau Danube
donder **1** thunder **2** *(lichaam)* carcass; *(persoon)*

devil: *op zijn ~ krijgen* get a roasting 3 *(plat)* hell, damn(ation)
donderbui thunderstorm, thunder-shower
donderdag Thursday: *Witte Donderdag* Maundy Thursday
donderdags Thursday
[1]**donderen** *intr (tieren en razen)* thunder away, bluster
[2]**donderen** *intr, tr* thunder
donderjagen be a nuisance, be a pain (in the neck)
donderslag 1 thunderclap, thunderbolt, roll (*of:* crack) of thunder 2 *(fig)* thunderbolt, bombshell: *als een ~ bij heldere hemel* like a bolt from the blue
doneren donate
[1]**donker** *zn* dark(ness), gloom
[2]**donker** *bn* 1 dark, gloomy 2 *(somber, droevig)* dark, dismal, gloomy: *een ~e toekomst* a gloomy future 3 *(mbt kleur)* dark, dusky 4 *(mbt geluiden)* low(-pitched)
[3]**donker** *bw* dismally, gloomily: *de toekomst ~ inzien* take a gloomy view of the future
donor donor
donorcodicil donor card
donororgaan donor organ
dons down, fuzz
donsdeken eiderdown, (down) quilt, duvet, (continental) quilt
[1]**dood** *zn* death, end: *aan de ~ ontsnappen* escape death; *dat wordt zijn ~* that will be the death of him; *iem ter ~ veroordelen* condemn (*of:* sentence) s.o. to death; *de een zijn ~ is de ander zijn brood* one man's death is another man's breath || *(zo bang) als de ~ voor iets zijn* be scared to death of sth
[2]**dood** *bn* 1 dead, killed: *hij was op slag ~* he died (*of:* was killed) instantly 2 dead, extinct: *een dooie boel* a dead place; *op een ~ spoor zitten* be at a dead end; *een dode vulkaan* an extinct volcano || *op zijn dooie gemak* at one's leisure
doodbloeden 1 bleed to death 2 *(fig)* run down, peter out
doodeenvoudig perfectly simple, quite simple
doodernstig deadly serious, solemn
doodgaan die: *van de honger ~* starve to death
doodgeboren stillborn
doodgewoon perfectly common (ordinary): *iets ~s* sth quite ordinary
doodgooien *(overspoelen, overladen)* bombard, swamp
doodgraver gravedigger, sexton
doodkist coffin
doodklap 1 death blow, final blow, coup de grâce 2 *(harde klap)* almighty blow
doodlachen, zich kill oneself (laughing), split one's sides: *het is om je dood te lachen* it's a scream
doodleuk coolly, blandly
doodlopen 1 come to an end (*of:* a dead end), peter out: *~d steegje* blind alley; *een ~de straat* a dead end 2 lead nowhere, lead to nothing
doodmoe dead tired, dead on one's feet, worn out
doodongerust worried to death, worried sick
doodop worn out, washed-out
doodrijden run over and kill
doods 1 *(akelig)* deathly, deathlike: *een ~e stilte* a deathly silence 2 *(zonder leven)* dead, dead-and-alive
doodsangst *(grote angst)* agony, mortal fear
doodsbang (met *voor)* terrified (of), scared to death: *iem ~ maken* terrify s.o.
doodschamen, zich be terribly embarrassed
doodseskader death squad
doodsgevaar deadly peril, mortal danger: *in ~ zijn (verkeren)* be in mortal danger
doodshoofd skull
doodskist coffin
doodslaan *(doden)* kill; beat to death; *(met één slag)* strike dead: *een vlieg ~* swat a fly
doodslag manslaughter
doodsoorzaak cause of death
doodsteken stab to death, stab and kill
doodstil deathly quiet (*of:* still); *(bewegingloos)* quite still; *(zwijgend)* dead silent: *het werd opeens ~ toen hij binnenkwam* there was a sudden hush when he came in
doodstraf death penalty: *hier staat de ~ op* this is punishable by death
doodsvijand mortal enemy, arch-enemy
doodvonnis death sentence
doodziek 1 critically ill, terminally ill 2 sick and tired: *ik word ~ van die kat* I'm (getting) sick and tired of that cat
[1]**doodzonde** *zn* 1 mortal sin 2 *(onvergeeflijke fout)* mortal sin, deadly sin
[2]**doodzonde** *bn* a terrible pity; *(verspilling)* a terrible waste
doof deaf: *~ blijven voor* turn a deaf ear to; *~ aan één oor* deaf in one ear
doofheid deafness
doofpot extinguisher, cover-up: *die hele zaak is in de ~ (gestopt)* that whole business has been hushed up
doofstom deaf-and-dumb, deaf mute
doofstomme deaf mute
dooi thaw
dooien thaw: *het begon te ~* the thaw set in
dooier (egg) yolk
doolhof maze, labyrinth
doop 1 christening, baptism 2 *(fig)* inauguration, christening: *de ~ van een schip* the naming of a ship 3 *(Belg)* initiation (of new students)
doopceel: *iemands ~ lichten* bring out s.o.'s past
doopnaam Christian name, baptismal name, given name
doopsel baptism, christening

doopvont font

[1]**door** *bw* through: *de hele dag* ~ all day long, throughout the day; *het kan ermee* ~ it's passable; *de tunnel gaat onder de rivier* ~ the tunnel passes under the river || *tussen de buien* ~ between showers; *ik ben* ~ *en* ~ *nat* I'm wet through (and through); ~ *en* ~ *slecht* rotten to the core

[2]**door** *vz* **1** through: ~ *heel Europa* throughout Europe; ~ *rood (oranje) rijden* jump the lights **2** *(mbt een vermenging)* through, into: *zout* ~ *het eten doen* mix salt into the food; *alles lag* ~ *elkaar* everything was in a mess **3** *(door middel van)* by (means of): ~ *ijverig te werken, kun je je doel bereiken* you can reach your goal by working hard; ~ *haar heb ik hem leren kennen* it was thanks to her that I met him **4** *(vanwege)* because of, owing to, by, with: ~ *het slechte weer* because of (*of:* owing to) the bad weather; ~ *ziekte verhinderd* prevented by illness from coming (*of:* attending, going); *dat komt* ~ *jou* that's (all) because of you **5** by: *zij werden* ~ *de menigte toegejuicht* they were cheered by the crowd; ~ *wie is het geschreven?* who was it written by? || ~ *de jaren heen* over the years; ~ *de week* through the week

doorbakken well-done

doorberekenen pass on, on-charge

doorbetalen keep paying, continue paying

doorbijten **1** bite (hard): *de hond beet niet door* the dog didn't bite hard **2** *(voortgaan met bijten)* keep biting, continue biting *(of:* to bite); *(fig)* keep trying; *(fig)* keep at it: *even* ~*!* just grin and bear it!

doorbladeren leaf through, glance through; *(boek ook)* thumb through

doorboren drill (through), bore (a hole in); tunnel *(berg); (met steekwapen)* pierce; *(met steekwapen)* stab

doorbraak **1** bursting, collapse **2** *(door een obstakel)* breakthrough; *(sport)* break: ~ *van een politieke partij* the breakthrough of a political party

doorbranden **1** burn through, burn properly **2** *(stukgaan)* burn out: *een doorgebrande lamp* a blown (light) bulb

[1]**doorbreken** *ww* break (through), burst (through); breach *(ook fig): de sleur* ~ get out of the rut

[2]**doorbreken** *intr* **1** break (apart, in two), break up, burst, perforate: *het gezwel brak door* the swelling ruptured **2** *(door iets heen)* break through, come through: *de tandjes zullen snel* ~ the teeth will come through fast **3** *(mbt artiesten)* break through, make it

[3]**doorbreken** *tr* break (in two); *(stok ook)* snap (in two): *ze brak zijn wandelstok door (in tweeën)* she broke his walking stick in two

doorbrengen spend: *ergens de nacht* ~ spend the night (*of:* stay overnight) somewhere

doorbuigen **1** bend, sag: *de vloer boog sterk door* the floor sagged badly **2** *(doorgaan met buigen)* bend further (over), bow deeper: *die jongen kan wel dieper* ~ that boy must be able to bend further

doordacht well-thought-out, well-considered

doordat because (of the fact that), owing to, as a result of, on account of (the fact that), in that: ~ *er gebrek aan geld was* through lack of money

doordenken reflect, think, consider: *als je even doordenkt* (of: *door had gedacht*) if you think (*of:* had thought) for a moment

doordeweeks weekday, workaday

doordraaien **1** keep turning, continue turning *(of:* to turn); *(fig)* go on; *(fig)* keep moving: *de motor laten* ~ keep the engine running (*of:* on) **2** *(doldraaien)* slip, not bite, have stripped, be stripped

doordrammen nag, go on: ~ *over iets* keep harping on (about) sth

doordrammer nagger, pest

doordraven rattle on

doordrenken soak (through), saturate, drench

[1]**doordrijven** *intr (doorzeuren)* nag: *je moet niet zo* ~ stop nagging!

[2]**doordrijven** *tr* push through, force through, enforce, impose: *iets te ver* ~ carry things too far

[1]**doordringen** *ww* **1** penetrate; permeate *(vocht; ook fig)* **2** *(volkomen overtuigen)* persuade, convince: *doordrongen zijn van de noodzaak ...* be convinced of the necessity of ...

[2]**doordringen** *ww* penetrate, get through, occur: ~ *in* penetrate, permeate, filter through *(vocht); het drong niet tot me door dat hij mij wilde spreken* it didn't occur to me that he wanted to see me; *niet tot iem kunnen* ~ not be able to get through to s.o.

doordringend piercing; penetrating *(blik, kou, kreet);* pungent *(geur): iem* ~ *aankijken* give s.o. a piercing look

doordrukken push through, force through: *zijn eigen mening* ~ impose one's own view

dooreen jumbled up, higgledy-piggledy

[1]**doorgaan** *intr* **1** go on, walk on, continue: *deze trein gaat door tot Amsterdam* this train goes on to Amsterdam **2** *(voortgaan met een handeling)* continue (doing, with), go (*of:* carry) on (doing, with), persist (in, with), proceed (with): *hij bleef er maar over* ~ he just kept on about it; *dat gaat in één moeite door* we can do that as well while we're about it **3** *(voortduren)* continue, go on, last **4** *(door een ruimte, opening gaan)* go through, pass through, pass **5** *(plaatsgrijpen)* take place, be held: *het feest gaat door* the party is on; *niet* ~ be off **6** *(aangezien worden voor)* pass for, pass oneself off as; *(zonder bedrog)* be considered (as): *zij gaat voor erg intelligent door* she is said to be very intelligent

[2]**doorgaan** *tr* go through, pass through

doorgaand through: ~ *verkeer* through traffic

doorgaans generally, usually

doorgang **1** occurrence: *(geen)* ~ *hebben* (not) take place **2** *(opening)* passage(way), way through, gangway; *(kerk, vliegtuig)* aisle

doorgedraaid exhausted, worn out
doorgeven 1 pass (on, round), hand on *(of:* round): *geef de fles eens door* pass the bottle round (*of:* on) 2 *(overbrengen)* pass (on): *een boodschap aan iem ~* pass a message on to s.o. 3 *(overdragen)* pass on, hand on, hand over 4 *(verder vertellen)* pass on, let (s.o.) know about: *dat zal ik moeten ~ aan je baas* I will have to tell your boss about this
doorgewinterd seasoned, experienced
doorgronden fathom, penetrate
doorhalen cross out, delete
doorhebben see (through), be on to: *hij had het dadelijk door dat …* he saw at once that …
doorheen through: *zich er ~ slaan* get through (it) somehow or other
doorkijken look through
doorkneed experienced
doorknippen cut through, cut in half *(of:* in two)
doorkomen 1 come through *(of:* past, by), pass (through, by): *de stoet moet hier ~* the procession must come past here 2 *(ten einde brengen)* get through (to the end): *de dag ~* make it through the day; *er is geen ~ aan: a) (boek, werk enz.)* there is no way I'm going to get this finished; *b) (menigte, verkeer)* I don't stand a hope of getting through 3 *(door iets heen dringen)* come through, get through: *de zon komt door* the sun is breaking through
doorkruisen 1 traverse, roam; scour *(op zoek): hij heeft heel Frankrijk doorkruist* he has travelled all over France 2 *(dwarsbomen)* thwart: *dat voorstel doorkruist mijn plannen* that proposal has thwarted my plans
doorlaten let through *(of:* pass), allow through *(of:* to pass): *geen geluid ~* be soundproof
doorleefd wrinkled, aged
doorleren keep (on) studying, continue with one's studies, stay on at school
doorlichten investigate, examine carefully; screen *(persoon)*
doorliggen have bedsores, get bedsores: *zijn rug is doorgelegen* he has (got) bedsores on his back
[1]**doorlopen** *ww* 1 walk through, go through, pass through 2 *(volgen)* go through, pass through; *(afronden)* complete *(cursus): alle stadia ~* pass through (*of:* complete) every stage 3 *(vluchtig lezen)* run through, glance through
[2]**doorlopen** *ww* 1 walk *(of:* go, pass) through: *hij liep tussen de struiken door* he walked (*of:* went) through the bushes 2 *(verder lopen)* keep (on) walking *(of:* going, moving), continue walking/moving *(of:* to walk, to move), walk on, go on, move on: *~ a.u.b.!* move along now, please! 3 *(mbt kleuren)* run: *het blauw is doorgelopen* the blue has run 4 *(niet onderbroken worden)* run on, carry on through, continue; *(nummers ook)* be consecutive: *de eetkamer loopt door in de keuken* the dining room runs through into the kitchen 5 *(sneller lopen)* hurry up
doorlopend continuous, continuing; *(met onderbrekingen)* continual; *(opeenvolgend)* consecutive: *hij is ~ dronken* he is constantly drunk
doormaken go through, pass through, live through, experience, undergo: *een moeilijke tijd ~* have a hard time (of it)
doormidden in two, in half
doorn thorn: *dat is mij een ~ in het oog* that is a thorn in my flesh
doornemen 1 go through *(of:* over): *een artikel vluchtig ~* skim through an article 2 *(bespreken)* go over: *iets met elkaar ~* go over sth together
Doornroosje Sleeping Beauty
doorprikken burst, prick, puncture
[1]**doorreizen** *intr* continue one's journey, continue travelling: *ze reist vandaag nog door naar Tilburg* she is going on to Tilburg today
[2]**doorreizen** *tr (reizend doortrekken)* travel through: *ik heb heel Europa doorgereisd* I have travelled all over Europe
doorrijden 1 keep on *(of:* continue) driving/riding: *rijdt deze bus door naar het station?* does this bus go on to the station? 2 *(verder rijden)* drive on, ride on, proceed, continue: *~ na een aanrijding* fail to stop after an accident 3 *(sneller rijden)* drive faster, ride faster, increase speed: *als we wat ~, zijn we er in een uur* if we step on it, we will be there in an hour
doorrijhoogte clearance, headway
doorschemeren be hinted at, be implied: *hij liet ~ dat hij trouwplannen had* he hinted that he was planning to marry
doorscheuren tear up; *(in tweeën)* tear in half
doorschieten shoot through *(of:* past)
doorschijnen 1 be translucent 2 *(zichtbaar zijn)* show through, shine through: *haar slipje schijnt door* her panties are showing (through her dress)
doorschijnend translucent; see-through *(van kleding);* transparent
doorschuiven pass on
doorslaan 1 tip, dip: *de balans doen ~* tip the scales 2 blow, melt; fuse *(leiding);* break down *(isolatie): de stop is doorgeslagen* the fuse has blown 3 *(bekennen)* talk
doorslaand conclusive, decisive: *een ~ succes* a resounding success
doorslag 1 turn *(of:* tip) (of the scale): *dat gaf bij mij de ~* that decided me; *dat geeft de ~* that settles it 2 *(afschrift, kopie)* carbon (copy), duplicate
doorslaggevend decisive: *van ~ belang* of overriding importance
doorslapen sleep on *(of:* through): *de dag ~* sleep through the day
doorslikken swallow
doorsmeren lubricate: *de auto laten ~* have the car lubricated
doorsnede 1 section, cross-section, profile: *een ~ van een bol maken* make a cross-section of a sphere 2 *(middellijn)* diameter: *die bal heeft een ~*

van 5 cm this ball has a diameter of 5 cm

doorsnee average, mean

[1]**doorsnijden** *ww* cut, sever; *(in tweeën)* cut in(to) two; *(in tweeën)* bisect: *hij heeft alle banden met zijn familie doorgesneden* he has severed (*of:* cut) all ties with his family

[2]**doorsnijden** *tr* cut (through)

[1]**doorspelen** *intr* play on, continue to play: *het orkest speelde door alsof er niets gebeurd was* the orchestra played on as if nothing had happened

[2]**doorspelen** *tr* pass on, leak: *informatie aan een krant ~* pass on information to a newspaper; *de bal ~ naar …* pass (the ball) to …

doorspoelen 1 *(door iets heen doen gaan)* wash down (*of:* out, through): *je eten ~ met wijn* wash down your food with wine 2 *(reinigen) (leiding)* flush out; *(wc)* flush 3 *(mbt een geluids-, videoband)* wind on

doorspreken discuss, go into (in depth)

doorstaan endure, bear, (with)stand, come through: *een proef ~* come through a test

doorstart 1 *(v vliegtuig)* aborted landing 2 *(econ)* new start; *(na faillissement)* bankruptcy restructuring

[1]**doorstarten** *intr* 1 *(v vliegtuig)* abort a landing 2 *(algem)* start up again

[2]**doorstarten** *intr* start up again

doorsteken stab, run through, pierce; *(met mes)* knife

doorstoten 1 keep on (*of:* continue) pushing 2 *(doordringen, oprukken)* advance, push on (*of:* through); *(ergens doorheen)* break through, burst through: *~ tot de kern van de zaak* get to the heart of the matter

doorstrepen cross out, delete, strike out (*of:* through)

doorstromen 1 *(mbt het onderwijs)* move up, move on 2 flow (through)

doorstroming 1 *(mbt het onderwijs)* moving up, moving on 2 *(mbt bloed; ook verkeer)* flow, circulation: *een vlottere ~ van het verkeer* a freer flow of traffic

doorstuderen continue (with) one's studies

doorsturen send on; *(wegsturen)* send away: *een brief ~* forward a letter; *een patiënt naar een specialist ~* refer a patient to a specialist

doortastend vigorous, bold

doortocht 1 crossing, passage through, way through 2 *(opening, weg)* passage, thoroughfare: *de ~ versperren* block the way through

doortrapt 1 cunning, crafty 2 *(door en door slecht)* base, villainous

[1]**doortrekken** *intr (reizen)* travel through, pass through, journey through, roam: *de verkiezingskaravaan trekt het hele land door* the election caravan is touring the whole country

[2]**doortrekken** *tr* 1 *(verlengen)* extend, continue: *een lijn ~* follow the same line (*of:* course); *een vergelijking ~* carry a comparison (further) 2 *(mbt toilet)* flush

doorverbinden connect; *(telefoon ook)* put through (to)

doorvertellen pass on: *aan niemand ~, hoor!* don't tell anyone else!

doorverwijzen refer

doorweekt wet through, soaked, drenched

[1]**doorwerken** *intr* 1 go (*of:* keep) on working, continue to work, work on; work overtime *(na werktijd): er werd dag en nacht doorgewerkt* they worked night and day 2 *(voortgang maken met werk)* make headway, get on (with the job): *je kunt hier nooit ~* you can never get on with your work here 3 *(invloed hebben (op))* affect sth, make itself felt: *zijn houding werkt door op anderen* his attitude has its effect on others

[2]**doorwerken** *tr* work (one's way) through, get through, go through: *een heleboel stukken door moeten werken* have to plough through a mass of documents

[1]**doorzagen** *intr (vervelend blijven doorpraten)* keep (*of:* go, moan) on (about sth)

[2]**doorzagen** *tr* saw (sth) through, saw in two || *iem over iets blijven ~* force sth down s.o.'s throat, *(scherp ondervragen)* question s.o. closely, grill s.o.

doorzakken 1 sag, give (way) 2 *(veel sterkedrank drinken)* go on drinking (*of:* boozing), make a night of it

[1]**doorzetten** *intr* 1 become stronger, become more intense: *de weeën zetten door* the contractions are increasing (in intensity) 2 *(volharden)* persevere: *nog even ~!* don't give up now!; *van ~ weten* not give up easily

[2]**doorzetten** *tr* 1 *(doen voortgaan)* press (*of:* go) ahead with 2 *(volledig uitvoeren)* go through with: *iets tot het einde toe ~* see sth through

doorzetter go-getter, stayer

doorzettingsvermogen perseverance, drive

doorzichtig 1 transparent; see-through *(kledingstuk): gewoon glas is ~, matglas doorschijnend* plain glass is transparent, frosted glass is translucent 2 *(fig)* transparent, thin, obvious

doorzichtigheid transparency

doorzien see through; be on to *(persoon): hij doorzag haar bedoelingen* he saw what she was up to

doorzoeken search through, go through; ransack *(grondig): zijn zakken ~* turn one's pockets (inside) out

doos box; case *(wijn): (luchtv) de zwarte ~* the black box

dop 1 shell *(eieren, noten);* pod *(peulvruchten);* husk *(zaden, granen)* 2 *((af)sluiting)* cap *(pen, tube);* top 3 *(Belg; inform)* dole, unemployment benefit: *van de ~ leven* be on benefit (*of:* on the dole) || *kijk uit je ~pen!* watch where you're going!

dope dope

dopen 1 sop, dunk (in): *zijn pen in de inkt ~* dip one's pen in the ink 2 *(godsd)* baptize, christen:

iem tot christen ~ baptize s.o. 3 *(Belg)* initiate, rag
doper baptizer: *Johannes de Doper* John the Baptist
doperwt green pea
doping drug(s)
dopingcontrole dope test
dopje cap, top
[1]**doppen** *intr (Belg)* be on benefit, be on the dole
[2]**doppen** *tr* (un)shell; *(bonen, erwten ook)* pod; hull; *(noot, ei ook)* peel; *(zaden, granen)* (un)-husk; *(zaden, granen)* hull
dor 1 barren, arid 2 *(mbt planten)* withered
dorp village; *(Am)* town: *het hele* ~ *weet het* it's all over town
dorpel threshold, doorstep
dorpeling villager; *(mv ook)* village people
dorpsbewoner villager
dorpshuis *(cultureel centrum)* community centre
dorsen thresh
dorst thirst: *ik verga van de* ~ I'm dying of thirst
dorstig thirsty, parched
doseren dose
dosering quantity; *(van geneesmiddel)* dose; dosage
dosis dose, measure: *een flinke* ~ *gezond verstand* a good measure of common sense
dossier file, documents, records: *een* ~ *bijhouden van iets (iem)* keep a file on sth (s.o.)
dot tuft: *een flinke* ~ *slagroom* a dollop of cream
douane customs
douanebeambte customs officer
douanerechten customs duties
double double
doubleren repeat (a class)
doubleur *(ongev)* non-promoted pupil
douche shower: *(fig) een koude* ~ a rude awakening
douchen shower, take *(of:* have) a shower
douwen shove, push; crowd *(opzij)*
dove deaf person
doven *(blussen, uitdoen)* extinguish, put out; turn out, turn off *(licht)*
dovenetel dead nettle
doveninstituut institute for the deaf
doventaal sign language
downloaden *(comp)* download
dozijn dozen: *een* ~ *eieren* one dozen eggs
draad 1 thread *(ook schroeven; fig)*; fibre: *tot op de* ~ *versleten* worn threadbare; *de* ~ *weer opnemen* pick up the thread; *de* ~ *kwijt zijn* flounder *(spreken)* 2 *(vezel)* fibre; string *(vlees, peulen)*
draadje 1 thread, strand, fibre: *aan een zijden* ~ *hangen* hang by a thread; *er zit een* ~ *los bij hem* he has a screw loose 2 *(stukje draad)* wire, piece of wiring
draadloos wireless: *draadloze telefoon* cellular (tele)phone
draagbaar portable, transportable
draagmoeder surrogate mother
draagstoel sedan (chair)
draagvlak *(lett)* bearing surface, basis; support *(ook fig): het maatschappelijk* ~ *van een wetsontwerp* the public support for a bill
draai 1 turn, twist, bend: *een* ~ *van 180° maken* make an about-turn 2 *(slag)* turn, twist; screw *(schroef): iem een* ~ *om de oren geven* box s.o.'s ears || *hij kon zijn* ~ *niet vinden* he couldn't settle down
draaibaar revolving, rotating, swinging: *een draaibare (bureau)stoel* a swivel chair
draaiboek script, screenplay, scenario
draaicirkel turning circle
draaideur revolving door
[1]**draaien** *intr* 1 turn (around), revolve, rotate; *(planeten)* orbit; *(om as)* pivot: *een ~de bal* a spinning ball; *in het rond* ~ turn round, spin round; *daar draait het om* that's what it's all about 2 *(wenden)* turn, swerve: *de wind draait* the wind is changing 3 *(mbt bedrijf, winkel)* work, run, do: *met winst* (of: *verlies*) ~ work at a profit *(of:* loss) || *die film draait nog steeds* that film is still on; *aan de knoppen* ~ turn the knobs; *er omheen* ~ evade the question
[2]**draaien** *tr* 1 turn (around); *(snel)* twirl; spin: *het gas hoger* (of: *lager*) ~ turn the gas up *(of:* down); *een deur op slot* ~ lock a door 2 *(andere richting geven aan)* turn (around), swerve 3 roll; turn *(op draaibank): een film* ~ shoot a film 4 *(mbt telefoonnummer)* dial 5 *(afspelen)* play: *een film* ~ show a film || *een nachtdienst* ~ work a night shift
draaierig dizzy
draaihek turnstile, swing gate
draaikolk whirlpool
draaikruk revolving stool
draaimolen merry-go-round
draaiorgel barrel organ; hand organ *(draagbaar): de orgelman speelde zijn* ~ the organgrinder was grinding his barrel organ
draaischijf 1 *(van telefoon)* dial 2 *(van pottenbakker)* potter's wheel
draaistoel swivel chair, revolving chair
draaitafel turntable
draak dragon
drab 1 dregs, sediment 2 *(mbt vloeistof)* ooze
drachme drachma
dracht 1 *(zwangerschap)* gestation; pregnancy *(mensen)* 2 *(mbt kleren)* costume, dress
drachtig with young, bearing: ~ *zijn* be with young
draf trot: *in volle* ~ at full trot; *op een ~je lopen* run along, trot
[1]**dragen** *intr* rest on, be supported: *een ~de balk* a supporting beam
[2]**dragen** *tr* 1 support, bear, carry; *(fig ook)* sustain: *iets bij zich* ~ have sth on one 2 *(aan, op, in hebben)* wear, have on: *die schoenen kun je niet bij die jurk* ~ those shoes don't go with that dress 3 *(op zich nemen)* take, have: *de gevolgen* ~ bear

(*of:* take) the consequences 4 *(verduren)* bear, endure: *de spanning was niet langer te ~* the tension had become unbearable

drager bearer *(ook begrafenis);* carrier *(ook van ziekte)*

dralen linger, hesitate

drama 1 tragedy, drama: *de Griekse ~'s* the Greek tragedies; *een ~ opvoeren* perform a tragedy 2 *(droevige gebeurtenis)* tragedy, catastrophe || *een ~ van iets maken* make a drama of sth

dramatisch 1 dramatic: *~e effecten* theatrical effects 2 *(aangrijpend) (rampzalig)* tragic; *(overdreven)* theatrical: *doe niet zo ~* don't make such a drama of it

dramatiseren 1 dramatize, make a drama of 2 *(voor het toneel)* dramatize; *(roman ook)* adapt for the stage

drammen nag, go on

drammerig nagging, insistent, tiresome

drang 1 urge, instinct: *de ~ tot zelfbehoud* the survival instinct 2 *(het dringen)* pressure, force: *met zachte ~* with gentle insistence

dranghek barrier

drank drink; *(op menu)* beverage: *alcoholhoudende ~en* alcoholic beverages; *(Belg) korte ~* spirits, liquor

drankgebruik consumption of alcohol, drinking

drankje drink: *een ~ klaarmaken* mix a drink

drankmisbruik alcohol abuse

drankorgel drunk(ard), hard drinker

drankprobleem alcohol problem, drinking problem

drankvergunning liquor licence

drankwinkel off-licence; *(Am)* liquor store

draperen drape

drassig boggy, swampy

drastisch drastic: *de prijzen* (of: *belastingen*) *~ verlagen* slash prices (*of:* taxes)

draven 1 *(mbt paarden)* trot 2 *(mbt mensen)* hurry about

dreef 1 (met *op*) in form, in one's stride: *niet op ~ zijn* be off form; *hij is aardig* (of: *geweldig*) *op ~* he's in good (*of:* splendid) form 2 *(laan)* avenue, lane

dreggen drag

dreigement threat

[1]**dreigen** *intr* 1 threaten, menace: *~ met straf* threaten punishment 2 *(gevaar lopen, op het punt staan)* threaten, be in danger: *de vergadering dreigt uit te lopen* the meeting threatens to go on longer than expected

[2]**dreigen** *tr* threaten

dreigend 1 threatening, ominous, menacing: *iem ~ aankijken* scowl at s.o. 2 *(aanstaand)* imminent, threatening

dreiging threat, menace

drek dung, muck; *(mest)* manure

drempel 1 threshold, doorstep 2 *(psych)* threshold, barrier

drenkeling drowning person; *(reeds verdronken)* drowned body (*of:* person)

drenken drench, soak, saturate

drentelen saunter, stroll

dresscode dress code

dresseren train

dresseur (animal) trainer

dressoir sideboard, buffet

dressuur training, drilling; *(paarden)* dressage; *(paarden)* schooling

dreumes toddler, tot

dreun 1 boom, rumble; *(lang en eentonig)* drone: *er klonk een doffe ~* there was a dull boom (*of:* rumble) 2 *(eentonig ritme)* drone, monotone 3 *(harde klap)* blow, thump: *iem een ~ verkopen (geven)* sock s.o. one

dreunen 1 hum, drone, rumble: *het hele huis dreunt ervan* the whole house is rocking with it 2 *(dof en zwaar)* boom, crash, thunder, roar: *hij sloeg de deur ~d dicht* he slammed the door shut

dribbelen dribble

drie three; *(data)* third: *een auto in z'n ~ zetten* put a car into third gear; *met ~ tegelijk* in threes; *zij waren met hun ~ën* there were three of them; *het is tegen* (of: *bij*) *~ën* it's almost three o'clock; *met 3-0 verliezen* lose by three goals to nil

driedaags three-day

driedelig tripartite *(ook biol);* three-piece *(kostuum)*

driedimensionaal three-dimensional

driedubbel 1 threefold, triple 2 *(driemaal zo groot)* treble, triple

driegen *(Belg)* baste, tack

driehoek triangle

driehoekig triangular, three-cornered

driehonderd three hundred

driejarig 1 *(drie jaar oud)* three-year-old: *op ~e leeftijd* at the age of three 2 *(drie jaar durend)* three-year

driekleur tricolour

Driekoningen (feast of (the)) Epiphany, Twelfth Night

driekwart three-quarter: *(voor) ~ leeg* three parts empty; *(voor) ~ vol* three-quarters full

driekwartsmaat three-four (time)

drieling (set of) triplets: *de geboorte van een ~* the birth of triplets

driemaal three times: *~ zo veel (groot) geworden* increased threefold; *~ is scheepsrecht* third time lucky

driemaandelijks quarterly, three-monthly: *een ~ tijdschrift* a quarterly

driemaster three-master

driepoot tripod

driesprong three-forked road

drietal threesome, trio, triad

drietand 1 trident: *de ~ van Neptunus* Neptune's trident 2 *(mestvork)* three-pronged, three-tined fork

drietjes the three of …: *wij ~* the three of us, we three; *ze kwamen met z'n ~* three of them came
drievoud 1 treble, triplicate: *een formulier in ~ ondertekenen* sign a form in triplicate **2** *(door drie deelbaar)* multiple of three
drievoudig treble, triple: *we moesten het ~e (bedrag) betalen* we had to pay three times as much
driewieler tricycle; *(auto)* three-wheel car
driezijdig three-sided, triangular
drift 1 (fit of) anger, (hot) temper, rage: *in ~ ontsteken* fly into a rage **2** *(neiging, begeerte)* passion, urge **3** *(het drijven)* drift
driftbui fit *(of:* outburst) of anger
[1]**driftig** *bn* **1** angry, heated: *je moet je niet zo ~ maken* you must not lose your temper **2** *(opvliegend)* short-tempered
[2]**driftig** *bw* **1** angry, hot-headed: *~ spreken* speak in anger **2** *(heftig)* vehement, heated: *hij stond ~ te gebaren* he was making vehement gestures; *zij maakte ~ aantekeningen* she was busily taking notes
driftkop hothead
drijfkracht 1 driving power, motive power *(of:* force); *(stuwkracht)* drive **2** driving force, moving spirit
drijfnat soaking wet, sopping wet, drenched, soaked
drijfveer motive, mainspring
drijfzand quicksand(s)
[1]**drijven** *intr* **1** float, drift: *het pakje bleef ~* the package remained afloat **2** *(zweven)* float, drift, glide **3** *(doornat zijn)* be soaked: *~ van het zweet* be dripping with sweat
[2]**drijven** *tr* **1** *(voor zich uit doen gaan)* drive, push, move: *de menigte uit elkaar ~* break up the crowd **2** *(bewegen tot)* drive, push, compel: *iem tot het uiterste ~* push s.o. to the extreme **3** *(bedrijven)* run, conduct, manage: *handel ~ met een land* trade with a country; *de spot met iem ~* make fun of s.o. **4** *(in beweging brengen)* drive; propel *(machine)*; operate: *door stoom gedreven schepen* steam-driven *(of:* steam-propelled) ships
drijvend floating, drifting; *(predicatief ook)* afloat
drijver 1 driver; drover *(van vee)*; beater *(jacht)* **2** *(voorwerp dat drijft)* float: *~s van een watervliegtuig* floats of a seaplane
drilboor drill
drillen drill
[1]**dringen** *intr* **1** push, shove, penetrate: *hij drong door de menigte heen* he pushed *(of:* elbowed, forced) his way through the crowd; *naar voren ~* push forward **2** *(voorwaartse druk uitoefenen)* push, press: *het zal wel ~ worden om een goede plaats* we'll probably have to fight for a good seat **3** *(druk doen gelden)* press, urge, compel: *de tijd dringt* time is short
[2]**dringen** *tr* push, force
[1]**dringend** *bn* **1** urgent *(behoefte, telegram, verzoek)*; pressing *(behoefte, bezigheden)*; acute; dire *(nood)* **2** *(met aandrang)* urgent; earnest *(verzoek)*; insistent, pressing: *op ~ verzoek van* at the urgent request of
[2]**dringend** *bw (onmiddellijk)* urgently, acutely, direly: *ik moet u ~ spreken* I must speak to you immediately
drinkbaar *(smakelijk)* drinkable; *(ongevaarlijk)* potable
drinken 1 drink; sip *(met kleine teugjes)*: *wat wil je ~?, wat drink jij?* what are you having?, what'll it be?; *ik drink op ons succes* here's to our success! **2** *(opzuigen)* soak (up) **3** *(alcohol drinken)* drink: *te veel ~* drink (to excess)
drinker drinker
drinkplaats watering place
drinkwater drinking water, potable water
drinkyoghurt drinking yoghurt
droef sad, sorrowful
droefheid sorrow, sadness, grief
[1]**droevig** *bn* **1** sad, sorrowful, miserable **2** *(van droefheid getuigend)* sad, melancholy: *een ~e blik* a sad *(of:* melancholy) look **3** *(tot droefheid stemmend)* depressing, saddening: *een ~ lied* a sad *(of:* melancholy) song **4** *(bedroevend)* depressing, miserable
[2]**droevig** *bw* **1** sadly, dolefully, sorrowfully **2** *(bedroevend)* depressingly, pathetically: *het is ~ gesteld met hem* he's in a distressing situation
[1]**drogen** *intr* dry: *de was te ~ hangen* hang out the laundry to dry
[2]**drogen** *tr* dry, air; *(door vegen)* wipe: *iets laten ~* leave sth to dry
droger drier
drogist 1 chemist **2** *(winkel)* chemist's
drogisterij chemist's
drol turd
drom crowd, horde, throng
dromedaris dromedary, (Arabian) camel
[1]**dromen** *intr* **1** dream **2** *(mijmeren)* (day)dream, muse
[2]**dromen** *tr* dream, imagine
dromer dreamer, stargazer, rainbow chaser
[1]**dromerig** *bn* **1** dreamy, faraway **2** *(als een droom)* dreamy, dreamlike, illusory: *een ~e sfeer* a dreamlike feeling
[2]**dromerig** *bw* dreamily: *~ uit zijn ogen kijken* gaze dreamily
dronk 1 toast **2** *(het drinken)* drinking
dronken drunken, drunk: *de wijn maakt hem ~* the wine is making him drunk
dronkenlap drunk
dronkenman drunk
dronkenschap drunkenness, intoxication, inebriety: *in kennelijke staat van ~ (verkeren)* (be) under the influence of drink
droog dry; *(klimaat)* arid; *(vruchten, enz. ook)* dried out: *hij zit hoog en ~* he is sitting high and dry

droogbloem dried flower
droogdoek tea towel
droogkap (hair)dryer (hood)
droogkuis *(Belg)* dry-cleaning
droogleggen reclaim; *(vnl. mbt Nederland)* impolder
droogte dryness; aridity *(mbt klimaat);* drought *(mbt weer)*
droogtrommel dryer, drying machine, tumble(r) dryer
droogzwemmen 1 practise swimming on (dry) land 2 *(oefenen)* do a dry run
droogzwierder *(Belg)* spin-dryer
droom dream, fantasy: *het meisje van zijn dromen* the girl of his dreams; *een natte* ~ a wet dream || *iem uit de* ~ *helpen* disillusion (*of:* disenchant) s.o.
droomprins Prince Charming
droomwereld dream-world, fantasy world, fool's paradise
drop liquorice: *Engelse* ~ liquorice all-sorts
droppen drop off
dropping drop
drug drug, narcotic: *handelen in ~s, ~s verkopen* deal in (*of:* sell) drugs
drugsbeleid drug policy, policy on drugs
drugsdealer (drug) dealer, pusher
drugsgebruik use of drugs, drug abuse
drugshandel dealing (in drugs), drug trade
drugshandelaar drug trafficker, drug dealer
drugsrunner drug trafficker
drugsverslaafde drug addict, junkie
druïde druid
druif grape: *een tros druiven* a bunch of grapes
druilerig drizzly
druiloor mope(r)
druipen drip, trickle
druipnat soaking wet, soaked through
druipsteen stalactite; *(hangend)* stalagmite *(staand)*
druivenoogst grape harvest, vintage
druivensap grape-juice
druivensuiker grape sugar, dextrose
[1]**druk** *zn* 1 pressure: ~ *uitoefenen (op)* exert pressure (on) 2 strain, stress 3 *(oplage)* edition: *een herziene* ~ a revised edition
[2]**druk** *bn* 1 busy, demanding, active, lively: *een ~ke baan* a demanding job; *een* ~ *leven hebben* lead a busy life 2 *(luidruchtig)* active, lively, boisterous: *~ke kinderen* boisterous children; *zich* ~ *maken over iets* worry about sth
[3]**druk** *bw* 1 busily: ~ *bezet* busy; ~ *bezig zijn (met iets)* be very busy (with, doing sth) 2 *(opgewonden)* busily, noisily, excitedly
drukfout misprint, printing error, erratum
[1]**drukken** *intr* press, push
[2]**drukken** *tr* 1 push, press: *iem de hand* ~ shake hands with s.o. 2 force: *iem tegen zich aan* ~ hold s.o. close (to oneself) 3 *(omlaag brengen)* push down: *de prijzen* (of: *kosten*) ~ keep down prices (*of:* costs) 4 print: *10.000 exemplaren van een boek* ~ print (*of:* run off) 10,000 copies of a book 5 *(stempelen)* stamp, impress
drukkend 1 oppressive, heavy, burdensome 2 *(broeierig)* sultry; *(benauwd)* close
drukker printer
drukkerij printer, printing office (*of:* business), printer's
drukkingsgroep *(Belg) (pressiegroep)* pressure group
drukknoop press stud, press fastener, popper
drukknop push-button
drukletter 1 *(geschreven)* (block, printed) letter 2 type, letter
drukpers printing press
drukproef proof, galley (proof), printer's proof
drukte 1 busyness, pressure (of work): *door de* ~ *heb ik de bestelling vergeten* it was so busy (*of:* hectic) I forgot the order 2 bustle, commotion, stir: *de* ~ *voor Kerstmis* the Christmas rush 3 fuss, ado: *veel* ~ *over iets maken* make a big fuss about sth
druktemaker noisy (*of:* rowdy) person, show-off
druktoets (push-)button
drukwerk *(mbt post)* printed matter (*of:* papers)
drum drum
drumband drum band
drummer drummer
drumstel drum set, (set of) drums
druppel drop(let); bead *(o.a. zweet): alles tot de laatste* ~ *opdrinken* drain to the (very) last drop
druppelen drip, trickle, ooze: *iets in het oog* ~ put drops in one's eye
ds. *afk van dominee* (the) Rev(erend)
[1]**dubbel** *bn* 1 double, duplicate, dual: *een ~e bodem* a double (*of:* hidden) meaning 2 double (the size), twice (as big) || *een* ~ *leven leiden* lead a double life
[2]**dubbel** *bw* 1 double, twice: *ik heb dat boek* ~ I have two copies of that book; ~ *liggen (bijv. vh lachen)* be doubled up 2 doubly, twice: *dat is* ~ *erg* that's twice as bad; *hij verdient het* ~ *en dwars* he deserves every bit of it
dubbelboeking double booking
dubbel-cd double CD
dubbeldekker double-deck(er) (bus)
dubbelepunt colon
dubbelganger double, lookalike, doppelgänger
dubbelklikken double-click
dubbelnummer double issue
dubbelop double
dubbelrol double role, twin roles
dubbelspel *(sport)* doubles
dubbelspion double agent
dubbeltje ten-cent piece: *zo plat als een* ~ (as) flat as a pancake
dubbelvouwen fold in two, bend double (*of:* in two)

dubbelzinnig 1 ambiguous: *een ~ antwoord* an ambiguous (*of:* evasive) answer 2 *(mbt obscene toespelingen)* suggestive, with a double meaning
dubbelzinnigheid 1 ambiguity 2 ambiguous remark; *(met seksuele bijbetekenis(sen))* suggestive remark
dubben brood, ponder: *~ over iets* brood about sth
dubieus 1 dubious, doubtful 2 *(onbetrouwbaar ook)* dubious, questionable
duchten fear
duel duel, fight, single combat
duelleren duel, fight
duet duet, duo
duf 1 musty, stuffy, mouldy: *het rook daar ~* it smelled musty 2 *(fig)* stuffy, stale
dug-out dugout
duidelijk 1 clear, clear-cut, plain: *zich in ~e bewoordingen (taal) uitdrukken* speak plainly; *ik heb hem ~ gemaakt dat …* I made it clear to him that …; *om ~ te zijn, om het maar eens ~ te zeggen* to put it (quite) plainly 2 *(goed waarneembaar)* clear, distinct, plain: *een ~e voorkeur hebben voor iets* have a distinct preference for sth; *~ zichtbaar* (of: *te merken*) *zijn* be clearly visible (*of:* noticeable)
duidelijkheid clearness, clarity, obviousness
duiden 1 point (to, at) 2 point (to), indicate: *verschijnselen die op tuberculose ~* symptoms that indicate tuberculosis
duif pigeon, dove
duik dive, diving, plunge: *een ~ nemen (gaan zwemmen)* take a dip
duikboot submarine; *(inform)* sub; *(hist)* U-boat
duikbril diving goggles
duikelen 1 (turn a) somersault, go (*of:* turn) head over heels, tumble 2 *(vallen)* (take a) tumble, fall head over heels 3 *(dalen)* drop, dive; *(van koersen ook)* plunge (downward)
duikeling 1 somersault, roll 2 *(val)* fall, tumble
duiken 1 dive, plunge, duck, go under; *(onderzeeër ook)* submerge: *(sport) naar een bal ~* dive for (*of:* after) a ball 2 *(zich in iets verbergen)* duck (down, behind): *in een onderwerp ~* go (deeply) into a subject
duiker *(persoon)* diver
duikerpak wetsuit, diving suit
duiksport diving
duim 1 thumb: *de ~ opsteken* give the thumbs up; *onder de ~ houden* keep under one's thumb 2 *(lengtemaat)* inch || *(Belg) de ~en leggen* surrender, throw in the sponge; *iets uit zijn ~ zuigen* dream sth up
duimen 1 keep one's fingers crossed 2 *(duimzuigen)* suck one's thumb
duimpje: *Klein Duimpje* Tom Thumb; *iets op zijn ~ kennen* know sth like the back of one's hand *(stad e.d.)*, know sth (off) by heart *(les e.d.)*
duimschroef thumbscrew: *(iem) de duimschroeven aandraaien* tighten the screws (on s.o.), turn on the heat on (s.o.)
duimstok folding ruler
duin (sand) dune, sand hill
Duinkerken Dunkirk
[1]**duister** *zn* dark, darkness: *in het ~ tasten* be in the dark
[2]**duister** *bn, bw* 1 dark; *(somber)* gloomy; *(fig)* dim; black 2 *(louche)* shady, dubious
duisternis darkness, dark
duit: *ook een ~ in het zakje doen* put in a word
Duits German || *~e herdershond* Alsatian
Duitse German woman, German girl: *zij is een ~* she is German
Duitser German
Duitsland Germany
Duitstalig 1 German-speaking 2 *(in het Duits)* German
duivel 1 *(godsd)* devil 2 demon
duivels 1 diabolic(al), devilish, demonic: *een ~ plan* a diabolical plan 2 *(woedend)* livid, (raving) mad, furious
duivelskunstenaar wizard
duiveltje imp, little devil
duivenhok dovecote
duivenmelker pigeon fancier; *(van postduiven)* pigeon flyer
duiventil dovecote, pigeon house
duizelen become dizzy, reel: *het duizelt mij* my head is spinning (*of:* swimming)
duizelig dizzy (with), giddy (with): *de drukte maakte hem ~* the crowds made his head spin
duizeligheid dizziness
duizeling dizziness, dizzy spell; *(med)* vertigo: *soms last hebben van ~en* suffer from dizzy spells
duizelingwekkend dizzy, giddy; *(enorm ook)* staggering
duizend (a, one) thousand: *~ pond* (of: *dollar*) a thousand pounds (*of:* dollars); *dat werk heeft (vele) ~en gekost* that work cost thousands; *~ tegen één* a thousand to one; *hij is er één uit ~(en)* he is one in a thousand
Duizend-en-een-nacht the Thousand and One Nights, the Arabian Nights
duizendpoot 1 centipede 2 *(persoon)* jack of all trades
duizendste thousandth
duizendtal 1 thousand 2 *(mv) (cijfers)* thousands
dukaat ducat
dulden 1 endure, bear, put up with: *geen tegenspraak ~* not bear being contradicted 2 *(toelaten)* tolerate, permit, allow: *de leraar duldt geen tegenspraak* the teacher won't put up with any contradiction
dumpen dump
[1]**dun** *bn* 1 thin; *(boom, taille ook)* slender; *(haar, stof ook)* fine: *~ne darm* small intestine 2 *(niet dicht opeen)* sparse, light, fine, scant 3 *(vloeibaar)* thin, light, runny

[2]**dun** *bw* thinly, sparsely, lightly; *(kleingeestig)* meanly

dunbevolkt thinly populated, sparsely populated

dunk 1 opinion 2 *(basketbal)* dunk (shot)

duo duo, pair

duobaan shared job

dupe victim, dupe: *wie zal daar de ~ van zijn?* who will be the one to suffer for it? (*of:* pay for it?)

duperen let down, fail

duplicaat duplicate (copy), transcript, facsimile

duren last, take, go on: *het duurt nog een jaar* it will take another year; *het duurde uren* (of: *eeuwen, een eeuwigheid*) it lasted hours (*of:* ages, an eternity); *het duurt nog wel even (voor het zover is)* it will be a while yet (before that happens); *de tentoonstelling duurt nog tot oktober* the exhibition runs until October; *zolang als het duurt* as long as it lasts

durf daring, nerve, guts

durven dare, venture (to, upon): *hoe durf je!* how dare you!; *als het erop aan kwam durfde hij niet* he got cold feet when it came to the crunch

dus so, therefore, then: *ik kan ~ op je rekenen?* I can count on you then?

dusdanig so, in such a way (*of:* manner); *(dermate)* to such an extent

dusver: *tot ~* so far, up to now; *tot ~ is alles in orde* so far so good

dutje nap, snooze, forty winks

duts *(Belg)* duffer, dunce

dutten (take a) nap, snooze

[1]**duur** *zn* duration, length; *(mbt apparatuur)* life; *(mbt gevangenisstraf, ambt)* term: *van korte ~* short-lived; *op de lange ~* in the long run, finally

[2]**duur** *bn* expensive, dear, costly: *die auto is ~ (in het gebruik)* that car is expensive to run; *hoe ~ is die fiets?* how much is that bicycle?; *dat is te ~ voor mij* I can't afford it

[3]**duur** *bw* expensively, dearly: *iets ~ betalen* pay a high price for sth, pay dearly for sth

duursport endurance sport

[1]**duurzaam** *bn* 1 durable; hard-wearing *(materialen);* (long-)lasting; enduring *(vrede, vriendschap);* permanent: *duurzame kleuren* permanent (*of:* fast) colours; *duurzame verbruiksgoederen* durable consumer goods 2 *(voortdurend)* permanent, (long-)lasting: *voor ~ gebruik* for permanent use

[2]**duurzaam** *bw* permanently, durably: *~ gescheiden* permanently separated

duurzaamheid durability, endurance; *(van product)* (useful, service) life

duw push, shove; *(zacht)* nudge; *(met scherp voorwerp)* poke; *(met scherp voorwerp)* jab; *(met scherp voorwerp)* dig: *hij gaf me een ~ (met de elleboog)* he nudged me; *de zaak een ~tje geven* help the matter along; *iem een ~tje (omhoog, in de rug) geven* give s.o. a boost

duwboot pusher tug

[1]**duwen** *intr* press, push, jostle: *een ~de en dringende massa* a jostling crowd

[2]**duwen** *tr* 1 push; *(hardhandig)* shove; *(iets op wielen ook)* wheel: *een kinderwagen ~* wheel (*of:* push) a pram 2 *(ergens brengen)* push, thrust, shove; *(zacht)* nudge: *iem opzij ~* push (*of:* elbow) s.o. aside

dvd DVD

dvd-recorder DVD recorder

dvd-speler DVD player

dwaalspoor wrong track, false scent: *iem op een ~ brengen* mislead (*of:* misguide) s.o.

[1]**dwaas** *zn* fool, idiot, ass, dope, dummy, nincompoop

[2]**dwaas** *bn* foolish, silly, stupid: *een ~ idee* a crazy idea

[3]**dwaas** *bw* foolishly, stupidly, crazily

dwaasheid foolishness, folly, stupidity

dwalen 1 stray, wander 2 *(zonder doel)* wander, roam: *wij dwaalden twee uur in het bos* we wandered through the forest for two hours 3 *(mbt blikken, gedachten)* stray, travel

dwaling error, mistake: *een rechterlijke ~* a miscarriage of justice

dwang compulsion, coercion; *(geweld)* force; *(verplichting)* obligation; *(druk)* pressure: *met zachte ~* by persuasion

dwangarbeid hard labour, forced labour

dwangarbeider convict

dwangbuis straitjacket

dwarrelen whirl *(snel);* twirl; swirl *(ook snel);* flutter *(bladeren)*

dwars transverse, diagonal, crosswise: *~ tegen iets ingaan* go right against sth; *ergens ~ doorheen gaan* go right through (*of:* across) sth; *~ door het veld* straight across the field; *~ door iem heen kijken* look straight through s.o.

dwarsbeuk transept

dwarsbomen thwart *(plannen);* frustrate

dwarsdoorsnede cross-section

dwarsfluit flute

dwarslaesie spinal cord lesion; *(het gevolg)* paraplegia

dwarsliggen be obstructive, be contrary, be a troublemaker

dwarsstraat side street: *ik noem maar een ~* just to give an example

dwarszitten cross, thwart, hamper: *iem ~* frustrate s.o.('s plans); *wat zit je dwars?* what's worrying (*of:* bugging) you?

dweil (floor-)cloth, rag; *(op stok)* mop

dweilen mop (down); mop (up) *(vloeistof): dat is ~ met de kraan open* it's like swimming against the tide

dweilorkest Carnival band, Oompah band

dwepen be enthusiastic: *~ met* be enthusiastic about

dwerg 1 *(in fabel)* gnome, dwarf, elf: *Sneeuwwit-*

je en de zeven ~en Snow White and the Seven Dwarfs **2** *(klein mens)* dwarf, midget

dwingen force, compel, oblige, coerce, make (s.o. do sth): *hij was wel gedwongen (om) te antwoorden* he was obliged to answer; *iem ~ een overhaast besluit te nemen* rush s.o. into making a hasty decision; *niets dwingt je daartoe* you are not obliged to do it; *iem ~ tot gehoorzaamheid* force s.o. to obey

[1]**dwingend** *bn* compelling, compulsory: *~e redenen* compelling reasons

[2]**dwingend** *bw* authoritatively: *iem iets ~ voorschrijven* make sth compulsory for s.o.

d.w.z. *afk van dat wil zeggen* i.e.

dynamica dynamics

dynamiek dynamics, vitality, dynamism

dynamiet dynamite

dynamisch dynamic, energetic, forceful

dynamo dynamo, generator

dynastie dynasty

dysenterie dysentery

dyslectisch dyslexic

dyslexie dyslexia

e

e e, E: *E groot* (of: *klein*) E major (*of*: minor)
e.a. *afk van en andere(n)* et al.
eau de cologne cologne, eau de Cologne
eau de toilette eau de toilette, toilet water
eb 1 ebb(-tide), outgoing tide: *het is eb* the tide is out **2** *(laag getijde)* low tide
ebbenhout ebony
echo echo, reverberation; *(radar)* blip: *de ~ weerkaatste zijn stem* his voice was echoed
echoën echo, reverberate, resound, ring
echoscopie ultrasound scan
[1]echt *bn* **1** real, genuine; *(handtekening, document)* authentic; *(waarlijk)* true; *(waarlijk)* actual: *een ~e vriend* a true (of: real) friend **2** *(alle kenmerken vertonend)* real, regular, true (blue, born): *het is een ~ schandaal* it's an absolute scandal **3** *(wettig)* legitimate
[2]echt *bw* **1** *(werkelijk)* really, truly, genuinely, honestly: *dat is ~ Hollands* that's typically Dutch; *dat is ~ iets voor hem* that's him all over; *ik heb het ~ niet gedaan* I honestly didn't do it **2** *(onvervalst)* real, genuine(ly)
echtelijk conjugal, marital: *een ~e ruzie* a domestic quarrel
echter however, nevertheless, yet, but: *dat is ~ niet gebeurd* however, that did not happen
echtgenoot husband: *de aanstaande echtgenoten* the husband and wife to be
echtgenote wife
echtheid authenticity, genuineness
echtpaar married couple: *het ~ Keizers* Mr and Mrs Keizers
echtscheiding divorce
eclips eclipse
ecologie ecology
ecologisch ecological; *(van landbouwmethoden)* biological
econometrie econometry
economie 1 *(staathuishoudkundig bestuur)* economy **2** *(zuinigheid, bezuiniging)* economy, frugality, thrift **3** *(wetenschap)* economics, political economy
economisch 1 *(spaarzaam, zuinig)* economical, frugal, thrifty **2** *(mbt economische wetenschap)* economic: *de ~e aspecten van het uitgeversbedrijf* the economics of publishing
econoom economist
ecosysteem eco system
ecu *(European currency unit)* ecu
Ecuador Ecuador
eczeem eczema
e.d. *afk van en dergelijke* and the like
edammer Edam (cheese)
edel 1 *(van adel)* noble, aristocratic: *van ~e geboorte* high-born **2** *(in zedelijk opzicht)* noble, magnanimous
edelachtbaar: *Edelachtbare* Your Honour
edelgas inert gas
edelhert red deer
edelman noble, nobleman, peer
edelmetaal precious metal
edelmoedig noble, generous, magnanimous
edelmoedigheid generosity, magnanimity, nobility
edelsteen precious stone, gem(stone)
Eden Eden
editie edition; *(van krant, weekblad ook)* issue; version
educatie education
educatief educational
eed oath, vow: *iets onder ede verklaren* declare sth on oath
eeg *afk van elektro-encefalogram* EEG
EEG *afk van Europese Economische Gemeenschap* EEC
eekhoorn squirrel
eekhoorntjesbrood cep, boletus
eelt hard skin; *(vnl. van plek)* callus
[1]een *lw* **1** a; *(voor klinkerklank)* an: *op ~ (goeie) dag* one (fine) day; *neem ~ Oprah Winfrey* take s.o. like an Oprah Winfrey **2** *(ongeveer)* a, some: *over ~ dag of wat* in a few days **3** *(in uitroepen)* a, some: *wat ~ mooie bloemen!* what beautiful flowers!; *wat ~ idee!* what an idea!
[2]een *telw; met klemtoon* one: *het ~ en ander* this and that; *van het ~ komt het ander* one thing leads to another; *op één dag* in one day, on the same day; *~ en dezelfde* one and the same; *de weg is ~ en al modder* the road is nothing but mud; *op ~ na de laatste* the last but one; *op ~ na de beste* the second best; *~ voor ~* one by one, one at a time || *~ april* April Fools' Day; *hij gaf hem er ~ op de neus* he gave him one on the nose; *geef me er nog ~* give me another (one), give me one more; *zich ~ voelen met de natuur* be at one with nature
eenakter one-act play
eencellig unicellular, single-celled
eend 1 duck; *(jong)* duckling; *(woerd)* drake: *zich een vreemde ~ in de bijt voelen* feel the odd man out **2** (Citroën) 2 CV, deux-chevaux
eendagsvlieg 1 *(insect)* mayfly **2** nine days' wonder
eendenkroos duckweed
[1]eender *bn* (the) same; *(alleen na ww)* alike; equal: *geen twee mensen zijn ~* no two people are alike

[2]**eender** *bw* alike, equally
eendje duckling
eendracht harmony, concord
eenduidig unequivocal, unambiguous
eeneiig monovular, monozygotic: *een ~e tweeling* identical twins
eenentwintigen play blackjack *(of:* pontoon)
eengezinswoning (small) family dwelling
eenheid 1 unity, oneness; *(gelijkvormigheid)* uniformity: *de ~ herstellen* (of: *verbreken*) restore (*of:* destroy) unity **2** *(maat, hoeveelheid, grootheid)* unit: *eenheden en tientallen* units and tens **3** *(een afgerond geheel)* unit, entity: *de mobiele ~* riot police; *een (hechte, gesloten) ~ vormen* form a (tight, closed) group
eenheidsprijs 1 *(per eenheid)* unit price, price per unit **2** *(voor alle artikelen)* uniform price
eenhoorn unicorn
eenjarig 1 one-year(-old), yearling **2** *(één jaar durend)* one-year('s): *een ~e plant* an annual
eenkennig shy
eenling (solitary) individual, lone wolf, loner
eenmaal 1 once, one time: *~, andermaal, voor de derdemaal, verkocht* going, going, gone! **2** *(ooit, eens) (verleden)* once; *(toekomst)* one day; some day: *als het ~ zover komt* if it ever comes to it **3** *(niets aan te veranderen)* just, simply: *dat is nu ~ zo* that's just the way it is; *ik ben nu ~ zo* that's the way I am
eenmalig once-only, one-off: *een ~ optreden (concert)* a single performance
eenmanszaak one-man business
eenoudergezin single-parent family
eenpersoonsbed single bed
eenpersoonskamer single room; *(inform)* single
eenrichtingsverkeer one-way traffic: *straat met ~* one-way street
[1]**eens** *bn (van dezelfde mening)* agreed, in agreement: *het over de prijs ~ worden* agree on a (*of:* about the) price; *het niet ~ zijn met iem* disagree with s.o.
[2]**eens** *bw* **1** *(eenmaal)* once: *voor ~ en altijd* once and for all; *~ in de week* (of: *drie maanden*) once a week (*of:* every three months) **2** *(toekomst)* some day, one day; sometime; *(verleden)* once: *kom ~ langs* drop in (*of:* by) sometime; *er was ~* once upon a time there was **3** *(ter versterking)* just: *denk ~ even (goed) na* just think (carefully); *niet ~ tijd hebben om* not even have the time to; *nog ~* once more, (once) again
eensgezind unanimous, united; concerted *(acties, pogingen)*: *~ voor* (of: *tegen*) *iets zijn* be unanimously for (*of:* against) sth
eensgezindheid unanimity, consensus, harmony, accord
eensklaps suddenly, all of a sudden
eenstemmig 1 unanimous, by common assent (*of:* consent) **2** *(met één stem gezongen)* in unison, for one voice
eentje one: *neem er nog ~* have another (one, glass); *op* (of: *in*) *z'n ~* (by) oneself, (on) one's own
eentonig monotonous, monotone; *(saai)* drab; dull: *een ~ leven (bestaan) leiden* lead a humdrum (*of:* dull) existence; *~ werk* tedious (*of:* monotonous) work, drudgery
eentonigheid monotony, monotonousness, tedium
een-tweetje one-two; *(voetbal ook)* wall pass
eenvoud 1 *(simpelheid)* simplicity, simpleness; *(ongekunsteldheid)* plainness **2** *(argeloosheid)* simplicity, straightforwardness, naivety, innocence: *hij zei dat in zijn ~* he said that in his naivety (*of:* innocence)
[1]**eenvoudig** *bn* **1** simple, uncomplicated; plain *(woorden, waarheid)*; *(gemakkelijk)* easy: *dat is het ~ste* that's the easiest way; *zo ~ ligt dat niet* it's not that simple **2** *(zonder overdaad)* simple, unpretentious, ordinary **3** *(bescheiden)* simple, plain, ordinary; low(ly) *(afkomst)*; humble *(afkomst)*; modest, unpresuming, simple-hearted
[2]**eenvoudig** *bw* **1** simply, plainly: *(al) te ~ voorstellen* (over)simplify **2** *(zonder meer)* simply, just
eenvoudigweg simply, just
eenzaam 1 *(alleen)* solitary, isolated, lonely, lone(some): *een ~ leven leiden* live a solitary life **2** *(stil, afgelegen)* solitary, isolated, lonely, secluded
eenzaamheid solitude, solitariness, loneliness; *(afzondering)* isolation; retirement, seclusion
eenzijdig 1 one-sided, unilateral, limited: *hij is erg ~* he is very one-sided **2** *(bevooroordeeld)* one-sided, biased, partial
eenzijdigheid 1 *(partijdigheid)* one-sidedness, bias, partiality **2** *(gebrek aan veelzijdigheid)* imbalance, one-sidedness
eer 1 honour, respect: *de ~ redden* save one's face; *aan u de ~ (om te beginnen)* you have the honour (of starting); *naar ~ en geweten antwoorden* answer to the best of one's knowledge; *op mijn (woord van) ~* I give you my word (of honour) **2** *(eerbetoon, hulde)* honour(s), credit: *iem de laatste ~ bewijzen* pay s.o. one's last respects; *het zal me een (grote, bijzondere) ~ zijn* I will be (greatly) honoured; *ter ere van* in honour of (s.o., sth)
eerbied respect, esteem, regard; *(diepe eerbied)* reverence; *(diepe eerbied)* veneration; *(diepe eerbied)* worship: *iem ~ verschuldigd zijn* owe s.o. respect
eerbiedig respectful
eerbiedigen respect, regard; *(naleven)* observe: *de mening van anderen ~* respect the opinions of others
eerbiedwaardig respectable
[1]**eerder** *bn* earlier
[2]**eerder** *bw* **1** *(vroeger)* before (now), sooner, earlier: *ik heb u al eens ~ gezien* I have seen you (somewhere) before; *hoe ~ hoe beter (liever)* the sooner the better **2** *(waarschijnlijker)* rather, sooner,

more (likely): *ik zou ~ denken dat* I am more inclined to think that

eergevoel (sense, feeling of) honour, pride

eergisteren the day before yesterday

eerherstel rehabilitation

[1]**eerlijk** *bn* **1** honest, fair, sincere: *~ is ~* fair is fair **2** *(betrouwbaar)* honest, true, genuine: *een ~e zaak* a square deal **3** *(gepast, fatsoenlijk)* fair, square, honest: *~ spel* fair play

[2]**eerlijk** *bw* **1** *(naar waarheid)* sincerely; *(openhartig)* honestly; frankly: *~ gezegd* to be honest **2** *(werkelijk)* honestly, really and truly: *ik heb het niet gedaan, ~ (waar)!* honestly, I didn't do it! **3** *(op gepaste, eervolle wijze)* fairly, squarely: *~ delen!* fair shares!

eerlijkheid *(oprechtheid)* honesty, fairness, sincerity

eerroof *(Belg; jur)* libel: *laster en ~* defamation of character

eerst 1 first: *hij zag de brand het ~* he was the first to see the fire; *(het) ~ aan de beurt zijn* be first (*of:* next) **2** *(in het begin)* first(ly), at first: *~ was hij verlegen, later niet meer* at first he was shy, but not later

eerste first; chief *(voornaamste);* prime; *(in hiërarchie)* senior; *(vroegste)* earliest: *de ~ vier dagen* (for) the next four days; *informatie uit de ~ hand* first-hand information; *de ~ die aankomt krijgt de prijs* the first to get there gets the prize; *één keer moet de ~ zijn* there's a first time for everything; *van de ~ tot de laatste* down to the last one, every man jack (of them); *hij is niet de ~ de beste* he is not just anybody

eerstegraads first-degree

eerstehulppost first-aid post *(of:* station)

eerstehulpverlening first aid

eerstejaars first-year

Eerste Kamerlid Member of the Upper Chamber *(of:* Upper House) (of the Dutch Parliament)

eersteklas *(uitmuntend, voortreffelijk)* first-rate, first-class

eersteklasser first-former

eerstelijns(gezondheids)zorg primary health care

eersterangs first-rate, top-class

eerstgenoemd *(van drie of meer)* first; *(van twee)* former

eerstvolgend next: *de ~e trein* the next train due

[1]**eervol** *bn* **1** honourable, glorious, creditable: *de ~le verliezers* the worthy losers **2** *(de eer niet tekortdoend)* with honour, without loss of face: *een ~le vrede sluiten* conclude a peace with honour

[2]**eervol** *bw* honourably, worthily, gloriously, creditably

eerzaam respectable, virtuous, decent, honest

eerzucht ambition

eerzuchtig ambitious, aspiring

eetbaar edible, fit for (human) consumption, fit to eat; *(smakelijk)* eatable; *(smakelijk)* palatable

eetgerei cutlery, tableware

eetgewoonte eating habit; *(mbt soort voedsel)* diet

eethoek 1 dinette **2** *(meubilair)* dining table and chairs

eethuis eating house, (small) restaurant

eetkamer dining room

eetlepel soup spoon; *(voor dessert)* dessertspoon; *(als maat)* tablespoon(ful)

eetlust appetite

eetservies dinner service, dinner set, tableware

eetstokje chopstick

eetstoornis eating disorder

eetwaar foodstuff(s), eatables, food

eetzaal dining room *(of:* hall); *(voor personeel)* canteen

eeuw 1 century: *in de loop der ~en* through the centuries *(of:* ages); *in het Londen van de achttiende ~* in eighteenth-century London **2** *(lange tijd)* ages, (donkey's) years: *het is ~en geleden dat ik van haar iets gehoord heb* I haven't heard from her for ages; *dat heeft een ~ geduurd* that took ages **3** *(tijdperk)* age, era, epoch: *de gouden gids®* the golden age

eeuwenlang for centuries *(of:* ages)

eeuwenoud age-old, centuries-old

[1]**eeuwig** *bn* **1** *(altijddurend)* eternal, everlasting, perennial, perpetual, never-ending: *~e sneeuw* perpetual snow **2** *(levenslang)* lifelong, undying: *~e vriendschap* undying *(of:* lifelong) friendship **3** *(telkens weer)* endless, incessant, interminable, never-ending: *een ~e optimist* an incorrigible optimist

[2]**eeuwig** *bw* **1** *(voor altijd)* forever, eternally, perpetually **2** *(steeds)* forever, incessantly, endlessly, interminably, eternally

eeuwigdurend perpetual, everlasting

eeuwigheid ages, eternity: *ik heb je in geen ~ gezien* I haven't seen you for ages

eeuwwisseling turn of the century

effect 1 *(uitwerking)* effect, result, outcome, consequence **2** *(balsport)* spin; *(biljarten ook)* side: *een bal ~ geven* put spin on a ball **3** *(handel)* stock, share, security

effectenbeurs stock exchange

effectief 1 *(werkelijk)* real, actual, effective, active **2** *(doeltreffend)* effective, efficacious **3** *(Belg; jur)* non-suspended

effen 1 *(vlak, glad)* even, level, smooth **2** *(van één kleur)* plain, uniform, unpatterned: *~ rood* solid red

effenen level, smooth: *de weg ~ voor iem* pave the way for s.o.

efficiënt efficient, businesslike

efficiëntie efficiency

eg harrow

EG *afk van Europese Gemeenschap* EC

egaal even, level, smooth; *(kleur e.d.)* uniform; *(kleur e.d.)* solid

egaliseren level, equalize, smooth
Egeïsch Aegean
egel hedgehog
eggen harrow
ego ego
[1]**egocentrisch** *bn* egocentric, self-centred
[2]**egocentrisch** *bw* in an egocentric *(of:* a self-centred) way
egoïsme egoism, selfishness
egoïst egoist
Egypte Egypt
Egyptenaar Egyptian
Egyptisch Egyptian
eh er
EHBO *afk van Eerste Hulp Bij Ongelukken* first aid; *(plek waar EHBO wordt gegeven)* first-aid post *(of:* station); *(in ziekenhuis)* accident and emergency ward *(of:* department)
ei 1 egg: *een hard(gekookt) ei* a hard-boiled egg; *dat is voor haar een zacht(gekookt) eitje* it's a piece of cake for her; *dat is het hele eieren eten* that's all there is to it; *een ei leggen* (of: *uitbroeden)* lay *(of:* hatch) an egg 2 *(eicel)* ovum, egg || *(Belg) ei zo na* very nearly
eicel egg cell, ovum, female germ cell
eiderdons eider(down)
eierdooier egg yolk
eierdop 1 eggshell 2 *(om ei in te zetten)* eggcup
eierschaal eggshell
eierstok ovary
eierwekker egg-timer
Eiffeltoren Eiffel Tower
eigen 1 own; *(privé)* private; *(persoonlijk)* personal: *voor ~ gebruik* for one's (own) private use; *mensen met een ~ huis* people who own their own house; *wij hebben ieder een ~ (slaap)kamer* we have separate (bed)rooms; *~ weg* private road; *op zijn geheel ~ wijze* in his very own way; *bemoei je met je ~ zaken* mind your own business 2 *(kenmerkend)* typical, characteristic, individual: *bier met een geheel ~ smaak* beer with a distinctive taste 3 *(mbt de streek, het land van herkomst)* own, native, domestic
eigenaar owner, possessor; *(van aandelen e.d.)* holder: *deze auto is drie keer van ~ veranderd* this car changed hands three times
[1]**eigenaardig** *bn* 1 peculiar, personal, idiosyncratic: *een ~ geval* a peculiar case 2 *(vreemd)* peculiar, strange, odd, curious: *hij was een ~e jongen* he was a strange boy
[2]**eigenaardig** *bw* peculiarly, oddly
eigenbelang self-interest
eigendom 1 *(eigendomsrecht)* ownership, title: *in ~ hebben* own (sth) 2 *(bezit)* property, possession; *(mv)* belongings: *dat boek is mijn ~* that book belongs to me
eigendomsbewijs title deed, proof of ownership (to, of)
eigendunk (self-)conceit, self-importance, arrogance
eigengemaakt home-made
eigengereid headstrong, self-willed
eigenhandig (made, done) with one's own hand(s), (do sth) oneself, personally
[1]**eigenlijk** *bn* real, actual, true, proper: *de ~e betekenis van een woord* the true meaning of a word
[2]**eigenlijk** *bw (in werkelijkheid)* really, in fact, exactly, actually: *u heeft ~ gelijk* you are right, really; *wat is een pacemaker ~?* what exactly is a pacemaker?; *~ mag ik je dat niet vertellen* actually, I'm not supposed to tell you
eigennaam proper name
eigenschap quality; *(van stoffen, materialen; ook wisk)* property; *(comp)* attribute: *goede ~pen* qualities *(of:* strong points, strengths)
eigentijds contemporary, modern
eigenwaarde self-respect, self-esteem
eigenwijs cocky, conceited, pigheaded: *doe niet zo ~* don't think you know it all
eigenzinnig self-willed; *(koppig)* stubborn; obstinate; *(onhandelbaar)* unamenable; *(onhandelbaar)* wayward
eigenzinnigheid wilfulness, obstinacy
eik oak (tree)
eikel 1 acorn 2 *(anat)* glans penis
[1]**eiken** *zn* oak
[2]**eiken** *bn* oak
eikenboom oak (tree)
eiland island: *op het ~ Man* on *(of:* in) the Isle of Man; *een kunstmatig ~* an artificial island, a man-made island
eilandengroep archipelago, group of islands
eileider Fallopian tube
eind 1 *(bepaalde afstand, lengte) (afstand)* way; distance; *(stuk)* piece: *een ~ touw* a length of rope, *(dun)* a piece of string; *het is een heel ~* it's a long way; *het is nog een heel ~* it's still a long way; *daar kom ik een heel ~ mee* that will go a long way 2 *(het laatste gedeelte, stuk)* end, extremity; *(van boek, film)* ending: *~ mei* at the end of May; *het andere ~ van de stad* the other end of the town || *het bij het rechte ~ hebben* be right
eindbestemming final destination; *(halte)* terminal
eindcijfer final figure, grand total; *(schoolrapport)* final mark
einddiploma diploma, certificate; *(beroepsopleiding)* certificate of qualification
einde 1 end: *er komt geen ~ aan* there's no end to it 2 *(moment)* end; *(van verhaal, film ook)* ending: *een verhaal met een open ~* an story with an open ending; *aan zijn ~ komen* meet one's end; *laten we er nu maar een ~ aan maken* let's finish off now; *aan het ~ van de middag* in the late afternoon; *ten ~ raad zijn* be at one's wits' end; *van het begin tot het ~* from beginning to end; *eind goed, al goed* all's well that ends well
eindelijk finally, at last, in the end
eindeloos 1 endless, infinite, interminable 2 *(mbt*

tijd ook) endless, perpetual, interminable, unending: *ik moest ~ lang wachten* I had to wait for ages
einder horizon
eindexamen final exam: *voor zijn ~ slagen* (of: *zakken*) pass (*of:* fail) one's final exams
eindexamenkandidaat examinee, A-level candidate
eindexamenvak final examination subject, school certificate subject
eindgebruiker end-user
eindig 1 finite: *~e getallen* (of: *reeksen*) finite numbers (*of:* progressions) **2** *(beperkt)* limited
[1]**eindigen** *intr* **1** *(ophouden)* end, finish, come to an end, stop: *~ waar men begonnen is* end up where one started (from) **2** *(als einde hebben)* end, finish, come to an end, terminate; *(tijd ook)* run out; *(tijd ook)* expire: *dit woord eindigt op een klinker* this word ends in a vowel || *zij eindigde als eerste* she finished first
[2]**eindigen** *tr (ten einde brengen)* finish (off), end, bring to a close, terminate
eindje 1 piece, bit: *een ~ touw* a length of rope, *(dun)* a piece of string **2** *(korte afstand)* short distance: *een ~ verder* a bit further **3** *(uiteinde)* (loose) end: *de ~s met moeite aan elkaar kunnen knopen* be hardly able to make (both) ends meet
eindklassement overall standings
eindlijst final list
eindmeet *(Belg) (eindstreep)* finishing line
eindproduct final product, end-product, final result, end-result
eindpunt end; *(mbt bus, trein)* terminus
eindrapport 1 (school) leaving report **2** *(mbt een onderzoek)* final report
eindredacteur *(ongev)* editor-in-chief
eindresultaat final result, end result; *(conclusie)* conclusion; *(eindbedrag, ook fig)* final total
eindsaldo final balance, closing balance
eindsignaal final whistle *(van wedstrijd)*
eindsprint final sprint
eindstadium final stage; *(ziekte)* terminal stage
eindstand final score
eindstation terminal (station)
eindstreep finish(ing line): *de ~ niet halen (fig)* not make it
eindstrijd final(s), final contest
eindterm final attainment level
eindtotaal grand total, final total
einduitslag final results; *(stand, puntentotaal)* final score; *(lijst van uitslagen)* (list of) results
eindverslag final report
eindwerk *(Belg)* dissertation submitted at end of course
eindzege first place
eis 1 requirement, demand, claim: *hoge ~en stellen aan iem* make great demands of s.o.; *iemands ~en inwilligen* comply with s.o.'s demands **2** *(voorwaarde)* demand, terms: *akkoord gaan met iemands ~en* agree to s.o.'s demands **3** *(jur)* claim, suit; *(strafrecht)* sentence demanded
eisen 1 *(verlangen)* demand, require, claim: *iets van iem ~* demand sth from s.o. **2** *(jur)* demand, sue for: *schadevergoeding ~* claim damages
eiser 1 requirer, claimer **2** *(jur)* plaintiff; *(in strafzaak)* prosecutor; *(mbt schadevergoeding)* claimant
eitje (small) egg; *(kiemcel)* ovum: *(fig) een zacht(gekookt) ~* a soft-boiled egg
eivormig egg-shaped, oval
eiwit 1 egg white, white of an egg **2** *(proteïne)* protein, albumin
ejaculatie ejaculation
EK *afk van Europees kampioenschap* European Championship
ekster magpie
elan élan, panache, zest
eland elk, moose
elasticiteit elasticity
elastiek 1 rubber, elastic **2** rubber band, elastic band
elastisch elastic
elders elsewhere
eldorado eldorado
electoraat electorate
elegant elegant *(beweging, manieren);* refined *(mens, smaak)*
elegantie elegance
elektra electricity
elektricien electrician
elektriciteit electricity: *de ~ is nog niet aangesloten* we aren't connected to the mains yet
elektriciteitscentrale power station
elektrisch electric(al): *een ~e centrale* a power station; *een ~e deken* an electric blanket; *~ koken* cook with electricity
elektrocardiogram electrocardiogram
elektrocutie electrocution
elektrode electrode
elektromagneet electromagnet
elektromonteur electrical fitter, electrician
elektromotor electric motor
elektron electron
elektronica electronics
elektronisch electronic: *~e post* electronic mail, e-mail
elektrotechnisch electrical: *~ ingenieur* electrical engineer
element element, component
elementair elementary *(ook nat);* fundamental, basic
[1]**elf** *zn (sprookjesfiguur)* elf, pixie, fairy
[2]**elf** *telw* eleven; *(data)* eleventh: *het is bij elven* it's close on eleven
elfde eleventh
elfje fairy
Elfstedentocht 11-city race; skating marathon in Friesland
elftal team: *het tweede ~* the reserves

eliminatie elimination, removal
elimineren eliminate, remove
elitair elitist
elite elite
elitekorps elite troop
elixer elixir
elk 1 *(mbt twee of meer)* each (one); *(mbt meer dan twee; alle(n))* every one: *van ~ vier (stuks)* four of each 2 *(ieder(een))* everyone, everybody: *~e tweede* every other one 3 *(mbt twee of meer)* each; *(mbt meer dan twee; alle)* every; *(welke dan ook)* any: *ze kunnen ~e dag komen* they can come any day; *ze komen ~e dag* they come every day; *~e keer dat hij komt* every time he comes
elkaar each other, one another: *in ~s gezelschap* in each other's company; *uren achter ~* for hours on end; *vier keer achter ~* four times in a row; *bij ~ komen* meet, come together; *meer dan alle anderen bij ~* more than all the others put together; *wij blijven bij ~* we stick (*of:* keep) together; *door ~ raken* get mixed up (*of:* confused); *zij werden het met ~ eens* they came to an agreement; *naast ~ zitten* (of: *liggen*) sit (*of:* lie) side by side; *op ~ liggen* lie one on top of the other; *die auto valt bijna (van ellende) uit ~* that car is dropping to bits; *(personen of zaken) (goed) uit ~ kunnen houden* be able to tell (people, things) apart; *uit ~ gaan: a) (gezelschap, commissie, jury)* break up; *b) (vrienden, echtgenoten)* split up, break up; *zij zijn familie van ~* they are related; *iets niet voor ~ kunnen krijgen* not manage (to do) sth
elleboog 1 elbow: *mijn trui is door aan de ellebogen* my sweater is (worn) through at the elbows 2 *(onderarm met de elleboog)* forearm: *ze moesten zich met de ellebogen een weg uit de winkel banen* they had to elbow their way out of the shop
ellende 1 misery 2 *(narigheid)* trouble, bother: *dat geeft alleen maar (een hoop) ~* that will only cause (a lot of) trouble
[1]**ellendig** *bn* 1 *(rampzalig)* awful, dreadful, miserable: *ik voelde me ~* I felt rotten 2 *(beklagenswaardig, deerniswekkend)* wretched, miserable 3 *(zeer onaangenaam, vervelend)* awful, dreadful: *ik kan die ~e sommen niet maken* I can't do those awful sums
[2]**ellendig** *bw* awfully, miserably
ellips ellipse, oval
els alder
Elzas Alsace
elzenhout alder-wood
email enamel
e-mail e-mail
e-mailadres e-mail address
e-mailen e-mail
emancipatie emancipation, liberation
emballage packing, packaging
embargo (trade) embargo || *een ~ opheffen* lift an embargo
embleem emblem
embolie embolism
embryo embryo
emigrant emigrant
emigratie emigration
emigreren emigrate
eminent eminent, distinguished
emir emir
emissie emission, issue
emmer bucket, pail: *met hele ~s tegelijk* by the bucketful
emoe emu
emotie emotion, feeling; *(opwinding)* excitement: *~s losmaken* release emotions; *zij liet haar ~s de vrije loop* she let herself go
emotie-tv emotion tv
[1]**emotioneel** *bn* emotional, sensitive: *een emotionele benadering vermijden* avoid an emotional approach
[2]**emotioneel** *bw* emotionally
emplacement yard
employé employee
EMU *afk van Economische en Monetaire Unie* EMU, Economic and Monetary Union
en 1 and; *(plus)* plus: *twee en twee is vier* two and two is four, two plus two is four 2 and: *én boete én gevangenisstraf krijgen* get both a fine and a prison sentence 3 *(bij verrassing, teleurstelling)* and, but, so: *en waarom doe je het niet?* so why don't you do it?; *en toch* and still; *nou en?* so what?, and …? || *vind je het fijn? (nou) en of!* do you like it? I certainly do!, I'll say!
encyclopedie encyclopaedia
ene a, an, one: *woont hier ~ Bertels?* does a Mr (*of:* Ms) Bertels live here?
energie energy, power: *overlopen van ~* be bursting with energy
energiebedrijf electricity company, power company
energiebesparend energy-saving; low-energy *(van lamp)*
energiebesparing energy saving
energiebewust energy-conscious
energiebron source of energy *(of:* power)
energiek energetic, dynamic
energieverspilling waste of energy
energievoorziening power supply
energiezuinig low-energy
energydrink energy drink
enerverend *(opwindend)* exciting, nerve-racking
enerzijds on the one hand: *~ …, anderzijds …* on the one hand …, on the other (hand) …
eng 1 scary, creepy: *een ~ beest* a nasty (*of:* creepy, scary) animal, a creepy-crawly *(vnl. (kruipend) insect)* 2 *(mbt ruimte)* narrow
engagement commitment, involvement
engel angel
Engeland England
engelbewaarder guardian angel
Engels English || *iets van het Nederlands in het ~*

vertalen translate sth from Dutch into English
Engelse Englishwoman: *zij is een ~* she is English
Engelsman Englishman
Engelstalig 1 English-language, English 2 *(Engels sprekend)* English-speaking
engte *(nauwe doorgang)* narrow(s)
[1]**enig** *bn* only, sole: *~ erfgenaam* sole heir; *dit was de ~e keer dat…* this was the only time that…; *hij is de ~e die het kan* he is the only one who can do it; *het ~e wat ik kon zien was* all I could see was
[2]**enig** *bn, bw (leuk)* wonderful, marvellous, lovely
[3]**enig** *onbep vnw* 1 some: *~e moeite doen* go to some trouble; *zonder ~e twijfel* without any doubt 2 *(ook maar één)* any, a single: *zonder ~ incident* without a single incident 3 *(een klein aantal)* some, a few: *er kwamen ~e bezoekers* a few visitors came
enigszins 1 somewhat, rather: *hij was ~ verlegen* he was rather (*of:* somewhat) shy 2 *(op welke wijze dan ook)* at all, in any way: *indien (ook maar) ~ mogelijk* if at all possible
[1]**enkel** *zn* ankle: *een verstuikte ~* a sprained ankle
[2]**enkel** *bn* single: *een kaartje ~e reis* a single (ticket)
[3]**enkel** *bw* 1 singly 2 *(alleen)* only, just: *hij doet het ~ voor zijn plezier* he only does it for fun; *ik doe het ~ en alleen om jou* I'm doing it simply and solely for you
[4]**enkel** *hoofdtelw* 1 sole, solitary, single: *in één ~e klap* at one blow; *er is geen ~ gevaar* there is not the slightest danger; *geen ~e kans hebben* have no chance at all; *op geen ~e manier* (in) no way 2 *(een klein aantal)* a few: *in slechts ~e gevallen* in only a few cases 3 *(mv) (enige)* a few: *in ~e dagen* in a few days
enkelspel singles
enkeltje single (ticket)
enkelvoud singular
enkelzijdig one-sided
enorm 1 enormous, huge: *een ~ succes* an enormous success 2 *(geweldig, ontzettend)* tremendous: *~ groot* gigantic, immense
enquête 1 poll, survey: *een ~ houden naar* conduct (*of:* do, make) a survey of 2 *(door overheid)* inquiry, investigation
enquêteformulier questionnaire
ensceneren stage, put on
ensemble ensemble, company, troupe
ent graft
enten graft
enter *(comp)* enter
enteren board
entertoets enter (key)
enthousiasme enthusiasm
enthousiast enthusiastic
entourage entourage
entrecote entrecôte
entree 1 entrance, entrance hall 2 *(recht om binnen te komen)* entry, entrance, admission: *vrij ~* admission free, free entrance 3 *(toegangsprijs)* admission: *~ heffen* charge for admission
entreegeld admission charge, entrance fee
enveloppe envelope
enz. *afk van enzovoort* etc.
enzovoorts et cetera, and so on, etc.
enzym enzyme
epicentrum epicentre
epidemie epidemic
epilepsie epilepsy
epileptisch epileptic
epiloog epilogue
episode episode
epistel epistle
epo EPO
epos *(heldendicht)* epic (poem), epos
equator equator
equipe team
[1]**equivalent** *zn* equivalent: *een ~ vinden voor* find an equivalent for
[2]**equivalent** *bn* equivalent (to)
[1]**er** *vnw* of them *(ook vaak onvertaald)*: *ik heb er nog* (of: *nóg*) *twee* I have got two left (*of:* more); *ik heb er geen (meer)* I haven't got any (left); *hij kocht er acht* he bought eight (of them); *er zijn er die…* there are those who…
[2]**er** *bw* 1 there: *ik zal er even langsgaan* I'll just call in (*of:* look in, drop in); *dat boek is er niet* that book isn't there; *wie waren er?* who was (*of:* were) there?; *we zijn er* here we are, we've arrived 2 *(zonder aan een plaats te denken)* there *(ook vaak onvertaald)*: *er gebeuren rare dingen* strange things (can) happen; *heeft er iem gebeld?* did anybody call?; *wat is er?* what is it?, what's the matter?; *is er iets?* is anything wrong? (*of:* the matter?); *er is* (of: *zijn*)… there is (*of:* are)…; *er wordt gezegd dat…* it is said that…; *er was eens een koning* once upon a time there was a king || *het er slecht afbrengen* make a bad job of it; *er slecht afkomen* come off badly; *ik zit er niet mee* it doesn't worry me
eraan on (it), attached (to it): *kijk eens naar het kaartje dat ~ zit* have a look at the card that's on it (*of:* attached to it) || *de hele boel ging ~* the whole lot was destroyed; *wat kan ik ~ doen?* what can I do about it?; *ik kom ~* I'm on my way
erachter behind (it): *het hek en de tuin ~* the hedge and the garden behind (it)
eraf *(verwijderd)* off (it): *het knopje is ~* the button has come off; *de lol is ~* the fun has gone out of it
erbarmelijk abominable, pitiful, pathetic
erbij 1 *(aanwezig)* there, included at (*of:* with) it 2 at it, to it: *ik blijf ~ dat…* I still believe (*of:* maintain) that…; *zout ~ doen* add salt; *hoe kom je ~!* the very idea!, what can you be thinking of!; *het ~ laten* leave it at that (*of:* there) || *je bent ~* your game (*of:* number) is up
erboven above, over (it)
erbovenop on (the) top, on top of it (*of:* them)

|| *nu is hij ~: a)* he has got over it now; *b) (van patiënt)* he has pulled through; *c) (financieel)* he is on his feet again

erdoor **1** *(mbt een plaats, tijd)* through it: *die saaie zondagen, hoe zijn we ~ gekomen?* those boring Sundays, however did we get through them? **2** *(mbt oorzaak)* by *(of:* because) of it: *hij raakte zijn baan ~ kwijt* it cost him his job || *ik ben ~ (geslaagd)* I've passed; *ik wil ~* I'd like to get past *(of:* through)

erdoorheen through, through it

erecode code of honour

erectie erection

eredienst worship, service

eredivisie premier league

eredoctoraat honorary doctorate

eregalerij hall of fame

eregast guest of honour

erekruis cross of honour

erelid honorary member

ereloon *(Belg) (honorarium van een dokter of advocaat)* fee

eren honour

ereplaats place of honour: *een ~ innemen* have an honoured place

erepodium rostrum, podium

ereteken decoration, badge *(of:* mark) of honour

eretribune seats of honour, grandstand

erewoord word of honour

erf **1** property **2** *(grond(bezit))* (farm)yard, estate; grounds *(vnl. landgoed): huis en ~* property

erfdeel inheritance, portion: *het cultureel ~* the cultural heritage

erfelijk hereditary

erfelijkheid heredity

erfelijkheidsleer genetics

erfenis **1** inheritance; *(meestal fig)* heritage: *een ~ krijgen* be left an inheritance *(of:* a legacy) **2** *(wat iem nalaat)* legacy, inheritance; estate *(boedel)*

erfgenaam heir: *iem tot ~ benoemen* appoint s.o. (one's) heir

erfgoed inheritance

erfpacht *(ongev)* long lease

erfstuk (family) heirloom

erfzonde original sin

[1]**erg** *bn* bad: *in het ~ste geval* if the worst comes to the worst; *vind je het ~ als ik er niet ben?* do you mind if I'm not there?; *wat ~!* how awful!; *het is (zo) al ~ genoeg* it's bad enough as it is

[2]**erg** *bw (zeer)* very: *een ~e grote* (of: *mooie)* a very big *(of:* beautiful) one; *het spijt me ~* I'm very sorry; *hij ziet er ~ slecht uit* he looks awful *(of:* dreadful, terrible)

ergens **1** *(waar dan ook)* somewhere, anywhere: *~ anders* somewhere else **2** *(op zekere plaats)* somewhere: *ik heb dat ~ gelezen* I've read that somewhere **3** *(in enig opzicht)* somehow: *ik kan hem ~ toch wel waarderen* (I have to admit that) he has his good points **4** *(iets)* something: *hij zocht ~ naar* he was looking for sth (or other)

[1]**ergeren** *tr* annoy, irritate

[2]**ergeren, zich** feel *(of:* get) annoyed (at); *(ernstiger)* be shocked; *(ernstiger)* take offence: *zich dood ~* be extremely annoyed

ergerlijk annoying, aggravating

ergernis annoyance, irritation: *tot (grote) ~ van de aanwezigen* to the (great) annoyance of those present

ergonomisch ergonomic; *(Am)* biotechnological

ergotherapeut occupational therapist

ergotherapie occupational therapy

erheen there

erin in(to) it, (in) there: *~ lopen (fig)* walk right into it, fall for it

erkend **1** recognized, acknowledged **2** *(officieel toegelaten)* recognized; authorized *(kantoor, beroep);* certified *(kantoor, beroep): een internationaal ~ diploma* an internationally recognized certificate

erkennen recognize, acknowledge; *(toegeven)* admit: *zijn ongelijk ~* admit to being (in the) wrong; *iets niet ~* disown sth; *een natuurlijk kind ~* acknowledge a natural child; *een document als echt ~* recognize a document as genuine

erkenning recognition, acknowledgement

erkentelijk thankful, grateful

erker bay (window)

erlangs past (it), alongside (it): *wil je deze brief even op de bus doen als je ~ komt?* could you pop this letter in the (post)box when you're passing?

erlenmeyer Erlenmeyer flask

ermee with it: *hij bemoeide zich ~* he concerned himself with it, *(ongunstig)* he interfered with it; *wat doen we ~?* what shall we do about *(of:* with) it?

erna afterwards, after (it), later: *de morgen ~* the morning after

ernaar to *(of:* towards, at) it: *~ kijken* look at it

ernaast **1** beside it, next to it: *de fabriek en de directeurswoning ~* the factory and the manager's house next to it **2** *(mis)* off the mark: *~ zitten* be wide of the mark, be wrong

ernst **1** seriousness, earnest(ness): *in volle (alle) ~* in all seriousness; *het is bittere ~* it is dead serious, a serious matter **2** *(wat ernst teweegbrengt)* seriousness, gravity: *de ~ van de toestand inzien* recognize the seriousness of the situation

[1]**ernstig** *bn* **1** serious, grave: *de situatie wordt ~* the situation is becoming serious **2** *(werkelijk gemeend)* serious, earnest, sincere: *dat is mijn ~e overtuiging* that is my sincere conviction **3** *(van ingrijpende aard)* serious, severe, grave: *~e gevolgen hebben* have grave *(of:* serious) consequences

[2]**ernstig** *bw* **1** seriously, gravely: *iem ~ toespreken* have a serious talk with s.o. **2** *(serieus gemeend)* seriously, earnestly, sincerely: *het ~ menen* be serious

erom **1** around it, round (about) it: *een tuin met*

een schutting ~ a garden enclosed by a fence 2 *(mbt verwisseling, ruil; mbt een doel)* for it: *als hij ~ vraagt* if he asks for it || *denk je ~?* you won't forget, will you?; *het gaat ~ dat …* the thing is that …

eromheen around it, round (about) it

eronder 1 *(onder het genoemde)* under it, underneath (it), below it: *hij zat op een bank en zijn hond lag ~* he sat on a bench and his dog lay underneath (*of:* under) it 2 *(mbt oorzaak)* as a result of it, because of it, under it: *hij lijdt ~* he suffers from it

eronderdoor underneath it: *~ gaan: a) (het afleggen)* go to pieces; *b) (failliet gaan)* go bust

eronderop underneath (it), on the bottom

eronderuit out (from) under it: *(fig) ~ kunnen* get out of sth

erop 1 on it, on them: *~ of eronder* all or nothing 2 *(mbt een richting, beweging)* up it, up them, on(to) it: *~ slaan* hit it, bang on it, *(vechten)* hit out 3 *(mbt een beweging naar boven)* up it, up then: *~ klimmen* climb up it, mount it *(paard)* 4 *(mbt een toevoeging)* to it: *het vervolg ~* the sequel to it || *de dag ~* the following day; *~ staan* insist on it; *het zit ~* that's it (then)

eropaan to(wards) it || *als het ~ komt* when it comes to the crunch; *u kunt ~* you can depend on it

eropaf to (it): *~ gaan* go towards it

eropin in(to) || *~ gaan* take it up, consider it

eropuit: *een dagje ~ gaan* go off (*of:* away) for the day; *hij is ~ mij dwars te zitten* he is out to frustrate me

erosie erosion

erotica erotica

erotiek eroticism

erotisch erotic

erover 1 over it, across it: *het kleed dat ~ ligt* the cloth which covers it 2 *(mbt een betrokken zijn bij)* over it: *hij gaat ~* he is in charge of it 3 *(mbt een onderwerp, mening)* about it, of it: *hoe denk je ~?* what do you think about it?

eroverheen over it, across it: *het heeft lang geduurd eer ze ~ waren* it took them a long time to get over it

ertegen 1 against it, at it: *hij gooide de bal ~* he threw the ball at it 2 *(contra)* against (it): *ik ben ~* I am against it; *~ vechten* fight (against) it, oppose it || *~ kunnen* feel up to it, *(kunnen verdragen ook)* be able to put up with it

ertegenaan onto it, against it: *~ lopen* run into it || *~ gaan* get down to it *(werk)*, tackle it *(onderwerp, probleem)*, get going

ertegenop 1 up it: *~ zien* dread sth 2 *(in tegengestelde richting)* against it: *~ kunnen* be able to cope with it

ertegenover 1 opposite (to) it: *het huis ~* the house opposite 2 *(mbt een tegenstelling)* against it *(argument);* towards it *(gevoelens): ~ staat dat …* on the other hand … || *hoe sta je ~?* where do you stand on that?

ertoe 1 to: *de moed ~ hebben* have the courage for it (*of:* to do it); *iem ~ brengen om iets te doen* persuade s.o. to do sth; *~ komen* get round to it; *hoe kwam je ~?* what made you do it? 2 *(mbt een behoren bij)* to (it): *de vogels die ~ behoren* the birds which belong to it || *wat doet dat ~?* what does it matter?, what has that got to do with it?

erts ore

ertussen 1 (in) between (it): *het lukte me niet ~ te komen* I couldn't get a word in (edgeways) 2 in the middle, among other things

ertussendoor 1 through (it), between (it) 2 *(mbt een vermenging)* mixed in: *een grapje ~ gooien* throw in the occasional joke 3 *(mbt een tussenvoeging in de tijd)* (in) between, meanwhile: *dat kunnen wij wel even ~ doen* we can do that as we go along *(tijdens andere bezigheid)*

ertussenin 1 (in) between (it): *hij is de oudste, zij is de jongste en ik zit ~* he is the eldest, she is the youngest, and I come in between 2 *(te midden van, bij, onder meer zaken)* in the middle, among other things

ertussenuit 1 out (of it) 2 *(vrij, los)* out, loose: *een dagje ~ gaan (knijpen)* slip off for the day

eruit 1 out: *~!* (get) out! 2 *(niet (meer) erin, erbij)* out, gone: *~ liggen* be out of favour, *(sport)* be eliminated

eruitzien 1 look 2 *(de indruk wekken te)* look like, look as if: *hij is niet zo dom als hij eruitziet* he's not as stupid as he looks 3 *(inform)* look a mess

eruptie eruption

ervan from it, of it: *dat is het aantrekkelijke ~* that's what is so attractive about it; *ik ben ~ overtuigd* I am convinced of it; *ik schrok ~* it gave me a fright

ervandaan 1 away (from there) 2 *(verwijderd van; afkomstig uit)* from there: *hij woont dertig kilometer ~* he lives twenty miles from there

ervandoor off: *met het geld ~ gaan* make off with the cash; *zij ging ~ met een zeeman* she ran off with a sailor

[1]**ervaren** *bn* experienced (in); *(handwerkslieden ook)* skilled (in)

[2]**ervaren** *tr* experience; *(gewaarworden)* discover

ervaring experience: *veel ~ hebben* be highly experienced; *de nodige ~ opdoen* (of: *missen*) gain (*of:* lack) the necessary experience

erven inherit: *iets (van iem) ~* inherit sth (from s.o.)

ervoor 1 *(mbt plaats)* in front (of it) 2 *(mbt volg-, rangorde)* before (it) 3 *(mbt een bestemming, oorzaak)* for it: *dat dient ~ om …* that is for …, that serves to …; *hij moet ~ boeten* he will pay for it (*of:* this); *~ zorgen dat …* see to it that … 4 *(pro)* for it, in favour (of it): *ik ben ~* I am in favour of it 5 *(in de plaats van)* for it, instead (of it): *~ doorgaan* pass for (sth else); *wat krijg ik ~?* what will I

get for it? || *er alleen voor staan* be on one's own; *zoals de zaken ~ staan* as things stand
erwt pea
erwtensoep pea soup
es ash
escalatie escalation
[1]**escaleren** *intr* escalate; *(prijzen ook)* rocket; *(prijzen ook)* shoot up
[2]**escaleren** *tr* (cause to) escalate; *(prijzen ook)* force up

escapade escapade
escorte escort
esculaap staff of Aesculapius
esdoorn maple; sycamore *(gewone esdoorn)*
eskader squadron
Eskimo Eskimo
esp aspen
Esperanto Esperanto
espresso espresso
espressobar café, coffee bar
essentie essence
essentieel essential: *een ~ verschil* a fundamental difference
Est Estonian
estafette relay (race)
estafettestokje baton
esthetisch aesthetic
Estland Estonia
etage floor, storey: *op de eerste ~* on the first (*of Am:* second) floor
etalage shop window, display window: *~s (gaan) kijken* (go) window-shopping
etalagepop (shop-window) dummy, mannequin
etaleren display
etaleur window dresser
etappe 1 stage; *(laatste)* lap **2** *(sport)* stage, leg
etc. *afk van et cetera* etc.
[1]**eten** *zn* **1** food: *hij houdt van lekker ~* he is fond of good food **2** *(maaltijd)* meal; dinner *(middag of avond)*: *warm ~* hot meal, dinner; *het ~ is klaar* dinner is ready; *ik ben niet thuis met het ~* I won't be home for dinner
[2]**eten** *intr* eat, dine: *blijf je ~?* will you stay for dinner?; *wij zitten net te ~* we've just sat down to dinner; *uit ~ gaan* go out for a meal
[3]**eten** *intr, tr* eat: *het is niet te ~* it's inedible, it tastes awful; *wat ~ we vandaag?* what's for dinner today?; *je kunt hier lekker ~* the food is good here; *eet smakelijk* enjoy your meal
etensbak trough; *(voor huisdieren)* food bowl
etensresten leftovers
etenstijd dinnertime, time for dinner
etentje dinner, meal
eter eater
ether 1 ether **2** *(mbt radiogolven)* air: *in de ~ zijn* be on the air
ethiek ethics
Ethiopië Ethiopia
Ethiopiër Ethiopian
ethisch ethical, moral
etiket label; *(prijs)* ticket; *(kaartje)* tag; *(zelfklevend)* sticker
etiquette etiquette, good manners
etmaal twenty-four hours
etnisch ethnic
ets etching
etsen etch
ettelijke dozens of, masses of
etter pus
etterbuil abscess
etteren fester
etude étude
etui case
etymologie etymology
etymologisch etymological
EU *afk van Europese Unie* EU
eucalyptus eucalyptus (tree)
eucharistie Eucharist, celebration of the Eucharist; *(r-k vnl.)* (the) Mass; *(angl)* (Holy) Communion
eufemisme euphemism
Eufraat Euphrates
eunuch eunuch
euro Euro: *dat kost drie ~* that's three Euros
eurocent (Euro) cent
eurocheque Eurocheque
eurocommissie European Commission
euroland *(land waar de euro geldt)* Euro country
Euroland *(de gezamenlijke eurolanden)* Euroland
Europa Europe
Europacup European Cup
Europarlement European Parliament
Europeaan European
Europees European
Eurovisie Eurovision
Eurovisiesongfestival Eurovision Song Contest
eustachiusbuis Eustachian tube
euthanasie euthanasia
euvel fault, defect: *een ~ verhelpen* remedy a fault (*of:* defect)
Eva Eve
evacuatie evacuation
evacué evacuee
[1]**evacueren** *intr* be evacuated
[2]**evacueren** *tr* evacuate
evaluatie 1 evaluation, assessment **2** *(van waarde)* evaluation
evalueren evaluate, assess
evangelie 1 gospel **2** *(Bijbelboek)* Gospel: *het ~ van Marcus* the Gospel according to St Mark
evangelist evangelist
[1]**even** *bn (door twee deelbaar)* even || *om het ~ wie* whoever, no matter who
[2]**even** *bw* **1** (just) as: *ze zijn ~ groot* they're equally big; *in ~ grote aantallen* in equal numbers; *hij is ~ oud als ik* he is (just) as old as I am **2** *(bevestiging)* just: *zij is altijd ~ opgewekt* she's always nice and cheerful **3** *(een korte tijd)* just, just a moment

(*of:* while): *het duurt nog wel* ~ it'll take a bit (*of:* while) longer; *mag ik u* ~ *storen?* may I disturb you just for a moment?; *eens* ~ *zien* let me see; *heel* ~ just for a second (*of:* minute); ~ *later (daarna)* shortly afterwards **4** *(nauwelijks)* (only) just, barely **5** *(een weinig)* just (a bit): *nog* ~ *doorzetten* go on for just a bit longer || *als het maar éven kan* if it is at all possible

evenaar equator

evenals (just) like; (just) as *(vóór ww): hun zaak ging failliet,* ~ *die van veel andere kleine ondernemers* their business went bankrupt, just like many other small businesses

evenaren equal, (be a) match (for)

eveneens also, too, as well

evenement event

evengoed **1** just as: *jij bent* ~ *schuldig als je broer* you are just as guilty as your brother **2** *(met hetzelfde resultaat)* just as well: *je kunt dat* ~ *zo doen* you can just as well do it like this **3** *(desondanks)* all the same, just the same: *ik weet van niets, maar word er* ~ *wel op aangekeken* I know nothing about it, but I am suspected all the same

evenmin (just) as little as, no(t any) more than; *(voor ww ook)* neither; nor: *ik kom niet en mijn broer* ~ I am not coming and neither is my brother

evenredig proportional (to); *(beantwoordend)* commensurate (with): *het loon is* ~ *aan de inspanning* the pay is in proportion to the effort; *(wisk) omgekeerd* ~ *met* inversely proportional to

[1]**eventueel** *bn* any (possible), such ... as, potential: *eventuele klachten indienen bij ...* (any) complaints should be lodged with ...; *eventuele klanten* prospective (*of:* potential) customers

[2]**eventueel** *bw* possibly, if necessary; *(alternatieve mogelijkheden)* alternatively: *alles of* ~ *de helft* all of it, or alternatively half; *wij zouden* ~ *bereid zijn om ...* we might be prepared to ...

evenveel (just) as much; *(vóór zn)* just as; equally: *iedereen heeft er* ~ *recht op* everyone is equally entitled to it; *ieder krijgt* ~ everyone gets the same amount

evenwicht balance: *wankel* ~ unsteady balance; *zijn* ~ *bewaren* (of: *verliezen*) keep (*of:* lose) one's balance; *het juiste* ~ *vinden* achieve the right balance; *de twee partijen houden elkaar in* ~ the two parties balance each other out; *in* ~ *zijn* be well-balanced, be in equilibrium; *zijn* ~ *kwijt zijn* have lost one's balance

[1]**evenwichtig** *bn (stabiel)* (well-)balanced, steady, stable; *(fig)* level-headed

[2]**evenwichtig** *bw (harmonieus, regelmatig)* evenly, equally, uniformly

evenwichtigheid balance, equilibrium, stability, poise, composure

evenwichtsbalk (balance) beam

evenwichtsgevoel sense of balance

evenwijdig parallel (to, with)

evenzo likewise

evenzogoed **1** just as well, equally well: *het had* ~ *mis kunnen gaan* it could just as well have gone wrong **2** *(desondanks)* just (*of:* all) the same, nevertheless: *hij had er totaal geen zin in,* ~ *ging hij* he didn't feel like it at all, but he still went (*of:* went all the same)

everzwijn wild boar

evident obvious, (self-)evident; *(bw ook)* clearly

evolueren evolve

evolutie evolution

[1]**exact** *bn* exact, precise: ~*e wetenschap* (exact) science

[2]**exact** *bw* accurately, precisely

ex aequo joint: *Short en Anand eindigden* ~ *op de tweede plaats* Short and Anand finished joint second

examen exam(ination): *mondeling* (of: *schriftelijk*) ~ oral (*of:* written) exam; *een* ~ *afleggen,* ~ *doen* take (*of:* sit) an exam

examengeld examination fee

examenvak examination subject

examinator examiner

excellent excellent, splendid

excellentie Excellency

excentriek eccentric

excentriekeling eccentric, crank, crackpot

exces excess; *(uitgaven)* extravagance

[1]**exclusief** *bn* exclusive

[2]**exclusief** *bw (niet inbegrepen)* excluding, excl.: ~ *btw* excluding VAT, plus VAT

excursie **1** excursion **2** *(leer-, werkbezoek)* (study) visit; *(buiten)* field trip

excuseren excuse, pardon: *Jack vraagt of we hem willen* ~*, hij voelt zich niet lekker* Jack asks to be excused, he is not feeling well; *wilt u mij even* ~ please excuse me for a moment; *zich* ~ *voor* offer one's excuses (*of:* apologies) for

excuus **1** apology: *zijn excuses aanbieden* apologize **2** *(reden van verontschuldiging)* excuse: *een slap* ~ a poor excuse

executeren execute

executie execution: *uitstel van* ~ stay of execution

exemplaar **1** specimen, sample **2** *(afdruk)* copy

exercitie exercise, drill

exhibitionisme exhibitionism

exhibitionist exhibitionist

exitpoll exit poll

exotisch exotic

expat expat

expediteur shipping agent, forwarding agent; shipper *(vnl. per schip);* carrier

expeditie **1** shipping department, forwarding department **2** *((personen op) ontdekkingstocht)* expedition: *op* ~ *gaan (naar)* go on an expedition (to) **3** *(verzending van goederen)* dispatch, shipping, forwarding: *voor een snelle* ~ *van de goederen zorgen* ensure that the goods are forwarded rapidly

experiment experiment: *een wetenschappelijk ~ uitvoeren (op)* perform a scientific experiment (on)
experimenteel experimental
experimenteren experiment
expert expert
expertise *(onderzoek)* (expert's) assessment
expliciet explicit
exploderen explode

exploitant proprietor, owner, licensee
exploitatie exploitation; *(bouwterreinen enz.)* development
exploiteren exploit; *(bouwterreinen enz.)* develop: *een stuk grond ~* develop a plot of land
explosie explosion
[1]**explosief** *zn* explosive
[2]**explosief** *bn, bw* explosive: *explosieve stoffen* explosives
exponent exponent
export export
exporteren export
exporteur exporter
exposeren exhibit, display, show
expositie exhibition, show
expres on purpose, deliberately
expresse express (delivery)
expressie expression
expressionisme expressionism
expressionist expressionist
expresweg *(Belg) (autosnelweg met gelijkvloerse kruisingen) (ongev)* major arterial road
extase ecstasy, rapture
[1]**exterieur** *zn* exterior
[2]**exterieur** *bn* exterior, external, outside
extern **1** non-resident; living-out *(personeel)* **2** *(buiten iets liggend)* external, outside
[1]**extra** *bn* extra, additional: *er zijn geen ~ kosten aan verbonden* there are no extras (involved); *iets ~'s* sth extra
[2]**extra** *bw* **1** extra: *hij kreeg 20 euro ~* he got 20 euros extra **2** *(bijzonder)* specially: *de leerlingen hadden ~ hun best gedaan* the pupils had made a special effort
extraatje bonus
extra's **1** *(giften, inkomsten)* bonuses; *(verdiensten ook)* perquisites; perks **2** *(uitgaven)* extras
extravagantie extravagance
extravert extrovert(ed), outgoing
[1]**extreem** *bn* extreme
[2]**extreem** *bw* **1** extremely **2** ultra-, far: *~links* extreme left-wing
extremisme extremism
extremist extremist
ezel **1** donkey: *zo koppig als een ~* be as stubborn as a mule; *een ~ stoot zich in 't gemeen niet tweemaal aan dezelfde steen* once bitten, twice shy **2** *(standaard)* easel
ezelsbruggetje memory aid, mnemonic
ezelsoor dog-ear

f

fa *(muz)* fa(h)
faalangst fear of failure
faam fame, renown
fabel fable, fairy-tale
fabelachtig fantastic, incredible
fabricaat manufacture, make: *Nederlands ~* made in the Netherlands
fabricage manufacture, production
fabriceren 1 manufacture, produce 2 *(in elkaar zetten)* make, construct
fabriek factory
fabrieksfout manufacturing fault
fabrieksterrein factory site
fabrikant manufacturer, producer; *(eigenaar van fabriek)* factory owner
façade façade, front
facet aspect, facet
faciliteit facility, convenience, amenity
factor factor
factureren invoice, bill
factuur invoice, bill
facultatief optional, elective
faculteit faculty
fagot bassoon
Fahrenheit Fahrenheit
failliet bankrupt: *~ gaan* go bankrupt
faillissement bankruptcy
fakir fakir
fakkel torch
falafel falafel
falen fail; *(zich vergissen)* make an error (of judgment), make a mistake
faling *(Belg) (faillissement)* bankruptcy
falsetstem falsetto
fameus *(vermaard)* famous, celebrated
familiaal: *(Belg) ~ helpster* home help
familie 1 *(gezin)* family: *(fig) het is één grote ~* they are one great big happy family; *bij de ~ Jansen* at the Jansens 2 *(mbt andere bloedverwanten)* family, relatives, (blood) relations: *wij zijn verre ~ (van elkaar)* we are distant relatives; *het zit in de ~* it runs in the family
familiekwaal hereditary disease *(of:* illness)
familielid member of the family; *(bloedverwant)* relative; relation: *zijn naaste familieleden* his next of kin
fan fan
fanaat fanatic
fanatiek fanatical, crazy: *een ~ schaker* a chess fanatic
fanatiekeling *(iron)* fanatic
fanatisme fanaticism; *(mbt religie)* zealotry
fancy fair bazaar, jumble sale
fanfare *(muziekkorps)* brass band
[1]**fantaseren** *intr (dromen, kletsen)* fantasize (about), dream (about)
[2]**fantaseren** *tr (verzinnen)* dream up, make up, imagine, invent
fantasie imagination
fantast dreamer, visionary, storyteller; liar *(leugenaar)*
[1]**fantastisch** *bn* 1 fantastic, fanciful: *~e verhalen* fanciful (*of:* wild) stories 2 *(onwerkelijk mooi, goed enz.)* fantastic, marvellous
[2]**fantastisch** *bw* fantastically, terrifically
fantasy fantasy
farao pharaoh
farde *(Belg)* 1 *(map)* file 2 carton (of cigarettes)
farizeeën Pharisees
farmaceutisch pharmaceutic(al)
fascinatie fascination
fascineren fascinate, captivate
fascinerend fascinating
fascisme fascism
fascist fascist
fascistisch fascist
fase phase: *eerste ~* undergraduate course of studies; *tweede ~* postgraduate course of studies
faseren phase
fataal fatal; *(ziekte ook)* terminal; *(dosis)* lethal; *(wond)* mortal: *dat zou ~ zijn voor mijn reputatie* that would ruin my reputation
fata morgana fata morgana, mirage
fatsoen decorum, decency, propriety: *geen enkel ~ hebben* lack all basic sense of propriety (*of:* decency); *zijn ~ houden* behave (oneself)
fatsoenlijk 1 decent *(persoon, gedrag);* respectable: *op een ~e manier aan de kost komen* make an honest living 2 *(behoorlijk)* decent; respectable *(inkomen, buurt);* fair *(kennis van iets)*
fatsoenshalve for decency's sake, for the sake of decency
fatwa fatwa(h)
fauna fauna
fauteuil armchair, easy chair
[1]**favoriet** *zn* favourite
[2]**favoriet** *bn* favourite; *(persoon)* favoured
fax fax
faxen fax
faxmodem fax modem
fazant pheasant
februari February
federaal federal
federatie federation, confederation
fee fairy

feeks shrew, vixen
feest 1 party 2 *(festijn)* feast, treat: *dat ~ gaat niet door* you can put that (idea) right out of your head
feestartikelen party goods *(of:* gadgets)
feestavond *(formeel)* gala night; *(informeel)* social evening
feestdag holiday: *op zon- en ~en* on Sundays and public holidays; *prettige ~en: a) (kerst)* Merry Christmas; *b) (Pasen)* Happy Easter
feestelijk festive: *een ~e jurk* a party dress
feesten celebrate, make merry
feestganger party-goer, guest
feestmaal feast, banquet
feestneus 1 false nose 2 *(persoon)* party-goer
feestvarken birthday boy *(of:* girl), guest of honour
feestversiering bunting
feestvieren celebrate
feestzaal party, reception room
feilloos infallible; *(oordeel)* unerring; *(zonder fouten)* faultless; flawless: *~ de weg terug vinden* find one's way back unerringly
feit fact; *(gebeurtenis)* circumstance; *(nieuwsfeit)* event: *het is* (of: *blijft*) *een ~ dat ...* the fact is (*of:* remains) that ...; *de ~en spreken voor zichzelf* the facts speak for themselves; *in ~e* in fact, actually
[1]**feitelijk** *bn* actual: *de ~e macht* the de facto (*of:* real, actual) power
[2]**feitelijk** *bw* actually, practically
fel 1 fierce *(hitte, wind, stralen);* bitter *(kou);* sharp *(pijn, vorst);* bright *(kleuren);* vivid *(kleuren);* blazing *(licht);* glaring *(licht): een ~roze jurk* a brilliant pink dress 2 *(hevig)* fierce, sharp; keen *(competitie);* violent *(emotie);* bitter *(strijd): een ~le brand* a blazing (*of:* raging) fire 3 *(vurig)* fierce; fiery *(temperament);* vehement *(protest);* spirited *(persoon);* scathing *(woorden, aanval);* biting *(woorden, aanval): ~ tegen iets zijn* be dead set against sth
felicitatie congratulation(s)
feliciteren congratulate on: *iem ~ met iets* congratulate s.o. on sth; *gefeliciteerd en nog vele jaren* happy birthday and many happy returns (of the day)
feminisme feminism, Women's Liberation
feminist feminist
feministisch feminist
fenomeen phenomenon
fenomenaal phenomenal
feodaal feudal
ferm firm; resolute *(houding)*
fermette *(Belg)* restored farmhouse (as second home)
fertilisatie fertilization
fervent fervent, ardent
fes *(muz)* F flat
festijn feast, fête
festival festival
festiviteit festivity, celebration
fetisj fetish
fetisjist fetishist
feuilleton serial (story)
fez fez
fiasco fiasco, disaster
fiche 1 *(van spel e.d.)* counter, token, chip 2 *(systeemkaart)* index card, filing card
fictie fiction
fictief *(denkbeeldig)* fictitious, imaginary: *een ~ bedrag* an imaginary sum
fier proud
fiets bike, bicycle, cycle: *we gaan op (met) de ~* we're going by bike
fietsbel bicycle bell
fietsen ride (a bike, bicycle), cycle, bike: *het is een uur ~* it takes an hour (to get there) by bike
fietsenmaker bicycle repairer *(of:* mender)
fietsenstalling bicycle shed, bicycle stands, bicycle park
fietser (bi)cyclist
fietspad bicycle track *(of:* path)
fietsstrook bicycle lane
fietstas saddlebag
fietstocht bicycle ride *(of:* trip, tour), cycling trip *(of:* tour): *een ~je gaan maken* go for a bicycle ride
figurant extra, walk-on
figuratief 1 figurative 2 *(versierend)* decorative, ornamental
figuur figure; *(persoonlijkheid ook)* character; individual: *een goed ~* a good figure; *geen gek ~ slaan naast* not come off badly compared with; *wat is hij voor een ~?* what sort of person is he?
figuurlijk figurative, metaphorical: *~ gesproken* metaphorically speaking
figuurzaag fretsaw; *(machinaal)* jigsaw
figuurzagen do fretwork; *(machinaal)* jigsaw
Fiji-eilanden Fiji Islands
[1]**fijn** *bn* 1 fine: *~e instrumenten* delicate instruments; *de ~e keuken* fine cooking 2 *(mbt kledingstukken, stoffen)* delicate 3 *(aangenaam)* nice, lovely, fine, great, grand: *een ~e tijd* a good time 4 *(subtiel)* subtle, fine: *een ~e neus* a fine (*of:* subtle) nose
[2]**fijn** *bw (aangenaam)* nice: *ons huis is ~ groot* our house is nice and big
[3]**fijn** *tw* that's nice, lovely: *we gaan op vakantie, ~!* we're going on holiday, great!
fijngevoelig 1 sensitive 2 *(tactvol)* tactful
fijnproever connoisseur; *(lett ook)* gourmet
fijnsnijden cut fine(ly), slice thinly
fijnstampen crush, pound, pulverize; *(aardappels)* mash
fik fire: *in de ~ steken* set fire to
fikken burn
fiks sturdy, firm
fiksen fix (up), manage
filantroop philanthropist

filatelist philatelist
file queue; *(mensen ook)* line; row; *(auto's ook)* tailback; traffic jam: *in een ~ staan* (of: *raken*) be in (*of:* get into) a traffic jam
fileparkeren parallel parking
filet fillet
filharmonisch philharmonic
filiaal branch; *(van grootwinkelbedrijf)* chain store
filiaalhouder branch manager
Filippijn Filipino
Filippijnen (the) Philippines
Filippijns Philippine, Filipino
film film: *een stomme ~* a silent film (*of:* picture); *welke ~ draait er in die bioscoop?* what's on at that cinema?; *een ~(pje) ontwikkelen* develop a film
filmacademie film academy *(of:* school)
filmacteur film actor
filmcamera (cine-)camera; *(professioneel)* (film)-camera; motion-picture camera
filmdoek (film) screen
filmen film, make (a film), shoot (a film)
filmer film-maker
filmkeuring film censorship; *(commissie)* film censorship board; board of film censors
filmmuziek soundtrack
filmopname shot, sequence, take: *een ~ maken van* make (*of:* shoot) a film of
filmploeg film crew
filmproducent film producer
filmregisseur film director
filmrol **1** role (*of:* part) in a film **2** *(filmband)* reel of film
filmster (film) star, movie star
filmvoorstelling film showing
filosoferen philosophize
filosofie philosophy: *de ~ van Plato* Plato's philosophy
filosofisch philosophic(al)
filosoof philosopher
filter filter
[1]**filteren** *intr* filter through (*of:* into); *(koffie)* percolate (through)
[2]**filteren** *tr* filter; percolate *(koffie)*
filterzakje (coffee) filter
Fin Finn, Finnish woman
finaal **1** final **2** *(algeheel)* complete, total: *ik ben het ~ vergeten* I clean forgot (it)
finale *(muz)* finale; *(sport)* final(s)
finalist finalist
financieel financial
financiën finance, finances, funds
financier financier
financieren finance, fund; back *(onderneming)*
fineer veneer
fingeren **1** feign, sham; stage *(ensceneren)*: *een gefingeerde overval* a staged robbery **2** *(verzinnen)* invent, make up, dream up: *een gefingeerde naam* a fictitious name, an assumed name
finish finish, finishing line
finishen finish: *als tweede ~* finish second, come (in) second
Finland Finland
[1]**Fins** *zn* Finnish
[2]**Fins** *bn* Finnish
FIOD *afk van Fiscale Inlichtingen- en Opsporingsdienst* tax inspectors of the Inland Revenue Service
firewall firewall
firma firm, partnership, company: *de ~ Smith & Jones* the firm of Smith and Jones
fis *(muz)* F sharp
fiscaal fiscal, tax(-): *~ aftrekbaar* tax-deductible
fiscus *(als belastingheffer)* the Inland Revenue, the Treasury; *(inform)* the taxman
fit fit; *(uitgerust)* fresh: *niet ~ zijn* be out of condition, *(niet lekker)* be under the weather
fitness fitness training; keep-fit exercises *(mv)*: *aan ~ doen* do fitness training, work out
fitnesscentrum fitness club, health club
fitting *(waar men lamp indraait)* socket; *(van lamp zelf)* screw(cap); fitting
fixeer fixer, fixative
fixeren fix
fjord fjord, fiord
flacon bottle, flask; flagon *(wijn)*
fladderen **1** flap about; *(vogeltje, vlinder)* flutter **2** *(heen en weer bewegen)* flutter; *(vlag, zeil)* flap; *(haar)* stream
flakkeren flicker
flamberen *(cul)* flambé
flamingo flamingo
flanel *(stof)* flannel; *(katoen)* flannelette
flanellen flannel
flaneren stroll, parade
flank *(zijde)* flank, side
flankeren flank
flansen (met *in elkaar*) knock together, put together
flap **1** flap **2** *(gebakje)* turnover **3** *(bankbiljet)* (bank) note **4** *(groot vel papier)* flysheet
flapdrol wally
flapoor protruding ear, sticking-out ear
flappen fling down, bang down, plonk down || *eruit ~* blab(ber), blurt out
flappentap hole-in-the-wall (machine)
flapuit blab, blabber
flard **1** shred, tatter: *aan ~en scheuren* tear to shreds **2** *(los gedeelte)* fragment; *(klein deeltje)* scrap: *enkele ~en van het gesprek* a few fragments (*of:* snatches) of the conversation
flat **1** block of flats; *(groter)* block of apartments **2** *(appartement)* flat; *(Am)* apartment: *op een ~* in a flat
flater blunder, howler
flatscreen flat screen
flauw **1** bland, tasteless; washy *(drank)*; watery

(drank) 2 *(niet krachtig, sterk)* faint, feeble, weak; *(herinnering, licht ook)* dim: *ik heb geen ~ idee* I haven't the faintest idea 3 *(niet geestig)* feeble: *een ~e grap* a feeble (*of:* corny, silly) joke 4 *(kinderachtig)* silly; *(bang)* chicken(-hearted); *(onsportief)* unsporting; *(onsportief)* faint-hearted 5 *(zwak gebogen)* gentle, slight
flauwekul rubbish, nonsense
flauwerd silly person, wet person; *(bangerd)* coward
flauwte faint, fainting fit: *van een ~ bijkomen* come round (*of:* to)
flauwtjes faint; *(licht)* dim; *(smakeloos)* bland; *(zaken)* dull; *(melig)* silly: *~ glimlachen* smile weakly
flauwvallen *(bezwijmen)* faint, pass out: *~ van de pijn* faint with pain
flensje crêpe, thin pancake
fles bottle; *(met brede hals)* jar: *een melkfles* a milk bottle; *de baby krijgt de ~* the baby is bottle-fed
flesopener bottle-opener
flesvoeding 1 bottle-feeding 2 *(babyvoeding)* baby milk; *(Am)* formula
flets 1 pale, wan: *er ~ uitzien* look pale (*of:* washed-out) 2 *(niet helder)* pale, dull: *~e kleuren* pale (*of:* faded, dull) colours
fleurig colourful, cheerful
flexibel flexible, pliable; *(fig ook)* supple; *(fig ook)* elastic: *~e werktijden* flexible hours, flexitime
flexibiliteit flexibility; *(fig ook)* elasticity
flexwerker flexiworker, flex worker
flik *(Belg; inform)* cop
flikken bring off, pull off; get away with *(iets ontoelaatbaars)*: *dat moet je me niet meer ~* don't you dare try that one on me again
flikkeren 1 *(van kaars e.d.)* flicker; *(elektrisch licht ook)* blink: *het ~de licht van een kaars* the flickering light of a candle 2 *(van blinkend voorwerp)* glitter, sparkle: *de zon flikkert op het water* the sun shimmers on the water 3 *(inform) (vallen)* fall, tumble: *van de trap ~* nosedive (*of:* tumble) down the stairs
[1]**flink** *bn* 1 *(fors)* robust, stout, sturdy 2 *(mbt afmeting, hoeveelheid)* considerable, substantial: *een ~e dosis* a stiff dose; *een ~e wandeling* a good (long) walk 3 *(sterk van karakter)* firm; *(dapper)* plucky: *een ~e meid* a big girl; *zich ~ houden* put on a brave front (*of:* face)
[2]**flink** *bw* considerably, thoroughly, soundly: *~ wat mensen* quite a number of people, quite a few people; *iem er ~ van langs geven* give s.o. what for
flinter wafer, thin slice
flipperen play pinball
flipperkast pinball machine
flirt flirtation
flirten flirt
flits 1 *(foto)* flash(bulb), flash(light) 2 *(bliksemschicht)* flash, streak 3 *(glimp)* flash; split second *(korte tijd)* 4 *(fragment ve opname)* clip, flash: *~en van een voetbalwedstrijd* highlights of a football match
flitsend 1 *(modieus)* stylish, snappy, snazzy 2 brilliant
flitslicht flash(light)
flitspaal speed camera, camera speed trap
flodder: *losse ~s* dummy (*of:* blank) cartridges, blanks
flodderig 1 *(mbt kleren)* baggy, floppy 2 *(knoeierig, slordig)* sloppy, shoddy, messy
flonkeren twinkle *(vnl. van ster)*; sparkle *(vnl. van edelsteen)*; glitter: *~de ogen* sparkling eyes
flonkering sparkle; sparkling *(vnl. van edelsteen)*; twinkling *(vnl. van ster)*
floppen flop
floppydisk floppy disk, diskette
floppydrive disk drive
flora flora
floreren *(fig)* flourish, bloom, thrive
floret foil
florijn florin, guilder
florissant flourishing, blooming, thriving; well *(gezond)*; healthy *(gezond)*: *dat ziet er niet zo ~ uit* that doesn't look so good
flossen floss one's teeth
fluctuatie fluctuation; *(sterk)* swing
fluctueren fluctuate
fluisteren whisper
fluit 1 flute; *(in drumkorps)* fife 2 *(geluid)* whistle
fluitconcert 1 flute concerto, concerto for flute; *(uitvoering)* flute recital (*of:* concert) 2 *((afkeurend) gefluit)* catcalls, hissing: *op een ~ onthaald worden* be catcalled
[1]**fluiten** *intr* 1 whistle, blow a whistle 2 *(fluitinstrument bespelen)* play the flute 3 *(fluitend geluid voortbrengen)* whistle; *(vogel, fluitketel)* sing; *(schip)* pipe; *(ter afkeuring)* hiss
[2]**fluiten** *tr* 1 whistle; *(op fluit)* play; *(vogel)* sing: *een deuntje ~* whistle a tune 2 *(als scheidsrechter leiden)* referee, act as referee in
fluitist flautist, flute(-player)
fluitje whistle || *een ~ van een cent* a doddle, a piece of cake
fluitketel whistling kettle
fluitspeler flute-player
fluittoon whistle, whistling; *(radio)* whine; *(kort)* b(l)eep
fluor fluorine
fluwelen velvet, velvety
FM *(radio) afk van frequentiemodulatie* FM, VHF
FNV *afk van Federatie van Nederlandse Vakverenigingen (ongev)* TUC, (Dutch) Trades Union Congress
fobie phobia: *een ~ voor katten* a phobia about cats
focus focal point, focus
FOD *(Belg) afk van Federale Overheidsdienst* Federal Government Service

foedraal case, cover, sheath
foefelen *(Belg)* cheat, fiddle
foefje trick
foei naughty naughty!
foeteren grumble, grouse
foetus fetus
foetushouding foetus position
föhn 1 *(weerk)* föhn **2** *(haardroger)* blow-dryer
föhnen blow-dry
fok foresail
fokken breed; *(grootbrengen)* rear; raise
fokker breeder; *(veefokker)* stockbreeder; cattle-raiser; *(mbt huisdieren)* fancier
fokkerij 1 (cattle-)breeding, cattle-raising; *(mbt vee ook)* (live)stock farming **2** *(bedrijf)* breeding farm, stock farm; breeding kennel(s) *(honden);* stud farm *(paarden)*
fokstier (breeding) bull
fokzeil foresail
folder leaflet, brochure, folder
folie (tin)foil
folk folk (music)
folklore folklore
folkmuziek folk music
folteren torture; *(fig ook)* rack; *(fig ook)* torment
fonds 1 fund, capital, resources, funds **2** *(vereniging)* fund, trust
fonduen eat fondue, have fondue
fonetisch phonetic
fonkelen 1 sparkle, glitter; twinkle *(sterren)* **2** *(mbt dranken)* sparkle, effervesce
fontein fountain
fooi 1 tip, gratuity **2** *(fig) (gering bedrag)* pittance; *(mbt loon)* starvation wages
foor *(Belg)* fair
foppen fool, hoax, trick
fopspeen dummy (teat), soother; *(Am)* pacifier
[1]**forceren** *tr* **1** force; enforce *(maatregelen): de zaak ~* force the issue, rush things **2** *(met geweld)* force, strain, overtax, overwork: *zijn stem ~* (over)strain one's voice
[2]**forceren, zich** force oneself, overtax oneself, overwork oneself
forel trout
forens commuter
forfait *(Belg): (sport) ~ geven* fail to turn up
formaat size; *(boek, papier ook)* format; *(fig)* stature; *(fig)* class
formaliseren formalize, standardize
formaliteit formality, matter of routine: *de nodige ~en vervullen* go through the necessary formalities
formatie 1 formation **2** *(popgroep)* band, group
formatteren format
formeel formal; *(plechtig ook)* official: *~ heeft u gelijk* technically speaking you are right
formeren 1 form, create **2** *(scheppen)* form, create, make **3** *(geestelijk vormen)* form, shape
[1]**formica** *zn* formica
[2]**formica** *bn* formica
formidabel formidable, tremendous
formule formula: *de ~ van water is H_2O* the formula for water is H_2O
formule 1 formula 1
formule 1-coureur formula 1 driver
formuleren formulate, phrase: *iets anders ~* rephrase sth
formulering formulation, phrasing, wording: *de juiste ~ is als volgt* the correct wording is as follows
formulewagen racing car, formula (racing) car
formulier form: *een ~ invullen* fill in (*of Am:* fill out) a form
fornuis 1 cooker **2** *(stookinrichting)* furnace
fors 1 sturdy; *(mens ook)* robust; loud *(stem);* vigorous *(taalgebruik);* forceful *(taalgebruik);* massive *(gebouw);* heavy *(nederlaag): een ~e kerel* a big fellow **2** *(groot, niet te verwaarlozen)* substantial, considerable: *een ~ bedrag* a substantial sum
fort fort(ress)
fortuin 1 (good) fortune, (good) luck: *zijn ~ zoeken* seek one's fortune **2** *(kapitaal)* fortune
forum 1 forum, panel discussion **2** *(personen)* panel
forumen participate in internet forums
fosfaat phosphate
fosfor phosphorus
fossiel fossil, fossilized
foto photograph, picture, photo: *wil je niet op de ~?* don't you want to be in the picture?; *hij wil niet op de ~* he doesn't want his picture taken
fotocamera camera
fotograaf photographer
fotograferen photograph, take a photograph (of)
fotografie photography
fotokopie photocopy, xerox: *een ~ maken van iets* photocopy sth
fotokopiëren photocopy, xerox
fotomodel model, photographer's model, cover girl
fotoshoppen photo shop
fouilleren search; *(inform)* frisk
fouillering (body) search
fournituren haberdashery
[1]**fout** *zn* **1** fault, flaw, defect: *zijn ~ is dat …* the trouble with him is that …; *niemand is zonder ~en* nobody's perfect **2** *(verkeerde handeling)* mistake, error; *(overtreding bij sport)* foul; fault *(bij tennis, paardensport enz.): menselijke ~* human error; *in de ~ gaan: a)* make a mistake; *b) (inform)* slip up
[2]**fout** *bn, bw* wrong; *(niet juist ook)* incorrect; erroneous: *de boel ging ~* everything went wrong; *een ~ antwoord* a wrong answer
foutloos faultless, perfect
foutparkeren park illegally
foyer foyer

fr. *afk van frank* fr., franc(s)
fraai **1** pretty; fine *(boek)* **2** *(tot eer, lof strekkend)* fine, splendid
fractie fraction: *in een ~ van een seconde* in a fraction of a second
fractieleider *(pol) (ongev)* leader of the *(of:* a) parliamentary party; *(Am; ongev)* floor leader
fractuur fracture
fragment fragment, section
framboos raspberry
frame frame
Française Frenchwoman
franchise franchise
franco *(poststukken)* prepaid; postage paid; *(goederen)* carriage paid
frangipane *(Belg) (gebakje)* pastry with almond filling
franje **1** fringe, fringing **2** *(fig) (overbodige opsiering)* frill, trimmings: *zonder (overbodige) ~* stripped of all its frills
frank franc || *(Belg) zijn ~ valt* the penny has dropped
frankeren stamp; *(concr, met machine)* frank; *(Am)* meter; *(betalen)* prepay: *onvoldoende gefrankeerd* understamped, *(op enveloppe)* postage due
Frankrijk France
[1]**Frans** *zn* French: *in het ~* in French
[2]**Frans** *bn* French: *de ~en* the French; *twee ~en* two French people, two Frenchmen
Fransman Frenchman
frappant striking, remarkable
frase phrase
frater friar, brother
fraude fraud; *(verduistering)* embezzlement
frauderen commit fraud
freak **1** freak, nut, fanatic, buff: *een filmfreak* a film buff **2** *(iem die zich vreemd gedraagt)* freak, weirdo
freelance freelance
freelancer freelance(r)
freeware freeware
fregat frigate
frequent frequent
frequentie frequency: *de ~ van zijn hartslag* his pulse (rate)
fresco fresco
fresia freesia
[1]**fret** *zn (mbt snaarinstrumenten)* fret
[2]**fret** *zn (dier)* ferret
freudiaans Freudian: *een ~e vergissing (verspreking)* a Freudian slip
freule *(ongev)* gentlewoman, lady: *~ Jane A. (ongev)* the Honourable Jane A.
frezen mill
fricandeau fricandeau
frictie friction
friemelen fiddle: *~ aan (met)* fiddle with
Fries Frisian
Friesland Friesland
friet chips; *(Am)* French fries: *~je oorlog* chips with mayonnaise and peanut sauce; *~je zonder* just chips (no sauce)
friettent fish-and-chip stall *(of:* stand); *(ongev)* chippy; *(Am; ongev)* hamburger joint
frigobox *(Belg) (koelbox)* cool box
frikandel minced-meat hot dog
[1]**fris** *zn* soft drink; *(inform)* pop: *een glaasje ~* a soft drink, a glass of pop
[2]**fris** *bn* **1** fresh; *(mbt lichamelijke toestand ook)* fit; lively: *met ~se moed* with renewed vigour **2** *(niet benauw(en)d)* fresh, airy, breezy: *het ruikt hier niet ~* it's stuffy (in) here **3** *(schoon, hygiënisch)* clean **4** *(tamelijk koel)* cool(ish), chilly
frisdrank soft drink; *(inform)* pop *(zoet, met prik)*
frisjes chilly, nippy
friteuse deep fryer, chip pan
frituren deep-fry
frituur chip shop
frituurpan deep frying pan; *(elektrisch)* deep fryer; chip pan
frivool frivolous
[1]**frommelen** *intr* fiddle, fumble: *aan het tafelkleed ~* fiddle with the tablecloth
[2]**frommelen** *tr* **1** *(verkreukelen)* crumple (up), rumple, crease: *iets in elkaar ~* crumple sth up **2** *((weg)stoppen)* stuff away
frons **1** wrinkle **2** *(gelaatsuitdrukking)* frown; *(boos, dreigend)* scowl
fronsen frown; *(boos, dreigend)* scowl: *de wenkbrauwen ~* frown, knit one's brow(s)
front front; *(van gebouw ook)* façade; *(vnl. fig)* forefront: *het vijandelijke* (of: *oostelijke*) *~* the enemy *(of:* eastern) front
frontaal frontal; *(mbt botsingen, confrontaties ook)* head-on
froufrou *(Belg) (mbt haar)* fringe
fruit fruit || *Turks ~* Turkish delight
fruitautomaat fruit machine; *(Am)* slot machine; one-armed bandit
fruiten fry, sauté
fruithandelaar fruiterer *(winkelier);* fruit merchant *(of:* trader, dealer) *(groothandelaar)*
fruitsap *(Belg)* fruit juice
fruitteler fruit grower, fruit farmer
frunniken fiddle
frustraat frustrated person
frustratie frustration
frustreren **1** frustrate **2** *(dwarsbomen ook)* thwart
f-sleutel F clef
fte *afk van fulltime-equivalent* fte, full-time equivalent
fuga fugue
fuif party; *(inform)* bash: *een ~ geven (houden)* give *(of:* have) a party
fuiven *(feestvieren)* have a party: *we hebben tot diep in de nacht gefuifd* the party went on into the small hours

full colour full colour
fulltime full-time
functie post, position, duties: *een hoge ~ bekleden* hold an important position; *in ~ treden* take up office || *(wisk) x is een ~ van y* x is a function of y
functiebeperking functional handicap
functiebeschrijving job description, job specification
functionaris official
functioneel functional
functioneren **1** act, function, serve **2** *(werken)* work, function, perform: *niet* (of: *goed*) *~d (machine)* out of order, in working order
fundament *(bouwk)* foundation; *(fig ook)* fundamental(s): *de ~en leggen (voor)* lay the foundations (for)
fundamenteel fundamental, basic
funderen **1** found, build **2** *(fig ook)* base, ground
fundering foundation(s); *(fig ook)* basis; groundwork: *de ~(en) leggen* lay the foundation(s)
funest disastrous, fatal: *de droogte is ~ voor de tuin* (the) drought is disastrous for the garden
fungeren **1** act as, function as **2** *(in functie zijn)* be the present … *(of:* acting …, officiating …)
furie fury, shrew: *tekeergaan als een ~* go raving mad
furieus furious, enraged
furore furore
fuseren merge (with), incorporate
fusie merger
fusilleren execute by firing squad
fusion fusion
fusioneren *(Belg) (fuseren)* merge
fust cask, barrel
fut go, energy, zip: *de ~ is eruit bij hem* there's no go in him anymore
futiliteit trifle, futility
futsal futsal, indoor soccer
futuristisch futurist(ic)
fuut great crested grebe
fysica physics
fysicus physicist
fysiek physical
fysiologie physiology
fysiotherapeut physiotherapist
fysiotherapie **1** physiotherapy **2** *(Belg)* rehabilitation
fysisch physical

g

gaaf 1 whole, intact; sound *(hout, fruit, tanden enz.): een ~ gebit* a perfect set of teeth 2 *(ontzettend goed)* great, super: *Sampras speelde een gave partij* Sampras played a great game

gaai jay: *Vlaamse ~* jay

[1]**gaan** *intr* 1 go, move: *hé, waar ga jij naartoe?* where are you going?, *(achterdochtig)* where do you think you're going?; *het gaat niet zo best* (of: *slecht*) *met de patiënt* the patient isn't doing so well (*of:* so badly) 2 *(vertrekken, weggaan ook)* leave; *(inform)* be off: *hoe laat gaat de trein?* what time does the train go?; *ik moet nu ~* I must go now, I must be going (*of:* off) now; *ik ga ervandoor* I'm going (*of:* off); *ga nu maar* off you go now 3 *(beginnen te)* go, be going to: *~ kijken* go and (have a) look; *~ liggen* lie down; *~ staan* stand up; *ze ~ trouwen* they're getting married; *~ zwemmen* go for a swim, go swimming; *aan het werk ~* set to work 4 *(plaatshebben ook)* be, run: *de zaken ~ goed* business is going well; *als alles goed gaat* if all goes well; *dat kon toch nooit goed ~* that was bound to go wrong; *hoe is het gegaan?* how was it?, how did it (*of:* things) go? 5 (met *over*) *(beheren)* run, be in charge (of): *daar ga ik niet over* that's not my responsibility 6 (met *over*) *(tot onderwerp hebben)* be (about): *waar gaat die film over?* what's that film about? || *zich laten ~* let oneself go; *(fig) dat gaat mij te ver* I think that is going too far; *eraan ~* have had it, *(persoon ook)* be (in) for it; *daar ~ we weer* (t)here we go again; *we hebben nog twee uur te ~* we've got two hours to go; *aan de kant ~* move aside; *zijn gezin gaat bij hem boven alles* his family comes first (with him)

[2]**gaan** *onpers ww* 1 *(gebeuren)* be, go, happen: *het is toch nog gauw gegaan* things went pretty fast (after all) 2 (met *om*) be (about): *daar gaat het niet om* that's not the point; *daar gaat het juist om* that's the whole point; *het gaat erom of …* the point is whether …; *het gaat om het principe* it's the principle that matters; *het gaat om je baan* your job is at stake; *het gaat hier om een nieuw type* we're talking about a new type || *het ga je goed* all the best; *hoe gaat het (met u)?* how are you?, how are things with you?; *hoe gaat het op het werk?* how is your work (going)?, how are things (going) at work?; *het gaat* it's all right, it's OK

gaande 1 going, running: *een gesprek ~ houden* keep a conversation going 2 *(aan de hand)* going on, up: *~ zijn* be going on, be in progress

gaandeweg gradually

gaap yawn

gaar 1 *(mbt eten)* done; *(vnl. gekookt)* cooked: *de aardappels zijn ~* the potatoes are cooked (*of:* done); *het vlees is goed ~* (of: *precies ~*) the meat is well done (*of:* done to a turn); *iets ~ koken* cook sth; *iets ~ koken* overcook sth 2 *(moe)* done, tired (out)

gaarne gladly, with pleasure

gaas 1 *(weefsel)* gauze; *(vitrage enz.)* net(ting): *fijn* (of: *grof*) *~* fine-meshed (*of:* large-meshed) gauze 2 *(van metaaldraad)* wire mesh; *(grof)* (wire) netting; *(fijn)* (wire) gauze: *het ~ van een hor* the wire gauze of a screen

gaatje (little, small) hole; *(in fiets-, autoband)* puncture: *~s in de oren laten prikken* have one's ears pierced; *ik had geen ~s (bij tandarts)* I had no cavities || *ik zal eens kijken of ik voor u nog een ~ kan vinden* I'll see if I can fit (*of:* squeeze) you in

gabber mate, pal, chum, buddy

gadeslaan 1 observe, watch 2 *(aandachtig de ontwikkeling volgen van)* follow, watch (closely)

gaffel (two-pronged) fork

gage pay; *(artiesten ook)* fee; salary

gajes rabble, riff-raff

gal bile; *(bij dieren)* gall

gala gala

gala-avond gala night

galant chivalrous, gallant: *~e manieren* elegant manners

galblaas gall bladder: *een operatie aan de ~* a gall bladder operation

galei galley

galeislaaf galley slave

galerie (art) gallery

galeriehouder *(eigenaar)* gallery owner; *(exploitant)* manager of a gallery

galerij gallery; *(van flat)* walkway; *(winkelgalerij)* (shopping) arcade

galg gallows: *aan de ~ ophangen* hang on the gallows; *~je spelen* play hangman; *hij groeit voor ~ en rad op* he'll come to no good

Galilea Galilee

galjoen galleon

galm sound; *(van klokken)* peal(ing) || *de luide ~ van zijn stem* his booming voice

[1]**galmen** *intr* resound, boom; peal *(klok): de klokken ~* the bells peal

[2]**galmen** *tr (luidkeels uitroepen, zingen)* bellow

galop gallop: *in ~* at a gallop; *in ~ overgaan* break into a gallop

galopperen *(in galop gaan)* gallop: *een paard laten ~* gallop a horse

game game

gameboy Game Boy

gamma *(muz)* scale, gamut

gammel 1 rickety, wobbly, ramshackle: *een ~e constructie* a ramshackle construction 2 *(lusteloos)* shaky, faint: *ik ben een beetje ~* I don't feel up to much

gang 1 passage(way), corridor, hall(way) 2 *(pad)* passage(way), tunnel: *een ondergrondse ~* an underground passage(way) 3 *(manier van lopen)* walk, gait: *herkenbaar aan zijn moeizame ~* recognizable by his laboured gait 4 *(beweging, werking)* movement; *(snelheid)* speed: *er ~ achter zetten* speed it up; *de les was al aan de ~* the lesson had already started (*of:* got going); *een motor aan de ~ krijgen* get an engine going; *goed op ~ komen (ook fig)* get into one's stride; *iem op ~ helpen* help s.o. to get going, give s.o. a start 5 *(voortgang, ontwikkeling)* course, run: *de ~ van zaken is als volgt* the procedure is as follows; *de dagelijkse ~ van zaken* the daily routine; *verantwoordelijk zijn voor de goede ~ van zaken* be responsible for the smooth running of things; *het feest is in volle ~* the party is in full swing; *alles gaat weer zijn gewone ~* everything's back to normal 6 *(mbt eten)* course: *het diner bestond uit vijf ~en* it was a five-course dinner || *ga je ~ maar: a) (begin maar)* (just, do) go ahead; *b) (ga maar verder)* (just, do) carry on; *c) (na jou)* after you; *zijn eigen ~ gaan* go one's own way

gangbaar 1 current, contemporary, common: *een gangbare uitdrukking* a common expression 2 *(mbt koop-, handelswaren)* popular: *een gangbare maat* a common size

Ganges the (River) Ganges

gangetje 1 pace, rate 2 *(nauwe doorgang) (steeg)* alley(way); passage(way); *(gang)* narrow corridor (*of:* passage) || *alles gaat z'n ~* things are going all right

gangmaker (the) life and soul of the party

gangpad aisle

gangreen gangrene: *~ krijgen* get gangrene, *(lichaamsdeel)* become gangrenous

gangster gangster

gans goose: *de sprookjes van Moeder de Gans* the (fairy) tales of Mother Goose

gapen 1 yawn: *~ van verveling* yawn with boredom 2 *(met open mond staren)* gape, gawk (at): *naar iets staan ~* stand gaping at sth 3 *(wijde opening hebben)* yawn, gape: *een ~de afgrond (ook fig)* a yawning abyss

gappen pinch, swipe

garage garage: *de auto moet naar de ~* the car has to go to the garage

garagedeur garage door

garagehouder *(eigenaar)* garage owner; *(exploitant)* garage manager

garagist *(Belg)* 1 *(iem die een garage houdt)* garage owner 2 *(monteur in een garage)* motor mechanic

garanderen guarantee, warrant: *gegarandeerd echt goud* guaranteed solid gold; *ik kan niet ~ dat je slaagt* I cannot guarantee that you will succeed; *dat garandeer ik je* I guarantee you that

garant guarantor; guarantee underwriter *(bijv. van emissie); (jur)* surety: *~ staan voor de schulden van zijn vrouw* stand surety for one's wife's debts; *zijn aanwezigheid staat ~ voor een gezellige avond* his presence ensures an enjoyable evening

garantie guarantee, warranty: *dat valt niet onder de ~* that is not covered by the guarantee; *drie jaar ~ op iets krijgen* get a three-year guarantee on sth

garantiebewijs guarantee (card), warranty, certificate of guarantee

garantietermijn period (*of:* term) of guarantee, warranty period: *de ~ is verlopen* the (period, term of) guarantee has expired

garantievoorwaarden guarantee conditions, terms of guarantee

garde 1 *(lijfwacht)* guard: *de nationale ~* the national guard 2 *(keukengereedschap)* whisk, beater

garderobe 1 wardrobe: *een uitgebreide ~ bezitten* possess an extensive wardrobe 2 *(waar je jassen enz. ophangt)* cloakroom

gareel *(fig): iem (weer) in het ~ brengen* bring s.o. to heel, make s.o. toe the line; *in het ~ lopen* toe the line

garen thread, yarn: *een klosje ~* a reel of thread

garnaal shrimp; *(steur)* prawn

garnalencocktail shrimp cocktail, prawn cocktail

garneren garnish

garnering garnishing

garnituur 1 garnishing, trim, trimming(s) 2 *(stel voorwerpen ter versiering)* accessories *(mv)*; set, ensemble

garnizoen garrison

gas 1 gas: *~, water en elektra* gas, water and electricity; *vloeibaar ~* liquid gas; *het ~ aansteken* (of: *uitdraaien*) light (*of:* turn) off the gas; *op ~ koken* cook with (*of:* by) gas 2 *(motorgas)* mixture; *(inform)* gas: *~ geven* step on the gas; *vol ~ de bocht door* (round the bend) at full speed; *de auto rijdt op ~* the car runs on LPG

gasfabriek gasworks, gas plant

gasfitter gas fitter; *(tevens loodgieter)* plumber

gasfornuis gas cooker

gaskamer gas chamber, gas oven

gasketel gasholder, gasometer

gaskomfoor *(fornuis)* gas cooker; *(pit)* gas ring

gaskraan gas tap: *de ~ opendraaien* (of: *dichtdraaien*) turn on (*of:* off) the gas (tap)

gasleiding gas pipe(s); *(huisaansluiting)* service pipe; *(hoofdleiding)* gas main(s)

gaslicht gaslight

gaslucht smell of gas

gasmasker gas mask

gasmeter gas meter

gaspedaal accelerator (pedal): *het ~ indrukken* (of: *intrappen*) step on (*of:* press down) the accelerator

gaspijp gas pipe(line)
gasrekening gas bill
gasstel gas ring *(of:* burner)
gast 1 guest, visitor: *~en ontvangen* entertain (guests); *bij iem te ~ zijn* be s.o.'s guest **2** *(mbt de horeca ook)* customer: *vaste ~en: a) (hotel)* regular guests; *b) (restaurant, café)* regular customers
gastarbeid foreign labour
gastarbeider immigrant worker
gastcollege guest lecture
gastdocent visiting lecturer
gastgezin host family
gastheer host: *als ~ optreden* act as host
gastoevoer gas supply: *de ~ afsluiten* cut (*of:* shut) off the gas supply

gastoptreden guest appearance *(of:* performance)
gastrol guest appearance
gastronomisch gastronomic
gastspreker guest speaker
gastvrij hospitable, welcoming: *iem ~ onthalen* entertain s.o. well; *iem ~ ontvangen (opnemen)* extend a warm welcome to s.o.
gastvrijheid hospitality: *bij iem ~ genieten* enjoy s.o.'s hospitality
gastvrouw hostess
gasvormig gaseous
gat 1 hole, gap: *zwart ~* black hole; *een ~ dichten* stop (*of:* fill) a hole; *een ~ maken in* make a hole in (sth) **2** *(met opzet gemaakt ook)* opening: *(fig) een ~ in de markt ontdekken* discover a gap (*of:* hole) in the market **3** *(uitholling)* hole, cavity: *een ~ in je kies* a hole (*of:* cavity) in your tooth **4** *(afgelegen stadje, dorp)* hole, dump **5** *(verwonding)* cut, gash: *zij viel een ~ in haar hoofd* she fell and cut her head || *hij heeft een ~ in z'n hand* he spends money like water; *iets in de ~en hebben* realize sth, be aware of sth; *iem (iets) in de ~en houden* keep an eye on s.o. (sth); *niets in de ~en hebben* be quite unaware of anything; *in de ~en lopen* attract (too much) attention
[1]gauw *bn, bw* quick, fast; *(te snel)* hasty: *ga zitten en ~ een beetje* sit down and hurry up about it! (*of:* and make it snappy!); *dat heb je ~ gedaan, dat is ~* that was quick (work); *ik zou maar ~ een jurk aantrekken* (if I were you) I'd just slip into a dress
[2]gauw *bw* **1** *(mbt tijd)* soon, before long: *hij had er al ~ genoeg van* he had soon had enough (of it); *hij zal nu wel ~ hier zijn* he won't be long now; *dat zou ik zo ~ niet weten* I couldn't say offhand **2** *(gemakkelijk)* easily: *ik ben niet ~ bang, maar …* I'm not easily scared, but …; *dat kost al ~ €100* that can easily cost 100 euros || *zo ~ ik iets weet, zal ik je bellen* as soon as I hear anything I'll ring you
gave 1 gift, donation, endowment **2** *(talent)* gift, talent
gayscene gay scene
Gazastrook Gaza Strip
gazelle gazelle
gazet *(Belg) (krant)* newspaper
gazon lawn
gazonsproeier lawn sprinkler
ge *2e pers ev en mv* **1** thou **2** *(Belg, Z-Ned)* you: *wat zegt ge?* what did you say?
geaard 1 earthed: *een ~ stopcontact* an earthed socket **2** *(met een bepaalde aard)* natured, inclined, tempered
geaardheid disposition, nature, inclination: *seksuele ~* sexual orientation
geabonneerd: *~ zijn (op)* have a subscription (to)
geacht respected, esteemed: *Geachte Heer* (of: *Mevrouw*) Dear Sir (*of:* Madam); *~e luisteraars* Ladies and Gentlemen
geadresseerde addressee; *(mbt goederen)* consignee
geallieerden Allies
geamuseerd amused: *~ naar iets kijken* watch sth in amusement
geanimeerd animated, lively, warm: *een ~ gesprek* an animated (*of:* a lively) conversation
geavanceerd advanced, latest: *~e technieken* advanced techniques
gebaar 1 gesture, sign(al): *expressie in woord en ~* expression in word and gesture; *door een ~ beduidde zij hem bij haar te komen* she motioned him to come over; *met gebaren iets duidelijk maken* signal sth (by means of gestures) **2** *(handeling)* gesture, move: *een vriendelijk ~ aan zijn adres* a gesture of friendliness towards him
gebak pastry, confectionery, cake(s): *~ van bladerdeeg* puff (pastry); *vers ~* fresh pastry (*of:* confectionery); *koffie met ~* coffee and cake(s)
gebakje (fancy) cake, pastry: *op ~s trakteren* treat (s.o.) to cake(s)
gebakken *(in oven)* baked; *(in pan)* fried: *~ aardappelen* (of: *vis*) fried potatoes (*of:* fish)
gebaren gesture, gesticulate; *(om iets duidelijk te maken)* signal; *(om iets duidelijk te maken)* motion: *met armen en benen ~* gesticulate wildly
gebarentaal sign language
gebarentolk sign (language) interpreter
gebed prayer, devotions; *(aan tafel)* grace: *mijn ~en werden verhoord* my prayers were answered; *het ~ vóór de maaltijd* (saying) grace
gebedskleedje prayer mat
gebedsoproep call (*of:* summons) to prayer
gebedsrichting kiblah
gebeente bones: *zwaar van ~* with heavy bones; *wee je ~!* woe betide you!, don't you dare!
gebergte 1 mountains **2** *(bergketen)* mountain range, chain of mountains
gebeurde incident, event: *hij wist zich niets van het ~ te herinneren* he couldn't remember anything of what had happened
[1]gebeuren *zn* event, incident, happening: *een eenmalig ~* a unique event
[2]gebeuren *intr* **1** happen, occur, take place: *er is*

een ongeluk gebeurd there's been an accident; *voor ze (goed) wist wat er gebeurde* (the) next thing she knew; *er gebeurt hier nooit iets* nothing ever happens here; *alsof er niets gebeurd was* as if nothing had happened; *wat is er met jou gebeurd?* what's happened to you?; *voor als er iets gebeurt* just in case; *er moet nog heel wat ~, voor het zover is* we have a long way to go yet; *het is zó gebeurd* it'll only take a second (*of:* minute); *er moet nog het een en ander aan ~* it needs a bit more doing to it; *dat gebeurt wel meer* these things do happen 2 *(overkomen)* happen, occur: *dat kan de beste ~* it could happen to anyone; *er kan niets (mee) ~* nothing's can happen (to it)

gebeurtenis 1 event, occurrence, incident: *dat is een belangrijke ~* that's a major event; *een onvoorziene ~* an unforeseen occurrence (*of:* incident) 2 *(evenement)* event: *een eenmalige ~* a unique occasion

gebied 1 territory, domain 2 *(terrein)* area, district, region: *onderontwikkelde* (of: *achtergebleven) ~en* underdeveloped (*of:* depressed) areas/regions 3 *(afdeling)* field, department: *op ecologisch ~* in the field of ecology; *vragen op financieel ~* financial problems; *wij verkopen alles op het ~ van …* we sell everything (which has) to do with … 4 *(grondgebied)* territory, land

gebieden 1 order, dictate: *iem ~ te zwijgen* impose silence on s.o., bind s.o. to secrecy 2 compel, necessitate

gebiedsdeel territory: *de overzeese gebiedsdelen* the overseas territories

gebit 1 (set of) teeth: *een goed ~ hebben* have a good set of teeth; *een regelmatig* (of: *onregelmatig, sterk) ~* regular (*of:* irregular, strong) teeth 2 *(kunstgebit)* (set of) dentures, (set of) false teeth

gebitsverzorging dental care

gebladerte foliage

geblaf barking, baying

geblesseerd injured

geblindeerd shuttered; blacked out *(raam);* armoured *(voertuig)*

gebloemd floral (patterned), flowered: *~ behang* floral (patterned) wallpaper

geblokkeerd 1 *(mbt havens)* blockaded; *(door ijs)* ice-bound 2 *(mbt wegen)* blocked 3 *(mbt bankrekeningen)* blocked, frozen: *een ~e rekening* a frozen account || *de wielen raakten ~* the wheels locked

geblokt chequered

gebocheld hunchbacked, humpbacked

gebochelde hunchback, humpback: *de ~ van de Notre-Dame* the hunchback of the Notre-Dame

gebod order, command: *~en en verboden (inform)* do's and don'ts; *een ~ uitvaardigen* issue an order (*of:* injunction); *de tien ~en* the Ten Commandments

gebogen bent, curved: *met ~ hoofd* with bowed head, with head bowed

gebonden 1 bound, tied (up), committed: *niet contractueel ~* not bound by contract; *aan huis ~* housebound; *niet aan regels ~* not bound by rules 2 bound: *een ~ boek* a hardback || *~ aspergesoep* cream of asparagus (soup)

geboorte birth; *(med)* delivery: *bij de ~ woog het kind …* the child weighed … at birth

geboorteakte birth certificate, certificate of birth

geboortebeperking 1 birth control, family planning 2 *(middelen, methoden)* contraception, family-planning methods

geboortecijfer birth rate

geboortedag 1 birthday: *de honderdste* (of: *tweehonderdste) ~* the centenary (*of:* bicentenary) of s.o.'s birth 2 *(datum ook)* day of birth

geboortedatum date of birth, birth date

geboortegolf baby boom

geboortejaar year of birth

geboortekaartje birth announcement card

geboorteland native country, country of origin

geboorteplaats place of birth, birthplace

geboorteregister register of births

geboren born: *een ~ leraar* a born teacher; *mevrouw Jansen, ~ Smit* Mrs Jansen née Smit; *~ en getogen in Amsterdam* born and bred in Amsterdam; *waar* (of: *wanneer) bent u ~?* where (*of:* when) were you born?; *een te vroeg ~ kind* a premature baby

geborgenheid security, safety

gebouw building, structure, construction: *een groot* (of: *ruim) ~* a large (*of:* spacious) building; *een houten ~(tje)* a wooden structure

gebouwd *(ook in sam)* built, constructed: *hij is fors (stevig) ~* he is well-built; *mooi ~ zijn* have a fine figure, be well-proportioned

gebrabbel jabber, gibberish; *(van kind)* prattle

gebrand roasted, burnt: *~e amandelen* burnt (*of:* roasted) almonds

gebrek 1 lack, shortage, deficiency: *groot ~ hebben aan* be greatly lacking in, *(sterker)* be in desperate need of; *~ aan personeel hebben* be short-handed, be understaffed; *bij ~ aan beter* for want of anything (*of:* sth) better 2 *(armoede, gemis)* want, need: *~ hebben (lijden)* be in want (*of:* need), go short 3 *(kwaal)* ailment, infirmity: *de ~en van de ouderdom* the ailments of old age 4 *(geestelijk)* shortcoming, weakness: *alle mensen hebben hun ~en* we all have our faults, no one is perfect 5 *(mbt zaken)* flaw, fault, defect: *een ~ verhelpen* correct a fault; *(ernstige) ~en vertonen* be (seriously) defective, show serious flaws || *zonder ~en* flawless, faultless, perfect

[1]**gebrekkig** *bn, bw* 1 *(vnl. lichamelijk)* infirm, ailing; *(dier ook)* lame: *een ~ mens* an ailing person 2 *(mbt zaken)* faulty, defective; *(ontoereikend)* inadequate; *(ontoereikend)* poor: *~e huisvesting* poor housing; *een ~e kennis van het Engels* poor (knowledge of) English

[2]**gebrekkig** *bw (op gebrekkige wijze)* poorly, inadequately: *een taal ~ spreken* speak a language poorly

gebroeders brothers: *de ~ Jansen, handelaren in wijnen* Jansen Brothers (*of:* Bros.), wine merchants

gebroken 1 broken; *(med)* fractured: *~ lijn* broken line; *een ~ rib* a broken (*of:* fractured) rib **2** *(lichamelijk of geestelijk)* broken: *zich ~ voelen* be a broken man (*of:* woman) **3** *(stamelend, gebrekkig)* broken: *hij sprak haar in ~ Frans aan* he addressed her in broken French

gebruik 1 use, application; *(eten, drank)* consumption; *(pillen enz.)* be on; take *(harddrugs)*; taking: *het ~ van sterkedrank* (the) consumption of spirits; *voor algemeen ~* for general use; *voor eigen ~* for personal use; *alleen voor uitwendig ~* for external use (*of:* application) only; *(geen) ~ van iets maken* (not) make use of sth; *van de gelegenheid ~ maken* take (*of:* seize) the opportunity; *iets in ~ nemen* put sth into use **2** *(gewoonte)* custom, habit: *de ~en van een land* the customs of a country

gebruikelijk usual, customary; *(algemeen gebruikt)* common: *de ~e naam van een plant* the common name of a plant; *op de ~e wijze* in the usual way

[1]**gebruiken** *intr (harddrugs innemen)* be on drugs, take drugs

[2]**gebruiken** *tr (gebruikmaken van)* use, apply; take *(pillen enz.)*: *de auto gebruikt veel brandstof* the car uses (*of:* consumes) a lot of fuel; *slaapmiddelen ~* take sleeping pills (*of:* tablets); *zijn verstand ~* use one's common sense; *dat kan ik net goed ~* I could just use that; *dat kan ik goed ~* that comes in handy; *ik zou best wat extra geld kunnen ~* I could do with some extra money; *zich gebruikt voelen* feel used; *zijn tijd goed ~* make good use of one's time, put one's time to good use

gebruiker 1 *(iem die iets gebruikt)* user; *(verbruiker)* consumer: *de ~s van een computer* computer users **2** *(drugsgebruiker)* drug user; *(verslaafde)* drug addict

gebruikersonvriendelijk user-unfriendly

gebruikersvriendelijk user-friendly, easy to use; *(handig)* convenient

gebruiksaanwijzing directions (for use); *(mbt toestel)* instructions (for use)

gebruiksgoederen consumer goods (*of:* durables, commodities)

gebruind tanned, sunburnt

gebukt: *~ gaan onder zorgen* be weighed down (*of:* be burdened) with worries

gecharmeerd: *van iem (iets) ~ zijn* be taken with s.o. (sth)

gecompliceerd complicated, involved: *een ~e breuk* a compound fracture; *een ~ geval* a complicated case

geconcentreerd 1 *(van sterk gehalte)* concentrated **2** *(ingespannen)* concentrated, intent; *(bw ook)* with concentration: *~ werken* work with (great) concentration

geconserveerd preserved; *(in blik ook)* canned: *goed ~ zijn* be well-preserved

gedaagde defendant; *(bij echtscheidingsproces)* respondent

gedaan 1 done, finished, over: *dan is het ~ met de rust* then there won't be any peace and quiet **2** *(klaar)* done, finished, over (with): *ik kan alles van hem ~ krijgen* he'll do anything for me; *iets ~ krijgen* get sth done; *van iem iets ~ krijgen* get sth out of s.o.

gedaante form, figure, shape; *(fig vnl.)* guise: *een andere ~ aannemen* take on another form, change (its) shape; *in menselijke ~* in human form (*of:* shape); *zijn ware ~ tonen* show (oneself in) one's true colours

gedaanteverwisseling transformation, metamorphosis: *een ~ ondergaan* be(come) transformed

gedachte 1 thought: *iemands ~n ergens van afleiden* take s.o.'s mind off sth; *(diep) in ~n zijn* be deep in thought; *iets in ~n doen* do sth absent-mindedly, do sth with one's mind elsewhere; *iets in ~n houden* keep one's mind on sth, *(rekening houden met)* bear sth in mind; *er niet bij zijn met zijn ~n* have one's mind on sth else **2** *(denkbeeld)* thought, idea: *de achterliggende ~ is dat …* the underlying idea (*of:* thought) is that …; *zijn ~n bij iets houden* keep one's mind on sth; *de ~ niet kunnen verdragen dat …* not be able to bear the thought (*of:* bear to think) that …; *de ~ alleen al …* the very thought (*of:* idea) …; *(iem) op de ~ brengen* give (s.o.) the idea; *van ~n wisselen over* exchange ideas on, discuss **3** *(mening)* opinion, view: *iem tot andere ~n brengen* make s.o. change his mind **4** *(voornemen, plan)* idea: *van ~n veranderen* change one's mind

gedachtegang train of thought; *(redenering)* (line of) reasoning

gedachteloos unthinking, thoughtless

gedachteloosheid thoughtlessness, lack of thought

gedachtewisseling exchange of ideas (*of:* opinions): *een ~ houden over* exchange ideas on, compose notes on

gedag: *~ zeggen* say hello (*of:* goodbye)

gedagvaarde person summon(s)ed

gedecolleteerd *(met laag uitgesneden hals)* low-cut, décolleté: *een ~e jurk* a low-necked dress, a dress with a low neckline

gedeelte part, section; *(afbetaling enz.)* instalment: *het bovenste* (of: *onderste*) *~* the top (*of:* bottom) part; *het grootste ~ van het jaar* most of the year; *voor een ~* partly

[1]**gedeeltelijk** *bn (niet geheel)* partial: *een ~e vergoeding voor geleden schade* partial compensation for damage sustained

²gedeeltelijk *bw (deels)* partly, partially: *dat is slechts ~ waar* that is only partly (*of:* partially) true
gedegen thorough: *een ~ studie* a thorough study
gedegradeerd demoted; *(mil ook)* reduced in rank; *(sport)* relegated
gedeisd quiet, calm: *zich ~ houden* lie low
gedekt 1 *(beschut)* covered 2 *(gevrijwaard tegen risico)* covered: *een ~e cheque* a covered cheque
gedelegeerde delegate, representative: *een ~ bij de VN* a delegate to the UN
gedemotiveerd demoralized, dispirited: *~ raken* lose one's motivation
gedempt *(niet fel, luid)* subdued, faint; *(stem ook, omfloerst)* muffled; *(stem ook, omfloerst)* hushed: *op ~e toon* in a low (*of:* subdued) voice
gedenken commemorate; *(testament)* remember: *iem in zijn testament ~* remember s.o. in one's will
gedenksteen memorial stone
gedenkteken memorial: *een ~ voor* a memorial to
gedenkwaardig memorable: *een ~e gebeurtenis* a memorable event
gedeprimeerd depressed
gedeputeerd: *Gedeputeerde Staten (ongev)* the provincial executive
gedeputeerde 1 *(afgevaardigde)* delegate, representative 2 *(volksafgevaardigde)* member of parliament 3 *(lid van Gedeputeerde Staten) (ongev)* member of the provincial executive
gedesillusioneerd disillusioned
¹gedetailleerd *bn* detailed: *een ~ verslag* a detailed report
²gedetailleerd *bw* in detail
gedetineerde prisoner
gedicht poem: *een ~ maken* (of: *voordragen*) write (*of:* recite) a poem
gedichtenbundel volume of poetry *(of:* verse), collection of poems
gedifferentieerd differentiated
gedijen thrive, prosper, do well
geding (law)suit, (legal) action, (legal) proceedings: *in kort ~ behandelen* discuss in summary proceedings; *een ~ aanspannen (beginnen) tegen* institute proceedings against
gediplomeerd qualified, certified; *(in verpleging ook)* registered
gedistilleerd spirits; *(vnl. Am)* liquor: *handel in ~ en wijnen* trade in wines and spirits
gedistingeerd distinguished: *een ~ voorkomen* a distinguished appearance
gedoe *(gehannes)* business, stuff, carry on: *zenuwachtig ~* fuss
gedogen tolerate, put up with
gedonder 1 *(vd donder, van kanonnen)* thunder(ing), rumble: *het ~ weerklonk door het gebergte* the thunder rolled through the mountains 2 *(narigheid)* trouble, hassle: *daar kun je een hoop ~ mee krijgen* that can land you in a good deal of trouble
gedrag behaviour, conduct: *een bewijs van goed ~* evidence of good behaviour, *(getuigschrift)* certificate of good character; *wegens slecht ~* for bad behaviour (*of:* misconduct); *iemands ~ goedkeuren* (of: *afkeuren*) approve of (*of:* disapprove of) s.o.'s behaviour
gedragen, zich behave; *(netjes ook)* behave oneself: *hij beloofde zich voortaan beter te zullen ~* he promised to behave better in future; *zich goed* (of: *slecht*) *~* behave well (*of:* badly); *zich niet (slecht) ~* misbehave (oneself); *gedraag je!* behave (yourself)!
gedragslijn course (of action), line of conduct: *een ~ volgen* persue a course of action
gedragspatroon pattern of behaviour
gedragsregel rule of conduct *(of:* behaviour)
gedragswetenschappen behavioural sciences
gedrang jostling, pushing: *in het ~ komen: a) (lett)* end up (*of:* find oneself) in a crush; *b) (fig; van personen)* get into a tight corner
gedresseerd trained; *(kunstjes ook)* performing: *een ~e hond* a performing dog
gedreven passionate; *(ook min)* fanatic(al): *een ~ kunstenaar* s.o. who lives for his art
gedrevenheid passion; *(ook min)* fanaticism
gedrieën (the) three (of): *zij zaten ~ op de bank* the three of them sat on the bench
gedrocht monster, freak
gedrukt 1 *(mbt boek enz.)* printed 2 *(handel)* depressed, dull: *de markt was ~* the market was depressed
geducht formidable, fearsome: *een ~e tegenstander* a formidable opponent
geduld patience: *zijn ~ bewaren* remain patient; *~ hebben met iem* be patient with s.o.; *zijn ~ verliezen* lose (one's) patience; *even ~ a.u.b.* one moment, please; *veel van iemands ~ vergen, iemands ~ op de proef stellen* try s.o.'s patience
geduldig patient: *~ afwachten* wait patiently
gedupeerd duped
gedupeerde victim, dupe
gedurende during, for, over; *(in de loop van)* in the course of: *~ de hele dag* all through the day; *~ het hele jaar* throughout the year; *~ vier maanden* for (a period of) four months; *~ het onderzoek* during the enquiry; *~ de laatste (afgelopen) drie weken* over the past three weeks
gedurfd daring; *(uitdagend)* provocative: *een zeer ~ optreden* a highly provocative performance
gedwee meek, submissive
gedwongen *(onvermijdelijk)* (en)forced, compulsory, involuntary: *~ ontslag* compulsory redundancy; *een ~ verkoop* a forced sale; *~ ontslag nemen* be forced to resign
geel yellow || *(in de Ronde van Frankrijk) in het*

~ *rijden* be wearing the yellow jersey (in the Tour de France); *de scheidsrechter toonde hem het* ~ the referee showed him the yellow card
geeltje *(memoblaadje)* memo note, (yellow) post-it
geelzucht jaundice
geëmancipeerd liberated, emancipated
geëmotioneerd emotional, touched, moved
[1]**geen** *hoofdtelw* none; *(met zn)* not a, not any; no: *hij heeft ~ auto* he doesn't have a car, he hasn't got a car; *hij heeft ~ geld* he doesn't have any money, he has no money; *er zijn bijna ~ koekjes meer* we're nearly out of cookies; *bijna* ~ almost none, hardly any; ~ *van die jongens* (of: *beiden*) none of those lads, neither (of them)
[2]**geen** *lw* 1 *(niet 'n)* not a, no: *nog ~ tien minuten later* not ten minutes later; *nog ~ twee jaar geleden* less than two years ago; ~ *enkele reden hebben om te* have no reason whatsoever to 2 *(als ontkenning zonder meer)* not a(ny), no: *hij kent ~ Engels* he doesn't know (any) English; ~ *één* not (a single) one
geenszins by no means, not at all
geest 1 mind, consciousness: *iets voor de ~ halen* call sth to mind 2 *(ziel)* soul 3 *(aard, karakter)* spirit, character: *jong van ~ zijn* be young at heart 4 ghost, spirit: *de Heilige Geest* the Holy Ghost (*of:* Holy Spirit); *een boze (kwade)* ~ an evil spirit, a demon; *in ~en geloven* believe in ghosts 5 *(strekking)* spirit, vein, intention
geestdrift enthusiasm, passion; *(ijver)* zeal
geestdriftig enthusiastic
geestelijk 1 mental, intellectual; *(psychisch)* psychological; spiritual: *~e aftakeling* mental deterioration; *een ~ gehandicapte* a mentally handicapped person; *~e inspanning* mental effort; ~ *gestoord* mentally disturbed (*of:* deranged) 2 *(godsdienstig)* spiritual: *~e bijstand verlenen aan iem: a)* give (spiritual) counselling to s.o.; *b) (godsd)* minister to s.o. 3 *(kerkelijk)* clerical
geestelijke clergyman; *(prot)* minister; *(vnl. r-k)* priest
geesteskind brainchild
geestestoestand state of mind, mental state
geestesziek mentally ill
geestig witty, humorous, funny
geestigheid witticism, quip
geestverruimend mind-expanding; *(mbt drugs ook)* hallucinogenic
geestverschijning apparition, phantom, spectre, ghost
geestverwant kindred spirit; *(pol)* sympathizer
geeuw yawn
geeuwen yawn: ~ *van slaap* yawn with sleepiness
gefingeerd fictitious, fake(d); *(geveinsd)* feigned
geflatteerd flattering
geflirt flirtation, flirting
gefluister whisper(ing)(s), murmur
gefluit whistling; *(van vogels)* warbling; singing
geforceerd forced, contrived, artificial
gefrustreerd frustrated
gefundeerd (well-)founded, (well-)grounded
gegadigde *(mbt vacature)* applicant; candidate; *(mbt koop)* prospective buyer; *(belanghebbende)* interested party: *een ~ voor iets vinden* find a (potential) buyer for sth
[1]**gegarandeerd** *bn, bw* guaranteed
[2]**gegarandeerd** *bw (fig)* definitely: *dat gaat ~ mis* that's bound (*of:* sure) to go wrong
gegeerd *(Belg)* in demand, sought-after
[1]**gegeven** *zn* 1 data, datum, fact, information; *(comp)* data; entry, item: *nadere ~s* further information; *(comp) ~s opslaan* (of: *invoeren, opvragen*) store (*of:* input, retrieve) data 2 *(onderwerp)* theme, subject
[2]**gegeven** *bn* given, certain: *op een ~ moment begin je je af te vragen …* there comes a time when you begin to wonder …
gegevensverwerking data processing
gegiechel giggle(s), giggling; *(spottend)* snigger(ing): *onderdrukt* ~ stifled giggling
gegijzelde hostage
gegil screaming, screams
gegoochel juggling
gegoten: *die jurk zit als* ~ that dress fits you like a glove
gegrinnik snigger, grinning
gegrond (well-)founded, valid, legitimate
gehaaid smart, sharp
gehaast hurried, hasty, in a hurry
gehaat hated, hateful: *zich (bij iem) ~ maken* incur s.o.'s hatred
gehakt minced meat, mince
gehaktbal meatball
gehaktmolen mincer
gehalte content, percentage, proportion: *een hoog* (of: *laag*) *~ aan* a high (*of:* low) content of
gehandicapt handicapped; *(lichamelijk ook)* disabled
gehandicapte handicapped person; *(geestelijk)* mentally handicapped person: *de (lichamelijk) ~n* the (physically) handicapped, the disabled
gehavend battered, tattered
gehecht attached (to); *(sterker)* devoted (to)
[1]**geheel** *zn* 1 *(eenheid)* whole, entity, unit(y) 2 *(som der delen)* whole, entirety || *over het ~ genomen* on the whole
[2]**geheel** *bw* entirely, fully, completely, totally: *ik voel mij een ~ ander mens* I feel a different person altogether, revised
geheelonthouder teetotaller
[1]**geheim** *zn* 1 secret: *een ~ toevertrouwen* (of: *bewaren*) confide (*of:* keep) a secret 2 *(geheimhouding)* secrecy: *in het* ~ secretly
[2]**geheim** *bn* 1 secret, hidden, concealed, clandestine; *(politie e.d.)* undercover: *dat moet ~ blijven* this must remain private (*of:* a secret); *een ~e bij-*

eenkomst a secret meeting **2** *(vertrouwelijk)* secret, classified, confidential, private: *uiterst ~e documenten* top-secret documents || *een ~ telefoonnummer* an unlisted telephone number
geheimhouding secrecy, confidentiality, privacy
geheimschrift (secret) code, cipher
[1]**geheimzinnig** *bn* mysterious, unexplained, cryptic
[2]**geheimzinnig** *bw* mysteriously, secretly: *erg ~ doen (over iets)* be very secretive (about sth)
geheimzinnigheid 1 secrecy, stealth **2** *(raadselachtigheid)* mysteriousness, mystery
gehemelte palate, roof of the mouth
geheugen 1 memory; *(mbt herinneringen)* mind: *mijn ~ laat me in de steek* my memory is letting me down **2** *(comp)* memory, storage
geheugencapaciteit storage capacity, memory space
geheugensteuntje reminder, prompt
geheugenstick memory stick
geheugenverlies amnesia, loss of memory: *tijdelijk ~* a blackout
gehoor (sense of) hearing, ear(s): *bij geen ~* if there's no reply; *geen muzikaal ~ hebben* have no ear for music
gehoorapparaat hearing aid
gehoorbeentje auditory ossicle
gehoorgang auditory duct *(of:* passage)
gehoorgestoord hearing-impaired, hard of hearing, deaf
gehoororgaan ear, auditory organ, organ of hearing
gehoorsafstand earshot, hearing
gehoorzaal auditorium
gehoorzaam obedient
gehoorzamen obey; *(wens, bevel ook)* comply (with)
gehorig noisy, thin-walled
gehucht hamlet, settlement
gehuisvest housed, lodged
gehumeurd good-tempered, ill-humoured: *slecht* (of: *vrolijk, goed*) *~ zijn* be in a bad *(of:* cheerful, good) mood
gehuwd married
geil *(inform)* randy, horny
geïmproviseerd improvised, ad lib
gein fun, merriment: *~ trappen* make merry
geinig funny, cute
geïnteresseerd interested
geintje joke, prank, (wise)crack: *~s uithalen* play jokes
geiser geyser
geisha geisha
geit goat
gejaagd hurried, agitated
gejank whining, whine; *(zacht)* whimper
gejoel shouting, cheering, cheers; *(afkeurend)* jeering
gejuich cheer(ing)
[1]**gek** *zn* **1** lunatic; *(inform)* loony; *(inform)* nut(case): *rijden als een ~* drive like a maniac **2** *(dwaas, belachelijk persoon)* fool, idiot: *iem voor de ~ houden* pull s.o.'s leg, make a fool of s.o. **3** *(komisch persoon)* clown: *voor ~ lopen* look absurd *(of:* ridiculous)
[2]**gek** *bn* **1** mad, crazy (with), insane: *je lijkt wel ~* you must be mad **2** *(onverstandig)* mad; *(milder)* silly; *(milder)* stupid; *(milder)* foolish: *dat is geen ~ idee* that's not a bad idea; *je zou wel ~ zijn als je het niet deed* you'd be crazy (*of:* mad) not to (do it) **3** *(vreemd, belachelijk)* crazy, ridiculous; *(met ontkenning ook)* bad: *op de ~ste plaatsen* in the oddest (*of:* most unlikely) places; *~ genoeg* oddly (*of:* strangely) enough; *niet ~, hè?* not bad, eh? **4** *(zeer gesteld (op))* fond (of), keen (on), mad (about), crazy (about): *hij is ~ op die meid* he's crazy about that girl
[3]**gek** *bw* silly; *(met ontkenning ook)* badly: *doe niet zo ~* don't act (*of:* be) so silly
gekarteld *(plantk)* crenated, serrated
gekheid joking, banter: *alle ~ op een stokje* (all) joking apart
gekkekoeienziekte mad cow disease; *(wtsch)* BSE
gekkenhuis madhouse, nuthouse: *wat is dat hier voor een ~?* what kind of a madhouse is this?
gekkigheid folly, foolishness, madness
gekleed dressed: *hij is slecht (slordig) ~* he is badly dressed
geklets chatter, waffle: *~ in de ruimte* hot air
gekleurd coloured; *(fig ook)* colourful: *iets door een ~e bril zien* have a coloured view of sth
geklungel fiddling (about), bungling
gekoeld cooled, frozen
gekras 1 scratch(ing), scrape, scraping **2** *(mbt vogels)* screech(ing)
gekreukeld wrinkled, wrinkly, (c)rumpled, creased
gekreun groan(s), moan(s), groaning, moaning
gekriebel *(gekietel)* tickle, tickling, itch(ing)
gekrijs scream(ing); screech(ing) *(van vogel)*
gekruid spiced, spicy, seasoned
gekruist crossed; *(van dieren, planten ook)* cross-bred
gekruld curly, crinkly; *(met krultang)* curled; *(met krultang)* crimped
gekscherend joking, bantering
gekuist *(mbt geschriften, films)* expurgated, edited, cut
gekwalificeerd qualified, skilled
gekweld tormented, anguished
gekwetst 1 *(gewond)* hurt, wounded, injured **2** *(beledigd)* hurt, offended: *zich ~ voelen* take offence
gel gel, jelly
gelaat countenance, face
gelaatskleur complexion

gelaatsscan facial scan
gelach laughter: *in luid ~ uitbarsten* burst out laughing
geladen loaded, charged
gelasten order, direct, instruct, charge: *iem ~ het pand te ontruimen* order s.o. to vacate the premises
gelaten resigned, uncomplaining
gelatine gelatine; *(opgelost)* gel; jelly
geld 1 money, currency, cash: *je ~ of je leven* your money or your life!; *klein ~* (small) change; *vals ~* counterfeit money; *zwart ~* undisclosed income; *bulken van (zwemmen in) het ~* be loaded, be rolling in money (*of:* in it); *het ~ groeit mij niet op de rug* I'm not made of money; *iem ~ uit de zak kloppen* wheedle money out of s.o.; *waar voor zijn ~ krijgen* get value for money **2** *((geld)middelen)* money, cash, funds, resources: *iem ~ afpersen* extort money from s.o.; *zonder ~ zitten* be broke **3** *(bedrag)* money, amount, sum, price, rate: *kinderen betalen half ~* children half-price; *voor geen ~ ter wereld* not for love or money
geldautomaat cash dispenser, cashpoint
geldboete fine
geldbuidel moneybag
geldelijk financial
gelden 1 count **2** *(van kracht zijn)* apply, obtain, go for: *hetzelfde geldt voor jou* that goes for you too
geldend valid, applicable, current: *een algemeen ~e regel* a universal rule
geldgebrek lack of money, shortage (*of:* want) of money
geldig valid, legitimate; *(niet verlopen)* current
geldigheid validity, legitimacy, currency
geldinzameling fund-raising
geldkas cashbox; *(kasla)* cash register; till
geldkist strongbox, coffer, money box
geldkoers rate of exchange
geldlade (cash) till, cash-drawer
geldmarkt 1 *(handel)* money-market **2** *((effecten)-beurs)* stock exchange
geldschieter moneylender; *(van sport-, cultuurevenement ook)* sponsor
geldstroom flow of money
geldstuk coin
geldverslindend costly, expensive
geldverspilling waste of money, extravagance
geldwolf money-grubber
geldzaak matter of money, financial matter, money matter
geldzorgen financial worries (*of:* problems), money troubles
geleden ago, back, before, previously, earlier: *het is een hele tijd ~, dat …* it has been a long time since …; *ik had het een week ~ nog gezegd* I had said so a week before; *het is donderdag drie weken ~ gebeurd* it happened three weeks ago this (*of:* last Thursday)
geleding section, part
geleed jointed, articulate(d): *(biol) een ~ dier* a segmental animal
geleerd learned, scholarly; *(zeer geleerd)* erudite; *(wetenschappelijk)* academic
geleerde scholar, man of learning; *(bètawetenschapper)* scientist: *daarover zijn de ~n het nog niet eens* the experts are not yet agreed on the matter
gelegen 1 situated, lying: *op het zuiden ~* facing south **2** *(geschikt)* convenient, opportune: *kom ik ~?* are you busy?, am I disturbing you?
gelegenheid 1 place, site **2** *(mogelijkheid, omstandigheid)* opportunity, chance, facilities: *een gunstige ~ afwachten* wait for the right moment; *die streek biedt volop ~ voor fietstochten* that area offers ample facilities for cycling; *als de ~ zich voordoet* when the opportunity presents itself; *in de ~ zijn om …* be able to, have the opportunity to …; *ik maak van de ~ gebruik om …* I take this opportunity to … **3** *(eetgelegenheid)* eating place; *(ongev)* restaurant; eating house: *openbare gelegenheden* public places **4** *(voorkomend geval)* occasion: *een feestelijke ~* a festive occasion; *ter ~ van* on the occasion of
gelegenheidskleding formal dress, full dress
gelei *(van vruchten)* jelly, preserve
geleidehond guide-dog
geleidelijk gradual, by degrees, by (*of:* in) (gradual) stages
geleiden 1 guide, conduct, accompany, lead **2** conduct, transmit: *koper geleidt goed* copper is a good conductor
geleider conductor
gelid *(mil)* rank, file, order: *in de voorste gelederen* in the front ranks, in the forefront
geliefd 1 *(dierbaar)* beloved, dear, well-liked **2** *(favoriet)* favourite, cherished, pet: *zijn ~ onderwerp* his favourite subject **3** *(gewild)* favourite, popular: *hij is niet erg ~ bij de leerlingen* he is not very popular with the pupils
geliefde sweetheart; *(man ook)* lover
¹gelijk *zn* right: *het grootste ~ van de wereld hebben* be absolutely right; *iem ~ geven* agree with s.o.; *(groot, volkomen) ~ hebben* be (perfectly) right
²gelijk *bn* **1** equal, the same: *twee mensen een ~e behandeling geven* treat two people (in) the same (way); *(sport) ~ spel* a draw; *tweemaal twee is ~ aan vier* two times two is four **2** *(overeenkomend in rang, macht)* equal, equivalent: *(tennis) veertig ~* deuce, forty all **3** *(mbt klok)* right
³gelijk *bw* **1** *(op dezelfde manier)* likewise, alike, in the same way (*of:* manner), similarly: *zij zijn ~ gekleed* they are dressed alike (*of:* the same) **2** *(gelijkelijk)* equally: *~ (op)delen* share equally, *(tr)* divide equally **3** *(op hetzelfde punt, even ver)* level **4** *(tegelijk)* simultaneously, at the same time: *de twee treinen kwamen ~ aan* the two trains came in

simultaneously (*of:* at the same time) 5 *(meteen)* at once, straightaway, immediately; *(zo meteen)* in a minute: *ik kom ~ bij u* I'll be with you in a moment, I'll be right with you
gelijkaardig *(Belg) (gelijksoortig)* similar
gelijkbenig isosceles
gelijke equal, peer
gelijkelijk equally, evenly
gelijkenis resemblance, similarity, likeness: *~ vertonen met* bear (a) resemblance to
gelijkheid equality
gelijklopen *(mbt klokken)* be right, keep (good) time
[1]**gelijkmaken** *intr (sport)* equalize, draw level, tie (*of:* level) the score
[2]**gelijkmaken** *tr* 1 *(effenen)* level, make even, smooth (out), even (out) 2 *(verschillen wegwerken)* equate, make even (*of:* equal), even up, level up, bring into line (with)
gelijkmaker equalizer, a game-tying goal
gelijkmatig even, equal, constant; *(loop van machine, auto enz.)* smooth: *een ~e druk* (a) steady pressure
gelijknamig of the same name
gelijkschakelen regard (*of:* treat) as equal(s)
gelijksoortig similar, alike, analogous
gelijkspel draw, tie(d game)
gelijkspelen draw, tie; *(golf)* halve: *A. speelde gelijk tegen F.* A. drew with F.
gelijkstaan 1 be equal (to); *(op hetzelfde neerkomen)* be tantamount (to) 2 *(eenzelfde aantal punten hebben)* be level (with); *(inform)* be all square (with): *op punten ~* be level(-pegging)
gelijkstellen equate (with); *(van gelijke kwaliteit achten)* put on a par (*of:* level) (with); *(gelijke rechten geven)* give equal rights (to): *voor de wet ~* make equal before the law
gelijkstroom direct current, DC
gelijktijdig simultaneous, at the same time: *~ vertrekken* leave at the same time
gelijktijdigheid simultaneity
gelijktrekken level (up), equalize
gelijkvloers on the ground floor, ground-floor; *(Am ook)* first-floor
gelijkwaardig equal (to, in), equivalent (to), of the same value (*of:* quality) (as), equally matched, evenly matched
gelijkwaardigheid equivalence, equality, parity
gelijkzetten *(mbt klokken)* set (by): *laten we onze horloges (met elkaar) ~* let's synchronize (our) watches
gelijkzijdig equilateral
gelobd *(plantk)* lobate, lobed
gelofte vow, oath, pledge
geloof 1 faith, belief, trust; *(overtuiging ook)* conviction: *een vurig ~ in God* ardent faith in God; *~ in de mensheid hebben* have faith in humanity 2 *(religie)* faith, religion, creed, (religious) belief
geloofwaardig credible *(verhaal, verslag)*; reliable *(verslag, getuige)*; plausible, convincing
[1]**geloven** *intr* 1 (met *in*) believe (in), have faith (in): *~ in God* believe in God 2 (met *aan*) believe (in) || *ik geloof van wel* I think so
[2]**geloven** *tr* 1 believe, credit: *je kunt me ~ of niet* believe it or not; *niet te ~!* incredible!; *iem op zijn woord ~* take s.o. at his word 2 *(menen)* think, believe: *hij is het er, geloof ik, niet mee eens* I don't think he agrees
gelovig religious; *(vroom)* pious; *(vast op God vertrouwend)* faithful: *een ~ christen* a faithful Christian
gelovige believer
geluid 1 sound: *sneller dan het ~* faster than sound, *(wtsch)* supersonic 2 *(klank)* sound; *(negatief)* noise: *het ~ van krekels* the sound of crickets; *verdachte ~en* suspicious noises 3 *(toonkleur, timbre)* tone, timbre, sound: *er zit een mooi ~ in die viool* that violin has a beautiful tone
geluiddempend soundproof(ing), muffling
geluiddemper *(mbt wapens, motoren)* silencer; *(mbt muziekinstrumenten)* mute
geluiddicht soundproof
geluidsapparatuur sound equipment, audio equipment
geluidsbarrière sound barrier
geluidscassette audio cassette
geluidseffect sound effect
geluidshinder noise nuisance
geluidsinstallatie sound (reproducing) equipment, stereo; *(in stadion, zaal)* public-address system
geluidsisolatie sound insulation, soundproofing
geluidsman sound recordist
geluidsoverlast noise nuisance
geluidssterkte sound intensity; *(radio, tv; muziekinstrument)* volume
geluidstechnicus sound engineer (*of:* technician)
geluidswal noise barrier
geluidsweergave sound reproduction
geluk 1 (good) luck, (good) fortune: *dat brengt ~* that will bring (good) luck; *iem ~ toewensen* wish s.o. luck (*of:* happiness); *veel ~!* good luck!; *dat is meer ~ dan wijsheid* that is more (by) good luck than good judgement 2 *(aangename toestand)* happiness, good fortune; *(sterker)* joy 3 *(prettige toevalligheid, gebeurtenis)* lucky thing, piece (*of:* bit) of luck; *(meevaller, mazzel)* lucky break: *wat een ~ dat je thuis was* a lucky thing you were (at) home
[1]**gelukkig** *bn* 1 *(fortuinlijk)* lucky, fortunate: *de ~e eigenaar* the lucky owner 2 *(gunstig, goed gekozen)* happy, lucky: *een ~e keuze* a happy choice 3 *(voorspoedig)* fortunate; *(in gelukwens vaak)* happy; *(geslaagd)* successful; *(geslaagd)* prosperous: *~ kerstfeest* happy (*of:* merry) Christmas || *een ~ paar* a happy couple
[2]**gelukkig** *bw* 1 *(goed)* well, happily: *zijn woorden*

~ *kiezen* choose one's words well 2 *(tot grote opluchting)* luckily, fortunately: ~ *was het nog niet te laat* luckily (*of:* fortunately) it wasn't too late
gelukkige happy man *(of:* woman); *(prijswinnaar)* lucky one; winner: *tot de ~n behoren* be one of the lucky ones
geluksspel game of chance
geluksvogel lucky devil, lucky dog
gelukwens congratulation; *(verjaardag)* birthday wish
gelukwensen *(met met)* congratulate (on), offer one's congratulations (on): *iem met zijn verjaardag ~* wish s.o. many happy returns (of the day)
gelukzoeker fortune-hunter, adventurer
gelul *(inform)* (bull)shit
gemaakt 1 pretended, sham: *een ~e glimlach* an artificial (*of:* a forced) smile 2 *(onnatuurlijk)* affected
[1]**gemaal** *zn (echtgenoot)* consort
[2]**gemaal** *zn* 1 *(machine)* pumping-engine 2 *(gezeur)* fuss, bother
gemachtigde deputy, authorized representative; *(postwissel enz.)* endorsee; *(jur)* proxy
gemak 1 ease, leisure: *zijn ~ (ervan) nemen* take things easy 2 *(bedaardheid)* quiet, calm: *zich niet op zijn ~ voelen* feel ill at ease, feel awkward 3 *(vermogen)* ease, facility: *met ~ winnen* win easily, win hands down, have a walkover; *voor het ~* for convenience's sake
[1]**gemakkelijk** *bn, bw* 1 easy; *(mbt mensen)* easygoing: *de ~ste weg kiezen* take the line of least resistance; ~ *in de omgang* easy to get on with 2 *(gerieflijk)* comfortable; convenient *(regeling enz.)*
[2]**gemakkelijk** *bw* 1 *(zonder moeite)* easily: *dat is ~er gezegd dan gedaan* that's easier said than done 2 *(gerieflijk)* comfortably
gemakshalve for convenience('s sake), for the sake of convenience
gemaksvoedsel convenience food
gemakzuchtig lazy, easygoing
gemarineerd marinaded, pickled, soused
gemaskerd masked
gematigd moderate; *(mbt woorden, termen ook)* measured
gember ginger
gemberbier ginger ale
[1]**gemeen** *bn* 1 nasty; *(boosaardig)* vicious; malicious; *(laag, verachtelijk)* low; *(laag, verachtelijk)* vile; *(mbt behandeling)* shabby: *een gemene hond* a vicious dog; *een gemene streek* a dirty trick; *dat was ~ van je* that was a mean (*of:* rotten) thing to do 2 *(gemeenschappelijk)* common, joint: *niets met iem ~ hebben* have nothing in common with s.o.
[2]**gemeen** *bw* nastily; *(boosaardig)* viciously; maliciously; *(mbt behandeling)* shabbily: *iem ~ behandelen: a)* treat s.o. badly (*of:* shabbily); *b) (inform)* give s.o. a raw deal
gemeend sincere
gemeenschap 1 community: *in ~ van goederen trouwen* have community of property 2 *(Belg)* federal region 3 *(geslachtsgemeenschap)* intercourse
gemeenschappelijk 1 common, communal: *een ~e bankrekening* a joint bank account; *een ~e keuken* a communal kitchen 2 *(gezamenlijk)* joint, common; *(optreden)* concerted; *(optreden)* united || *onze ~e kennissen* our mutual acquaintances
gemeenschapsgeld public funds *(of:* money)
gemeenschapshuis community centre
gemeenschapsonderwijs *(Belg)* education controlled by regional authorities
gemeente 1 local authority *(of:* council); *(afhankelijk van grootte, status)* metropolitan city (*of:* town, parish) council: *bij de ~ werken* work for the local council 2 *(grondgebied)* district, borough, city, town, parish: *de ~ Eindhoven* the city of Eindhoven
gemeente- *(ook)* municipal
gemeenteadministratie local government
gemeenteambtenaar local government official
gemeentebedrijf: *de gemeentebedrijven* public works
gemeentebelasting council tax
gemeentebestuur district council, local authority *(of:* authorities)
gemeentegrond council land
gemeentehuis local government offices; *(in steden ook)* town hall, city hall
gemeentelijk local authority, council, community, municipal: *het ~ vervoerbedrijf* the municipal (*of:* corporation, city) transport company
gemeenteraad council, town *(of:* city, parish) council: *in de ~ zitten* be on the council
gemeenteraadslid local councillor, member of the (local) council
gemeenteraadsverkiezing local election(s)
gemeentereiniging environmental *(of:* public) health department
gemeentesecretaris *(ongev)* Town Clerk
gemeentewerken public works (department)
gemeentewoning council house *(of:* flat)
gemenebest commonwealth: *het Gemenebest van Onafhankelijke Staten* the Commonwealth of Independent States; *het Britse Gemenebest* the (British) Commonwealth (of Nations)
gemengd mixed; *(thee, whisky enz.)* blended; *(gevarieerd ook)* miscellaneous
gemeubileerd furnished
[1]**gemiddeld** *bn* 1 average: *iem van ~e grootte* s.o. of average (*of:* medium) height 2 *(doorsnee-)* average, mean: *de ~e hoeveelheid regen per jaar* the average (*of:* mean) annual rainfall
[2]**gemiddeld** *bw* on average, an average (of)
gemiddelde average, mean: *boven* (of: *onder*) *het ~* above (*of:* below) (the) average
gemis 1 lack, want, absence, deficiency 2 *(verlies)*

loss: *zijn dood wordt als een groot ~ gevoeld* his death is felt as a great loss

gemoed mind, heart: *de ~eren raakten verhit* feelings started running high

gemoedelijk agreeable, pleasant; *(mbt mensen ook)* amiable; easygoing

gemoedsrust peace *(of:* tranquillity) of mind, inner peace *(of:* calm)

gemoeid: *alsof haar leven er mee ~ was* as if her life depended on it (*of:* were at stake); *er is een hele dag mee ~* it will take a whole day

gemotiveerd 1 reasoned, well-founded 2 *(motivatie bezittend)* motivated

gemotoriseerd motorized

gems chamois

gemunt coined || *het op iem ~ hebben* have it in for s.o.

gemutst: *goed* (of: *slecht*) *~ zijn* be in a good (*of:* bad) mood

gen gene

genaamd 1 named, called 2 *(bijgenaamd)* (also) known as, alias, going by the name of

genade 1 mercy, grace; *(kwartier)* quarter: *geen ~ hebben met* have no mercy on 2 *(vergiffenis)* mercy, pardon, forgiveness

genadeloos merciless, ruthless

genadeslag death blow

gênant embarrassing

gendarme *(Belg)* member of national police force

gene that, the other: *deze of ~* somebody (or other)

genealogie genealogy

geneesheer physician, doctor

geneeskrachtig therapeutic, healing: *~e bronnen* medicinal springs

geneeskunde medicine, medical science: *een student in de ~* a medical student

geneeskundig medical, medicinal, therapeutic

geneesmiddel medicine, drug, remedy: *rust is een uitstekend ~* rest is an excellent cure

geneeswijze (form of) treatment, therapy

genegenheid affection, fondness, attachment

geneigd 1 inclined, apt, prone: *~ tot luiheid* inclined to be lazy (*of:* to laziness) 2 *(neiging voelend)* inclined, disposed: *ik ben ~ je te geloven* I am inclined to believe you

[1]**generaal** *zn* general

[2]**generaal** *bn* general: *de generale repetitie* (the) (full) dress-rehearsal

generalisatie generalization, sweeping statement

generaliseren generalize

generatie generation

generator generator, dynamo

generen, zich be embarrassed, feel embarrassed, feel shy *(of:* awkward)

genereren generate

generiek *(Belg) (aftiteling)* credits, credit titles

Genesis Genesis

genetica genetics

genetisch genetic: *~e manipulatie* genetic engineering, gene splicing

Genève Geneva

[1]**genezen** *intr* recover, get well again: *van een ziekte ~* recover from an illness

[2]**genezen** *tr* cure *(patiënt);* heal *(wond)*

genezing cure; recovery *(patiënt);* healing *(wond)*

geniaal brilliant: *een geniale vondst (zet)* a stroke of genius

[1]**genie** *zn (mil)* military engineering

[2]**genie** *zn* genius: *een groot ~* an absolute genius

geniepig sly; *(gemeen)* sneaky: *op een ~e manier* on the sly

[1]**genieten** *intr* enjoy oneself, have a good time, have fun: *van het leven ~* enjoy life; *ik heb genoten!* I really enjoyed myself!

[2]**genieten** *tr* enjoy, have the advantage of || *hij is vandaag niet te ~* he's unbearable today, he's in a bad mood today

genitaliën genitals

genocide genocide

genodigde (invited) guest, invitee

[1]**genoeg** *bw* enough, sufficiently: *ben ik duidelijk ~ geweest* have I made myself clear; *jammer ~* regrettably, unfortunately; *men kan niet voorzichtig ~ zijn* one can't be too careful; *vreemd ~* strangely enough, strange to say

[2]**genoeg** *hoofdtelw* enough, plenty, sufficient; *(net genoeg)* adequate: *er is eten ~* there is plenty of food; *ik heb ~ aan een gekookt ei* a boiled egg will do for me; *ik weet ~* I've heard enough; *er is ~ voor allemaal* there is enough to go round; *er zijn al slachtoffers ~* there are too many victims (as it is); *er schoon ~ van hebben* have had it up to here, be heartily sick of it; *zo is het wel ~* that will do

genoegen 1 satisfaction, gratification: *~ nemen met iets* put up with sth *(met mindere kwaliteit, slechte omstandigheden)* 2 pleasure, satisfaction: *iem een ~ doen* do s.o. a favour, oblige s.o.

genoemd (above-)mentioned, said

genootschap society, association, fellowship

genot enjoyment, pleasure, delight, benefit, advantage: *onder het ~ van een glas wijn* over a glass of wine

genre genre

Gent Ghent

genuanceerd subtle

geodriehoek combination of a protractor and a setsquare

geoefend experienced, trained: *een ~ pianist* an accomplished pianist

geografie geography

geolied oiled; *(machinerie ook)* lubricated

geologie geology

geologisch geological: *een ~ tijdperk* a geological age

geometrie geometry
geoorloofd permitted, permissible: *een ~ middel* lawful means, a lawful method
geordend (well-)ordered, regulated, orderly
georganiseerd organized: *een ~e reis* a package tour
Georgië Georgia
Georgiër Georgian
georiënteerd oriented, orientated
gepaard coupled (with), accompanied (by), attendant (on), attached (to): *de risico's die daarmee ~ gaan* the risks involved
gepakt: *~ en gezakt* ready for off, all ready to go
gepantserd armoured, in armour: *een ~e auto* an armour-plated car
geparfumeerd perfumed, scented
gepast 1 (be)fitting, becoming, proper: *dat is niet ~* that is not done 2 *(mbt hoeveelheden)* exact: *met ~ geld betalen* pay the exact amount
gepeins musing(s), meditation(s), pondering
gepensioneerd retired, pensioned-off, superannuated
gepeperd peppery, peppered; *(fig ook)* spicy: *zijn rekeningen zijn nogal ~* his bills are a bit steep
geperforeerd perforated
gepeuter 1 fiddling; picking *(neus, tanden)*: *schei uit met dat ~ in je neus* stop picking your nose 2 *(gepriegel)* tinkering (at, with), fiddling (with)
gepiep 1 *(geknars)* squeak(ing) 2 *(ve jonge vogel)* peep(ing); chirp, cheep(ing); *(ve muis)* squeak(ing); *(schril)* squeal(ing); *(van angst, pijn ook)* screech(ing) 3 *(ademhaling)* wheeze, wheezing
gepikeerd piqued, nettled: *gauw ~ zijn* be touchy
gepingel haggling, bargaining
geplaatst qualified, qualifying
geplaveid paved
gepraat *(praatjes)* talk, gossip, chat, (tittle-)tattle: *hun huwelijk leidde tot veel ~* their marriage caused a lot of talk
geprefabriceerd prefabricated, prefab
geprikkeld irritated, irritable: *gauw ~ zijn* be huffish (*of:* huffy)
gepromoveerd promoted
geraakt 1 offended, hurt 2 *(ontroerd)* moved, touched
geraamte 1 skeleton: *(fig) een wandelend* (of: *levend*) *~* a walking (*of:* living) skeleton 2 *(fig)* frame(work)
geraas din, roar(ing), noise
geradbraakt shattered, exhausted; *(Am)* bushed
geraden advisable, expedient || *dat is je ~ ook!* you'd better!
geraffineerd 1 refined 2 *(verfijnd)* refined, subtle: *een ~ plan* an ingenious plan 3 *(doortrapt)* crafty, clever
geraken *(Belg) zie* raken
gerammel rattle, rattling, clank(ing) jingling, clatter(ing)
geranium geranium
geraspt grated
[1]**gerecht** *zn (schotel)* dish; *(deel ve maaltijd)* course: *als volgende ~ hebben we ...* the next course is ...
[2]**gerecht** *zn (rechtbank)* court (of justice), court of law, law court, tribunal: *voor het ~ gedaagd worden* be summoned (to appear in court); *voor het ~ verschijnen* appear in court
[1]**gerechtelijk** *bn* 1 judicial, legal, court: *(Belg) ~e politie* criminal investigation department; *~e stappen ondernemen* take legal action (*of:* proceedings) 2 *(mbt het gerecht)* forensic, legal: *~e geneeskunde* forensic medicine
[2]**gerechtelijk** *bw* legally, judicially: *iem ~ vervolgen* take (*of:* institute) (legal) proceedings against s.o., prosecute s.o.
gerechtigd authorized; *(bevoegd)* qualified; entitled: *hij is ~ dat te doen* he is authorized to do that
gerechtigheid justice
gerechtsgebouw court(house)
gerechtshof court (of justice)
gerechtvaardigd justified, warranted: *~e eisen* just (*of:* legitimate) claims
gereed (all) ready; *(klaar, af)* finished
gereedheid readiness: *alles in ~ brengen (maken)* get everything ready (*of:* in readiness)
gereedhouden have ready, have in readiness: *plaatsbewijzen ~, s.v.p.* (have your) tickets (ready,) please!
gereedmaken make ready, get ready, prepare
gereedschap *(uitrusting)* tools, equipment, apparatus; *(keuken)* utensils: *een stuk ~* a tool, a piece of equipment
gereedschapskist toolbox
gereedstaan be ready, stand ready, be waiting; *(persoon ook)* stand by
gereformeerd (Dutch) Reformed
geregeld 1 regular, steady: *hij komt ~ te laat* he is often (*of:* nearly always) late 2 *(ordelijk)* orderly, well-ordered: *een ~ leven gaan leiden* settle down, start keeping regular hours
gerei gear, things; *(vissen)* tackle; kit: *keukengerei* kitchen utensils; *scheergerei* shaving things (*of:* kit); *schrijfgerei* writing materials
geremd inhibited
gerenommeerd renowned, illustrious; *(bedrijf)* well-established: *een ~ hotel* a reputable hotel
gereserveerd 1 reserved, distant: *een ~e houding aannemen* keep one's distance 2 *(besproken)* reserved, booked
gerespecteerd respected
geribbeld *zie* geribd
geribd ribbed; *(stof ook)* corded; *(karton, plaatijzer enz.)* corrugated: *~ katoen* corduroy
gericht directed (at, towards), aimed (at, towards); *(fig)* specific: *~e vragen* carefully chosen (*of:* selected) questions

gerief *(Belg) (gerei)* accessories: *schoolgerief* school needs
geriefIijk comfortable
gerimpeld wrinkled, wrinkly; *(verschrompeld)* shrivelled: *een ~ voorhoofd* a furrowed brow
gering 1 *(klein)* small, little: *een ~e kans* a slim (*of:* remote) chance; *in ~e mate* to a small extent (*of:* degree) **2** *(onbeduidend)* petty, slight, minor: *een ~ bedrag* a petty (*of:* trifling) sum
geritsel rustling, rustle
[1]**Germaans** *zn* Germanic
[2]**Germaans** *bn* Germanic, Teutonic
Germanen *(hist)* Germans, Teutons
geroddel gossip(ing), tittle-tattle
geroep calling, shouting, crying, call(s), shout(s), cries, cry: *hij hoorde hun ~ niet* he did not hear them calling
geroepen called: *je komt als ~* you're just the person we need
geroezemoes buzz(ing), hum: *met al dat ~ kan ik jullie niet verstaan* I can't make out what you're saying with all the din
gerommel 1 rumbling, rumble: *~ in de buik* rumbling in one's stomach **2** *(het overhoophalen)* rummaging (about, around) **3** *(geknoei)* messing, fiddling about
geronk drone, droning; *(luider)* roar(ing); *(zwaar gesnurk)* snoring
geronnen clotted *(bloed)*
gerookt smoked
geroutineerd experienced, practised
gerst barley
gerucht rumour: *het ~ gaat dat …* there is a rumour that …; *dat zijn maar ~en* it is only hearsay
geruchtmakend controversial, sensational
geruim considerable
geruisloos noiseless, silent; *(fig)* quietly
geruit check(ed)
[1]**gerust** *bn* easy, at ease: *een ~ geweten* (of: *gemoed*) an easy (*of:* a clear) conscience, an easy mind; *met een ~ hart de toekomst tegemoet zien* face the future with confidence; *(Belg) iem ~ laten* leave s.o. alone, let s.o. be
[2]**gerust** *bw* safely, with confidence, without any fear (*of:* problem): *ga ~ je gang* (do) go ahead!, feel free to …; *vraag ~ om hulp* don't hesitate to ask for help
geruststellen reassure, put (*of:* set) (s.o.'s) mind at rest
geruststellend reassuring
geruststelling reassurance, comfort; *(opluchting)* relief
geruzie arguing, quarrelling, bickering
gescheiden 1 separated, apart: *~ leven (van)* live apart (from) **2** *(niet meer gehuwd)* divorced: *~ gezin* broken home
geschenk present, gift
geschieden occur, take place, happen
geschiedenis 1 history: *de ~ herhaalt zich* history repeats itself **2** *(verhaal)* tale, story: *dat is een andere ~* that's another story
geschift 1 crazy, nuts **2** *(mbt melk enz.)* curdled
geschikt suitable, fit, appropriate: *is twee uur een ~e tijd?* will two o'clock be convenient?; *~ zijn voor het doel* serve the purpose; *dat boek is niet ~ voor kinderen* that book is not suitable for children
geschil dispute, disagreement, quarrel: *een ~ bijleggen* settle a dispute (with s.o.)
geschonden damaged; disfigured *(gezicht)*
geschoold trained, skilled
geschut artillery
geselen whip, flog
gesis hiss(ing); *(gebruis)* fizz(le); sizzle
geslaagd successful
geslacht 1 family, line, house: *uit een nobel* (of: *vorstelijk*) *~ stammen* be of noble (*of:* royal) descent **2** *(sekse)* sex **3** *(generatie)* generation
geslachtsdaad sex(ual) act; *(med)* coitus
geslachtsdelen genitals, sex organs, genital organs; *(euf)* private parts
geslachtsgemeenschap sexual intercourse (*of:* relations), sex
geslachtsnaam *(familie-, achternaam)* family name, surname
geslachtsziekte venereal disease, VD
geslepen sly, cunning, sharp
gesloten 1 closed, shut; drawn *(gordijnen): een ~ geldkist* (of: *enveloppe, goederenwagon*) a sealed chest (*of:* envelope, goods wagon); *een hoog ~ bloes* a high-necked blouse **2** *(niet openhartig)* close(-mouthed), tight-lipped: *dat kind is nogal ~* that child doesn't say much (for himself, herself); *(techn) een ~ circuit* a closed circuit
gesmeerd 1 greased, buttered **2** *(zonder problemen)* smoothly: *ervoor zorgen dat het ~ gaat* make sure everything goes smoothly
gesmoord 1 stifled, smothered **2** *(cul)* braised
gesp buckle, clasp
gespannen 1 *(strak getrokken)* tense(d), taut; bent *(boog)* **2** *(waarin een uitbarsting dreigt)* tense, strained; *(persoon ook)* nervous; on edge: *te hoog ~ verwachtingen* exaggerated expectations; *~ luisteren* listen intently; *tot het uiterste ~* at full strain
gespecialiseerd specialized; (met *in*) specializing
gespen buckle; *(met riem)* strap
gespierd muscular; brawny *(ook min)*; beefy *(ook min)*
gespikkeld spotted, speckled; *(stof ook)* dotted
gespitst keen || *met ~e oren* with one's ears pricked up, all ears
gespleten split; cleft *(ook mbt bladeren)*; cloven *(hoef)*
gesprek 1 talk, conversation; *(telefoon)* call: *het ~ van de dag zijn* be the talk of the town; *het ~ op iets anders brengen* change the subject; *een ~ voe-*

ren hold a conversation; *(het nummer is) in ~* (the number's) engaged; *een ~ onder vier ogen* a private discussion 2 *(overleg, bespreking)* discussion, consultation: *inleidende ~ken* introductory talks
gesprekkosten call charge(s)
gespreksstof topic(s) of conversation, subject(s) for discussion
gesproken oral, verbal; spoken *(taal)*
gespuis riff-raff, rabble, scum
gestalte 1 figure; *(lichaamsbouw)* build: *fors van ~* heavily-built; *een slanke ~* a slim figure 2 *(gedaante)* shape, form || *~ geven (aan)* give shape (to)
gestampt crushed; mashed *(aardappelen): ~e muisjes* aniseed (sugar) crumble

gesteente rock, stone
gestel 1 constitution 2 *(in sam)* system: *het zenuwgestel* the nervous system
gesteld 1 *(dol op)* keen (on), fond (of): *zij zijn erop ~ (dat)* they would like it (if), they are set on (...-ing); *erg op comfort ~ zijn* like one's comfort 2 *(aangewezen)* appointed: *binnen de ~e tijd* within the time specified
gesteldheid state, condition; *(lichaam)* constitution
gesteriliseerd sterilized
gesticht mental home *(of:* institution)
gesticuleren gesticulate
gestippeld 1 dotted: *een ~e lijn* a dotted line 2 *(met stippen bedekt)* spotted, speckled; *(stof ook)* dotted
gestoffeerd 1 upholstered 2 *(mbt vertrekken)* (fitted) with curtains and carpets
gestoomd steamed
gestoord *(psychotisch)* disturbed: *(fig) ergens ~ van worden* be sick to one's back teeth of sth
gestotter stammer(ing), stutter(ing)
gestreept striped
gestrekt (out)stretched
gestrest stressed
getal number, figure: *een rond ~* a round number *(of:* figure); *een ~ van drie cijfers* a three-digit *(of:* three-figure) number
getalenteerd talented
getand *(plantk)* dentate, denticulate
getekend 1 marked, branded: *een fraai ~e kat* a cat with beautiful markings; *voor het leven ~ zijn* be marked for life 2 *(met lijnen, groeven)* lined
getemperd moderate; subdued *(licht)*
getij tide
getik *(klok)* tick(ing); *(met vinger enz.)* tapping
getikt 1 *(idioot)* crazy, cracked, nuts: *hij is compleet ~* he's completely off his rocker 2 *(getypt)* typed
getint tinted, dark
getiteld *(boek, film enz.)* entitled
getob worry(ing), brooding
getralied latticed, grated; *(mbt gevangenis, kooi)* barred
getroffen 1 hit, struck 2 *(door ziekte, ongeluk aangetast)* stricken, afflicted: *de ~ ouders* the stricken parents, *(mbt dood ook)* the bereaved parents
getrouw faithful, true: *een ~e vertaling* (of: *weergave)* a faithful translation *(of:* representation)
getrouwd married; *(in sam)* wed(ded): *hij is ~ met zijn werk* he is married to his work
getto ghetto
getuige *(persoon, ook jur)* witness
getuige-deskundige expert witness
[1]**getuigen** *intr* 1 give evidence *(of:* testimony), testify (to) 2 *(spreken in het nadeel, voordeel van)* speak: *alles getuigt voor* (of: *tegen) haar* everything speaks in her favour *(of:* against her) 3 *(tonen, blijk geven)* be evidence *(of:* a sign) (of), show, indicate: *die daad getuigt van moed* that act shows courage
[2]**getuigen** *tr* testify (to), bear witness (to)
getuigenverklaring testimony, deposition
getuigschrift certificate; *(rapport)* report; *(personeel)* reference
geul 1 channel 2 *(greppel, goot)* trench, ditch, gully
geur smell; *(aangenaam)* perfume; *(aangenaam)* scent; *(aangenaam)* aroma: *een onaangename ~ verspreiden (afgeven)* give off an unpleasant smell
geuren 1 smell 2 *(pronken)* show off, flaunt
geurig fragrant, sweet-smelling
gevaar danger, risk: *hij is een ~ op de weg* he's a menace on the roads; *~ bespeuren* (of: *ruiken)* sense *(of:* scent) danger; *~ voor brand* fire hazard; *het is niet zonder ~* it is not without its dangers; *er bestaat (het) ~ dat* there is a risk that || *iem (iets) in ~ brengen* endanger s.o. (sth)
gevaarlijk *(mbt personen)* dangerous; *(mbt zaken ook)* hazardous; risky: *zich op ~ terrein begeven* tread on thin ice
gevaarte monster, colossus
geval 1 case, affair: *een lastig ~* an awkward case 2 *(toestand)* circumstances, position: *in uw ~ zou ik het nooit doen* in your position I'd never do that 3 *(omstandigheid)* case, circumstances: *in het uiterste ~* at worst, if the worst comes to the worst; *in ~ van oorlog* (of: *brand, ziekte)* in the event of war *(of:* fire, illness); *in negen van de tien ~len* nine times out of ten; *in enkele ~len* in some cases; *voor het ~ dat* (just) in case 4 *(toeval)* chance, luck: *wat wil nou het ~?* guess what
gevallen fallen: *de ~en* the dead
gevangen caught, captive; *(in gevangenis)* imprisoned
gevangene 1 prisoner, arrested person; *(niet door politie)* captive 2 *(veroordeelde ook)* prisoner, convict
gevangenis prison, jail: *hij heeft tien jaar in de ~ gezeten* he has served ten years in prison *(of:* jail)
gevangenisstraf imprisonment, prison sentence, jail sentence, prison term: *tot één jaar ~ veroordeeld worden* be sentenced to one year's imprisonment; *levenslange ~* life imprisonment

gevangennemen arrest; *(ook mil)* capture; take prisoner *(of:* captive)
gevangenschap captivity, imprisonment
gevarendriehoek warning triangle, emergency triangle; *(Am; ongev)* flares
gevarieerd varied
gevat quick(-witted), sharp; quick, ready: *een ~ antwoord* a ready *(of:* quick) retort
gevecht 1 *(mil)* fight(ing), combat: *een ~ van man tegen man* hand-to-hand combat 2 *(tussen personen, dieren)* fight, struggle: *een ~ op leven en dood* a life-or-death struggle
geveinsd pretended, feigned
gevel façade, (house)front; outside wall, outer wall
[1]**geven** *intr* 1 *(gesteld zijn op)* be fond of: *niets (geen cent) om iem ~* not care a thing about s.o. 2 *(erg, hinderlijk zijn)* matter: *dat geeft niks* it doesn't matter a bit *(of:* at all)
[2]**geven** *intr, tr* give; *(geld ook)* donate; *(aanreiken ook)* hand: *geschiedenis ~* teach history; *geef mij maar een glaasje wijn* I'll have a glass of wine; *kunt u me de secretaresse even ~?* can I please speak to the secretary?; *kun je me het zout ~?* could you give *(of:* pass, hand) me the salt?; *(kaartspel) wie moet er ~?* whose deal is it?; *geef op!* (come on,) hand it over!
gevestigd old-established, long-standing: *de ~e orde* the established order
gevierd celebrated
gevlekt spotted, specked; *(vuil)* stained; *(bont gevlekt)* mottled
gevlogen flown, gone
gevoel 1 *(als zintuig)* touch, feel(ing): *op het ~ af* by feel *(of:* touch) 2 *(lichamelijke gewaarwording)* feeling, sensation: *een brandend ~ in de maag* a burning sensation in one's stomach; *ik vind het wel een lekker ~* I like the feeling; *ik heb geen ~ meer in mijn vinger* my finger's gone numb, I've got no feeling left in my finger 3 feeling, sense: *het ~ hebben dat …* have a feeling that …, feel that … 4 *(vatbaarheid voor emoties)* feeling(s), emotion(s): *op zijn ~ afgaan* play it by ear 5 *(besef)* sense (of), feeling (for): *geen ~ voor humor hebben* have no sense of humour
gevoelen 1 feeling, emotion: *zijn ~s tonen* show one's feelings 2 *(gezindheid)* feeling, sentiment: *~s van spijt* feelings of regret 3 *(oordeel)* feeling, opinion
gevoelig 1 sensitive (to); *(voor pijn)* sore; tender; *(allergisch)* allergic (to) 2 *(ontvankelijk)* sensitive (to), susceptible (to); *(lichtgeraakt)* touchy: *een ~ mens* a sensitive person 3 *(duidelijk voelbaar)* tender, sore: *een ~e klap* a painful *(of:* nasty) blow
gevoeligheid sensitivity (to), susceptibility (to)
gevoelloos 1 numb 2 *(hardvochtig)* insensitive (to), unfeeling: *een ~ mens* an unfeeling person
gevoelloosheid numbness; *(hardvochtigheid)* insensitivity; callousness
gevoelsmatig instinctive
gevoelstemperatuur windchill factor
gevogelte poultry, fowl
gevolg *(wat uit iets volgt) (vaak ongunstig)* consequence; *(vaak gunstig)* result; *(uitwerking)* effect; *(uitwerking)* outcome; *(goed)* success: *met goed ~ examen doen* pass an exam; *~ geven* (of: *gevend) aan een opdracht* carry out *(of:* according to) instructions; *(geen) nadelige ~en hebben* have (no) adverse effects; *met alle ~en van dien* with all its consequences; *tot ~ hebben* result in
gevolmachtigd authorized, having (full) power of attorney
gevorderd advanced
gevormd 1 *(met een bepaalde vorm)* -formed, (-)shaped: *een stel fraai ~e benen* a pair of shapely legs; *een goed ~e neus* a regular nose 2 *(volledig ontwikkeld)* fully formed: *een ~ karakter* a fully developed character
gevraagd in demand: *een ~ boek* a book that is much *(of:* greatly) in demand
gevreesd dreaded
gevuld 1 *(mollig)* full, plump: *een ~ figuur* a full figure 2 stuffed, filled: *een ~e kies* a filled tooth; *~e tomaten* stuffed tomatoes
gewaad garment, attire, robe, gown
gewaagd 1 *(gevaarlijk)* hazardous, risky: *een ~e sprong* a daring leap 2 *(gedurfd, pikant)* daring, suggestive
gewaarwording perception *(ogen, oren);* sensation *(anderszins)*
gewapend armed; *(met bijzondere versterking)* reinforced: *~ beton* reinforced concrete
gewas plant
gewatteerd quilted: *een ~e deken* a quilt, a duvet
geweer rifle, gun: *een ~ aanleggen* aim a rifle *(of:* gun)
gewei antlers
geweld violence, force; *(grote kracht ook)* strength: *grof ~* brute force *(of:* strength); *verbaal ~* verbal violence *(of:* assault); *de waarheid ~ aandoen* stretch the truth || *hij wilde met alle ~ naar huis* he wanted to go home at all costs
gewelddadig violent, forcible
geweldig 1 tremendous, enormous: *een ~ bedrag* a huge sum; *een ~e eetlust* an enormous appetite; *zich ~ inspannen* go to great lengths 2 *(bijzonder goed, fijn)* terrific, fantastic, wonderful: *je hebt me ~ geholpen* you've been a great help; *hij is ~* he's a great guy; *die jurk staat haar ~* that dress looks smashing on her; *hij zingt ~* he sings wonderfully; *~!* great!, terrific! 3 *(heftig, onstuimig, hevig)* tremendous, terrible
gewelf 1 vault(ing), arch 2 *(ruimte, vertrek)* vault
gewend used (to), accustomed (to); *(gewoon)* in the habit (of); inured (to) *(iets onaangenaams): ~ raken aan zijn nieuwe huis* settle down in one's new house; *dat zijn we niet van hem ~* that's not like him at all, that's quite unlike him!

gewenst desired, wished for
gewerveld vertebrate
gewest 1 district, region **2** *(gedeelte ve land, provincie)* province, county; *(Belg)* region: *overzeese ~en* overseas territories
gewestelijk regional, provincial
geweten conscience: *veel op zijn ~ hebben* have a lot to answer for
gewetenloos unscrupulous, unprincipled
gewetensvol conscientious, scrupulous; *(werken ook)* painstaking
gewettigd 1 *(gerechtvaardigd)* legitimate, justified; *(bewering)* well-founded **2** *(geëcht)* legitimated

ge

gewezen former, ex-
gewicht weight; *(belang ook)* importance: *maten en ~en* weights and measures; *zaken van het grootste ~* matters of the utmost importance; *soortelijk ~* specific gravity; *op zijn ~ letten* watch one's weight; *beneden het ~* underweight
gewichtheffen weightlifting
[1]**gewichtig** *bn* weighty, important; *(ernstig)* grave: *~e gebeurtenissen* important events; *hij zette een ~ gezicht* he put on a grave face
[2]**gewichtig** *bw* (self-)importantly, pompously: *~ doen* be important (about sth)
gewichtsklasse weight
gewiekst sharp, shrewd, fly
gewijd 1 consecrated, holy: *~ water* holy water **2** *(mbt een geestelijke)* ordained
gewild *(in trek)* sought-after, popular; in demand *(ook handel)*
[1]**gewillig** *bn* **1** willing; *(volgzaam)* docile; *(gehoorzaam)* obedient: *zich ~ tonen* show (one's) willingness **2** *(niet afgedwongen)* willing, ready: *een ~ oor lenen aan iem* lend a ready ear to s.o.
[2]**gewillig** *bw* willingly, readily, voluntarily: *hij ging ~ mee* he came along willingly
gewoel 1 tossing (and turning); *(gespartel)* struggling **2** *(menigte)* bustle
gewond injured; wounded *(door wapen);* hurt: *~ aan het been* injured (*of:* wounded) in the leg
gewonde injured person, wounded person, casualty
gewonnen: *zich ~ geven* admit defeat
[1]**gewoon** *bn* **1** usual, regular, customary, ordinary: *in zijn gewone doen zijn* be oneself; *zijn gewone gang gaan* go about one's business, carry on as usual **2** *(van de meest bekende soort)* common: *dat is ~* that's natural **3** *(alledaags)* ordinary, common(place), plain: *het gewone leven* everyday life; *de gewone man* the common man; *de ~ste zaak ter wereld* (something) perfectly normal
[2]**gewoon** *bw* **1** normally: *doe maar ~* (do) act normal(ly), behave yourself **2** *(in de gebruikelijke mate)* normally, ordinarily, usually **3** *(ronduit gezegd)* simply, just: *zij praatte er heel ~ over* she was very casual about it
gewoonlijk usually, normally: *zoals ~ kwam ze te laat* as usual, she was late
gewoonte 1 custom, practice **2** *(wat men gewoon is te doen)* habit, custom: *de macht der ~* the force of habit; *tegen zijn ~* contrary to his usual practice; *hij heeft de ~ om* he has a habit (*of:* way) of
gewoonweg simply, just
gewricht joint, articulation
gewrichtsontsteking rheumatoid arthritis
gezaagd *(plantk)* serrate
gezag 1 authority, power; *(mil)* command; rule *(over land);* dominion *(over land): ouderlijk ~* parental authority **2** *(overheid)* authority, authorities: *het bevoegd ~* the competent authorities **3** *(geestelijk overwicht)* authority, weight: *op ~ van* on the authority of
gezaghebbend authoritative, influential: *iets vernemen uit ~e bron* have sth on good authority
gezaghebber person in charge (*of:* authority); *(mv)* authorities
gezagvoerder captain; *(kleinere boot)* skipper
[1]**gezamenlijk** *bn* collective, combined, united, joint: *met ~e krachten* with united forces
[2]**gezamenlijk** *bw* together
gezang song, singing
gezant envoy, ambassador, representative, delegate
gezapig lethargic, indolent, complacent
gezegde 1 saying, proverb **2** *(taalk)* predicate: *naamwoordelijk ~* nominal predicate
gezegend blessed; *(gelukkig, voorspoedig)* fortunately; *(gelukkig, voorspoedig)* luckily
gezellig 1 enjoyable, pleasant; sociable *(van persoon);* companionable *(van persoon): het zijn ~e mensen* they are good company (*of:* very sociable) **2** *(van ruimte)* pleasant, comfortable; *(knus)* cosy: *een ~ hoekje* a snug (*of:* cosy) corner
gezelligheid 1 sociability: *hij houdt van ~* he is fond of company **2** *(prettige atmosfeer)* cosiness, snugness
gezelschap 1 company, companionship: *iem ~ houden* keep s.o. company **2** *(personen)* company, society **3** *(aantal personen)* company, party: *zich bij het ~ voegen* join the party
gezelschapsspel party game
gezet 1 set, regular **2** *(dik)* stout, thickset
gezeur moaning, nagging; *(gedoe)* fuss(ing): *hou nu eens op met dat eeuwige ~!* for goodness' sake stop that perpetual moaning!
gezicht 1 sight: *liefde op het eerste ~* love at first sight; *een vreselijk ~* a gruesome sight **2** *(gelaat)* face: *iem in zijn ~ uitlachen* laugh in s.o.'s face; *iem van ~ kennen* know s.o. by sight **3** *(uitdrukking)* face, expression, look(s): *een ~ zetten alsof* look as if; *ik zag aan zijn ~ dat* I could tell by the look on his face that **4** *(uitzicht)* view, sight: *aan het ~ onttrekken* conceal
gezichtsbedrog optical illusion
gezichtspunt point of view, angle || *een heel nieuw ~* an entirely fresh perspective (*of:* viewpoint, angle)

gezichtssluier (face) veil
gezichtsveld field *(of:* range) of vision, sight
gezichtsverlies loss of face
gezichtsvermogen (eye)sight
gezien 1 esteemed, respected, popular: *een ~ man* an esteemed man, a respected man **2** *(bekrachtigd)* seen (by me), endorsed || *het voor ~ houden* pack it in
gezin family
gezind (pre)disposed (to), inclined (to): *iem vijandig ~ zijn* be hostile toward s.o.
gezinsbijslag *(Belg)* child benefit *(of:* allowance)
gezinshulp home help
gezinsverpakking family(-size(d)) pack(age), king-size(d) pack(age), jumbo pack(age)
gezinsverzorgster home help
gezinszorg home help
gezocht strained, contrived, forced; *(vergezocht)* far-fetched
[1]**gezond** *bn* **1** able-bodied, fit: *~ en wel* safe and sound **2** *(kloek, stevig)* robust: *~e wangen* rosy cheeks
[2]**gezond** *bn, bw* **1** healthy, sound; well *(na ww): zo ~ als een vis* as fit as a fiddle **2** *(onbedorven, helder)* sound, good: *~ verstand* common sense
gezondheid health: *naar iemands ~ vragen* inquire after s.o.('s health); *op uw ~!* here's to you!, here's to your health!, cheers!; *zijn ~ gaat achteruit* his health is failing || *~!* (God) bless you!
gezondheidsdienst (public) health service
gezondheidstoestand health, state of health
gezondheidszorg 1 health care, medical care **2** *(instanties)* health service(s)
gezouten salt(ed), salty
gezusters sisters
gezwam drivel, piffle: *~ in de ruimte* hot air
gezwel swelling; *(van een weefsel)* growth; tumour: *een goedaardig* (of: *kwaadaardig*) *~* a benign *(of:* malignant) tumour
gezwets drivel, rubbish
gezwollen swollen
gezworen sworn
gft-afval *(ongev)* organic waste
gids 1 guide; *(raadsman ook)* mentor: *iemands ~ zijn* be s.o.'s guide *(of:* mentor) **2** *(boek)* guide(book); *(handleiding)* handbook; manual **3** *(padvindster)* (Girl) Guide; *(Am)* Girl Scout **4** *(telefoongids)* (telephone) directory, telephone book: *de gouden gids®* the yellow pages
giebelen giggle, titter
giechelen giggle, titter
giek 1 *(scheepv)* boom **2** *(boom ve kraan)* jib
[1]**gier** *zn (mest(vocht))* liquid manure, slurry
[2]**gier** *zn* vulture
gieren shriek, scream, screech
gierig miserly, stingy
gierigaard miser, skinflint
gierigheid miserliness, stinginess
gierst millet
gieten 1 pour **2** *(m.b.v. een vorm)* cast *(vnl. metalen);* found *(klokken, glas);* mould: *een gegoten kachel* a cast-iron stove; *die kleren zitten (hem) als gegoten* his clothes fit (him) like a glove **3** *(besproeien)* water
gieter watering can
gietijzer cast iron
gif poison; *(van dieren en fig)* venom; *(plantaardige, dierlijke gifstof)* toxin
gifgas poison(ous) gas
gift gift; *(van donateur)* donation; contribution
giftig 1 poisonous; *(van dieren ook)* venomous **2** *(mbt mensen)* venomous, vicious: *toen hij dat hoorde, werd hij ~* when he heard that he was furious
giga mega, huge
gigabyte gigabyte
gigant giant
gigantisch gigantic, huge
gigolo gigolo
gij *2e pers ev en mv* thou
gijzelaar hostage
gijzelen *(mbt een persoon)* take hostage; *(voor losgeld)* kidnap; *(kapen)* hijack
gijzeling taking of hostages; *(voor losgeld)* kidnapping; *(kaping)* hijack(ing): *iem in ~ houden* hold s.o. hostage
gil scream, yell; *(krijsen; ook mbt remmen)* screech; *(kinderen, varkens)* squeal; *(schril)* shriek: *als je me nodig hebt, geef dan even een ~* if you need me just give (me) a shout
gilde guild
gilet gilet
gillen 1 scream; *(krijsen)* screech; *(vnl. varkens, kinderen)* squeal; *(schril)* shriek: *het is om te ~* it's a (perfect) scream; *~ als een mager speenvarken* squeal like a (stuck) pig **2** *(mbt zaken) (trein, sirene, machine)* scream; *(remmen)* screech
ginds over there; *(mbt hoger, lager gelegen plaats)* up there, down there
gin-tonic gin and tonic
gips 1 plaster (of Paris): *zijn been zit in het ~* his leg is in plaster; *~ aanmaken* mix plaster **2** *(afgietsel)* plaster cast
giraal giro
giraffe giraffe
gireren pay *(of:* transfer) by giro
giro 1 giro **2** *(girorekening)* giro account **3** *(overschrijving)* transfer by bank *(of:* giro), bank transfer, giro transfer
girobank® transfer bank, clearing bank, Girobank
girobetaalkaart giro cheque
giromaat *(ongev)* cash dispenser, cashpoint, automated teller (machine)
giromaatpas cashpoint card
gironummer Girobank (account) number
giropas (giro cheque) guarantee card
gissen guess (at), estimate

gissing guess; *(mv ook)* guesswork; speculation: *dit zijn allemaal (maar) ~en* this is just (*of:* mere) guesswork
gist yeast
gisten ferment
gisteren yesterday: *de krant van ~* yesterday's paper; *~ over een week* yesterday week, a week from yesterday
gister(en)avond last night, yesterday evening
gisternacht last night
gisting fermentation, ferment; *(het bruisen)* effervescence
git jet
gitaar guitar
gitarist guitarist, guitar player
gitzwart jet-black
glaasje 1 (small) glass; *(van microscoop)* slide **2** *(glas drank)* drop, drink: *(wat) te diep in het ~ gekeken hebben* have had one too many; *~ op, laat je rijden* don't drink and drive
[1]**glad** *bn* **1** slippery; *(door ijs, ijzel ook)* icy: *het is ~ op de wegen* the roads are slippery **2** *(fig) (gewiekst)* slippery, slick: *hij heeft een ~de tong* he has a glib tongue **3** *(glanzend)* shiny; glossy *(vnl. stof, verf, foto); (gepolijst)* polished **4** *(egaal, effen)* smooth, even: *~de banden* bald tyres; *een ~de kin* a clean-shaven chin (*of:* face)
[2]**glad** *bw* smoothly
gladgeschoren clean-shaven
gladheid slipperiness; *(door ijs, ijzel)* iciness: *~ op de wegen* icy patches on the roads
gladiator gladiator
gladiool gladiolus
gladstrijken smooth (out, down); *(met strijkijzer, ook fig)* iron out: *moeilijkheden ~* iron out difficulties; *(van vogel) zijn veren ~* preen one's feathers
glans 1 glow **2** *(reflectie)* gleam, lustre; gloss *(van foto, verf); (mbt zijde, haren enz.)* sheen: *P. geeft uw meubelen een fraaie ~* P. gives your furniture a beautiful shine
glansrijk splendid, brilliant; *(roemrijk ook)* glorious
[1]**glanzen** *intr* **1** gleam, shine: *~d papier* glossy (*of:* high-gloss) paper **2** *(stralen)* shine, glow; *(mbt sterren ook)* twinkle: *~d haar* glossy (*of:* sleek) hair
[2]**glanzen** *tr* polish; *(mbt stof, leer)* glaze; *(mbt foto)* gloss
glas glass; *(ruit)* (window-)pane: *een ~ bier* a (glass of) beer; *dubbel ~* double glazing; *geslepen ~* cut glass; *laten we het ~ heffen op …* let's drink to …; *~ in lood* leaded glass, *(gekleurd)* stained glass
glasbak bottle bank
glasfabriek glassworks
glasgordijn net curtain, lace curtain
glashandel glazier's (shop)
glashard unfeeling: *hij ontkende ~* he flatly denied
glashelder crystal-clear; *(mbt stem)* as clear as a bell
glas-in-loodraam leaded window; *(gebrandschilderd)* stained-glass window
glasplaat sheet of glass; *(bewerkt)* glass plate; *(als tafelblad)* glass top
glassnijder glass cutter
glasvezel glass fibre, fibreglass
glaswerk glass(ware)
glazen glass
glazenwasser window cleaner
glazig 1 glassy **2** *(mbt aardappelen)* waxy
glazuren glaze; *(met email(lak))* enamel
glazuur 1 glaze, glazing; *(email(lak))* enamel *(ook tandheelkundig)* **2** *(cul)* icing
gletsjer glacier
gleuf 1 groove; *(van automaat)* slot; *(brievenbus)* slit **2** *(greppel, spleet)* trench, ditch; *(in rotsen)* fissure
glibberen slither, slip, slide
glibberig slippery, slithery; *(slijmerig)* slimy; *(door vet)* greasy: *(fig) zich op ~ terrein bevinden* have got onto a tricky subject
glijbaan slide, chute
glijden 1 slide, glide **2** *(slippen, glippen)* slip, slide: *het boek was uit haar handen gegleden* the book had slipped from her hands
glijdend sliding, flexible: *een ~e belastingschaal* a sliding tax scale
glimlach smile; *(breed)* grin: *een stralende ~* a radiant smile
glimlachen smile; *(breed)* grin: *blijven ~* keep (on) smiling
glimmen 1 *(gloeien)* glow, shine **2** *(blinken)* shine, gleam: *de tafel glimt als een spiegel* the table is shining like a mirror **3** *(schitteren)* shine, glitter: *haar ogen glommen van blijdschap* her eyes shone with pleasure
glimp glimpse: *(fig) een ~ van iem opvangen (zien)* catch a glimpse of s.o.
glinsteren 1 glitter, sparkle; glisten *(vocht)* **2** *(mbt de ogen)* shine, gleam, sparkle
glippen 1 slide: *naar buiten ~* sneak (*of:* steal) out **2** *(ontglijden, ontschieten)* slip, drop: *hij liet het glas uit de handen ~* he let the glass slip from his hands
glitter glitter: *een bloes met ~* a sequined blouse
globaal rough, broad
globalisering globalization
globe globe
gloed 1 glow; *(fel)* blaze: *in ~ zetten* (of: *staan*) set (*of:* be) aglow **2** *(schijnsel)* glow; *(fel)* glare; blush *(wangen)*
gloednieuw brand new
gloeien 1 glow, shine, burn **2** *(zonder vlam branden)* smoulder, glow **3** *(zeer warm zijn)* be red-hot (*of:* white-hot), glow
gloeiend 1 glowing, red-hot, white-hot **2** *(brandend heet)* scalding hot, boiling hot *(vloeistof);*

scorching *(weer): het was ~ heet vandaag* today was a scorcher 3 *(hartstochtelijk)* glowing, fervent || *je bent er ~ bij* you're in for it now, (I) caught you red-handed
gloeilamp (light) bulb
glooien slope, slant
glooiend sloping, slanted; rolling *(landschap)*
glooiing slope, slant
gloria 1 *(godsd)* gloria 2 glory
glorie glory; *(godsd)* gloria *(aureool)*
glorietijd heyday, golden age: *in zijn ~* in his heyday
gloss gloss
glossy glossy
glucose glucose, grape-sugar
gluiperig shifty, sneaky
glunderen smile happily
gluren peep, peek
gluurder peeping Tom
glycerine glycerine
gniffelen snigger, chuckle
gnoe gnu
goal goal: *een ~ maken* score a goal
god god; *(beeltenis ook)* idol || *een houten ~* a wooden idol (*of:* god)
God God: *~s water over ~s akker laten lopen* let things take (*of:* run) their (natural) course; *in ~ geloven* believe in God
goddank thank God (*of:* goodness)
goddelijk divine
godheid deity, god(head)
godin goddess
godlasterend blasphemous
godloochenaar atheist
godsdienst religion
godsdienstig religious, devout
godsdienstonderwijs religious education (*of:* instruction)
godshuis house of God, place of worship, church
godslastering 1 blasphemy 2 *(vloekwoord)* profanity
[1]**goed** *zn* 1 *(goederen, artikelen)* goods, ware(s) 2 *(bezit)* goods, property; *(boedel, landgoed)* estate: *onroerend ~* real estate 3 *(kleding)* clothes: *schoon ~ aantrekken* put on clean clothes 4 *(textiel)* material, fabric, cloth: *wit* (of: *bont*) *~* white (*of:* coloured) wash, whites, coloureds
[2]**goed** *bn* 1 *(vriendelijk)* good; *(aardig)* kind; nice: *ik ben wel ~ maar niet gek* I'm not as stupid as you think; *ik voel me heel ~* I feel fine (*of:* great); *zou u zo ~ willen zijn …* would (*of:* could) you please …, would you be so kind as to …, do (*of:* would) you mind … 2 *(gezond)* well, fine: *daar word ik niet ~ van (ook fig)* that makes me (feel) sick || *~ en kwaad* good and evil, right and wrong
[3]**goed** *bn, bw* 1 *(bn)* good; *(bw)* well; right, correct: *alle berekeningen zijn ~* all the calculations are correct; *hij bedoelt (meent) het ~* he means well; *begrijp me ~* don't get me wrong; *als je ~ kijkt* if you look closely; *dat zit wel ~* that's all right, don't worry about it; *net ~!* serves you right!; *het is ook nooit ~ bij hem* nothing's ever good enough for him; *precies ~* just (*of:* exactly) right 2 *(behoorlijk) (bw)* well: *hij was ~ nijdig* he was really annoyed; *het betaalt ~* it pays well; *toen ik ~ en wel in bed lag* when I finally (*of:* at last) got into bed; *~ bij zijn* be clever || *we hebben het nog nooit zo ~ gehad* we've never had it so good; *(heel) ~ Engels spreken* speak English (very) well, speak (very) good English; *die jas staat je ~* that coat suits you (*of:* looks good on you); *de soep is niet ~ meer* the soup has gone off; *dat komt ~ uit* that's (very) convenient; *hij maakt het ~* he is doing well (*of:* all right); *(fig) hij staat er ~ voor* his prospects are good; *de rest hou je nog te ~* I'll owe you the rest; *dat hebben we nog te ~* that's still in store for us; *~ zo!* good!, that's right!, *(als compliment)* well done!, that's the way!; *ook ~* very well, all right; *de opbrengst komt ten ~e van het Rode Kruis* the proceeds go to the Red Cross; *zij is ~ in wiskunde* she is good at mathematics; *dat is te veel van het ~e* that is too much of a good thing; *het is maar ~ dat …* it's a good thing that …; *~ dat je 't zegt* that reminds me; *dat was maar ~ ook* it was just as well
goedaardig 1 good-natured, kind-hearted 2 *(med)* benign *(tumor)*
goeddoen do good, help
goedemiddag good afternoon
goedemorgen good morning
goedenacht good night
goedenavond good evening; *(afscheidsgroet)* good night
goederen 1 goods; *(econ)* commodities; *(koopwaar ook)* merchandise: *~ laden* (of: *lossen*) load (*of:* unload) goods 2 *(bezittingen)* goods, property
goederentrein goods train; *(Am)* freight train
goedgeefs generous, liberal
goedgelovig credulous, gullible
goedgemutst good-humoured, good-natured
goedheid 1 goodness: *hij is de ~ zelf* he is goodness personified 2 *(toegeeflijkheid)* benevolence, indulgence
goedig gentle; *(inschikkelijk)* meek
goedje stuff
goedkeuren 1 approve (of); pass *(als geschikt): (med) goedgekeurd worden* pass one's medical 2 *(ermee instemmen)* approve; adopt *(plan)*
goedkeurend approving, favourable: *~ knikken* (of: *glimlachen*) nod (*of:* smile) (one's) approval
goedkeuring approval, consent
[1]**goedkoop** *bn* 1 cheap, inexpensive: *~ tarief* cheap rate, *(vanwege seizoen of tijd van de dag)* off-peak tariff 2 *(fig) (van weinig waarde)* cheap
[2]**goedkoop** *bw* cheaply, at a low price: *er ~ afkomen* get off cheap(ly)
goedlachs cheery
goedlopend successful
goedmaken 1 make up (*of:* amends) for: *iets*

weer ~ bij iem make amends to s.o. for sth 2 *(mbt een gebrek, tekortkoming)* make up for, compensate (for) 3 *(mbt onkosten, uitgaven)* cover, make good

goedmoedig good-natured, good-humoured

goedpraten explain away, justify; *(vergoelijken)* gloss over

goedschiks willingly: *~ of kwaadschiks* willing(ly) or unwilling(ly)

[1]**goedvinden** *zn* permission, consent; *(instemming)* agreement

[2]**goedvinden** *tr* approve (of), consent (to): *als jij het goedvindt* if you agree

goeroe guru

goesting *(Belg) (zin, lust, trek)* liking, fancy, appetite

gok gamble: *zullen we een ~je wagen?* shall we have a go (at it)?

gokhuis gambling joint

gokken gamble, (place a) bet (on): *~ op een paard* (place a) bet on a horse

gokker gambler

gokpaleis casino

gokverslaafde gambling addict

golden goal golden goal; *(inform)* sudden death

[1]**golf** *zn* 1 wave: *(reclame) korte* (of: *lange*) *~* short (*of:* long) wave 2 *(baai)* gulf, bay 3 *(straal ve vloeistof)* stream, flood 4 *(toename) (fig)* wave; surge: *een ~ van geweld* a wave of violence

[2]**golf** *zn* golf

golfbaan golf course *(of:* links)

golfband waveband

golfen play golf

golflengte wavelength: *(niet) op dezelfde ~ zitten (ook fig)* (not) be on the same wavelength

golfstok golf club

Golfstroom Gulf Stream

golven 1 undulate, wave; heave *(water, menigte);* surge *(water, menigte): de wind deed het water ~* the wind ruffled the surface of the water 2 *((als) in golven stromen)* gush, flow

golvend undulating, wavy || *een ~ terrein* rolling terrain

gom rubber; *(vnl. Am)* eraser

gondel gondola

gong gong

gonorroe gonorrhoea

gonzen buzz, hum

goochelaar conjurer, magician

goochelen 1 conjure, do (conjuring, magic) tricks: *~ met kaarten* do (*of:* perform) card tricks 2 *(handig met iets omspringen)* juggle (with): *~ met cijfers* juggle with figures

goocheltruc conjuring trick, magic trick

goochem smart, crafty

googelen google

gooi throw, toss: *(fig) een ~ doen naar het presidentschap* make a bid for the Presidency

gooien throw, toss; *(met geweld)* fling (at), hurl (at): *geld ertegenaan ~* spend a lot of money on (sth); *iem eruit ~* throw s.o. out; *met de deur ~* slam the door

gooi-en-smijtfilm slapstick film

goor 1 filthy, foul 2 *(mbt eten, drinken)* bad, nasty: *~ smaken* (of: *ruiken*) taste (*of:* smell) revolting

goot 1 *(afvoerbuis)* wastepipe, drain(pipe); *(dakgoot)* gutter 2 *(afvoerkanaal)* gutter, drain: *(fig) in de ~ terechtkomen* end up in the gutter

gootsteen (kitchen) sink: *iets door de ~ spoelen* pour sth down the sink

gordel *(riem, ceintuur)* belt

gordijn curtain

gordijnrail curtain rail *(of:* track)

gorgelen gargle

gorilla gorilla

gort pearl barley, groats

gortig: *dat is (me) al te ~* it's too much (for me), it's more than I can take

gothic gothic

gotisch Gothic

goud gold: *zulke kennis is ~ waard* such knowledge is invaluable; *voor geen ~* not for all the tea in China; *ik zou me daar voor geen ~ vertonen* I wouldn't be seen dead there; *het is niet alles ~ wat er blinkt* all that glitters is not gold

goudeerlijk honest through and through

gouden 1 gold; *(vnl. fig)* golden: *een ~ ring* a gold ring 2 *(goudkleurig)* golden

goudmijn gold mine: *een ~ ontdekken (fig)* strike oil

goudstuk gold coin

goudvis goldfish

goulash goulash

gouvernante governess; *(inform ook)* nanny

gouvernement *(Belg) (provinciaal bestuur)* provincial government *(of:* administration)

gouverneur 1 governor 2 *(Belg)* provincial governor

graad degree; *(mil)* rank: *een academische ~* a university degree; *de vader is eigenwijs, maar de zoon is nog een ~je erger* the father is conceited, but the son is even worse; *18° Celsius* 18 degrees Celsius; *een draai van 180 graden maken* make a 180-degree turn; *tien graden onder nul* ten degrees below zero

graaf count, earl

graafmachine excavator

graafschap county

graag 1 gladly, with pleasure: *~ gedaan* you're welcome; *ik wil je ~ helpen* I'd be glad to help (you); *hoe ~ ik het ook zou doen* much as I would like to do it; *~ of niet* take it or leave it; *(heel) ~!* (okay) thank you very much!, yes please! 2 *(zonder tegenzin)* willingly, readily: *zij praat niet ~ over die tijd* she dislikes talking about that time; *dat wil ik ~ geloven* I can quite believe that, I'm not surprised

graaien grabble, rummage

graal the (Holy) Grail
graan grain, corn || *een ~tje meepikken* get one's share, get in on the act
graat 1 *(een beentje)* (fish) bone **2** *(geraamte van een vis)* bones *(mv)* || *(Belg) ergens geen graten in zien* see nothing wrong with
grabbel: *zijn goede naam te ~ gooien* throw away one's reputation
grabbelen rummage (about, around), grope (about, around): *de kinderen ~ naar de pepernoten* the children are scrambling for the ginger nuts
grabbelton lucky dip; *(Am)* grab bag
gracht canal; *(rondom vesting)* moat: *aan een ~ wonen* live on a canal
grachtengordel ring of canals
gracieus graceful, elegant
gradenboog protractor
gradueel of degree, in degree, gradual
graf grave, tomb || *zwijgen als het ~* be quiet (*of:* silent) as the grave
graffiti graffiti
grafiek graph, diagram
grafiet graphite
grafisch graphic
grafschennis desecration of graves
grafschrift epitaph
grafsteen gravestone, tombstone
gram gram: *vijf ~ zout* five grams of salt
grammatica grammar
grammaticaal grammatical
grammofoon gramophone
granaat grenade; shell *(artillerie)*
granaatappel pomegranate
granaatscherf piece of shrapnel, shell fragment; *(mv)* shrapnel
grand café grand café
grandioos monumental, mighty
graniet granite
granieten granite
grap joke, gag: *een flauwe ~* a feeble (*of:* poor) joke; *~pen vertellen* tell (*of:* crack) jokes; *een ~ met iem uithalen* play a joke on s.o.; *ze kan wel tegen een ~* she can take a joke
grapefruit grapefruit
grapje (little) joke: *iets met een ~ afdoen* shrug sth off with a joke; *kun je niet tegen een ~?* can't you take a joke?
grappenmaker joker, wag
grappig 1 *(mbt personen)* funny, amusing: *zij probeerden ~ te zijn (ook iron)* they were trying to be funny **2** *(mbt zaken)* funny, comical, amusing; *(opzettelijk)* humorous: *het was een ~ gezicht* it was a funny (*of:* comical) sight; *een ~e opmerking* a humorous remark; *wat is daar nou zo ~ aan?* what's so funny about that? **3** *(leuk om te zien)* attractive; *(Am)* cute
gras grass: *het ~ maaien* mow the lawn
grasduinen browse (through)
grasmaaier (lawn)mower
grasspriet blade of grass
grasveld field (of grass)
graszode turf, sod
gratie 1 *(bevalligheid)* grace **2** *(gunst)* favour: *bij iem uit de ~ raken* fall out of favour with s.o. **3** *(genade)* mercy **4** *(kwijtschelding)* pardon: *~ krijgen* be pardoned
gratificatie gratuity, bonus
gratis free (of charge): *~ en voor niks* gratis, absolutely free
grauw grey, ashen
gravel gravel
graven 1 dig; *(op grote schaal)* excavate; *(fig, om iets te zoeken)* delve; *(naar delfstoffen)* mine: *een put ~* sink a well; *een tunnel ~* dig a tunnel, tunnel **2** *(met handen, snuit enz.)* dig; *(van dieren, insecten ook)* burrow
graveren engrave
graveur engraver
gravin countess
gravure engraving, print
grazen graze, (be at) pasture: *het vee laten ~* let the cattle out to graze || *te ~ genomen worden* be had, be taken in; *iem te ~ nemen (beetnemen)* take s.o. for a ride, take s.o. in
greep 1 grasp, grip, grab: *~ krijgen op iets* get a grip on sth; *vast in zijn ~ hebben* have firmly in one's grasp **2** *(willekeurige keuze)* random selection (*of:* choice): *doe maar een ~* take your pick
greintje (not) a bit (of): *geen ~ hoop* not a ray of hope; *geen ~ gezond verstand* not a grain of common sense
grendel bolt: *achter slot en ~ zitten* be under lock and key
grendelen bolt
grenen pine(wood), deal
grens border; *(rand; scheidingslijn)* boundary; *(limiet)* limit; *(perken ook)* bounds *(mv)*: *aan de Duitse ~* at the German border; *we moeten ergens een ~ trekken* we have to draw the line somewhere; *binnen redelijke grenzen* within reason
grensgebied 1 border region **2** *(fig)* borderline, grey area; *(randgebied)* fringe (area)
grensgeval borderline case
grenslijn boundary line; *(fig)* dividing line
grensovergang border crossing(-point)
grensrechter linesman *(voetbal)*; line judge *(tennis)*
grensstreek border region
grenzeloos infinite, boundless
grenzen 1 border (on); *(grenzen aan)* be adjacent to: *hun tuinen ~ aan elkaar* their gardens border on one another **2** *(fig)* border (on), verge (on); *(grenzen aan)* approach: *dat grenst aan het ongelofelijke* that verges on the incredible
greppel channel; *(meestal diep)* trench; ditch
gretig eager; *(begerig)* greedy
grief objection, grievance, complaint

Griek Greek
Griekenland Greece
Grieks Greek
Griekse Greek
grienen snivel, blub(ber)
griep (the) flu; *(verkoudheid)* (a) cold: *~ oplopen* catch the flu
griesmeel semolina
griet bird, chick, doll
grieven hurt, offend
griezel ogre, terror; *(persoon)* creep; *(persoon)* weirdo
griezelen shudder, shiver, get the creeps
griezelfilm horror film
griezelig gruesome, creepy
griezelverhaal horror story
grif ready; *(vaardig)* adept; *(vlug)* rapid; *(vlug)* prompt: *ik geef ~ toe dat ...* I readily admit to ... (-ing); *~ van de hand gaan* sell like hot cakes
griffel slate-pencil
griffie registry; clerk of the court's office *(rechtbank)*
griffier *(ongev)* registrar, clerk
grijns grin, smirk; *(boosaardig)* sneer
grijnzen 1 smirk, sneer **2** *(breed lachen)* grin: *sta niet zo dom te ~!* wipe that silly grin off your face!
[1]**grijpen** *intr* grab; *(hand uitstrekken)* reach (for): *dat is te hoog gegrepen* that is aiming too high; *naar de fles ~* reach for (*of:* turn to) the bottle
[2]**grijpen** *tr* grab (hold of), seize, grasp; *(met een ruk)* snatch: *de dief werd gegrepen* the thief was nabbed; *hij greep zijn kans* he grabbed (*of:* seized) his chance; *(fig) door iets gegrepen zijn* be affected (*of:* moved) by sth; *voor het ~ liggen* be there for the taking
[1]**grijs** *zn* grey
[2]**grijs** *bn* grey: *hij wordt al aardig ~* he is getting quite grey
grijsaard old man
gril whim, fancy
grill grill
grillen grill
grillig whimsical, fanciful, capricious: *~ weer* changeable weather
grilligheid capriciousness, whimsicality, fickleness
grimas grimace
grime make-up, greasepaint
grimeren make up
grimmig 1 *(boos)* furious, irate **2** *(fel)* fierce, forbidding: *een ~e kou* a severe cold
grind gravel; *(grover)* shingle
grindweg gravel(led) road
grinniken chuckle; *(sluw of min)* snigger: *zit niet zo dom te ~!* stop that silly sniggering!
grip grip; *(van wielen ook)* traction: *~ hebben op (ook fig)* have a grip on
grissen snatch, grab
grizzlybeer grizzly (bear)
groef groove, furrow; *(gleuf)* slot
groei 1 growth, development: *een broek die op de ~ gemaakt is* trousers which allow for growth **2** *(toename)* growth, increase; *(uitbreiding)* expansion
groeien grow, develop: *zijn baard laten ~* grow a beard; *het geld groeit mij niet op de rug* I am not made of money
groeihormoon growth hormone
groeipijn growing pains
groen green: *deze aardbeien zijn nog ~* these strawberries are still green; *het signaal sprong op ~* the signal changed to green || *ze was in het ~ (gekleed)* she was (dressed) in green
Groenland Greenland
Groenlander Greenlander
groenling greenfinch
groenstrook 1 green belt, green space (*of:* area) **2** *(middenberm)* grass strip, centre strip
groente vegetable: *vlees en twee verschillende soorten ~* meat and two vegetables
groenteboer greengrocer, greengrocer's (shop)
groentela crisper
groentesoep vegetable soup
groentetuin vegetable garden, kitchen garden
groentje greenhorn; *(op school)* new boy, new girl; *(student)* fresher; freshman
groep group; *(van toeristen, reizigers)* party: *een grote ~ van de bevolking* a large section of the population; *leeftijdsgroep* age group (*of:* bracket); *in ~jes van vijf of zes* in groups of five or six; *we gingen in een ~ rond de gids staan* we formed a group round the guide
[1]**groeperen** *tr* group: *anders (opnieuw) ~* regroup
[2]**groeperen, zich 1** *(zich om iem, iets heen plaatsen)* cluster (round), gather (round); *(dicht bij elkaar)* huddle (round) **2** *(een groep vormen)* group (together), form a group
groepering grouping, faction
groepsdruk peer pressure
groepsgeest team spirit
groepspraktijk group practice
groepsreis group travel
groepsverband: *in ~ (mbt één groep)* in a group (*of:* team); *werken in ~* work as a team
groepswerk teamwork
groet greeting; *(mil)* salute: *een korte ~ tot afscheid* a parting word; *met vriendelijke ~en* yours sincerely; *doe hem de ~en van mij* give him my best wishes, *(minder formeel)* say hello to him for me; *je moet de ~en van haar hebben. O, doe haar de ~en terug* she sends (you) her regards (*of:* love). Oh, the same to her; *de ~en!: a) (afscheidsgroet)* see you!; *b) (vergeet het maar)* not on your life!, no way!
groeten greet, say hello: *wees gegroet Maria* Hail Mary
groeve quarry
grof 1 *(fors)* coarse, hefty **2** *(ruw bewerkt)* coarse,

rough, crude: *grove gelaatstrekken* coarse features; *iets ~ schetsen: a) (lett)* make a (rough) sketch of sth; *b) (fig ook)* sketch sth in broad outlines 3 *(bijzonder erg)* gross; *(beledigend)* rude: *een grove fout* a glaring error; *je hoeft niet meteen ~ te worden* there's no need to be rude

grofgebouwd heavily-built

grofheid coarseness; *(onbeleefdheid, vulgariteit)* rudeness; *(ruwheid, eenvoud)* roughness; *(krasheid)* grossness

grofvuil (collection of) bulky refuse

grofweg roughly, about, in the region of

grog grog, (hot) toddy

grol joke, gag

[1]**grommen** *intr* growl, snarl: *de hond begon tegen mij te ~* the dog began to growl at me

[2]**grommen** *intr, tr* grumble, mutter: *hij gromde iets onduidelijks* he muttered something indistinct

grond 1 *(terrein)* ground, land: *er zit een flink stuk ~ bij het huis* the house has considerable grounds; *een stuk ~* a plot of land; *braakliggende ~* waste land; *iem tegen de ~ slaan* knock s.o. flat; *zij heeft haar bedrijf van de ~ af opgebouwd* she built up her firm from scratch 2 *(aarde)* ground, earth: *schrale* (of: *onvruchtbare*) *~* barren (*of:* poor) soil; *iem nog verder de ~ in trappen* kick s.o. when he is down 3 *(oppervlak)* ground; *(binnen)* floor: *de begane ~* the ground floor, *(Am)* the first floor; *ik had wel door de ~ kunnen gaan* I wanted the ground to open up and swallow me 4 *(bodem onder water)* bottom: *aan de ~ zitten (financieel)* be on the rocks 5 *(basis)* ground, foundation, basis: *op ~ van zijn huidskleur* because of (*of:* on account of) his colour; *op ~ van artikel 461* by virtue of section 461 6 *(diepste, onderste deel)* bottom; *(wezen, kern)* essence: *dat komt uit de ~ van zijn hart* that comes from the bottom of his heart

grondbeginsel (basic, fundamental) principle; *(mv, ook)* fundamentals; basics

grondbezit 1 landownership, ownership of land 2 *(erf)* landed property, (landed, real) estate

grondbezitter landowner

grondgebied *(ook fig)* territory; soil *(vnl. ve staat)*

grondig thorough; *(mbt verandering ook)* radical: *een ~e hekel aan iets hebben* loathe sth, dislike sth intensely; *iets ~ bespreken* talk sth out (*of:* through); *iets ~ onderzoeken* examine sth thoroughly

grondigheid thoroughness; *(deugdelijkheid)* soundness; validity

grondlaag *(grondverf)* undercoat

grondlegger founder, (founding) father

grondpersoneel ground crew

grondprijs the price of land

grondslag *(fig)* basis, foundation(s): *de ~ leggen van iets* lay the foundation for sth

grondsoort (type, kind of) soil

grondstewardess ground hostess *(of Am:* stewardess)

grondstof raw material; *(landb ook)* raw produce

grondverf primer

grondvest foundation

grondvlak base

grondwater groundwater

grondwerk groundwork *(ook sport; ook fig)*

grondwet constitution

grondwettelijk constitutional

groot 1 big, large: *een tamelijk grote kamer* quite a big (*of:* large) room; *de kans is ~ dat ...* there's a good chance that ...; *op één na de ~ste* the next to largest 2 *(lang)* big, tall: *wat ben jij ~ geworden!* how you've grown!; *de ~ste van de twee* the bigger of the two 3 *(ouder)* big; *(volwassen)* grown-up: *zij heeft al grote kinderen* she has (already) got grown-up children; *daar ben je te ~ voor* you're too big for that (sort of thing) 4 *(van een bep afmeting)* in size: *het stuk land is twee hectare ~* the piece of land is two hectares in area; *twee keer zo ~ als deze kamer* twice as big as this room 5 *(mbt aantal, kracht)* great, large: *een ~ gezin* a large family; *een steeds groter aantal* an increasing (*of:* a growing) number; *in het ~ inkopen* (of: *verkopen*) buy (*of:* sell) in bulk || *Karel de Grote* Charlemagne; *Alexander de Grote* Alexander the Great; *je hebt ~ gelijk!* you are quite (*of:* perfectly) right!

grootbeeld large screen (television)

grootboek ledger

grootbrengen bring up, raise: *een kind met de fles ~* bottle-feed a child

Groot-Brittannië Great Britain

groothandel wholesaler's, wholesale business

groothandelaar wholesaler

grootheid *(nat, wisk)* quantity

grootheidswaanzin megalomania

groothertog grand duke

groothoeklens wide-angle lens

groothouden, zich 1 bear up (well, bravely) 2 *(doen alsof men zich iets niet aantrekt)* keep up appearances, keep a stiff upper lip

grootmeester 1 *(mbt schaken, dammen)* grandmaster 2 *(op andere gebieden)* (great, past) master

grootmoeder grandmother

grootouders grandparents

groots 1 grand, magnificent, majestic 2 *(indrukwekkend)* spectacular, large-scale; ambitious *(plan, idee)*: *het ~ aanpakken: a)* go about it on a grand scale; *b) (inform)* think big

grootschalig large-scale, ambitious

grootscheeps large-scale, great, massive; *(met inzet van alle krachten)* full-scale

grootspraak 1 boast(ing): *waar blijf je nu met al je ~!* where's all your boasting now? 2 *(overdrijving)* hyperbole, overstatement

grootte size: *onder de normale ~* undersize(d);

een model op ware ~ a life-size model; *ter* ~ *van* the size of
grootvader grandfather
grootverbruiker large-scale consumer, bulk consumer
gros 1 *(merendeel)* majority, larger part 2 *(twaalf dozijn)* gross: *per* ~ by the gross
grossier wholesaler
grossiersprijs trade price, wholesale price
grot cave
grotendeels largely
grotesk grotesque
gruis grit
grut toddlers, small fry, young fry
grutto (black, bar-tailed) godwit
gruwel horror
gruweldaad atrocity: *gruweldaden bedrijven* commit atrocities
gruwelijk 1 horrible, gruesome: *een ~e misdaad* a horrible crime, an atrocity 2 *(geweldig)* terrible, enormous: *een ~e hekel aan iem hebben* hate s.o.'s guts; *zich ~ vervelen* be bored stiff (*of:* to death)
gruwelverhaal horror story
gruwen be horrified (by): *ik gruw bij de gedachte aan al die ellende* I'm horrified by the thought of all this misery
g-sleutel G clef, Treble clef
gsm® GSM
Guatemala Guatemala
guerrilla guer(r)illa (warfare)
guerrillastrijder guer(r)illa (fighter)
guillotine guillotine
Guinees Guinean
guirlande festoon, garland
guitig roguish, mischievous
[1]gul *bn* 1 generous: *met ~le hand (geven)* (give) generously; ~ *zijn met iets* be liberal with sth 2 *(hartelijk)* cordial: *een ~le lach* a hearty laugh
[2]gul *bw* cordially
gulden *(munt)* (Dutch) guilder, florin; *(als afk: f)* Dfl; NLG
gulheid 1 generosity 2 *(hartelijkheid)* cordiality
gulp fly (front); *(ritssluiting)* zip: *je ~ staat open* your fly is open
gulzig greedy: *met ~e blikken* with greedy eyes
gum rubber; *(Am)* eraser
gummi rubber
gummihandschoen rubber glove
gummiknuppel baton; *(Am)* club
gunnen 1 grant: *iem een blik op iets* ~ let s.o. have a look at sth; *hij gunde zich de tijd niet om te eten* he did not allow himself time to eat 2 *(niet misgunnen)* not begrudge: *het is je van harte gegund* you're very welcome to it
gunst favour: *iem een ~ bewijzen* do s.o. a favour
gunstig 1 *(welwillend)* favourable, kind: ~ *staan tegenover* sympathize with 2 *(nuttig)* favourable, advantageous: *een ~e gelegenheid* a good (*of:* favourable) opportunity; *in het ~ste geval* at best; *met ~e uitslag* with a favourable (*of:* satisfactory) result; *~e voortekenen* favourable (*of:* hopeful) signs; ~ *voor …* favourable (*of:* good) for … 3 *(aangenaam)* favourable, agreeable: ~ *bekendstaan* have a good reputation
gunsttarief *(Belg) (verminderd tarief)* concessionary rate
gutsen *(mbt regen)* gush, pour
guur bleak; *(met storm)* rough; *(met storm)* wild *(weer)*; cutting *(wind)*
[1]gym *zn* gym
[2]gym *zn (gymnasium) (ongev)* grammar school; *(Am)* high school; *(in Ned enz.)* gymnasium
gymmen 1 do gym(nastics) 2 *(gymnastiekles hebben)* have gym
gymnasium *(ongev)* grammar school; *(Am)* high school; *(in Ned)* gymnasium
gymnast gymnast
gymnastiek gymnastics: *op ~ zijn* be at gymnastics
gymnastieklokaal gym
gympje gym shoe
gynaecoloog gynaecologist

h

haag hedge(row): *Den Haag* The Hague
haai shark: *naar de ~en gaan* go down the drain
haaientanden 1 shark's teeth **2** *(verkeer)* triangular road marking (at junction)
haaienvinnensoep shark-fin soup
haak hook: *er zitten veel haken en ogen aan* it's a tricky business || *(Belg) met haken en ogen aan elkaar hangen* be shoddily made; *dat is niet in de ~* that's not quite right; *de hoorn van de ~ nemen* take the receiver off the hook
haakje *(teken)* bracket, parenthesis: *~ openen* (of: *sluiten*) open (*of:* close) (the) brackets; *tussen (twee) ~s: a) (lett)* in brackets; *b) (fig)* incidentally, by the way
haaknaald crochet hook *(of:* needle)
haaks square(d) || *hou je ~* (keep your) chin up
haakwerk crochet (work), crocheting
haal 1 tug, pull: *met een flinke ~ trok hij het schip aan de wal* with a good tug he pulled the boat ashore **2** *(met een pen of potlood)* stroke || *aan de ~ gaan met* run off with
haalbaar attainable, feasible
haalbaarheid feasibility
haan cock: *daar kraait geen ~ naar* no one will know a thing; *(mbt vuurwapens) de ~ spannen (overhalen)* cock the gun
haantje young cock; *(als gerecht)* chicken
haantje-de-voorste ringleader: *~ zijn* be (the) cock-of-the-walk
[1]**haar** *zn* hair: *met lang ~, met kort ~* long-haired, short-haired; *z'n ~ laten knippen* have a haircut; *z'n ~ verven* dye one's hair || *(Belg) iem van ~ noch pluim(en) kennen* not know s.o. from Adam; *(Belg) met het ~ getrokken* utterly implausible
[2]**haar** *zn* hair: *iets met de haren erbij slepen* drag sth in; *geen ~ op m'n hoofd die eraan denkt* I would not dream of it; *elkaar in de haren vliegen* fly at each other; *het scheelde maar een ~ of ik had hem geraakt* I only just missed hitting him; *op een ~ na* very nearly
[3]**haar** *pers vnw* her; *(van dier, ding)* it: *vrienden van ~* friends of hers; *hij gaf het ~* he gave it to her; *die van ~ is wit* hers is white
[4]**haar** *bez vnw* her; *(van dieren, dingen)* its: *Els ~ schoenen* Elsie's shoes
haarborstel hairbrush
haard 1 *(kachel)* stove: *eigen ~ is goud waard* there's no place like home **2** *(open haard)* hearth: *huis en ~* hearth and home; *een open ~* a fireplace; *bij de ~* by (*of:* at) the fireside
haardos (head of) hair: *een dichte (volle) ~* a thick head of hair
haardroger hairdryer
haardvuur open fire
haarlok lock (of hair)
haarscherp very sharp; exact *(beschrijving, weergave)*
haarspeld 1 *(sierspeld)* hairslide; *(Am)* hair clasp **2** hairpin
haarspeldbocht hairpin bend
haarspoeling hair colouring
haarstukje hairpiece
haaruitval hair loss
haarvat capillary
haas 1 hare **2** *(mals vlees)* fillet: *een biefstuk van de ~* fillet steak **3** *(sport)* pacemaker || *het ~je zijn* be for it; *mijn naam is ~* I'm saying nothing, I know nothing about it
haasje-over: *~ springen* (play) leapfrog
[1]**haast** *zn* hurry, haste: *in grote ~* in a great hurry, in haste; *~ hebben* be in a hurry *(van personen); waarom zo'n ~?* what's the rush?
[2]**haast** *bw (bijna)* almost, nearly; *(in negatieve zin)* hardly: *men zou ~ denken dat …* one would almost think that …; *hij was ~ gevallen* he nearly fell; *hij zei ~ niets toen hij wegging* he said hardly anything when he left; *~ niet* hardly; *~ nooit* scarcely ever
haasten, zich hurry; *(inform)* hurry up: *we hoeven ons niet te ~* there's no need to hurry; *haast je maar niet!* don't hurry!, take your time!
haastig hasty, rash: *niet zo ~!* (take it) easy!
haat hatred, hate
habijt habit
hachee stew, hash
hachelijk precarious
hachje skin: *alleen aan zijn eigen ~ denken* only think of one's own safety
hacken hack
hacker hacker
hadj hadj
hadji hadji
hagedis lizard
hagel 1 hail **2** *(munitie)* (lead, ball) shot
hagelbui hailstorm
hagelen hail: *het hagelt* it hails, it is hailing
hagelslag *(chocolade)* chocolate strands
hagelsteen hailstone
hagelwit (as) white as snow: *~te tanden* pearly-white teeth
hairextension (hair) extension
hak 1 heel: *schoenen met hoge* (of: *lage*) *~ken* high-heeled (*of:* flat-heeled) shoes; *met de ~ken over de sloot slagen* pass by the skin of one's teeth **2** *(slag met een bijl)* cut || *van de ~ op de tak springen* skip

from one subject to another

hakblok chopping block, butcher's block

[1]**haken** *intr* catch: *hij bleef met zijn jas aan een spijker* ~ he caught his coat on a nail

[2]**haken** *tr (mbt handwerken)* crochet

hakenkruis swastika

hakkelen stammer (out), stumble (over one's words)

[1]**hakken** *intr* hack (at)

[2]**hakken** *tr* 1 chop (up): *in stukjes* ~ cut (*of:* chop) (up) 2 *(afhakken)* cut (off, away) 3 *(uithakken)* cut (out)

hakmes 1 chopper, machete 2 *(keukengereedschap)* chopping knife

hal (entrance) hall: *in de* ~ *van het hotel* in the hotel lobby (*of:* lounge, foyer)

halen 1 pull; drag *(over de grond): ervan alles bij* ~ drag in everything (but the kitchen sink); *ik kan er mijn kosten niet uit* ~ it doesn't cover my expenses; *eruit* ~ *wat erin zit* get the most out of sth; *overhoop* ~ turn upside down; *waar haal ik het geld vandaan?* where shall I find the money?; *zijn zakdoek uit zijn zak* ~ pull out one's handkerchief; *iem uit zijn concentratie* ~ break s.o.'s concentration; *geld van de bank* ~ (with)draw money from the bank 2 *(ergens vandaan halen)* fetch, get: *de post* ~ collect the mail; *ik zal het gaan* ~ I'll go and get it; *ik zal je morgen komen* ~ I'll come for you tomorrow; *iem van de trein* ~ meet s.o. at the station; *twee* ~ *een betalen* two for the price of one 3 *(ontbieden)* fetch, go for: *de dokter* ~ go for the doctor; *iem (iets) laten* ~ send for s.o. (sth) 4 *(bemachtigen)* get; take *(een graad);* pass *(een examen): goede cijfers* ~ get good marks 5 *(erin slagen te bereiken)* reach; catch *(trein enz.);* get *(hoge noten); (het halen)* make; *(bij iets, iemand)* compare; *(overleven)* pull through: *hij heeft de finish niet gehaald* he did not make it to the finish; *daar haalt niets (het) bij* nothing can touch (*of:* beat) it || *je haalt twee zaken door elkaar* you are mixing up two things

[1]**half** *zn* half: *twee halven maken een heel* two halves make a whole

[2]**half** *bn* 1 half: *voor* ~ *geld* (at) half price; *vier en een halve mijl* four and a half miles; *de halve stad spreekt ervan* half the town is talking about it 2 *(halfweg, halverwege)* halfway up/down (*of:* along, through): *ik ga* ~ *april* I'm going in mid-April; *er is een bus telkens om vier minuten vóór* ~ there is a bus every four minutes to the half-hour; *het is* ~ *elf: a)* it is half past ten; *b) (inform)* it is half ten

[3]**half** *bw (voor de helft)* half, halfway: *een glas* ~ *vol schenken* pour half a glass; *met het raam* ~ *dicht* with the window halfway down (*of:* open)

halfbroer half-brother

halfdood half-dead

halfduister semi-darkness, twilight

halfgaar 1 half-done 2 *(getikt)* half-witted

halfgeleider *(comp)* semiconductor

halfjaar six months, half a year

halfpension half board

halfrond hemisphere

halfstok half-mast

halfuur half (an) hour

halfvol 1 half-full 2 *(met minder vet)* low-fat, half-fat

halfweg halfway: ~ *Utrecht en Amersfoort heeft hij een huis gekocht* he has bought a house halfway between Utrecht and Amersfoort || *ik kwam hem* ~ *tegen* I met him halfway

halfzacht 1 soft-boiled 2 *(dwaas)* soft-headed, soft (in the head)

halfzuster half-sister

[1]**halfzwaargewicht** *zn (persoon)* light heavyweight

[2]**halfzwaargewicht** *zn* light heavyweight

halleluja alleluia, halleluja(h)

hallo hello, hallo, hullo

hallucineren hallucinate, hear things, see things

halm stalk; *(van gras ook)* blade

halo halo; *(rond de maan)* corona

halogeen halogen

hals 1 neck: *de* ~ *van een gitaar* the neck of a guitar; *iem om de* ~ *vallen* throw one's arms round s.o.'s neck; *een japon met laag uitgesneden* ~ a low-necked dress 2 *(keel)* throat 3 *(nek)* nape

halsband 1 *(mbt dieren)* collar 2 *(sieraad)* necklace

halsbrekend daredevil

halsdoek scarf

halsketting 1 *(sieraad)* necklace 2 *(mbt vee)* collar

halsoverkop in a hurry (*of:* rush); headlong *(vallen);* head over heels *(vallen):* ~ *over kop verliefd worden* fall head over heels in love; ~ *naar het ziekenhuis gebracht worden* be rushed to hospital; ~ *de trap af komen* come tumbling downstairs

halsslagader carotid (artery)

halsstarrig obstinate, stubborn

halster halter

[1]**halt** *zn* stop: *iem een* ~ *toeroepen* stop s.o.; ~ *houden* halt

[2]**halt** *tw* halt!, stop!, wait!

halte stop

halter *(kort)* dumb-bell; *(lang)* bar bell

halvarine low-fat margarine

halvemaan 1 half-moon 2 *(sikkelvormig teken)* crescent

halveren 1 divide into halves 2 halve

halverwege halfway, halfway through || ~ *blijven steken in een boek* get stuck halfway through a book

halvezool *(persoon)* nitwit

ham ham: *een broodje* ~ a ham roll

hamam hammam

hamburger hamburger, beefburger: ~ *met kaas* cheeseburger

hamer hammer
hameren hammer: *er bij iem op blijven ~* keep on at s.o. about sth
hamster hamster
hamsteren hoard (up)
hamstring hamstring
hand hand: *blote ~en* bare hands; *in goede* (of: *verkeerde*) *~en vallen* fall into the right (*of:* wrong) hands; *iem de helpende ~ bieden* lend s.o. a (helping) hand; *de laatste ~ aan iets leggen* put the finishing touches to sth; *niet met lege ~en komen* not come empty-handed; *iem (de) ~en vol werk geven* give s.o. no end of work (*of:* trouble); *de ~en vol hebben aan iem (iets)* have one's hands full with s.o. (sth); *dat kost ~en vol geld* that costs lots of money; *iem de ~ drukken* (of: *geven, schudden*) shake hands with s.o., give s.o. one's hand; *iemands ~ lezen* read s.o.'s palm; *de ~ ophouden (fig)* hold out one's hand for a tip, beg; *zijn ~en uit de mouwen steken (fig)* roll up one's sleeves, get down to it; *hij kan zijn ~en niet thuishouden* he can't keep his hands to himself; *zijn ~ uitsteken (in het verkeer)* indicate; *~en omhoog! (of ik schiet)* hands up! (or I'll shoot); *~en thuis!* hands off!; *niks aan de ~!* there's nothing the matter; *wat geld achter de ~ houden* keep some money for a rainy day; *in de ~en klappen* clap one's hands; *(fig) iets in de ~ hebben* have sth under control; *de macht in ~en hebben* have power, be in control; *in ~en vallen van de politie* fall into the hands of the police; *met de ~ gemaakt* hand-made; *iets omhanden hebben* have sth to do; *iem onder ~en nemen* take s.o. in hand (*of:* to task); *uit de ~ lopen* get out of hand; *iem het werk uit (de) ~en nemen* take work off s.o.'s hands; *iets van de ~ doen* sell sth, part with sth, dispose of sth; *dat ligt voor de ~* that speaks for itself, is self-evident; *aan de winnende ~ zijn* be winning; *iem op zijn ~ hebben* have s.o. on one's side || *wat is er daar aan de ~?* what's going on there?; *er is iets aan de ~* there's sth the matter (*of:* up)
handbagage hand-luggage
handbal handball
handbereik reach: *onder (in, binnen) ~* within reach
handboei handcuffs *(meestal mv)*
handboek 1 handbook 2 *(naslagwerk)* reference book
handbreed hand('s-)breadth: *geen ~ wijken* not budge, give an inch
handdoek towel
handdruk handshake
handel 1 trade, business: *binnenlandse ~* domestic trade; *zwarte ~* black market; *~ in verdovende middelen* drug trafficking 2 *(goederen)* merchandise, goods 3 *(vaak in sam)* business; *(winkel)* shop
handelaar trader; *(mbt groothandel)* merchant; dealer *(in bepaald artikel)*; *(min)* trafficker
handelbaar *(mbt personen, dieren)* manageable, docile
handelen 1 trade, do business, transact business; *(min)* traffic: *hij handelt in drugs* he traffics in drugs 2 *(daad verrichten)* act: *~d optreden* take action; *ik zal naar eer en geweten ~* I shall act in all conscience 3 (met *over*) *(behandelen)* treat (of), deal (with)
handeling 1 act, deed 2 action, plot: *de plaats van ~* the scene (of the action)
handelsagent commercial agent
handelsakkoord trade agreement
handelsartikel commodity; *(mv ook)* goods; *(mv ook)* merchandise
handelsbetrekkingen trade relations, commercial relations
handelskapitaal trading capital, business capital
handelskennis knowledge of commerce *(of:* business); *(als studievak)* business studies
handelsmerk trademark; *(benaming)* brand name
handelsonderneming commercial enterprise, business enterprise
handelspartner business partner, trading partner
handelsrecht commercial law
handelsverkeer trade, business
handelswaar commodity, article; *(niet-telbaar)* merchandise; *(alleen mv)* goods
handenarbeid hand(i)craft, industrial art, manual training
hand-en-spandiensten: *~ verrichten* lend a helping hand, aid and abet
handgebaar gesture
handgemeen (hand-to-hand) fight
handgranaat (hand) grenade
handgreep handle; grip *(van stuur)*
[1]**handhaven** *tr* 1 maintain; *(kwaliteit ook)* keep up; uphold *(een traditie, de wet, een besluit)*; enforce *(een reglement, verbod)*: *de orde ~* maintain (*of:* keep, preserve) order 2 *(niet terugnemen)* maintain, stand by: *zijn bezwaren ~* stand by one's objections
[2]**handhaven, zich** *(zich staande houden)* hold one's own
handhaving maintenance; *(in stand houden)* upholding; enforcement *(van een wet, verbod)*
handicap handicap: *speciale voorzieningen voor mensen met een ~* special facilities for the disabled
handig 1 skilful; *(vaardig met de handen)* dexterous; handy *(mbt een manusje-van-alles)*: *een ~ formaat* a handy size; *~ in (met) iets zijn* be good (*of:* handy) at sth 2 clever: *hij legde het ~ aan* he set about it cleverly
handigheid 1 skill 2 *(foefje)* knack
handje hand(shake) || *een ~ helpen* give (*of:* lend) a (helping) hand

handkar handcart
handlanger accomplice
handleiding manual, handbook; *(gebruiksaanwijzing)* directions (*of:* instructions) (for use)
handlezer palmist, palm reader
handmatig manual
handomdraai: *in een ~* in (less than) no time
handoplegging laying on of hands; *(genezing ook)* faith healing
handpalm palm (of the hand)
handrem handbrake
hands hands, handling (the ball), handball: *aangeschoten ~* unintentional hands
handschoen glove: *een paar ~en* a pair of gloves
handschrift 1 handwriting 2 *(geschreven stuk)* manuscript
handsfree handsfree
handstand handstand
handtas (hand)bag
handtastelijk free, (over)familiar: *~ worden* paw s.o.
handtekening signature; autograph *(van beroemdheden)*
handvaardigheid (handi)craft(s)
handvat handle; *(van zwaard, enz.)* hilt; *(van geweer)* butt: *het ~ van een koffer* the handle of a suitcase
handvest charter
handvol handful
handwarm lukewarm
handwerk 1 handiwork: *dit tapijt is ~* this carpet is handmade 2 *(borduur-, brei-, haakwerk)* needlework; *(borduurwerk ook)* embroidery; *(haakwerk)* crochet(ing) 3 *(handarbeid)* manual work; *(als beroep)* trade
handwerksman craftsman, artisan
handzaam handy
hanenkam 1 (cocks)comb 2 *(kapsel)* Mohawk haircut
hanenpoot 1 cock's foot 2 *(onleesbaar schrift)* scrawl
hangaar hangar
hangbuik pot-belly
hangbuikzwijn potbellied pig
[1]**hangen** *intr* 1 hang: *de zeilen ~ slap* the sails are slack, the sails are hanging (loose); *het schilderij hangt scheef* the painting is (hanging) crooked; *aan het plafond ~* hang (*of:* swing, be suspended) from the ceiling; *de hond liet zijn staart ~* the dog hung its tail 2 *(slap hangen)* sag: *het koord hangt slap* the rope is sagging (*of:* slack) 3 *(overhellen)* lean (over), hang (over); *(mbt lusteloze persoon)* loll; *(mbt lusteloze persoon)* slouch; hang around: *hij hing op zijn stoel* he lay sprawled in a chair, he lolled in his chair 4 *(vast (blijven) zitten)* stick (to), cling (to); *(met kleding)* be (*of:* get) stuck (in): *(fig) blijven ~* linger (*of:* stay, hang) (on), *(onvrijwillig)* get hung up (*of:* stuck); *(fig) ze ~ erg aan elkaar* they are devoted to (*of:* wrapped up in) each other || *de wolken ~ laag* the clouds are (hanging) low; *de bloemen zijn gaan ~* the flowers are wilting
[2]**hangen** *tr* 1 *(bevestigen)* hang (up): *de was buiten ~* hang out the washing (to dry); *zijn jas aan de kapstok ~* hang (up) one's coat on the peg 2 *(mbt personen, ophangen)* hang
hangend hanging; *(slap)* drooping
hanger 1 (clothes) hanger, coat-hanger 2 *(aan halssnoer)* pendant, pendent; *(aan oren)* pendant earring, drop earring
hangijzer pot-hook: *een heet ~* a controversial issue, hot potato
hangjongeren *(ongev)* mall rats
hangkast wardrobe
hangmap suspension file
hangmat hammock
hangplek hangout
hangslot padlock
Hans: *~ en Grietje* Hansel and Gretel
hanteerbaar manageable
hanteren 1 handle, operate, employ; *(form)* wield *(bijv. pen, wapen): de botte bijl ~* take heavy-handed, crude measures; *moeilijk te ~* unwieldy, difficult (*of:* awkward) to handle, unmanageable 2 *(beheersen, besturen)* manage, manoeuvre
Hanzestad Hanseatic town
hap 1 bite; *(met snavel)* peck: *in één ~ was het op* it was gone in one (*of:* in a single) bite 2 *(afgehapt stuk)* bite, mouthful: *een ~ nemen* take a bite (*of:* mouthful)
haperen 1 stick, get stuck: *de conversatie haperde* the conversation flagged 2 *(mankeren)* have sth wrong (*of:* the matter) with oneself
hapje 1 bite, mouthful: *wil je ook een ~ mee-eten?* would you like to join us (for a bite, meal)? 2 *(bijgerecht)* snack, bite to eat, hors d'oeuvre, appetizer: *voor (lekkere) ~s zorgen* serve refreshments
happen 1 bite (at), snap (at): *naar lucht ~* gasp for air 2 *(gretige beet doen)* bite (into), take a bite (out of)
happig *(met op)* keen (on), eager (for)
harakiri hara-kiri
[1]**hard** *bn* 1 hard; *(vast, stevig ook)* firm; *(dicht, solide)* solid: *~e bewijzen* firm proof, hard evidence; *~ worden* harden, become hard, *(mbt cement, lijm enz.)* set 2 *(niet meegevend)* stiff, rigid: *~e schijf* hard disk 3 *(hevig, krachtig)* hard; *(luid ook)* loud: *~e muziek* loud music; *~e wind* strong (*of:* stiff) wind 4 *(hardvochtig, ongevoelig)* hard; *(ruw, wreed ook)* harsh: *een ~e politiek* a tough policy; *een ~ vonnis* a severe sentence 5 *(onaangenaam mbt de zintuigen)* harsh; *(mbt kleuren ook)* garish: *~e trekken* harsh features
[2]**hard** *bw* 1 hard: *~ lachen* laugh heartily; *een band ~ oppompen* pump a tyre up hard; *hij ging er nogal ~ tegenaan* he went at it rather hard; *zijn rust ~ nodig hebben* be badly in need of a rest; *dit onderdeel is ~ aan vervanging toe* this part is in urgent

need of replacement 2 *(luid)* loudly: *niet zo ~ praten!* keep your voice down!; *de tv ~er zetten* turn up the TV 3 *(snel)* fast, quickly: *~ achteruitgaan* deteriorate rapidly (*of:* fast); *te ~ rijden* drive (*of:* ride) too fast, speed 4 *(meedogenloos)* hard, harshly: *iem ~ aanpakken* be hard on s.o.

hardboard hardboard

hardcore hardcore

harddisk hard disk

harddiskrecorder hard disk recorder

[1]**harden** *intr* harden, become hard; *(mbt vloeistoffen)* dry; *(mbt cement, gelatine enz.)* set

[2]**harden** *tr* 1 *(hardmaken)* harden, temper 2 *(mbt het lichaam)* toughen (up): *hij is gehard door weer en wind* he has been hardened (*of:* seasoned) by wind and weather 3 *(uithouden)* bear, stand; *(inform)* take; stick: *deze hitte is niet te ~* this heat is unbearable

hardgebakken crispy, crusty

hardgekookt hard-boiled

hardhandig hard-handed, rough; *(onnodig hard, wreed)* heavy-handed: *~ optreden* take hard-handed (*of:* harsh, drastic) action, use strong-arm tactics

hardheid hardness; toughness *(ook fig)*; harshness

hardhorig hard of hearing

hardhout hardwood

hardleers 1 dense, slow, thick(-skulled) 2 *(eigenwijs)* headstrong, stubborn

hardlopen run, race, run a race

hardloper runner *(ook paard)*

hardnekkig stubborn, obstinate; *(mbt regen, pijn, pogingen)* persistent: *een ~ gerucht* a persistent rumour

hardnekkigheid obstinacy, stubbornness

hardop aloud, out loud: *~ denken* (of: *lachen*) think/laugh aloud (*of:* out loud); *iets ~ zeggen* say sth out loud

hardrijden *(sport)* race; *(schaatsen)* speed-skate

hardrijder racer; *(schaatser)* speedskater; *(wielrenner)* racing cyclist

hardvochtig hard(-hearted); *(ruw, gevoelloos)* unfeeling

hardware hardware

harem harem

haren hair

harig hairy; *(bontachtig)* furry

haring 1 herring; kipper *(gedroogde, gerookte (zoute) haring)*: *een school ~en* a shoal of herring; *nieuwe* (of: *zure*) *~* new (*of:* pickled) herring; *als ~(en) in een ton* (packed) like sardines 2 *(mbt tenten)* tent peg, tent stake

hark rake

harken rake (up, together)

harlekijn 1 harlequin 2 *(pop)* jumping jack 3 *(grappenmaker)* clown

harmonica 1 accordion 2 *(mondharmonica)* harmonica, mouth-organ

harmonicabus articulated bus

harmonie 1 harmony, concord, agreement: *in* (of: *niet in*) *~ zijn met* be in (*of:* out of) harmony with 2 *(muziekvereniging)* (brass)band

harmoniëren harmonize (with); *(bij elkaar passen mbt kleur)* blend (in) (with)

harmonieus harmonious, melodious

harmonisch 1 harmonic: *een ~ geheel vormen* blend (in), go well (together) 2 *(kalm)* harmonious

harnas (suit of) armour: *in het ~ sterven* die in harness; *iem tegen zich in het ~ jagen* put s.o.'s back up

harp harp

harpist harpist, harp player

harpoen harpoon

hars resin; *(vioolhars)* rosin

hart 1 heart: *uit de grond van zijn ~* from the bottom of one's heart; *hij is een jager in ~ en nieren* he is a hunter in heart and soul; *met ~ en ziel* with all one's heart; *met een gerust ~* with an easy mind; *een zwak ~ hebben* have a weak heart; *iemands ~ breken* break s.o.'s heart; *het ~ op de juiste plaats hebben* have one's heart in the right place; *ik hield mijn ~ vast* my heart missed a beat; *je kunt je ~ ophalen* you can enjoy it to your heart's content; *zijn ~ uitstorten* pour out (*of:* unburden, open) one's heart (to s.o.); *(diep) in zijn ~ hield hij nog steeds van haar* in his heart (of hearts) he still loved her; *waar het ~ van vol is, loopt de mond van over* what the heart thinks, the tongue speaks 2 *(moed)* heart, nerve: *heb het ~ eens!* don't you dare!, just you try it!; *het ~ zonk hem in de schoenen* he lost heart 3 *(midden, kern)* heart, centre || *iets niet over zijn ~ kunnen verkrijgen* not find it in one's heart to do sth; *van ~e gefeliciteerd* my warmest congratulations

hartaanval heart attack

hartchirurg cardiac surgeon, heart surgeon

[1]**hartelijk** *bn* 1 hearty, warm: *~ dank voor …* many thanks for …; *~e groeten aan je vrouw* kind regards to your wife 2 *(mbt personen)* warm-hearted, open-hearted, cordial: *~ tegen iem zijn* be friendly towards s.o.

[2]**hartelijk** *bw* heartily, warmly: *~ bedankt voor …* thank you very much for …; *~ gefeliciteerd* sincere congratulations

hartelijkheid 1 cordiality, warm-heartedness, open-heartedness 2 *(behandeling)* cordiality, hospitality

harten hearts: *~boer* jack (*of:* knave) of hearts

hartenlust: *naar ~* to one's heart's content

hart- en vaatziekten cardiovascular diseases

hartgrondig wholehearted, hearty

hartig 1 tasty; *(goed gekruid)* well-seasoned; *(stevig)* hearty 2 *(zout)* salt(y)

hartinfarct coronary (thrombosis)

hartje 1 (little) heart: *hij heeft een grote mond, maar een klein ~* he's not all what he makes out

to be 2 *(het binnenste, middelste)* heart, centre: ~ *winter* the dead of winter; ~ *zomer* the height of summer
hartklacht heart complaint *(of:* condition)
hartklep heart valve, valve (of the heart)
hartklopping palpitation (of the heart)
hartpatiënt cardiac patient
hartsgeheim (most) intimate secret
hartslag heartbeat, pulse; *(snelheid)* heart rate
hartstikke awfully, terribly; *(helemaal)* completely: ~ *gek* stark staring mad, crazy; ~ *goed* fantastic, terrific, smashing; ~ *bedankt!* thanks awfully *(of:* ever so much)
hartstilstand cardiac arrest
hartstocht passion; emotion *(vnl. mv)*
[1]**hartstochtelijk** *bn* 1 passionate, emotional; *(snel opgewonden)* excitable 2 passionate, ardent, fervent: *hij is een ~ skiër* he is an ardent skier
[2]**hartstochtelijk** *bw* passionately, ardently
hartverscheurend heartbreaking, heart-rending
hartverwarmend heart-warming
hasj hash
hasjiesj hashish
haspel reel; *(spoel)* spool
hatelijk nasty, spiteful; snide *(vnl. mbt opmerkingen)*
hatelijkheid nasty remark, snide remark, gibe, (nasty) crack
hatemail hatemail
haten hate
hatsjie atishoo
haveloos 1 shabby, scruffy; *(mbt meubels, auto enz. ook)* delapidated: *wat ziet hij er ~ uit* how scruffy he looks 2 *(berooid, arm)* shabby, beggarly; *(van mens)* down-and-out
haven harbour; *(grote haven ook)* port; *(fig; toevluchtsoord)* (safe) haven: *(fig) een veilige ~ vinden* find refuge; *een ~ binnenlopen (aandoen)* put into a port
havenarbeider dockworker
havenstad port; seaport (town) *(aan zee)*
haver oat; *(als voedsel)* oats
haverklap: *om de ~: a) (ieder ogenblik)* every other minute, continually; *b) (bij de geringste aanleiding)* at the drop of a hat
havermout 1 rolled oats, oatmeal 2 *(pap)* (oatmeal) porridge
havik 1 goshawk 2 *(pol)* hawk
havo *afk van hoger algemeen voortgezet onderwijs* school for higher general secondary education
hazelaar hazel
hazelnoot 1 *(struik)* hazel 2 *(noot)* hazelnut
hazenlip harelip
hazenpad: *het ~ kiezen* take to one's heels
hazenslaapje power nap
hazewind greyhound
hbo *afk van hoger beroepsonderwijs* (school for) higher vocational education
hé hey!, hello; *(verbazing)* oh (really)?
hè *(onprettig)* oh (dear); *(prettig)* ah: ~, *dat doet zeer!* oh *(of:* ouch), that hurts!; ~, *blij dat ik zit!* phew, glad I can take the weight off my feet! || *lekker weertje, ~?* nice day, isn't it?
headset headset
heao *afk van hoger economisch en administratief onderwijs* school (institute) for business administration and economics
[1]**hebben** *tr* 1 have (got), own: *geduld ~* be patient; *iets moeten ~* need sth; *iets bij zich ~* be carrying sth, have sth with *(of:* on) one 2 *(krijgen)* have: *die pantoffels heb ik van mijn vrouw* I got those slippers from my wife; *van wie heb je dat?* who told *(of:* gave) you that? 3 (met *aan*) *(nut ondervinden van)* be of use (to): *je weet niet wat je aan hem hebt* you never know where you are with him || *verdriet ~* be sad; *wat heb je?* what's the matter *(of:* wrong) with you?; *wat heb je toch?* what's come over you?; *het koud* (of: *warm*) ~ be cold *(of:* hot); *hij heeft iets tegen mij* he has a grudge against me; *ik heb nooit Spaans gehad* I've never learned Spanish; *ik moet er niets van ~* I want nothing to do with it; *dat heb je ervan* that's what you get; *daar heb je het al* I told you so; *zo wil ik het ~* that's how I want it; *iets gedaan willen ~* want (to see) sth done; *ik weet niet waar je het over hebt* I don't know what you're talking about; *daar heb ik het straks nog over* I'll come (back) to that later on *(of:* in a moment); *nu we het daar toch over ~* now that you mention it …
[2]**hebben** *hulpww (met voltooide tijd bij ww)* have: *had ik dat maar geweten* if (only) I had known (that); *had dat maar gezegd* if only you'd told me (that); *ik heb met Marco B. op school gezeten* I was at school with Marco B.
hebberig greedy
hebbes *(iem)* got you; gotcha!; *(iets)* got it
[1]**Hebreeuws** *zn* Hebrew
[2]**Hebreeuws** *bn* Hebrew
Hebriden Hebrides
hebzuchtig greedy, avaricious
hecht solid; *(fig)* strong; tight; *(saamhorig)* tightly-knit; close(ly)-knit: *een ~e vriendschap* a close friendship
[1]**hechten** *intr* 1 *(kleven)* adhere, stick 2 *(waarde toekennen aan)* be attached (to), devoted (to), adhere (to): *ik hecht niet aan deze dure auto* I'm not very attached to this expensive car
[2]**hechten** *tr* 1 stitch, suture: *een wond ~* sew up, stitch a wound 2 *(vastmaken)* attach, fasten, (af)fix: *een prijskaartje aan iets ~* put a price tag on sth 3 attach: *waarde* (of: *belang*) *aan iets ~* attach value *(of:* importance) to sth
[3]**hechten, zich** (met *aan*) become attached to, cling to: *hij hecht zich gemakkelijk aan mensen* he gets attached to people easily
hechtenis 1 custody, detention 2 *(als straf)* imprisonment, prison

hechting stitches, suture(s): *de ~en verwijderen* take out the stitches
hectare hectare
hectisch hectic
hectogram hectogram
hectoliter hectolitre
hectometer hectometre
[1]**heden** *zn* present (day)
[2]**heden** *bw (form)* today, now(adays), at present: *tot op ~* up to (*of:* up) till/until now; *vanaf ~, met ingang van ~* as from today
hedendaags contemporary, present-day: *woordenboeken voor ~ taalgebruik* dictionaries of current usage
hedonisme hedonism
[1]**heel** *bn* **1** intact: *het ei was nog ~* the egg was unbroken **2** *(volledig)* whole, entire, all: *~ Engeland* all England; *een ~ jaar* a whole year **3** *(groot)* quite a, quite some: *het is een ~ eind (weg)* it's a good way (off); *een hele tijd* quite some time
[2]**heel** *bw* **1** *(zeer)* very (much), really: *dat is ~ gewoon* that's quite normal; *een ~ klein beetje* a tiny bit; *dat kostte ~ wat moeite* that took a great deal of effort; *je weet het ~ goed!* you know perfectly well!; *~ vaak* very often (*of:* frequently) **2** *(helemaal)* completely, entirely, wholly: *dat is iets ~ anders* that's a different matter altogether
heelal universe
heelhuids unharmed, unscathed, whole: *~ terugkomen* return safe and sound
heen 1 gone, away: *~ en weer lopen* walk/pace up and down (*of:* back and forth) **2** *(naartoe)* on the way there, out || *je kunt daar niet ~* you cannot go there; *langs elkaar ~ praten* talk at cross purposes; *je kunt niet om hem ~* you can't ignore him
[1]**heengaan** *zn* **1** *(dood)* passing away **2** *(vertrek)* departure
[2]**heengaan** *intr* **1** *(vertrekken)* depart, leave **2** *(sterven)* pass away
heenreis way there, outward journey, journey out
heenweg way there, way out
heer 1 man **2** *(als beleefdheidstitel)* Mr *(gevolgd door naam);* Sir *(zonder naam); (mv)* gentlemen: *(mijne) dames en heren!* ladies and gentlemen! **3** gentleman: *een echte ~* a real gentleman **4** *(God)* Lord: *als de Heer het wil* God (*of:* the Lord) willing **5** *(meester)* lord, master: *mijn oude ~* my old man **6** *(kaartspel)* king
heerlijk 1 *(lekker)* delicious **2** *(aangenaam)* delightful, lovely, wonderful, splendid: *het is een ~ gevoel* it feels great
heerschappij dominion, mastery, rule
heersen 1 rule (over); *(mbt vorst(in))* reign **2** *(de overhand hebben)* dominate **3** *(voorkomen)* be, be prevalent: *er heerst griep* there's a lot of flu about
heersend ruling, prevailing: *de ~e klassen* the ruling class(es); *de ~e mode* the current fashion
heerser ruler
hees hoarse: *een hese keel* a sore throat
heesheid hoarseness; *(minder sterk)* huskiness
heester shrub
heet 1 hot: *een hete adem* a fiery breath *(ook fig); in het ~st van de strijd* in the thick (*of:* heat) of the battle **2** *(fig)* hot; heated *(discussie);* fiery *(drift)* **3** *(scherp gekruid)* hot, spicy: *hete kost* spicy food **4** *(inform)* hot, horny
heetgebakerd hot-tempered, quick-tempered
hefboom lever
hefbrug 1 (vertical) lift bridge **2** *(voor auto's)* (hydraulic) lift
heffen 1 lift, raise: *het glas ~* raise one's glass (to), drink (to) **2** *(van belasting enz.)* levy, impose
heffing levy, charge
heft handle; haft *(van gereedschap);* hilt *(van zwaard): het ~ in handen hebben* be in control, command
heftig violent; *(aanval ook)* fierce; *(driftig)* furious; intense *(gevoelens);* severe *(pijn, ziekte);* heated *(ruzie, debat): ~ protesteren* protest vigorously
heftruck fork-lift truck
heg hedge
heggenschaar garden shears, hedge trimmer
hei 1 heath(land) **2** *(plantk)* heather
heibel row, racket
heide heath
heidedag policy day
heiden heathen, pagan
heidens 1 heathen, pagan **2** *(enorm)* atrocious, abominable; infernal *(lawaai);* rotten *(karwei)*
heien drive (piles)
heiig hazy
heil good: *ik zie er geen ~ in* I do not see the point of it
Heiland *(Messias)* Saviour
heilbot halibut
heilig holy, sacred: *~e koe* (of: *muziek*) sacred cow (*of:* music) || *hem is niets ~* nothing is sacred to him
heiligdom sanctuary
heilige saint
heiligschennis sacrilege, desecration
heilloos fatal, disastrous
heilzaam 1 curative, healing; *(gezond)* wholesome; *(gezond)* healthful **2** *(gunstig)* salutary, beneficial: *een heilzame werking* (of: *invloed*) *hebben* have a beneficial effect (*of:* influence)
heimelijk secret; *(van bijeenkomst)* clandestine; *(van blik, beweging ook)* surreptitious; sneaking *(vermoeden, verlangen)*
heimwee homesickness: *ik kreeg ~ (naar)* I became homesick (for)
Hein: *Magere ~* the Grim Reaper
heinde: *van ~ en verre* from far and near (*of:* wide)
heipaal pile
hek 1 fence; barrier *(versperring)* **2** *(poort)* gate;

(klein hekje) wicket(-gate)
hekel hackle || *een ~ aan iem (iets) hebben* hate s.o. (sth)
hekje 1 small gate *(of:* door) 2 *(comp, telec)* number sign
heks 1 witch 2 *(feeks)* shrew 3 *(lelijke vrouw)* hag
heksenjacht witch-hunt
heksenketel bedlam, pandemonium
heksenkring fairy ring
hekserij sorcery, witchcraft
hekwerk *(raster(ing))* fencing; railings *(van ijzer)*
[1]**hel** *zn* hell
[2]**hel** *bn, bw (fel)* vivid, bright
hela hey
helaas unfortunately: *~ kunnen wij u niet helpen* I'm afraid (*of:* sorry) we can't help you

held hero || *hij is geen ~ in rekenen* he is not much at figures
heldendaad heroic deed (*of:* feat), act of heroism; *(vaak iron)* exploit
heldendicht heroic poem, epic poem, epic
helder 1 clear: *een ~e lach* a ringing laugh 2 *(mbt licht, kleur)* clear, bright: *~ wit* (of: *groen*) brilliant white, bright green 3 *(duidelijk)* clear, lucid || *zo ~ als kristal (glas)* as clear as crystal, crystal-clear
helderheid 1 clearness, clarity 2 *(mbt licht)* brightness, vividness 3 *(onbewolktheid)* brightness 4 *(duidelijkheid)* clarity, lucidity
helderziende clairvoyant: *ik ben toch geen ~* I'm not a mind-reader
helderziendheid clairvoyance, second sight
heldhaftig heroic, valiant
heldin heroine
heleboel (quite) a lot, a whole lot: *een ~ mensen zouden het niet met je eens zijn* an awful lot of people wouldn't agree with you
helemaal 1 completely, entirely: *ik heb het ~ alleen gedaan* I did it all by myself; *~ nat zijn* be wet through; *ben je nu ~ gek geworden?* are you completely out of your mind?; *~ niets* nothing at all; *het kan mij ~ niets schelen* I couldn't care less; *~ niet* absolutely not; *niet ~ juist* not quite correct; *~ in het begin* right at the beginning (*of:* start) 2 *(mbt plaats)* right; *(mbt afstand)* all the way: *~ bovenaan* right at the top; *~ in het noorden* way up in the north
[1]**helen** *intr* heal: *de wond heelt langzaam* the wound is healing slowly
[2]**helen** *tr* 1 *(jur)* receive 2 *(med)* heal
heler receiver; *(fig)* fence
helft half: *ieder de ~ betalen* pay half each, go halves, go Dutch; *meer dan de ~* more than half; *de ~ minder* half as much (*of:* many); *de ~ van tien is vijf* half of ten is five; *de tweede ~ van een wedstrijd* the second half of a match
helikopter helicopter; *(inform)* chopper
heling *(mbt gestolen goed)* receiving
helium helium
hellen slope, lean (over), slant: *de muur helt naar links* the wall is leaning
hellenisme Hellenism
helling 1 *(talud)* slope, incline; *(van weg)* ramp 2 *(het overhellen)* inclination
hell's angel Hells Angel
helm helmet; *(sport, werk ook)* hard hat
helmdraad filament
helmgras marram (grass)
helmknop anther
helpdesk help desk
helpen 1 help, aid: *kun je mij aan honderd euro ~?* can you let me have a hundred euros?; *help!* help! 2 *(verzorgen)* attend to *(zieke, gewonde)*: *welke specialist heeft u geholpen?* which specialist did you see? (*of:* have?); *u wordt morgen geholpen (in ziekenhuis)* you are having your operation tomorrow 3 *(assisteren)* help, assist: *iem een handje ~* give (*of:* lend) s.o. a hand; *help me eraan denken, wil je?* remind me, will you? 4 *(een dienst verlenen)* help (out): *iem aan een baan ~* get s.o. fixed up with a job 5 *(in winkel e.d.)* help, serve: *wordt u al geholpen?* are you being served? || *kan ik 't ~ dat hij zich zo gedraagt?* is it my fault if he behaves like that?; *wat helpt het?* what good would it do?, what is the use?; *dat helpt tegen hoofdpijn* that's good for a headache
helper helper, assistant
hels infernal: *een ~ karwei* a (*of:* the) devil of a job
hem him; *(van dier of ding vnl.)* it: *dit boek is van ~* this book is his; *vrienden van ~* friends of his || *dat is het ~ nu juist* that's just it (*of:* the point)
hemd 1 vest; *(Am)* undershirt: *iem het ~ van zijn lijf vragen* want to know everything (from s.o.), *(lastig)* pester s.o. (with questions) 2 *(overhemd)* shirt
hemel sky, heaven(s): *hij heeft er ~ en aarde om bewogen* he moved heaven and earth for it; *een heldere* (of: *blauwe, bewolkte*) *~* a clear (*of:* blue, cloudy) sky; *Onze Vader die in de ~en zijt* Our Father who (*of:* which) art in heaven; *hij was in de zevende ~* he was in seventh heaven
hemellichaam heavenly body, celestial body
hemelsbreed 1 vast, enormous 2 *(in rechte lijn gemeten)* as the crow flies, in a straight line
Hemelvaartsdag Ascension Day
hemofilie haemophilia
[1]**hen** *zn* hen
[2]**hen** *pers vnw* them: *hij gaf het ~* he gave it to them; *dit boek is van ~* this book is theirs; *vrienden van ~* friends of theirs
hendel handle, lever
hengel fishing rod
hengelaar angler
hengelen angle, fish
hengsel 1 handle 2 *(scharnier)* hinge
hengst stallion; *(dekhengst)* stud (horse)

hennep hemp; *(plant ook)* cannabis
hens: *alle ~ aan dek!* all hands on deck!
hepatitis hepatitis
her hither, here
heraldiek heraldry
herbenoemen reappoint
herberg inn, tavern
herbergen accommodate, house; harbour *(vluchteling): de zaal kan 2000 mensen ~* the hall seats 2000 people
herboren reborn, born again
herdenken commemorate
herdenking commemoration
herder 1 cowherd *(koeien);* shepherd *(schapen)* **2** *(geestelijke)* pastor
herdershond sheepdog; *(Duitse herdershond)* Alsatian; *(Am)* German shepherd (dog)
herdruk (new) edition; *(ongewijzigd)* reprint
herdrukken reprint
herenafdeling 1 men's department **2** *(artikelen)* menswear department
herenakkoord gentleman's agreement
herenhuis mansion, (imposing) town house, (desirable) residence
hereniging reunification, reunion
herenkleding menswear, men's clothes *(of:* clothing)
herexamen re-examination, resit
herfst autumn: *in de ~* in (the) autumn
herfstdraad gossamer
herfstvakantie autumn half-term (holiday); *(Am)* fall break, mid-term break
hergeboorte rebirth, regeneration
hergebruik 1 reuse **2** recycling
herhaald repeated: *~e pogingen doen* make repeated attempts
herhaaldelijk repeatedly: *dat komt ~ voor* that happens time and again
[1]**herhalen** *tr* repeat, redo; *(mbt leerstof)* revise; *(Am)* review: *iets in het kort ~* summarize sth
[2]**herhalen, zich** repeat oneself; recur *(thema, gebeurtenis)*
herhaling 1 recurrence, repetition; *(mbt tv-beelden)* replay; *(mbt radio-, tv-programma)* repeat; *(mbt radio-, tv-programma)* rerun: *voor ~ vatbaar zijn* bear repetition *(of:* repeating) **2** *(van handeling, woorden)* repetition; *(mbt leerstof)* revision; *(Am)* review: *in ~en vervallen* repeat oneself
herhalingscursus refresher course
herindelen regroup
[1]**herinneren** *tr* remind, recall: *die geur herinnerde mij aan mijn jeugd* that smell reminded me of my youth; *herinner mij eraan dat …* remind me that … *(of:* to …)
[2]**herinneren, zich** remember, recall: *kun je je die Ier nog ~?* do you remember that Irishman?; *als ik (het) me goed herinner* if I remember correctly *(of:* rightly); *zich iets vaag ~* have a vague recollection of sth; *voor zover ik mij herinner* as far as I can remember
herinnering 1 recollection, remembrance: *iets in ~ brengen* recall sth **2** *(geheugen)* memory: *iets in zijn ~ voor zich zien* see sth before one **3** *(bijgebleven indruk, beeld)* memory, reminiscence: *ter ~ aan* in memory of **4** *(zaak, voorwerp)* souvenir, reminder || *een tweede ~ van de bibliotheek* a second reminder from the library
herintreden return to work || *een ~de vrouw* a (woman) returner
herkansing *(roeien)* repêchage; *(wielersport)* extra heat
herkauwer ruminant
herkenbaar recognizable: *een herkenbare situatie* a familiar situation
herkennen recognize, identify, spot: *ik herkende hem aan zijn manier van lopen* I recognized him by his walk; *iem ~ als de dader* identify s.o. as the culprit
herkenning recognition, identification
herkenningsmelodie signature tune, theme song
herkeuring re-examination, reinspection
herkomst origin, source: *het land van ~* the country of origin
herleiden reduce (to), convert (into): *een breuk ~* reduce (to) a fraction
herleven revive: *~d fascisme* resurgent fascism
hermafrodiet hermaphrodite
[1]**hermelijn** *zn (dier)* ermine
[2]**hermelijn** *zn (bont)* ermine
hermetisch hermetic: *~ gesloten* hermetically sealed
hernemen resume, regain
hernia slipped disc
heroïne heroin
heroïnehoer heroin prostitute, junkie prostitute
heroïnespuit fix, shot
herontdekken rediscover
heropenen reopen *(winkel, discussie)*
heropvoeding re-education
heroveren recapture; recover *(gebied, stad);* retake *(stad);* regain: *hij wilde zijn oude plaats ~* he wanted to regain his old seat *(of:* place)
herovering recapture
heroverwegen reconsider, rethink
herpes herpes
herrie 1 *(lawaai)* noise, din, racket: *maak niet zo'n ~* don't make such a racket **2** *(drukte)* bustle; *(wanorde)* commotion; turmoil; *(koude drukte)* fuss: *~ schoppen* make trouble
herrijzen rise again: *hij is als uit de dood herrezen* it is as if he has come back from the dead
herroepen revoke *(besluit, wet, belofte);* repeal; retract *(verklaring, belofte);* reverse
herschrijven rewrite
hersenbloeding cerebral haemorrhage
hersenen brain

hersenhelft (cerebral) hemisphere, half of the brain
herseninfarct cerebral infarction
hersens 1 brain(s): *een goed stel ~ hebben* have a good head on one's shoulders; *hoe haal je het in je ~!* have you gone off your rocker? 2 *(schedel)* skull: *iem de ~ inslaan* beat s.o.'s brains out
hersenschudding concussion
hersenspoeling brainwashing
hersentumor brain tumour
hersenvliesontsteking meningitis
herstel 1 *(reparatie)* repair, mending; rectification *(fout)*; correction *(fout)* 2 recovery *(gezondheid, economie)*; convalescence *(gezondheid)*; recuperation *(gezondheid)*: *voor ~ van zijn gezondheid* to recuperate, to convalesce 3 *(het weer instellen)* restoration *(monarchie, orde)*

[1]**herstellen** *intr* recover, recuperate: *snel* (of: *goed*) *~ van een ziekte* recover quickly (*of:* well) from an illness
[2]**herstellen** *tr* 1 repair, mend; *(restaureren)* restore 2 *(mbt wat verstoord is)* restore *(orde, monarchie)*; re-establish *(orde)*: *de rust ~* restore quiet 3 *(goedmaken)* right; repair *(onrecht, misstand)*; rectify; correct *(fout)*: *een onrecht ~* right a wrong; *de heer Blaak, herstel: Braak* Mr Blaak, correction: Braak
herstelwerkzaamheden repairs
hert deer; *(edelhert)* red deer
hertenkamp deer park, deer forest
hertog duke
hertogdom duchy, dukedom
hertogin duchess
herverdeling redistribution, reorganization, reshuffle
hervormd 1 reformed 2 *(godsd)* Reformed; Protestant *(tgov. katholicisme)*: *de ~e kerk* the Reformed Church
hervormen reform
hervormer reformer
hervorming 1 reformation 2 *(reorganisatie)* reform
herwaarderen revalue *(valuta)*; *(taxeren; fig)* reassess
herwaardering revaluation, reassessment
herzien revise || *een beslissing ~* reconsider a decision
herziening revision, review: *een ~ van de grondwet* an amendment to the constitution
hes smock, blouse
hesp *(Belg)* ham
[1]**het** *vnw* it: *ik denk* (of: *hoop*) *~* I think (*of:* hope) so; *wie is ~? ben jij ~? ja, ik ben ~* who is it? is that you? yes, it is me; *zij waren ~ die …* it were they who …; *als jij ~ zegt* if you say so; *~ kind heeft honger; geef ~ een boterham* the child is hungry; give him (*of:* her) a sandwich; *de machine doet ~* the machine works; *hoe gaat ~? ~ gaat* how are you? I'm all right (*of:* O.K.); *wat geeft ~? wat zou ~?* what does it matter? who cares?; *~ regent* it is raining
[2]**het** *lw* the: *in ~ zwart gekleed* dressed in black; *(met nadruk) Nederland is ~ land van de tulpen* Holland is the country for tulips; *die vind ik ~ leukst* that's the one I like best; *zij was er ~ eerst* she was there first
[1]**heten** *intr* be called (*of:* named): *een jongen, David geheten* a boy by the name of David; *het boek heet …* the book is called …; *hoe heet dat?, hoe heet dat in het Arabisch?* what is that called?, what is that in Arabic? (*of:* the Arabic for that?)
[2]**heten** *tr* bid: *ik heet u welkom* I bid you welcome
heterdaad: *iem op ~ betrappen* catch s.o. in the act, catch s.o. red-handed
heterogeen heterogeneous
[1]**heteroseksueel** *zn* heterosexual
[2]**heteroseksueel** *bn* heterosexual
hetgeen 1 that which, what: *ik blijf bij ~ ik gezegd heb* I stand by what I said 2 *(als het terugslaat op een hele zin)* which: *hij kon niet komen, ~ hij betreurde* he could not come, which he regretted
hetzelfde the same: *wie zou niet ~ doen?* who wouldn't (do the same)?; *het is (blijft) mij ~* it's all the same to me; *(van) ~* (the) same to you
hetzij either, whether: *~ warm of koud* either hot or cold
heuglijk happy, glad, joyful
heup hip
heupgewricht hip joint
heus real, true: *hij doet het ~ wel* he is sure to do it
heuvel hill; *(klein)* hillock; *(opgeworpen ook)* mound
heuvelachtig hilly
[1]**hevig** *bn* 1 violent, intense: *~e angst* acute terror; *een ~e brand* a raging fire; *een ~e koorts* a raging fever; *~e pijnen* severe pains 2 *(mbt personen of uitingen)* violent, vehement, fierce: *onder ~ protest* under strong (*of:* vehement) protest; *~e uitvallen* violent outbursts
[2]**hevig** *bw* violently, fiercely, intensely: *hij was ~ verontwaardigd* he was highly indignant; *~ bloeden* bleed profusely; *zij snikte ~* she cried her eyes out
hevigheid violence, vehemence, intensity, fierceness, acuteness
hiel heel: *iem op de ~en zitten* be (close) on s.o.'s heels
hier 1 here: *dit meisje ~* this girl; *ik ben ~ nieuw* I'm new here; *wie hebben we ~!* look who's here!; *~ is het gebeurd* this is where it happened; *~ is de krant* here's the newspaper; *~ staat dat …* it says here that …; *~ of daar vinden wij wel wat* we'll find sth somewhere or other; *het zit me tot ~* I've had it up to here 2 this: *~ moet je het mee doen* you'll have to make do with this
hieraan to this, at/on (*of:* by, from) this: *~ valt niet te twijfelen* there is no doubt about this

hierachter behind this; *(tijd)* after this: *~ ligt een grote tuin* there is a large garden at the back
hiërarchie hierarchy
hiërarchisch hierarchic(al)
hierbeneden down here
hierbij at this, with this; *(in brief)* herewith; hereby: *~ bericht ik u, dat …* I hereby inform you that …; *~ komt nog dat hij …* in addition (to this), he …
hierbinnen in here, inside
hierboven up here; *(verwijzing in tekst)* above: *~ woont een drummer* a drummer lives upstairs
hierbuiten outside
hierdoor 1 through here, through this, by doing so: *~ wil hij ervoor zorgen dat …* by doing so he wants to ensure that … **2** *(als gevolg van)* because of this: *~ werd ik opgehouden* this held me up
hierheen (over) here, this way: *op de weg ~* on the way here; *hij kwam helemaal ~ om …* he came all this way …
hierin in here, within, in this
hierlangs past here, along here, by here
hiermee with this, by this: *in verband ~* in this connection
hierna 1 after this **2** *(plaats)* below *(verwijzing in tekst)*
hiernaast *(mbt woning)* next door; *(anders)* alongside: *de illustratie op de bladzijde ~* the illustration on the facing page; *~ hebben ze twee auto's* the next-door neighbours have two cars
hiernamaals hereafter, next world, (great) beyond
hiëroglief hieroglyph; *(mv ook)* hieroglyphics
hierom 1 (a)round this: *dat ringetje moet ~* that ring belongs around this **2** *(om deze reden)* because of this, for this reason: *~ blijf ik thuis* this is why I'm staying at home
hieromheen (a)round this: *~ loopt een gracht* there is a canal surrounding this *(bijv. bij wijzen op plattegrond)*
hieronder 1 under here, underneath, below: *zoals ~ aangegeven* as stated below **2** *(zich erbij bevindend)* among these: *~ zijn veel personen van naam* among them there are many people of note || *~ versta ik …* by this I understand …
hierop 1 (up)on this: *het komt ~ neer* it comes down to this **2** *(hierna)* after this, then
hierover 1 over this **2** *(aangaande)* about this, regarding this, on this
hiertegen against this
hiertegenover opposite; *(gebouw ook)* across the street; over the way
hiertoe 1 (up to) here: *tot ~* so far, up to now **2** *(tot een handeling)* to this, for this: *wat heeft u ~ gebracht?* what brought you to do this?
hieruit 1 out of here: *van ~ vertrekken* depart from here **2** *(als conclusie enz.)* from this: *~ volgt, dat …* it follows (from this) that …
hiervan of this
hiervandaan from here, away
hiervoor 1 in front (of this); before this *(tijd; fig)* **2** *(wat betreft)* of this: *~ hoeft u niet bang te zijn* you needn't be afraid of this **3** *(tot dit doel)* for this purpose, to this end **4** *(in ruil voor)* (in exchange, return) for this
hifi-installatie hi-fi (set)
high five high five
hij he; *(mbt voorwerp)* it: *iedereen is trots op het werk dat ~ zelf doet* everyone is proud of the work they do themselves; *~ is het* it's him; *~ daar* him over there
hijgen pant, gasp
hijger heavy breather: *ik had weer een ~ vandaag* I had another obscene phone-call today
hijsen 1 hoist, lift: *de vlag (in top) ~* hoist (*of:* run up) the flag **2** *(met moeite)* haul, heave
hijskraan crane
hik hiccup
hikken hiccup || *tegen iets aan ~* shrink from sth
hilariteit hilarity, mirth
Himalaya (the) Himalayas
hinde hind, doe
hinder nuisance, bother; *(belemmering)* hindrance; *(belemmering)* obstacle: *het verkeer ondervindt veel ~ van de sneeuw* traffic is severely disrupted by the snow
hinderen impede, hamper, obstruct: *zijn lange jas hinderde hem bij het lopen* his long coat got in his way as he walked
hinderlaag ambush; *(fig ook)* trap: *de vijand in een ~ lokken* lure the enemy into an ambush
[1]**hinderlijk** *bn* **1** annoying, irritating **2** *(storend)* objectionable, disturbing **3** *(onbehaaglijk)* unpleasant, disagreeable: *ik vind de warmte niet ~* the heat does not bother me
[2]**hinderlijk** *bw* annoyingly, blatantly
hindernis obstacle, barrier; *(fig ook)* hindrance; *(fig ook)* impediment
hindernisloop steeplechase
hinderpaal obstacle, impediment
hinderwetvergunning *(ongev)* licence under the Nuisance Act
hindoe Hindu
hindoeïsme Hinduism
Hindoestaan Hindu(stani)
hinkelen hop; *(op hinkelbaan)* play hopscotch
hinken 1 limp, have a limp, walk with a limp, hobble (along) **2** *(hinkelen)* hop
hink-stap-sprong triple jump, hop, step and jump
hinniken neigh; whinny *(ook mbt lachen)*
hint hint, tip(-off): *(iem) een ~ geven* drop (s.o.) a hint
hiphop hip hop
hippie hippie
historicus historian
historie 1 history **2** *(verhaal)* story, anecdote **3** *(affaire)* affair, business

historisch 1 *(van historische betekenis)* historic: *wij beleven een ~ moment* we are witnessing a historic moment 2 *(met geschiedkundige achtergrond)* historical; period *(toneelstuk, kleding)*: *een ~e roman* a historical novel 3 *(werkelijk gebeurd)* historical, true: *dat is ~* that's a historical fact (*of:* a true story)
hit *(tophit)* hit (record)
hitlijst chart(s), hit parade
hitsig 1 *(vurig)* hot-blooded 2 *(inform)* hot; *(mensen ook)* randy; *(mensen ook)* horny
hitte heat
hittebestendig heat-resistant, heatproof
hittegolf heatwave
hiv *afk van human immunodeficiency virus* HIV
hm (a)hem
ho 1 stop: *zeg maar 'ho'* say when 2 *(terechtwijzing)* come on!, that's not fair!
hobbel bump
hobbelen bump, jolt, lurch
hobbelig bumpy, irregular
hobbelpaard rocking horse
hobby hobby
hobbyruimte workroom
hobo oboe
hoboïst oboist
hobu *(Belg) afk van hoger onderwijs buiten de universiteit* non-university higher education
hockey hockey
hockeystick hockey stick
hocus pocus hocus-pocus; *(geheimzinnig gepraat)* mumbo-jumbo
hoe 1 how: *je kunt wel nagaan ~ blij zij was* you can imagine how happy she was; *~ eerder ~ beter* the sooner the better; *het gaat ~ langer ~ beter* it is getting better all the time; *~ ouder ze wordt, ~ minder ze ziet* the older she gets, the less she sees; *~ fietst zij naar school?* which way does she cycle to school?; *~ moet het nu verder?* where do we go from here?; *~ dan ook: a)* anyway, anyhow, no matter how; *b) (op welke wijze ook)* by hook or by crook; *c) (wat er ook gebeurt)* no matter what; *~ vreemd het ook lijkt, ~ duur het ook is* strange as it may seem, expensive though it is; *~ kom je erbij?* how can you think such a thing?; *~zo?, ~ dat zo?* how (*of:* what) do you mean?, why do you ask?; *~ vind je mijn kamer?* what do you think of my room? 2 *(met welke naam)* what: *~ noemen jullie de baby?* what are you going to call the baby? || *Dorine danste, en ~!* Dorine danced, and how!
hoed hat: *een hoge ~* a top hat
hoede 1 care, protection; *(voogdij)* custody; *(voogdij)* charge; *(mbt zaak)* (safe) keeping 2 *(behoedzaamheid)* guard: *op zijn ~ zijn (voor)* be on one's guard (against)
[1]**hoeden** *tr* tend, keep watch over, look after
[2]**hoeden, zich** (met *voor) (zich in acht nemen)* guard (against), beware (of), be on one's guard (against)
hoedenmaker hatter
hoedenplank shelf; *(auto)* rear *(of:* parcel, back) shelf
hoederecht *(Belg)* child custody
hoedje (little) hat: *onder één ~ spelen met* be in league with
hoef hoof
hoefijzer (horse)shoe
hoefsmid farrier, blacksmith
hoek 1 corner: *in de ~ staan* (of: *zetten*) stand (*of:* put) in the corner; *de ~ omslaan* turn the corner; *(vlak) om de ~ (van de straat)* (just) around the corner 2 *(wisk)* angle: *(fig) iets vanuit een andere ~ bekijken* look at sth from a different angle; *in een rechte ~* at right angles; *een scherpe* (of: *een stompe*) *~* an acute (*of:* obtuse) angle; *die lijnen snijden elkaar onder een ~ van 45°* those lines meet at an angle of 45° 3 *(windstreek)* quarter, point of the compass || *dode ~* blind spot
hoekig angular; *(mbt gezicht)* craggy; rugged; *(rotsen)* jagged
hoekje corner; *(plekje ook)* nook || *het ~ omgaan* kick the bucket
hoekschop corner (kick)
hoeksteen cornerstone; *(fig)* keystone; linchpin; *(van persoon ook)* pillar
hoektand canine tooth, eye-tooth; fang *(van wolf, slang)*
hoelang how long
hoen hen, chicken; *(mv ook)* poultry; (domestic) fowl
hoepel hoop
hoepla *(bij val)* whoops; oops(-a-daisy); *(bij sprong)* ups-a-daisy; here we go
hoer *(inform)* whore
hoera hooray, hurray, hurrah
hoes cover(ing), case
hoest cough
hoestbui fit of coughing, coughing fit
hoestdrank cough mixture
hoesten cough
hoestsiroop cough syrup
hoesttablet cough lozenge, pastille
hoeve farm(stead); *(alleen woning)* farmhouse; homestead
hoeveel how much, how many: *~ appelen zijn er?* how many apples are there?; *~ geld heb je bij je?* how much money do you have on you?; *~ is vier plus vier?* what do four and four make?, how much is four plus four?; *met hoevelen waren jullie?* how many of you were there?, how many were you?
hoeveelheid amount, quantity; *(volume)* volume; *(portie)* dose
hoeveelste: *de ~ juli ben je jarig?* when in July is your birthday?; *voor de ~ keer vraag ik het je nu?* how many times have I asked you?; *de ~ is het vandaag?* what day of the month is it today?; *het ~ deel van een liter is 10 cm³?* what fraction of a litre is 10cc?

[1]**hoeven** *intr* matter, be necessary: *het had niet gehoeven* you didn't have to do that, you shouldn't have done that; *het mag wel, maar het hoeft niet* you can but you don't have to
[2]**hoeven** *tr* need (to), have to: *dat had je niet ~ (te) doen (bij ontvangst van geschenk)* you shouldn't have (done that); *daar hoef je niet bang voor te zijn* you needn't worry about that
hoever how far: *in ~re* to what extent
hoewel 1 (al)though, even though: *~ het pas maart is, zijn de bomen al groen* even though it's only March the trees are already in leaf **2** *(bij twijfel)* (al)though, however
hoezeer how much: *ik kan je niet zeggen ~ het mij spijt* I can't tell you how sorry I am
hoezo what *(of:* how) do you mean?, in what way? *(of:* respect?)
hof 1 *(jur)* court **2** *(hofhouding)* court, royal household
hofdame lady-in-waiting; *(ongehuwd)* maid of honour
hoffelijk courteous, polite
hofhouding (royal) household, court
hofleverancier purveyor to the Royal Household, purveyor to His (Her) Majesty the King (Queen), Royal Warrant Holder
hofnar court jester, fool
hogedrukgebied anticyclone
hogedrukspuit high-pressure paint spray, high-pressure spraying pistol
hogepriester high priest
hogerhand: *op bevel van ~* by order of the authorities
Hogerhuis House of Lords, Upper House
hogerop higher up: *hij wil ~* he wants to get on
hogeschool college (of advanced, higher education), polytechnic, academy: *Economische ~* School of Economics; *Technische ~* College *(of:* Institute) of Technology, Polytechnic (College)
hogesnelheidstrein high-speed train
hoi hi, hello; *(van vreugde)* hurray; *(van vreugde)* whoopee
hok 1 shed; *((berg)kast, bergruimte)* storeroom **2** *(voor dieren)* pen; (dog) kennel *(hond);* (pig)sty *(varken);* dovecote *(duiven);* hen house, hencoop
hokje 1 cabin; (sentry) box *(schildwacht); (kleedhokje)* cubicle; *(stemhokje)* booth **2** *(afdeling)* compartment; *(voor brieven)* pigeon-hole *(ook fig); (op formulier, speelbord)* square; *(op formulier ook)* box: *het ~ aankruisen (invullen)* put a tick in the box
hokken *(samenwonen (met))* shack up (with)
[1]**hol** *zn* **1** *(grot)* cave, cavern, grotto: *een donker ~ (kamer)* a dark, gloomy hole **2** *(verblijf ve dier)* hole *(ook van vos);* lair; den *(van grote roofdieren);* burrow *(van konijn): zich in het ~ van de leeuw wagen* beard *(of:* brave) the lion in his den **3** *(bergplaats)* hole; *(van dieren, rovers)* haunt || *een op ~ geslagen paard* a runaway (horse)
[2]**hol** *bn, bw* **1** hollow; *(techn ook)* female; sunken *(weg, ogen, wangen); (blik)* gaunt: *een ~ geslepen brillenglas* a concave lens; *het ~le van de hand* (of: *voet)* the hollow of the hand, the arch of the foot **2** *(waar niets inzit, ook fig)* hollow; empty *(ook belofte, woorden, maag)* **3** *(mbt geluiden)* hollow, cavernous || *in het ~st van de nacht* at dead of night
Holland the Netherlands, Holland
Hollander 1 *(bewoner van Nederland)* Dutchman **2** *(bewoner van Noord- of Zuid-Holland)* inhabitant of North or South Holland
Hollands 1 *(vh gewest Holland)* from (the province of) North or South Holland **2** *(Nederlands)* Dutch, Netherlands: *~e nieuwe* Dutch *(of:* salted) herring
Hollandse Dutchwoman
hollen 1 *(mbt paarden)* bolt, run away **2** *(rennen)* run, race: *het is met hem ~ of stilstaan* it's always all or nothing with him
holocaust holocaust
hologram hologram
holster holster
holte 1 cavity, hollow, hole; *(nis)* niche **2** *(uitholling, kom)* hollow; *(van oog, gewricht)* socket; *(kuil(tje))* pit; *(van elleboog)* crook **3** *(diepte)* draught, depth
homeopathie homoeopathy
hometrainer home trainer
hommage homage
hommel bumblebee
homo gay; *(verwijfd)* fairy; queen
[1]**homofiel** *zn* homosexual
[2]**homofiel** *bn* homosexual
homogeen homogeneous, uniform
homoseksualiteit homosexuality; *(mbt vrouwen ook)* lesbianism
[1]**homoseksueel** *zn* homosexual
[2]**homoseksueel** *bn* homosexual
homp chunk, hunk, lump
hond 1 dog; *(jachthond)* hound: *pas op voor de ~* beware of the dog; *de ~ uitlaten* take the dog (out) for a walk, let the dog out; *~en aan de lijn!* dogs must be kept on the lead (leash)!; *geen ~* not a soul, nobody; *men moet geen slapende ~en wakker maken* let sleeping dogs lie; *blaffende ~en bijten niet (ongev)* his bark is worse than his bite **2** *(scheldwoord)* dog, cur: *ondankbare ~!* ungrateful swine! || *(Belg) welkom zijn als een ~ in een kegelspel* be extremely unwelcome
hondenasiel dogs' home
hondenlijn lead, leash
hondenpoep dog dirt
hondenras breed of dog
hondenweer foul weather, filthy weather
[1]**honderd** *zn* hundred, hundred(s): *~en jaren* (of: *keren)* hundreds of years *(of:* times); *zij sneuvelden bij ~en* they died in their hundreds || *alles*

loopt in het ~ everything is going haywire
[2]**honderd** *telw* hundred: *een bankbiljet van ~ euro* a hundred-euro (bank)note; *dat heb ik nu al (minstens) ~ keer gezegd* (if I've said it once) I've said it a hundred times; *ik voel me niet helemaal ~ procent* I'm feeling a bit under the weather; *~ procent zeker zijn (van)* be absolutely positive; *er zijn er over de ~* there are more than a hundred
honderdduizend a (*of:* one) hundred thousand: *(enige) ~en (mensen)* hundreds of thousands (of people)
honderdduizendste (one) hundred thousandth
honderdje hundred-guilder note
honderdste hundredth: *ik probeer het nu al voor de ~ maal* I've tried it a hundred times
hondje doggy, little dog; *(kindertaal)* bowow
honds despicable, shameful, scandalous
hondsdolheid rabies
Honduras Honduras
honen jeer
Hongaar Hungarian
[1]**Hongaars** *zn* Hungarian
[2]**Hongaars** *bn* Hungarian
Hongarije Hungary
honger appetite, hunger: *ik heb toch een ~!* I'm starving; *~ hebben* be (*of:* feel) hungry; *van ~ sterven* die of hunger, starve to death
hongerig hungry; *(veel)* famished; *(beetje)* peckish
hongerloon pittance, subsistence wages, starvation wages
hongersnood famine, starvation; *(schaarste)* dearth
hongerstaking hunger strike
honing honey
honingdrank mead
honingraat honeycomb
honk base
honkbal baseball
honkballen play baseball
honorarium fee, salary; *(van auteurs)* royalty; honorarium
honoreren 1 pay, remunerate; *(advocaat ook)* fee **2** *(als geldig erkennen)* honour, give due recognition; recognize *(diploma)*
hoofd 1 head: *met gebogen ~* with head bowed; *een ~ groter* (of: *kleiner*) *zijn dan* be a head taller (*of:* shorter) than; *een hard ~ in iets hebben* have grave doubts about sth; *het ~ laten hangen* hang one's head, be downcast; *het werk is hem boven het ~ gegroeid* he can't cope with his work any more; *het succes is hem naar het ~ gestegen* success has gone to his head; *iets over het ~ zien* overlook sth **2** *(verstand, de wil)* head, mind, brain(s): *mijn ~ staat er niet naar* I'm not in the mood for it; *hij heeft veel aan zijn ~* he has a lot of things on his mind; *iets uit het ~ kennen* learn sth by heart (*of:* rote); *uit het ~ zingen* sing from memory; *iem het ~ op hol brengen* turn s.o.'s head; *per ~ van de bevolking* per head of (the) population **3** *(het bovenste, hoogste gedeelte) (brief e.d.)* head; *(tafel ook)* top **4** *(het voorste gedeelte)* head, front, vanguard **5** *((van personen) leider, meerdere)* head, chief, leader; *(school)* principal; *(school)* headmaster; headmistress **6** *(in sam; (het) de voornaamste)* main, chief: *~bureau* head office
hoofdagent *(politieagent)* senior police officer
hoofdartikel editorial, leading article, leader
hoofdcommissaris (chief) superintendent (of police), commissioner
hoofddeksel headgear; *(mv ook)* headwear
hoofddoek (head)scarf
hoofdeind head
hoofdgerecht main course
hoofdhuid scalp
hoofding *(Belg) (briefhoofd)* letterhead
hoofdinspecteur chief inspector; *(van volksgezondheid)* chief medical officer; *(van belasting)* inspector general
hoofdkantoor head office, headquarters
hoofdkraan mains (tap)
hoofdkwartier headquarters
hoofdletter capital (letter)
hoofdlijn outline
hoofdmaaltijd main meal
hoofdmoot principal part
hoofdpersoon principal person, leading figure; *(in boek, toneel enz. ook)* main character
hoofdpijn headache: *barstende ~* splitting headache
hoofdprijs first prize
hoofdredacteur editor(-in-chief)
hoofdrekenen mental arithmetic
hoofdrol leading part: *de ~ spelen* play the leading part, be the leading man (*of:* lady)
hoofdrolspeler leading man, star; *(fig)* main figure
hoofdslagader aorta
hoofdstad capital (city); *(ve provincie)* provincial capital
hoofdstel bridle
hoofdsteun headrest
hoofdstraat high street, main street
hoofdstuk chapter
hoofdtelwoord cardinal number
hoofdvak main subject
hoofdverpleegkundige charge nurse
hoofdvogel *(Belg)* main prize || *de ~ afschieten* make (*of:* commit) a serious blunder
hoofdweg main road
hoofdzaak main point (*of:* thing); *(mv)* essentials: *~ is, dat we slagen* what matters is that we succeed
hoofdzakelijk mainly
hoofdzin main sentence (*of:* clause)
hoofdzonde cardinal sin
hoofdzuster charge nurse
hoog high, tall: *een hoge bal* a high ball; *een hoge*

C a high C, a top C; *de ~ste verdieping* the top floor; *het water staat ~* the water is high; *~ in de lucht* high up in the air; *een stapel van drie voet ~* a three-foot high pile; *hij woont drie ~* he lives on the third (*of Am:* second) floor; *een hoge ambtenaar* a senior official; *naar een hogere klas overgaan* move up (*of:* be moved up) to a higher class; *een ~ stemmetje* (of: *geluid*) a high-pitched voice (*of:* sound); *de ruzie liep ~ op* the quarrel became heated; *de verwarming staat ~* the heating is on high; *de temperatuur mag niet hoger zijn dan 60°* the temperature must not go above (*of:* exceed) 60°

hoogachten esteem highly, respect highly: *~d* yours faithfully

hoogbegaafd highly gifted (*of:* talented): *scholen voor ~e kinderen* schools for highly-gifted children

hoogbouw high-rise building (*of:* flats)

hoogdag *(Belg) ((kerkelijke) feestdag)* feast day

hoogdravend high-flown, bombastic

hoogdringend *(Belg)* urgent

hooggebergte high mountains

hooggeëerd highly honoured: *~ publiek!* Ladies and Gentlemen!

hooggelegen high: *een ~ oord in de Rocky Mountains* a place high up in the Rocky Mountains

hooggerechtshof Supreme Court

hooghartig haughty

hoogheid highness

hoogleraar professor

Hooglied Song of Songs

hooglopend violent

hoogmis high mass

hoogmoed pride: *~ komt ten val* pride goes before a fall

hoognodig highly necessary, much needed, urgently needed: *hij moest ~ naar het toilet* he was taken short

hoogoven blast furnace

hoogseizoen high season: *buiten het ~* out of season

hoogspanning high tension (*of:* voltage)

hoogspanningsmast pylon

hoogspringen high-jump, high-jumping

[1]**hoogst** *zn* 1 *(bovenkant, top)* top, highest 2 *(het meeste, uiterst mogelijke)* utmost: *je krijgt op zijn ~ wat strafwerk* at the very worst you'll be given some lines

[2]**hoogst** *bw* highly, extremely: *~ (on)waarschijnlijk* highly (un)likely

hoogstandje tour de force

hoogstens 1 at the most, at (the very) most, up to, no(t) more than: *~ twaalf* twelve at the (very) most 2 *(in het ergste geval)* at worst: *~ kan hij u de deur wijzen* the worst he can do is show you the door 3 *(in het gunstigste geval)* at best

hoogstnodig absolutely necessary, strictly necessary: *alleen het ~e kopen* buy only the bare necessities

hoogstpersoonlijk in person, personally

hoogstwaarschijnlijk most likely (*of:* probable), in all probability

hoogte 1 height: *de ~ ingaan* go up, rise, *(vliegtuig ook)* ascend; *hij deed erg uit de ~* he was being very superior; *lengte, breedte en ~* length, breadth and height 2 *(afstand)* height; *(peil, niveau)* level: *de ~ van de waterspiegel* the water level; *tot op zekere ~ hebt u gelijk* up to a point you're right 3 *(aardr)* level, latitude; *(mbt hemellichaam)* elevation; *(mbt hemellichaam)* altitude: *er staat een file ter ~ van Woerden* there is a traffic jam near Woerden || *zich van iets op de ~ stellen* acquaint oneself with sth; *op de ~ blijven* keep oneself informed, keep in touch; *indien u verhinderd bent wordt u verzocht ons hiervan op de ~ te stellen* please let us know if you are unable to come; *ik kan geen ~ van hem krijgen* I don't understand him, I can't figure him out

hoogtelijn altitude

hoogtepunt height, peak, highlight: *naar een ~ voeren, een ~ doen bereiken* bring to a climax

hoogtevrees fear of heights

hoogtezon sun lamp

hooguit at the most, at (the very) most, no(t) more than

hoogverraad high treason

hoogvlakte plateau

hoogwaardig high-quality

hoogwater high water, high tide: *bij (met) ~* at high tide

hoogwerker tower waggon

hooi hay: *te veel ~ op zijn vork nemen* bite off more than one can chew

hooiberg haystack

hooien make hay

hooikoorts hay fever

hooimijt haystack

hooivork pitchfork

hooiwagen 1 haycart, hay-wagon 2 *(beestje)* daddy-long-legs

hoongelach jeering, jeers

[1]**hoop** *zn* 1 heap, pile: *op een ~ leggen* pile up, stack up; *je kunt niet alles* (of: *iedereen*) *op één ~ gooien* you can't lump everything (*of:* everyone) together 2 *(grote hoeveelheid)* great deal, good deal, lot: *een hele ~* a good many; *ik heb nog een ~ te doen* I've still got a lot (*of:* lots) to do 3 *(uitwerpselen)* business: *het kind heeft een ~(je) gedaan* the child has done its business

[2]**hoop** *zn (verwachting)* hope: *goede ~ hebben* have high hopes; *valse ~ wekken* raise false hopes; *zolang er leven is, is er ~* while there's life there's hope; *weer (nieuwe) ~ krijgen* regain hope; *de ~ opgeven* (of: *verliezen*) *dat …* give up (*of:* lose) hope that …

hoopgevend hopeful

hoopvol hopeful; *(veelbelovend ook)* promising: *de toekomst zag er niet erg ~ uit* the future did not look very promising

hoorapparaat hearing aid
hoorbaar audible
hoorcollege (formal) lecture
hoorn 1 horn *(ook mbt slak, insect): de stier nam hem op zijn ~s* the bull tossed him (on his horns) 2 *(mbt een telefoon)* receiver: *de ~ erop gooien* slam down the receiver; *de ~ van de haak nemen* lift the receiver 3 *(blaasinstrument)* horn 4 *(slakkenhuis)* conch
hoornist horn player
hoornvlies cornea
hoorspel radio play
hoorzitting hearing
hop hop(plant), hops
hopelijk I hope, let's hope, hopefully: *~ komt hij morgen* I hope (*of:* let's hope) he is coming tomorrow
hopeloos hopeless, desperate: *hij is ~ verliefd op* he's hopelessly (*of:* desperately) in love with
[1]**hopen** *intr (van hoop vervuld zijn)* hope (for): *~ op betere tijden* hope for better times
[2]**hopen** *tr* 1 hope (for): *dat is niet te ~* I hope (*of:* let's hope) not; *ik hoop van wel* (of: *van niet*) I hope so (*of:* hope not); *ik hoop dat het goed met u gaat* I hope you are well; *tegen beter weten in (blijven) ~* hope against hope; *blijven ~* keep (on) hoping 2 *(opstapelen)* pile (up): *op elkaar gehoopt* heaped
hopman Scoutmaster
hor screen
horde 1 horde: *de hele ~ komt hierheen* the whole horde is coming here 2 *(sport)* hurdle
hordeloop hurdle race
horeca (hotel and) catering (industry)
[1]**horen** *intr* 1 hear: *hij hoort slecht* he is hard of hearing 2 *(zijn plaats hebben)* belong: *wij ~ hier niet* we don't belong here; *de kopjes ~ hier* the cups go here 3 *(behoren)* be done, should be 4 *(toebehoren)* belong (to): *dit huis hoort aan mijn vader* this house belongs to my father || *dat hoor je te weten* you should (*of:* ought to) know that; *dat hoort niet* it is not done; *dat hoort zo* that's how it should be
[2]**horen** *tr* 1 hear: *we hoorden de baby huilen* we heard the baby crying; *nu kun je het me vertellen, hij kan ons niet meer ~* you can tell me now, he is out of earshot; *ik heb het alleen van ~ zeggen* I only have it on hearsay; *ik hoor het hem nog zeggen* I can still hear him saying it; *hij deed alsof hij het niet hoorde* he pretended not to hear (it); *ik kon aan zijn stem ~ dat hij zenuwachtig was* I could tell by his voice that he was nervous 2 *(luisteren naar)* listen to 3 *(vernemen)* hear, be told, get to know: *Johan kreeg te ~ dat het zo niet langer kon* Johan was told that it can't go on like that; *wij kregen heel wat te ~ (mbt kritiek)* we were given a hard time of it; *laat eens iets van je ~* keep in touch; *zij wil geen nee ~* she won't take no for an answer; *hij vertelde het aan iedereen die het maar ~ wilde* he told it to anyone who would listen; *toevallig ~* overhear; *hij wilde er niets meer over ~* he didn't want to hear any more about it; *daar heb ik nooit van gehoord* I've never heard of it; *daarna hebben we niets meer van hem gehoord* that was the last we heard from him; *u hoort nog van ons* you'll be hearing from us; *nou hoor je het ook eens van een ander* so I'm not the only one who says so; *ik hoor het nog wel* let me know (about it) 4 *(in aanmerking nemen)* listen (to): *moet je ~!* just listen!, listen to this!; *moet je ~ wie het zegt!* look who is talking!; *hoor eens* listen, I say
horizon horizon: *zijn ~ verruimen (uitbreiden)* broaden one's horizons
horizontaal horizontal; *(in kruiswoordraadsel)* across
horloge watch
horlogebandje watchband, watch strap
hormoon hormone
horoscoop horoscope: *een ~ trekken (opmaken)* cast a horoscope
horrorfilm horror film
hort jerk: *met ~en en stoten spreken* speak haltingly
horzel hornet
hospes landlord; *(gastheer)* host
hospita landlady
hospitaal hospital
hospitaliseren hospitalize
hossen dance (*of:* leap) about (arm in arm)
host *(comp)* host
hostie host
hosting *(comp)* hosting
hotdog hotdog
hotel hotel
hotelhouder hotelkeeper
hotelschool hotel and catering school: *hogere ~* hotel management school
hotspot hotspot
houdbaar 1 not perishable: *ten minste ~ tot* best before 2 *(verdedigbaar)* tenable
houdbaarheid shelf life, storage life *(van levensmiddelen e.d.)*
houdbaarheidsdatum use-by date, best-before date
[1]**houden** *intr* 1 (met *van*) love: *wij ~ van elkaar* we love each other 2 (met *van*) *(geven om)* like, care for: *niet van dansen ~* not like dancing; *hij houdt wel van een grapje* he can stand a joke; *ik hou meer van bier dan van wijn* I prefer beer to wine 3 *(niet loslaten)* hold; *(mbt lijm ook)* stick: *het ijs houdt nog niet* the ice isn't yet strong enough to hold your weight
[2]**houden** *tr* 1 keep: *je mag het ~* you can keep (*of:* have) it; *kippen* (of: *duiven*) *~* keep hens (*of:* pigeons); *de blik op iets gericht ~* keep looking at sth; *laten we het gezellig ~* let's keep it (*of:* the conversation) pleasant; *ik zal het kort ~* I'll keep it short; *iem aan de praat ~* keep s.o. talking; *hij kon*

er zijn gedachten niet bij ~ he couldn't keep his mind on it; *iets tegen het licht* ~ hold sth up to the light; *ik kon hun namen niet uit elkaar* ~ I kept getting their names mixed up; *contact met iem* ~ keep in touch with s.o.; *orde* ~ keep order 2 *(vast-, tegenhouden)* hold: *(sport) die had hij gemakkelijk kunnen* ~ he could have easily stopped that one; *de balk hield het niet* the beam didn't hold, the beam gave way 3 hold; *(organiseren)* organize; *(geven)* give: *een lezing* ~ give (*of:* deliver) a lecture 4 (met *voor*) take to be, consider to be *(of:* as): *iets voor gezien* ~ leave it at that, call it a day 5 *(uithouden)* take, stand: *het was er niet om te* ~ *van de hitte* the heat was unbearable; *ik hou het niet meer* I can't take it any more (*of:* longer) || *rechts* ~ keep (to the) right; *William houdt nooit zijn woord* (of: *beloften*) William never keeps his word (*of:* promises); *we* ~ *het op de 15e* let's make it the 15th, then

[3]**houden, zich** 1 (met *aan*) *(niet afwijken van)* keep to *(regels, dieet)*; adhere to *(overeenkomst, instructies)*; abide by *(beslissing, vonnis)*; comply with; observe *(regels, voorwaarden)* 2 *(blijven)* keep: *hij kon zich niet goed* ~ he couldn't help laughing (*of:* crying)

houder 1 holder *(van rekening, vergunning)*; bearer *(van paspoort)*: *een recordhouder* a record-holder 2 *(jur)* keeper; holder *(bijv. huurder)* 3 keeper, manager; *(eigenaar)* proprietor 4 *(om iets te bewaren)* holder, container

houdgreep hold

houding 1 position, pose: *in een andere* ~ *gaan liggen (zitten)* assume a different position 2 *(gespeeld gedrag)* pose, air: *zich geen* ~ *weten te geven* feel awkward 3 *(gedrag(slijn))* attitude, manner

house house (music)

houseparty house party

hout wood: ~ *sprokkelen* gather wood (*of:* sticks) || *(Belg) niet meer weten van welk* ~ *pijlen te maken* not know which way to turn, be at a complete loss

houten wooden

houterig wooden: *zich* ~ *bewegen* move woodenly

houthakker lumberjack

houthandel 1 *(de handel in hout)* timber trade 2 *(winkel)* timber yard

houtje bit of wood || *iets op eigen* ~ *doen* do sth on one's own (initiative); *op een* ~ *bijten* have difficulty in keeping body and soul together

houtje-touwtjejas duffel coat (with toggle fastenings)

houtskool charcoal

houtsnede woodcut

houtzagerij sawmill

houvast hold, grip: *niet veel* (of: *geen enkel*) ~ *geven* provide little (*of:* no) hold

houweel pickaxe

houwen 1 chop, hack; *(beeldhouwen)* carve; hew: *uit marmer gehouwen* carved out of marble 2 *(omhakken)* chop down

hovenier horticulturist, gardener

hozen bail (out) || *het hoost* it is pouring down (*of:* with rain)

hsl *afk van hogesnelheidslijn* high-speed rail link

hso *(Belg) afk van hoger secundair onderwijs* senior general secondary education

hst *afk van hogesnelheidstrein* high-speed train, HST

hts *afk van hogere technische school* Technical College

hufterproof vandal proof

huggen hug

huichelaar hypocrite

huichelarij hypocrisy

[1]**huichelen** *intr* play the hypocrite, be hypocritical

[2]**huichelen** *tr (doen alsof)* feign, sham

huid 1 skin: *hij heeft een dikke* ~ he is thick-skinned; *zijn* ~ *duur verkopen* fight to the bitter end; *iem de* ~ *vol schelden* call s.o. everything under the sun; *iem op zijn* ~ *zitten* keep on at s.o. 2 *(van grote dieren)* hide; *(kleine dieren)* skin

huidarts dermatologist

huidig present, current

huiduitslag rash

huidziekte skin disease

huifkar covered wagon

huig uvula

huilbui crying fit

huilebalk cry-baby

huilen 1 *(mbt mensen)* cry; *(klagend)* whine; snivel: *ze kon wel* ~ she could have cried; *half lachend, half* ~*d* between laughing and crying; ~ *om iets* cry about sth; ~ *van blijdschap* (of: *pijn*) cry with joy (*of:* pain) 2 *(janken, loeien)* howl *(ook wind)*

huis 1 house, home: ~ *van bewaring* remand centre; ~ *en haard* hearth and home; *halfvrijstaand* ~ semi-detached, *(Am)* duplex; *open* ~ *houden* have an open day (*of Am:* house); *het ouderlijk* ~ *verlaten, uit* ~ *gaan* leave home; *dicht bij* ~ near home; *een* ~ *in een rij* a terraced (*of Am:* row) house; *heel wat in* ~ *hebben (fig)* have a lot going for one; *nu de kinderen het* ~ *uit zijn* now that the children have all left; *een* ~ *van drie verdiepingen* a three-storeyed house; *ik kom van* ~ I have come from home; *dan zijn we nog verder van* ~ then we will be even worse off; *(op kosten) van het* ~ on the house; *het is niet om over naar* ~ *te schrijven* it is nothing to write home about; *van* ~ *uit* originally, by birth 2 *((vorstelijk) geslacht)* House: *het Koninklijk* ~ the Royal Family || *(Belg) daar komt niets van in* ~: *a) (het gebeurt niet)* that's not on; *b) (het lukt niet)* it won't work, nothing will come of it

huisarts family doctor

huisbaas landlord

huisbezoek house call

huisdier pet

huiselijk 1 domestic, home; *(mbt familie ook)* family 2 *(intiem)* homelike, homey: *een* ~ *type* a home-loving type

hu

huisgenoot housemate; *(gezinslid)* member of the family
huishoudelijk domestic, household
[1]**huishouden** *zn* 1 housekeeping: *het ~ doen* run the house, do the housekeeping 2 household: *woningen voor een- en tweepersoonshuishoudens* houses for single people and couples
[2]**huishouden** *intr* carry on, cause damage *(of:* havoc)
huishoudgeld housekeeping (money)
huishouding housekeeping: *een gemeenschappelijke ~ voeren* have a joint household
huishoudster housekeeper
huisje bungalow, cottage, small house, little house
huiskamer living room
huisman househusband
huismerk own brand, generic brand
huismiddel home remedy
huismus 1 house sparrow 2 *(persoon)* stay-at-home
huisraad household effects
huisregels house rules
huissleutel latchkey, front-door key
huisvader family man, father (of the family)
huisvesting 1 housing 2 *(tijdelijk)* accommodation: *ergens ~ vinden* find accommodation somewhere
huisvriend family friend, friend of the family
huisvrouw housewife
huisvuil household refuse
huisvuilzak dustbin liner
huiswaarts homeward(s)
huiswerk homework: *~ maken* do one's homework
huiszoeking (house) search
huiveren 1 shiver; *(van angst enz.)* shudder; tremble: *~ van de kou* shiver with cold 2 *(terugschrikken)* recoil (from), shrink (from)
huiverig hesitant, wary
huivering shiver, shudder
huizenhoog towering: *huizenhoge golven* mountainous waves
hulde homage, tribute
huldigen honour, pay tribute (to)
huldiging homage, tribute
[1]**hullen** *tr* wrap up in; *(fig ook)* veil (in), cloak (in)
[2]**hullen, zich** wrap oneself (up); *(fig ook)* veil *(of:* cloak, shroud) oneself (in)
hulp 1 help, assistance: *om ~ roepen* call (out) for help; *iem te ~ komen* come to s.o.'s aid; *eerste ~ (bij ongelukken)* first aid 2 helper, assistant: *~ in de huishouding* home help
hulpactie relief action *(of:* measures)
hulpbehoevend in need of helps; *(ziek)* invalid; *(oud, gebrekkig)* infirm; *(arm)* needy
hulpdienst auxiliary service(s); *(nooddienst)* emergency service(s): *telefonische ~* helpline
hulpeloos helpless
hulpkreet cry for help
hulpmiddel aid, help, means
hulppost aid station; *(EHBO-post)* first-aid post
hulpprogramma *(comp)* utility
hulpstuk accessory, attachment
hulptroepen auxiliary troops *(of:* forces); *(versterkingen)* reinforcements
hulpvaardig helpful
hulpverlener social worker
hulpverlening assistance, aid; *(bij ramp enz.)* relief
huls 1 case, cover, container 2 *(mbt vuurwapens)* cartridge case, shell
hulst holly
humaniora *(Belg; ongev)* grammar school education
humanitair humanitarian
humeur humour, temper, mood
humeurig moody
hummel toddler, (tiny) tot
humor humour: *gevoel voor ~* sense of humour
humorist humorist; *(komiek)* comic
humoristisch humorous: *een ~e opmerking* a humorous remark
humus humus
[1]**hun** *pers vnw* them: *ik zal het ~ geven* I'll give it (to) them; *heb je ~ al geroepen?* have you already called them?
[2]**hun** *bez vnw* their: *~ kinderen* their children; *die zoon van ~* that son of theirs
hunebed megalith(ic tomb, monument, grave)
hunkeren long for, yearn for
hup 1 come on, go (to it): *~ Henk ~!* come on Henk! 2 hup, oops-a-daisy: *een, twee, … ~!* one, two, … up you go!
huppeldepup what's-his-name, what's-her-name
huppelen hop, skip, frolic
huren 1 rent; *(mbt bus, vliegtuig)* charter: *een huis ~* rent a house; *kamers ~* live in rooms 2 *(mbt een persoon)* hire, take on: *een kok ~* hire *(of:* take on) a cook
hurken squat: *zij zaten gehurkt op de grond* they were squatting on the ground || *op zijn ~ (gaan) zitten* squat (on one's haunches)
hut 1 hut: *een lemen ~* a mud hut 2 *(op schip)* cabin
hutkoffer cabin trunk
hutselen mix (up), shake (up): *dominostenen door elkaar ~* shuffle dominoes
hutspot hot(ch)-pot(ch)
huur *(het huren)* rent; *(pacht)* lease: *achterstallige ~* rent in arrears, back rent; *kale ~* basic rent; *iem de ~ opzeggen* give s.o. notice (to leave, quit); *dit huis is te ~* this house is to let *(of Am:* for rent); *hij betaalt €800,- ~ voor dit huis* he pays 800 euros rent for this house
huurachterstand arrears of rent
huurauto rented car, hire(d) car
huurcontract rental agreement; *(van auto's ook)*

lease: *een ~ aangaan* sign a lease; *een ~ opzeggen* terminate a lease
huurder renter; *(mbt huizen enz. ook)* tenant; *(mbt auto)* hirer: *de huidige ~s* the sitting tenants
huurhuis rented house
huurkoop instalment buying, hire purchase (system)
huurling hireling; *(huursoldaat)* mercenary
huurmoordenaar (hired) assassin
huurovereenkomst *zie* huurcontract
huurprijs rent; *(van auto, tv enz.)* rental (price)
huurschuld rent arrears, arrears of rent: *de ~ bedraagt €5000,-* the rent arrears amount to €5000
huursoldaat mercenary
huursubsidie rent subsidy
huurverhoging rent increase
huurverlaging rent reduction
huurwaarde rental value
huurwoning rented house *(of:* flat)
huwelijk 1 marriage, wedding: *ontbinding van een ~* dissolution of a marriage; *gemengd ~* mixed marriage; *een wettig ~* a lawful marriage; *een ~ inzegenen* perform a marriage service; *een ~ sluiten (aangaan) met* get married to; *een kind, buiten ~ geboren* a child born out of wedlock; *zijn ~ met* his marriage to; *een meisje ten ~ vragen* propose to a girl; *een ~ uit liefde* a love match; *een burgerlijk ~* a civil wedding; *een kerkelijk ~* a church wedding; *een ~ voltrekken* perform a marriage service, celebrate a marriage **2** *(het getrouwd zijn ook)* matrimony: *na 25 jaar ~* after 25 years of matrimony
huwelijks marital, married: *~e voorwaarden* marriage settlement (*of:* articles)
huwelijksaanzoek proposal (of marriage): *een ~ doen* propose (to s.o.); *een ~ krijgen* receive a proposal (of marriage)
huwelijksadvertentie (ad in the) lonely hearts column
huwelijksakte marriage certificate
huwelijksbureau marriage bureau
huwelijksgeschenk wedding present *(of:* gift)
huwelijksnacht wedding night: *de eerste ~* the wedding night
huwelijksplechtigheid wedding, marriage ceremony, wedding ceremony
huwelijksreis honeymoon (trip): *zij zijn op ~* they are on (their) honeymoon (trip)
huwelijksvoorwaarden marriage settlement *(of:* articles): *trouwen zonder ~* marry without a marriage settlement (*of:* marriage articles)
huwen marry
huzaar hussar
huzarensalade *(ongev)* Russian salad
hyacint hyacinth
hybride hybrid, cross
hydraulisch hydraulic: *~e pers* (of: *remmen*) hydraulic press (*of:* brakes)
hyena hy(a)ena
hygiëne hygiene: *persoonlijke (intieme) ~* personal hygiene
[1]**hygiënisch** *bn* hygienic, sanitary: *~e omstandigheden* sanitary conditions; *~e voorschriften* hygienic (*of:* sanitary) regulations
[2]**hygiënisch** *bw* hygienically: *~ verpakt* hygienically packed (*of:* wrapped)
hymne hymn
hyper- hyper-, ultra-, super-
hyperactief hyperactive
hyperlink hyperlink
hypermarkt hypermarket
hypermodern ultramodern; *(modieus ook)* super-fashionable: *een ~ interieur* an ultramodern interior
hyperventilatie hyperventilation
hyperventileren hyperventilate
hypnose hypnosis: *iem onder ~ brengen* put s.o. under hypnosis
hypnotisch hypnotic: *~e blik* hypnotic gaze
hypnotiseren hypnotize
hypnotiseur hypnotist, hypnotherapist
[1]**hypocriet** *zn* hypocrite
[2]**hypocriet** *bn* hypocritical, insincere
hypocrisie hypocrisy
hypotheek mortgage: *een ~ aflossen* pay off a mortgage; *een ~ afsluiten* take out a mortgage; *een ~ nemen op een huis* take out a mortgage on a house
hypotheekrente mortgage (interest)
hypothese hypothesis: *een ~ opstellen* formulate a hypothesis
hypothetisch hypothetical
hysterie hysteria
hysterisch hysterical: *~ gekrijs* hysterical screams; *~e toevallen (aanvallen) krijgen* have (fits of) hysterics; *doe niet zo ~!* don't be so (*of:* get) hysterical!

i

ibis ibis
icetea ice tea
icoon icon
ICT *afk van informatie- en communicatietechnologie* ICT, information and communication technology
ICT'er ICT specialist
[1]**ideaal** *zn* 1 ideal: *zich iem tot ~ stellen* take s.o. as a model 2 *(streven)* ideal, ambition: *het ~ van zijn jeugd was arts te worden* the ambition of his youth was to become a doctor
[2]**ideaal** *bn, bw* ideal, perfect
idealiseren idealize, glamorize
idealisme idealism
idealist idealist
idee 1 idea: *zich een ~ vormen van iets* form an idea of sth 2 *(begrip)* idea, notion, concept(ion): *ik heb geen (flauw) ~* I haven't the faintest (*of:* foggiest) idea 3 *(mening)* idea, view || *ik heb een ~* I've got an idea; *op een ~ komen* think of sth, hit upon an idea; *zij kwam op het ~ om* she hit upon the idea of
ideëel idealistic
ideeënbus suggestion box
idem ditto, idem
identiek identical (with, to)
identificatie identification
identificeren identify
identiteit identity
identiteitsbewijs identity card, ID card
identiteitspapieren identity papers, identification papers
ideologie ideology
ideologisch ideological
idioom idiom
[1]**idioot** *zn* idiot; *(als scheldwoord ook)* fool: *een volslagen ~* an absolute fool
[2]**idioot** *bn, bw* idiotic; *(bespottelijk ook)* foolish: *doe niet zo ~* don't be such a fool (*of:* an idiot)
idool idol
idyllisch idyllic
ieder 1 *(tezamen; meer dan twee)* every; *(afzonderlijk; twee of meer)* each; *(welk dan ook)* any: *het kan ~e dag afgelopen zijn* it may be over any day (now); *werkelijk ~e dag* every single day; *ze komt ~e dag* she comes every day 2 everyone, everybody; each (one), anyone, anybody: *tot ~s verbazing* to everyone's surprise; *~ van ons* each of us, every one of us; *~ voor zich* every man for himself
iedereen everyone, everybody, all; *(wie dan ook)* anybody; anyone: *jij bent niet ~* you're not just anybody
iederwijs *(ongev)* democratic school, democratic education system
iemand someone, somebody; *(in ontkennende, vragende zinnen)* anyone; *(in ontkennende, vragende zinnen)* anybody: *is daar ~?* is anybody there?; *hij is niet zomaar ~* he's not just anybody; *hij wilde niet dat ~ het wist* he didn't want anyone to know; *zij maakte de indruk van ~ die* she gave the impression of being someone (*of:* a woman) who
iep elm
Ier Irishman: *tien ~en* ten Irishmen
Ierland Ireland, Republic of Ireland
[1]**Iers** *zn* Irish
[2]**Iers** *bn* Irish
[1]**iets** *onbep vnw* 1 *(in ontkennende, vragende zinnen)* anything: *hij heeft ~ wat ik niet begrijp* there is something about him which I don't understand 2 *(een bepaald ding)* something; *(in ontkennende, vragende zinnen)* anything: *~ lekkers* (of: *moois*) something tasty (*of:* beautiful); *~ dergelijks* something like that 3 *(een beetje)* something, a little, a bit: *beter ~ dan niets* something is better than nothing; *een mysterieus ~* something mysterious, a mysterious something
[2]**iets** *bw* a bit, a little, slightly: *als zij er ~ om gaf* if she cared at all; *we moeten ~ vroeger weggaan* we must leave a bit (*of:* slightly) earlier
ietwat somewhat, slightly
iglo igloo
ijdel vain, conceited
ijdelheid vanity, conceit
ijdeltuit vain person
ijken calibrate
ijkpunt benchmark (figure)
ijl rarefied: *~e lucht* thin (*of:* rarefied) air
ijlen be delirious, ramble; *(wild)* rave
ijs 1 ice: *zich op glad ~ bevinden (begeven)* skate on thin ice; *het ~ breken* break the ice; *de haven was door ~ gesloten* the port was icebound 2 *(lekkernij)* ice cream
ijsbaan skating rink, ice(-skating) rink
ijsbeer polar bear
ijsberen pace up and down
ijsberg iceberg
ijsbergsla iceberg lettuce
ijsblokje ice cube
ijscoman ice-cream man
ijselijk hideous, dreadful
ijshockey ice hockey
ijsje ice (cream)
ijskar ice-cream cart
ijskast fridge, refrigerator: *iets in de ~ zetten: a)*

put sth in the fridge; *b) (fig)* shelve sth, put sth on ice

ijskoud 1 ice-cold, icy(-cold) 2 *(fig)* icy, (as) cold as ice: *een ~e ontvangst* an icy welcome

IJsland Iceland

IJslands Icelandic

ijslolly ice lolly; *(Am)* popsicle

ijsmuts *(ongev)* woolly hat

ijspegel icicle

ijssalon ice-cream parlour

ijsschots (ice) floe

ijstijd ice age, glacial period *(of:* epoch)

ijsvogel kingfisher

ijver *(vlijt)* diligence

ijverig diligent: *een ~ scholier* an industrious *(of:* a diligent) pupil; *men deed ~ onderzoek* painstaking inquiries were made

ijzel black ice

ijzelen freeze over: *het ijzelt* it is freezing over

ijzer iron: *~ smeden* (of: *gieten)* forge *(of:* cast) iron; *men moet het ~ smeden als het heet is* strike while the iron is hot

ijzerdraad (iron) wire

ijzeren iron: *een ~ gezondheid* an iron constitution

ijzererts iron ore

ijzerhandel 1 hardware store, ironmonger's shop 2 *(handel)* hardware trade, ironmongery

ijzersterk iron, cast-iron: *hij kwam met ~e argumenten* he produced very strong arguments

ijzerwaren hardware, ironmongery

ijzig icy, freezing: *~e kalmte* steely composure

ik I: *ik ben het* it's me; *als ik er niet geweest was ...* if it hadn't been for me ...; *ze is beter dan ik* she's better than I am

illegaal 1 illegal 2 *(in oorlogstijd)* underground: *~ werk* underground work

illusie illusion, (pipe)dream; delusion *(opzettelijk)*: *een ~ verstoren* (of: *wekken)* shatter *(of:* create) an illusion

illusionist conjurer

illustratie illustration

illustrator illustrator

illustreren illustrate; *(toelichten ook)* exemplify

imago image

imam imam

imbeciel imbecile

IMF *afk van Internationaal Monetair Fonds* IMF

imitatie imitation, copy, copying; *(persoon ook)* impersonation: *een slechte ~* a poor *(of:* bad) imitation

imitator imitator, impersonator

imiteren imitate, copy; *(persoon ook)* impersonate

imker bee-keeper

immens immense

immer ever, always

immers 1 after all: *hij komt ~ morgen* after all, he is coming tomorrow, he is coming tomorrow, isn't he? 2 *(namelijk)* for, since

immigrant immigrant

immigratie immigration

immigreren immigrate

immobiliën *(Belg) (onroerend goed)* property, real estate

immoreel immoral

immuniteit immunity

immuun immune: *~ voor kritiek* immune to criticism

i-mode i-mode

impasse impasse, deadlock

imperiaal roof-rack

imperialisme imperialism

imperialist imperialist

imperium empire

impliceren imply

impliciet implicit

imponeren impress, overawe: *laat je niet ~ door die deftige woorden* don't be overawed by those posh words

impopulair unpopular

import 1 import(ation) 2 *(het ingevoerde)* import(s)

importeren import

importeur importer

imposant impressive, imposing

impotent impotent

impregneren impregnate

impresario impresario

impressie impression

impressionisme impressionism

improviseren improvise

impuls 1 impulse, impetus 2 *(opwelling)* impulse, urge: *hij handelde in een ~* he acted on (an) impulse

impulsief impulsive, impetuous

[1]in *bn* in: *de bal was in* the ball was in

[2]in *bw* 1 in, into, inside: *dat wil er bij mij niet in* I find that hard to believe; *dag in dag uit* day in (and) day out 2 *(van plaats, toestand)* in, inside: *tussen twee huizen in* (in) between two houses || *tegen alle verwachtingen in* contrary to all expectations

[3]in *vz* 1 *(mbt een plaats)* in, at: *een vertegenwoordiger in het bestuur* a representative on the board; *puistjes in het gezicht* pimples on one's face; *in heel het land* throughout *(of:* all over) the country; *hij is nog nooit in Londen geweest* he has never been to London; *hij zat niet in dat vliegtuig* he wasn't on that plane; *in slaap* asleep 2 *(mbt een richting)* into: *in de hoogte kijken* look up; *in het Japans vertalen* translate into Japanese 3 *(mbt een tijdstip)* in, at; *(mbt een tijdsduur)* during: *in het begin* at the beginning; *een keer in de week* once a week 4 *(mbt een hoeveelheid, omvang)* in: *er gaan 100 cm in een meter* there are 100 centimetres to a metre; *twee meter in omtrek* two metres in circumference; *in een rustig tempo* at an easy pace;

in tweeën snijden cut in two || *professor in de natuurkunde* professor of physics; *zij is goed in wiskunde* she's good at mathematics; *uitbarsten in gelach* burst into laughter
inacceptabel unacceptable
inademen inhale, breathe in
inbeelden, zich imagine: *dat beeld je je maar in* that's just your imagination
inbeelding imagination
inbegrepen included, including
inbegrip: *met ~ van* including
inbellen *(comp)* dial up
inbelpunt dial-up access (account)
inbinden bind
inblazen blow into; *(fig)* breathe into: *iets nieuw leven ~* breathe new life into sth
inblikken can, tin
inboedel moveables, furniture, furnishings: *een ~ verzekeren (ongev)* insure the contents of one's house against fire and theft
inboezemen inspire
inboorling native
inbouwen build in
inbox in box
inbraak breaking in, burglary: *~ plegen in* break into, burgle
inbreken break in(to) (a house), burgle (a house): *~ in een computersysteem* break into a computer system; *er is alweer bij ons ingebroken* our house has been broken into (*of:* burgled) again
inbreker burglar; *(in computer)* hacker
inbreng contribution
inbrengen 1 bring in(to); insert *(thermometer, muntstuk);* inject *(inspuiten)* **2** *(voorstellen)* contribute **3** *(aanvoeren)* bring (forward): *daar valt niets tegen in te brengen* there is nothing to be said against this
inbreuk infringement, violation
inburgeren *(mbt personen)* naturalize, settle down, settle in
inburgeringsprogramma integration programme
inbussleutel Allen key
Inca Inca
incarnatie incarnation
incasseren 1 collect; cash (in) *(verzilveren)* **2** *(opvangen)* accept, take
incest incest
inchecken *(vliegveld)* check in; *(hotel)* register
incident incident
incidenteel incidental, occasional: *dit verschijnsel doet zich ~ voor* this phenomenon occurs occasionally
inclusief including; *(als afk: incl.)* inclusive (of): *45 euro ~ (bedieningsgeld)* 45 euros, including service
incognito incognito
incompleet incomplete
inconsequent inconsistent
incontinent incontinent
incorrect incorrect
incubatietijd incubation period
indekken, zich cover oneself (against)
indelen 1 divide, order, class(ify): *zijn dag ~* plan one's day **2** group, class(ify)
indeling division, arrangement, classification; lay-out *(van tuin, gebouw): de ~ van een gebied in districten* the division of a region into districts
indenken, zich imagine: *zich in iemands situatie ~* put oneself in s.o.'s place (*of:* shoes)
inderdaad indeed; *(werkelijk)* really; *(zoals verwacht)* sure enough: *ik heb dat ~ gezegd, maar …* I did say that, but …; *het lijkt er ~ op dat het helpt* it really does seem to help; *dat is ~ het geval* that is indeed the case; *~, dat dacht ik nu ook!* exactly, that's what I thought, too!
index index
India India
indiaan (American) Indian
indiaans Indian
Indiaas Indian
indianenverhaal *(ongeloofwaardig)* tall story
indicatie indication
Indië the Dutch East Indies; *(India)* India
indien if, in case; *(verondersteld dat)* supposing
indienen submit
Indiër Indian
indigestie indigestion
indikken thicken
indirect indirect; *(spreken ook)* roundabout: *op ~e manier* in an indirect way, in a roundabout way; *~e vrije trap* indirect free kick
Indisch (East) Indian
individu individual; *(min ook)* person
individualisme individualism
individualist individualist
[1]**individueel** *bn* individual, particular
[2]**individueel** *bw* individually, singly
indommelen doze off
Indonesië Indonesia
Indonesiër Indonesian
Indonesisch Indonesian
[1]**indraaien** *intr* turn in(to): *de auto draaide de straat in* the car turned into the street
[2]**indraaien** *tr* screw in(to): *een schroef ~* drive (*of:* screw) in a screw
indringen *(binnendringen)* penetrate (into), intrude (into); *(vloeistof)* soak (into)
indringend penetrating: *een ~e blik* a penetrating gaze, a piercing look
indringer intruder, trespasser
indrinken drink in
indruisen go against, conflict with
indruk 1 impression; *(sfeer)* air; *(idee)* idea: *diepe (grote) ~ maken* make a deep impression; *ik kon niet aan de ~ ontkomen dat* I could not escape the impression that; *dat geeft* (of: *wekt*) *de ~ …* that

gives (*of:* creates) the impression that ...; *ik kreeg de ~ dat* I got the impression that; *weinig ~ maken op iem* make little impression on s.o. **2** impression, (im)print: *op de sneeuw waren ~ken van vogelpootjes zichtbaar* in the snow the prints (*of:* imprints) of birds' feet were visible

indrukken push in, press

indrukwekkend impressive

induiken 1 dive in(to): *zijn bed* (of: *de koffer*) *~* turn in, hit the sack **2** plunge in(to): *ergens dieper ~* delve deeper into sth

industrialiseren industrialize

industrie (manufacturing) industry

industriebond industrial union

industrieel industrial

industriegebied industrial area; *(binnen gemeente)* industrial estate (*of:* park); trading estate

industriestad industrial town, manufacturing town

industrieterrein industrial zone (*of:* estate, park)

indutten doze off, nod off

induwen push in(to)

ineengedoken crouched, hunched (up)

ineenkrimpen curl up, double up; *(fig)* flinch

ineens 1 (all) at once: *bij betaling ~ krijg je korting* you get a discount for cash payment **2** *(plotseling)* all at once, all of a sudden, suddenly: *zomaar ~* just like that

ineenstorten collapse

ineffectief ineffective, inefficient

inefficiënt inefficient

inenten vaccinate, inoculate

inenting vaccination, inoculation

infanterie infantry

infarct infarct(ion); *(van hart)* heart attack

infecteren infect

infectie infection

infectieziekte infectious disease

inferieur inferior, low-grade

infiltratie infiltration

infiltreren infiltrate: *~ in een beweging* infiltrate (into) a movement

inflatie inflation

influisteren whisper (in s.o.'s ear)

informaliteit informality

informant informant

informatica computer science, informatics

informatie 1 information; *(mbt computers enz.)* data **2** *(inlichtingen)* information; *(geheim)* intelligence: *om nadere ~ verzoeken* request further information; *~(s) inwinnen (bij ...)* make inquiries (of ...), obtain information (from ...)

informatief informative

informeel informal, unofficial; *(wijze)* casual

[1]**informeren** *intr* inquire, enquire, ask: *ik heb ernaar geïnformeerd* I have made inquiries about it; *~ bij iem* ask s.o.; *naar de aanvangstijden ~* inquire about opening times

[2]**informeren** *tr (inlichten)* inform

infrarood infra-red

infrastructuur infrastructure

infuus drip

ingaan 1 go in(to): *een deur ~* go through a door **2** *(komen in)* go in(to), come in(to), enter: *een weg ~* turn into a road **3** *(aandacht besteden aan)* examine, go into: *uitgebreid ~ op* consider at length **4** *(positief reageren)* agree with, agree to, comply with: *op een aanbod ~* accept an offer **5** *(beginnen)* take effect: *de regeling gaat 1 juli in* the regulation is effective as from (*of:* of) July 1st || *~ tegen* run counter to

ingang 1 entrance, entry, doorway; *(inform)* acceptance: *de nieuwe ideeën vonden gemakkelijk ~ bij het publiek* the new ideas found a ready reception with the public **2** *(begin)* commencement: *met ~ van 1 april* as from (*of:* of) April 1st

ingebeeld imaginary

ingebonden bound

ingebouwd built-in

ingeburgerd 1 *(mbt persoon)* naturalized **2** *(algemeen aanvaard)* established: *~ raken* take hold

ingehouden 1 *(mbt emotie)* restrained **2** *(mbt kracht)* subdued; *(mbt adem)* bated

ingelegd inlaid

ingemaakt preserved, bottled

ingenaaid stitched

ingenieur engineer

ingenieus ingenious

ingesloten 1 enclosed **2** *(omgeven door)* surrounded

ingespannen 1 intensive, intense: *~ luisteren* listen intently **2** *(met inspanning)* strenuous: *na drie dagen van ~ arbeid* after three strenuous days

ingetogen modest

ingevallen hollow; sunken *(wangen, ogen)*

ingeven inspire: *doe wat uw hart u ingeeft* follow the dictates of your heart

ingeving inspiration, intuition: *een ~ krijgen* have a flash of inspiration, have a brainwave

ingevroren icebound *(haven, schip)*; frozen *(voedsel)*

ingewanden intestines

ingewijde initiate; *(fig ook)* insider; adept *(die alle kneepjes weet)*

ingewikkeld complicated

ingeworteld deep-rooted

ingezetene resident, inhabitant

ingezonden sent in: *~ brieven* letters to the editor

ingooi throw-in

[1]**ingooien** *intr* throw in

[2]**ingooien** *tr* **1** throw in(to) **2** *(door te werpen breken)* smash

ingraven bury: *zich (in de grond) ~* dig (oneself) in *(soldaat)*, burrow *(konijn)*

ingrediënt ingredient

ingreep intervention

ingrijpen 1 *(zich bemoeien met)* interfere 2 *(optreden)* intervene
ingrijpend radical
inhaalrace race to recover lost ground, race to catch up
inhaalstrook fast lane
inhaken (met *op)* take up
[1]**inhalen** *intr, tr (verkeer) (voorbijgaan)* overtake, pass
[2]**inhalen** *tr* 1 *(intrekken)* draw in, take in; haul in *(iets zwaars)* 2 *((weer) bereiken)* catch up with; *(én voorbijrennen)* outrun 3 *(alsnog doen, maken)* make up (for); recover *(verlies): de verloren tijd ~* make up for lost time 4 *(binnenbrengen)* bring in
inhaleren inhale; *(alleen tr)* draw in
inhalig greedy
inham bay, cove, creek
inheems native: *~e planten* indigenous plants
inhoud 1 content, capacity 2 *(volume)* content 3 *(dat waarmee iets gevuld is)* contents 4 *(betekenis)* import
[1]**inhouden** *tr* 1 *(bedwingen, beheersen)* restrain, hold (in, back): *de adem ~* hold one's breath 2 *(niet uitbetalen)* deduct: *een zeker percentage van het loon ~* withhold a certain percentage of the wages 3 *(bevatten)* contain, hold 4 *(behelzen)* involve, mean: *wat houdt dit in voor onze klanten?* what does this mean for our customers? 5 *(ingetrokken houden)* hold in
[2]**inhouden, zich** *(zich bedwingen)* control oneself: *zich ~ om niet in lachen uit te barsten* keep a straight face
inhouding deduction; *(mbt belasting, premies)* amount withheld
inhoudsmaat measure of capacity *(of:* volume)
inhoudsopgave (table of) contents
inhuldigen inaugurate, install
inhuldiging inauguration
inhuren engage
initiaal initial
initiatief initiative; *(als eigenschap)* enterprise
injecteren inject
injectie injection
injectienaald (hypodermic) needle
inkapselen encase
inkeer repentance
inkeping notch
inkijken take a look at
inkjet inkjet
inklappen fold in, fold up
inklaren clear (inwards)
inkleden frame, express: *hoe zal ik mijn verzoek ~?* how shall I put my request?
inkleuren colour
inkom *(Belg)* admission, entrance fee
[1]**inkomen** *zn* income; revenue *(grote instellingen)*
[2]**inkomen** *intr* enter, come in(to): *ingekomen stukken* (of: *brieven)* incoming correspondence (*of:* letters) || *daar kan ik ~* I (can) appreciate that, I quite understand that; *daar komt niets van in* that's out of the question, no way!
inkomgeld *(Belg)* admission (charge), entrance fee
inkomsten *(loon)* income; earnings; revenue(s) *(bij grote instellingen)*
inkomstenbelasting income tax
inkoop purchase, purchasing, buying
inkoopprijs cost price
inkopen buy, purchase
inkoper buyer, purchasing agent
inkoppen head (the ball) in(to the goal)
inkoppertje easy score
inkorten shorten, cut down
inkrimpen *(kleiner maken)* reduce, cut (down)
inkrimping *(vermindering)* reduction; cut(s) *(uitgaven)*
inkt ink: *met ~ schrijven* write in ink
inktvis *(achtarmig)* octopus; *(tienarmig)* squid
inktvlek ink blot
inladen load
inlander native
inlands native; *(mbt eigen land)* internal; domestic, home-grown
inlassen *(invoegen)* insert
inlaten, zich *(zich bemoeien)* meddle (with, in), concern oneself (with): *zich ~ met dergelijke mensen* associate with such people
inleg 1 deposit(ing); *(bank)* deposit 2 *(inzet) (weddenschap)* stake
inleggen 1 deposit; *(bij weddenschap, spel)* stake; *(in firma)* invest 2 *(in, tussen iets leggen)* put, throw in *(of:* down) 3 *(van haring e.d.)* preserve
inlegvel insert
inleiden introduce
inleidend introductory; *(opmerkingen ook)* opening
inleider (opening) speaker
inleiding 1 introductory remarks, opening remarks, preamble 2 *(voorwoord in boek)* introduction, preface, foreword
inleven, zich put *(of:* imagine) oneself (in), empathize (with)
inleveren hand in, turn in
inlichten inform
inlichting 1 *(informatie)* (piece of) information: *~en inwinnen* make inquiries, ask for information 2 *(mv) (informatiedienst) (voorlichting)* information (office); inquiries; *(spionage)* intelligence (service)
inlichtingendienst 1 information office, inquiries office 2 *(geheime dienst)* intelligence (service), secret service
inlijsten frame
inlineskate in-line skate
inloggen log on, log in (on)
[1]**inlopen** *intr* 1 walk into, step into; *(gebouw)* enter; *(straat)* turn into 2 *(inhalen)* catch up: *op iem ~* catch up on s.o.

[2]**inlopen** *tr* 1 *(van schoenen, kleding)* wear in 2 *(inhalen)* make up || *zich* ~ warm up
inluiden herald
[1]**inmaken** *intr, tr (mbt groente e.d.)* preserve; *(met suiker ook)* conserve
[2]**inmaken** *tr (fig)* slaughter
inmengen, zich interfere (in, with)
inmenging interference (in, with)
inmiddels meanwhile, in the meantime: *dat is ~ bevestigd* this has since (*of:* now) been confirmed
in natura in kind
innemen 1 take 2 *(mbt een plaats)* take (up); occupy *(ook post enz.)*: *zijn plaats* ~ take one's seat 3 *(veroveren ook)* capture
innemend captivating, engaging, winning
innen collect *(ook belastingen, schulden)*; cash *(cheque)*
[1]**innerlijk** *zn* inner self, inner nature
[2]**innerlijk** *bn, bw* inner
[1]**innig** *bn* 1 profound, deep(est) 2 *(warm, waar)* ardent, fervent 3 *(intiem)* close, deep, intimate
[2]**innig** *bw* (most) deeply
inning 1 collection *(ook belastingen, schulden)*; cashing *(cheque)* 2 *(cricket)* innings; *(honkbal)* inning
innovatie innovation
innoveren innovate
[1]**inpakken** *intr (ophouden)* pack in: ~ *en wegwezen* pack up and go
[2]**inpakken** *tr* 1 pack (up) 2 *(in papier, dekens enz.)* wrap (up)
inpakpapier wrapping paper
inpalmen charm, win over
inpassen fit in
inpeperen *(fig)* get even with (s.o.) (for)
inperken restrict, curtail
in petto in reserve, in store
inpikken 1 grab, snap up; *(stelen)* pinch 2 *(Belg)* take up
inplakken stick (*of:* glue, paste) in
inpolderen drain, impolder
inpoldering (land) reclamation, impoldering
inpompen pump in(to)
inpraten talk (s.o.) into (sth): *op iem* ~ work on s.o.
inprenten impress (on), instil (in(to)); *(in geheugen)* imprint
inquisitie inquisition
inramen frame: *dia's* ~ mount slides
inrekenen *(mbt politie)* pull in; *(meer mensen ook)* round up
[1]**inrichten** *zn (Belg)* organize: *de ~de macht* the (school) administration (*of:* management)
[2]**inrichten** *tr* equip; *(meubelen)* furnish: *een compleet ingerichte keuken* a fully-equipped kitchen
inrichter *(Belg)* organizer
inrichting 1 design; *(indeling ook)* layout 2 *(gesticht)* institution
[1]**inrijden** *intr* ride in(to); *(auto)* drive in(to)
[2]**inrijden** *tr (van auto)* run in; *(van paard)* break in
inrit drive(way)
inruil exchange, trade-in, part exchange: *€2000,- bij ~ van uw oude auto* 2,000 euros in part exchange for your old car
inruilauto trade-in (car)
inruilen 1 exchange 2 trade in, part-exchange
inruilwaarde trade-in (*of:* part-exchange) value
inruimen clear (out)
inrukken dismiss, withdraw: *ingerukt mars!* dismiss!
inschakelen 1 switch on; connect *(circuit)* 2 *(iemands hulp inroepen)* call in, bring in, involve
inschatten estimate, assess
inschenken pour (out)
inschepen embark
[1]**inschieten** *intr* 1 *(mislopen)* fall through: *mijn lunch zal er wel bij* ~ then I can say goodbye to my lunch 2 shoot in(to): *een zijstraat* ~ shoot into a side street 3 *(in het doel schieten)* score
[2]**inschieten** *tr* 1 *(verliezen)* lose 2 *(in het doel schieten)* shoot into the net
inschoppen 1 kick in(to) 2 *(door schoppen breken)* kick in, kick down
inschrijfformulier registration form; *(wedstrijd ook)* entry form; *(onderwijs)* enrolment form
inschrijfgeld registration fee; *(wedstrijd ook)* entry fee; *(onderwijs)* enrolment fee
[1]**inschrijven** *intr* bid, submit a bid
[2]**inschrijven** *tr (mbt personen)* register; *(wedstrijd ook)* enter; *(onderwijs)* enrol; sign up: *zich (laten)* ~ sign up, register (oneself); *zich als student* ~ enrol as a student
inschrijving 1 registration; *(wedstrijd)* entry; *(onderwijs)* enrolment 2 *(handel)* subscription; *(aanbesteding)* bid: *een ~ openen* call for bids (*of:* tenders)
inschrijvingsformulier application form; *(mbt onderwijs)* enrolment form
inschuiven push in, slide in
inscriptie inscription; *(op munt, medaille)* legend
insect insect
insecticide insecticide
inseminatie insemination: *kunstmatige* ~ artificial insemination
insigne badge
insinuatie insinuation
insinueren insinuate
[1]**inslaan** *intr* 1 take; turn into *(vnl. straat)*: *(fig) een verkeerde weg* ~ take the wrong path (*of:* turning), go the wrong way; *(fig) nieuwe wegen* ~ break new ground, blaze a (new) trail 2 *(mbt bliksem e.d.)* strike, hit
[2]**inslaan** *tr* 1 smash (in), beat (in) 2 *(van voorraad)* stock (up on, with)
inslag 1 *(van bom e.d.)* impact 2 *(strekking)* streak *(persoon)*; slant; bias *(informatie)*
inslapen 1 fall asleep, drop off (*of:* go) to sleep

2 *(sterven)* pass away, pass on
inslikken swallow
insluiper sneak-thief, intruder
insluiten 1 enclose; *(omsingelen ook)* surround: *een antwoordformulier ~* enclose an answer form 2 *(opsluiten)* shut in, lock in
[1]**insmeren** *tr* rub (with); *(met …)* put … on
[2]**insmeren, zich** put oil on: *zich ~ met bodylotion* rub oneself with body lotion
insneeuwen snow in
insnijden cut into; *(med)* lance: *een wond ~* make an incision in a wound
inspannen use; *(krachten ook)* exert: *zich ~ voor iets* take a lot of trouble about sth; *zich moeten ~ om wakker te blijven* have to struggle to stay awake
inspannend strenuous, laborious; *(geestelijk)* exacting
inspanning effort, exertion; *(overmatig)* strain: *met een laatste ~ van zijn krachten* with a final effort, with one last effort
inspecteren inspect, examine, survey
inspecteur inspector, examiner
inspectie 1 inspection, examination, survey 2 *(instantie)* inspectorate
[1]**inspelen** *intr* 1 *(vooruitlopen op)* anticipate 2 *(reageren op)* go along with; *(handig)* capitalize on; take advantage of; *(begrip hebben voor)* feel for
[2]**inspelen** *intr, tr* practise, warm up
inspiratie inspiration
inspireren inspire: *geïnspireerd worden door iets (iem)* be inspired by sth (s.o.)
inspirerend inspiring
inspraak participation, involvement; *(inform)* say (in sth)
inspreken record: *u kunt nu uw boodschap ~* you may leave (*of:* record) your message now
inspringen 1 stand in: *voor een collega ~* stand in for a colleague 2 *(inhaken op)* jump on(to), leap on(to), seize (up)on || *deze regel moet een beetje ~* this line needs to be indented slightly
inspuiten inject; *(mbt drugs ook)* fix
instaan answer, be answerable *(of:* responsible); *(garanderen)* guarantee; vouch: *voor iem ~* vouch for s.o.
instabiel unstable
instabiliteit instability
installateur fitter, installer; *(elektr)* electrician
installatie 1 installation 2 *(technische toestellen)* installation, plant, equipment, machinery; fittings *(sanitair, e.d.)*: *een nieuwe stereo-installatie* a new hifi-set 3 *(van gezagsdragers e.d.)* installation, inauguration
installeren install; *(van gezagsdragers e.d. ook)* inaugurate: *iem als lid ~* initiate s.o. as a member
instantie 1 body, authority 2 *(jur)* instance || *in eerste ~ dachten we dat het waar was* initially we thought it was true
instappen get in *(auto, trein)*; get on *(bus)*; board *(vliegtuig)*
insteken put in: *de stekker ~* plug in, put in the plug
instellen 1 establish, create 2 *(beginnen)* set up, start 3 *(voorbereiden, afstellen)* adjust; focus *(lenzen)*; tune *(radio, motor)*: *een camera (scherp) ~* focus a camera; *zakelijk ingesteld zijn* have a businesslike attitude (*of:* mentality)
instelling 1 *(organisatie)* institute, institution 2 focus(s)ing *(lens)*; tuning *(radio, motor)* 3 *(houding)* attitude, mentality: *een negatieve ~* a negative attitude
instemmen agree (with, to)
instemming approval
instinct instinct
instinctief instinctive
instinctmatig instinctive: *~ handelen* act on one's instinct(s)
instinker tricky question
institutioneel institutional
instituut institution, institute
instoppen 1 put in 2 tuck in *(bed)*: *iem lekker ~* tuck s.o. in nice and warm
instorten 1 collapse; fall down *(gebouw, brug e.d.)*; cave in *(kuil, oever)*: *de zaak staat op ~* the business is at the point of collapse 2 *(mbt een zieke)* collapse, break down
instorting collapse *(gebouw)*; breakdown *(ziekte)*; caving, cave-in *(aarde, oever)*
instructeur instructor
instructie instruction; *(aanwijzing ook)* order; directive
instrueren instruct
instrument 1 instrument: *~en aflezen* read instruments (*of:* dials) 2 *((hulp)middel ook)* tool 3 *(muziekinstrument)* (musical) instrument: *een ~ bespelen* play an instrument
instrumentaal instrumental
instuderen practise, learn: *een muziekstuk ~* practise a piece of music
instuif 1 (informal) party 2 youth centre
insturen 1 send in, submit 2 *(naar binnen sturen)* steer into; sail into *(schip)*
insuline insulin
intact intact
intake register
inteelt inbreeding
integendeel on the contrary: *ik lui? ~!* me lazy? quite the contrary!
integer upright, honest
[1]**integraal** *zn (wisk)* integral
[2]**integraal** *bn, bw* integral, complete
integraalhelm regulation (crash-)helmet
integratie integration
integreren integrate
integriteit integrity
[1]**intekenen** *intr* subscribe, sign up
[2]**intekenen** *tr* register, enter
intekenlijst subscription list
intellect intellect

intellectueel intellectual
intelligent intelligent, bright
intelligent design intelligent design
intelligentie intelligence
intelligentiequotiënt intelligence quotient, IQ
intelligentietest intelligence test
intens intense: ~ *gelukkig* blissfully happy; ~ *genieten* enjoy immensely
intensief intensive
intensiteit intensity, intenseness
intensive care intensive care: *op de ~ liggen* be in intensive care
intensiveren intensify
intentie intention, purpose: *de ~ hebben om* intend to
interactie interaction
interactief interactive
intercedent intermediary
intercity intercity (train): *de ~ nemen* go by intercity (train)
intercitylijn intercity line
intercom intercom: *iets over de ~ omroepen* announce sth over (*of:* on) the intercom
interen eat into (one's capital)
interessant 1 interesting: ~ *willen zijn (doen)* show off **2** *(voordelig)* advantageous, profitable
interesse interest: *een brede ~ hebben* have wide interests
[1]**interesseren** *tr* interest: *wie het gedaan heeft interesseert me niet* I am not interested in who did it
[2]**interesseren, zich** be interested
interieur interior, inside
interim 1 interim: *de directeur ad ~* the acting manager **2** *(Belg)* temporary replacement (*of:* job)
interimbureau *(Belg)* employment agency
interland international (match); test match *(cricket)*
interlokaal trunk
intermezzo intermezzo; *(fig)* interlude
intern 1 resident: *~e patiënten* in-patients **2** *(mbt een staat, organisatie)* internal, domestic: *uitsluitend voor ~ gebruik* confidential
internaat boarding school
internationaal international
internationaliseren internationalize
internet Internet
internetbankieren e-banking, Internet banking
internettelefonie internet telephony
internetten surf the Net
internetveiling internet auction
internist internist
interpretatie interpretation, reading: *foute (verkeerde) ~* misinterpretation
interpreteren interpret
interpunctie punctuation
interruptie interruption
interval interval
interventie intervention
interview interview
interviewen interview
intiem 1 intimate **2** *(gezellig)* cosy: *een ~ gesprek* a cosy chat
intimidatie intimidation
intimideren intimidate
intimiteit 1 intimacy, familiarity **2** *(ongewenste handeling)* liberty: *ongewenste ~en* sexual harassment
intocht entry: *zijn ~ houden in* make one's entry into
intoetsen key in, enter
intolerant intolerant
intomen curb, restrain, check
intonatie intonation
intranet intranet
intrappen kick in (*of:* down)
intraveneus intravenous
intrede entry: *zijn ~ doen* set in
intreden 1 *(in een religieuze orde treden)* enter a convent (*of:* monastery) **2** *(beginnen)* set in, occur, take effect
intrek residence: *bij iem zijn ~ nemen* move in with s.o.
[1]**intrekken** *intr* **1** *(gaan inwonen (bij))* move in (with): *bij zijn vriendin ~* move in with one's girlfriend **2** *(opgenomen worden)* be absorbed, soak in: *de verf moet nog ~* the paint must soak in first
[2]**intrekken** *tr* **1** *(trekkend naar binnen brengen, terugtrekken)* draw in, draw up, retract **2** *(terugnemen, afschaffen)* withdraw; cancel *(opdracht)*; abolish *(rechten)*; drop *(aanklacht)*; repeal *(wet)*: *een verlof ~* cancel leave
intrekking withdrawal *(plan)*; abolition *(bijv. doodstraf)*; cancellation *(afspraak)*; repeal *(wet)*
intrige *(complot)* intrigue, plot
intrigeren intrigue, fascinate
intro intro
introducé guest, friend
introduceren 1 introduce; *(in vereniging)* initiate **2** *(invoeren)* introduce, phase in
introductie 1 introduction, presentation **2** *(mbt producten ook)* launch(ing)
introductieweek orientation week
introvert introverted
intuinen go for, fall for: *er* (of: *ergens*) ~ fall for it (*of:* sth)
intuïtie intuition, instinct: *op zijn ~ afgaan* act on one's intuition
intuïtief intuitive, instinctive: ~ *aanvoelen* know intuitively
intussen meanwhile, in the meantime
intypen type in, enter
inval 1 raid, invasion: *een ~ doen in* raid *(gebouw)*, invade *(land)* **2** *(ingeving, idee)* (bright) idea
invalide invalid, handicapped
invallen 1 *(binnenvallen)* raid, invade **2** *((plotseling) beginnen)* set in *(vorst, lente)*; fall *(stilte, nacht)*; close in *(nacht, winter)* **3** *(vervangen)* stand in (for), (act as a) substitute (for) **4** *(instor-*

ten, inzakken) fall down, come down, collapse: *ingevallen wangen* hollow (*of:* sunken) cheeks
invaller *(plaatsvervanger) (ook sport)* substitute; replacement
invalshoek 1 *(van licht)* angle of incidence 2 *(gezichtshoek)* approach, point of view
invasie invasion
inventaris 1 *(lijst)* inventory, list (of contents) 2 *(aanwezige goederen)* stock (in trade), inventory; *(van gebouw)* fittings; *(van huis)* furniture
inventarisatie stocktaking, making (*of:* drawing up) an inventory
inventariseren 1 (make an) inventory, take stock (of), draw up a statement of assets and liabilities 2 *(een lijst opmaken)* list
inventief inventive, ingenious
inventiviteit inventiveness, ingenuity
investeerder investor
investeren invest
investering investment
investeringsmaatschappij *(Belg)* organization for state investment in industry
invliegen: *er ~* be had, be fooled
invloed influence: *zijn ~ gebruiken* exert (*of:* use) one's influence; *rijden onder ~* drive under the influence
invloedrijk influential
[1]**invoegen** *intr (verkeer)* join the (stream of) traffic, merge
[2]**invoegen** *tr* insert (into)
invoegstrook acceleration lane
invoer 1 import; *(goederen)* imports 2 *(comp)* input
invoeren 1 import 2 *(instellen)* introduce 3 *(comp)* enter, input (to); read in(to) *(van band, schijf naar computer)*
invoerhandel import trade
invoerrecht import duty
invoerverbod import ban
invoervergunning import licence (*of:* permit)
invriezen freeze
invullen fill in
invulling interpretation
inwaaien be blown in
inweken soak
inwendig internal, inner; *(in zichzelf)* inside
[1]**inwerken** *intr* (met *op*) *((uit)werking hebben op)* act on, affect: *op elkaar ~* interact
[2]**inwerken** *tr* show the ropes, break in
inwerking action, effect
inwerktijd training period
inwerpen throw in; *(munt in automaat)* insert
inwijden 1 inaugurate, dedicate; consecrate *(kerk)* 2 *(deelgenoot maken)* initiate
inwijding 1 inauguration, dedication; consecration *(kerk)* 2 *(mbt personen)* initiation
inwijkeling *(Belg)* immigrant
inwijken *(Belg)* immigrate
inwikkelen wrap (up)
inwinnen obtain, gather
inwisselbaar exchangeable; *(cheques, waardepapieren ook)* convertible; redeemable *(coupons)*
inwisselen exchange; convert *(in goud, dollars);* cash *(cheque);* change *(valuta);* redeem *(coupons)*
inwonen live; live in *(bediende, stagiair(e)): Gerard woont nog bij zijn ouders in* Gerard still lives with his parents
inwonend resident, living in: *~e kinderen* children living at home
inwoner inhabitant, resident
inworp throwing in; *(geld in automaat)* insertion
inwrijven rub in(to): *dat zal ik hem eens ~* I'll rub his nose in it
inzaaien sow, seed
inzage inspection: *een exemplaar ter ~* an inspection copy
inzakken 1 *(invallen)* collapse; give way *(vloer, grond)* 2 *(handel)* collapse, slump
inzamelen collect; *(geld ook)* raise
inzameling collection
inzamelingsactie collection; *(geld vnl.)* (fundraising) drive
inzegenen solemnize *(huwelijk)*
inzegening solemnization *(huwelijk)*
inzenden send in, submit; contribute *(stuk in krant)*
inzending 1 *(het inzenden)* submission; contribution *(stuk in krant)* 2 *(het ingezondene)* entry, contribution; *(op tentoonstelling)* exhibit
inzepen soap; *(bij scheren)* lather
inzet 1 effort: *de spelers vochten met enorme ~* the players gave it all they'd got 2 *(spel)* stake, bet
inzetbaar usable; *(beschikbaar)* available
[1]**inzetten** *intr* set in
[2]**inzetten** *intr, tr* 1 *(spel)* stake, bet 2 start; *(met instrumenten ook)* strike up
[3]**inzetten** *tr* 1 put in; set *(edelsteen)* 2 *(beginnen te doen)* start, launch: *de aanval ~* go onto the attack; *de achtervolging ~* set off in pursuit 3 *(inroepen)* bring into action
[4]**inzetten, zich** *(zijn best doen)* do one's best: *zich voor een zaak ~* devote oneself to a cause
inzicht 1 insight, understanding: *een beter ~ krijgen in* gain an insight into 2 *(opvatting, mening)* view, opinion
inzien 1 have a look at: *stukken ~* examine documents; *een boek vluchtig ~* leaf through a book 2 *(beseffen)* see, recognize: *de noodzaak gaan ~ van* come to recognize the necessity of 3 *(houden voor)* take a … view of, consider: *ik zie het somber in* I'm pessimistic about it
inzinking breakdown: *ik had een kleine ~* it was one of my off moments
inzitten sit in: *(fig) dat zit er niet in* there's no chance of that
inzittende occupant, passenger
i.p.v. *afk van in plaats van* instead of
IQ *afk van intelligentiequotiënt* IQ

Iraaks Iraqi
Iraans Iranian
Irak Iraq
Irakees Iraqi
Iran Iran
Iraniër Iranian
iris iris
ironie irony
ironisch ironic(al)
irrationeel irrational
irreëel unreal, imaginary
irrelevant irrelevant: *dat is* ~ that's beside the point
irrigatie irrigation
irritant irritating, annoying
irritatie irritation
irriteren irritate, annoy: *het irriteert mij* it is getting on my nerves
ischias sciatica
islam Islam
islamisme Islamism
islamitisch Islamic
isolatie 1 *(mbt kou, geluid; ook materiaal)* insulation 2 *(afzondering)* isolation
isoleercel isolation cell; *(voor psychiatrische patiënten ook)* padded cell
isolement isolation
[1]**isoleren** *intr, tr* insulate (from, against)
[2]**isoleren** *tr* isolate; *(mbt zieken ook)* quarantine; *(door storm, overstroming, sneeuw ook)* cut off
Israël Israel
Israëli Israeli
Israëlisch Israeli
IT *afk van informatietechnologie* IT, information technology
Italiaan Italian
[1]**Italiaans** *zn* Italian
[2]**Italiaans** *bn* Italian
Italië Italy
IT'er IT specialist
i.t.t. *afk van in tegenstelling tot* in contrast with, as opposed to
ivbo *afk van individueel voorbereidend beroepsonderwijs* individual preparatory vocational education
ivf *afk van in-vitrofertilisatie* IVF
i.v.m. *afk van in verband met* in connection with
ivoor ivory
Ivoorkust Ivory Coast
ivoren ivory
Ivriet (modern) Hebrew

j

ja 1 yes; *(inform)* yeah; all right, OK: *ja knikken* nod (agreement); *en zo ja* and if so 2 *(mbt verwondering)* really, indeed: *o ja?* oh yes?, *(ook iron)* (oh) really? || *o ja, nu ik je toch spreek …* oh, yes, by the way …
jaap cut, gash, slash
jaar year: *een half ~* half a year; *het hele ~ door* throughout the year; *~ in, ~ uit* year after year; *in de laatste paar ~, de laatste jaren* in the last few years, in recent years; *om de twee ~* every other year; *over vijf ~* five years from now; *per ~* yearly, a year; *een kind van zes ~* a six-year-old (child); *uit het ~ nul* from the year dot; *vorige week dinsdag is ze twaalf ~ geworden* she was twelve last Tuesday
jaarbalans annual balance sheet
jaarbeurs 1 (annual) fair, trade fair 2 *(gebouw)* exhibition centre
jaarboek yearbook, annual
jaarcijfers annual returns
jaargang volume, year (of publication)
jaargenoot *(op school)* classmate
jaargetijde season
jaarinkomen annual income
jaarkaart *(trein e.d.)* annual season ticket
jaarlijks annual, yearly: *dit feest wordt ~ gevierd* this celebration takes place every year
jaarmarkt (annual) fair
jaarring annual ring, growth *(of:* tree) ring
jaartal year, date
jaartelling era: *de christelijke ~* the Christian era
jaarvergadering annual meeting
jaarwisseling turn of the year: *goede (prettige) ~!* Happy New Year!
JAC *afk van Jongerenadviescentrum* young people's advisory centre
[1]**jacht** *zn* 1 hunting; *(op klein wild)* shooting: *op ~ gaan: a)* go (out) hunting, go (out) shooting *(klein wild); b) (van roofdier)* go hunting, prowl 2 *(jachtpartij)* hunt; *(op klein wild)* shoot 3 *(achtervolging)* hunt, chase: *~ maken op oorlogsmisdadigers* hunt down war criminals
[2]**jacht** *zn* yacht
jachten *(zich haasten)* hurry, rush
jachtgebied hunt(ing ground); *(voor klein wild)* shoot(ing); *(voor klein wild)* shooting ground
jachthaven yacht basin; *(aan zee ook)* marina
jachthond hound
jachtig hurried, hectic
jachtluipaard cheetah
jachtopziener game-warden
jachtseizoen hunting season, shooting season
jack jacket, coat
jacquet morning coat
jade jade
[1]**jagen** *intr* hunt; *(met geweer)* shoot: *op patrijs ~* hunt partridge
[2]**jagen** *tr* 1 hunt, hunt for; *(mbt klein wild)* shoot 2 *(drijven)* drive; *(in uitdrukkingen)* put; *(snel)* race; *(snel)* rush: *prijzen omhoog* (of: *omlaag*) *~* drive prices up *(of:* down)
jager hunter
jaguar jaguar
jakhals jackal
jakkeren ride hard, rush along
jakkes *(inform)* ugh!, bah!, pooh!
Jakob James, Jacob: *de ware ~* Mr Right
jaloers jealous (of), envious (of)
jaloezie 1 envy; *(mbt liefde ook)* jealousy 2 *(zonnescherm)* (Venetian) blind
jam jam
Jamaica Jamaica
Jamaicaan Jamaican
jammen gig, jam
jammer a pity, a shame, too bad, bad luck: *het is ~ dat …: a)* it's a pity (*of:* shame) that …; *b) (inform)* too bad that …; *wat ~!* what a pity! (*of:* shame!); *het is erg ~ voor hem* it's very hard on him; *~, hij is net weg* (a) pity (*of:* bad luck), he has just left
jammeren moan
jammerlijk pitiful, miserable: *~ mislukken* fail miserably
jampot jam jar
Jan John: *~ Rap en zijn maat* ragtag and bobtail; *~ en alleman* every Tom, Dick and Harry; *~ met de pet* the (ordinary) man in the street
janboel shambles, mess
janet *(Belg)* homo, poof(ter), pansy
janken whine, howl; *(inform)* blubber
Jan Klaassen Punch: *~ en Katrijn* Punch and Judy
januari January
jap Jap
Japan Japan
Japanner Japanese
[1]**Japans** *zn* Japanese
[2]**Japans** *bn* Japanese
japon dress; *(lange (avond)japon)* gown
jappenkamp Japanese (POW) camp
[1]**jarenlang** *bn* many years': *een ~e vriendschap* a friendship of many years' (standing)
[2]**jarenlang** *bw* for years and years
jargon jargon: *ambtelijk ~* officialese
jarig: *de ~e Job* (of: *Jet*) the birthday boy (*of:* girl);

ik ben vandaag ~ it's my birthday today
jarige person celebrating his *(of:* her) birthday, birthday boy *(of:* girl)
jarretelle suspender; *(Am)* garter
jas 1 coat **2** *(colbertjasje)* jacket || *in een nieuw ~je steken* give (*of:* get) a facelift
jasje 1 (short, little) coat **2** *(colbertjas)* jacket
jasmijn jasmine
jasses *(inform)* ugh!
jat paw
jatten pinch, nick
Java Java
Javaan Javan(ese)
jawel (oh) yes; *(beleefd)* certainly: *~ meneer* certainly sir
jawoord consent; *(ongev)* 'I will' *(tijdens huwelijksceremonie)*
jazeker yes, certainly, indeed
jazz jazz
[1]**je** *pers vnw (jij, jou, jullie)* you: *jullie zouden je moeten schamen* you ought to be ashamed of yourselves
[2]**je** *bez vnw (jouw)* your: *één van je vrienden* a friend of yours
[3]**je** *onbep vnw (men)* you: *zoiets doe je niet* you don't do things like that
jeans jeans
jee (oh) Lord!, dear me!
jeep jeep
jegens towards: *diep wantrouwen koesteren ~ iem* have a deep distrust of s.o.
jekker pea-jacket, reefer
Jemen (the) Yemen
Jemenitisch Yemenite
jenever Dutch gin, jenever
jeneverbes juniper berry
jengelen 1 whine, moan **2** *(eentonig klinken)* drone: *~ op een gitaar* twang (away) on a guitar
jennen badger, pester
jerrycan jerrycan
Jeruzalem Jerusalem
jetski jet-ski
jeu de boules boule
jeugd 1 youth **2** *(personen ook)* young people: *de ~ van tegenwoordig* young people nowadays
jeugdbende gang of youths
jeugdbescherming *(Belg) (kinderbescherming)* child welfare
jeugdherberg youth hostel
jeugdherinnering reminiscence of childhood, childhood memory
jeugdig youthful, young(ish): *een programma voor ~e kijkers* a programme for younger viewers
jeugdjournaal news broadcast for young people
jeugdliefde youthful love, adolescent love, calf-love; *(persoon)* old flame: *zij is een van zijn ~s* she's one of his old loves
jeugdpuistjes acne, spots, pimples
jeugdrechter *(Belg) (kinderrechter)* juvenile court magistrate
jeugdwerk *(vormingswerk en cultureel werk)* youth work
jeuk itch(ing): *ik heb overal ~* I'm itching all over
jeuken itch: *mijn handen ~ om hem een pak slaag te geven* I'm (just) itching to give him a good thrashing
jeukerig itchy
je-weet-wel *(mbt personen)* what's-his-name; *(mbt zaken)* you know …
jezelf yourself: *kijk naar ~* look at yourself
jezuïet Jesuit
Jezus Jesus
jicht gout
[1]**Jiddisch** *zn* Yiddish
[2]**Jiddisch** *bn* Yiddish
jihad jihad, jehad
jij you: *zeg, ~ daar!* hey, you!; *~ hier?* goodness, are you here?
jippie yippee
jiujitsu ju-jitsu
job job
Job Job: *zo arm als ~* as poor as a church mouse
jobdienst *(Belg)* (student) employment agency
jobstijding bad tidings *(mv);* bad news
jobstudent *(Belg)* student with part-time job
joch lad
jochie (little) lad
jockey jockey
jodelen yodel
jodendom *(godsdienst)* Judaism
Jodendom *(volk)* Jews, Jewry
Jodin Jewess
jodium iodine
Joegoslaaf Yugoslav(ian)
Joegoslavië Yugoslavia
Joegoslavisch Yugoslav(ian)
joekel whopper: *wat een ~ van een huis!* what a whacking great house!
joelen whoop, roar: *een ~de menigte* a roaring crowd
joetje tenner
jofel great
joggen jog
joggingpak tracksuit
joh you: *hé ~, kijk een beetje uit* hey (you), watch out; *kop op, ~* (come on) cheer up, (old boy, girl)
Johannes John: *~ de Doper* John the Baptist
joint joint, stick
jojo yo-yo
joker joker
jokkebrok (little) fibber
jokken fib, tell a fib
jolig jolly
Jonas Jonah
jonassen toss in the air *(of:* in a blanket)
[1]**jong** *zn* **1** young (one); *(hond)* pup(py) **2** *(kind)* kid, child
[2]**jong** *bn* **1** young: *op ~e leeftijd* at an early age; *~ en oud* young and old **2** recent, late: *de ~ste berichten*

the latest news 3 *(nieuw, vers)* young, new, immature: *~e kaas* unmatured (*of:* green) cheese
jongedame young lady
jongeheer young gentleman
jongelui youngsters, young people
[1]**jongen** *zn* 1 boy, youth, lad: *is het een ~ of een meisje?* is it a boy or a girl? 2 *(volwassene)* boy, lad, guy: *onze ~s hebben zich dapper geweerd* our boys put up a brave defence 3 *(mv)* kids; *(jongens, mannen)* lads; chaps; *(alg)* folks; guys: *gaan jullie mee, ~s?* are you coming, you lot?
[2]**jongen** *intr* give birth, drop (their) young, bear young; litter *(mbt hond, kat, vos enz.): onze kat heeft vandaag gejongd* our cat has had kittens today
jongensachtig boyish: *zich ~ gedragen* behave like a boy
jongere young person, youngster
jongerencentrum *(ongev)* youth centre
jongerenpaspoort: *cultureel ~ (ongev)* youth discount card for cultural events
jongerenwerk youth work
jongleren juggle
jongleur juggler, acrobat
jongstleden last: *de 14e ~* the 14th of this month
jonkheer esquire
jonkvrouw *(ongev)* Lady
jood *(godsdienst)* Jew
Jood *(volk)* Jew
joods *(godsdienst)* Jewish, Judaic
Joods *(volk)* Jewish, Judaic
jopper pea-jacket, reefer
Jordaan (the river) Jordan
Jordanië Jordan
Jordaniër Jordanian
jota iota
jou you: *~ moet ik hebben* you're just the person I need; *is dit boek van ~?* is this book yours?
journaal news, newscast: *het ~ van 8 uur* the 8 o'clock news
journalist journalist
journalistiek journalism
jouw your: *is dat ~ werk?* is that your work?; *dat potlood is het ~e* that pencil is yours
joviaal jovial
joystick joystick
jr. *afk van junior* Jr.
jubelen shout with joy, be jubilant
jubileren celebrate one's jubilee (*of:* anniversary)
jubileum anniversary; *(ook persoon)* jubilee: *gouden ~* golden jubilee, 50th anniversary
judo judo
juf teacher; *(aanspreekvorm)* Miss
juffershondje lapdog
juffrouw madam
juichen shout with joy, be jubilant: *de menigte juichte toen het doelpunt werd gemaakt* the crowd cheered when the goal was scored
[1]**juist** *bn, bw* 1 right, correct: *de ~e tijd* the right (*of:* correct) time; *is dit de ~e spelling?* is this the right spelling? 2 *(geschikt)* right, proper: *precies op het ~e ogenblik* just at the right moment
[2]**juist** *bw* 1 just, exactly, of all times *(of:* places, people); no, on the contrary: *ze bedoelde ~ het tegendeel* she meant just the opposite; *gelukkig? ik ben ~ diepbedroefd!* happy? no (*of:* on the contrary), I'm terribly sad!; *daarom ~* that's exactly why; *~ op dat ogenblik kwam zij binnen* just at that very moment (*of:* right at that moment) she came in 2 *(zo-even)* just
juistheid correctness, accuracy; *(waarheid)* truth; *(toepasselijkheid)* appropriateness
juk yoke
jukbeen cheekbone
juli July
[1]**jullie** *pers vnw* you: *~ hebben gelijk* you're right
[2]**jullie** *bez vnw* your: *is die auto van ~?* is that car yours?
jungle jungle
juni June
junior junior
junk 1 junkie, junky 2 *(heroïne)* junk, smack
junta junta
jureren adjudicate
jurering adjudication
juridisch legal, law
jurisdictie jurisdiction; *(rechtsmacht ook)* competence
jurisprudentie jurisprudence
jurist jurist, lawyer
jurk dress: *een blote ~* a revealing dress
jury jury
jurylid 1 member of the jury 2 *(sport, tentoonstellingen e.d.)* (panel of) judges
juryrechtspraak trial by jury
jus gravy
jus d'orange orange juice
justitie 1 justice: *minister van ~* Minister of Justice; *officier van ~* public prosecutor 2 *(rechterlijke macht)* judiciary; *(inform)* the law; *(inform)* the police: *met ~ in aanraking komen* come into conflict with the law
justitiepaleis *(Belg) (paleis van justitie)* Palace of Justice
[1]**jute** *zn* jute
[2]**jute** *bn* jute
juten jute, burlap
Jutland Jutland
jutten search beaches
jutter beachcomber
juweel 1 jewel, gem 2 *(mv)* jewellery
juwelier jeweller

jo

k

K *afk van 1024 bytes, kilobyte* K: *een bestand van 2506 K* a 2506K file
kaaiman cayman
kaak jaw
kaakchirurg oral surgeon, dental surgeon
kaakje biscuit
kaal 1 bald: *zo ~ als een biljartbal zijn* be (as) bald as a coot **2** *(afgesleten)* (thread)bare: *een kale plek* a (thread)bare spot; *de kale huur* the basic rent **3** *(ontbladerd)* bare: *de bomen worden ~* the trees are losing their leaves
kaalgeknipt close-cropped
kaalheid baldness
kaalslag deforestation
kaap cape: *~ de Goede Hoop* Cape of Good Hope
Kaapstad Cape Town
Kaapverdische Eilanden Cape Verde Islands
kaars candle
kaarslicht candlelight
kaarsrecht dead straight; *(rechtop)* bolt upright
kaarsvet candle-grease
kaart 1 card: *de gele (of: rode) ~ krijgen* be shown the yellow (*of:* red) card **2** *(spijskaart)* menu **3** *(speelkaarten)* cards, hand: *een spel ~en* a pack of cards **4** *(toegangskaart)* ticket **5** *(aardr)* map; *(zee, weer)* chart || *dat is geen haalbare ~* it's not a viable proposition; *open ~ spelen* put all one's cards on the table
kaarten play cards
kaartenbak card-index box (*of:* drawer)
kaarting *(Belg) (kaartwedstrijd)* drive, bridge drive, whist drive
kaartje 1 *(visitekaartje)* (business) card **2** *(toegangskaartje)* ticket
kaartlezen read maps
kaartspel card playing, card game; *(inform)* cards: *geld verliezen bij het ~* lose money at cards
kaartsysteem card index
kaas cheese: *belegen ~* matured cheese; *jonge ~* new cheese
kaasboer cheesemonger
kaasschaaf cheese slicer
kaatsen bounce
kabaal racket, din
kabbelen lap; *(ook fig)* ripple; babble, murmur
kabel 1 cable **2** *(elektr)* wire; *(dikker)* cable
kabelaansluiting connection to cable TV
kabelbaan funicular (railway), cable-lift
kabeljauw cod(fish)
kabelkrant cable TV information service
kabelnet cable television network: *aangesloten zijn op het ~* receive cable television
kabinet cabinet, government: *het ~ Kok* the Kok cabinet (*of:* government)
kabouter 1 gnome, pixie; *(mv ook)* little people: *dat hebben de ~tjes gedaan* it must have been the fairies (*of:* the little people) **2** *(vrouwelijke padvinder)* Brownie
kachel stove; *(elektrisch, gas)* heater; fire; *(haard)* fire
kadaster 1 *(ongev)* land register **2** *(instantie) (ongev)* land registry
kadaver (dead) body; *(lijk)* corpse
kade quay, wharf: *het schip ligt aan de ~* the ship lies by the quay(side)
kader 1 frame(work): *in het ~ van* within the framework (*of:* scope) of, as part of **2** *(staf)* executives
kadetje (bread) roll
kaf chaff
kaffer boor, lout
Kaffer Kaffir
kaft 1 cover **2** *(beschermend papier)* jacket
kaftan kaftan
kaftpapier wrapping paper, brown paper
KAJ *(Belg) afk van Kristelijke Arbeidersjeugd* (Organization of) Christian workers' children
kajak kayak
kajotter *(Belg)* member of KAJ
kajuit saloon
kak 1 shit, crap **2** *(verwaande mensen)* la-di-da people, snooty people, snobs || *kale (kouwe) ~* swank, la-di-da behaviour
kakelen cackle; *(fig ook)* chatter
kakelvers farm-fresh
kaketoe cockatoo
kaki khaki
kakken crap, shit
kakkerlak cockroach
kalebas gourd, calabash
kalender calendar
kalf calf: *de put dempen als het ~ verdronken is* lock the stable door after the horse has bolted
kalfsgehakt minced veal
kalfsleer calf, calfskin
kalfsvlees veal
kaliber calibre, bore
kalium potassium, potash
kalk 1 lime; *(ongeblust)* (quick)lime; *(geblust)* slaked lime **2** *(metselspecie)* (lime) mortar **3** *(om mee te pleisteren)* plaster; *(om mee te witten)* whitewash
kalkaanslag scale, fur
kalken 1 *(slordig, snel schrijven)* scribble **2** *((op)schriften) op muren aanbrengen)* chalk

kalkgebrek *(med)* calcium deficiency
kalknagel fungal nail
kalkoen turkey
kalligraferen write in calligraphy *(of:* fine handwriting)
kalligrafie calligraphy, penmanship
kalm 1 calm, cool, composed 2 *(niet gejaagd ook)* peaceful, quiet: ~ *aan! (tempo)* take it easy!, easy does it!
kalmeren calm down, soothe, tranquillize: *een ~d effect* a calming (*of:* soothing, tranquillizing) effect
kalmeringsmiddel sedative, tranquillizer
kalmpjes calmly
kalmte 1 calm(ness), composure: *zijn ~ bewaren* keep one's head/composure (*of:* self-control, cool) 2 *(staat van rust)* calm(ness), tranquillity, quietness
kalven calve
kalverliefde calf love
kam comb
kameel camel
kameleon chameleon
kamer 1 room, chamber 2 *(in hotel e.d.)* room, apartment: *~s verhuren* take in lodgers; *~ met ontbijt* Bed and Breakfast, B & B; *Renske woont op ~s* Renske is (*of:* lives) in lodgings; *op ~s gaan wonen* move into lodgings 3 *(instantie)* chamber, house: *(Belg) Kamer van Volksvertegenwoordigers* Lower House (of Parliament); *de Eerste Kamer: a)* the Upper Chamber (*of:* Upper House); *b)* the (House of) Lords, the Upper House; *c) (Am)* the Senate; *de Tweede Kamer: a)* the Lower Chamber (*of:* Lower House); *b)* the (House of) Commons; *c) (Am)* the House (of Representatives) 4 *(vereniging)* chamber, board: *de Kamer van Koophandel en Fabrieken* the Chamber of Commerce
kameraad comrade, companion, mate, pal, buddy
kameraadschap companionship, (good-)fellowship, camaraderie
kamerbewoner lodger
kamerbreed wall-to-wall
kamergenoot room-mate
kamerjas dressing gown
kamerlid Member of Parliament, MP
kamermeisje chambermaid
Kameroen Cameroon
kamerplant house plant, indoor plant
kamerverkiezing parliamentary elections; *(Am)* congressional elections
kamervoorzitter chairman (*of:* president) of the House (of Parliament); *(in Engeland; ongev)* Speaker *(vnl. van 2e Kamer, House of Commons);* Lord Chancellor *(1e Kamer, House of Lords)*
kamerzetel seat
kamfer camphor
kamikaze kamikaze, suicide pilot
kamille camomile
kammen comb
kamp camp
kampeerboerderij farm campsite
kampeerder camper
kampeerterrein camp(ing) site; *(voor caravans)* caravan park (*of:* site)
kampeerwagen 1 caravan 2 camper
kampen contend (with), struggle (with), wrestle (with): *met tegenslag te ~ hebben* have to cope with setbacks
kamper mobile home resident
kamperen camp (out), encamp, pitch (one's) tents, bivouac: *vrij* (of: *bij de boer*) ~ camp wild (*of:* on a farm)
kamperfoelie honeysuckle
kampioen champion, titleholder
kampioenschap championship, contest, competition, tournament
kampvuur campfire
kan jug: *de zaak is in ~nen en kruiken* it's in the bag
kanaal 1 canal, channel: *Het Kanaal* the (English) Channel 2 *(pijp)* canal, duct
Kanaaleilanden Channel Islands (*of:* Isles)
Kanaaltunnel Channel Tunnel, Chunnel
kanaliseren *(fig)* channel
kanarie canary (bird)
kandelaar candlestick, candleholder
kandidaat 1 candidate; *(sollicitant)* applicant: *zich ~ stellen (voor)* run (for) 2 *(iem die zich voor een examen aanmeldt)* candidate, examinee
kandidaatsexamen *(ongev)* first university examination (*of:* degree), bachelors degree
kandidatuur candidature, nomination
kandij candy
kaneel cinnamon
kangoeroe kangaroo
kanjer 1 wizard, humdinger, whizz kid; *(sport)* star (player) 2 *(iets groots)* whopper, colossus: *een ~ van een vis* (of: *appel*) a whopping fish (*of:* apple)
kanker cancer; *(med)* carcinoma: *aan ~ doodgaan* die of cancer
kankerbestrijding fight against cancer, cancer control; *(campagne)* (anti-)cancer campaign
kankeren grouse, grumble, gripe: *~ op de maatschappij* grouse about society
kankerspecialist cancer specialist, oncologist
kankerverwekkend carcinogenic
kannibaal cannibal, man-eater
kannibalisme cannibalism
kano canoe
kanon 1 gun, cannon 2 *(persoon, kopstuk)* big shot, big name
kanonschot gunshot, cannonshot
kans 1 chance, possibility, opportunity; *(op iets onaangenaams)* liability; *(op iets onaangenaams)* risk: *vijftig procent ~* equal chances, even odds; *(een) grote ~ dat …* a good chance that …; *hij*

heeft een goede (of: *veel*) ~ *te winnen* he stands (*of:* has) a good chance of winning; *de ~en keren* the tide (*of:* his luck) is turning; *geen ~ maken op* stand no chance of (sth, doing sth); *ik zie er wel ~ toe* I think I can manage it; *~ zien te ontkomen* manage to escape; *de ~ is honderd tegen één* the odds (*of:* chances) are a hundred to one 2 *(gunstige gelegenheid)* opportunity, chance, break, opening: *zijn ~en grijpen* seize the opportunity; *zijn ~ afwachten* await one's chances; *een gemiste ~* a lost (*of:* missed) opportunity; *geen schijn van ~* not a chance in the world

kansarm underprivileged, deprived

kansel pulpit

kanselier chancellor

kansloos prospectless: *hij was ~ tegen hem* he didn't stand a chance against him

kansrijk likely *(kandidaat);* strong

kansspel game of chance

kant 1 *(rand, zijkant)* edge, side; *(kantlijn)* margin: *aan de ~!* out of the way!; *aan de ~ gaan staan* stand (*of:* step) aside; *zijn auto aan de ~ zetten* pull up (*of:* over) 2 *(weefsel)* lace 3 *(oever)* bank, edge: *op de ~ klimmen* climb ashore 4 *(grensvlak van een lichaam)* side, face, surface; *(fig)* aspect; *(fig)* facet; *(fig)* angle; *(fig)* view: *zich van zijn goede ~ laten zien* show one's good side; *iemands sterke* (of: *zwakke*) *~en* s.o.'s strong (*of:* weak) points; *deze ~ boven* this side up 5 *(smal zijvlak)* side, end, edge: *iets op zijn ~ zetten* put sth on its side; *de scherpe ~en van iets afnemen* tone sth down (a bit); *scherpe ~* (cutting) edge 6 *(richting)* way, direction: *zij kan nog alle ~en op* she has kept her options open; *deze ~ op, alstublieft* this way, please; *van alle ~en* on all sides; *geen ~ meer op kunnen* have nowhere (left) to go 7 *(partij, zijde)* side, part(y): *familie van vaders* (of: *moeders*) *~* relatives on one's father's (*of:* mother's) side; *ik sta aan jouw ~* I'm on your side || *iem van ~ maken* do s.o. in

[1]**kantelen** *intr (omvallen)* topple over, turn over

[2]**kantelen** *tr* tilt, tip (over, to one side), turn over: *niet ~!* this side up!

kanten (of) lace, lacy

kant-en-klaar ready-to-use, ready for use, ready-made; instant *(voedsel);* ready-to-wear; off the peg *(kleding): geen kant-en-klare oplossing hebben* have no cut-and-dried solution

kant-en-klaarmaaltijd ready meal

kantine canteen

kantje 1 edge, verge: *dat was op het ~ af* that was a near thing (*of:* close shave) 2 *(bladzijde)* page, side: *een opstel van drie ~s* a three-page essay || *er de ~s aflopen* cut corners

kantlijn margin

kanton canton, district

kantongerecht cantonal court; *(Engeland; ongev)* magistrates' court; *(Am; ongev)* municipal (*of:* police, Justice) of the Peace court

kantonrechter cantonal judge, magistrate, JP; *(Am)* Justice of the Peace

kantoor office: *na ~ een borrel pakken* have a drink after office hours; *naar ~ gaan* go to the office; *hij is op zijn ~* he is in his office; *overdag ben ik op (mijn) ~* I am at the office in the daytime; *op ~ werken* work in an office

kantoorbaan office job, clerical job

kantoorboekhandel (office) stationer's (shop)

kantoorgebouw office block *(of:* building)

kantoorpersoneel office staff *(of:* employees, workers)

kantooruren office hours, working hours; *(voor publiek ook)* business hours: *tijdens (de) ~* during business hours (*of:* office hours)

kanttekening (short, marginal) comment

kap 1 *(capuchon)* hood 2 *(voor vrouwen)* cap 3 *(bedekking)* hood *(auto, kinderwagen); (motorkap van auto)* bonnet; *(Am)* hood: *het ~je van het brood* the end slice, the crust; *twee (huizen) onder één ~* two semi-detached houses, *(mbt één huis)* a semi-detached house || *(Belg) op iemands ~ zitten* pester s.o.

kapbal cut shot, sliced shot

kapel 1 chapel 2 *(dakvenster)* dormer (window) 3 *(muziekgezelschap)* band

kapelaan curate, assistant priest

kapen hijack

kaper hijacker: *er zijn ~s op de kust* we've got plenty of competitors (*of:* rivals)

kaping hijack(ing)

kapitaal 1 fortune: *een ~ aan boeken* a (small) fortune in books 2 *(vermogen)* capital

kapitaalgoederen capital goods, investment goods

kapitaalkrachtig wealthy, substantial

kapitalisme capitalism

kapitalist capitalist

kapitein captain; skipper *(van klein schip)*

kaplaars top boot, jackboot

kapmes chopping-knife; *(slagersmes)* cleaver; machete

kapok kapok

kapot 1 broken, in bits: *die jas is ~* that coat is torn 2 *(niet meer werkend)* broken; broken down *(auto): de koffieautomaat is ~* the coffee machine is out of order 3 *(doodmoe)* dead beat, worn out: *zich ~ werken* work one's fingers to the bone; *hij is niet ~ te krijgen* he's a tough one (*of:* cookie) 4 *(ontzet)* cut up, broken-hearted: *ergens ~ van zijn* be (all) cut up about sth

kapotgaan 1 break, fall apart; break down *(auto, machine)* 2 *(doodgaan)* pop off, kick the bucket

kapotje rubber, French letter

kapotmaken break (up), destroy, wreck, ruin

kapotslaan smash, break (up)

kapotvallen fall to pieces, fall and break, smash

[1]**kappen** *intr* chop, cut || *ik kap er mee* I'm knocking off

[2]**kappen** *tr* 1 cut down, chop down, fell 2 *(mbt het haar)* do one's *(of:* s.o.'s) hair: *zich laten ~* have one's hair done 3 *(uithakken)* cut, hew
kapper hairdresser, hairstylist; *(heren)* barber
kapsalon hairdresser's; *(voor heren ook)* barber's shop
kapseizen capsize, keel over
kapsel 1 hairstyle, haircut 2 *(het gekapte haar)* hairdo
kapsones: *~ hebben* be full of oneself
kapstok *(staand)* hallstand; hatstand; *(aan de muur)* hat rack; coat hooks
kapucijner *(ongev)* marrowfat (pea)
kar 1 cart, barrow: *(fig) de ~ trekken* do the dirty work 2 *(auto)* car
karaat carat
karabijn carbine
karaf carafe, decanter
karakter 1 character, nature: *iem met een sterk ~* s.o. with (great) strength of character 2 *(krachtige persoonlijkheid)* character, personality, spirit: *~ tonen* show character *(of:* spirit); *zonder ~* without character, spineless 3 *(teken)* character, symbol
karaktereigenschap character trait
karakteriseren characterize
karakteristiek characteristic (of), typical (of)
karaktertrek characteristic, feature, trait
karamel caramel, toffee
karaoke karaoke
karate karate
karavaan caravan, train
karbonade chop, cutlet
kardinaal cardinal
Karel Charles: *~ de Grote* Charlemagne
kariboe caribou
karig 1 sparing, mean, frugal 2 *(schraal)* meagre, scant(y), frugal: *een ~ maal* a frugal meal
karikatuur caricature
karkas carcass
karma karma
karnemelk buttermilk
karper carp
karpet rug
karrenspoor cart track
karrenvracht cartload
karretje (little) cart, car; trap *(rijtuigje)*; *(in supermarkt)* trolley; soapbox *(van kinderen)*
kartel cartel, trust
kartelen serrate, notch; *(munten ook)* mill
karten (go-)kart
karton 1 cardboard 2 *(doos)* carton, cardboard box
kartonnen cardboard: *een ~ bekertje* a paper cup
karwats (riding) crop, (riding) whip
karwei 1 job, work: *de loodgieter is op ~* the plumber is (out) on a job 2 *(tijdelijk werk, klusje ook)* odd job, chore 3 *(zwaar, veelomvattend werk)* job, task, chore
kas 1 greenhouse, hothouse 2 *(kassa)* cashdesk, cashier's office 3 *(contanten)* cash, fund(s): *de kleine ~* petty cash; *de ~ beheren* (of: *houden*) manage *(of:* keep) the cash; *krap (slecht) bij ~ zitten* be short of cash *(of:* money) 4 *(holte waarin iets gevat is)* socket
kasboek cash book, account(s) book
kasbon *(Belg)* (type of) savings certificate
kasjmier cashmere
Kaspische Zee Caspian Sea
kasplant hothouse plant
kassa 1 cash register, till 2 *(plaats waar men betaalt)* cash desk; checkout *(supermarkt)*; box office, booking office *(schouwburg, bioscoop)*
kassabon receipt, sales slip, docket
kassaldo cash balance
kassei cobble(stone), paving stone, sett
kassier cashier; *(bank ook)* teller
kasstelsel *(boekhouden)* accounts system *(of:* method), accounting
kassucces box-office success, box-office hit
kast 1 cupboard; wardrobe *(kleren)*; chest of drawers *(ladekast)*; cabinet *(voor sierspulletjes)*: *iem op de ~ jagen (krijgen)* get a rise out of s.o.; *alles uit de ~ halen* pull out all the stops 2 *(groot gebouw)* barracks; barn *(huis)*: *een ~ van een huis* a barn of a house
kastanje *(tamme kastanje)* (Spanish, sweet) chestnut
[1]**kastanjebruin** *zn* chestnut, auburn
[2]**kastanjebruin** *bn* chestnut, auburn
kaste caste
kasteel castle
kastelein innkeeper, publican, landlord
kastenstelsel caste system
kasticket *(Belg)* *(kassabon)* receipt
kastijden chastise, castigate, punish
kastje 1 cupboard, locker: *van het ~ naar de muur gestuurd worden* be sent *(of:* driven) from pillar to post 2 *(televisietoestel)* box
kat 1 cat: *leven als ~ en hond* be like cat and dog; *de Gelaarsde Kat* Puss-in-Boots 2 *(snauw)* snarl: *iem een ~ geven* snarl *(of:* snap) at s.o. || *(Belg) geen ~* not a soul
katachtig catlike
katalysator (catalytic) converter *(van auto)*
katapult catapult
kater 1 tomcat 2 *(na alcoholgebruik)* hangover 3 *(grote teleurstelling)* disillusionment
katern quire, gathering
katheder lectern
kathedraal cathedral
katheter catheter: *een ~ inbrengen bij* catheterize
katholicisme (Roman) Catholicism
katholiek (Roman) Catholic
katje 1 kitten 2 *(plantk)* catkin
katoen cotton
katoenen cotton
katoenplantage cotton plantation

katrol 1 *(hengelsport)* (fishing) reel 2 *(hijsblok)* pulley
kattebelletje *(briefje)* (scribbled) note, memo
katten snap (at), snarl (at)
kattenbak 1 cat('s) box 2 *(van personenauto)* dicky seat; *(Am)* rumble seat
kattenbakkorrels cat litter
kattenkop 1 cat's head 2 *(kattige vrouw)* cat, bitch
kattenkwaad mischief: ~ *uithalen* get into mischief
kattenluik cat flap
kattenoog *(oog (als) ve kat)* cat's eye, cat eye
kattenpis: *dat is geen* ~ no kidding, *(veel geld)* that's not to be sneezed at
kattig catty
kattin *(Belg)* tabby cat
katvis 1 *(karpervis)* catfish 2 *(klein visje) (ongev)* tiddler; *(mv ook)* fry
kauw jackdaw
kauwen chew
kauwgom chewing gum
kavel lot, parcel; share *(nalatenschap)*
kavelen parcel (out), divide; apportion *(nalatenschap)*
kaviaar caviar
Kazach Kazakh
Kazachstan Kazakhstan
kazerne barrack(s) *(mil);* station *(brandweer, marechaussee)*
kazuifel chasuble
KB *afk van kilobyte* K, KB
KBVB *(Belg) afk van Koninklijke Belgische Voetbalbond* Royal Belgian Football Association
kebab kebab
keel throat: *het hangt me (mijlenver) de* ~ *uit* I'm fed up with it; *zijn* ~ *schrapen* clear one's throat
keelarts throat specialist, laryngologist: *keel-, neus- en oorarts* ear, nose and throat (*of:* ENT) specialist
keelgat gullet: *in het verkeerde* ~ *schieten: a)* go down the wrong way; *b) (fig)* not go down very well (with s.o.)
keelontsteking throat infection, laryngitis
keelpijn sore throat
keeper (goal)keeper; *(inform)* goalie
keer time: *een doodenkele* ~ once in a blue moon; *een enkele* ~ once or twice; *geen enkele* ~ not once; *(op) een andere* ~ another time; *nou vooruit, voor deze* ~ *dan!* all right then, but just this once!; *nog een* ~*(tje)* (once) again, once more; *(op) een* ~ one day; *één enkele* ~, *slechts één* ~ only once; *negen van de tien* ~ nine times out of ten; *dat heb ik nu al tien* (of: *honderd*) ~ *gehoord* I've already heard that dozens of times (*of:* a hundred times); *twee* ~ twice; *twee* ~ *twee is vier* twice two is four
keerkring tropic
keerpunt turning point
keerzijde other side; *(munt, medaille ook)* reverse
keet 1 hut, shed 2 *(herrie)* racket: ~ *trappen* (of: *schoppen*) horse about (around)
keffen yap
keffertje yapper
kegel 1 cone 2 *(kegelspel)* ninepin; skittle
kegelen play skittles *(of:* ninepins)
kei 1 boulder 2 *(straatsteen)* cobble(stone) *(rond);* set(t) *(bebouwen)* || *Eric is een* ~ *in wiskunde* Eric is brilliant at maths
keihard 1 rock-hard, hard; as hard as rock *(na ww)* 2 hard, tough || ~ *schreeuwen* shout at the top of one's voice; *de radio stond* ~ *aan* the radio was on full blast (*of:* was blaring away)
keizer emperor
keizerin empress
keizerrijk empire
keizersnede Caesarean (section)
kelder cellar, basement
kelderen plummet, tumble
kelk 1 goblet 2 *(bloem(kroon))* calyx
kelner waiter
Kelten Celts
[1]**Keltisch** *zn* Celtic
[2]**Keltisch** *bn* Celtic
kenbaar known
kengetal dialling code; *(Am)* area code; prefix
Kenia Kenya
Keniaan Kenyan
kenmerk (identifying) mark; *(waarborgstempel)* hallmark *(ook fig); (in brief)* reference *(als afk: ref)*
kenmerken characterize, mark, typify
kenmerkend *(met voor)* characteristic (of), typical (of); *(specifiek)* specific (to): ~*e eigenschappen* distinctive characteristics
kennel kennel
[1]**kennelijk** *bn* evident, apparent; *(duidelijk)* clear; *(duidelijk)* obvious; *(onmiskenbaar)* unmistakable
[2]**kennelijk** *bw* evidently, clearly, obviously: *het is* ~ *zonder opzet gedaan* it was obviously done unintentionally
kennen know, be acquainted with: *iem leren* ~ get to know s.o.; *elkaar (beter) leren* ~ get (better) acquainted; *ken je deze al?* have you heard this one?; *ik ken haar al jaren* I've known her for years; *sinds ik jou ken …* since I met you …; *iem van naam* ~ know s.o. by name; *iem door en door* ~ know s.o. inside out; *iets van buiten* ~, *iets uit zijn hoofd* ~ know sth by heart
kenner 1 connoisseur 2 *(expert)* authority (on), expert (on)
kennis 1 knowledge (of); *(mbt mensen)* acquaintance (with): *met* ~ *van zaken* knowledgeably; ~ *is macht* knowledge is power 2 *(besef, bewustzijn)* consciousness: *zij is weer bij* ~ *gekomen* she has regained consciousness, she has come round 3 *(wat men geleerd heeft)* knowledge, information; *(geleerdheid)* learning; *(technische kennis*

ook) know-how: *een grondige ~ van het Latijn hebben* have a thorough knowledge of Latin 4 *(bekende)* acquaintance: *hij heeft veel vrienden en ~sen* he has a lot of friends and acquaintances

kennisgeving notification, notice

kennismaken get acquainted (with), meet, get to know, be introduced: *aangenaam kennis te maken!* pleased to meet you

kennismaking 1 acquaintance 2 *(het bekend worden met iets)* introduction (to)

kenschetsen characterize

kenteken registration number; *(Am)* license number *(van auto)*

kentekenbewijs *(ongev)* vehicle registration document; *(inform)* logbook

kentekenplaat number plate; *(Am)* license plate

keramiek ceramics; *(producten ook)* pottery

kerel 1 (big) fellow, (big) guy, (big) chap *(of:* bloke) 2 *(mannetjesputter)* he-man: *kom naar buiten als je een ~ bent* come outside if you're man enough

[1]**keren** *intr* turn (round); *(wind)* shift: *~ verboden* no U-turns

[2]**keren** *tr* 1 *(omdraaien)* turn 2 *(toewenden)* turn (towards) 3 *(doen omwenden)* turn (back); *(tegenhouden)* stem: *het water ~* stem the (flow of) water

[3]**keren, zich** 1 *(zich omdraaien)* turn (round): *zich ergens niet kunnen wenden of ~* not have room to move 2 *(zich in een richting wenden)* turn: *zich ten goede ~: a) (goed aflopen)* turn out well; *b) ((iets) beter worden)* take a turn for the better

kerf notch, nick; *(groef)* groove

kerfstok: *heel wat op zijn ~ hebben* have a lot to answer for

kerk church

kerkbank pew

kerkdienst (divine) service, church; *(mis)* mass

kerkelijk church, ecclesiastical

kerker dungeon, prison, jail

kerkhof churchyard, graveyard

kerkklok 1 church bell 2 *(uurwerk)* church clock

kerktoren church tower; *(torenspits)* steeple; spire

kerkuil barn owl

kermen *(jammeren)* moan; *(jengelen)* whine; *((wee)klagen)* wail

kermis fair

kern 1 core; *(van hout, boom)* heart; *(van stengel)* pith 2 *(fig)* core, heart, essence: *tot de ~ van een zaak doordringen* get (down) to the (very) heart of the matter 3 *(belangrijkste, hoofd-)* central

kernachtig pithy, concise, terse

kernafval nuclear waste

kernbewapening nuclear armament

kerncentrale nuclear *(of:* atomic) power station, nuclear plant, atomic plant

kerndoel primary objective, chief aim

kernfysicus nuclear physicist, atomic physicist

kerngezond perfectly healthy, in perfect health; *(inform)* as fit as a fiddle

kernoorlog nuclear war

kernproef nuclear test, atomic test

kernreactie nuclear reaction

kernreactor (nuclear, atomic) reactor

kernwapen nuclear weapon, atomic weapon

kerosine kerosene

kerrie curry

kers cherry

kerst Christmas

kerstavond evening of Christmas Eve

kerstboom Christmas tree

kerstdag *(25 december)* Christmas Day: *prettige ~en!* Merry *(of:* Happy) Christmas!; *eerste ~* Christmas Day; *tweede ~* Boxing Day

kerstfeest (feast, festival of) Christmas: *zalig (gelukkig) ~!* Merry Christmas!

kerstkaart Christmas card

kerstkrans (almond) pastry ring

kerstlied (Christmas) carol

Kerstman Santa (Claus), Father Christmas

Kerstmis Christmas

kerstnacht Christmas night

kerststal crib

kerstverhaal Christmas story

kerstviering Christmas service

kervel chervil

[1]**kerven** *intr* gouge (out), cut

[2]**kerven** *tr* 1 notch, nick, cut; *(mbt groef, lijn)* score 2 *(uitsnijden)* carve (out), cut (out): *zij kerfden hun naam in de boom* they carved their names in the tree

ketchup ketchup

ketel 1 kettle; *(grote pot)* cauldron 2 *(van cv e.d.)* boiler

keten 1 *(mv) (boei)* chains 2 *(ketting)* chain 3 *(reeks, rij)* chain, series

ketjap soy sauce

ketsen 1 glance off, ricochet (off) 2 *(van explosieven e.d.)* misfire, fail to go off: *het geweer ketste* the gun misfired

ketter heretic || *roken als een ~* smoke like a chimney

ketterij heresy

ketting chain: *aan de ~ leggen (mbt dier)* chain up

kettingbotsing multiple collision *(of:* crash), pile-up

kettingkast chain guard

kettingslot chain lock

kettingzaag chainsaw

keu (billiard) cue

keuken 1 kitchen 2 *(kookkunst)* (art of) cooking, cuisine: *de Franse ~* French cooking *(of:* cuisine)

keukengerei kitchen utensils, cooking utensils

keukenhulp food processor

keukenkruid kitchen herb

keukenmachine food processor

keukenrol kitchen roll
keukenschort apron
keukentrap (household) steps, stepladder
Keulen Cologne
keur 1 hallmark 2 *(selectie)* choice (selection)
keuren test; inspect *(eetwaren, dieren); (monsteren, ook voedsel)* sample; *(mbt thee, whisky, wijn enz.)* taste; *(medisch)* examine: *films ~* censor films
[1]**keurig** *bn* 1 *(netjes)* neat, tidy: *er ~ uitzien* look neat (and tidy), look smart 2 *(smaakvol)* smart, nice: *een ~ handschrift* a neat hand 3 *(zeer goed)* fine, choice: *een ~ rapport* (of: *opstel*) an excellent report (*of:* essay)
[2]**keurig** *bw (fijntjes)* nicely; *(netjes)* neatly || *~ netjes gekleed* properly dressed
keuring 1 test; *(mbt eetwaren, dieren)* inspection; *(medisch)* examination: *een medische ~* a medical (examination) 2 *(het keuren)* testing; *(mbt eetwaren, dieren)* inspection; *(monsteren, ook mbt voedsel)* sampling; *(mbt thee, wijn enz.)* tasting; *(medisch)* examination
keuringsarts medical examiner
keuringsdienst inspection service: *Keuringsdienst van Waren* commodity inspection department
keurmeester inspector; *(mbt goud en zilver)* assay-master
keurmerk hallmark; *(kwaliteitsmerk ook)* quality mark
keurslijf straitjacket
keus 1 choice, selection 2 *(mogelijkheid)* choice, option, alternative: *er is volop ~* there's a lot to choose from; *aan u de ~* the choice is yours 3 *(sortering)* choice, assortment: *een grote ~* a large choice (*of:* assortment), a wide range
keutel droppings *(mv);* pellet *(van klein dier)*
keuvelen (have a) chat, talk
keuze *zie* keus
keuzemogelijkheid option, choice
keuzepakket options *(mv);* choice of subjects (*of:* courses)
keuzevak option, optional subject *(of:* course)
kever 1 beetle 2 *(auto)* Beetle
keyboard keyboard
keycard keycard
keycord keycord
kg *afk van kilogram* kg
KI *afk van kunstmatige inseminatie* artificial insemination
kibbelen bicker, squabble
kibbeling cod parings
kibboets kibbutz
kick kick
kickboksen kickboxing
kidnappen kidnap
kiekeboe peekaboo!
kiekje snap(shot)
kiel 1 *(kledingstuk)* smock 2 *(scheepv)* keel
kielhalen keelhaul
kielzog wake, wash
kiem germ, seed
kiemen germinate
kien sharp, keen
[1]**kiepen** *intr* topple, tumble: *het glas is van de tafel gekiept* the glass toppled off the table
[2]**kiepen** *tr* tip over, topple (over)
[1]**kieperen** *intr (inform) (tuimelen)* tumble, topple
[2]**kieperen** *tr (inform) (weggooien)* dump
kier chink, slit; *(metselwerk, planken)* crack: *door een ~ van de schutting* through a crack in the fence; *de deur staat op een ~* the door is ajar
kies molar, back tooth
kiesbrief *(Belg)* polling card
kiesdistrict electoral district, constituency
kieskeurig choosy, fussy
kiespijn toothache
kiesrecht suffrage, right to vote, (the) vote
kiesschijf dial
kiestoon dialling tone
kietelen tickle
kieuw gill
kieviet lapwing, peewit, plover
kiezel *(grind)* gravel; *(op strand)* shingle
kiezelsteen pebble
[1]**kiezen** *intr* 1 choose, decide: *zorgvuldig ~* pick and choose; *~ tussen* choose between; *je kunt uit drie kandidaten ~* you can choose from three candidates 2 *(stemmen)* vote: *voor een vrouwelijke kandidaat ~* vote for a woman candidate
[2]**kiezen** *tr* 1 choose, select, pick (out): *partij ~* take sides 2 *(door te stemmen)* vote (for); elect *(president, parlement)* 3 *(verkiezen)* choose, elect || *een nummer ~* dial a number
kiezer voter, constituent; *(mv)* electorate
kijk view, outlook; *(inzicht)* insight: *~ op iets hebben* have a good eye for sth
kijkcijfer rating
[1]**kijken** *intr* 1 look, see: *ga eens ~ wie er is* go and see who's there; *daar sta ik van te ~* well I'll be blowed; *kijk eens wie we daar hebben* look who's here!; *goed ~* watch closely; *(fig) naar iets ~* have a look at (*of:* see) about sth; *zij ~ niet op geld (een paar euro)* money is no object with them; *uit het raam ~* look out (of) the window; *even de andere kant op ~* look the other way 2 *(onderzoeken)* look, search: *we zullen ~ of dat verhaal klopt* we shall see whether that story checks out 3 *(mbt uitdrukking)* look, appear || *laat eens ~, wat hebben we nodig* let's see, what do we need
[2]**kijken** *tr* look at, watch: *kijk haar eens (lachen)* look at her (laughing)
kijk- en luistergeld radio and television licence fee
kijker 1 spectator, onlooker; *(tv)* viewer 2 *(instrument)* binoculars; *(theater)* opera-glass(es)
kijkje (quick) look, glance: *de politie zal een ~ nemen* the police will have a look

ki

kijkwoning *(Belg) (modelwoning)* show house
kijven quarrel, wrangle, rail (at)
kik sound || *zonder een ~ te geven* without a sound (*of:* murmur)
kikker frog
kikkerbad paddling pool, wading pool
kikkerdril frogspawn, frogs' eggs
kikkervisje tadpole
kikvors frog
kikvorsman frogman
kil chilly, cold
kilo kilo
kilobyte kilobyte
kilogram kilogram(me)
kilometer kilometre: *op een ~ afstand* at a distance of one kilometre; *90 ~ per uur rijden* drive at 90 kilometres an hour
kilometerteller milometer; *(Am)* odometer
kilowatt kilowatt
kim horizon
kimono kimono
kin chin || *(Belg) op zijn ~ kloppen* get nothing to eat

kind child, baby: *een ~ hebben van* have a child by; *een ~ krijgen* have a baby; *~eren opvoeden* bring up children; *een ~ van zes jaar* a child of six, a six-year-old (child)
kinderachtig 1 childlike; child(ren)'s *(ook kleren enz.)* 2 *(min)* childish, infantile: *doe niet zo ~* grow up!, don't be such a baby!
kinderafdeling 1 children's department 2 *(leeszaal)* children's section; *(ziekenhuis)* paediatric ward
kinderarbeid child labour
kinderarts paediatrician
kinderbescherming child welfare: *Raad voor de Kinderbescherming* child welfare council
kinderbijslag family allowance, child benefit
kinderboerderij children's farm
kinderdagverblijf crèche, day-care centre
kinderjuffrouw nurse(maid), nanny
kinderkaartje child's ticket
kinderkamer nursery
kinderkribbe *(Belg) (crèche)* crèche, day nursery
kinderlijk childlike; *(min ook)* childish
kinderloos childless
kindermeisje nurse(maid), nanny
kindermishandeling child abuse
kinderoppas *(babysit)* babysitter, childminder
kinderopvang (day) nursery, day-care centre, crèche
kinderporno child pornography
kinderprogramma children's programme
kinderrechter *(ongev)* magistrate of (*of:* in) a juvenile court
kinderrijmpje nursery rhyme
kinderschoen child(ren)'s shoe: *nog in de ~en staan* still be in its infancy
kinderspeelplaats children's playground
kinderspel 1 children's games; *(fig)* child's play 2 *(spel)* children's game
kinderstoel high chair
kindertelefoon children's helpline, childline
kindertijd childhood (days)
kinderverlamming polio
kinderwagen baby buggy, pram
kinderziekte childhood disease; *(mv; fig)* teething troubles; growing pains: *de ~n (nog niet) te boven zijn* still have teething troubles
kinderzitje baby seat, child's seat
kinds senile, in one's second childhood
kindsoldaat child soldier
kinesist *(Belg) (fysiotherapeut)* physiotherapist
kinesitherapie *(Belg) (fysiotherapie)* physiotherapy
kinine quinine
kink kink, hitch
kinkhoest whooping cough
kiosk kiosk; *(voor kranten, boeken ook)* newspaper stand, book stand
kip 1 chicken, hen: *er was geen ~ te zien* (of: *te bekennen*) there wasn't a soul to be seen 2 *(mv)* chickens, poultry
kipfilet chicken breast(s)
kiplekker as fit as a fiddle
kippengaas chicken wire
kippenren chicken run
kippenvel goose flesh (*of:* pimples)
kippig short-sighted, near-sighted
Kirgizië Kirghizistan
kirren coo, gurgle
kirsch kirsch
kist 1 chest 2 *(doodkist)* coffin 3 *(om iets in te bergen, te vervoeren)* box; case *(voor viool enz.)*; crate *(voor fruit enz.)*
kistje 1 box, case 2 *(inform) (schoen)* clodhopper
kit *(kleefmiddel)* cement, glue, sealant
kitesurfen kite surf
kits: *alles ~?* how's things?, everything O.K.? (*of:* all right?)
kitsch kitsch
kittelaar clitoris
kiwi kiwi
klaar 1 *(duidelijk)* clear 2 *(zuiver)* pure 3 *(gereed)* ready: *de boot is ~ voor vertrek* the boat is ready to sail; *~ voor de strijd* ready for action; *~ terwijl u wacht* ready while you wait; *~? af!* ready, get set, go! 4 *(af)* finished, done: *ik ben zo ~* I won't be a minute (*of:* second); *we zijn ~ met eten* (of: *opruimen*) we've finished eating (*of:* clearing up)
klaarkomen 1 *(gereedkomen)* (be) finish(ed), complete; *(oplossing vinden)* settle things 2 *(seksueel)* come
klaarleggen put ready; *(kleren ook)* lay out
klaarlicht: *op ~e dag* in broad daylight
klaarliggen be ready: *iets hebben ~* have sth ready
klaarmaken 1 get ready, prepare 2 *(bereiden)*

make; *(eten ook)* get ready; prepare; *(warm eten ook)* cook: *het ontbijt ~* get breakfast ready
klaar-over member of the school crossing patrol, lollipop boy *(of:* girl)
klaarspelen manage (to do), pull off
klaarstaan be ready, be waiting; *(militair enz.)* stand by: *zij moet altijd voor hem ~* he expects her to be at his beck and call
klaarwakker wide awake; *(fig)* (on the) alert
klaarzetten put ready, put out, set out
Klaas Nick, Nicholas: *~ Vaak* the sandman, Wee Willie Winkie
klacht 1 complaint; *(med ook)* symptom: *wat zijn de ~en van de patiënt?* what are the patient's symptoms?; *zijn ~en uiten* air one's grievances; *~en behandelen* deal with complaints **2** *(uiting van verdriet)* lament, complaint
klad (rough) draft
kladblaadje (piece of) scrap paper
kladblok scribbling-pad
kladden make stains *(of:* smudges, blots)
kladderen make blots *(of:* smudges)
kladje (rough) draft; *(kladblaadje)* (piece of) scrap paper
kladpapier scrap paper
kladversie rough version *(of:* copy)
klagen complain
klager complainer
klakkeloos unthinking; *(onkritisch)* indiscriminate; *(zonder reden)* groundless: *iets ~ aannemen* accept sth unthinkingly *(of:* uncritically)
klam clammy, damp
klamboe mosquito net
klandizie clientele, customers
klank sound
klankbord sounding board
klant customer, client; *(in horeca)* guest: *de ~ is koning* the customer is always right
klantenkaart loyalty card
klantenservice after-sales service; *(Am)* customer service; service department
klap 1 bang, crash; crack *(van zweep): met een ~ dichtslaan* slam (shut) **2** *(slag, tik)* slap, smack; *(fig)* blow: *iem een ~ geven* hit s.o.; *iem een ~ om de oren geven* box s.o.'s ears
klapband blow-out, flat
klapdeur swing-door, self-closing door
klappen 1 *(applaudisseren)* clap; *(vleugels ook)* flap; slam *(deur): in de handen ~* clap (one's hands) **2** *(uiteenspringen, ontploffen)* burst: *de voorband is geklapt* the front tyre has burst; *in elkaar ~* collapse || *uit de school ~, (Belg) uit de biecht ~* tell tales
klapper 1 folder, file **2** *(uitschieter)* smash, hit
klapperen bang, rattle; chatter *(tanden)*
klappertanden *(ongev)* shiver
klaproos poppy
klapstoel folding chair; tip-up seat, theatre seat *(in theater, bioscoop)*
klarinet clarinet
klas 1 classroom **2** *(leerlingen)* class **3** *(leerjaar)* form; *(Am)* grade: *in de vierde ~ zitten* be in the fourth form **4** *(rang, stand)* class, grade; *(sport)* league; *(sport)* division: *(sport) in de tweede ~ spelen* play in the second division; *(sport) naar een lagere ~ overgaan* be relegated to a lower division
klasgenoot classmate
klaslokaal classroom
klasse class, league: *dat is grote ~!* that's first-rate!
klassement list of rankings *(of:* ratings); *(sport)* league table: *hij staat bovenaan (in) het ~* he is (at the) top of the league (table)
klassenboek class register, form register; *(Am)* roll book
klassenjustitie class justice
klassenleraar form teacher, class teacher; *(Am)* homeroom teacher
klassenstrijd class struggle
klassenvertegenwoordiger class representative *(of:* spokesman)
[1]**klasseren** *tr* **1** classify **2** *(Belg)* list
[2]**klasseren, zich** qualify, rank: *zich ~ voor de finale* qualify for the final(s)
klassiek classic(al), traditional: *de ~e oudheid* classical antiquity; *een ~ voorbeeld* a classic example
klassieker classic
klassikaal class, group: *iets ~ behandelen* deal with sth in class
klastitularis *(Belg) (klassenleraar)* class teacher
klateren splash *(water);* gurgle *(bijv. stroom)*
klatergoud tinsel, gilt
klauteren clamber, scramble
klauw *(van (roof)dier, mens)* claw; *(van mens ook)* clutch(es) *(mv); (van roofvogel ook)* talon: *uit de ~en lopen* get out of hand *(of:* control)
klavecimbel harpsichord, (clavi)cembalo
klaver clover
klaverblad cloverleaf
klaveren clubs
klaverjassen play (Klaber)jass
klavertjevier four-leaf clover
klavier keyboard
kledder blob, dollop
kledderen slop
kleddernat soaking (wet) *(vnl. van dingen);* soaked *(van mensen en dingen)*
kleden dress, clothe
klederdracht (traditional, national) costume *(of:* dress)
kleding clothing, clothes, garments
kledingstuk garment, article of clothing
kleed 1 *(op vloer)* carpet; rug; *(op tafel)* (table)-cloth **2** *(Belg)* dress
kleedhokje changing cubicle
kleedkamer dressing room; *(sport)* changing room

kleerhanger coat-hanger, clothes hanger
kleerkast wardrobe
kleermaker tailor
kleermakerszit: *in ~ zitten* sit cross-legged
kleerscheuren: *er zonder ~ afkomen* escape unscathed (*of:* unhurt), *(zonder straf)* get off scot-free
klef 1 sticky, clammy 2 *(kleverig, plakkend)* sticky; *(inform)* gooey; *(brood)* doughy 3 *(van mensen)* clinging
klei clay
kleiduif clay pigeon
klein 1 small, little: *een ~ eindje* a short distance, a little way; *een ~ beetje* a little bit 2 *(jong)* little, young 3 *(mbt waarde e.d.)* small, minor: *hebt u het niet ~er?* have you got nothing smaller?
Klein-Azië Asia Minor
kleinbeeldcamera miniature camera
kleinburgerlijk lower middle class, petty bourgeois; *(geestelijk bekrompen)* narrow-minded
kleindochter granddaughter
Klein Duimpje Tom Thumb
kleineren belittle, disparage
kleingeestig narrow-minded, petty
kleingeld (small) change
kleinigheid 1 little thing: *ik heb een ~je meegebracht* I have brought you a little something 2 *(iets van weinig belang)* trivial matter, unimportant matter, trifle
kleinkind grandchild
kleinmaken cut small, cut up
kleinsnijden cut up (into small pieces)
kleintje 1 small one, short one; *(roepnaam)* shorty 2 *(jong kind, dier)* little one; *(kind)* baby
kleinzerig: *hij is altijd ~* he always makes a fuss about a little bit of pain
kleinzielig petty, narrow-minded
kleinzoon grandson
[1]**klem** *zn* 1 grip 2 *(nadruk)* emphasis, stress: *met ~ beweren dat* … insist on the fact that … 3 *(om muizen e.d. te vangen)* trap 4 *(voor papier e.d.)* clip
[2]**klem** *bn* jammed, stuck
[1]**klemmen** *intr (vastzitten)* stick, jam
[2]**klemmen** *tr* clasp, press
klemtoon stress, accent; *(fig)* emphasis: *de ~ ligt op de eerste lettergreep* the stress (*of:* accent) is on the first syllable
klep 1 *(deksel)* lid; *(bijv. pomp, machine)* valve; *(blaasinstrument)* key 2 *(luik)* flap; *(veerboot)* ramp 3 *(sluiting)* flap; *(in broek)* fly 4 *(deel ve hoofddeksel)* visor
klepel clapper
kleppen 1 clack 2 *(mbt een klok)* peal, toll
klepperen clatter, rattle
kleptomaan kleptomaniac
kleren clothes: *andere* (of: *schone*) *~ aantrekken* change (into sth else, into clean clothes); *zijn ~ uittrekken* undress
klerk clerk
klets 1 *(kletspraat)* rubbish, twaddle 2 *(van water e.d.)* splash
kletsen 1 *(babbelen)* chatter, chat 2 *(roddelen)* gossip 3 *(onzin verkopen)* talk nonsense (*of:* rubbish), babble
kletskoek nonsense, twaddle
kletsmajoor twaddler, gossipmonger
kletsnat soaking (wet)
kletteren clash; clang *(wapens);* patter *(regen);* rattle *(hagel): de borden kletterden op de grond* the plates crashed to the floor
kleumen be half frozen
kleur 1 colour: *wat voor ~ ogen heeft ze?* what colour are her eyes?; *primaire ~en* primary colours 2 *(van gezicht)* complexion: *een ~ krijgen* flush, blush 3 *(kaartspel)* suit
kleurdoos paintbox
kleurecht colour fast
kleuren colour, paint; dye *(stoffen enz.);* tint *(vnl. haar)*
kleurenblind colour-blind
kleurenfoto colour photo(graph), colour picture
kleurig colourful
kleurling coloured person
kleurloos 1 colourless; *(vaal, bleek)* pale 2 *(saai)* colourless, dull
kleurpotlood colour pencil, (coloured) crayon
kleurrijk colourful
kleurspoeling colour rinse
kleurstof 1 colour; *(voor textiel)* dye; *(voor levensmiddelen)* colouring (matter): *(chemische) ~fen toevoegen* add colouring matters 2 pigment
kleurtje colour; *(blosje ook)* flush; blush
kleuter pre-schooler (in a nursery class); *(Am)* kindergartner
kleuterbad paddling pool, wading pool
kleuterleidster nursery school teacher; *(Am)* kindergarten teacher
kleuteronderwijs pre-school education, nursery education
kleuterschool nursery school; *(Am)* kindergarten
kleven 1 stick (to), cling (to): *zijn overhemd kleefde aan zijn rug* his shirt stuck (*of:* clung) to his back 2 be sticky: *mijn handen ~* my hands are sticky
kleverig sticky
kliederen make a mess, mess about (*of:* around)
kliek clique
kliekje leftover(s)
klier 1 gland 2 *(plaaggeest)* pain in the neck
klieven cleave
klif cliff
klik click
klikken 1 click 2 *(verklikken)* tell (on s.o.), snitch (on), blab: *je mag niet ~* don't tell tales 3 *(eensgezind zijn, samengaan)* click, hit it off: *het klikte meteen tussen hen* they hit it off immediately
klikspaan tell-tale

klim climb
klimaat climate
klimaatbeheersing air conditioning
klimmen climb (up, down), clamber (about): *met het ~ der jaren* with advancing years
klimmer climber
klimmuur climbing wall
klimop ivy
klimplant climber, climbing plant, creeper
klimrek 1 climbing frame **2** *(gymnastiek)* wall bars
klimwand climbing wall
klingelen tinkle, jingle
kliniek clinic
klinisch clinical
klink 1 (door)handle **2** *(deel ve slot)* latch
klinken sound, resound; *(rinkelen)* clink; *(rinkelen)* ring: *die naam klinkt me bekend (in de oren)* that name sounds familiar to me
klinker 1 *(klank)* vowel **2** *(steen)* clinker
klinknagel rivet
klip rock; *(hoog)* cliff
klipper clipper
klissen *(Belg)* arrest, run in: *een inbreker ~* arrest a burglar
klit tangle
klitten 1 stick: *aan elkaar ~* hang (*of:* stick) together **2** *(klit(ten) vormen)* become entangled, get entangled
klittenband Velcro
klodder *(vnl. verf)* daub; *(vnl. bloed)* clot; blob: *een ~ mayonaise* a dollop of mayonnaise
klodderen 1 mess (about, around) **2** *(slordig, dik schilderen)* daub
[1]kloek *zn* broody hen
[2]kloek *bn* stout, sturdy, robust
klojo jerk
klok 1 clock: *hij kan nog geen ~ kijken* he can't tell (the) time yet; *de ~ loopt voor* (of: *achter, gelijk*) the clock is fast (*of:* slow, on time); *met de ~ mee* clockwise; *tegen de ~ in* anticlockwise, *(Am)* counter-clockwise **2** *(die geluid wordt)* bell
klokgelui (bell-)ringing, chiming; *(voor doden)* bell tolling
klokhuis core
klokken *(sport)* time, clock
klokkengieterij bell-foundry
klokkenluider 1 bell-ringer **2** *(fig)* whistle-blower
klokkenspel 1 carillon, chimes **2** *(slaginstrument)* glockenspiel
klokkentoren bell tower, belfry
klokslag: *~ vier uur* on (*of:* at) the stroke of four
klokvast *(Belg)* punctual: *~e treinen* punctual trains
klomp 1 clog; *(Am)* wooden shoe **2** *(kluit, klont)* clod, lump
klompvoet club-foot
klonen clone
klont 1 lump, dab: *de saus zit vol ~en* the sauce is full of lumps (*of:* is lumpy) **2** clot
klonteren become lumpy, get lumpy; clot *(bloed)*; curdle *(melk)*
klontje 1 lump, dab **2** *(suiker)* sugar lump (*of:* cube)
kloof 1 split **2** *(ravijn)* crevice, chasm, cleft **3** *(fig)* gap, gulf
klooien bungle, mess up
kloon clone
klooster monastery, convent; nunnery *(vrouwen)*; cloister
kloosterling religious, monk, nun
kloot *(inform)* ball || *naar de kloten zijn* be screwed up
klootzak *(scheldw., inform)* bastard, son-of-a-bitch
klop 1 knock **2** *(slaag)* lick(ing)
klopjacht round-up; *(mbt dieren ook)* drive
[1]kloppen *intr* **1** knock (at, on); *(zacht)* tap: *er wordt geklopt* there's a knock at the door **2** *(van hart)* beat, throb: *met ~d hart* with one's heart racing (*of:* pounding) **3** *(juist zijn)* agree: *dat klopt* that's right
[2]kloppen *tr* knock; *(zacht)* tap; beat: *eieren ~* beat (*of:* whisk) eggs; *iem op de schouder ~* pat s.o. on the back
klopper *(van deur)* knocker
klos bobbin, reel || *de ~ zijn* be the fall guy
klossen clump, stump
klotsen slosh, splash
kloven split, cleave; cut *(diamanten)*
klucht farce
kluif knuckle(bone); *(fig)* big job, tough job
kluis safe, safe-deposit box
kluit 1 lump, clod: *zich niet met een ~je in het riet laten sturen* not let oneself be fobbed off (*of:* be given the brush-off) **2** *(van boom, plant)* ball of earth (*of:* soil)
kluiven gnaw
kluizenaar hermit, recluse
klunen walk (on skates)
klungel clumsy oaf
klungelen bungle, botch (up)
kluns dimwit, oaf, bungler
klus 1 big job, tough job **2** small job, chore: *~jes opknappen (klaren)* do odd jobs
klusjesman handyman, odd-job man
klussen 1 do odd jobs **2** *(zwart bijverdienen)* moonlight
kluts: *de ~ kwijt zijn (raken)* be lost (*of:* confused), *(vd zenuwen, schrik)* be shaken (*of:* rattled)
klutsen beat (up)
kluwen *(knot)* ball
klysma enema
km *afk van kilometer* km
kmo *afk van kleine of middelgrote onderneming (Belg)* SMB, small and medium-sized businesses
knaagdier rodent
knaagtand (rodent) incisor

knaak two guilders fifty
knaap boy, lad
knabbelen nibble (on), munch (on)
knabbeltje nibble(s), snack
knäckebröd crispbread, knäckebröd
knagen gnaw, eat: *een ~d geweten* pangs of conscience
knak crack, snap
knakken snap, break; crack
knakworst *(ongev)* frankfurter
knal bang, pop
knallen bang; crack *(zweep, geweer);* pop *(kurk)*
knalpot silencer; *(Am)* muffler
[1]**knap** *bn, bw* 1 good-looking; handsome *(vnl. man);* pretty *(vnl. vrouw)* 2 *(slim)* clever, bright: *een ~pe kop* a brain, a whizz kid 3 *(bekwaam)* smart, capable, clever; *(mbt handwerk)* handy: *een ~ stuk werk* a clever piece of work
[2]**knap** *bw (heel goed)* cleverly, well
knappen 1 crackle *(vnl. vuur);* crack 2 *(breken)* crack; snap *(touw)*
knapperd brain, whiz(z) kid
knapperen crackle *(vnl. vuur);* crack
knapperig crisp *(sla, groente);* crunchy *(koekje);* brittle *(hout);* crusty *(brood)*
knapzak knapsack
knarsen crunch: *de deur knarst in haar scharnieren* the door creaks (*of:* squeaks) on its hinges
knarsetanden grind one's teeth
knauw 1 bite 2 *(fig) (knak)* blow
knauwen gnaw (at), chew; *(luidruchtig)* crunch (on)
knecht servant; *(op boerderij)* farmhand
kneden knead, mould
kneep 1 pinch (mark) 2 *(fig) (kunstgreep)* knack: *de ~jes van het vak kennen* know the tricks of the trade
[1]**knel** *zn* 1 catch 2 *(benarde positie)* fix, jam
[2]**knel** *bn* stuck, caught: *~ komen te zitten* get stuck (*of:* caught)
[1]**knellen** *intr* squeeze; pinch *(bijv. schoenen, kleding)*
[2]**knellen** *tr* squeeze, press
knelpunt bottleneck
knetteren crackle *(vuur, radio);* sputter *(motor)*
knettergek nuts, (stark staring) mad; *(Am)* (raving) mad
kneus 1 old crock (*of:* wreck) *(vnl. auto)* 2 *(ond)* drop-out
kneuterig snug, cosy
kneuzen bruise
kneuzing bruise, bruising
knevel 1 *(snor)* moustache 2 *(mondprop)* gag
knevelen tie down, tie up; *(met mondprop)* gag
knie knee: *iets onder de ~ krijgen* master sth, get the hang (*of:* knack) of sth
knieband 1 knee protector (*of:* supporter) 2 *(anat)* hamstring
kniebeschermer knee-pad
kniebroek knee breeches
kniegewricht knee joint
knielen kneel
knieschijf kneecap
kniezen grumble (about), moan (about), mope
knijpen 1 pinch 2 *(persen, samendrukken)* press, squeeze || *'m ~* have the wind up
knijper (clothes) peg, clip
knijpfles squeeze-bottle
knijpkat dynamo torch
knik 1 crack; kink *(in tuinslang e.d.)* 2 *(in lijn, oppervlak)* twist, kink 3 *(van het hoofd)* nod
knikkebollen nod
[1]**knikken** *intr* 1 crack, snap 2 *(doorbuigen)* bend, buckle 3 *(van het hoofd)* nod
[2]**knikken** *tr* bend, twist
knikker marble
knip 1 snap *(sieraden, beurs);* (spring) catch *(sieraden, deur, paraplu);* clasp *(sieraden)* 2 *(grendeltje)* catch
knipmes clasp-knife: *buigen als een ~* bow and scrape, grovel
knipoog wink: *hij gaf mij een ~* he winked at me
[1]**knippen** *intr* cut, snip
[2]**knippen** *tr* cut (off, out): *de heg ~* clip (*of:* trim) the hedge; *zijn nagels ~* cut (*of:* clip) one's nails
knipperen 1 blink 2 *(mbt een auto)* flash
knipperlicht indicator; *(verkeerslicht)* flashing light
knipsel cutting
KNMI *afk van Koninklijk Nederlands Meteorologisch Instituut* Royal Dutch Meteorological Institute
kno-arts ENT specialist
knobbel 1 knob; knot *(hout);* bump *(op hoofd)* 2 *(fig) (aanleg)* gift, talent: *een wiskundeknobbel hebben* have a gift for mathematics
[1]**knock-out** *zn* knock-out
[2]**knock-out** *bn* knock-out
knoei: *lelijk in de ~ zitten* be in a terrible mess (*of:* fix)
knoeiboel mess
knoeien 1 make a mess, spill 2 *(slordig werken)* make a mess (of) 3 *(onhandig werken)* tinker (with), monkey about (with) 4 *(oneerlijk werken)* cheat, tamper (with)
knoest knot
knoet cat-o'-nine-tails
knoflook garlic
knokkel knuckle
knokken 1 fight 2 *(fig)* fight hard
knokpartij fight, scuffle
knokploeg (bunch, gang of) thugs *(mv);* henchmen *(mv)*
knol 1 tuber 2 *(raap)* turnip
knolraap swede, kohlrabi
knolselderie celeriac
knoop 1 *(mbt kleding)* button 2 *(in touw e.d.)* knot: *een ~ leggen* (of: *maken*) tie (*of:* make) a

knot; *(met zichzelf) in de ~ zitten* be at odds with oneself || *het schip voer negen knopen* the ship was doing nine knots
knooppunt intersection; *(ongelijkvloers)* interchange
knoopsgat buttonhole
knop 1 button, switch 2 *(handvat)* button, handle: *de ~ van een deur* the handle of a door 3 bud: *de roos is nog in de ~* the rose bush is in bud (*of:* is not fully out yet)
knopen knot, make a knot, tie: *twee touwen aan elkaar ~* tie two ropes together
knorren grunt
knot knot, ball; tuft *(haar, veren)*
[1]**knots** *zn* 1 club 2 *(iets groots, moois)* whopper
[2]**knots** *bn, bw* crazy, loony
knotten top, head
knotwilg pollard willow
knudde no good at all, rubbishy
knuffel cuddle, hug
knuffeldier soft toy, cuddly toy, teddy (bear)
knuffelen cuddle
knuist fist
knul fellow, guy, chap, bloke
knullig awkward: *dat is ~ gedaan* that has been done clumsily
knuppel 1 club; *(van politie)* truncheon 2 stick; *(inform)* joystick
knus cosy, homey
knutselaar handyman, do-it-yourselfer
knutselen knock together, knock up
koala koala (bear)
koe 1 cow: *over ~tjes en kalfjes praten* talk about one thing and another 2 *(zeer groot ding)* giant
koeienletters giant letters
koek 1 cake: *dat is andere ~!* that is another (*of:* a different) kettle of fish 2 *(koekje)* biscuit; *(Am)* cooky, cookie
koekenpan frying pan
koekoek cuckoo
koektrommel biscuit tin; *(Am)* cooky tin
koel 1 cool; *(erg koud)* chilly 2 *(kalm)* cool, calm
koelbloedig cold-blooded, calm, cool
koelbox cool box, cooler
koelen cool (down, off); *(erg koel)* chill
koeling 1 cold store 2 *(het koelen)* cooling; *(van levensmiddelen)* refrigeration
koelkast fridge, refrigerator
koelte cool(ness)
koeltjes (a bit) chilly || *~ reageren* respond coolly
koeltoren cooling tower
koelvloeistof coolant
koepel dome
koepelorganisatie umbrella organisation
koepeltent dome tent
koepokken cowpox
Koerd Kurd
koerier courier
koers 1 course: *van ~ veranderen* change course (*of:* tack) 2 route 3 price; *(wisselkoers)* (exchange) rate
koersen set course for
koersnotering (price, market) quotation
koersstijging rise (*of:* increase) in prices; *(mbt wisselkoersen)* rise in the exchange rate
koerswaarde market value (*of:* price); exchange value *(van wisselkoers)*
koeskoes *(dier)* cuscus
koest: *zich ~ houden* keep quiet, keep a low profile
koesteren cherish, foster: *hoop ~* nurse hopes
koets coach, carriage
koetsier coachman
koevoet crowbar
Koeweit Kuwait
koffer (suit)case, (hand)bag; trunk *(grote)*
kofferbak boot; *(Am)* trunk
koffie coffee: *~ drinken* have coffee
koffiemelk evaporated milk
koffiepot coffeepot
kogel 1 bullet *(geweer)*; ball *(kanon)*: *een verdwaalde ~* a stray bullet 2 *(atletiek)* shot
kogelbiefstuk round steak
kogellager ball-bearing
kogelslingeren hammer (throw)
kogelstoten shot-put(ting)
kogelvrij bulletproof
koikarper koi (carp)
kok cook: *de chef-kok* the chef
koken 1 boil: *water kookt bij 100° C* water boils at 100° C 2 *(bereiden, klaarmaken)* cook, do the cooking || *~ van woede* boil (*of:* seethe) with rage
kokendheet piping (*of:* boiling, scalding) hot
koker 1 case 2 *(om iets in te steken)* cylinder 3 *(waardoor iets vooruit beweegt)* shaft *(lift)*; chute *(stortkoker)*
koket 1 coquettish 2 *(sierlijk)* smart, stylish
kokhalzen retch, heave
kokos 1 *(wit vlees in kokosnoten)* coconut 2 *(vezel)* coconut fibre
kokosmat coconut matting
kokosnoot coconut
kolder nonsense, rubbish
kolen coal: *op hete ~ zitten* be on tenterhooks
kolencentrale coal-fired power station
kolenmijn coal mine
kolere: *krijg de ~!* get stuffed!, drop dead!
kolf 1 *(ve geweer)* butt 2 *(bol flesje)* flask; *(met omgebogen hals)* retort 3 *(van mais)* cob
kolibrie hummingbird
koliek colic
kolk eddy, whirlpool
kolken swirl, eddy
kolom column
kolonel colonel
koloniaal colonial
kolonialisme colonialism
kolonie colony

kolonist colonist, settler
kolossaal colossal, immense
[1]**kom** *zn* 1 bowl; *(waskom)* washbasin 2 *(uitholling, holte)* basin, bowl 3 *(mbt gewrichten e.d.)* socket: *haar arm is uit de ~ geschoten* her arm is dislocated || *de bebouwde ~* the built-up area, *(Am)* the city limits
[2]**kom** *tw* come on!: *~ nou, dat maak je me niet wijs* come on (now) (*of:* look), don't give me that; *~, ik stap maar weer eens op* right, I'm off now!; *~ op!* come on!
kombuis galley
komediant comedy actor, comedian
komedie comedy; *(fig ook)* (play-)acting
komediespelen 1 *(toneelspelen)* act 2 *(doen alsof)* (play-)act, put on an act
komeet comet
komen 1 come, get: *er komt regen* it is going to rain; *er kwam bloed uit zijn mond* there was blood coming out of his mouth; *ergens bij kunnen ~* be able to get at sth; *de politie laten ~* send for (*of:* call) the police; *ik kom eraan!* (of: *al!*) (I'm) coming!, I'm on my way!; *kom eens langs!* come round some time!; *ergens achter ~* find out sth, get to know sth; *hoe kom je erbij!* what(ever) gave you that idea?; *ergens overheen ~* get over sth *(bijv. ziekte); (fig) we kwamen er niet uit* we couldn't work it out; *hoe kom je van hier naar het museum?* how do you get to the museum from here?; *hij komt uit Engeland* he's from England; *wie het eerst komt, het eerst maalt* first come, first served 2 come ((a)round, over), call: *er ~ mensen vanavond* there are (*of:* we've got) people coming this evening 3 (met *aan*) *(aanraken)* touch: *kom nergens aan!* don't touch (anything)! 4 *(mbt oorzaak)* come (about), happen: *hoe komt het?* how come?, how did that happen?; *daar komt niets van in* that's out of the question; *dat komt ervan als je niet luistert* that's what you get (*of:* what happens) if you don't listen 5 (met *aan*) *(in het bezit van iets raken)* come (by), get (hold of): *aan geld zien te ~* get hold of some money; *daar kom ik straks nog op* I'll come round to that in a moment || *daar komt nog bij dat ...* what's more ..., besides ...; *kom nou!* don't be silly!, come off it!
komend coming, to come; *(mbt tijd ook)* next: *~e week* next week
komiek comedian, comic
komijn cumin
komisch comic(al), funny
komkommer cucumber
komma 1 comma 2 *(in getallen)* (decimal) point: *tot op vijf cijfers na de ~ uitrekenen* calculate to five decimal places; *nul ~ drie (0,3)* nought (*of Am:* zero) point three (0.3)
kommer sorrow: *~ en kwel* sorrow and misery
kompas compass
kompres compress
komst coming, arrival: *er is storm op ~* there is a storm brewing
konijn rabbit; *(kindertaal)* bunny
konijnenhol rabbit hole (*of:* burrow)
koning king
koningin queen
Koninginnedag Queen's Birthday
koningshuis royal family (*of:* house)
koninklijk royal; *(bijv. gedrag, houding)* regal
koninkrijk kingdom
konkelen scheme, intrigue
kont bottom, behind, bum: *de ~ tegen de krib gooien* dig one's heels in
konvooi convoy
kooi 1 cage 2 *(stal)* pen; *(voor kippen)* coop; *(schapen)* fold; *(varkens)* sty 3 *(op een schip)* berth, bunk
kook boil: *aan de ~ brengen* bring to the boil; *volkomen van de ~ raken* go to pieces
kookboek cookery book
kookkunst cookery, (the art of) cooking, culinary art
kookplaat hotplate, hob
kookpunt boiling point: *het ~ bereiken (ook fig)* reach boiling point
kookwekker kitchen timer
kool 1 cabbage 2 *(steenkool)* coal
kooldioxide carbon dioxide
koolhydraat carbohydrate
koolmees great tit
koolmonoxide carbon monoxide
koolraap kohlrabi, turnip cabbage
koolstof carbon
koolwitje cabbage white (butterfly)
koolzaad (rape)seed, colza
koolzuur carbon dioxide
koop buy, sale, purchase: *~ en verkoop* buying and selling; *de ~ gaat door* the deal (*of:* sale) is going through; *op de ~ toe* into the bargain; *te ~ (zijn, staan)* (be) for sale; *te ~ of te huur* to buy or let; *te ~ gevraagd* wanted
koopavond late-night shopping, late opening
koopcontract contract (*of:* bill) of sale; *(akte)* purchase deed, title deed; deed of purchase
koophandel commerce, trade: *Kamer van Koophandel (ongev)* Chamber of Commerce
koophuis owner-occupied house
koopje bargain, good buy (*of:* deal)
koopkracht buying power
koopman merchant, businessman
koopvaardij merchant navy
koopwaar merchandise, wares
koopziek shopaholic, addicted to buying
koopzondag shopping Sunday
koor choir, chorus: *een gemengd ~* a mixed (voice) choir
koord cord, (thick) string, (light) rope
koorddansen walk a tightrope
koorts fever: *bij iem de ~ opnemen* take s.o.'s temperature
koortsaanval attack of fever

koortsachtig feverish: *~e bedrijvigheid* frenzied activity
koortsig feverish
koorzanger choir singer, chorus member
koosnaam pet name, term of endearment
kop 1 head: *er zit ~ noch staart aan* you can't make head or tail of it; *(Belg) van ~ tot teen* from top to toe; *~ dicht!* shut up!; *een mooie ~ met haar* a beautiful head of hair; *een rooie ~ krijgen* go red, flush; *iem op zijn ~ geven* give s.o. what for **2** head, brain: *dat is een knappe ~* he is a clever (*of:* smart) fellow **3** *(bovenste gedeelte)* head, top: *de ~ van Overijssel* the north of Overijssel; *de ~ van een spijker* (of: *hamer*) the head of a nail (*of:* hammer); *op ~ liggen* be in the lead; *over de ~ slaan* overturn, somersault; *over de ~ gaan* go broke, fold **4** cup, mug **5** *(krantenkop)* headline, heading || *~ of munt* heads or tails; *het is vijf uur op de ~ af* it is exactly five o'clock
kopbal header
[1]**kopen** *intr* trade (with), deal (with), buy
[2]**kopen** *tr* **1** buy, purchase: *wat koop ik ervoor?* what good will it do me? **2** *(afkopen)* buy (off)
[1]**koper** *zn* buyer
[2]**koper** *zn* **1** copper **2** brass **3** *(blaasinstrumenten)* brass (section)
koperen brass, copper
koperwerk copper work, brass work, brassware
kopgroep leading group; *(wielersport ook)* break(away)
kopie 1 copy, duplicate **2** (photo)copy
kopieerapparaat photocopier
kopiëren 1 copy, make a copy (of); *(overschrijven)* transcribe **2** (photo)copy, xerox
kopij copy, manuscript
kopje (small, little) cup || *~ duikelen* turn somersaults; *de poes gaf haar steeds ~s* the cat kept nuzzling (up) against her
kopje-onder: *hij ging ~* he got a ducking
koplamp headlight
koploper leader, front runner; *(vernieuwer)* trendsetter
[1]**koppel** *zn* (sword) belt
[2]**koppel** *zn* **1** *(span)* couple, pair; *(groep)* group; *(groep)* bunch; *(zaken)* set **2** *(paartje)* couple: *een aardig ~* a nice couple
koppelaar matchmaker, marriage broker
koppelen 1 couple (with, to) **2** *(een verbinding leggen tussen)* link, relate: *twee mensen proberen te ~* try to pair two people off
koppeling clutch (pedal): *de ~ intrappen* let out the clutch
koppelteken hyphen
koppeltjeduiken (turn, do a) somersault
koppen head
koppensnellen headhunt
koppig 1 stubborn, headstrong: *(zo) ~ als een ezel* (as) stubborn as a mule **2** *(van bier e.d.)* heady
koppigaard *(Belg)* stubborn person, obstinate person
koppigheid stubbornness
koppositie *(sport)* lead
koprol somersault
kopspijker clout (nail), tack
kopstem falsetto
kopstoot butt (of the head): *iem een ~ geven* headbutt s.o.
kopstuk head man, boss
koptelefoon headphone(s), earphone(s), headset
kopzorg worry, headache
koraal coral
koraaleiland coral island
koraalrif coral reef
Koran Koran
kordaat firm, plucky, bold
kordon cordon
Korea Korea
Koreaan Korean
koren corn; *(Am)* wheat; grain
korenbloem cornflower
korenhalm cornstalk; *(Am)* wheat stalk
korenschuur granary
korenwolf European hamster
korf basket; *(voor bijen)* hive
korfbal korfball
korfballen play korfball
korporaal corporal
korps corps, body; staff *(leraren);* force *(politie)*
korpschef superintendant
korrel granule, grain: *iets met een ~(tje) zout nemen* take sth with a pinch of salt
korrelig granular
korset corset
korst crust; *(op wond)* scab; *(van kaas)* rind
korstmos lichen
kort short; brief *(mbt tijd, lengte): alles ~ en klein slaan* smash everything to pieces; *een ~ overzicht* a brief (*of:* short) summary; *~ daarvoor* shortly before; *tot voor ~* until recently; *iets in het ~ uiteenzetten* explain sth briefly || *we komen drie man te ~* we're three men short; *te ~ komen* run short (of)
kortademig short of breath; *(ook fig)* short-winded
kortaf curt, abrupt
kortegolfband short-wave band
korten cut (back): *~ op de uitkeringen* cut back on social security
korting discount, concession; *(bezuiniging)* cut: *~ geven op de prijs* give a discount off the price
kortingkaart concession (*of:* reduced-fare) card/pass *(openbaar vervoer);* discount card *(in winkels e.d.)*
kortom in short, to put it briefly (*of:* shortly)
kortsluiting short circuit, short
kortstondig short-lived, brief
kortweg briefly, shortly
kortwieken clip the wings of

kortzichtig short-sighted
kosmisch cosmic
kosmonaut cosmonaut
kosmos cosmos
kost 1 *(mv)* cost, expense; *(investeringen)* outlay; charge *(voor diensten)*: *~en van levensonderhoud* cost of living; *op haar eigen ~en* at her own expense; *op ~en van* at the expense of 2 *(levensonderhoud)* living: *wat doe jij voor de ~?* what do you do for a living? 3 *(voeding)* board(ing), keep: *~ en inwoning* board and lodging 4 fare, food: *dagelijkse ~* ordinary food
kostbaar 1 *(duur)* expensive 2 *(van grote waarde)* valuable; *(sterker)* precious
kostbaarheden valuables
kostelijk precious; *(lekker)* exquisite; delicious; *(uitstekend)* excellent
[1]**kosteloos** *bn* free
[2]**kosteloos** *bw* free of charge
kosten cost, be, take: *het heeft ons maanden gekost om dit te regelen* it took us months to organize this; *het ongeluk kostte (aan) drie kinderen het leven* three children died (*of:* lost their lives) in the accident; *dit karwei zal heel wat tijd ~* this job will take (up) a great deal of time
kostenbesparend money-saving, cost-cutting
kostenstijging increase in costs
kostenverhogend cost-raising
kostenverlagend cost-reducing
koster verger
kostganger boarder, lodger
kostgeld board (and lodging)
kostje: *zijn ~ is gekocht* he has it made
kostprijs cost price
kostschool boarding school; *(grote Engelse privéschool)* public school: *op een ~ zitten* attend a boarding school
kostuum 1 *((mantel)pak)* suit 2 *(kleding)* costume, dress
kostwinner breadwinner
kostwinning livelihood, living
kot 1 hovel 2 *(Belg)* student apartment (*of:* room): *op ~ zitten* be in digs
kotbaas *(Belg)* landlord
kotelet chop, cutlet
kotmadam *(Belg)* landlady
kotsen puke
kou cold(ness), chill
koud cold; *(lucht ook)* chilly: *het laat mij ~* it leaves me cold
koudbloedig cold-blooded
koudvuur gangrene
koukleum shivery type
kous stocking; *(kort)* sock
kouvatten catch cold
kouwelijk chilly, sensitive to cold
Kozak Cossack
[1]**kozijn** *zn (Belg) (zoon van oom of tante)* cousin
[2]**kozijn** *zn* (window, door) frame

kraag 1 collar: *iem bij (in) zijn ~ grijpen* grab s.o. by the collar, collar s.o. 2 *(van schuim e.d.)* head
kraai crow
kraaien crow
kraaiennest crow's-nest
kraaienpootjes crow's-feet
kraak break-in
kraakbeen cartilage
kraal bead
kraam stall, booth
kraamafdeling maternity ward
kraambed childbed: *een lang ~* a long period of lying-in
kraambezoek: *op ~ komen* come to see the new mother and her baby
kraamhulp maternity assistant
kraamkamer delivery room; *(vóór de bevalling)* labour room
kraamkliniek maternity clinic
kraamverzorgster maternity nurse
kraamvrouw woman in childbed; *(na de bevalling)* mother of newly-born baby
kraamzorg maternity care
kraan 1 tap; *(Am)* faucet; *(afsluit-, doorlaatkraan)* (stop)cock; valve 2 *(hijswerktuig)* crane
kraanvogel (common) crane
krab crab
krabbel 1 scratch (mark) 2 *(onduidelijk schriftteken)* scrawl
[1]**krabbelen** *intr* scratch || *(weer) overeind ~* scramble to one's feet
[2]**krabbelen** *tr (slordig schrijven of tekenen)* scrawl
krabbeltje scrawl
[1]**krabben** *intr, tr* scratch: *zijn hoofd ~* scratch one's head
[2]**krabben** *tr* scratch out, scratch off
krach crash
kracht strength, power; *(van wind ook)* force: *drijvende ~ achter* moving force (*of:* spirit) behind; *op eigen ~* on one's own, by oneself; *op volle* (of: *halve*) *~ (werken)* operate at full (*of:* half) speed/power; *met zijn laatste ~en* with a final effort; *het vergt veel van mijn ~en* it's a great drain on my energy; *van ~ zijn* be valid (*of:* effective)
krachtbron source of energy (*of:* power); *(elektr centrale)* power station
krachtcentrale power station
krachteloos weak; *(slap)* limp; powerless
krachtens by virtue of, under
krachtig 1 strong, powerful: *een ~e motor* a powerful engine; *matige tot ~e wind* moderate to strong winds 2 *(met geestelijke, zedelijke kracht)* powerful, forceful: *kort maar ~: a)* brief and to the point; *b) (fig)* short but (*of:* and) sweet 3 *(mbt medicijnen e.d.)* potent
krachtmeting contest, trial of strength
krachtpatser muscle-man, bruiser
krachtsinspanning effort
krachtsport strength sport

krakelen quarrel, row
[1]**kraken** *intr* crack; creak *(hout, trap, schoenen);* crunch *(zand, grind, sneeuw): een ~de stem* a grating voice
[2]**kraken** *tr* **1** crack *(ook fig)* **2** *(inbreken)* break into *(gebouw);* crack *(kluis, code);* hack *(computer, databestand)* **3** *(afkraken)* pan, slate || *het pand is gekraakt* the building has been broken into by squatters
kraker 1 squatter **2** *(comp)* hacker
kram clamp; cramp (iron) *(bergbeklimming);* clasp *(boeksluiting)* || *(Belg) uit zijn ~men schieten* blow one's top
kramiek *(Belg)* currant loaf
kramp cramp
krampachtig 1 forced: *met een ~ vertrokken gezicht* grimacing **2** *(met wanhopige inspanning)* frenetic: *zich ~ aan iem (iets) vasthouden* cling to s.o. (sth) for dear life **3** *(als een kramp)* convulsive
kranig plucky, brave
krankzinnig 1 mentally ill, insane, mad: *~ worden* go insane, go out of one's mind **2** *(onzinnig)* crazy, mad
krankzinnige madman, madwoman
krankzinnigheid madness, insanity, lunacy
krans 1 wreath **2** ring: *een ~ om de zon* (of: *de maan)* a corona round the sun *(of:* moon)
kransslagader coronary artery
krant (news)paper
krantenbericht newspaper report
krantenbezorger (news)paper boy *(of:* girl)
krantenknipsel newspaper cutting, press cutting
krantenkop (newspaper) headline
krantenwijk (news)paper round *(of Am:* route)
krap 1 tight; *(smal)* narrow **2** *(gering)* tight, scarce: *een ~pe markt* a small market; *~ (bij kas) zitten* be short of money *(of:* cash) || *met een ~pe meerderheid* with a bare majority
[1]**kras** *zn* scratch
[2]**kras** *bn, bw* **1** *(mbt personen)* strong, vigorous; *(van oudere personen)* hale and hearty **2** *(mbt zaken)* strong, drastic: *dat is een nogal ~se opmerking* that is a rather crass remark
kraslot scratch card
[1]**krassen** *intr* **1** scrape: *zijn ring kraste over het glas* his ring scraped across the glass **2** *(mbt rauw keelgeluid)* rasp; scrape *(stem);* croak *(kraai, mens);* hoot; screech *(uil)*
[2]**krassen** *tr* scratch; carve *(diep)*
krat crate
krater crater: *een ~ slaan* leave a crater
krediet 1 credit: *veel ~ hebben* enjoy great trust **2** *(vertrouwen)* credit, respect
kredietuur *(Belg) (ongev)* refresher course leave, study leave
kredietwaardig creditworthy
kreeft lobster
Kreeft *(astrol)* Cancer
Kreeftskeerkring tropic of Cancer
kreek 1 creek, cove **2** *(riviertje)* stream
kreet 1 cry **2** *(uitroep)* slogan, catchword
krekel cricket
kreng 1 *(secreet)* beast, bastard; *(vrouw)* bitch **2** *(rotding)* wretched thing **3** *(rottend dier)* carrion
krenken offend, hurt
krent currant: *de ~en uit de pap* the best bits
krentenbol currant bun
krentenbrood currant loaf
krenterig stingy
Kreta Crete
kreukel crease
[1]**kreukelen** *intr* get creased *(of:* rumpled)
[2]**kreukelen** *tr* crease: *het zat in gekreukeld papier* it was wrapped in crumpled paper
kreukelig crumpled, creased
[1]**kreuken** *intr* get creased *(of:* rumpled)
[2]**kreuken** *tr* crease, crumple
kreunen groan, moan
kreupel 1 lame **2** *(gebrekkig)* poor, clumsy
kreupele cripple
kreupelhout undergrowth
krib manger, crib
kribbig grumpy, catty
kriebel itch, tickle: *ik krijg daar de ~s van* it gets on my nerves
kriebelen tickle; *(jeuken)* itch
kriek 1 black cherry **2** *(Belg)* (sour) cherry
krieken: *met (bij) het ~ van de dag* at (the crack of) dawn
krielaardappel (small) new potato
krijgen get; *(ontvangen ook)* receive; *(grijpen, pakken ook)* catch: *aandacht ~* receive attention; *je krijgt de groeten van … …* sends (you) his regards; *zij kreeg er hoofdpijn van* it gave her a headache; *slaap* (of: *trek*) ~ feel sleepy *(of:* hungry); *iets af ~* get sth done *(of:* finished); *dat goed is niet meer te ~* you can't get hold of that stuff any more; *iem te pakken ~* get (hold of) s.o.; *ik krijg nog geld van je* you (still) owe me some money; *iets voor elkaar ~* manage sth
krijger warrior
krijgsgevangene prisoner of war
krijgshaftig warlike
krijgsheer warlord
krijgsmacht armed forces, army
krijgsraad court-martial
krijgstucht military discipline
krijsen 1 shriek, screech **2** *(huilen)* scream
krijt chalk; *(kleurstift)* crayon || *bij iem in het ~ staan* owe s.o. sth
krijten chalk
krijtje piece of chalk
krik jack
Krim: *de ~* the Crimea
krimp shrinkage || *geen ~ geven* not flinch
krimpen shrink, contract

krimpfolie clingfilm, shrink-wrapping
kring circle, ring; *(elektr)* circuit: *in politieke ~en* in political circles; *de huiselijke ~* the family (*of:* domestic) circle; *~en onder de ogen hebben* have bags under one's eyes; *~en maken op een tafelblad* make rings on a table top; *in een ~ zitten* sit in a ring (*of:* circle)
kringelen spiral
kringloop cycle; *(van geld, informatie)* circulation
kringlooppapier recycled paper
krioelen swarm, teem
kriskras criss-cross
kristal crystal
kristalhelder crystal-clear; lucid *(van gedachten)*
kristallen crystal
[1]**kritiek** *zn* 1 criticism: *opbouwende* (of: *afbrekende*) *~* constructive (*of:* destructive) criticism 2 *(bespreking ook)* (critical) review: *goede* (of: *slechte*) *~en krijgen* get good (*of:* bad) reviews
[2]**kritiek** *bn* critical; *(doorslaggevend ook)* crucial: *de toestand van de patiënt was ~* the patient's condition was critical
kritisch 1 critical 2 *(negatief ook)* fault-finding: *een ~ iemand* a fault-finder
kritiseren criticize; *(mbt boek)* review
Kroaat Croat, Croatian
Kroatië Croatia
kroeg pub: *altijd in de ~ zitten* always be in the pub
kroegbaas publican
kroegloper pub-crawler
kroepoek prawn crackers, shrimp crackers
kroes mug
kroeshaar frizzy hair, curly hair
krokant crisp(y), crunchy
kroket croquette
krokodil crocodile
krokus crocus
krokusvakantie *(ongev)* spring half-term; *(Am; ongev)* semester break
krols on heat
krom 1 bent, crooked; *(lijn)* curved: *~me benen* bow-legs *(O-benen)* 2 *(gebrekkig)* clumsy: *~ Nederlands* bad Dutch
krommenaas: *(Belg) zich van ~ gebaren* act dumb, pretend not to hear
kromming bend(ing), curving; *(in ruggengraat)* curvature
kromtrekken warp; buckle *(metaal)*
kromzwaard scimitar, sabre
kronen crown
kroning crowning; *(plechtig)* coronation
kronkel twist(ing); *(redenering)* kink
kronkelen twist, wind; *(wriggelen)* wriggle: *~ van pijn* writhe in agony
kronkelweg twisting road, winding road, crooked path
kroon 1 crown; *(van bloem)* corolla 2 *(vorst(in))* Crown: *een benoeming door de ~* a Crown appointment || *dat is de ~ op zijn werk* that is the crowning glory of his work
kroongetuige crown witness
kroonjuweel *(lett en fig)* crown jewel
kroonjuwelen crown jewels
kroonkurk crown cap
kroonlijst cornice
kroonsteentje connector
kroos duckweed
kroost offspring
krop 1 head: *een ~ sla* a head of lettuce 2 *(mbt vogels)* crop, gizzard
krot slum (dwelling), hovel
krottenwijk slum(s)
kruid 1 herb 2 *(specerij)* herb, spice
kruiden season, flavour; *(fig ook)* spice (up)
kruidenbuiltje bouquet garni
kruidenier grocer
kruidenierswinkel grocery (shop)
kruidenrekje spice rack
kruidenthee herb(al) tea
kruidnagel clove
[1]**kruien** *intr (mbt ijs)* break up, drift
[2]**kruien** *tr* wheel
kruier porter
kruik 1 jar, pitcher, crock 2 *(warmwaterfles)* hot-water bottle
kruim 1 crumb 2 *(Belg)* the pick of the bunch, the very best
kruimel crumb
kruimeldief 1 petty thief 2 ® *(handstofzuiger)* crumb-sweeper, dustbuster
kruimelen crumble
kruin crown
kruipen 1 creep, crawl 2 *(zich moeilijk voortbewegen)* crawl (along); drag *(mbt tijd)*: *de uren kropen voorbij* time dragged (on)
kruiperig cringing, slimy, servile
kruippakje romper (suit), playsuit
kruis 1 cross 2 *(mbt kledingstukken)* crotch; seat *(zitvlak)* 3 *(deel vh lichaam)* crotch, groin 4 *(mbt munten)* head: *~ of munt?* heads or tails? || *(Belg; fig) een ~ over iets maken* put an end to sth; *een ~ slaan* cross oneself
kruisbeeld crucifix
kruisbes gooseberry
kruiselings crosswise, crossways
kruisen cross, intersect: *patroon van elkaar ~de lijnen* pattern of intersecting lines
kruiser 1 cruiser 2 *(jacht)* cabin cruiser
kruisigen crucify
kruisiging crucifixion
kruising 1 crossing, junction, intersection; *(vnl. buiten de stad)* crossroads 2 *(bevruchting)* crossing, hybridization; *(vnl. mbt planten)* cross-fertilization 3 *(ontstane soort)* cross, hybrid; *(vnl. mbt dieren)* cross-breed
kruisje 1 cross; *((schrift)teken ook)* mark 2 *(kruis-*

teken) sign of the cross
kruiskopschroef cross-head screw
kruispunt crossing, junction, intersection; *(vnl. buiten de stad)* crossroad(s)
kruisraket cruise missile
kruisridder crusader
kruisteken (sign of the) cross
kruistocht crusade
kruisvaarder crusader
kruisvereniging *(ongev)* home nursing service
kruiswoordpuzzel crossword (puzzle)
kruit (gun)powder
kruitvat powder keg
kruiwagen 1 (wheel)barrow **2** *(fig)* connections: *~s gebruiken* pull strings
kruk 1 stool **2** *(loopstok)* crutch **3** *(deurknop)* (door) handle
krul curl; *(lange haarlok)* ringlet
krullen curl
krulspeld curler, roller
krultang curling iron
kso *(Belg) afk van kunstsecundair onderwijs* secondary fine arts education
kubiek cubic
kubus cube
kuchen cough
kudde herd *(vnl. grote dieren);* flock *(schapen, geiten)*
kuieren stroll, go for a walk
kuif 1 forelock; *(vetkuif)* quiff **2** (head of) hair **3** *(mbt vogels)* crest, tuft
kuiken chick(en)
kuil pit, hole; *(uitholling)* hollow; *(in wegdek)* pothole
kuiltje dimple; *(in kin ook)* cleft
kuip tub; barrel *(ton, vat)*
kuipje tub
[1]**kuis** *zn (Belg) (schoonmaak)* (house)cleaning: *grote ~* spring-cleaning
[2]**kuis** *bn, bw* chaste, pure
kuisen *(Belg)* clean
kuisheid chastity, purity
kuisvrouw *(Belg)* cleaning lady *(of:* woman)
kuit 1 *(anat)* calf **2** *(mbt vissen)* spawn
kukeleku cock-a-doodle-doo
kul rubbish
kunde knowledge, learning
kundig able, capable, skilful: *iets ~ repareren* repair sth skilfully
[1]**kunnen** *ww (mbt mogelijkheid)* may, might, could, it is possible that ...: *het kan een vergissing zijn* it may be a mistake
[2]**kunnen** *intr (aanvaardbaar zijn)* be acceptable: *zo kan het niet langer* it *(of:* things) can't go on like this; *die trui kán gewoon niet* that sweater's just impossible
[3]**kunnen** *intr, tr (mbt bekwaamheid)* can, could, be able to; be possible: *hij kan goed zingen* he's a good singer; *een handige man kan alles* a handy man can do anything; *hij liep wat hij kon* he ran as fast as he could; *hij kan niet meer* he can't go on; *buiten iets ~* do without sth; *het deksel kan er niet af* the lid won't come off; *morgen kan ik niet* tomorrow's impossible for me
[4]**kunnen** *hulpww (mbt toelating)* can, be allowed to; *(form)* may; *(ovt)* could; be allowed to, might: *zoiets kun je niet doen* you can't do that sort of thing; *je had het me wel ~ vertellen* you might *(of:* could) have told me; *de gevangene kon ontsnappen* the prisoner was able to *(of:* managed to) escape
kunst 1 art: *een handelaar in ~* an art dealer **2** *(kundigheid)* art, skill: *zwarte ~* black magic **3** *(moeilijke handeling)* trick
kunstacademie art academy
kunstarm artificial arm
kunstbloem artificial flower
kunstenaar artist
kunstgalerij (art) gallery
kunstgebit (set of) false teeth, (set of) dentures; *(gebitplaat)* (dental) plate
kunstgeschiedenis history of art; *(vak)* art history
kunstgreep trick, manoeuvre
kunsthandelaar art dealer
kunstig ingenious, skilful
kunstijs artificial ice, man-made ice; *(baan)* (ice) rink
kunstijsbaan ice rink, skating rink
kunstje 1 knack, trick: *dat is een koud ~* that's child's play, there's nothing to it **2** *(truc, toer)* trick: *geen ~s!* none of your tricks!
kunstleer imitation leather
kunstlicht artificial light
kunstliefhebber art lover
kunstmatig artificial; *(bewerkt ook)* synthetic; man-made; *(namaak ook)* imitation
kunstmest fertilizer
kunstschaatsen figure-skating
kunstschilder artist, painter
kunststof synthetic (material, fibre), plastic: *van ~* synthetic, plastic
kunststuk work of art; *(sport enz.)* feat; *(gevaarlijk)* stunt: *een journalistiek ~je* a masterpiece of journalism; *dat is een ~ dat ik je niet na zou doen* that's a feat I couldn't match
kunstuitleen art library, art-lending centre
kunstverzamelaar art collector
kunstvezel man-made fibre, synthetic fibre
kunstvorm art form, medium (of art)
kunstwerk work of art, masterpiece: *dat is een klein ~je* it's a little gem *(of:* masterpiece)
kunstzinnig artistic(ally-minded): *~e vorming* art(istic) training *(of:* education)
kunstzwemmen synchronized swimming
[1]**kuren** *zn,mv* quirks; *(tijdelijk)* moods: *hij heeft altijd van die vreemde ~* he's quirky *(of:* moody); *vol ~: a) (mens)* moody; *b) (paard)* awkward

[2]**kuren** *intr* take a cure
[1]**kurk** *zn* cork: *doe de ~ goed op de fles* cork the bottle properly
[2]**kurk** *zn* cork: *wij hebben ~ in de gang* we've got cork flooring in the hall
kurkdroog (as) dry as a bone, bone-dry
kurken cork: *met ~ zolen* cork-soled
kurkentrekker corkscrew
kus kiss: *geef me eens een ~* give me a kiss, how about a kiss?; *een ~ krijgen van iem* get a kiss from (*of:* be kissed by) s.o.; *iem een ~ toewerpen* blow s.o. a kiss; *~jes!* (lots of) love (and kisses)
kushandje a blown kiss: *~s geven* blow kisses (to s.o.)
[1]**kussen** *zn* cushion; pillow *(bed)*; *(opvulling)* pad: *de ~s (op)schudden* plump up the pillows
[2]**kussen** *intr, tr* kiss: *iem gedag (vaarwel) ~* kiss s.o. goodbye; *elkaar ~* kiss (each other)
kussensloop pillowcase, pillowslip
kust 1 coast, (sea)shore: *de ~ is veilig* the coast is clear; *een huisje aan de ~* a cottage by the sea; *onder (voor) de ~* off the coast, offshore, *(vanuit zee gezien)* inshore; *vijftig kilometer uit de ~* fifty kilometres offshore (*of:* off the coast) 2 *(strand)* seaside

ku

kustgebied coastal area (*of:* region)
kustlijn coastline, shoreline
kustplaats seaside town, coastal town
kuststrook coastal strip
kustvaarder coaster
kut *(inform)* cunt
kuub cubic metre: *te koop voor een tientje de ~* on sale for ten euros a cubic metre
kuur cure, course of treatment
kuuroord health resort; *(badplaats ook)* spa
[1]**kwaad** *zn* 1 wrong, harm: *een noodzakelijk ~* a necessary evil; *van ~ tot erger vervallen* go from bad to worse 2 harm, damage: *meer ~ dan goed doen* do more harm than good; *dat kan geen ~* it can't do any harm
[2]**kwaad** *bn (boosaardig)* bad; *(hond)* vicious: *hij is de ~ste niet* he's not a bad guy
[3]**kwaad** *bn, bw* 1 bad, wrong: *het te ~ krijgen* be overcome (by), *(emoties)* break down 2 bad; *(heel erg)* evil: *ze bedoelde er niets ~s mee* she meant no harm (*of:* offence) 3 *(boos)* angry: *zich ~ maken, ~ worden* get angry; *iem ~ maken* make s.o. angry; *~ zijn op iem* be angry at (*of:* with) s.o.; *~ zijn om iets* be angry at (*of:* about) sth
kwaadaardig 1 malicious; *(ook hond)* vicious 2 *(schadelijk)* pernicious; *(gezwel, ziekte)* malignant
kwaadheid anger: *rood worden van ~* turn red with anger (*of:* fury)
kwaadschiks unwillingly
kwaadspreken speak ill (*of:* badly): *~ van (iem)* speak ill (*of:* badly) of (s.o.), *(gelogen)* slander (s.o.)
kwaadwillig malevolent
kwaal 1 complaint, disease, illness: *een hartkwaal* a heart condition 2 *(onvolkomenheid)* trouble, problem
kwab (roll of) fat (*of:* flab), jowl
kwadraat square: *drie ~* three squared
kwajongen 1 mischievous boy, naughty boy, brat 2 *(snotneus)* rascal
kwajongensachtig boyish, mischievous
kwajongensstreek (boyish) prank, practical joke: *een ~ uithalen* play a practical joke
kwak 1 *(verf, lijm, modder)* dab; *(slagroom)* blob; *(voedsel)* dollop: *een ~ eten* a dollop of food 2 *(geluid)* thud, thump, smack
kwaken quack; croak *(kikvors)*
kwakkel *(Belg) (canard)* canard, unfounded rumour (*of:* story)
kwakkelen *(mbt weer)* drag on; linger *(winter)*; be fitful
kwakkelweer unsteady weather, changeable weather
[1]**kwakken** *intr* bump, crash, fall with a thud: *hij kwakte tegen de grond* he landed with a thud on the floor
[2]**kwakken** *tr (neersmijten)* dump, chuck; dab *(verf)*: *zij kwakte haar tas op het bureau* she smacked her bag down on the desk
kwakzalver quack (doctor)
kwakzalverij quackery
kwal 1 *(dier)* jellyfish 2 *(scheldwoord)* jerk
kwalificatie qualification(s)
kwalificatieronde qualifying round
kwalificatiewedstrijd qualifying match
[1]**kwalificeren** *tr* 1 *(benoemen)* call, describe as 2 *(geschikt maken)* qualify
[2]**kwalificeren, zich** *(zich plaatsen)* qualify (for)
kwalijk evil, vile, nasty; *(bw)* vilely; nastily, badly: *de ~e gevolgen van het roken* the bad (*of:* detrimental) effects of smoking; *dat is een ~e zaak* that is a nasty business || *neem me niet ~, dat ik te laat ben* excuse my being late, excuse me for being late; *neem(t) (u) mij niet ~* I beg your pardon; *je kunt hem dat toch niet ~ nemen* you can hardly blame him
kwalitatief qualitative: *~ was het verschil groot* there was a large difference in quality
kwaliteit 1 quality: *hout van slechte ~* low-quality wood; *van slechte ~* (of) poor quality 2 *(eigenschap ook)* characteristic
kwaliteitscontrole quality control
kwaliteitseisen quality requirements (*of:* standards), requirements as to quality, specifications
kwaliteitsproduct (high-)quality product
kwantificeren quantify
kwantitatief quantitative
kwantiteit quantity, amount
kwantumkorting quantity rebate
kwark fromage frais, curd cheese
kwarktaart *(ongev)* cheesecake
kwart quarter: *voor een ~ leeg* a quarter emp-

ty; *het is ~ voor* (of: *over*) *elf* it is a quarter to (*of:* past) eleven, it is ten forty-five (*of:* eleven fifteen)
kwartaal quarter, trimester; *(ond)* term: *(eenmaal) per ~* quarterly
kwartaalcijfers quarterly balance
kwartel quail: *zo doof als een ~* as deaf as a post
kwartet quartet: *een ~ voor strijkers* a string quartet
kwartetspel happy families; *(Am)* old maid
kwartetten play happy families *(of Am:* old maid)
kwartfinale quarter-finals: *de ~(s) halen* make the quarter-finals
kwartfinalist quarter-finalist
kwartier quarter (of an hour): *het duurde een ~: a) (wachten)* it took a quarter of an hour; *b) (voorstelling)* it lasted a quarter of an hour; *om het ~* every quarter (of an hour) of an hour; *drie ~* three-quarters of an hour
kwartje 25-cent piece; *(Am)* quarter: *het kost twee ~s* it costs fifty cents
kwartnoot crotchet; *(Am)* quarter note
kwarts quartz
kwartshorloge quartz watch
kwast 1 brush **2** *(versiering op kleding)* tassel; *(klein)* tuft: *met ~en (versierd)* tasselled **3** *(drank)* (lemon) squash, lemonade
kwatong *(Belg)* scandalmonger: *~en beweren ...* it is rumoured that ...
kwatrijn quatrain
kwebbel chatterbox || *houd je ~ dicht* shut your trap
kwebbelen chatter
kweek 1 cultivation; culture *(ook in laboratorium)*; growing **2** *(wat gekweekt wordt)* culture, growth
kweekplaats 1 nursery; *(fig ook)* breeding ground **2** *(fig) (broeinest)* hotbed
kweekvijver fish-breeding pond; *(fig)* breeding ground
kweken 1 grow, cultivate: *gekweekte planten* cultivated plants; *zelf gekweekte tomaten* home-grown tomatoes **2** *(mbt dieren)* raise, breed: *oesters ~* breed oysters **3** *(fig)* breed, foster: *goodwill ~* foster goodwill
kweker grower; *(tuinder)* (market) gardener; *(planten, bomen)* nurseryman
kwekerij nursery; *(groenten)* market garden
kwelgeest tormentor, teaser, pest
kwellen 1 hurt; *(sterker)* torment; torture **2** *(van geestelijk leed)* torment: *gekweld worden door geldgebrek* be troubled by lack of money; *een ~de pijn* an excruciating pain **3** *(niet met rust laten)* trouble, worry: *die gedachte bleef hem ~* the thought kept troubling him; *gekweld door wroeging* (of: *een obsessie*) haunted by remorse (*of:* by an obsession)
kwelling 1 torture, torment **2** *(leed)* torment, agony: *een brief schrijven is een ware ~ voor hem* writing a letter is sheer torment for him
kwestie question, matter; *(probleem ook)* issue: *een slepende ~* a matter that drags on; *de persoon* (of: *de zaak*) *in ~* the person (*of:* matter) in question; *een ~ van smaak* a question (*of:* matter) of taste; *een ~ van vertrouwen* a matter of confidence
kwetsbaar vulnerable: *dit is zijn kwetsbare plek* (of: *zijde*) this is his vulnerable spot (*of:* side)
kwetsbaarheid vulnerability
kwetsen *(verwonden)* injure, wound, hurt, bruise: *iemands gevoelens ~* hurt s.o.'s feelings; *gekwetste trots* wounded pride
kwetsuur injury
kwetteren twitter
kwiek alert, spry
kwijl slobber
kwijlen slobber: *om van te ~* mouth-watering
kwijt 1 lost: *ik ben mijn sleutels ~* I have lost my keys; *zijn verstand ~ zijn* have lost one's mind **2** *(verlost van)* rid (of): *ik ben mijn kiespijn ~* my toothache is gone (*of:* over); *hij is al die zorgen ~* he is rid of all those troubles; *die zijn we gelukkig ~* we are well rid of him, good riddance to him **3** *(vergeten)* deprived (of): *ik ben zijn naam ~* I've forgotten his name; *(fig) nu ben ik het ~* it has slipped my memory; *de weg ~ zijn* be lost, have lost one's way || *ik kan mijn auto nergens ~* I can't park my car anywhere
kwijtraken 1 lose: *zijn evenwicht ~ (ook fig)* lose one's balance (*of:* composure); *de weg ~* lose one's way **2** *(verkopen)* dispose of, sell: *die zul je makkelijk ~* you will easily dispose (*of:* get rid) of those
kwijtschelden forgive, let off: *hij heeft mij de rest kwijtgescholden* he has let me off the rest; *van zijn straf is (hem) 2 jaar kwijtgescholden* he had 2 years of his punishment remitted; *iem een straf ~* let s.o. off a punishment
kwijtschelding pardon; *(zonde ook)* absolution: *~ van straf krijgen* be pardoned
kwik mercury: *het ~ stijgt* (of: *daalt*) the thermometer is rising (*of:* falling)
kwikzilver mercury
kwinkslag witticism
kwintet quintet
kwispelen wag: *met de staart ~* wag one's tail
kwistig lavish
kwitantie receipt || *een ~ innen* collect payment

l

[1]**la** *zn (muz)* la
[2]**la** *zn* drawer; *(geld)* till: *de la uittrekken* (of: *dichtschuiven*) open (*of:* shut) a drawer
laadbak (loading) platform
laadklep tailboard
laadruim cargo hold; *(vliegtuig ook)* cargo compartment, freight compartment
laadvermogen carrying capacity
[1]**laag** *zn* **1** layer; *(beschermlaag)* coating; *(dun)* film; *(dun)* sheet; *(verf)* coat **2** *(in de maatschappij)* stratum: *in brede lagen van de bevolking* in large sections of the population || *de volle ~ krijgen* get the full blast (of s.o.'s disapproval)
[2]**laag** *bn, bw* **1** low: *een ~ bedrag* a small amount; *het gas ~ draaien* turn the gas down; *de barometer staat ~* the barometer is low **2** *(gemeen)* low, mean
laag-bij-de-gronds commonplace: *~e opmerkingen* crude remarks
laagseizoen low season, off season
laagte depression; hollow *(mbt heuvels)*
laagvlakte lowland plain, lowland(s)
laagvliegen fly low, hedge-hop
laagwater low tide
laaien blaze
laaiend **1** wild **2** *(woedend)* furious
laan avenue: *iem de ~ uitsturen* sack s.o., fire s.o., *(wegjagen)* send s.o. packing
laars boot
laat late: *van de vroege morgen tot de late avond* from early in the morning till late at night; *een wat late reactie* a rather belated reaction; *is het nog ~ geworden gisteravond?* did the people stay late last night?; *~ opblijven* stay up late; *gisteravond ~* late last night; *hoe ~ is het?* what's the time?, what time is it?; *'s avonds ~* late at night; *te ~ komen (op school, op kantoor, op je werk)* be late (for school, at the office, for work); *een dag te ~* a day late (*of:* overdue); *~ in de middag* (of: *het voorjaar*) in the late afternoon (*of:* spring); *beter ~ dan nooit* better late than never
laatkomer latecomer
[1]**laatst** *bn* **1** last: *dat zou het ~e zijn wat ik zou doen* that is the last thing I would do **2** *(meest recent)* latest, last: *in de ~e jaren* in the last few years, in recent years; *de ~e tijd* recently, lately **3** *(afsluitend)* final, last: *voor de ~e keer optreden* make one's last (*of:* final) appearance **4** *(van twee dingen)* latter: *in de ~e helft van juli* in the latter (*of:* second) half of July; *ik heb voorkeur voor de ~e* I prefer the latter
[2]**laatst** *bw* **1** *(onlangs)* recently, lately: *ik ben ~ nog bij hem geweest* I visited him recently **2** *(in tijd, reeks)* last: *morgen op zijn ~* tomorrow at the latest; *op het ~ waren ze allemaal dronken* they all ended up drunk; *voor het ~* for the last time; *toen zag hij haar voor het ~* that was the last time he saw her
laatstgenoemde last (named, mentioned); *(van twee)* latter
laattijdig *(Belg)* tardy, tardily
lab lab
label label; *(etiket)* sticker; *(adreskaartje)* address tag
labelen label
labeur *(Belg)* labour, chore
labeuren *(Belg)* slave away, toil
labiel unstable
labo *(Belg)* lab
laborant laboratory assistant *(of:* technician)
laboratorium lab(oratory)
labrador labrador
labyrint labyrinth
lach laugh, (burst of) laughter: *de slappe ~ hebben* have the giggles; *in de ~ schieten* burst out laughing, *(Am ook)* crack up
lachbui fit of laughter
lachen **1** laugh; *(glimlachen)* smile: *hij kon zijn ~ niet houden* he couldn't help laughing; *laat me niet ~* don't make me laugh; *er is (valt) niets te ~* this is no laughing matter; *om* (of: *over*) *iets ~* laugh about (*of:* at); *tegen iem ~* laugh at s.o.; *wie het laatst lacht, lacht het best* he who laughs last laughs longest **2** (met *om*) laugh at: *daar kun je nu wel om ~, maar ...* it's all very well to laugh, but ...
lachend laughing, smiling
lacherig giggly
lachertje laugh, joke
lachfilm comedy
lachsalvo burst of laughter
lachspiegel carnival mirror
lachwekkend laughable; *(belachelijk)* ridiculous
laconiek laconic
ladder ladder, scale || *een ~ in je kous* a run (*of:* ladder) in your stocking
ladekast chest (of drawers); *(archief)* filing cabinet
laden **1** load: *koffers uit de auto ~* unload the bags from the car **2** *(mbt elektriciteit)* charge: *een geladen atmosfeer* a charged atmosphere
lading **1** cargo; *(schip)* load: *te zware ~* overload **2** *(elektriciteit)* charge
laf cowardly
lafaard coward

lafheid cowardice
lagedrukgebied low-pressure area
lagelonenland low-wage country
lager bearing
lagerbier lager (beer)
Lagerhuis Lower House; *(Groot-Brittannië en Canada)* House of Commons
lagerwal lee shore: *aan ~ geraken* come down in the world, go to seed
lagune lagoon
lak lacquer, varnish; *(voor nagels)* polish: *de ~ is beschadigd* the paintwork is damaged
lakei lackey
laken 1 sheet; *(tafel)* tablecloth: *de ~s uitdelen* rule the roost, run the show **2** *(stof)* cloth, worsted: *het ~ van een biljart* the cloth of a billiard table || *van hetzelfde ~ een pak krijgen, (Belg) van hetzelfde ~ een broek krijgen* have a taste of one's own medicine
lakken 1 lacquer, varnish; polish *(nagels)* **2** *(verven)* paint, enamel
laklaag (layer of) lacquer *(of:* varnish, enamel)
laks lax
lakwerk paint(work)
[1]**lam** *zn* lamb
[2]**lam** *bn, bw* **1** paralysed; *(fig ook)* out of action **2** *(krachteloos)* numb
lama llama
lambrisering wainscot(t)ing, panelling
lamel plate, (laminated) layer; *(strook)* strip
laminaat laminate
lamlendig shiftless
lamp lamp, light; *(gloeilamp)* bulb: *er gaat een ~je bij mij branden* that rings a bell; *tegen de ~ lopen* get caught
lampion Chinese lantern
lamsbout leg of lamb
lamskarbonade lamb chop
lamswol lambswool
lanceerbasis launch site, launch pad
lanceren launch; *(raket ook)* blast, lift off: *een bericht* (of: *een gerucht*) *~* spread a report (*of:* a rumour)
lancering launch(ing); *(raket ook)* blast-off, lift-off
lancet lancet
land 1 land: *aan ~ gaan* go ashore; *te ~ en ter zee* on land and sea; *~ in zicht!* land ho! **2** *(staat)* country: *~ van herkomst* country of origin; *in ons ~* in this country
landaanwinning land reclamation
landarbeider farm worker, agricultural worker
landbouw farming: *~ en veeteelt: a) (voor vlees)* arable farming and stockbreeding; *b) (voor melk)* arable and dairy farming
landbouwbedrijf farm
landbouwer farmer
landbouwgrond agricultural land, farming land, farmland
landbouwkundig agricultural
landbouwmachine agricultural machine, farming machine
landbouwuniversiteit agricultural university; *(in naam vaak)* University of Agriculture
landeigenaar landowner
landelijk 1 national **2** *(mbt het platteland)* rural, country
landen land: *~ op Zaventem* land at Zaventem
landengte isthmus, neck of land
landenwedstrijd international match *(of:* contest)
landerig down in the dumps, listless
landerijen (farm)land(s)
landgenoot (fellow) countryman
landgoed country estate
landhuis country house
landing landing: *een zachte ~* a smooth landing
landingsbaan runway
landingsgestel landing gear, undercart
landinwaarts inland
landkaart map
landklimaat continental climate
landloper tramp, vagrant
landmacht army, land forces
landmark landmark
landmijn landmine
landschap landscape
landsverdediging *(Belg)* defence
landtong spit of land, headland
landverraad (high) treason
landweg country road lane; *(zandweg)* (country) track
[1]**lang** *bn* long; *(persoon, staand voorwerp)* tall: *de kamer is zes meter ~* the room is six metres long; *een ~e vent* a tall guy
[2]**lang** *bw* **1** long, (for) a long time: *ik blijf geen dag ~er* I won't stay another day, I won't stay a day longer; *~ duren* take a long time, last long (*of:* a long time); *ze leefden ~ en gelukkig* they lived happily ever after; *~ zal hij leven!* for he's a jolly good fellow!; *~ meegaan* last (a long time); *~ opblijven* stay up late; *ze kan niet ~er wachten* she can't wait any longer (*of:* more) **2** *(met ontkenning)* far (from), (not) nearly: *dat smaakt ~ niet slecht* it doesn't taste at all bad; *hij is nog ~ niet zover* he hasn't got nearly as far as that; *wij zijn er nog ~ niet* we've (still got) a long way to go
langdradig long-winded
langdurig long(-lasting), lengthy; long-standing, long-established
langeafstandsloper long-distance runner
langgerekt long-drawn-out, elongated
langlaufen ski cross-country
langlopend long-term
[1]**langs** *bw* **1** along: *in een boot de kust ~ varen* sail along the coast, skirt the coast **2** *(aan)* round, in, by: *ik kom nog weleens ~* I'll drop in (*of:* round, by) sometime **3** *(voorbij)* past: *hij kwam net ~* he just came past

[2]**langs** *vz* 1 along: ~ *de rivier wandelen* go for a walk along the river 2 via, by (way, means of): ~ *de regenpijp naar omlaag* down the drainpipe; *hier* (of: *daar*) ~ this (*of:* that) way 3 *(voorbij)* past: ~ *elkaar heen praten* talk at cross purposes 4 *(aan bij)* in at: *wil jij even ~ de bakker rijden?* could you just drop in at the bakery?
langsgaan 1 pass (by) 2 *(aangaan)* call in (at)
langskomen 1 come past, come by, pass by 2 *(op bezoek komen)* come round (*of:* over), drop by, drop in
langsrijden ride past *(op paard, fiets enz.);* drive past *(met auto)*
langstlevende survivor
langszij alongside
languit (at) full-length, stretched out
langverwacht long-awaited
langwerpig elongated, long
langzaam 1 slow: *een langzame dood sterven* die a slow (*of:* lingering) death; ~ *aan!* slow down!, (take it) easy!; *het ~ aan doen* take things eas(il)y; ~ *maar zeker* slowly but surely 2 *(geleidelijk)* gradual, bit by bit, little by little: ~ *werd hij wat beter* he gradually got a bit better
langzamerhand gradually, bit by bit, little by little: *ik krijg er ~ genoeg van* I'm beginning to get tired of it
lans lance
lantaarn 1 street lamp, street light 2 lantern; *(zaklamp)* torch; *(Am)* flashlight
lantaarnpaal lamp post
lanterfanten lounge (about), loaf (about); sit about (*of:* around) *(vnl. thuis)*
lap piece, length; *(vod)* rag
Lap Lapp
lapjeskat tabby-and-white cat; *(Am)* calico cat
Lapland Lapland
Laplander Lapp, Laplander
lapmiddel makeshift (measure), stopgap
lapnaam *(Belg) (bijnaam)* nickname
lappen patch, mend; cobble *(schoenen)* || *ramen* ~ cobble the windows; *dat zou jij mij niet moeten* ~ don't try that (one) on me; *iem erbij* ~ blow the whistle on s.o.
lappendeken patchwork quilt
laptop laptop (computer)
lariekoek (stuff and) nonsense, rubbish
[1]**lariks** *zn (boom)* larch
[2]**lariks** *zn (hout)* larch
larve larva
las weld *(ijzer);* joint *(hout); (film)* splice
lasapparaat welding apparatus, welder; *(film)* splicer
lasbril welding goggles
lasershow laser show
laserstraal laser beam
laserwapen laser weapon
[1]**lassen** *intr, tr* weld *(ijzer, plastic);* join *(hout); (film)* splice
[2]**lassen** *tr (invoegen, aanbrengen)* put in; *(ook fig)* insert
lasser welder *(metaal)*
lasso lasso
last 1 load; burden *(op schouders; ook fig): hij bezweek haast onder de ~* he nearly collapsed under the burden 2 *(kosten, uitgave)* cost(s), expense(s): *sociale ~en* National Insurance contributions, *(Am)* social security premiums 3 *(hinder)* trouble; *(ongemak)* inconvenience: *iem tot ~ zijn* bother s.o.; *wij hebben veel ~ van onze buren* our neighbours are a great nuisance to us 4 *(beschuldiging)* charge
laster *(gesproken)* slander; *(geschreven)* libel
lastercampagne smear campaign
lasteren *(gesproken)* slander; *(geschreven)* libel
lastig difficult: *een ~ vraagstuk* a tricky problem; *iem ~ vallen* bother (*of:* trouble) s.o., *(vrouw op straat)* harass s.o.
lastpost nuisance, pest
lat slat: *de bal kwam tegen de ~* the ball hit the crossbar; *zo mager als een ~* (as) thin as a rake
[1]**laten** *tr* 1 omit, keep from: *laat dat!* stop that!; *hij kan het niet ~* he can't help (doing) it; *laat maar!* never mind! 2 leave, let: *waar heb ik dat potlood gelaten?* where did I leave (*of:* put) that pencil?; *iem ~ halen: a) (bijv. de huisarts)* send for s.o.; *b) (bijv. van het station)* have s.o. fetched; *daar zullen we het bij ~!* let's leave it at that! 3 *(opbergen)* put: *waar moet ik het boek ~?* where shall I put (*of:* leave) the book? 4 *(toegang geven tot)* show (into), let (into): *hij werd in de kamer gelaten* he was shown into the room 5 *(toestaan)* let, allow: *laat de kinderen maar* just let the kids be
[2]**laten** *hulpww (mbt wenselijkheid, aansporing)* let: ~ *we niet vergeten, dat …* don't let us forget that …
latent latent
[1]**later** *bn* later, subsequent; *(toekomstige)* future: *op ~e leeftijd* at an advanced age, late in life
[2]**later** *bw* later (on), afterwards; *(op korte termijn)* presently: *enige tijd ~* after some time (*of:* a while), a little later (on); *even ~* soon after, presently; *niet ~ dan twee uur* no later than two o'clock; ~ *op de dag* later that (same) day, later in the day
Latijn Latin
Latijns-Amerika Latin America
Latijns-Amerikaans Latin-American
latrelatie: *ze hebben een ~* they are living apart together
laurier 1 laurel 2 bay *(cul)*
lauw lukewarm
lauweren laurels: *op zijn ~ rusten* rest on one's laurels
lava lava
lavabo *(Belg) (wastafel)* washbasin
laveloos sloshed, loaded
lavendel lavender

laveren *(mbt zeilen)* tack; *(fig)* steer a middle course
lawaai noise, din; *(sterker)* racket
lawaaierig noisy
lawine avalanche; *(fig ook)* barrage *(vragen, kritiek)*
laxeermiddel laxative
lbo *afk van lager beroepsonderwijs* lower vocational education
lcd-scherm LCD display, screen
leao *afk van lager economisch en administratief onderwijs* lower economic and administrative education *(of:* training)
leaseauto leased car
leasen lease
lectuur reading (matter)
ledematen limbs
ledental membership (figure)
lederen leather
lederwaren leather goods *(of:* articles)
ledikant bed(stead)
leed sorrow, grief
leedvermaak malicious pleasure
leefbaar liveable, bearable; endurable *(leven): een huis ~ maken* make a house inhabitable
leefgemeenschap *(bijv. van hippies)* commune; *(bijv. van monniken)* community
leefmilieu environment
leeftijd age: *Gérard is op een moeilijke ~* Gérard is at an awkward age; *hij bereikte de ~ van 65 jaar* he lived to be 65; *op vijftienjarige ~* at the age of *(of:* aged) fifteen; *Eric ziet er jong uit voor zijn ~* Eric looks young for his age; *(Belg) de derde ~* the over sixty-fives
leeftijdgenoot contemporary, peer
leeftijdsgrens age limit
leeftijdsgroep age group
leefwijze lifestyle, way of life, manner of living
leeg 1 empty; vacant *(plaats);* flat *(band);* blank *(bladzijde, geluidsband): een lege accu* a flat battery; *met lege handen vertrekken (fig)* leave empty-handed **2** *(vrij van werk)* idle, empty **3** *(fig)* empty, hollow
leegeten finish, empty
leeggoed *(Belg)* empties
leeghalen empty; clear out *(gebouw);* turn out *(zakken); (stelen)* ransack
leeglopen (become) empty; become deflated *(ballon);* go flat *(band);* run down *(accu)*
leegmaken empty; finish *(fles);* clear *(ruimte): zijn zakken ~* turn out one's pockets
leegstaan be empty *(of:* vacant)
leegte emptiness: *hij liet een grote ~ achter* he left a great void (behind him)
leek layman
leem loam
leen loan: *iets van iem in (te) ~ hebben* have sth on loan from s.o.
leenheer liege (lord)
leenman vassal
leenstelsel feudal system
[1]**leer** *zn* apprenticeship: *in de ~ zijn (bij)* serve one's apprenticeship (with)
[2]**leer** *zn* leather
leerboek textbook
leergang (educational) method, methodology
leerjaar (school) year: *beroepsvoorbereidend ~* vocational training year
leerkracht teacher, instructor
leerling 1 student, pupil **2** *(volgeling)* disciple, follower **3** apprentice, trainee: *leerling-verpleegster* trainee nurse
leerlooierij 1 tanning **2** *(werkplaats, zaak)* tannery
leermeester master
leermethode teaching method, training method
leermiddelen educational aids
leerplan syllabus, curriculum
leerplicht compulsory education
leerplichtig of school age
leerrijk instructive, informative
leerschool school
leerstoel chair
leerstof subject matter, (subject) material
leertje washer
leervak subject
leerweg (learning) track, study option: *de theoretische ~* the theoretical track; *de gemengde ~* the combined track; *de kaderberoepsgerichte ~* the advanced vocational track; *de basisberoepsgerichte ~* the basic vocational track
leerzaam instructive, informative: *een leerzame ervaring* a valuable experience
leesbaar 1 legible *(mbt handschrift)* **2** *(aangenaam om te lezen)* readable
leesbaarheid 1 *(mbt handschrift)* legibility **2** *(mbt inhoud)* readability
leesblind dyslexic
leesblindheid dyslexia
leesbril reading glasses
leesmoeder (parent) volunteer reading teacher
leesportefeuille portfolio (with magazines)
leest last
leesteken punctuation mark
leesvaardigheid reading proficiency *(of:* skill)
leeszaal reading room; *(openbaar ook)* public library
leeuw lion: *zo sterk als een ~* as strong as an ox
Leeuw *(astrol)* Leo
leeuwendeel lion's share
leeuwenkooi lion's cage
leeuwentemmer lion-tamer
leeuwerik lark
leeuwin lioness
lef guts, nerve: *heb het ~ niet om dat te doen* don't you dare do that
legaal legal
legaliseren legalize

legbatterij battery (cage)
legen empty
legendarisch legendary
legende legend
leger 1 army; *(ve staat ook)* armed forces: *een ~ op de been brengen* raise an army; *in het ~ gaan* join the army 2 *(ve haas)* lair
legerbasis army base
legeren 1 encamp 2 *(inkwartieren)* quarter; *(bij burgers)* billet
legergroen olive drab *(of:* green)
legering alloy
legerkamp army camp
legerkorps army corps
legermacht armed forces; *(alleen landmacht)* army
leggen 1 lay (down); *(worstelen, boksen)* floor: *te ruste(n) ~* lay to rest 2 *(van kippen)* lay 3 *(zetten)* put, put aside
legging leggings *(mv)*
legioen 1 legion 2 supporters
legitimatie identification, proof of identity
legitimeren, zich identify oneself, prove one's identity
lego® Lego
legpuzzel jigsaw (puzzle)
leguaan iguana
lei slate: *(weer) met een schone ~ beginnen* start again with a clean slate
leiden 1 lead, bring, guide: *iem ~ naar* lead *(of:* steer) s.o. towards; *de nieuwe bezuinigingen zullen ertoe ~ dat …* as a result of the new cutbacks, …; *de weg leidde ons door het dorpje* the road took *(of:* led) us through the village; *zij leidde hem door de gangen* she led *(of:* guided) him through the corridors; *tot niets ~* lead nowhere 2 *(besturen)* manage; conduct *(orkest, debat);* direct *(onderzoek, gesprek): zich laten ~ door* be guided *(of:* ruled) by 3 *(sport)* (be in the) lead || *een druk leven ~* lead a busy life
leider leader; *(handel)* director; manager; *(gids)* guide
leiderstrui leader's jersey: *(bij wielrennen) de gele ~* the yellow jersey
leiding 1 guidance, direction: *onder zijn bekwame ~* under his (cap)able leadership; *~ geven (aan)* direct *(werkzaamheden)*, lead *(team)*, manage, run *(bedrijf)*, govern *(volk, vereniging)*, preside over, chair *(vergadering); wie heeft er hier de ~?* who's in charge here? 2 *(bestuur)* direction; *(ve onderneming)* management; *(bestuurders ook)* managers; *(bestuurders ook)* (board of) directors; *(leiders)* leadership: *de ~ heeft hier gefaald* the management is at fault here 3 *(buis binnenshuis)* pipe; *(dunne draad)* wire; *(dik)* cable: *elektrische ~* electric wire *(of:* cable) 4 lead: *Ajax heeft de ~ met 2 tegen 1* Ajax leads 2-1
leidinggevend executive, managerial, management
leidingwater tap water
leidraad guide(line)
leidsel rein
leien slate
[1]**lek** *zn* leak(age), puncture; flat *(band): een ~ dichten* stop a leak
[2]**lek** *bn* leaky, punctured; flat *(band): een ~ke band krijgen* get a puncture
lekkage leak(age)
lekken 1 leak, be leaking; *(schip ook)* take in water; *(kraan ook)* drip 2 *(doorsijpelen)* leak, seep
[1]**lekker** *bn* 1 nice, good, tasty; *(erg lekker)* delicious: *ze weet wel wat ~ is* she knows a good thing when she sees it; *is het ~? ja, het heeft me ~ gesmaakt* do you like it? yes, I enjoyed it 2 *(van geur)* nice, sweet 3 *(gezond)* well, fine: *ik ben niet ~* I'm not feeling too well 4 *(aardig)* nice, pleasant 5 *(prettig)* nice; comfortable *(meubels, huis);* lovely: *~ rustig* nice and quiet
[2]**lekker** *bw* 1 well, deliciously: *~ (kunnen) koken* be a good cook 2 *(prettig)* nicely, fine: *slaap ~, droom maar ~* sleep tight, sweet dreams; *het ~ vinden om* like to
lekkerbek gourmet, foodie
lekkerbekje fried fillet of haddock
lekkernij delicacy; *(snoep)* sweet
lekkers sweet(s); *(hapje)* snack
lel clout
lelie (madonna) lily
lelietje-van-dalen lily of the valley
[1]**lelijk** *bn* 1 ugly: *het was een ~ gezicht* it looked awful 2 *(ongunstig)* bad, nasty
[2]**lelijk** *bw* badly, nastily: *zich ~ vergissen in iem (iets)* be badly mistaken about s.o. (sth)
lemen loam
lemmet blade
lemming lemming
lende 1 lumbar region, small of the back 2 *(mbt dieren)* loin, haunch
lenden loins
lendenbiefstuk sirloin
lenen 1 *(uitlenen)* lend (to): *ik heb hem geld geleend* I have lent him some money 2 *(te leen krijgen)* borrow (of, from): *mag ik je fiets vandaag ~?* can I borrow your bike today?
lener 1 *(gever)* lender 2 *(ontvanger)* borrower
lengte 1 length: *een plank in de ~ doorzagen* saw a board lengthways *(of:* lengthwise) 2 *(van persoon, plant)* length, height: *hij lag in zijn volle ~ op de grond* he lay full-length on the ground || *over een ~ van 60 meter* for a distance of 60 metres
lengtecirkel meridian
lengterichting longitudinal direction, linear direction
lenig lithe
lenigheid litheness
lening loan: *iem een ~ verstrekken* grant s.o. a loan
lens lens; *(contactlenzen ook)* contacts

lente spring: *in de ~* in (the) spring, in springtime

lepel 1 spoon; *(grote scheplepel)* ladle; *(lepeltje)* teaspoon: *een baby met een ~ voeren* spoonfeed a baby 2 *(hoeveelheid)* spoonful

lepelaar spoonbill

lepra leprosy

lepralijder leprosy sufferer, leper

leraar teacher: *hij is ~ Engels* he's an English teacher

lerarenkamer teachers' room, staffroom

lerarenopleiding secondary teacher training (course): *de tweedefaselerarenopleiding* postgraduate teacher training (course)

lerarenvergadering staff meeting

[1]**leren** *bn* leather

[2]**leren** *intr, tr* 1 learn ((how) to do): *een vak ~* learn a trade; *iem ~ kennen* get to know s.o.; *op dat gebied kun je nog heel wat van hem ~* he can still teach you a thing or two; *hij wil ~ schaatsen* he wants to learn (how) to skate; *iets al doende ~* pick sth up as you go along; *iets van buiten ~* learn sth by heart 2 *(mbt leraar)* teach: *de ervaring leert …* experience teaches … 3 *(studeren)* study, learn: *haar kinderen kunnen goed* (of: *niet*) *~* her children are good (*of:* no good) at school

[3]**leren** *tr* 1 *(onderwijzen)* teach (s.o. (how) to do sth): *iem ~ lezen en schrijven* teach s.o. to read and write 2 *(van een gewoonte)* pick up, learn: *hij leert het al aardig* he is beginning to get the hang of it

les 1 lesson, class: *ik heb ~ van 9 tot 12* I have lessons (*of:* classes) from 9 to 12; *een ~ laten uitvallen* drop a class; *~ in tekenen* drawing (*of:* art) classes 2 *(fig)* lecture, lesson: *dat is een goede ~ voor hem geweest* that's been a good lesson to him; *iem de ~ lezen, (Belg) iem de ~ spellen* give s.o. a talking-to

lesauto learner car; *(Am)* driver education car

lesbienne lesbian

lesbisch lesbian

lesgeld tuition fee(s)

lesgeven teach

leslokaal classroom

lesrooster school timetable *(of Am:* schedule)

lessen *(mbt dorst)* quench

lessenaar (reading, writing) desk, lectern

lesuur lesson, period

Letland Latvia

[1]**Lets** *zn* Latvian

[2]**Lets** *bn* Latvian

letsel injury

letten 1 *(acht slaan op)* pay attention (to): *daar heb ik niet op gelet* I didn't notice; *op zijn gezondheid ~* watch one's health; *let op mijn woorden* mark my words; *let maar niet op haar* don't pay any attention to her 2 *(toezicht houden op)* take care of: *goed op iem ~* take good care of s.o.; *er wordt ook op de uitspraak gelet* pronunciation is also taken into consideration (*of:* account)

letter letter; *(mv, opschrift)* lettering: *met grote ~s* in capitals

lettergreep syllable

letterkunde literature

letterkundig literary

letterlijk literal: *iets al te ~ opvatten* take sth too literally

lettertype type(face), fount; *(Am)* font

leugen lie: *een ~tje om bestwil* a white lie

leugenaar liar

leugendetector lie detector

leuk 1 funny, amusing: *hij denkt zeker dat hij ~ is* he seems to think he is funny; *ik zie niet in wat daar voor ~s aan is* I don't see the funny side of it 2 *(aardig)* pretty, nice: *een ~ bedrag* quite a handsome sum; *echt een ~e vent (knul)* a really nice guy; *dat staat je ~* that suits you 3 *(prettig)* nice, pleasant: *ik vind het ~ werk* I enjoy the work; *iets ~ vinden* enjoy (*of:* like) sth; *laten we iets ~s gaan doen* let's do sth nice; *~ dat je gebeld hebt* it was nice of you to call

leukemie leukaemia

leukoplast® sticking plaster

leunen lean (on, against): *achterover ~* lean back, recline

leuning 1 (hand)rail 2 *(mbt meubels)* back, arm (rest) 3 *(balustrade)* rail(ing), guard rail

leunstoel armchair

leuren peddle

leus slogan, motto

leut fun

leuteren drivel

Leuven Leuven, Louvain

[1]**leven** *zn* 1 life, existence: *de aanslag heeft aan twee mensen het ~ gekost* the attack cost the lives of two people; *het ~ schenken aan* give birth to; *zijn ~ wagen* risk one's life; *nog in ~ zijn* be still alive; *zijn ~ niet (meer) zeker zijn* be not safe here (any more) 2 *(werkelijkheid)* life, reality: *een organisatie in het ~ roepen* set up an organization 3 *(levensduur)* life, lifetime: *zijn hele verdere ~* for the rest of his life; *hun ~ lang hebben ze hard gewerkt* they worked hard all their lives 4 *(levenswijze)* life, living: *het ~ wordt steeds duurder* the cost of living is going up all the time; *zijn ~ beteren* mend one's ways 5 *(drukte)* life, liveliness: *er kwam ~ in de brouwerij* things were beginning to liven up

[2]**leven** *intr* 1 live, be alive: *blijven ~* stay alive; *en zij leefden nog lang en gelukkig* and they lived happily ever after; *leef je nog?* are you still alive?; *stil gaan ~* retire; *naar iets toe ~* look forward to sth 2 *(fig)* live (on) 3 *(in zijn onderhoud voorzien)* live (on, by); *(vaak min)* live off: *zij moet ervan ~* she has to live on it

levend living; live *(dieren, muziek);* alive

levendig 1 lively 2 *(vol leven)* lively, vivacious: *~ van aard zijn* have a vivacious nature 3 *(duidelijk)* vivid, clear: *ik kan mij die dag nog ~ herinneren*

I remember that day clearly **4** *(vurig)* vivid, spirited: *over een ~e fantasie beschikken* have a vivid imagination
levensbedreigend life-threatening
levensbehoefte **1** necessity of life **2** *(mv) (levensbenodigdheden)* necessities (of life)
levensbelang vital importance
levensbeschrijving biography, curriculum vitae
levensduur *(fig)* **1** lifespan: *de gemiddelde ~ van de Nederlander* the life expectancy of the Dutch **2** *(gebruiksduur)* life
[1]**levensecht** *bn* lifelike
[2]**levensecht** *bw* in a lifelike way *(of:* manner)
levenservaring experience of life
levensgevaar danger of life, peril to life: *buiten ~ zijn* be out of danger
levensgevaarlijk perilous
levensgezel life partner *(of:* companion)
levensgroot **1** *(op natuurlijke grootte)* life-size(d) **2** *(zeer groot)* huge, enormous
levensjaar year of (one's) life
[1]**levenslang** *bn* lifelong: *~e herinneringen* lasting memories || *hij kreeg ~* he was sentenced to life (imprisonment)
[2]**levenslang** *bw* all one's life
levensloop **1** course of life **2** curriculum vitae
levenslustig high-spirited
levensmiddelen food(s)
levensomstandigheden living conditions, circumstances *(of:* conditions) of life
levensonderhoud support, means of sustaining life: *de kosten van ~ stijgen* (of: *dalen*) living costs are rising *(of:* falling)
levenspartner life partner, life companion
levenssfeer privacy, private life
levensstandaard standard of living
levensstijl lifestyle, style of living
levensverwachting **1** expectation of *(of:* from) life **2** *(mbt leefduur)* life expectancy
levensverzekering life insurance (policy)
levenswandel conduct (in life), life
levenswerk life's work, lifework
levenswijze way of life
lever liver: *(Belg) het ligt op zijn ~* it rankles him || *iets op zijn ~ hebben* have sth on one's mind
leverancier supplier
leverantie delivery, supply(ing)
leverbaar available, ready for delivery: *niet meer ~* out of stock
leveren **1** supply, deliver **2** *(verschaffen)* furnish, provide: *iemand stof ~ voor een verhaal* provide s.o. with material for a story **3** *(klaarspelen)* fix, do, bring off: *ik weet niet hoe hij het hem geleverd heeft* I don't know how he pulled it off
levering delivery
leverpastei liver paté
levertijd delivery time
lezen **1** read: *je handschrift is niet te ~* your (hand)writing is illegible; *veel ~ over een schrijver* (of: *een bepaald onderwerp*) read up on a writer (*of:* on a particular subject); *ik lees hier dat …* it says here that … **2** *(voorlezen)* read (out, aloud) || *de angst stond op zijn gezicht te ~* anxiety was written all over his face
lezer reader: *het aantal ~s van deze krant neemt nog steeds toe* the readership of this newspaper is still increasing
lezing **1** reading: *bij oppervlakkige* (of: *nauwkeurige*) *~* on a cursory (*of:* a careful reading) **2** *(spreekbeurt)* lecture
liaan liana, liane
Libanees Lebanese
Libanon (the) Lebanon
libel dragonfly
liberaal **1** liberal; *(in Ned ook)* conservative **2** *(ruimdenkend)* liberal, broad-minded
liberaliseren liberalize
liberalisme liberalism
Liberia Liberia
libero *(sport)* sweeper
libido libido, sex drive
Libië Libya
Libiër Libyan
[1]**licentiaat** *zn (Belg) (persoon)* licentiate
[2]**licentiaat** *zn (waardigheid, graad)* licentiate, licence
licentiaatsthesis *(Belg)* licentiate's thesis; *(ongev)* MA thesis, M Sc thesis
licentie **1** licence **2** *(startvergunning)* permit
lichaam **1** body: *over zijn hele ~ beven* shake all over **2** *(romp)* trunk
lichaamsbeweging (physical) exercise; *(mv)* gymnastics
lichaamsbouw build, figure
lichaamsdeel part of the body; *(arm of been)* limb
lichaamstaal body language
lichaamsverzorging personal hygiene
lichamelijk physical
[1]**licht** *zn* light: *tussen ~ en donker* in the twilight; *waar zit de knop van het ~?* where's the light switch?; *groot ~* full beam; *dat werpt een nieuw ~ op de zaak* that puts things in a different light; *het ~ aandoen* (of: *uitdoen*) put the light on (*of:* off); *toen ging er een ~je (bij me) op* then it dawned on me; *het ~ staat op rood* the light is red; *aan het ~ komen* come to light
[2]**licht** *bn* **1** *(niet zwaar)* light, delicate: *zij voelde zich ~ in het hoofd* she felt light in the head; *een kilo te ~* a kilogram underweight **2** *(goed verlicht)* light, bright: *het wordt al ~* it is getting light **3** *(helder) (ook in sam)* light; pale *(zeer licht)* **4** *(gemakkelijk)* light, easy **5** *(gering)* light, slight: *een ~e afwijking hebben* be a bit odd; *een ~e blessure* a minor injury
[3]**licht** *bw* **1** lightly; *(lopen, slapen, met weinig bagage)* light: *~ slapen* sleep light **2** *(een beetje)* slightly **3** *(gemakkelijk)* easily: *~ verteerbaar* (easily) di-

gestible, light 4 *(zeer)* highly: *~ ontvlambare stoffen* highly (in)flammable materials

lichtbak illuminated sign

lichtelijk slightly

lichten 1 lift, raise 2 *(eruit halen)* remove: *iem van zijn bed ~* arrest s.o. in his bed

lichtend shining

lichterlaaie: *het gebouw stond in ~* the building was in flames (*of:* ablaze)

lichtgelovig gullible

lichtgevend luminous

lichting 1 *(jaargenoten)* levy, draft 2 *(mbt brievenbus)* collection

lichtjaar light year

lichtjesfeest Diwali, Festival of Lights

lichtkrans halo; *(astrol ook)* aureole

lichtmast lamp-post, lamp standard

lichtnet (electric) mains, lighting system: *een apparaat op het ~ aansluiten* connect an appliance to the mains; *op het ~ werken* run off the mains

lichtpen light pen(cil)

lichtpunt 1 point (*of:* spot) of light 2 *(fig)* ray of hope

lichtreclame illuminated advertising, neon signs (*of:* advertising)

lichtschip lightship

lichtshow light show

lichtsignaal light signal, flash: *een ~ geven* flash

lichtsnelheid speed of light

lichtstraal ray of light; *(breder)* beam (*of:* shaft) of light

lichtvaardig rash

lichtzinnig 1 frivolous: *~ omspringen met* trifle with 2 *(losbandig)* light, loose: *~ leven* live a loose life

lichtzinnigheid frivolity

lid 1 member: *het aantal leden bedraagt ...* the membership is ...; *~ van de gemeenteraad* (town) councillor; *~ van de Kamer* Member of Parliament, M.P.; *deze omroep heeft 500.000 leden* this broadcasting company has a membership of 500,000; *~ worden van* join, become a member of; *~ zijn van de bibliotheek* belong to the library; *~ zijn van* be a member of, be (*of:* serve) on *(comité e.d.)*; *zich als ~ opgeven* apply for membership 2 *(van het lichaam)* part, member; *(ledemaat ook)* limb: *recht van lijf en leden* straight-limbed; *het (mannelijk) ~* the (male) member

lidgeld *(Belg) (contributie)* subscription

lidkaart *(Belg) (bewijs van lidmaatschap)* membership card

lidmaatschap membership: *bewijs van ~* membership card; *iem van het ~ van een vereniging uitsluiten* exclude s.o. from membership of a club; *het ~ kost €25,-* the membership fee is 25 euros; *zijn ~ opzeggen* resign one's membership

lidmaatschapskaart membership card

lidstaat member state

lidwoord article: *bepaald en onbepaald ~* definite and indefinite article

lied song: *het hoogste ~ zingen* be wild with joy

lieden folk, people: *dat kun je verwachten bij zulke ~* that's what you can expect from people like that

liedje song: *het is altijd hetzelfde ~* it's the same old story

liedjesschrijver songwriter

[1]lief *zn* 1 girlfriend, boyfriend, beloved 2 joy: *~ en leed met iem delen* share life's joys and sorrows with s.o.

[2]lief *bn* 1 dear, beloved: *(maar) mijn lieve kind* (but) my dear; *(in brieven) Lieve Maria* Dear Maria 2 *(vriendelijk; aangenaam)* nice, sweet: *een ~ karakter* a sweet nature, a kind heart; *zij zijn erg ~ voor elkaar* they are very devoted to each other; *dat was ~ van haar om jou mee te nemen* it was nice of her to take you along 3 *(mooi)* dear, sweet: *er ~ uitzien* look sweet (*of:* lovely) 4 *(dierbaar)* dear, treasured: *iets voor ~ nemen* put up with sth, make do with sth; *tegenslagen voor ~ nemen* take the rough with the smooth

[3]lief *bw* sweetly, nicely: *iem ~ aankijken* give s.o. an affectionate look || *ik ga net zo ~ niet* I'd (just) as soon not go

liefdadig charitable: *een ~ doel* a good cause; *het is voor een ~ doel* it is for charity; *~e instellingen* charitable institutions

liefdadigheid charity, benevolence, beneficence: *~ bedrijven* do charitable work

liefdadigheidsconcert charity concert; *(voor één persoon)* benefit concert

liefdadigheidsinstelling charity, charitable institution

liefde love: *haar grote ~* her great love; *kinderlijke ~* childish love (*of:* affection), *(van kind voor ouder)* filial love (*of:* affection); *een ongelukkige ~ achter de rug hebben* have suffered a disappointment in love; *vrije ~* free love; *de ware ~* true love; *iemands ~ beantwoorden* return s.o.'s love (*of:* affection); *de ~ bedrijven* make love; *geluk hebben in de ~* be fortunate (*of:* successful) in love; *~ op het eerste gezicht* love at first sight; *hij deed het uit ~* he did it for love; *trouwen uit ~* marry for love; *de ~ voor het vaderland* (the) love of one's country; *~ voor de kunst* love of art; *~ is blind* love is blind

liefdesbrief love letter

liefdesleven love life

liefdeslied love song

liefdesverdriet pangs of love: *~ hebben* be disappointed in love

liefdevol loving: *~le verzorging* tender loving care; *iem ~ aankijken* give s.o. a loving look

liefdewerk charity, charitable work: *het is ~ oud papier* it's for love only

liefhebben love

liefhebber lover: *een ~ van chocola* a chocolate lover; *een ~ van opera* an opera lover (*of:* buff);

zijn er nog ~s? (are there) any takers?; *daar zullen wel ~s voor zijn* there are sure to be customers for that

liefhebberij hobby, pastime: *een dure ~ (fig)* an expensive hobby; *tuinieren is zijn grootste ~* gardening is his favourite pastime

liefje sweetheart

liefkozen caress, fondle, cuddle

liefkozing caress

liefst 1 dearest, sweetest: *zij zag er van allen het ~ uit* she looked the sweetest (*of:* prettiest) of them all **2** rather, preferably: *men neme een banaan, ~ een rijpe …* take a banana, preferably a ripe one …; *wat zou je het ~ doen?* what would you rather do?, what would you really like to do?; *in welke auto rijd je het ~?* which car do you prefer to drive?

liefste sweetheart, darling: *mijn ~* my dear(est) (*of:* love)

liegen lie, tell a lie: *hij staat gewoon te ~!* he's a downright liar!; *tegen iem ~* lie to s.o.; *hij liegt alsof het gedrukt staat, hij liegt dat hij barst* he is telling barefaced lies; *dat is allemaal gelogen* that's a pack of lies

lier lyre

lies groin

Lieve-Heer Blessed Lord

lieveheersbeestje ladybird; *(Am)* ladybug

lieveling 1 darling, sweetheart: *zij is de ~ van de familie* she's the darling of the family **2** *(favoriet)* favourite, darling: *de ~ van het publiek* the darling (*of:* favourite) of the public

liever rather: *ik drink ~ koffie dan thee* I prefer coffee to tea; *ik zou ~ gaan (dan blijven)* I'd rather go than stay; *ik weet het, of ~ gezegd, ik denk het* I know, at least, I think so; *als je ~ hebt dat ik wegga, hoef je het maar te zeggen* if you'd sooner (*of:* rather) I'd leave, just say so; *ik zie hem ~ gaan dan komen* I'm glad to see the back of him; *hoe meer, hoe ~* the more the better; *hij ~ dan ik* rather him than me

lieverd darling: *(iron) het is me een ~je* he's (*of:* she's) a nice one

lift 1 lift; *(Am)* elevator: *de ~ nemen* take the lift **2** lift, ride: *iem een ~ geven* give s.o. a lift (*of:* ride); *een ~ krijgen* get (*of:* hitch) a lift; *een ~ vragen* thumb (*of:* hitch) a lift

liften hitch(hike)

lifter hitchhiker

liftjongen liftboy

liga league

ligbad bath; *(Am)* (bath)tub

liggen 1 lie; *(ziek)* be laid up: *er lag een halve meter sneeuw* there was half a metre of snow; *lekker tegen iem aan gaan ~* snuggle up to s.o.; *lig je lekker? (goed?)* are you comfortable?; *ik blijf morgen ~ tot half tien* I'm going to stay in bed till 9.30 tomorrow; *gaan ~* lie down; *hij ligt in (op) bed* he is (lying) in bed; *op sterven ~* lie (*of:* be) dying **2** (met *aan*) depend (on); be caused by *(veroorzaakt)*; be due to *(veroorzaakt)*: *dat ligt eraan* it depends; *ik denk dat het aan je versterker ligt* I think that it's your amplifier that's causing the trouble; *aan mij zal het niet ~* it won't be my fault; *is het nu zo koud of ligt het aan mij?* is it really so cold, or is it just me?; *het ligt aan die rotfiets van me* it's that bloody bike of mine; *als het aan mij ligt niet* not if I can help it; *waar zou dat aan ~?* what could be the cause of that?; *het lag misschien ook een beetje aan mij* I may have had sth to do with it; *het kan aan mij ~, maar …* it may be just me, but …; *als het aan mij ligt* if it is up to me **3** *(mbt storm, wind)* die down: *de wind ging ~* the wind died down || *die zaak ligt nogal gevoelig* the matter is a bit delicate; *dat werk is voor ons blijven ~* that work has been left for us; *ik heb (nog) een paar flessen wijn ~* I have a few bottles of wine (left); *(Belg) iem ~ hebben* take s.o. in; *ik heb dat boek laten ~* I left that book (behind); *dit bed ligt lekker* (of: *hard*) this bed is comfortable (*of:* hard); *de zaken ~ nu heel anders* things have changed a lot (since then); *het plan, zoals het er nu ligt, is onaanvaardbaar* as it stands, the plan is unacceptable; *uw bestelling ligt klaar* your order is ready (for dispatch, collection); *zo ~ de zaken nu eenmaal* I'm afraid that's the way things are; *Antwerpen ligt aan de Schelde* Antwerp lies on the Scheldt; *de schuld ligt bij mij* the fault is mine; *onder het gemiddelde ~* be below average; *de bal ligt op de grond* the ball is on the ground; *op het zuiden ~* face (the) south; *ze ~ voor het grijpen* they're all over the place

liggend lying, horizontal: *een ~e houding* a lying (*of:* recumbent) posture

ligging position, situation, location: *de ~ van de heuvels* the lie of the hills; *de schilderachtige ~ van dat kasteel* the picturesque location of the castle

light lite, diet: *cola ~* diet coke

lightrail light rail

ligplaats berth, mooring (place)

ligstoel reclining chair *(of:* seat); *(voor buiten)* deckchair

liguster privet

[1]lijden *zn* suffering; *(pijn)* pain; *(pijn)* agony; *(verdriet)* grief; *(ellende)* misery: *nu is hij uit zijn ~ verlost: a)* he is now released from his suffering; *b) (fig)* that's put him out of his misery; *een dier uit zijn ~ verlossen* put an animal out of its misery

[2]lijden *intr* suffer: *zij leed het ergst van al* she was (the) hardest hit of all; *aan een kwaal ~* suffer from a complaint; *zijn gezondheid leed er onder* his health suffered (from it)

[3]lijden *tr* suffer, undergo: *hevige pijn ~* suffer (*of:* be in) terrible pain

lijdend suffering

lijf body: *in levenden lijve: a) (in eigen persoon)* in person; *b) (levend)* alive and well; *bijna geen kle-*

ren aan zijn ~ hebben have hardly a shirt to one's back; *iets aan den lijve ondervinden* experience (sth) personally; *iem te ~ gaan* go for (*of:* attack) s.o.; *iem (toevallig) tegen het ~ lopen* run into s.o., stumble upon s.o.; *ik kon hem niet van het ~ houden* I couldn't keep him off me; *gezond van ~ en leden* able-bodied

lijfrente annuity

lijfwacht bodyguard

lijk 1 corpse, (dead) body: *over mijn ~!* over my dead body!; *over ~en gaan* let nothing (*of:* no one) stand in one's way **2** *(fig)* carcass: *een levend ~* a walking corpse

lijkbleek deathly pale, ashen

lijken 1 be like, look (a)like, resemble: *je lijkt je vader wel* you act (*of:* sound, are) just like your father; *het lijkt wel wijn* it's almost like wine; *zij lijkt op haar moeder* she looks like her mother; *ze ~ helemaal niet op elkaar* they're not a bit alike; *dat lijkt nergens op (naar)* it is absolutely hopeless (*of:* useless) **2** *(schijnen)* seem, appear, look: *hij lijkt jonger dan hij is* he looks younger than he is; *het lijkt me vreemd* it seems odd to me; *het lijkt maar zo* it only seems that way **3** *(aanstaan)* suit, fit: *dat lijkt me wel wat* I like the sound (*of:* look) of that; *het lijkt me niets* I don't think much of it

lijkenhuis mortuary, morgue

lijkschouwer autopsist, medical examiner; *(jur)* coroner

lijkschouwing autopsy

lijm glue

lijmen glue (together); *(ook fig)* patch up; *(ook fig)* mend: *(fig) de brokken ~* pick up the pieces; *de scherven aan elkaar ~* glue (*of:* stick) the pieces together

lijmpoging attempt to patch up

lijn 1 line, rope; *(mbt hond)* leash; lead: *~en trekken* (of: *krassen) op* draw (*of:* scratch) lines on; *een hond aan de ~ houden* keep a dog on the leash **2** *(in gezicht)* line, crease: *de scherpe ~en om de neus* the deep lines around the nose **3** (out)line, contour: *iets in grote ~en aangeven* sketch sth in broad outlines; *in grote ~en* broadly speaking, on the whole; *aan de (slanke) ~ doen* slim, be on a diet **4** *(linie)* line, rank: *op dezelfde* (of: *op één*) *~ zitten* be on the same wavelength **5** *(verkeer, telec)* line, route: *de ~ Haarlem-Amsterdam* the Haarlem-Amsterdam line; *die ~ bestaat niet meer* that service (*of:* route) no longer exists; *blijft u even aan de ~ a.u.b.* hold the line, please; *ik heb je moeder aan de ~* your mother is on the phone **6** *(fig)* line, course, trend: *de grote ~en uit het oog verliezen* lose oneself in details || *iem aan het ~tje houden* keep s.o. dangling

lijnbus regular (*of:* scheduled) service bus

lijndienst regular service, scheduled service, line: *een ~ onderhouden op* run a regular service on

lijnen slim, diet

lijnkaart *(Belg)* smart card for payment on public transport

lijnolie linseed oil

[1]**lijnrecht** *bn* (dead) straight

[2]**lijnrecht** *bw* **1** straight, right: *~ naar beneden* straight down **2** directly, flatly: *~ staan tegenover* be diametrically (*of:* flatly) opposed to

lijnrechter linesman

lijntoestel airliner, scheduled plane

lijnvlucht scheduled flight

lijp silly, daft: *doe niet zo ~!* don't be silly! (*of:* daft!)

lijst 1 list, record, inventory, register: *~en bijhouden van de uitgaven* keep records of the costs; *zijn naam staat bovenaan de ~* he is (at the) top of the list; *iem (iets) op een ~ zetten* put s.o. (sth) on a list **2** *(omlijsting)* frame: *een vergulde ~* a gilt frame

lijstaanvoerder (league) leader

lijstenmaker picture framer

lijster thrush

lijsterbes rowan (tree), mountain ash

lijsttrekker *(ongev)* party leader (during election campaign)

lijvig corpulent, hefty

lik 1 lick; smack *(klap)* **2** *(een beetje)* lick, dab

likeur liqueur

likkebaarden lick one's lips

likken lick

lik-op-stukbeleid tit-for-tat policy *(of:* strategy)

lila lilac; *(zacht)* lavender

lilliputter midget, dwarf

Limburg Limburg

Limburger Limburger

Limburgs Limburg

limiet *(vaak mv)* limit

limiteren limit, confine

limonade lemonade: *priklimonade, ~ gazeuse* fizzy (*of:* aerated, sparkling) lemonade

limonadesiroop lemon syrup

limousine limousine, limo

linde lime (tree), linden

lineair linear || *~e hypotheek* level repayment mortgage

linedansen line dance

lingerie lingerie, women's underwear, ladies' underwear

linguïst linguist

liniaal ruler

linie line, rank: *door de vijandelijke ~ (heen)breken* break through the enemy lines || *over de hele ~* on all points, across the board

link 1 risky, dicey: *~e jongens* a nasty bunch **2** *(slim)* sly, cunning

linker left, left-hand; *(van auto)* nearside: *~ rijbaan* left lane; *het ~ voorwiel* the nearside wheel

linkerarm left arm

linkerbeen left leg: *hij is met zijn ~ uit bed gestapt* he got out of bed on the wrong side

linkerbenedenhoek bottom left-hand corner

linkerbovenhoek top left-hand corner

li

linkerhand left hand: *twee ~en hebben* be all fingers and thumbs
linkerkant left(-hand) side, left
linkervleugel 1 left wing: *de ~ van een gebouw* (of: *een voetbalelftal*) the left wing of a building (*of:* football team) 2 *(pol)* left (wing), Left
linkervoet left foot
linkerzijde left(-hand) side, left, nearside: *zij zat aan mijn ~* she was sitting on my left
links 1 left, to (*of:* on) the left: *de tweede straat ~* the second street on the left; *~ en rechts (ook fig)* right and left, on all sides; *~ houden* keep (to the) left; *iem ~ laten liggen* ignore s.o., pass s.o. over, give s.o. the cold shoulder; *iets ~ laten liggen* ignore sth, pass sth over; *~ van iem zitten* sit to (*of:* on) s.o.'s left 2 *(naar de linkerzijde)* left, left-handed, anticlockwise: *~ afslaan* turn (to the) left; *~ de bocht om rijden* take the left-hand bend (*of:* turn) 3 *(met de linkerhand, -voet)* left-handed; *(sport ook)* left-footed: *~ schrijven* write with one's left hand 4 *(pol)* left-wing, leftist, socialist
linksachter left back
linksaf (to the) left, leftwards: *bij de brug moet u ~ (gaan)* turn left at the bridge
linksback left back
linksbuiten outside left, left-wing(er)
linkshandig left-handed
linksom left: *~ draaien* turn (to the) left
linnen linen, flax: *~ ondergoed* linen underwear, linen
linnengoed linen
linnenkast linen cupboard
[1]**linoleum** *zn* linoleum
[2]**linoleum** *bn* linoleum
linolzuur linoleic acid
lint ribbon, tape; *(boordlint)* (bias) binding; band: *het ~ van een schrijfmachine* a (typewriter) ribbon; *door het ~ gaan* blow one's top, fly off the handle
lintje decoration: *een ~ krijgen* be decorated, get a medal
lintmeter *(Belg) (meetlint)* tape measure
lintworm tapeworm
lintzaag bandsaw
linze lentil
lip lip: *dikke ~pen* thick (*of:* full) lips; *gesprongen ~pen* chapped (*of:* cracked) lips; *zijn ~pen ergens bij aflikken* lick (*of:* smack) one's lips; *aan iemands ~pen hangen* hang on s.o.'s lips (*of:* every word)
lipgloss lipgloss
lipje tab *(ook van blikje);* lip
liplezen lip-read
liposuctie liposuction
lippenstift lipstick
liquidatie 1 *(mbt personen)* liquidation, elimination 2 *(mbt transacties)* liquidation, winding-up, break-up, dissolution; *(op beurs ook)* settlement
liquide liquid, fluid: *~ middelen* liquid (*of:* fluid) assets
liquideren 1 *(handel)* wind up, liquidate 2 *(doden)* eliminate, dispose of
lire lira
lis *(plantk)* flag, iris
lisdodde reed mace
lispelen lisp, speak with a lisp
Lissabon Lisbon
list trick, ruse, stratagem; *(plan)* cunning; craft, deception: *~ en bedrog* double-crossing, double-dealing
listig cunning, crafty, wily
liter litre: *twee ~ melk* two litres of milk
literair literary: *~ tijdschrift* literary journal
literatuur literature
literatuurlijst reading list, bibliography
literatuurprijs literary prize
literfles litre bottle
literprijs price per litre
litho litho
Litouwen Lithuania
Litouwer Lithuanian
[1]**Litouws** *zn* Lithuanian
[2]**Litouws** *bn* Lithuanian
lits-jumeaux twin beds
litteken scar, mark: *met ~s op zijn gezicht* with a scarred face
liturgie liturgy, rite
lob 1 seed leaf 2 *(sport)* lob
lobben lob
lobbes 1 big, good-natured dog 2 *(persoon)* kind soul, good-natured fellow, big softy
lobby 1 lobby 2 *(wachtruimte in hotel)* lobby; lounge, foyer, hall
lobbyen lobby
locatie location
locoburgemeester deputy mayor, acting mayor
locomotief engine, locomotive
loden 1 lead, leaden: *~ pijp* lead pipe 2 *(fig)* leaden, heavy
loei *(klap)* thump; bash; *(schot)* sizzler; cracker: *een ~ verkopen (uitdelen)* hit (*of:* lash) out (at s.o.)
loeien 1 moo; low *(koeien);* bellow *(stier)* 2 *(mbt de wind enz.)* howl; whine *(wind);* roar *(golven, vlammen);* blare; hoot *(hoorn);* wail *(sirene): de motor laten ~* race the engine; *met ~de sirenes* with blaring sirens
loempia spring roll, egg roll
loensen squint, be cross-eyed
loep magnifying glass, lens: *iets onder de ~ nemen* scrutinize sth, take a close look at sth
loepzuiver flawless, perfect
loer 1 lurking: *op de ~ liggen (ook fig)* lie in wait (for), lurk, be on the lookout (for) 2 *(streek)* trick: *iem een ~ draaien* play a nasty (*of:* dirty) trick on s.o.
loeren leer (at); *(met moeite zien)* peer at; *(bespieden)* spy on: *het gevaar loert overal* there is danger lurking everywhere; *op iem (iets) ~* lie in wait for s.o. (sth)

[1]lof *zn* 1 praise, commendation: *iem ~ toezwaaien* give (high) praise to s.o., pay tribute to s.o.; *vol ~ zijn over* speak highly of, be full of praise for 2 *(roem)* honour, credit
[2]lof *zn (witlof) (Brussels)* chicory
log unwieldy, cumbersome, ponderous, clumsy, heavy; *(traag)* sluggish; lumbering: *een ~ gevaarte* a cumbersome (*of:* an unwieldy) monster; *een ~ge olifant* a ponderous elephant; *met ~ge tred lopen* lumber (along), move with heavy gait
logaritme logarithm
logaritmetafel log table, table of logarithms
logboek log(book), journal: *in het ~ opschrijven* log
loge box, loge
logé guest, visitor: *we krijgen een ~* we are having a visitor (*of:* someone to stay)
logeerbed spare bed
logeerkamer guest room, spare (bed)room, visitor's room
logeerpartij stay; *(Am; kindertaal)* slumber party, pyjama party
logen soak in (*of:* treat with) lye
logeren stay, put up; *(in logement, kosthuis ook)* board; *(in logement, kosthuis ook)* lodge: *blijven ~* stay the night, stay over; *ik logeer bij een vriend* I'm staying at a friend's (home) (*of:* with a friend); *kan ik bij jou ~?* could you put me up (for the night)?; *in een hotel ~* stay at a hotel; *iem te ~ krijgen* have s.o. staying
logica logic: *er zit geen ~ in wat je zegt* there is no logic in what you're saying
logies accommodation, lodging(s): *~ met ontbijt* bed and breakfast
loginnaam *(comp)* log-in name
logisch logical, rational: *een ~e tegenstrijdigheid* a logical paradox; *~ denken* think logically (*of:* rationally); *dat is nogal ~* that's only logical, that figures
logischerwijs logically
logistiek logistics
logo logo
logopedie speech therapy
logopedist speech therapist
lok 1 lock, strand of hair; tress *(vnl. bij vrouw, meisje); (krul)* curl; *(krul)* ringlet 2 *(mv) (haren)* locks, hair; tresses *(vnl. bij vrouw, meisje)*
[1]lokaal *zn* (class)room
[2]lokaal *bn* local; *(mbt het lichaam ook)* topical: *om 10 uur lokale tijd* at 10 o'clock local time; *lokale verdoving* local anaesthesia
lokaas bait
lokaliseren locate
loket (office) window; *(theater, station)* booking office, ticket office; *(theater ook)* box-office (window); *(postkantoor, bank)* counter
lokettist booking-clerk, ticket-clerk; *(theater ook)* box-office clerk; *(postkantoor, bank)* counter clerk
lokken 1 entice, lure: *in de val ~* lure into a trap 2 *(aantrekken)* tempt, entice, attract
lokkertje bait, carrot; *(lokartikel ook)* loss leader; special offer
lol laugh, fun, lark: *zeg, doe me een ~ (en hou op)* do me a favour (and knock it off, will you); *voor de ~* for a laugh, for fun (*of:* a lark); *ik doe dit niet voor de ~* I'm not doing this for the good of my health
lolly lollipop, lolly
lom *afk van leer- en opvoedingsmoeilijkheden* learning and educational problems
[1]lomp *zn (vnl. mv)* rag; *(vnl. mv)* tatter
[2]lomp *bn, bw* 1 *(plomp)* ponderous, unwieldy: *~e schoenen* clumsy shoes; *zich ~ bewegen* move clumsily, he got in an ungainly manner 2 *(onhandig)* clumsy, awkward, ungainly 3 *(onbeleefd)* rude, unmannerly, uncivil: *iem ~ behandelen* treat s.o. rudely, be uncivil to s.o.
lompweg bluntly, flatly: *~ iets weigeren* refuse sth point-blank
Londen London
Londens London
lonen be worth: *dat loont de moeite niet* it is not worth one's while
lonend paying, rewarding; *(financieel ook)* profitable; *(financieel ook)* remunerative: *dat is niet ~* that doesn't pay
long lung
longarts lung specialist
longlist longlist
longontsteking pneumonia
lonken make eyes at
lont fuse; *(van vuurwerk ook)* touchpaper
loochenen deny
lood 1 lead: *met ~ in de schoenen* with a heavy heart 2 *(kogel(s))* lead, shot, ammunition || *uit het ~ (geslagen) zijn* be thrown off one's balance
loodgieter plumber
loodje (lead) seal || *de laatste ~s wegen het zwaarst* the last mile is the longest one
loodlijn perpendicular (line), normal (line)
loodrecht perpendicular (to), plumb; sheer *(helling): ~ op iets staan* be at right angles to sth
[1]loods *zn (persoon)* pilot
[2]loods *zn* shed; *(vliegtuigloods)* hangar
loodsen pilot, steer, conduct; *(een groep ook)* shepherd
loodvrij lead-free, unleaded
loodzwaar heavy
loof foliage, leaves; green *(van groente)*
loofboom deciduous tree
loog caustic (solution), lye
looien tan
loom 1 heavy, leaden; *(langzaam)* slow; *(langzaam)* sluggish: *zich ~ bewegen* move heavily (*of:* sluggishly) 2 *(futloos)* languid, listless
loon 1 pay, wage(s): *een hoog ~ verdienen* earn high wages 2 *(straf)* deserts, reward: *hij gaf hem*

zijn verdiende ~ he gave him his just deserts
loonadministratie wages administration *(of:* records)
loonbelasting income tax
loondienst paid employment, salaried employment
loonlijst payroll
loonmatiging wage restraint
loonschaal pay scale, wage scale
loonstrookje payslip
loonsverhoging wage increase, pay increase, increase in wages *(of:* pay), rise; *(Am)* raise
loop 1 course, development: *de ~ van de Rijn* the course of the Rhine; *zijn gedachten de vrije ~ laten* give one's thoughts (*of:* imagination) free rein; *in de ~ der jaren* through the years 2 *(mbt vuurwapen)* barrel 3 *(vlucht)* run, flight
loopafstand walking distance
loopbaan career
loopbrug footbridge
loopgraaf trench
loopje *(muz)* run, roulade
loopjongen errand boy, messenger boy
looplamp portable inspection lamp
loopneus runny nose, running nose
looppas jog, run
loopplank gangplank, gangway
loops on heat, in heat, in season
looptijd term, (period of) currency, duration
loos false, empty: *~ alarm* false alarm
loot shoot, cutting
lootje lottery ticket, raffle ticket, lot: *~s trekken* draw lots
[1]**lopen** *intr* 1 walk, go: *iem in de weg ~* get in s.o.'s way; *op handen en voeten ~* walk on one's hands and feet, walk on all fours 2 *(rennen)* run: *het op een ~ zetten* take to one's heels 3 *(zich ontwikkelen ook)* run, go: *het is anders gelopen* it worked out (*of:* turned out) otherwise || *dit horloge loopt uitstekend* this watch keeps excellent time; *de kraan loopt niet meer* the tap's stopped running; *een motor die loopt op benzine* an engine that runs on petrol
[2]**lopen** *tr* go to, attend: *college ~* attend lectures
lopend 1 running, moving: *~e band* conveyor belt, *(systeem)* assembly line; *(fig) aan de ~e band* continually, ceaselessly 2 *(huidig)* current, running: *het ~e jaar* the current year 3 *(stromend)* running; streaming *(ook ogen)*; *(neus, oor ook)* runny
loper 1 walker; *(voor bank e.d.)* courier; messenger 2 *(tapijt)* carpet (strip); runner *(op kast, tafel)* 3 *(schaakstuk)* bishop 4 *(sleutel)* pass-key, master key, skeleton key, picklock
lor rag
los 1 loose, free; undone *(veter, knoop)*; *(afneembaar)* detachable; *(roerend)* movable: *er is een schroef ~* a screw has come loose; *~!* let go! 2 *(afzonderlijk)* loose, separate, odd, single: *thee wordt bijna niet meer ~ verkocht* tea is hardly sold loose any more 3 *(niet gespannen)* slack, loose || *met ~se handen rijden* ride with no hands; *ze leven er maar op ~* they live from one day to the next
losbandig lawless; loose *(vnl. mbt vrouw)*; fast, dissipated
losbarsten break out, burst out, flare up, erupt; *(storm ook)* blow up
[1]**losbreken** *intr* 1 break out *(of:* free), escape: *de hond is losgebroken* the dog has torn itself free 2 burst out, blow up: *een hevig onweer brak los* a heavy thunderstorm broke
[2]**losbreken** *tr* break off, tear off *(of:* loose), separate
losdraaien 1 *(uit elkaar halen)* unscrew, untwist 2 *(opendraaien, losmaken)* take off, twist off, loosen
loser loser
losgaan come loose, work loose, become untied *(of:* unstuck, detached)
losgeld ransom (money)
losjes 1 loosely 2 *(luchthartig)* airily, casually
loskloppen beat, knock loose *(of:* off)
losknopen undo, untie
loskomen 1 come loose, come off, break loose *(of:* free), come apart: *hij kan niet ~ van zijn verleden* he cannot forget his past 2 *(zich uiten)* come out, unbend, relax
loskoppelen detach, uncouple, disconnect, separate
loskrijgen 1 get loose; *(los ook)* get undone; *(vrij ook)* get free *(of:* released): *een knoop ~* get a knot untied 2 secure, extract, (manage to) obtain; *(geld ook)* raise
[1]**loslaten** *intr* come off, peel off, come loose *(of:* unstuck, untied), give way
[2]**loslaten** *tr* 1 release, set free, let off, let go, discharge; unleash *(hond)*: *laat me los!* let go of me!, let me go! 2 *(vertellen)* reveal, speak; release *(informatie)*; leak *(geheimen)*
losliggend loose
loslopen walk about (freely), run free; be at large *(misdadiger)*; stray *(vee)* || *het zal wel ~* it will be all right, it'll sort itself out
loslopend stray, unattached
losmaken 1 release, set free; untie *(knoop in touw)*: *de hond ~* unleash the dog; *een knoop ~* untie a knot, undo a button 2 *(minder samenhangend maken)* loosen (up); rake *(grond)* 3 *(oproepen)* stir up *(interesse)*: *die tv-film heeft een hoop losgemaakt* that TV film has created quite a stir
losraken come loose *(of:* off, away), dislodge, become detached
losrukken tear loose, rip off, wrench, yank away *(of:* off)
löss loess
losscheuren tear loose, rip off *(of:* away)
losschroeven unscrew, loosen; screw off *(deksel)*; disconnect *(bijv. stangen)*

lo

lossen 1 *(uitladen)* unload, discharge 2 *(afschieten)* discharge; shoot *(wapen)*; fire: *een schot op (het) doel* ~ shoot at goal
losstaand detached; isolated *(feit)*; free-standing *(huis, schuur, muur enz.)*; disconnected
lostrekken pull loose, loosen, draw loose
los-vast half-fastened; *(fig)* casual
[1]**losweken** *intr* become unstuck
[2]**losweken** *tr* soak off; *(met stoom)* steam off *(of:* open)
loswrikken wrench, dislodge
loswringen wring, extricate
loszitten be loose; be slack *(touw)*: *die knoop zit los* that button is coming off
lot 1 lottery ticket *(met geldprijs)*; raffle ticket *(met prijs in natura)* 2 *(wat door een lot wordt toegewezen)* lot, share: *(fig) zij is een ~ uit de ~erij* she is one in a thousand 3 *(de fortuin)* fortune, chance 4 *(noodlot)* lot, fate, destiny: *iem aan zijn ~ overlaten* leave s.o. to fend for himself, leave s.o. to his fate
loten draw lots
loterij lottery
loterijbriefje (lottery) ticket
lotgenoot companion (in misfortune, adversity), fellow-sufferer
loting drawing lots
lotion lotion, wash
lotto lottery
lotus lotus
louche shady, suspicious(-looking)
[1]**louter** *bn* sheer, pure; *(niet meer dan)* mere; bare: *uit ~ medelijden* purely out of compassion
[2]**louter** *bw* purely, merely, only: *het heeft ~ theoretische waarde* it has only theoretical value
loven 1 praise, commend, laud 2 *(godsd)* praise, bless, glorify: *looft de Heer* praise the Lord
lovend laudatory, approving; *(alleen ná zn)* full of praise
loverboy lover boy
lovertje spangle, sequin
loyaal loyal, faithful, steadfast
loyaliteit loyalty
[1]**lozen** *intr, tr* drain, empty: *~ in (op) de zee* discharge into the sea
[2]**lozen** *tr (zich ontdoen van)* get rid of, send off, dump
lozing drainage, discharge, dumping
lp LP
lpg *afk van liquefied petroleum gas* LPG, LP gas
lso *(Belg) afk van lager secundair onderwijs* junior secondary general education
lts *afk van lagere technische school* technical school
lucht 1 air: *~ krijgen: a)* breathe; *b) (fig)* get room to breathe; *in de ~ vliegen* blow up, explode; *die bewering is uit de ~ gegrepen* that statement is totally unfounded; *uit de ~ komen vallen* appear out of thin air, *(Belg; zeer verbaasd zijn)* be dumbfounded 2 *(hemel)* sky 3 *(reuk, geur)* smell, scent, odour
luchtaanval air raid
luchtafweergeschut anti-aircraft guns
luchtalarm air-raid warning *(of:* siren), (air-raid) alert
luchtballon *(luchtvaartuig)* (hot-air) balloon
luchtbasis airbase
luchtbed air-bed, Lilo, inflatable bed
luchtbel air bubble *(of:* bell)
luchtdicht airtight, hermetic
luchtdruk (atmospheric) pressure, air pressure
luchtdrukpistool air pistol
luchten air, ventilate
luchter candelabrum, chandelier
luchtfoto aerial photo(graph), aerial view
luchthartig light-hearted, carefree
luchthaven airport
luchtig 1 light, airy 2 *(mbt kleren)* light, cool, thin 3 airy, light-hearted: *iets op ~e toon meedelen* announce sth casually 4 *(licht)* airy, vivacious, light || *~ gekleed* lightly dressed
luchtje smell, scent, odour: *er zit een ~ aan (fig)* there is sth fishy about it
luchtkasteel castle in the air, daydream
luchtkussen air cushion *(of:* pillow)
luchtledig exhausted *(of:* void) of air: *een ~e ruimte* a vacuum
luchtmacht air force
luchtmobiel airborne
luchtopname aerial photo(graph)
luchtpijp windpipe, trachea
luchtpost airmail
luchtruim atmosphere, airspace, air
luchtspiegeling mirage
luchtsprong jump in the air, caper
luchtstreek zone, region
luchtstroom air current, flow of air
luchtvaart aviation, flying
luchtvaartmaatschappij airline (company): *de Koninklijke Luchtvaartmaatschappij* Royal Dutch Airlines, KLM
luchtvaartverkeer air traffic
luchtverfrisser air freshener
luchtvervuiling air pollution
luchtvochtigheid humidity
luchtvracht air cargo, airfreight
luchtwegen bronchial tubes
luchtziek airsick
lucifer match
lucifersdoosje matchbox
lucifershoutje matchstick
lucratief lucrative, profitable
luguber lugubrious, sinister
[1]**lui** *zn,mv* people, folk: *zijn ouwe ~* his old folks *(of:* parents)
[2]**lui** *bn, bw* lazy, idle, indolent; *(loom)* slow; *(loom)* heavy: *een ~e stoel* an easy chair; *liever ~ dan moe zijn* be bone idle
luiaard 1 lazybones 2 *(dierk)* sloth

luid loud: *met ~e stem* in a loud voice
[1]**luiden** *intr* 1 sound, ring; toll *(doodsklok)*: *de klok luidt* the bell is ringing (*of:* tolling) 2 *(mbt woorden)* read, run: *het vonnis luidt* … the verdict is …
[2]**luiden** *tr* ring, sound
luidkeels loudly, at the top of one's voice
luidop *(Belg) (hardop)* aloud, out loud
luidruchtig noisy, boisterous
luidspreker (loud)speaker
luier nappy
luieren be idle (*of:* lazy), laze
luifel awning
luiheid laziness, idleness
luik hatch; *(in een vloer)* trapdoor; *(voor een raam)* shutter
Luik Liège
luilak lazybones, sluggard
Luilekkerland (land of) Cockaigne, land of plenty
luipaard leopard
luis louse; aphid *(planten)*
luisteraar listener
luisteren 1 listen: *goed kunnen ~* be a good listener; *luister eens* listen …, say … 2 *(afluisteren)* eavesdrop, listen (in) 3 *(reageren (op))* listen, respond: *naar hem wordt toch niet geluisterd* nobody pays any attention to (*of:* listens to) him anyway
luisterrijk splendid, glorious, magnificent
luistervaardigheid listening (skill)
luistervaardigheidstoets listening comprehension test
luistervink eavesdropper
luit lute
luitenant lieutenant
luizen: *iem erin ~* take s.o. in, trick s.o. into sth, *(verleiden tot een verspreking, vergissing)* trip s.o. up
luizenbaan soft job, cushy job
luizenleven cushy life
lukken succeed, be successful, work, manage, come off (*of:* through), gel: *het is niet gelukt* it didn't work, it didn't go through, it was no go; *het lukte hem te ontsnappen* he managed to escape; *die foto is goed gelukt* that photo has come out well
lukraak haphazard, random, wild, hit-or-miss
lul *(inform)* 1 prick, cock 2 *(sul)* prick, drip
lullen *(inform)* (talk) bullshit, drivel
lumineus brilliant, bright
lummel clodhopper, gawk
lunch lunch(eon)
lunchconcert lunch concert
lunchen lunch, have (*of:* eat, take) lunch
lunchpakket packed lunch
lurken suck noisily
lurven: *iem bij zijn ~ pakken* get s.o., grab s.o.
lus loop; noose *(lasso, strop)*
lust 1 desire, interest: *tijd en ~ ontbreken me om* … I have neither the time nor the energy to (*of:* for) … 2 lust, passion, desire 3 *(plezier)* delight, joy: *~en en lasten* joys and burdens; *zwemmen is zijn ~ en zijn leven* swimming is all the world to him, swimming is his ruling passion; *een ~ voor het oog* a sight for sore eyes
lusteloos listless, languid, apathetic
lusten like, enjoy, be fond of, have a taste for: *ik zou wel een pilsje ~* I could do with a beer
lustig *(vrolijk)* cheerful, gay, merry
lustobject sex object
lustrum lustrum
luttel little, mere; *(bij mv)* few; inconsiderable
luw sheltered, protected
luwte lee, shelter
luxaflex® Venetian blinds
[1]**luxe** *zn* luxury: *het zou geen (overbodige) ~ zijn* it would certainly be no luxury, it's really necessary
[2]**luxe** *bn* luxury, fancy, de luxe: *een ~ tent* a posh (*of:* fancy) place
Luxemburg Luxemb(o)urg
luxueus luxurious, opulent, plush
lyceum *(ongev)* grammarschool; *(Am)* high school
lymf lymph
lymfklier lymph node (*of:* gland)
lynchen lynch
lynx lynx
lyrisch lyric(al)

ma mum; *(Am)* mom: *pa en ma* Mum (*of:* Mom) and Dad

maag stomach: *ergens mee in zijn ~ zitten* be worried about sth, be troubled by sth

maagd virgin

Maagd *(astrol)* Virgo

maagdelijkheid virginity

maagklacht stomach disorder

maagkramp *(mv)* stomach cramps

maagpatiënt gastric patient

maagpijn stomach-ache

maagzuur heartburn

maaien mow, cut

maaier mower

maaimachine (lawn)mower

[1]**maal** *zn* meal: *een feestelijk ~* a festive meal

[2]**maal** *zn* 1 time: *een paar ~* once or twice, several times; *anderhalf ~ zoveel* half as much (*of:* many) (again) 2 times: *lengte ~ breedte ~ hoogte* length times width times height; *tweemaal drie is zes* two times three is six

maalteken multiplication sign

maaltijd meal, dinner

maan moon

maand month: *de ~ januari* the month of January; *een ~ vakantie* a month's holiday; *drie ~en lang* for three months; *binnen een ~* within a month; *een baby van vier ~en* a four-month-old baby

maandabonnement monthly subscription; *(voor trein e.d.)* monthly season ticket

maandag Monday: *ik train altijd op ~* I always train on Mondays; *ik doe het ~ wel* I will do it on Monday; *'s ~s* on Mondays, every Monday

[1]**maandags** *bn* Monday

[2]**maandags** *bw* on Mondays

maandblad monthly (magazine)

maandelijks monthly, once a month, every month: *in ~e termijnen* in monthly instalments

maandenlang for months, months long

maandloon monthly wages

maandverband sanitary towel *(of Am:* napkin)

maanlander lunar module

maanlanding moon landing

maanlicht moonlight

maanmannetje Man in the Moon

maansverduistering eclipse of the moon, lunar eclipse

maanzaad poppy seed

[1]**maar** *bw* 1 but, only, just: *zeg het ~: koffie of thee?* which will it be: coffee or tea?; *kom ~ binnen* come on in; *dat komt ~ al te vaak voor* that happens only (*of:* all) too often; *het is ~ goed dat je gebeld hebt* it's a good thing you rang; *als ik ook ~ een minuut te lang wegblijf* if I stay away even a minute too long; *doe het nu ~* just do it; *let ~ niet op hem* don't pay any attention to him; *ik zou ~ uitkijken* you'd better be careful 2 only, as long as: *als het ~ klaar komt* as long as (*of:* so long as) it is finished 3 (if) only: *ik hoop ~ dat hij het vindt* I only hope he finds it || *wat je ~ wil* whatever you want; *ik vind het ~ niks* I'm none too happy about it; *zoveel als je ~ wilt* as much (*of:* many) as you like

[2]**maar** *vw* but: *klein, ~ dapper* small but tough || *ja ~, als dat nu niet zo is* yes, but what if that isn't true?; *nee ~!* really!

maarschalk Field Marshal; *(Am)* General of the Army

maart March

maas mesh: *door de mazen (van het net) glippen* slip through the net

Maas Meuse

[1]**maat** *zn* 1 size, measure; *(precieze afmetingen)* measurements: *in hoge mate* to a great degree, to a large extent; *in toenemende mate* increasingly, more and more; *welke ~ hebt u?* what size do you take? 2 measure: *maten en gewichten* weights and measures 3 moderation 4 *(muz)* time; *(alg. ook)* beat: *(geen) ~ kunnen houden* be (un)able to keep time 5 *(muz)* bar, measure: *de eerste maten van het volkslied* the first few bars of the national anthem || *de ~ is vol* that's the limit

[2]**maat** *zn* 1 *(makker)* pal, mate 2 (team)mate; *(kaartspel)* partner

maatbeker measuring cup

maatgevoel sense of rhythm

maathouden *(muz)* keep time

maatje chum, pal: *goede ~s zijn met iem* be the best of friends with s.o.; *goede ~s worden met iem* chum up with s.o.

maatkostuum custom-made suit, tailored suit

maatregel measure: *~en nemen* (of: *treffen*) take steps

maatschap partnership

maatschappelijk 1 social: *hij zit in het ~ werk* he's a social worker 2 joint: *het ~ kapitaal* nominal capital

maatschappij 1 society, association 2 *(bedrijf)* company

maatschappijleer social studies

maatschappijwetenschappen social sciences

maatstaf criterion, standard(s)

maatwerk custom-made clothes (*of:* shoes)

macaber macabre

Macedonië Macedonia

Macedoniër Macedonian
[1]**machinaal** *bn* mechanized, machine
[2]**machinaal** *bw* mechanically, by machine
machine machine; *(mv ook)* machinery
machinebankwerker lathe operator
machinefabriek engineering works
machinegeweer machine-gun
machinekamer engine room
machinist 1 *(spoorw)* engine driver; *(Am)* engineer 2 *(scheepv)* engineer
[1]**macho** *zn* macho
[2]**macho** *bn* macho
macht 1 power, force: *(naar) de ~ grijpen* (attempt to) seize power; *aan de ~ zijn* be in power; *iem in zijn ~ hebben* have s.o. in one's power; *de ~ over het stuur verliezen* lose control of the wheel 2 *(persoon, instantie ook)* authority: *rechterlijke ~* the judicial branch, the judiciary; *de uitvoerende* (of: *wetgevende*) ~ the executive (*of:* legislative) branch 3 *(vermogen)* power, force: *dat gaat boven mijn ~* that is beyond my power; *met (uit) alle ~* with all one's strength || *(wisk) een getal tot de vierde ~ verheffen* raise a number to the fourth power; *(wisk) drie tot de derde ~* three cubed
machteloos powerless: *machteloze woede* impotent (*of:* helpless) anger
machteloosheid powerlessness
machthebber ruler, leader
machtig 1 powerful, mighty: *haar gevoelens werden haar te ~* she was overcome by her emotions 2 *(mbt voedsel)* rich, heavy 3 competent (in)
machtigen authorize
machtiging authorization
machtsstrijd struggle for power, power struggle
machtsverheffen raise to the pwoer
machtsverhouding: *de ~en zijn gewijzigd* the balance of power has shifted
machtsvertoon display of power, show of strength
macramé macramé
macro macro
madam lady: *de ~ spelen (uithangen)* act the lady
made maggot, grub
madeliefje daisy
madonna *(Maria)* Madonna
maf crazy, nuts: *doe niet zo ~* don't be so daft, stop goofing around
maffen sleep, snooze, kip
maffia mafia
maffioso mafioso
magazijn 1 warehouse *(pakhuis)*; stockroom *(in winkels)*; supply room *(op kantoren e.d.)* 2 *(mbt vuurwapen)* magazine
magazijnbediende warehouseman *(in pakhuizen)*; supply clerk *(op kantoren e.d.)*
magazine 1 *(tijdschrift)* magazine 2 *(op tv)* current affairs programme
mager 1 thin; *(broodmager)* skinny 2 *(met weinig vet)* lean: *~e riblappen* lean beef (ribs) 3 *(sober)* feeble
magie magic
magisch magic(al)
magistraat magistrate
magma magma
magnaat magnate, tycoon
magneet magnet
magneetkaart swipe card
magneetzweeftrein magnetic levitation train, maglev train
magnesium magnesium
magnetisch magnetic
magnetisme magnetism
magnetron microwave
magnifiek magnificent
magnolia magnolia
maharadja maharaja(h)
[1]**mahonie** *zn* mahogany
[2]**mahonie** *bn* mahogany
mailadres mail address
mailbox mail box
mailen 1 e-mail 2 *(reclame verzenden)* do a mailshot
maillot tights
mailtje e-mail
mainport transport hub
mais maize; *(Am)* corn: *gepofte ~* popcorn
maiskolf corn-cob
maiskorrel kernel of maize *(of Am:* corn)
maîtresse mistress
maizena cornflour; *(Am)* cornstarch
majesteit Majesty
majeur major: *in ~ spelen* play in a major key
majoor major
majorette (drum) majorette
mak 1 tame(d) 2 *(fig)* meek, gentle
makelaar 1 estate agent; *(Am)* real estate agent 2 *(tussenhandelaar)* broker, agent: *~ in assurantiën* insurance broker
makelaardij brokerage, agency; *(in onroerend goed)* estate agency
makelij make, produce: *van eigen ~* home-grown, home-produced
maken 1 *(repareren)* repair, fix: *zijn auto kan niet meer gemaakt worden* his car is beyond repair; *zijn auto laten ~* have one's car repaired (*of:* fixed) 2 *(vervaardigen)* make, produce; *(in fabriek)* manufacture: *fouten ~* make mistakes; *cider wordt van appels gemaakt* cider is made from apples 3 *(veroorzaken)* cause || *je hebt daar niets te ~* you have no business there; *dat heeft er niets mee te ~* that's got nothing to do with it; *ze wil niets meer met hem te ~ hebben* she doesn't want anything more to do with him; *het (helemaal) ~* make it (to the top); *hij zal het niet lang meer ~* he is not long for this world; *je hebt het ernaar gemaakt* you('ve) asked for it; *ik weet het goed gemaakt* I'll tell you what, I'll make you an offer; *hoe maakt u het?* how do you do?; *hoe maakt je broer het?* how is your brother?; *maak dat je wegkomt!* get out of here!

maker maker, producer; artist *(van schilderij)*
make-up make-up
[1]**makkelijk** *bn* easy, simple
[2]**makkelijk** *bw* easily, readily: *jij hebt ~ praten* it's easy (enough) for you to talk
makker pal, mate
makkie piece of cake; *(karwei)* cushy job, easy job
makreel mackerel
[1]**mal** *zn* mould, template || *iem voor de ~ houden* make fun of s.o., pull s.o.'s leg
[2]**mal** *bn, bw* silly, foolish: *nee, ~le meid (jongen)* no, silly!
malaise 1 malaise **2** depression, slump
malaria malaria
Malediven Maldive Islands, Maldives
Maleis Malay; *(Am)* Malayan
Maleisië Malaysia
Maleisiër Malaysian
[1]**malen** *intr* turn, grind
[2]**malen** *tr* grind; crush *(erts)*
maling grind || *daar heb ik ~ aan* I don't care two hoots (*of:* give a hoot); *~ aan iets (iem) hebben* not care/give a rap about sth (s.o.); *iem in de ~ nemen* pull s.o.'s leg, fool s.o.
mals tender
malt *(alcoholvrij bier)* low alcohol beer, non-alcoholic beer
Maltees Maltese
mama mam(m)a
mammie Mum(my); *(Am)* Mom(my)
mammoet mammoth
man 1 man: *op de ~ spelen: a)* go for the man (*of:* player); *b) (fig)* get personal; *een ~ uit duizenden* a man in a million; *een ~ van weinig woorden* a man of few words; *hij is een ~ van zijn woord* he is as good as his word **2** *(mens)* man, human: *de gewone (kleine) ~* the man in the street, the common man; *vijf ~ sterk* five strong; *met hoeveel ~ zijn we?* how many are we?, how many of us are there? **3** *(echtgenoot)* husband
management management
manager manager
manchet cuff
manchetknoop cuff link
manco 1 *(gebrek)* defect, shortcoming **2** *(leemte)* shortage
mand basket || *bij een verhoor door de ~ vallen* have to own up (*of:* come clean)
mandarijn mandarin; *(klein)* tangerine
mandoline mandolin
mandril mandrill
manege riding school, manège
manen *zn,mv* mane
manen *tr* **1** remind; *(sterker)* demand: *iem om geld ~* demand payment from s.o. **2** *(aansporen)* urge
maneschijn moonlight
mangaan manganese
mango mango
maniak maniac; *(mbt gezondheid)* freak; *(mbt film)* buff; *(mbt film)* fan
manicure manicurist
manie mania
manier 1 way, manner: *daar is hij ook niet op een eerlijke ~ aangekomen* he didn't get that by fair means; *hun ~ van leven* their way of life; *(Belg) bij ~ van spreken* in a manner of speaking; *op een fatsoenlijke ~* in a decent manner, decently; *op de een of andere ~* somehow or other; *op de gebruikelijke ~* (in) the usual way; *dat is geen ~ (van doen)* that is no way to behave **2** *(mv)* manners: *wat zijn dat voor ~en!* what kind of behaviour is that!
manifest manifesto
manifestatie demonstration; *(zonder politiek doel)* happening; *(cultureel e.d.)* event
manifesteren, zich manifest oneself
manipulatie manipulation: *genetische ~* genetic engineering
manipuleren manipulate
manisch-depressief manic-depressive
manjaar man-year
mank lame: *~ lopen* (walk with a) limp
mankement defect; *(mbt machines)* bug
manken limp
[1]**mankeren** *intr* be wrong, be the matter: *wat mankeert je toch?* what's wrong (*of:* the matter) with you? || *er mankeert een schroefje* one screw is missing
[2]**mankeren** *tr* have sth the matter: *ik mankeer niets* I'm all right, there's nothing wrong with me
mankracht manpower
mannelijk male, masculine: *een ~e stem* a masculine voice
mannenkoor male choir, men's chorus
mannequin model
mannetje 1 little fellow, little guy **2** man: *daar heeft hij zijn ~s voor* he leaves that to his underlings **3** *(dier, plant)* male
manoeuvre manoeuvre
manoeuvreren manoeuvre: *iem in een onaangename positie ~* manoeuvre s.o. into an awkward position
mans: *zij is er ~ genoeg voor* she can handle it
manschappen men
manshoog man-size(d), of a man's height
mantel 1 coat; *(zonder mouwen; ook fig)* cloak **2** *(techn)* casing, housing
mantelpak suit
mantelzorg volunteer aid
manufacturen drapery
manuscript manuscript; *(getypt ook)* typescript
manusje-van-alles jack-of-all-trades; *(iem die alles moet opknappen)* (general) dogsbody
manuur man-hour
map file, folder
maquette (scale-)model
maraboe marabou

marathon marathon
marathonloop marathon race
marcheren march
marconist radio operator
marechaussee military police, MP
maretak mistletoe
margarine margarine
marge 1 margin: *gerommel in de ~* fiddling about 2 band *(mbt wisselkoersen, rentetarieven)*
margriet marguerite, (ox-eye) daisy
Maria-Hemelvaart Assumption (of the Virgin Mary)
marihuana marijuana, marihuana
marine navy
marinebasis naval base
marinier marine: *het Korps Mariniers* the Marine Corps, the Marines
marionet puppet
maritiem maritime
marjolein marjoram
mark mark
markeerstift marker, marking pen
markeren mark
markies marquis
markiezin marquise
markt market: *een dalende* (of: *stijgende*) ~ a bear (*of:* bull) market; *naar de ~ gaan* go to market; *van alle ~en thuis zijn* be able to turn one's hand to anything || *(Belg) het niet onder de ~ hebben* be having a hard time
marktaandeel market share, share of the market
marktdag market day
markthal market hall, covered market
marktkoopman market vendor, stallholder
marktkraam market stall *(of:* booth)
marktwerking free-market system, free competition
marmelade marmalade
marmer marble
marmeren marble
marmot 1 marmot 2 *(cavia)* guinea pig
Marokkaan Moroccan
Marokko Morocco
mars march || *hij heeft niet veel in zijn ~: a)* he hasn't got much about him; *b) (weet niet veel)* he is pretty ignorant; *c) (mbt hersens)* he isn't very bright; *d) (kan niet veel)* he's not up to much; *hij heeft heel wat in zijn ~: a)* he has a lot to offer; *b) (weet veel)* he is pretty knowledgeable; *c) (mbt hersens)* he's a clever chap; *voorwaarts ~!* forward march!; *ingerukt ~!* dismiss!
Mars Mars
marsepein marzipan
marskramer hawker, pedlar
marsmannetje Martian
martelaar martyr
martelen torture
marteling torture
[1]**marter** *zn (dier)* marten
[2]**marter** *zn (bont)* marten
marxisme Marxism
marxist Marxist
mascara mascara
mascotte mascot
masker mask
maskeren mask, disguise
masochisme masochism
masochist masochist
massa 1 *(groot aantal, hoeveelheid)* mass, heaps: *hij heeft een ~ vrienden* he has heaps (*of:* loads) of friends; *~'s mensen* masses (*of:* swarms) of people 2 *(mbt mensen)* mass, crowd; *(pol)* masses *(mv)*: *met de ~ meedoen* go with (*of:* follow) the crowd
massaal 1 massive: *~ verzet* massive resistance 2 mass, wholesale; bulk *(goederen)*
massabijeenkomst mass meeting
massage massage
massagraf mass grave
massamedia mass media *(ook ev)*
massamoordenaar mass murderer
massasprint field sprint
massavernietigingswapen weapon of mass destruction
masseren massage, do a massage on
masseur masseur
massief solid, massive, heavy: *een ring van ~ zilver* a ring of solid silver
mast 1 *(op schepen; antenne)* mast: *de ~ strijken* lower the mast 2 *(voor elektriciteitsdraden)* pylon
master Master
masturberen masturbate
[1]**mat** *zn* mat: *~ten kloppen* beat (*of:* shake) mats
[2]**mat** *bn (schaakmat)* checkmate: *~ staan* be checkmated; *iem ~ zetten* checkmate s.o.
[3]**mat** *bn, bw* 1 mat(t); dull *(klank, oog, markt)*; dim *(licht)*; pearl *(gloeilamp)* 2 *(niet doorschijnend)* mat(t); *((venster)glas)* frosted
mat! (check)mate!
matador matador
mate measure, extent, degree: *in dezelfde ~* equally, to the same extent; *in mindere ~* to a lesser degree; *in grote* (of: *hoge*) ~ to a great (*of:* large) extent, largely
matennaaier rat
materiaal material(s)
materialistisch materialistic
materie matter; *(zaak, kwestie)* (subject) matter
[1]**materieel** *zn* material(s), equipment: *rollend ~* rolling stock
[2]**materieel** *bn* material
materniteit *(Belg)* maternity ward
matglas frosted glass
mathematisch mathematical
matig 1 moderate 2 *(tamelijk slecht)* moderate, mediocre
matigen moderate, restrain: *matig uw snelheid* reduce your speed
matinee matinè

matje mat: *op het ~ moeten komen: a) (ter verantwoording)* be put on the spot; *b) (berisping)* be (put) on the carpet
matrak *(Belg)* truncheon, baton
matras mattress
matrijs mould, matrix
matrix matrix
matrixprinter matrix printer, dot printer
matroos sailor
Mauritanië Mauretania
Mauritius (island of) Mauritius
mavo *afk van middelbaar algemeen voortgezet onderwijs* lower general secondary education
maxi maxi
[1]**maximaal** *bn* maximum, maximal
[2]**maximaal** *bw* at (the) most: *dit werk duurt ~ een week* this work takes a week at most
maximum maximum
maximumsnelheid speed limit *(van weg);* maximum speed *(van voertuig)*
mayonaise mayonnaise: *patat met ~* chips (*of Am:* French fries) with mayonnaise
mazelen measles
mazzel (good) luck: *de ~!* see you!
mbo *afk van middelbaar beroepsonderwijs* intermediate vocational education
m.b.v. *afk van met behulp van* by means of
me me
ME *afk van mobiele eenheid* anti-riot squad
meander meander
meao *afk van middelbaar economisch en administratief onderwijs* intermediate business education
mecanicien mechanic
meccano meccano (set)
mechanica mechanics
mechaniek mechanism
mechanisatie mechanization
mechanisch mechanical: *~ speelgoed* clockwork toys
mechanisme mechanism; *(fig ook)* machinery
medaille medal
medaillon medallion; *(openspringend)* locket
medebewoner co-occupant, fellow resident
medeburger fellow citizen
mededeling announcement, statement
mededelingenbord notice board
mede-eigenaar joint owner
medeklinker consonant
medelander non-native (inhabitant)
medeleerling fellow pupil
medeleven sympathy: *oprecht ~* sincere sympathy; *mijn ~ gaat uit naar* my sympathy lies with; *zijn ~ tonen* express one's sympathy
medelijden pity, compassion: *heb ~ (met)* have mercy (upon); *~ met zichzelf hebben* feel sorry for oneself
medemens fellow man
medeplichtig accessory
medeplichtige accessory (to), accomplice; *(handlanger)* partner
medereiziger fellow traveller *(of:* passenger)
medestander supporter
medewerker 1 fellow worker, co-worker; *(aan boek e.d.)* collaborator; *(aan krant enz.)* contributor; *(aan krant enz.)* correspondent: *onze juridisch* (of: *economisch*) ~ our legal (*of:* economics) correspondent **2** employee, staff member
medewerking cooperation, assistance: *de politie riep de ~ in van het publiek* the police made an appeal to the public for cooperation
medezeggenschap say; *(in bedrijf)* participation
media media
mediageniek mediagenic
mediastilte media silence
mediatheek multimedia centre *(of:* library)
mediator mediator
medicament medicament, medicine
medicijn medicine: *een student (in de) ~en* a medical student
medicijnkastje medicine chest *(of:* cabinet)
medio in the middle of: *~ september* in mid-September
medisch medical: *op ~ advies* on the advice of one's doctor
meditatie meditation
mediteren meditate
[1]**medium** *zn* medium
[2]**medium** *bn (mbt kledingmaten)* medium(-sized)
mee with, along: *waarom ga je niet ~?* why don't you come along? || *met de klok ~* clockwise; *kan ik ook ~?* can I come too?; *hij heeft zijn uiterlijk ~* he has his looks going for him; *dat kan nog jaren ~* that will last for years; *het kan er ~ door* it's all right, it'll do; *ergens te vroeg* (of: *te laat*) *~ komen* be too early (*of:* late) with sth
meebrengen 1 bring (along) (with one): *wat zal ik voor je ~?* what shall I bring you? **2** involve: *de moeilijkheden die dit met zich heeft meegebracht* the difficulties which resulted from this
[1]**meedelen** *intr* share (in), participate (in): *alle erfgenamen delen mee* all heirs are entitled to a share
[2]**meedelen** *tr* inform (of), let … know; *(officieel)* notify; *(officieel)* announce; *(berichten)* report: *ik zal het haar voorzichtig ~* I shall break it to her gently; *hierbij deel ik u mee, dat …* I am writing to inform you that …
meedingen compete
meedoen join (in), take part (in): *mag ik ~?* can I join in? (*of:* you?); *~ aan een wedstrijd* compete in a game; *~ aan een project* (of: *staking*) take part in a project (*of:* strike); *oké, ik doe mee* okay, count me in
meedogenloos merciless
mee-eten eat with (s.o.)
mee-eter blackhead, whitehead
meegaan 1 go along (*of:* with), accompany, come

along *(of:* with): *is er nog iemand die meegaat?* is anyone else coming? *(of:* going?) 2 *(fig)* go (along) with, agree (with): *met de mode* ~ keep up with (the) fashion 3 *(bruikbaar blijven)* last: *dit toestel gaat jaren mee* this machine will last for years

[1]**meegeven** *intr* give (way), yield: *de planken geven niet mee* there is no give in the boards

[2]**meegeven** *tr* give: *iem een boodschap* ~ send a message with s.o.

meehelpen help (in, with), assist (with)

[1]**meekomen** *intr* 1 come (also), come along 2 *(in school)* keep up (with)

[2]**meekomen** *intr* 1 come (along, with, also): *ik heb er geen bezwaar tegen als hij meekomt* I don't object to his coming (along) 2 *(van tempo e.d.)* keep up (with)

meekrijgen 1 get, receive: *kan ik het geld direct ~?* can I have the money immediately? 2 *(op zijn hand krijgen)* win over, get on one's side

meel flour

meeldraad stamen

meeleven sympathize

meelijwekkend pitiful

meelopen walk along (with), accompany

meeloper hanger-on

meeluisteren listen (in)

meemaken experience; *(doorstaan)* go through; live; *(zien gebeuren)* see; *(deelnemen aan)* take part (in): *had hij dit nog maar mee mogen maken* if he had only lived to see this; *ze heeft heel wat meegemaakt* she has seen *(of:* been through) a lot

meenemen take along *(of:* with): *(in restaurant, bijv. Chinees eten) ~ graag* to take away please

meepraten take part *(of:* join) in a conversation: *daar kun je niet over* ~ you don't know anything about it

[1]**meer** *zn (water)* lake

[2]**meer** *hoofdtelw* 1 more: ~ *dood dan levend* more dead than alive; *des te* ~ all the more (so); *steeds* ~ more and more; *hij heeft ~ boeken dan ik* he has got more books than I (have) 2 *(verder)* more, further: *wie waren er nog ~?* who else was there?; *wat kan ik nog ~ doen?* what else can I do? 3 *(met ontkenning)* any more, no more, (any) longer: *zij is geen kind* ~ she is no longer a child; *hij had geen appels* ~ he had no more apples, he was out of apples 4 *(vaker)* more (often): *we moeten dit ~ doen* we must do this more often || *onder* ~ among other things, *(personen)* among others; *zonder ~: a) (beslist)* naturally, of course; *b) (meteen)* right away

ME'er riot policeman

[1]**meerdere** *zn* superior; *(mil)* superior officer

[2]**meerdere** *hoofdtelw* several, a number of

meerderheid majority

meerderjarig of age: ~ *worden* come of age

meerderjarige adult

meerderjarigheid adulthood, legal age

meerekenen count (in)

meerijden come *(of:* ride) (along) with: *ik vroeg of ik mee mocht rijden* I asked for a lift

meerkeuzetoets multiple-choice test

meerkeuzevraag multiple-choice question

meerkoet coot

meerpaal mooring post

meervoud plural: *in het* ~ (in the) plural

meerzijdig multilateral

mees tit

meesjouwen lug; *(Am)* tote

meeslepen 1 drag (along) 2 carry (with, away): *zich laten* ~ get carried away

meeslepend compelling, moving

meesleuren sweep away *(of:* along)

meespelen *(in spel)* take part *(of:* join) in a game; play (along with); *(in toneelstuk, film)* be a cast member

[1]**meest** *bn* 1 most, the majority of: *op zijn* ~ at (the) most 2 *(zeer veel, groot)* most, greatest: *de ~e tijd doet ze niets* most of the time she doesn't do a thing

[2]**meest** *bw* most, best: *de ~ gelezen krant* the most widely read newspaper

meestal mostly, usually

meester 1 master: ~ *in de rechten (ongev)* Master of Laws 2 *(onderwijzer)* teacher, (school)master

meesterbrein mastermind

meesteres mistress

meesterlijk masterly

meesterwerk masterpiece, masterwork

meetbaar measurable

[1]**meetellen** *intr* count: *dat telt niet mee* that doesn't count

[2]**meetellen** *tr* count also, count in, include

meetkunde geometry

meetlat measuring rod

meetlint tape-measure

meetrekken pull along, drag along

meeuw (sea)gull

meevallen turn out *(of:* prove, be) better than expected: *dat zal wel* ~ it won't be so bad

meevaller piece *(of:* bit) of luck: *een financiële* ~ a windfall

meevoelen sympathize (with)

meewarig pitying: *met een ~e blik keek ze hem aan* she looked at him pityingly

meewerken 1 cooperate, work together: *we werkten allemaal een beetje mee* we all pulled together, we all did our little bit 2 *(helpen)* assist: *allen werkten mee om het concert te laten slagen* everyone assisted in making the concert a success || *~d voorwerp* indirect object

meezingen sing along (with)

meezitten be favourable: *het zat hem niet mee* luck was against him; *als alles meezit* if all goes well, if everything runs smoothly

megabioscoop multiplex

megabyte megabyte

megafoon megaphone

megahertz megahertz
mei May
meid girl, (young) woman: *je bent al een hele ~* you're quite a woman (*of:* girl)
meidengroep female band
meikever May-bug, cockchafer
meiklokje lily of the valley
meineed perjury
meisje 1 girl, daughter 2 *(jonge vrouw)* girl, young woman *(of:* lady) 3 *(vriendin)* girlfriend 4 *(dienstmeisje)* girl, maid
meisjesnaam maiden name
mej. *afk van Mejuffrouw* Miss
mejuffrouw Miss; *(gehuwde of ongehuwde vrouw)* Ms
mekaar *(inform)* each other, one another || *komt voor ~* OK, I'll see to it
melaats leprous
melaatsheid leprosy
melancholie melancholy
melancholiek melancholy
melange blend, mélange
[1]**melden** *tr* report, inform (of); *(aankondigen)* announce: *ze heeft zich ziek gemeld* she has reported (herself) sick, she called in sick; *niets te ~ hebben (fig)* have nothing (*of:* no news) to report
[2]**melden, zich** report, check in
melding mention(ing), report(ing)
meldkamer centre; *(voor noodgevallen)* emergency room
melig corny
melk milk: *koffie met ~* white coffee
melkboer milkman
melkbus milk churn
melken milk
melkgebit milk teeth
melkkoe 1 dairy cow 2 *(fig)* milch cow
melkpoeder powdered milk, dehydrated milk
melktand milk tooth
melkvee dairy cattle
melkveehouder dairy farmer
Melkweg Milky Way
melodie melody, tune
melodieus melodious
melodrama melodrama
meloen melon
membraan membrane
memo memo
memoires memoirs
men 1 one; *(inform)* people; they: *~ zegt* it is said, people (*of:* they) say; *~ zegt dat hij ziek is* he is said to be ill 2 *(ik en iedereen met mij)* one; *(inform)* you: *~ kan hen niet laten omkomen* they cannot be allowed to die; *~ zou zeggen dat …* by the look of it … 3 *(één of meer personen)* one; *(inform)* they: *~ had dat kunnen voorzien* that could have been foreseen; *~ hoopt dat …* it is hoped that …
meneer gentleman; *(met naam)* Mr
menen 1 mean: *dat meen je niet!* you can't be serious!; *ik meen het!* I mean it! 2 *(bedoelen)* intend, mean: *het goed met iem ~* mean well towards s.o. 3 *(veronderstellen)* think: *ik meende dat …* I thought …
menens: *het is ~* it's serious
mengeling mixture
mengelmoes mishmash, jumble
[1]**mengen** *tr* 1 mix, blend: *door elkaar ~* mix together 2 *(in verband brengen)* mix, bring in: *mijn naam wordt er ook in gemengd* my name was also brought in (*of:* dragged in)
[2]**mengen, zich** *(zich inlaten met)* get (oneself) involved (in), get (oneself) mixed up (in): *zich in de discussie ~* join in the discussion
mengpaneel mixing console, mixer
mengsel mixture, blend
menie red lead
menig many *(met mv);* many a *(met ev): in ~ opzicht* in many respects
menigte crowd
mening opinion, view: *afwijkende ~* dissenting view (*of:* opinion); *naar mijn ~* in my opinion (*of:* view), I think, I feel; *van ~ veranderen* change one's opinion (*of:* view); *voor zijn ~ durven uitkomen* stand up for one's opinion
meningsuiting (expression of) opinion, speech: *vrije ~* freedom of speech
meningsverschil difference of opinion
meniscus meniscus, kneecap
mennen drive
menopauze menopause
[1]**mens** *zn* 1 human (being), man; *(mensdom)* mankind): *ik ben ook maar een ~* I'm only human; *dat doet een ~ goed* that does you good; *geen ~* not a soul 2 *(mv) (personen)* people: *de gewone ~en* ordinary people 3 *(type)* person: *een onmogelijk ~ zijn* be impossible (to deal with)
[2]**mens** *zn (vrouw)* thing, creature: *het is een braaf (best) ~* she's a good (old) soul
mensa refectory; *(voor studenten)* (student) cafeteria
mensaap anthropoid (ape), man ape
menselijk 1 human: *vergissen is ~* to err is human 2 *(humaan)* humane: *niet ~* inhumane, inhuman
menselijkheid humanity
menseneter cannibal
mensenhandel human trafficking
mensenheugenis human memory: *sinds ~* from (*of:* since) time immemorial
mensenkennis insight into (human) character (*of:* human nature)
mensenleven (human) life
mensenrechten human rights
mens-erger-je-niet ludo; *(Am)* sorry
mensheid human nature, humanity
menslievend charitable, humanitarian; *(weldadig)* philanthropic
mensonterend degrading, disgraceful
menstruatie menstruation, period

menstruatiepijn menstrual pain
menstrueren menstruate
menswaardig decent, dignified
menswetenschappen *(biologie, medicijnen, antropologie enz.)* life sciences; *(politiek, economie enz.)* social sciences
menswetenschapper *(mbt biologie, medicijnen, antropologie enz.)* life scientist; *(mbt politiek, economie enz.)* social scientist
mentaal mental
mental coach mental coach
mentaliteit mentality
menthol menthol
mentor 1 *(studiebegeleider)* tutor; *(Am)* student adviser 2 *(adviseur)* mentor
menu menu
menubalk menu bar, button bar
menugestuurd menu-driven
menukaart menu
mep smack || *de volle ~* the full whack
meppen smack
merci thanks
Mercurius Mercury
merel blackbird
meren moor
merendeel greater part; *(van iets telbaars ook)* majority
merg (bone) marrow: *die kreet ging door ~ en been* it was a harrowing (*of:* heart-rending) cry
mergel marl
meridiaan meridian
merk 1 *(handelsmerk)* brand (name), trademark; *(technische producten)* make *(tv, auto, ijskast enz.)* 2 *(teken)* mark; *(keur)* hallmark *(bijv. op zilver, goud)*
merkbaar noticeable
merken 1 notice, see: *dat is (duidelijk) te ~* it shows; *hij liet niets ~* he gave nothing away; *je zult het wel ~* you'll find out; *ik merkte het aan zijn gezicht* I could tell (*of:* see) by the look on his face 2 *(markeren)* mark; *(met brandmerk)* brand
merkkleding designer wear (*of:* clothes)
merkwaardig *(vreemd)* peculiar: *het ~e van de zaak is ...* the curious (*of:* odd) thing (about it) is ...
merrie mare
mes knife; *(van apparaat)* blade: *het ~ snijdt aan twee kanten* it is doubly advantageous
mesjogge crazy, nutty
mess mess (hall), messroom
messcherp razor-sharp
Messias Messiah
messing brass
messteek stab (of a knife)
mest 1 manure 2 *(kunstmatig)* fertilizer
mesten fertilize; *(van dieren)* fatten
mesthoop dunghill
mestvee beef cattle, store cattle, fatstock
met 1 (along) with, of: *~ Janssen (aan de telefoon)* Janssen speaking (*of:* here); *~ wie spreek ik? (aan de telefoon)* who am I speaking to?; *spreken ~ iem* speak to s.o.; *~ (zijn) hoevelen zijn zij?* how many of them are there? 2 *(plus)* with, and; *(inclusief)* including: *~ rente* with interest; *~ vijf* plus (*of:* and) five; *tot en ~ hoofdstuk drie* up to and including chapter three 3 *(vermengd met)* (mixed) with, and 4 *(door middel van)* with, by, through, in: *~ de trein van acht uur* by the eight o'clock train 5 *(gelijktijdig met)* with, by, at: *ik kom ~ Kerstmis* I'm coming at Christmas || *een zak ~ geld* a bag of money
[1]**metaal** *zn* metal industry; *(mbt staal)* steel industry
[2]**metaal** *zn* metal
metaalarbeider metalworker; *(mbt staal)* steelworker
metaalnijverheid metal industry, metallurgical industry; *(mbt staal)* steel industry
metalen 1 metal, metallic 2 *(als van metaal)* metallic
metamorfose metamorphosis
meteen 1 immediately, at once, right (*of:* straightaway): *ze kwam ~ toen ze het hoorde* she came as soon as she heard it; *dat zeg ik u zo ~* I'll tell you in (just) a minute; *ze was ~ dood* she was killed instantly; *nu ~* (right) now, this (very) minute 2 *(tegelijkertijd)* at the same time, too: *koop er ook ~ eentje voor mij* buy one for me (too) while you're about it
meten measure; *(met meettoestel)* meter
meteoor meteor
meteoriet meteorite
meteorologie meteorology
meteoroloog meteorologist
[1]**meter** *zn* 1 metre: *méters boeken* yards of books; *vierkante* (of: *kubieke*) *~* square (*of:* cubic) metre 2 *(meetapparaat)* meter, gauge: *de ~ opnemen* read the meter 3 *(wijzer, naald)* indicator, (meter) needle
[2]**meter** *zn (peettante)* godmother
meterkast meter cupboard
metgezel companion
methadon methadone
methode method, system
meting measuring, measurement
metro underground (railway); *(Am)* subway; *(mbt Londen ook)* tube; *(mbt Europese steden, ook)* metro
metronoom metronome
metropool metropolis
metrostation undergroundstation; *(Am)* subway station; *(mbt Londen ook)* tube station; *(mbt Europese steden, ook)* metro station
metselaar bricklayer
metselen build (in brick, with bricks); *(bakstenen op elkaar voegen)* lay bricks
metten: *korte ~ maken (met)* make short (*of:* quick) work (of)

metterdaad indeed, in fact
meubel piece of furniture; *(mv)* furniture
meubelzaak furniture business *(of:* shop)
meubilair furniture, furnishings
meubileren furnish
meute gang, crowd
mevrouw 1 madam, ma'am, miss 2 *(mbt een (gehuwde) vrouw)* Mrs; *(gehuwd, ongehuwd)* Ms
Mexicaan Mexican
Mexico Mexico
mezelf myself, me: *ik vermaak ~ wel* I'll look after myself
miauwen miaow, mew
micro *(Belg)* mike
microbe microbe
microfoon microphone; *(inform)* mike
microprocessor microprocessor
microscoop microscope
middag 1 afternoon: *'s ~s* in the afternoon; *om 5 uur 's ~s* at 5 o'clock in the afternoon, at 5 p.m. 2 *(12 uur)* noon: *tussen de ~* at lunchtime
middagdutje afternoon nap
middageten lunch(eon)
middagpauze lunch hour, lunchtime, lunch-hour break
middagtemperatuur afternoon temperature
middagvoorstelling matinè
middel 1 *(taille)* waist 2 *(hulpmiddel)* means: *het is een ~, geen doel* it's a means to an end; *door ~ van* by means of 3 *(geneesmiddel)* remedy: *een ~tje tegen hoofdpijn* a headache remedy; *het ~ is soms erger dan de kwaal* the remedy may be worse than the disease
middelbaar middle; *(mbt onderwijs)* secondary
middeleeuwen Middle Ages
middeleeuws medi(a)eval: *~e geschriften* medi(a)eval documents
middelgroot medium-size(d)
middellands Mediterranean: *de Middellandse Zee* the Mediterranean (Sea)
middellijn diameter
middelmaat average
middelmatig average, mediocre: *ik vind het maar ~* I think it's pretty mediocre
middelmatigheid mediocrity
middelpunt centre, middle
middelst middle(most)
middelvinger middle finger
[1]**midden** *zn* 1 middle, centre: *dat laat ik in het ~* I won't go into that; *de waarheid ligt in het ~* the truth lies (somewhere) in between 2 *(mbt een verzameling)* middle, midst: *te ~ van* in the midst of, among
[2]**midden** *bw* in the middle of: *~ in de zomer* in the middle of (the) summer; *hij is ~ (in de) veertig* he is in his middle forties *(of:* mid-forties)
Midden-Amerika Central America
middenbaan *(rijbaan)* middle lane, centre lane
middenberm central reservation
Midden-Europa Central Europe
Midden-Europees Central-European
middengolf medium wave
middenklasse medium range *(of:* size)
middenmoot middle bracket *(of:* group): *die sportclub hoort thuis in de ~* that's just an average club
middenoor middle ear
Midden-Oosten Middle East
middenpad (centre) aisle; *(trein, zaal ook)* gangway
middenrif midriff, diaphragm
middenstand (the) self-employed, tradespeople
middenstander tradesman, shopkeeper
middenstandsdiploma *(ongev)* retailer's certificate *(of:* diploma)
middenstip centre spot
middenveld midfield
middenvelder midfielder, midfield player
middernacht midnight
midgetgolf miniature golf, midget golf
midvoor centre forward
mier ant
miereneter ant-eater
mierenhoop anthill
mietje *(scheldw., inform)* gay, pansy
miezeren drizzle
miezerig 1 drizzly 2 *(klein)* tiny, puny
migraine migraine
migratie migration
migreren migrate
mij 1 me: *hij had het (aan) ~ gegeven* he had given it to me; *dat is van ~* that's mine; *een vriend van ~* a friend of mine; *dat is ~ te duur* that's too expensive for me 2 myself: *ik schaam ~ zeer* I am deeply ashamed
mijl mile
mijlenver miles (away); *(bw ook)* for miles
mijlpaal milestone
mijmeren muse (on), (day)dream (about)
[1]**mijn** *zn* mine *(ook mil): op een ~ lopen* strike *(of:* hit) a mine
[2]**mijn** *bez vnw* my || *daar moet ik het ~e van weten* I must get to the bottom of this
mijnenveld minefield
mijnheer 1 *(als aanspreking)* sir: *~ de voorzitter* Mr chairman; *~ Jansen* Mr Jansen 2 *(heer)* gentleman || *is ~ thuis?* is Mr X in?
mijnschacht mine shaft
mijnwerker miner
mijt mite
mijter mitre
mijzelf myself
mikken (take) aim: *~ op iets* (take) aim at sth
mikmak caboodle
mikpunt butt, target
Milaan Milan
mild mild; soft *(regen);* gentle
milicien *(Belg; hist)* conscript

milieu 1 milieu: *iem uit een ander* ~ s.o. from a different social background (*of:* milieu) 2 *(biol)* environment
milieubeheer conservation (of nature), environmental protection
milieubeweging ecology movement, environmental movement
milieubewust environment-minded
milieudeskundige environmentalist; *(wtsch)* ecologist
milieuvriendelijk ecologically sound, environmentally friendly *(of:* safe)
[1]**militair** *zn* soldier, serviceman
[2]**militair** *bn, bw* military: *in ~e dienst gaan* do one's military service, join the Army
militant *(Belg)* activist
militie *(Belg; hist)* compulsory military service
miljard billion, (a, one) thousand million: *de schade loopt in de ~en euro* the damage runs into billions of euros
miljardair multimillionaire
miljardennota budget
miljardste billionth
miljoen million
miljoenste millionth
miljonair millionaire
mille (one) thousand
millennium millennium
millibar millibar
milligram milligram
milliliter millilitre
millimeter millimetre
milt spleen
mime mime
mimespeler mime artist
mimiek facial expression
mimosa mimosa
[1]**min** *zn* minus; *(teken)* minus (sign) || *zij heeft op haar rapport een zeven* ~ she has a seven minus on her report; *de thermometer staat op ~ 10°* the thermometer is at minus 10°; *tien ~ drie is zeven* ten minus three equals seven; *~ of meer* more or less
[2]**min** *bn* 1 *(niet goed genoeg)* poor: *arbeiders waren haar te* ~ workmen were beneath her 2 *(weinig)* little, few: *zo ~ mogelijk fouten maken* make as few mistakes as possible
minachten disdain, hold in contempt
minachting contempt, disdain: *uit ~ voor* in contempt of
minaret minaret
minarine *(Belg)* low-fat margarine
minder 1 less, fewer; *(kleiner)* smaller: *hij heeft niet veel geld, maar nog ~ verstand* he has little money and even less intelligence; *dat was ~ geslaagd* that was less successful; *hoe ~ erover gezegd wordt, hoe beter* the less said about it the better; *vijf minuten meer of* ~ give or take five minutes; *groepen van negen en* ~ groups of nine and under 2 *(slechter)* worse: *mijn ogen worden* ~ my eyes are not what they used to be
mindere inferior
minderheid minority
mindering decrease: *iets in ~ brengen (op)* deduct sth (from)
minderjarig minor: *~ zijn* be a minor
minderjarigheid minority
minderwaardig inferior (to)
minderwaardigheid inferiority
mineraal mineral || *rijk aan mineralen* rich in minerals
mineraalwater mineral water
mineur minor
mineurstemming minor key
mini mini
miniatuur miniature
minibar minibar
minidisc minidisc
[1]**miniem** *zn (Belg)* junior member (10, 11 years) of sports club
[2]**miniem** *bn, bw* small, slight, negligible
minigolf miniature golf
minima minimum wage earners
minimaal 1 minimal, minimum: *~ presteren* perform very poorly 2 *(minstens)* at least
minimum minimum
minimumleeftijd minimum age
minimumloon minimum wage
minirok miniskirt
minister minister, secretary of state; *(Am)* secretary: *~ van Binnenlandse Zaken* Minister of the Interior, Home Secretary, *(Am)* Secretary of the Interior; *~ van Buitenlandse Zaken* Minister for Foreign Affairs, Secretary of State for Foreign and Commonwealth Affairs, Foreign Secretary, *(Am)* Secretary of State; *~ van Defensie* Minister of Defence, Secretary of State for Defence, *(Am)* Secretary of Defense, Defense Secretary; *~ van Economische Zaken* Minister for Economic Affairs, Secretary of State for Trade and Industry, *(Am; ongev)* Secretary for Commerce; *~ van Financiën* Minister of Finance, Chancellor of the Exchequer, *(Am)* Secretary of the Treasury; *~ van Justitie* Minister of Justice, *(ongev)* Lord (High) Chancellor, *(Am; ongev)* Attorney General; *~ van Landbouw en Visserij* Minister of Agriculture and Fisheries; *~ van Onderwijs en Wetenschappen* Minister of Education and Science, *(Am)* Secretary of Education; *~ van Ontwikkelingssamenwerking* Minister for Overseas Development; *~ van Sociale Zaken en Werkgelegenheid* Minister for Social Services and Employment, *(Am; ongev)* Secretary of Labor; *~ van Verkeer en Waterstaat* Minister of Transport and Public Works, *(Am)* Secretary of Transportation; *~ van Volkshuisvesting, Ruimtelijke Ordening en Milieubeheer* Minister for Housing, Regional Development and the Environment, *(Am; ongev)* Secretary for Housing

and Urban Development; ~ *van Welzijn, Volksgezondheid, en Cultuur* Minister of Welfare, Health and Cultural Affairs, *(Am; ongev)* Secretary of Health and Human Services; *eerste* ~ prime minister, premier

ministerie ministry, department: ~ *van Buitenlandse Zaken* Ministry of Foreign Affairs, Foreign (and Commonwealth) Office, *(Am)* State Department; ~ *van Defensie* Ministry of Defence, *(Am)* Department of Defense, (the) Pentagon; ~ *van Financiën* Ministry of Finance, Treasury, *(Am)* Treasury Department || *het Openbaar Ministerie* the Public Prosecutor

minister-president prime minister, premier

ministerraad council of ministers

minnaar lover, mistress

minnetjes poor

minst 1 slightest, lowest: *niet de (het) ~e … (kans, twijfel enz.)* not a shadow of …, not the slightest … 2 least: *op z'n* ~ at (the very) least; *bij het ~e of geringste* at the least little thing 3 least *(bij niet-telbare naamwoorden)*; fewest *(bij telbare naamwoorden)*: *zij verdient het ~e geld* she earns the least money; *de ~e fouten* the fewest mistakes

minstens at least: *ik moet ~ vijf euro hebben* I need five euros at least

minstreel minstrel

minteken minus (sign)

minus minus

minuscuul tiny, minuscule, minute

minutenwijzer minute hand

minuut 1 minute: *het is tien minuten lopen* it's a ten-minute walk 2 *(ogenblik)* second, minute: *de situatie verslechterde met de* ~ the situation was getting worse by the minute

mirakel miracle, wonder

mirre myrrh

[1]**mis** *zn* Mass

[2]**mis** *bn, bw* 1 *(niet raak)* out, off target: ~ *poes!* tough (luck)!; *was het ~ of raak?* was it a hit or a miss? 2 *(onjuist, verkeerd)* wrong: *het liep* ~ it went wrong

misbaar uproar, hullabaloo

misbaksel bastard, louse

misbruik abuse, misuse; *(overmatig gebruik ook)* excess: ~ *van iem maken* take advantage of s.o., use s.o., exploit s.o.

misbruiken 1 abuse, misuse; impose upon *(goedheid)* 2 *(verkrachten)* violate

misdaad crime

misdaadbestrijding crime prevention, fight against crime

misdadig criminal

misdadiger criminal

misdadigheid crime, criminality

misdienaar acolyte; *(jongen ook)* altar boy

misdoen do wrong

misdragen, zich misbehave; *(mbt kinderen ook)* be (a) naughty (boy, girl)

misdrijf criminal offence, criminal act, crime; *(jur)* felony

miserabel miserable, wretched

misère misery

misgaan go wrong: *dit plan moet haast wel* ~ this plan is almost sure to fail

misgunnen (be)grudge, resent

mishandelen ill-treat, maltreat; *(lichamelijk letsel toebrengen)* batter: *dieren* ~ be cruel to (*of:* maltreat) animals

mishandeling ill-treatment, maltreatment; *(jur)* battery

miskennen misunderstand: *een miskend genie* (of: *talent*) a misunderstood genius (*of:* talent)

miskleun blunder, boob

miskoop bad bargain, bad buy

miskraam miscarriage

misleiden mislead, deceive: *iem* ~ lead s.o. up the garden path

misleiding deception

[1]**mislopen** *intr (misgaan)* go wrong, miscarry: *het plan liep mis* the plan miscarried (*of:* was a failure)

[2]**mislopen** *tr* miss (out on)

mislukkeling failure

mislukken fail, be unsuccessful, go wrong; *(plan, poging ook)* fall through; break down *(onderhandelingen, huwelijk)*: *een mislukte advocaat* (of: *schrijver*) a failed lawyer (*of:* writer); *een mislukte poging* an unsuccessful attempt

mislukking failure

mismaakt deformed

mismaaktheid deformity

mispeuteren *(Belg)* do sth wrong, be up to

misplaatst out of place, misplaced; *(opmerking ook)* uncalled-for

mispunt pain (in the neck), bastard, louse

missaal missal

misschien perhaps, maybe: *bent u ~ mevrouw Hendriks?* are you Mrs Hendriks by any chance?; *heeft u ~ een paperclip voor me?* do you happen to have (*of:* could you possibly let me have) a paper clip?; *het is ~ beter als …* it may be better (*of:* perhaps) it's better if …; ~ *vertrek ik morgen, ~ ook niet* maybe I'll leave tomorrow, maybe not; *zoals je ~ weet* as you may know; *wilt u ~ een kopje koffie?* would you care for some coffee?

misselijk 1 sick (in the stomach): *om ~ van te worden* sickening, nauseating, disgusting 2 *(onuitstaanbaar)* nasty; *(gedrag ook)* disgusting; revolting: *een ~e grap* a sick joke

misselijkheid (feeling of) sickness, nausea

missen miss, go without; *(het stellen zonder ook)* spare; afford *(vnl. mbt geld)*; *(niet hebben)* lack; *(niet hebben)* lose: *zijn doel ~ (fig)* miss the mark; *iem zeer* ~ miss s.o. badly; *ik kan mijn bril niet* ~ I can't get along without my glasses; *kun je je fiets een paar uurtjes ~?* can you spare your bike for a couple of hours?; *ze kunnen elkaar niet* ~

they can't get along without one another; *ik zou het voor geen geld willen* ~ I wouldn't part with it (*of:* do without it) for all the world || *dat kan niet* ~ that can't go wrong (*of:* fail), that's bound to work/happen
misser 1 failure, mistake, flop 2 *(sport)* miss; *(schot)* bad shot, poor shot; *(worp)* misthrow; bad throw; *(biljarten)* miscue
missie mission; *(bekeringsactiviteit)* missionary work
missionaris missionary
misstand abuse, wrong
misstap 1 false step, wrong step 2 *(verkeerde, slechte daad)* slip: *een ~ begaan* make a slip, slip up
missverkiezing beauty contest
mist fog; *(lichter)* mist: *dichte ~* (a) thick fog; *de ~ ingaan: a) (van dingen, zaken e.d.)* go wrong (*of:* fail) completely; *b) (mbt grap ook)* fall flat; *c) (van personen)* go wrong, be all at sea
mistbank fog bank
misten be foggy, be misty
mistig *(nevelig)* foggy; *(lichter)* misty
mistlamp fog lamp
misverstand misunderstanding: *een ~ uit de weg ruimen* clear up a misunderstanding
misvormd deformed, disfigured; *(fig)* distorted
misvorming 1 deformation; *(fig)* distortion 2 *(datgene wat misvormd is)* deformity; *(fig)* distortion
mitella sling
mitrailleur machine-gun
mits if, provided that: *~ goed bewaard, kan het jaren meegaan* (if) stored well, it can last for years
mixdrank mix
mixen mix
mixer *(handmixer)* mixer; *(bekervormig)* liquidizer; blender
mkb *afk van midden- en kleinbedrijf* small and medium-sized businesses
MKZ *afk van mond-en-klauwzeer* foot and mouth (disease)
ml *afk van milliliter* ml
mlk-school school for children with learning problems
mm *afk van millimeter* mm
m.m.v. *afk van met medewerking van* with the cooperation of
mobiel mobile
mobieltje mobile (phone)
mobilisatie mobilization
mobiliseren mobilize
mobiliteit *(beweeglijkheid)* mobility
mobilofoon radio-telephone
mocassin moccasin
modaal average
modder mud; *(slijk)* sludge
modderbad mudbath
modderen muddle (along, through)
modderig muddy
modderpoel quagmire; *(fig; smeerboel)* mire
modderschuit mud boat *(of:* barge)
moddervet gross(ly fat)
mode fashion: *zich naar de laatste ~ kleden* dress after the latest fashion; *(in de) ~ zijn* be fashionable
modebewust fashion-conscious
model 1 model, type, style: *~ staan voor* serve as a model (*of:* pattern) for; *als ~ nemen voor iets* model sth (*of:* oneself) on 2 *(ontwerp)* model, design: *het ~ van een overhemd* the style of a shirt 3 *(juiste, ideale vorm)* model, style: *goed in ~ blijven* stay in shape
modelbouw model making, modelling (to scale)
modellenbureau modelling agency
modelleren model: *~ naar* fashion after, model on
modem modem
modeontwerper fashion designer
modern modern: *het huis is ~ ingericht* the house has a modern interior; *de ~ste technieken* most modern (*of:* state-of-the-art) technology
moderniseren modernize
modernisering modernization
modeshow fashion show
modewoord vogue word
modieus fashionable: *een modieuze dame* a lady of fashion
module module
[1]**moe** *zn* mum(my); *(Am)* mom || *nou ~!* well I say!
[2]**moe** *bn* 1 tired: *~ van het wandelen* tired with walking 2 *(beu)* tired (of), weary (of): *zij is het warme weer ~* she is (sick and) tired of the hot weather
moed 1 courage, nerve: *al zijn ~ bijeenrapen (verzamelen)* muster up (*of:* summon up, pluck up) one's courage 2 *(vertrouwen)* courage, heart: *met frisse ~ beginnen* begin with fresh courage, *(na tegenslag ook)* come up smiling; *de ~ opgeven* lose heart; *de ~ zonk hem in de schoenen* his heart sank into his boots
moedeloos despondent, dejected
moedeloosheid despondency, dejection
moeder mother: *hij is niet bepaald ~s mooiste* he's no oil-painting; *bij ~s pappot (blijven) zitten* be (*of:* remain) tied to one's mother's apron strings; *vadertje en ~tje spelen* play house
Moederdag Mother's Day
moederhuis *(Belg)* maternity home
moederkoek placenta
moederlijk 1 motherly 2 *(zoals (van) een moeder)* maternal
moedermelk mother's milk
moederskind 1 mother's child 2 *(onzelfstandig)* mummy's boy *(of:* girl)
moedertaal mother tongue: *iem met Engels als ~* a native speaker of English
moedertaalspreker native speaker
moedervlek birthmark, mole
moederziel: *~ alleen* all alone

moedig brave; *(met lef)* plucky
moeheid tiredness, weariness
moeilijk 1 difficult: *~ opvoedbare kinderen* problem children; *doe niet zo ~* don't make such a fuss 2 *(zwaar)* hard, difficult: *het is ~ te geloven* it's hard to believe; *hij maakte het ons ~* he gave us a hard (*of:* difficult) time 3 hardly: *daar kan ik ~ iets over zeggen* it's hard for me to say || *zij is een ~ persoon* she is hard to please
moeilijkheid difficulty, trouble, problem: *om moeilijkheden vragen* be asking for trouble; *daar zit (ligt) de ~* there's the catch
moeite 1 effort, trouble: *vergeefse ~* wasted effort; *bespaar je de ~* (you can) save yourself the trouble (*of:* bother); *~ doen* take pains (*of:* trouble); *u hoeft geen extra ~ te doen* you need not bother, don't put yourself out; *het is de ~ niet (waard)* it's not worth it (*of:* the effort, the bother); *het is de ~ waard om het te proberen* it's worth a try (*of:* trying); *het was zeer de ~ waard* it was most rewarding; *dank u wel voor de ~!* thank you very much!, sorry to have troubled you!; *dat is me te veel ~!* that's too much trouble 2 *(last)* trouble, difficulty; *(minder sterk)* bother: *ik heb ~ met zijn gedrag* I find his behaviour hard to take (*of:* accept)
moeiteloos effortless, easy: *leer ~ Engels!* learn English without tears!
moeizaam laborious || *zich ~ een weg banen (door)* make one's way with difficulty (through)
moer 1 nut 2 *(moeder) (ongemarkeerd)* mother 3 *(wijfjesdier) (konijn)* doe; *(bijenkoningin)* queen (bee) || *daar schiet je geen ~ mee op* that doesn't get you anywhere
moeras swamp, marsh
moerasgebied marshland
moersleutel spanner; *(Am)* wrench
moerstaal mother tongue: *spreek je ~* speak plain English (*of:* Dutch)
moes purée
moesson monsoon
moestuin kitchen garden, vegetable garden
[1]**moeten** *tr (mogen)* like
[2]**moeten** *hulpww* 1 must, have to, should, ought to: *ik moet zeggen, dat …* I must say (*of:* have to say) that …; *ik moest wel lachen* I couldn't help laughing; *het heeft zo ~ zijn* it had to be (like that); *als het moet* if I (*of:* we) must 2 want, need: *ik moet er niet aan denken wat het kost* I hate to think (of) what it costs; *~ jullie niet eten?* don't you want to eat?; *dat moet ik nog zien* I'll have to see; *wat moet dat?* what's all this about?; *het huis moet nodig eens geschilderd worden* the house badly needs a coat of paint 3 *(behoren)* should, ought to: *dat moet gezegd (worden)* it has to be said; *moet je eens horen* listen (to this); *de trein moet om vier uur vertrekken* the train is due to leave at four o'clock; *je moest eens weten …* if only you knew …; *dat moet jij (zelf) weten* it's up to you; *moet je nu al weg?* are you off already?; *ze moet er nodig eens uit* she needs a day out 4 *(waar(schijnlijk) zijn)* must; *(naar men zegt)* be supposed to, said to: *zij moet vroeger een mooi meisje geweest zijn* she must have been a pretty girl once 5 *(Belg)* need (to), have (to): *u moet niet komen* you needn't come
moezelwijn Moselle (wine)
[1]**mogelijk** *bn* possible, likely, potential: *hoe is het ~, dat je je daarin vergist hebt?* how could you possibly have been mistaken about this?; *het is ~ dat hij wat later komt* he may come a little later; *het is heel goed ~ dat hij het niet gezien heeft* he may very well not have seen it; *het is ons niet ~ …* it's impossible for us, we cannot possibly …; *al het ~e doen* do everything possible
[2]**mogelijk** *bw (misschien)* possibly, perhaps
mogelijkerwijs possibly, perhaps, conceivably
mogelijkheid 1 *(abstract)* possibility; *(te grijpen kans)* chance; *(gebeurtenis)* eventuality: *zij onderschat haar mogelijkheden* she underestimates herself 2 *(mv) (kans op succes)* possibilities, prospects
[1]**mogen** *tr (aardig vinden)* like: *ik mag hem wel* I quite (*of:* rather) like him
[2]**mogen** *hulpww* 1 can, be allowed to, may, must, should, ought to: *mag ik een kilo peren van u?* (can I have) a kilo of pears, please; *mag ik uw naam even?* could (*of:* may) I have your name, please?; *je mag gaan spelen, maar je mag je niet vuilmaken* you can go out and play, but you're not to get dirty; *als ik vragen mag* if you don't mind my asking; *mag ik even?* do you mind?, may I?; *mag ik er even langs?* excuse me (please) 2 *(reden hebben, moeten)* should, ought to: *je had me weleens ~ waarschuwen* you might (*of:* could) have warned me; *hij mag blij zijn dat …* he ought to (*of:* should) be happy that … 3 *(mbt toegeving)* may, might || *het mocht niet baten* it didn't help, it was to no avail; *dat ik dit nog mag meemaken!* that I should live to see this!; *het heeft niet zo ~ zijn* it was not to be; *zo mag ik het horen* (of: *zien*) that's what I like to hear (*of:* see)
mogendheid power
[1]**mohair** *zn* mohair
[2]**mohair** *bn* mohair
Mohikanen Mohicans
mok mug
moker sledgehammer
mokka mocha (coffee)
mokken grouse, sulk
[1]**mol** *zn (muz)* 1 *(teken)* flat 2 *(toonaard)* minor
[2]**mol** *zn* mole
Moldavië Moldavia
Moldaviër Moldavian
molecule molecule
molen 1 (wind)mill 2 *(hengelsport)* reel || *het zit in de ~* it is in the pipeline
molenaar miller
molesteren molest

mollen wreck, bust (up)
mollig plump; *(kind)* chubby
molm mouldered wood
molshoop molehill
Molukken Moluccas, Molucca Islands
Molukker Moluccan
Moluks Molucca(n)
mom: *onder het ~ van de weg te vragen* on (*of:* under) the pretext of asking the way
moment moment, minute: *één ~, ik kom zó* one moment please, I'm coming, hang on a minute, I'm coming; *daar heb ik geen ~ aan gedacht* it never occurred to me
momenteel at present, at the moment, currently
mompelen mumble, mutter
Monaco Monaco
monarchie monarchy
mond mouth; muzzle *(vuurwapen): iem een grote ~ geven* talk back at (*of:* to) s.o., give s.o. lip; *hij kan zijn grote ~ niet houden* he can't keep his big mouth shut; *dat is een hele ~ vol* that's quite a mouthful; *zijn ~ houden (beleefd)* keep quiet, shut up; *zijn ~ opendoen* open one's mouth, *(mening geven)* speak up; *zijn ~ voorbijpraten* spill the beans; *met de ~ vol tanden staan* be at a loss for words, be tongue-tied
mondeling oral; verbal *(overeenkomst);* by word of mouth *(bericht, informatie): een ~ examen* an oral (exam(ination)); *een ~e toezegging* (of: *afspraak*) a verbal agreement (*of:* arrangement)
mond-en-klauwzeer foot-and-mouth disease
mondharmonica harmonica
mondhoek corner of the mouth
mondig of age *(alleen ná zn);* mature, independent
monding mouth; estuary *(rivier)*
mondje mouthful; taste *(eten of drinken): een ~ Turks spreken* have a smattering of Turkish; *(denk erom,) ~ dicht* mum's the word; *hij is niet op zijn ~ gevallen: a) (rad van tong)* he has a ready tongue; *b) (bijt van zich af)* he gives as good as he gets
mond-op-mondbeademing mouth-to-mouth (resuscitation, respiration), rescue breathing
mondstuk 1 mouthpiece; *(van pijp ook)* nozzle *(slang)* **2** filter
mond-tot-mondreclame advertisement by word of mouth, word-of-mouth advertising
mondvol mouthful
mondvoorraad provisions, supplies
monetair monetary: *het Internationaal Monetair Fonds* the International Monetary Fund
moneybelt money belt
Mongolië Mongolia
Mongoloïde Mongoloid
mongool mongol
Mongool *(inwoner van Mongolië)* Mongol(ian)
monitor 1 monitor **2** *(Belg)* youth leader **3** *(Belg) (studiebegeleider)* tutor
monitoren monitor
monnik monk
mono mono
monocle monocle
[1]**monofoon** *zn* monophonic ringtone
[2]**monofoon** *bn* monophonic
monogaam monogamous
monogamie monogamy
monogram monogram
monoloog monologue
monopolie monopoly
monotoon monotonous, in a monotone
monoxide monoxide
monseigneur Monsignor
monster 1 *(gedrocht)* monster **2** *(proefwaar)* sample, specimen **3** *(zeer groot, omvangrijk iets)* monster, giant
monsterlijk monstrous, hideous
monsterzege mammoth victory
montage 1 assembly, mounting **2** *(film)* editing
Montenegro Montenegro
monter lively, cheerful, vivacious
monteren 1 assemble; install *(machine enz.)* **2** *(aan iets bevestigen)* mount, fix **3** *(mbt film)* edit; cut *(film);* assemble *(foto)* **4** *(opmaken, in orde brengen)* fix; *(schilderij ook)* mount *(sieraden)*
montessorischool Montessori school
monteur mechanic; *(voor reparaties)* serviceman; repairman
montuur frame: *een bril zonder ~* rimless glasses
monument monument: *een ~ ter herinnering aan de doden* a memorial to the dead
monumentaal monumental
monumentenlijst *(ongev)* list of national monuments and historic buildings
[1]**mooi** *bn* **1** beautiful: *iets ~ vinden* think sth is nice **2** *(mbt mensen)* good-looking, handsome; *(vrouw ook)* pretty; *(vrouw ook)* beautiful **3** *(fraai)* lovely, beautiful: *zij ziet er ~ uit* she looks lovely; *deze fiets is er niet ~er op worden* this bicycle isn't what it used to be **4** *(fraai gekleed, verzorgd)* smart: *zich ~ maken* dress up **5** *(uitstekend)* good; *(heel mooi)* excellent: *~e cijfers halen* get good marks (*of Am:* grades) **6** *(aangenaam, gunstig)* good, fine; nice *(bedrag);* handsome *(bedrag): het kon niet ~er* it couldn't have been better; *te ~ om waar te zijn* too good to be true **7** *(leuk)* good, nice: *een ~ verhaal* a nice (*of:* good) story; *het is ~ (geweest) zo!* that's enough now!, all right, that'll do!
[2]**mooi** *bw* well, nicely: *jij hebt ~ praten* it's all very well for you to talk; *dat is ~ meegenomen* that is so much to the good; *~ zo!* good!, well done!
moois fine thing(s), sth beautiful: *(iron) dat is ook wat ~!* a nice state of affairs!
moord murder; *(sluipmoord)* assassination; *(jur)* homicide: *~ en brand schreeuwen* scream blue murder
moorddadig murderous
moorden kill, murder

moordenaar murderer, killer
moordend murderous, deadly; *(dodelijk)* fatal: *~e concurrentie* cut-throat competition
moordzaak murder case
moorkop chocolate éclair
moot piece
mop joke: *een schuine ~* a dirty joke
mopperaar grumbler
mopperen grumble, grouch
moraal morality, moral(s)
moraliseren moralize
Moravië Moravia
morbide morbid
[1]**moreel** *zn* morale: *het ~ hoog houden* keep up morale
[2]**moreel** *bn, bw* moral
mores mores
morfine morphine
[1]**morgen** *zn* morning: *de hele ~* all morning; *'s ~s* in the morning; *(goede) ~!* (good) morning!; *om 8 uur 's ~s* at 8 a.m.
[2]**morgen** *bw* tomorrow: *vandaag of ~* one of these days; *~ over een week* a week tomorrow; *tot ~!* see you tomorrow!, till tomorrow!; *de krant van ~* tomorrow's (news)paper
morgenavond tomorrow evening
morgenmiddag tomorrow afternoon
morgenochtend tomorrow morning
morgenvroeg tomorrow morning
mormel mutt: *een verwend ~* a spoilt brat
morrelen fiddle
morren grumble
morsdood (as) dead as a doornail
morse Morse (code)
morsen (make a) mess (on, of), spill: *het kind zit te ~ met zijn eten* the child is messing around with his food
mortel mortar
mortier mortar
mortiergranaat mortar bomb
mortuarium 1 mortuary 2 *(rouwcentrum)* funeral parlour *(of Am:* home)
mos moss
moskee mosque
Moskou Moscow
moslim Muslim, Moslem
moslima moslima
mossel mussel
mosterd mustard: *hij weet waar Abraham de ~ haalt* he knows what's what
mot moth
motel motel
motie motion
motief 1 motive 2 *(vorm, figuur)* motif, design
motivatie motivation
motiveren 1 explain, account for; *(verdedigen)* defend; *(rechtvaardigen)* justify 2 *(stimuleren)* motivate
motor 1 engine; *(elektromotor)* motor: *de ~ starten* (of: *afzetten*) start (*of:* turn off) the engine 2 *(motorfiets)* motorcycle 3 *(drijvende kracht)* driving force
motoragent motorcycle policeman
motorblok engine block
motorboot motorboat
motorcoureur motorcycle racer; *(motorsport)* rider
motorcross motocross
motorfiets motorcycle, motorbike, bike: *~ met zijspan* sidecar motorcycle
motorhelm crash helmet, safety helmet
motoriek (loco)motor system, locomotion
motoriseren motorize
motorkap bonnet; *(Am)* hood
motorpech engine trouble
motorrace motorcycle race
motorrijtuigenbelasting *(ongev)* road tax
motorsport motorcycle racing
motorvoertuig motor vehicle; *(Am)* automobile
motregen drizzle
motregenen drizzle
mottenbal mothball
mottig moth-eaten, scruffy
motto motto; *(vnl. pol)* slogan
mountainbike mountain bike
mousse mousse
mousseren sparkle, fizz
mouw sleeve: *de ~en opstropen* roll up one's sleeves; *ergens een ~ aan weten te passen* find a way (a)round sth
mozaïek mosaic
Mozambique Mozambique
Mozes Moses
MP 1 *afk van minister-president* PM 2 *afk van militaire politie* MP
mp3 *(digitaal muziekfragment)* MP3
mp3-speler MP3 player
MRI-scan MRI scan
msn'en chat
mt *afk van managementteam* management team
mts *afk van middelbare technische school* intermediate technical school
muesli muesli
muezzin muezzin
muf musty, stale; stuffy *(kamer)*
mug mosquito; *(klein)* gnat: *ve ~ een olifant maken* make a mountain out of a molehill
muggenbeet mosquito bite
muggenziften niggle, split hairs, nit-pick
muggenzifter niggler, hairsplitter, nit-picker
muil mouth, muzzle
muildier mule
muilezel hinny
muilkorf muzzle
muis mouse; *(van hand)* ball
muisarm mouse arm
muisklik mouse click
muismat mousemat, mouse pad

muismatje mouse mat
muisstil (as) still *(of:* quiet) as a mouse
muiterij mutiny: *er brak ~ uit* a mutiny broke out
muizenissen worries
muizenval mousetrap
mul loose, sandy
mulat mulatto
multicultureel multicultural
multimedia multimedia
multimiljonair multimillionaire
multiple multiple
multiplex multi-ply (board)
multivitamine multivitamin
mum: *in een ~ (van tijd)* in a jiffy *(of:* trice)
mummie mummy
München Munich
munitie (am)munition, ammo
munt 1 coin: *iem met gelijke ~ terugbetalen* give s.o. a taste of their own medicine 2 *(voor automaten)* token
munteenheid monetary unit
muntgeld coin, coinage
muntsoort currency
muntstuk coin
munttelefoon payphone
muntzijde tail
murmelen mumble, murmur
murw tender, soft
mus sparrow
museum museum; *(mbt beeldende kunst ook)* (art) gallery
museumjaarkaart annual museum pass
musical musical
musiceren make music
musicoloog musicologist
musicus musician
muskaatwijn muscatel
musketier musketeer
muskiet mosquito
muskusrat muskrat
mutant mutant
mutatie 1 mutation; *(comp, boekhouden)* transaction 2 *((om)wisseling)* mutation; turnover *(van personeel)*
muts hat, cap
mutualiteit *(Belg)* health insurance scheme
muur wall: *een blinde ~* a blank wall; *de muren komen op mij af* the walls are closing in on me; *(sport) een ~tje vormen (opstellen)* make a wall; *uit de ~ eten, iets uit de ~ trekken (ongev)* eat from a vending machine
muurbloempje wallflower
muurschildering mural
muurvast firm, solid; *(onbuigzaam)* unyielding; *(onbuigzaam)* unbending: *de besprekingen zitten ~* the talks have reached total deadlock
muzak muzak
muze 1 muse 2 *(mv)* (the) Muses: *zich aan de ~n wijden* devote oneself to the arts
muziek music: *op de maat van de ~ dansen* dance in time to the music; *op ~ dansen* dance to music; *dat klinkt mij als ~ in de oren* it's music to my ears
muziekbalk stave, staff
muziekcassette musicassette
muziekinstrument musical instrument
muzieknoot (musical) note
muziekschool school of music
muziekstuk piece of music, composition
muziekuitvoering musical performance
muzikaal musical: *~ gevoel* feel for music
muzikant musician
mw. *afk van mevrouw of mejuffrouw* Ms
mysterie mystery
mysterieus mysterious
mystiek 1 mystic, mysterious 2 *(mbt de mystiek)* mystical: *een ~e ervaring* a mystical experience
mythe myth; *(persoon)* legend
mythisch mythic(al)
mythologie mythology
mythologisch mythological

n

na after: *de ene blunder na de andere maken* make one blunder after the other (*of:* another) || *wat eten we na?* what's for dessert?; *op een paar uitzonderingen na* with a few exceptions; *de op één na grootste* (of: *sterkste*) the second biggest (*of:* strongest); *het op drie na grootste bedrijf* the fourth largest company
naad seam; *(mbt planken ook)* joint || *zich uit de ~ werken* work oneself to death
naadje: *het ~ van de kous willen weten* want to know all the ins and outs
naadloos seamless
naaf hub
naaidoos sewing box
naaien *(vervaardigen)* sew
naaigaren sewing thread (*of:* cotton): *een klosje ~* a reel of thread (*of:* cotton)
naaimachine sewing machine
naakt 1 naked, nude: *~ slapen* sleep in the nude **2** *(onbedekt, onbegroeid)* bare
naaktloper nudist
naaktloperij nudism
naaktslak slug
naald needle: *het oog van een ~* the eye of a needle; *dat is zoeken naar een ~ in een hooiberg* that's like looking for a needle in a haystack
naaldboom conifer
naaldhak stiletto(heel); *(Am)* spike heel
naaldhout softwood, coniferous wood
naaldvakken sewing, needlework
naam name; *(faam ook)* reputation: *een goede* (of: *slechte*) *~ hebben* have a good (*of:* bad) reputation; *zijn ~ eer aandoen* live up to one's reputation (*of:* name); *dat mag geen ~ hebben* that's not worth mentioning; *~ maken* make a name for oneself (with, as); *de dingen bij de ~ noemen* call a spade a spade; *een cheque uitschrijven op ~ van* make out a cheque to; *ten name van, op ~ van* in the name of; *wat was uw ~ ook weer?* what did you say your name was?
naambord nameplate
naamkaartje calling-card, business card
naamloos anonymous, unnamed
naamplaatje nameplate
naamval case
naamwoord noun: *een bijvoeglijk ~* an adjective; *een zelfstandig ~* a noun
na-apen ape, mimic
na-aper mimic, copycat
[1]**naar** *bn, bw* nasty, horrible
[2]**naar** *vz* **1** to, for: *~ huis gaan* go home; *~ de weg vragen* ask the way; *op zoek ~* in search of; *~ iem vragen* ask for (*of:* after) s.o. **2** *(overeenkomstig)* (according) to: *ruiken* (of: *smaken*) *~* smell (*of:* taste) of
naargeestig gloomy, dismal
naarmate as: *~ je meer verdient, ga je ook meer belasting betalen* the more you earn, the more tax you pay
naartoe: *waar moet dit ~?* where will this lead us?
[1]**naast** *bn* **1** near(est), closest; immediate *(omgeving, tijd)*: *de ~e bloedverwanten* the next of kin **2** *(mis)* out, off (target): *hij schoot ~* he shot wide
[2]**naast** *vz* **1** next to, beside; *(mis)* wide of: *~ iem gaan zitten* sit down next to (*of:* beside) s.o. **2** *(op één lijn met)* alongside, next to: *~ elkaar* side by side, next to one another **3** *(onmiddellijk volgend op)* after, next to
naaste neighbour
naastenliefde charity
nabespreken discuss afterwards
nabestaande (surviving) relative; *(mv)* next of kin
nabestellen reorder, have copies made of
[1]**nabij** *bn* close, near: *de ~e omgeving* the immediate surroundings
[2]**nabij** *vz* near (to), close to: *om en ~ de duizend euro* roughly (*of:* around, about) a thousand euros
nabijgelegen nearby
nabijheid neighbourhood, vicinity
nablijven stay behind
nabootsen imitate, copy; *(spottend)* mimic
nabootsing imitation, copying; copy
naburig neighbouring, nearby
nacht night: *de afgelopen ~* last night; *de komende ~* tonight; *het werd ~* night (*of:* darkness) fell; *tot laat in de ~* deep into the night; *'s ~s* at night; *om drie uur 's ~s* at three o'clock in the morning, at three a.m.
nachtclub nightclub
nachtdienst night shift
nachtdier nocturnal animal
nachtegaal nightingale
nachtelijk 1 night **2** nocturnal, of night **3** *(bij nacht)* night(time)
nachtfilm late-night film
nachtjapon nightgown, nightdress, nightie
nachtkastje night table, bedside table
nachtkluis night safe
nachtlampje nightlight, nightlamp
nachtmerrie nightmare
nachtmis midnight mass
nachtpon nightdress, nightgown, nightie
nachtslot double lock

nachtvoorstelling late-night performance
nachtvorst night frost; *(aan de grond)* ground frost
nachtwake vigil, night watch
nachtwerk nightwork
nachtzoen good-night kiss: *iem een ~ geven* kiss s.o. good night
nachtzuster night nurse
nacompetitie *(voetbal)* play-offs
nadarafsluiting *(Belg)* crush barrier
nadat after: *het moet gebeurd zijn ~ ze vertrokken waren* it must have happened after they left
nadeel disadvantage; *(schade)* damage; drawback: *zo zijn voor- en nadelen hebben* have its pros and cons; *al het bewijsmateriaal spreekt in hun ~* all the evidence is against them; *ten nadele van* to the detriment of
nadelig adverse, harmful
nadenken 1 think: *even ~* let me think; *ik heb er niet bij nagedacht* I did it without thinking; *ik moet er eens over ~* I'll think about it 2 *(nader overwegen)* think, reflect (on, upon), consider: *zonder erbij na te denken* without (even, so much as) thinking; *stof tot ~* food for think
nader 1 closer, nearer: *partijen ~ tot elkaar proberen te brengen* try to bring parties closer together 2 *(nauwkeuriger)* closer; *(gegevens)* further; more detailed *(of:* specific): *bij ~e kennismaking* on further *(of:* closer) acquaintance
naderbij closer, nearer
naderen approach
naderhand afterwards
nadoen 1 copy 2 *(imiteren)* imitate, copy; *(spottend)* mimic: *de scholier deed zijn leraar na* the schoolboy mimicked his teacher
nadruk emphasis, stress
nadrukkelijk emphatic, express
nafluiten whistle at: *een meisje ~* give a girl a wolf whistle
nagaan 1 *(controleren)* check (up): *we zullen die zaak zorgvuldig ~* we will look carefully into the matter 2 work out (for oneself), examine: *voor zover we kunnen ~* as far as we can gather *(of:* ascertain) 3 *(zich voorstellen)* imagine: *kun je ~!* just imagine!
nageboorte afterbirth
nagedachtenis memory: *ter ~ aan mijn moeder* in memory of my mother
nagel nail; *(van dier)* claw
nagelbijten bite one's nails
nagellak nail polish *(of:* varnish)
nagerecht dessert (course)
nageslacht offspring, descendants
naïef naive
najaar autumn
najaarsmode autumn fashion(s)
nakijken 1 watch, follow (with one's eyes): *zij keek de wegrijdende auto na* she watched the car drive off 2 *(controleren, nazien)* check, have *(of:* take) a look at: *zich laten ~* have a check-up 3 *(corrigeren)* correct: *veel proefwerken ~* mark *(of Am:* grade) a lot of papers
nakomeling descendant; *(mv)* offspring
[1]**nakomen** *intr* come later, arrive later, come after(wards)
[2]**nakomen** *tr (van afspraken e.d.)* observe; *(uitvoeren)* perform; *(uitvoeren)* fulfil: *een belofte ~* keep a promise
nalaten 1 leave (behind); *(schenken)* bequeath (to) 2 *(niet doen)* refrain from (-ing): *hij kan het niet ~ een grapje te maken* he cannot resist making a joke
nalatenschap estate, inheritance
naleven observe; comply with *(wet)*
nalezen read again
nalopen 1 walk after, run after 2 *(controleren)* check
namaak imitation, copy; *(vervalst)* fake; *(vervalst)* counterfeit
namaken 1 imitate, copy 2 *(van waardepapieren e.d.)* fake, counterfeit
name: *met ~* especially, particularly; *ze heeft je niet met ~ genoemd* she didn't mention your name (specifically)
namelijk 1 *(te weten)* namely 2 *(immers)* you see, as it happens, it so happens (that): *ik had ~ beloofd dat …* it so happens I had promised that …
namens on behalf of
namiddag afternoon
naoorlogs postwar
napalm napalm
Napels Naples
[1]**nappa** *zn* nap(p)a (leather), sheepskin
[2]**nappa** *bn* nap(p)a (leather), sheepskin
napraten echo, parrot
nar fool, idiot
narcis *(wit)* narcissus; *(geel)* daffodil
narcose narcosis; *(middel)* anaesthetic
narekenen go over *(of:* through) (again), check
narigheid trouble
naroepen 1 call after 2 *(najouwen)* jeer at
nasaal nasal
nascholing refresher course, continuing education
nascholingscursus continuing-education course; *(herhalingscursus)* refresher course
naschrift postscript
naseizoen late season
nasi rice: *~ goreng* fried rice
naslagwerk reference book *(of:* work)
nasleep aftermath, (after)effects, consequences
nasmaak aftertaste
naspelen *(muz)* repeat (by ear); play (sth) after (s.o.); *(theat)* represent; play (out), act (out)
nastreven aim for, aim at, strive for *(of:* after): *geluk ~* seek happiness
nasturen send after: *iemands post ~* forward s.o.'s mail

nasynchroniseren dub
[1]**nat** *zn* liquid; *(van vlees, fruit)* juice
[2]**nat** *bn, bw* 1 wet; *(vochtig)* moist; damp: ~ *worden* get wet; *door en door* ~ drenched (*of:* soaked) (to the skin) 2 *(regenachtig)* wet; rainy *(weer)*
natekenen draw
natellen count again, check
natie nation, country
nationaal national
nationaalsocialisme National Socialism; *(in Duitsland ook)* Nazism
nationaalsocialist National Socialist, Nazi
nationalisatie nationalization
nationaliseren nationalize
nationalisme nationalism
nationalist nationalist
nationalistisch nationalist(ic)
nationaliteit nationality: *hij is van Britse* ~ he has the British nationality
natmaken wet; *(vochtig)* moisten
natrekken check (out); *(naspeuren)* investigate
natrium sodium
nattevingerwerk guesswork
nattigheid damp: ~ *voelen* smell a rat, be uneasy (about sth)
natura: *in* ~ in kind
naturalisatie naturalization
naturaliseren naturalize: *zich laten* ~ be naturalized
naturisme naturism, nudism
natuur 1 nature; *(landschap)* country(side); scenery: *wandelen in de vrije* ~ (take a) walk (out) in the country(side); *terug naar de* ~ back to nature 2 *(geaardheid)* nature, character: *twee tegengestelde naturen* two opposite natures (*of:* characters); *dat is zijn tweede* ~ that's become second nature (to him)
natuurbeheer (nature) conservation
natuurbeschermer conservationist
natuurbescherming (nature) conservation, protection of nature
natuurgebied scenic area; *(natuurleven)* nature reserve; wildlife area
natuurgenezer healer
natuurkunde physics
natuurkundig physical, physics
natuurkundige physicist
natuurliefhebber nature lover, lover of nature
natuurlijk natural; *(mbt weergave)* true to nature (*of:* life): *maar ~!* why, of course! (*of:* naturally!)
natuurmonument nature reserve
natuurproduct natural product
natuurtalent *(talent)* gift; natural talent, born talent; *(persoon)* gifted (*of:* naturally talented) person
natuurverschijnsel natural phenomenon
natuurvoeding organic food, natural food, wholefood
natuurwetenschapper scientist; *(mbt natuurkunde)* physicist
[1]**nauw** *zn* (tight) spot (*of:* corner): *iem in het* ~ *drijven* drive s.o. into a corner, put s.o. in a (tight) spot
[2]**nauw** *bn, bw* 1 narrow 2 *(dicht aaneensluitend; innig)* close: *een ~e samenhang* a close connection 3 *(precies)* precise, particular: *wat geld betreft kijkt hij niet zo* ~ he's not so fussy (*of:* strict) when it comes to money 4 *(mbt kleren e.d.)* narrow, close-fitting; *(te nauw)* tight
nauwelijks hardly, scarcely, barely || *ik was* ~ *thuis, of…* I'd only just got home when …
nauwgezet painstaking, conscientious, scrupulous; *(stipt)* punctual
nauwkeurig *(nauwgezet)* accurate, precise; *(zorgvuldig)* careful; *(oplettend)* close: *tot op de millimeter* ~ accurate to (within) a millimetre
nauwkeurigheid accuracy, precision, exactness: *met de grootste* ~ with clockwork precision
nauwlettend close; *(plichtsgetrouw)* conscientious; *(zorgvuldig)* careful: ~ *toezien op* keep a close watch on
nauwlettendheid accuracy, precision, exactness
n.a.v. *afk van naar aanleiding van* in connection with, with reference to
navel navel
navelstreng umbilical cord, navel string
navertellen repeat, retell: *hij zal het niet* ~ he won't live to tell the tale
navigatie navigation
navigeren navigate
NAVO *afk van Noord-Atlantische Verdragsorganisatie* NATO
navolger follower, imitator, copier
navolging imitation, following
navraag inquiry: ~ *doen bij* inquire with
navragen inquire (about, into)
navulbaar refillable
navulpak refill pack
naweeën 1 afterpains, aftereffects 2 *(vervelende gevolgen)* aftereffects; *(van oorlog, geweld)* aftermath
nawerking aftereffect(s)
nawijzen point at (*of:* after): *iem met de vinger* ~ point the finger at s.o.
nawoord afterword, epilogue
nawuiven wave at (*of:* after)
nazeggen repeat: *zeg mij na* repeat after me
nazenden send on (*of:* after), forward
nazi Nazi
nazicht *(Belg) (controle)* check
nazien look over (*of:* through), check
nazisme Nazi(i)sm
nazitten pursue, chase
nazomer late summer
NB *afk van nota bene* NB
n.C(hr). *afk van na Christus* AD (Anno Domini)
neanderthaler Neanderthal (man)
nectar nectar
nectarine nectarine

nederig humble, modest
nederlaag defeat; *(tegenslag)* setback: *een ~ lijden* suffer a defeat, be defeated
Nederland the Netherlands, Holland
Nederlander Dutchman: *de ~s* the Dutch
Nederlands Dutch: *het Algemeen Beschaafd ~* Standard Dutch
Nederlandstalig Dutch-speaking: *een ~ lied* a song in Dutch
nederzetting settlement, post
nee 1 no: *geen ~ kunnen zeggen* not be able to say no; *daar zeg ik geen ~ tegen* I wouldn't say no (to that); *~ toch* you can't mean it, really?, surely not 2 *(mbt verrassing, verontwaardiging)* really, you're joking *(of:* kidding)
neef 1 *(zoon van broer of zuster)* nephew 2 *(zoon van oom of tante)* cousin: *zij zijn ~ en nicht* they are cousins
neer down
neerbuigend condescending, patronizing
neerdalen come down, go down, descend
neerdrukken push *(of:* press, weigh) down
neergaan: *de straat* (of: *trap*) *op- en ~* go up and down the street (*of:* stairs)
neergooien throw down, toss down: *het bijltje er bij ~* throw in the towel
neerhalen 1 take down, pull down, lower 2 *(omverhalen)* pull *(of:* take, knock) down, raze 3 *(neerschieten)* take down, bring down
neerkijken look down (on), look down one's nose (at)
neerkomen 1 come down, descend, fall, land: *waar is het vliegtuig neergekomen?* where did the aeroplane land? 2 *(treffen)* fall (on): *alles komt op mij neer* it all falls on my shoulders 3 *(de bedoeling hebben)* come *(of:* boil) down (to), amount (to): *dat komt op hetzelfde neer* it comes (*of:* boils down) to the same thing
neerlandicus Dutch specialist, student of *(of:* authority on) Dutch
neerleggen 1 put (down), lay (down), set (down): *een bevel naast zich ~* disregard (*of:* ignore) a command 2 *(afstand doen van)* put aside, lay down: *zijn ambt ~* resign (from) one's office
neerploffen flop down, plump down
neerschieten 1 shoot (down) 2 *(neerhalen)* bring down, down
[1]**neerslaan** *intr* fall down; drop down *(klep)*: *een wolk van stof sloeg neer op het plein* a cloud of dust settled on the square
[2]**neerslaan** *tr* 1 *(naar beneden slaan)* turn down *(rand, kraag)*; let down; lower *(klep)*: *de ogen ~* lower one's eyes 2 *(tegen de grond slaan)* strike down, knock down; *(sport)* floor
neerslachtig dejected, depressed
neerslag 1 precipitation; *(regen ook)* rain; rainfall; *(hagel)* layer; *(sneeuw ook)* fall: *kans op ~* chance of rain 2 *(verzinksel)* deposit
neersteken stab (to death)
neerstorten crash down, thunder down; crash *(vliegtuig)*: *~d puin* falling rubble
neerstrijken 1 *(mbt vogels)* alight, settle (on), perch (on) 2 *(mbt mensen)* descend (on); *(zich vestigen)* settle (on): *op een terrasje ~* descend on a terrace
neertellen pay (out), fork out
neervallen 1 *(op de grond vallen)* fall down, drop down: *werken tot je erbij neervalt* work till you drop 2 *(gaan zitten)* drop (down), flop (down)
neerwaarts downward(s), down
neerzetten put down, lay down, place; *(koffers ook)* set down; *(gebouw ook)* erect: *een goede tijd ~* record a good time
[1]**negatief** *zn* negative (plate, film)
[2]**negatief** *bn, bw* 1 negative; *(vnl. wisk, nat)* minus: *een ~ getal* a negative (*of:* minus) (number) 2 *(mbt personen)* negative, critical
negen nine: *~ op (van) de tien keer* nine times out of ten
negende ninth
negentien nineteen
negentiende nineteenth
negentiende-eeuws nineteenth-century
negentig ninety: *hij was in de ~* he was in his nineties
neger (African, American) black (person); *(min; hist)* Negro
negeren ignore, take no notice of; *(persoon ook)* give the cold shoulder; *(naast zich neerleggen)* disregard; *(naast zich neerleggen)* brush aside: *iem volkomen ~* cut s.o. dead
neigen incline (to, towards), be inclined (to, towards), tend (to, towards)
neiging inclination, tendency
nek nape *(of:* back) of the neck: *je ~ breken over de rommel* trip over the rubbish; *zijn ~ uitsteken* stick one's neck out; *tot aan zijn ~ in de schulden zitten* be up to one's ears in debt
nek-aan-nekrace neck-and-neck race
nekken break *(of:* wring) s.o.'s neck
nekkramp spotted fever
nekvel scruff of the neck: *iem* (of: *een hond*) *in zijn ~ pakken* take s.o. (*of:* a dog) by the scruff of the neck
nemen 1 take: *maatregelen ~* take steps (*of:* measures); *de moeite ~ om* take the trouble to; *ontslag ~* resign; *een kortere weg ~* take a short cut; *iem iets kwalijk ~* take sth ill of s.o.; *iem (niet) serieus ~* (not) take s.o. seriously; *strikt genomen* strictly (speaking); *iem (even) apart ~* take s.o. aside; *voor zijn rekening ~* deal with, account for 2 *(iets eten, drinken)* have: *wat neem jij?* what are you having?; *neem nog een koekje* (do) have another biscuit 3 *(zich verschaffen)* take, get, have, take out: *een dag vrij ~* have (*of:* take) a day off 4 *(zich bedienen van)* take, use: *de bus ~* catch (*of:* take) the bus, go by bus 5 *(af-, wegnemen)* take; *(oorlog, schaakspel enz. ook)* seize; capture

neofascist neo-fascist
neon neon
neonazi neo-Nazi
neonreclame neon sign(s)
nep sham, fake, swindle; *(afzetterij)* rip-off
Nepal Nepal
Nepalees Nepalese, Nepali
nepper fake
Neptunus Neptune
nerf *(mbt hout)* grain(ing), texture; *(mbt blad)* vein; rib
nergens **1** nowhere: *met onbeleefdheid kom je ~* being rude will get you nowhere; *ik kon ~ naartoe* I had nowhere to go **2** *(niets)* nothing: *~ aan komen!* don't touch!; *ik weet ~ van* I know nothing about it
[1]**nerts** *zn (dier)* mink
[2]**nerts** *zn (bont)* mink
nerveus nervous, tense, high(ly)-strung
nest **1** nest; *(roofvogel ook)* eyrie; *(hol)* den; hole **2** *(worp)* litter, nest; brood *(vnl. vogels, insecten)* **3** *(ingewikkelde zaak)* jam, spot, fix: *in de ~en zitten* be in a fix
nestelen nest
[1]**net** *zn* **1** net: *achter het ~ vissen* miss out, miss the boat **2** *(netwerk)* network, system; *(communicatie ook)* net; mains *(elektrisch)*; grid *(gas, elektriciteit)*: *een ~ van telefoonverbindingen* a network of telephone connections
[2]**net** *bn* **1** *(netjes)* neat, tidy; *(goed onderhouden)* trim: *iets in het ~ schrijven* copy out sth **2** *(beschaafd)* respectable, decent: *een ~te buurt* a respectable (*of:* genteel) neighbourhood
[3]**net** *bw (juist)* just, exactly: *~ goed* serves you/him (*of:* her, them) right; *het gaat maar ~* it's a tight fit; *zij ging ~ vertrekken* she was about to leave; *~ iets voor hem: a) (net wat hij zoekt)* just the thing for him; *b) (kenmerkend voor hem)* just like him, him all over; *~ wat ik dacht* just as I thought; *dat is ~ wat ik nodig heb* that's exactly what I need; *ze is ~ zo goed als hij* she's every bit as good as he is; *zo is het maar ~* right you are!, just as you say!; *we hadden ~ zo goed niets kunnen doen* we might just as well have done nothing; *we kwamen ~ te laat* we came just too late; *~ echt* just like the real thing; *wij zijn ~ thuis* we've (only) just come home
netbal netball
netheid neatness, tidiness; cleanliness *(van aard)*; *(kleding ook)* smartness
netjes **1** neat, tidy, clean **2** *(keurig)* neat, smart: *~ gekleed* all dressed up **3** *(zoals het hoort)* decent, respectable, proper: *gedraag je ~* behave yourself
netnummer dialling code; *(Am)* area code
netsurfen surfing (the Net)
nettiquette netiquette
netto net, nett, clear, real: *het ~ maandsalaris* the take-home pay; *de opbrengst bedraagt ~ €2000,-* the net(t) profit is €2,000
nettobedrag net(t) (amount)
nettogewicht net(t) weight
netvlies retina
netwerk *(mbt relaties)* network, criss-cross pattern; *(fig ook)* system: *een ~ van intriges* a web of intrigue
netwerken network
neuken *(inform)* screw, fuck
neuraal neural
neuriën hum
neurochirurgie neurosurgery
neurologie neurology, neuroscience
neuroloog neurologist
neuroot neurotic, psycho, nutcase
neurose neurosis
neurotisch neurotic
neus **1** nose, scent; *(fig ook)* flair: *een fijne ~ voor iets hebben* have a good nose for sth, have an eye for sth; *een frisse ~ halen* get a breath of fresh air; *doen alsof zijn ~ bloedt* play (*of:* act) dumb; *(Belg) van zijn ~ maken* show off, make a fuss; *de ~ voor iem (iets) ophalen* turn up one's nose at s.o. (sth), look down one's nose at s.o. (sth); *zijn ~ snuiten* blow one's nose; *zijn ~ in andermans zaken steken* stick one's nose into other people's affairs; *iem met zijn ~ op de feiten drukken* make s.o. face the facts; *niet verder kijken dan zijn ~ lang is* be unable to see further than (the end of) one's nose **2** *(uiteinde van een voorwerp)* nose; *(spuit ook)* nozzle; (toe)cap *(schoen)*; toe *(schoen)* || *dat examen is een wassen ~* that exam is just a mere formality
neusdruppels nose drops
neusgat nostril
neushoorn rhinoceros, rhino
neuslengte nose, hair('s breadth)
neuspeuteren pick one's nose
neusvleugel nostril
neut drop, snort(er)
neutraal neutral, impartial
neutralisatie neutralization
neutraliseren neutralize, counteract
neutronenbom neutron bomb
neuzen browse, nose around (*of:* about)
nevel mist; *(licht)* haze; *(druppeltjes)* spray
nevelig misty, hazy
nevenactiviteit sideline
neveneffect side effect
nevenfunctie additional job
neveninkomsten additional income
newfoundlander Newfoundland (dog)
Niagara Niagara
Nicaragua Nicaragua
nicht **1** *(dochter van broer of zuster)* niece **2** *(dochter van oom of tante)* cousin **3** *(homo)* fairy, queen, poofter; *(Am)* faggot
nichterig fairy, poofy
nicotine nicotine
niemand no one, nobody: *voor ~ onderdoen* be

second to none; ~ *anders dan* none other than

niemandsland no man's land

nier kidney: *gebakken ~(tjes)* fried kidney(s)

niersteen kidney stone

niesbui attack *(of:* fit) of sneezing

[1]**niet** *onbep vnw* nothing, nought: *dat is ~ meer dan een suggestie* that's nothing more than a suggestion

[2]**niet** *bw* not: ~ *geslaagd* (of: *gereed*) unsuccessful (*of:* unprepared); *ik hoop van ~* I hope not; *hoe vaak heb ik ~ gedacht…* how often have I thought …; *geloof jij dat verhaal ~? ik ook ~* don't you believe this story? neither (*of:* nor) do I; ~ *alleen …, maar ook …* not only … but also …; *het betaalt goed, daar ~ van* it's well-paid, that's not the point, but; *helemaal ~* not at all, no way; *denk dat maar ~* don't you believe it!; *ik neem aan van ~* I don't suppose so, I suppose not; *ze is ~ al te slim* she is none too bright

niet-bestaand non-existent

nieten staple

nietes it isn't: *het is jouw schuld! ~! welles!* it's your fault! - oh no it isn't! - oh yes it is!

nietig 1 invalid, null (and void) 2 *(klein)* puny

nietje staple

nietmachine stapler

niet-roken non-smoking

niets 1 not at all: *dat bevalt mij ~* I don't like that at all 2 nothing, not anything: *weet je ~ beters?* don't you know (of) anything better?; *zij moet ~ van hem hebben* she will have nothing to do with him; *verder ~?* is that all?; *ik geloof er ~ van* I don't believe a word of it; *voor ~: a) (gratis)* for nothing, gratis, free (of charge); *b) (tevergeefs)* for nothing; *niet voor ~ (niet zonder reden)* not for nothing, for good reason; *dat is ~ voor mij* that's not my cup of tea; *dit is ~ dan opschepperij* that's just (*of:* mere) boasting || *in het ~ verdwijnen* disappear into thin air

nietsvermoedend unsuspecting

niettemin nevertheless, nonetheless, even so, still: ~ *is het waar dat…* it is nevertheless true that…

nietwaar is(n't) it?, do(n't) you?, have(n't) we?: *jij kent zijn pa, ~?* you know his dad, don't you?; *dat is mogelijk, ~?* it's possible, isn't it?

nieuw 1 *(pas gemaakt)* new, recent: *het ~ste op het gebied van* the latest thing in 2 *(niet gebruikt)* new; *(ongedragen)* unworn; *(ongebruikt)* unused: *zogoed als ~* as good as new 3 *(vers)* fresh; *(jong)* young: *~e haring* early-season herring(s) 4 *(ander)* new, fresh; *(origineel)* original; *(baanbrekend)* novel: *een ~ begin maken* make a fresh start; *ik ben hier ~* I'm new here 5 *(modern)* new; modern *(mbt geschiedenis, techniek)*

nieuwbouwwijk new housing estate *(of:* development)

nieuweling 1 novice, beginner 2 *(op school e.d.)* new boy *(of:* girl, pupil)

nieuwemaan new moon

Nieuw-Guinea New Guinea

Nieuwjaar New Year, New Year's Day: *een gelukkig (zalig) nieuwjaar!* a Happy New Year!

nieuwjaarsdag New Year's Day

nieuwjaarswens New Year's greeting(s)

nieuwkuis *(Belg)* dry cleaning

nieuws news; *(één bericht)* piece of news: *buitenlands* (of: *binnenlands*) ~ foreign (*of:* domestic) news; *ik heb goed ~* I have (some) good news; *dat is oud ~* that's stale news, that's ancient history; *het ~ van acht uur* the eight o'clock news; *is er nog ~?* any news?, what's new?

nieuwsbericht news report; *(via radio, tv ook)* news bulletin; *(kort)* news flash

nieuwsbrief newsletter

nieuwsdienst news service, press service

nieuwsgierig curious (about), inquisitive, nosy

nieuwsgierigheid curiosity, inquisitiveness: *branden van ~* be dying from curiosity

nieuwsgroep newsgroup

nieuwslezer newsreader

nieuwsoverzicht news summary: *kort ~* rundown on the news

nieuwsuitzending news broadcast, newscast

nieuwszender news network

nieuwtje *(bericht)* piece *(of:* item, bit) of news

Nieuw-Zeeland New Zealand

niezen sneeze

Nigeria Nigeria

Nigeriaan Nigerian

nihil nil, zero

nijd envy, jealousy: *groen en geel worden van ~ over iets* be green with envy at sth

nijdig angry, annoyed, cross

Nijl Nile

nijlbaars Nile perch

nijlpaard hippopotamus; *(inform)* hippo

nijpend pinching, biting: *het ~ tekort aan* the acute shortage of

nijptang (pair of) pincers

nijverheid industry

nikab niqab, face veil

nikkelen 1 nickel 2 *(vernikkeld)* nickel-plated

niks nothing; *(Am)* zilch: *dat wordt ~* that won't work; *nou, ik vind het maar ~!* well I don't think much of it

niksen sit around, loaf about, laze about, do nothing

niksnut good-for-nothing, layabout

nimf nymph

nimmer never

nippen sip (at), take a sip

nippertje: *op het ~* at the very last moment (*of:* second), in the nick of time; *dat was op het ~* that was a close (*of:* near) thing; *de student haalde op het ~ zijn examen* the student only passed by the skin of his teeth

nirwana nirvana

nis niche, alcove
nitraat nitrate
nitriet nitrite
niveau level, standard: *rugby op hoog* ~ top-class rugby; *het* ~ *daalt* the tone (of the conversation) is dropping
nivellering levelling (out), evening out
nl. *afk van namelijk* viz.
nm. *afk van namiddag* p.m.
Noach Noah: *de ark van* ~ Noah's ark
nobel *(edelmoedig)* noble(-minded), generous
Nobelprijs Nobel prize: *de* ~ *voor de vrede* the Nobel Peace prize
noch neither, nor: ~ *de een* ~ *de ander* neither the one nor the other
no-claimkorting no claim(s) bonus
[1]**nodig** *bn, bw* 1 necessary, needful: *zij hadden al hun tijd* ~ they had no time to waste (*of:* spare); *iets* ~ *hebben* need (*of:* require) sth; *er is moed voor* ~ *om* it takes courage to; *dat is hard (dringend)* ~ that is badly needed, that is vital; *zo (waar)* ~ if need be, if necessary 2 *(gebruikelijk)* usual, customary
[2]**nodig** *bw (dringend)* necessarily, needfully, urgently || *dat moet jij* ~ *zeggen* look who's talking
noemen 1 call, name: *noem jij dit een gezellige avond?* is this your idea of a pleasant evening?; *dat noem ik nog eens moed* that's what I call courage!; *iem bij zijn voornaam* ~ call s.o. by his first name; *een kind naar zijn vader* ~ name a child after his father 2 *(vermelden)* mention, cite; name *((op)noemen): om maar eens iets te* ~ to name (but) a few *(van namen, voorbeelden)*
noemenswaardig appreciable, considerable, noticeable, worthy of mention: *niet* ~ inappreciable, nothing to speak of
noemer denominator
nog 1 still, so far: *niemand heeft dit* ~ *geprobeerd* no one has tried this (as) yet; *zelfs nu* ~ even now; *tot* ~ *toe* so far, up to now 2 *(voortdurend)* still 3 even, still: ~ *groter* even larger, larger still 4 *(van nu af)* from now (on), more: ~ *drie nachtjes slapen* three (more) nights 5 *(opnieuw)* again, (once) more: ~ *één woord en ik schiet* one more word and I'll shoot; *neem er* ~ *eentje!* have another (one)! || *ik zag hem vorige week* ~ I saw him only last week; *verder* ~ *iets?* anything else?; *ze zijn er* ~ *maar net* they've only just arrived; ~ *geen maand geleden* less than a month ago
noga nougat
nogal rather, fairly, quite, pretty: *ik vind het* ~ *duur* I think it is rather (*of:* quite) expensive; *er waren er* ~ *wat* there were quite a few (of them)
nogmaals once again (*of:* more)
no-goarea no-go area
nok ridge, crest, peak
nomade nomad
nominaal nominal
nominatie nomination (list)
nomineren nominate
non nun, sister
non-actief: *(tijdelijk) op* ~ *staan* be suspended
nonchalance nonchalance, casualness
nonchalant nonchalant, casual
nonnenschool convent (school)
nonsens nonsense, rubbish
nood distress; *(uiterste nood)* extremity; *(noodgeval)* (time(s) of) emergency: *uiterste* ~ dire need; *mensen in* ~ people in distress (*of:* trouble); *in de* ~ *leert men zijn vrienden kennen* a friend in need is a friend indeed
noodgang breakneck speed
noodgebouw temporary building, makeshift building
noodgedwongen out of (*of:* from) (sheer) necessity: *wij moeten* ~ *andere maatregelen treffen* we are forced to take other measures
noodgeval (case of) emergency
noodhulp emergency relief, emergency aid
noodklok alarm (bell)
noodkreet cry of distress, call for help
noodlanding forced landing, emergency landing, belly landing, crash landing
noodlot fate
noodlottig fatal (to), disastrous (to), ill-fated: *een* ~*e reis* an ill-fated journey
noodmaatregel emergency measure
noodrem emergency brake, safety brake
noodsituatie emergency (situation), difficult position, precarious position
noodsprong desperate move (*of:* measure)
noodstop emergency stop
noodtoestand emergency (situation), crisis
nooduitgang emergency exit; *(brandtrap)* fire-escape
noodvaart breakneck speed
noodverband first-aid (*of:* emergency, temporary) dressing
[1]**noodweer** *zn (zelfverdediging)* self-defence
[2]**noodweer** *zn* heavy weather, storm, filthy weather
noodzaak necessity, need: *ik zie de* ~ *daarvan niet in* I don't see the need for this
noodzakelijk necessary, imperative, essential, vital: *het hoogst* ~*e* the bare necessities
noodzakelijkerwijs necessarily, inevitably, of necessity
noodzaken force, oblige, compel
nooit 1 never: *bijna* ~ hardly ever, almost never; ~ *van mijn leven* never in my life; ~ *van gehoord!* never heard of it (*of:* him) 2 *(in geen geval)* never, certainly not, definitely not, no way: *je moet het* ~ *doen* you must never do that; ~ *ofte nimmer* absolutely not, never ever; *dat* ~*!* never!
Noor Norwegian
noord north(erly), northern
Noord-Afrika North Africa
Noord-Amerika North America

Noord-Amerikaans North American
Noord-Atlantisch North Atlantic
Noord-Brabant North Brabant
noordelijk north(erly), northern, northerly, northward: *de wind is ~* the wind is northerly; *een ~e koers kiezen* steer a northerly course; *het ~ halfrond* the northern hemisphere
noorden north; *(gebied, land)* North: *ten ~ van* (to the) north of
noordenwind north(erly) wind
noorderbreedte north latitude: *Madrid ligt op 40 graden ~* Madrid lies in 40° north latitude
noorderkeerkring Tropic of Cancer
noorderlicht aurora borealis, northern lights
noorderling northerner
noorderzon: *met de ~ vertrekken* do a moonlight flit, abscond, skeddadle
Noord-Ierland Northern Ireland
Noordkaap North Cape, Arctic Cape
noordkust north(ern) coast
noordoosten north-east
Noordoostpolder North-east Polder
noordpool North Pole
Noordpool *(gebied bij de noordpool)* Arctic
noordpoolcirkel Arctic Circle
noordwaarts northward(s), northward
noordwesten north-west
Noordzee North Sea
Noorman Norseman, Viking
Noors Norwegian
Noorwegen Norway
noot 1 nut: *een harde ~ (om te kraken)* a tough (*of:* hard) nut (to crack) 2 *(muz)* note: *hele* (of: *halve*) *noten spelen* play semibreves (*of:* minims); *een kwart ~* a crotchet; *een valse ~* a wrong note 3 *(voetnoot)* (foot)note: *ergens een kritische ~ bij plaatsen* comment (critically) on sth
nootmuskaat nutmeg
nop nix: *voor ~* for nothing, for free
noppes: *je kunt er voor ~ naar binnen* you can go there for nothing (*of:* for free); *heb ik nou alles voor ~ gedaan?* has it all been an utter waste of time?
nor clink, nick
nordic walking Nordic Walking
noren racing skates
norm standard, norm
normaal normal: *~ ben ik al thuis om deze tijd* I am normally (*of:* usually) home by this time
normaalschool *(Belg)* training college for primary school teachers
normaliter normally, usually, as a rule
Normandië Normandy
Normandiër Norman
Normandisch Norman
normbesef sense of standards *(of:* values)
normering *(normstelling)* standard
normvervaging blurring of (moral) standards
nors surly, gruff, grumpy
nostalgie nostalgia
nostalgisch nostalgic
nota 1 account, bill 2 *(geschrift)* memorandum
notabele dignitary, leading citizen
notariaat 1 office of notary (public) 2 notary's practice
notarieel notarial: *een notariële akte* a notarial act (*of:* deed)
notaris notary (public)
notatie notation; *(manier ook)* notation system
notenbalk staff, stave
notenboom walnut (tree)
notendop nutshell
notenhout walnut
notenschrift (musical) notation; *(op notenbalk)* staff notation
[1]**noteren** *intr (in vaste lijsten opnemen)* list; *(op lijsten noteren)* quote
[2]**noteren** *tr* 1 note (down), make a note of, record, register; book *(bestellingen)*: *een telefoonnummer ~* jot down (*of:* make a note) of a telephone number 2 *(bepalen, opgeven)* quote: *aan de beurs genoteerd zijn* be listed on the (stock) market
notering *(in vaste lijst)* quotation; *(prijs, koers)* quoted price; rate
notie notion, idea: *geen flauwe ~* not the faintest notion
notitie note; *(memo)* memo(randum)
notitieblok notepad, memo pad; scribbling pad
notitieboekje notebook, memorandum book
notulen minutes
notuleren take (the) minutes
notulist minutes secretary
[1]**nou** *bw* 1 now: *wat moeten we ~ doen?* what do we (have to) do now? 2 now (that): *~ zij het zegt, geloof ik het* now that she says so I believe it
[2]**nou** *tw* 1 now, well: *kom je ~?* well, are you coming? 2 *(mbt verbazing, bevestiging)* well, really: *meen je dat ~?* do you really mean it?; *hoe kan dat ~?* how on earth can that be? (*of:* have happened?); *~ dan!* exactly, couldn't agree more!; *~, en of!* you bet! 3 *(mbt onzekerheid)* again: *wanneer ga je ~ ook weer weg?* when were you leaving again? 4 *(als toegeving)* oh (very) well, never mind: *~ ja, zo erg is 't niet* never mind, it's not all that bad; *dat is ~ niet bepaald eenvoudig* well, that's not so easy 5 *(mbt ongepastheid)* oh, now, ... on earth, ... ever: *waar bleef je ~?* where on earth have you been? || *~ en? (wat zou dat?)* so what?; *~, dat was het dan* well (*of:* so), that was that
Nova Zembla Novaya Zemlya
novelle short story, novella
november November
NPA *afk van Nederlandse Politieacademie* Netherlands Police Academy
nu 1 now, at the moment: *nu en dan* now and then, at times, occasionally; *ik kan nu niet* I can't (right, just) now; *nu nog niet* not yet; *tot nu (toe)* up to

no

now, so far 2 *(tegenwoordig)* now(adays), these days || *het hier en het nu* the here and now

nuance nuance

nuchter 1 fasting; newborn *(dier)*: *voor de operatie moet je ~ zijn* you must have an empty stomach before surgery 2 *(niet dronken)* sober: *~ worden* sober up 3 sober, plain: *de ~e waarheid* the plain (*of*: simple) truth 4 *(verstandig)* sober(-minded), sensible, level-headed

nucleair nuclear

nudist nudist, naturist

nuffig prim, prissy

nuk mood, quirk

nukkig quirky, moody, sullen

nul nought; *(Am en wtsch)* zero; o: *tien graden onder ~* ten (degrees) below zero; *PSV heeft met 2-0 verloren* PSV lost two-nil

nulmeridiaan prime meridian

nulpunt zero (point)

numeriek numerical, numeric

numero number

nummer 1 number, figure: *~ één van de klas zijn* be top of one's class 2 *(tijdschrift enz.)* number, issue: *een ~ van een tijdschrift* a number (*of*: issue) of a periodical; *een oud ~* a back issue (*of*: number) 3 *(liedje)* number; *(bijv. op cd)* track: *een ~ draaien* play a track 4 *(act)* act, routine, number: *een ~ brengen* do a routine (*of*: an act)

nummerbord number plate; *(Am)* license plate

nummeren number

nummermelder caller ID

nummertje 1 number 2 *(inform)* screw, fuck

nummerweergave caller ID

nut use(fulness); *(voordeel)* benefit; *(waarde)* point; *(waarde)* value; *(zin)* purpose: *het heeft geen enkel ~ om …* it is useless (*of*: pointless) to …; *ik zie er het ~ niet van in* I don't see the point of it

nutsbedrijf: *openbare nutsbedrijven* public utilities

nutteloos 1 useless: *een nutteloze vraag* a pointless question 2 *(zonder resultaat)* fruitless

nutteloosheid uselessness, futility

nuttig 1 useful: *zich ~ maken* make oneself useful 2 *(voordeel opleverend)* advantageous: *zijn tijd ~ besteden* make good use of one's time

nuttigen consume, take, partake of

nv *afk van naamloze vennootschap* plc (public limited company); *(Am)* Inc (incorporated)

n.v.t. *afk van niet van toepassing* n/a

nylon nylon

nymfomane nymphomaniac

O

o O, oh, ah || *o zo verleidelijk* ever so tempting
o.a. *afk van onder andere* among other things, for instance
oase oasis
O-benen bandy legs, bow-legs: *met ~* bandy-legged, bow-legged
ober waiter
obesitas obesity
object object
objectief objective
objectiviteit objectiveness, objectivity, impartiality
obligatie bond, debenture
obsceen obscene
obscuur **1** obscure, dark **2** *(min)* shady, obscure: *een ~ zaakje* a shady (*of:* doubtful) business
obsederen obsess
observatie observation
observatorium observatory
observeren observe, watch
obsessie obsession, hang-up
obstakel obstacle, obstruction, impediment: *een belangrijk ~ vormen* constitute a major obstacle
obus *(Belg) (granaat)* shell
occasie *(Belg)* bargain
occasion used car
occult occult
oceaan ocean, sea: *de Stille (Grote) Oceaan* the Pacific (Ocean)
Oceanië Oceania
och oh, o, ah: *~ kom* oh, go on (with you)
ochtend morning; *(heel vroeg)* dawn; daybreak: *de hele ~* all morning; *om 7 uur 's ~s* at 7 o'clock in the morning, at 7 a.m.
ochtendjas dressing gown; *(voor vrouwen)* housecoat
ochtendkrant morning (news)paper
ochtendploeg morning shift
ochtendschemering dawn
ochtendspits morning rush hour
octaaf octave, eighth
octaan octane
octopus octopus
octrooi patent: *~ aanvragen* apply for a patent
ode ode: *een ~ brengen aan iem* pay tribute to s.o.
oecumenisch ecumenical, interfaith
oedipuscomplex Oedipus complex
oef phew, whew, oof
[1]**oefenen** *intr (trainen, repeteren)* train, practise; rehearse *(rol);* drill *(mil): ~ voor een voorstelling* rehearse for a performance
[2]**oefenen** *tr* train, coach; *(mil)* drill: *zich ~ in het zwemmen* practise swimming
oefening **1** exercise: *dat is een goede ~ voor je* it is good practice for you **2** *(opgave)* exercise, drill
oefenstuk practice piece
oefenterrein {practice, training} ground
oefenwedstrijd training (*of:* practice, warm-up) match; *(boksen)* sparring match
oeh phew, whew
oei oops; *(pijn)* ouch
[1]**Oekraïens** *zn* Ukrainian
[2]**Oekraïens** *bn* Ukrainian
Oekraïne: *de ~* the Ukraine
Oekraïner Ukrainian
oer- primal, primitive; primordial *(mens);* primeval *(zee, bos); (geol, dierk)* prehistoric
Oeral: *de ~* the Urals, the Ural Mountains
oerbos primeval forest
oerknal Big Bang
oeroud ancient, prehistoric, primeval
oerwoud **1** primeval forest, virgin forest; *(tropisch)* jungle **2** *(fig)* jungle, chaos, hotchpotch
OESO *afk van Organisatie voor Economische Samenwerking en Ontwikkeling* OECD
oester oyster
oesterzwam oyster mushroom
oestrogeen oestrogen
oetc *afk van onderwijs in hun eigen taal en cultuur* vernacular education for ethnic minorities
oeuvre oeuvre, works, body of work
oever bank *(van rivier, vijver, kanaal);* shore *(van zee, meer): de rivier is buiten haar ~s getreden* the river has burst its banks
oeverloos *(zonder begrenzing)* endless, interminable: *~ gezwets* blather, claptrap
Oezbeek Uzbek
[1]**Oezbeeks** *zn* Uzbek
[2]**Oezbeeks** *bn* Uzbek
Oezbekistan Uzbekistan
of **1** (either ...) or: *je krijgt of het een of het ander* you get either the one or the other; *het is óf het een óf het ander* you can't have it both ways; *Sepke zei weinig of niets* Sepke said little or nothing; *min of meer* more or less; *vroeg of laat* sooner or later, eventually **2** *(verklarend)* or: *de influenza of griep* influenza, or flu **3** *(na ontkenning of beperking)* (hardly ...) when, (no sooner ...) than: *ik weet niet beter of ...* for all I know ... **4** *(toegevend)* although, whether ... or (not), no matter (how, what, where): *of je het nu leuk vindt of niet* whether you like it or not **5** *(alsof)* as if, as though: *hij doet of er niets gebeurd is* he is behaving (*of:* acts) as if nothing has happened; *het is net of het regent* it looks just as though it were raining **6** *(bij*

twijfel, onzekerheid) whether, if: *ik vraag me af of hij komen zal* I wonder whether (*of:* if) he'll come || *ik weet niet, wie of het gedaan heeft* I don't know who did it; *wanneer of ze komt, ik weet 't niet* when she is coming I don't know; *een dag of tien* about ten days, ten days or so

offensief offensive: *in het ~ gaan* go on the offensive

offer offering, sacrifice, gift, donation: *zware ~s eisen* take a heavy toll

offeren sacrifice, offer (up)

offerfeest ceremonial offering

Offerfeest *(islam)* Eid al-Adha, Celebration of Sacrifice

offerte offer; *(geschreven)* tender; quotation

officieel 1 official, formal: *iets ~ meedelen* announce sth officially 2 *(formeel)* formal, ceremonial

officier officer

officieus unofficial, semi-official

offshoring offshoring

ofschoon (al)though, even though

ofte: *nooit ~ nimmer* not ever

oftewel *zie* ofwel

ofwel 1 *(tegenstellend)* either … or 2 *(verklarend)* or, that is, i.e.: *de cobra ~ brilslang* the cobra, or hooded snake

ogenblik 1 moment, instant, minute, second: *een ~ rust* a moment's peace; *in een ~* in a moment; *juist op dat ~* just at that very moment (*of:* instant); *(heeft u) een ~je?* just a moment (*of:* minute), *(aan de telefoon)* would you mind waiting a moment? 2 *(tijdstip)* moment, time, minute

ogenblikkelijk immediately, at once, this instant: *ga ~ de dokter halen* go and fetch the doctor immediately (*of:* at once)

o.g.v. *afk van op grond van* on the basis of

ohm ohm

ok *afk van operatiekamer* operating theatre

OK *(in orde)* OK

oké OK

oker ochre

oksel armpit

oktober October

oldtimer *(auto)* vintage car

olie oil

oliecrisis oil crisis

olielamp oil lamp

oliemaatschappij oil company

oliën oil, lubricate; *(invetten)* grease

olieraffinaderij oil refinery

oliesel anointing, extreme unction, last rites: *het laatste (Heilig) ~ toedienen* administer extreme unction (*of:* the last rites)

olieverfschilderij oil (painting), painting in oils

olifant elephant

olijf olive

Olijfberg Mount of Olives

olijfboom olive (tree)

olm elm (tree)

o.l.v. *afk van onder leiding van* conducted by

olympiade Olympiad, Olympics, Olympic Games

olympisch Olympic

[1]om *bn* 1 *(rond)* roundabout, circuitous: *een straatje (blokje) om* round the block 2 *(voorbij)* over, up, finished: *voor het jaar om is* before the year is out; *uw tijd is om* your time is up

[2]om *bw* 1 *(ergens omheen)* (a)round, about; on *(kleding e.d.)*: *doe je das om* put your scarf on; *toen zij de hoek om kwamen* when they came (a)round the corner 2 *(mbt doel)* about: *waar gaat het om?* what's it about?, *(onenigheid ook)* what's the matter?

[3]om *vz* 1 *(rondom)* (a)round, about: *om de hoek* (just) round the corner 2 *(mbt tijdstippen)* at: *ik zie je vanavond om acht uur* I'll see you tonight at eight (o'clock); *om een uur of negen* around nine (o'clock) 3 *(telkens na)* every: *om beurten* in turn; *om de twee uur* every two hours 4 *(mbt reden)* for (reasons of), on account of, because of: *om deze reden* for this reason 5 *(mbt doel)* to, in order to, so as to: *niet om te eten* not fit to eat, inedible

oma gran(ny), grandma, grandmother

ombinden tie on (*of:* round)

ombouwen convert; *(moderniseren)* reconstruct; *(veranderen)* rebuild; alter

ombrengen kill, murder

ombudsman ombudsman

ombuigen 1 restructure, adjust, change (the direction of) 2 bend (round, down, back) *(draad, enz.)*

omcirkelen (en)circle, ring; *(fig ook)* surround: *de politie omcirkelde het gebouw* the police surrounded the building

omdat because, as: *juist ~ …* precisely because …; *waarom ga je niet mee? ~ ik er geen zin in heb* why don't you come along? because I don't feel like it

omdoen put on: *zijn veiligheidsgordel ~* fasten one's seat belt

[1]omdraaien *intr* 1 *(een draai maken om)* turn (round): *de brandweerauto draaide de hoek om* the fire engine turned the corner 2 *(omkeren)* turn back (*of:* round)

[2]omdraaien *tr* 1 turn (round), turn over: *zich ~* roll over (on one's side) 2 *(mbt situaties)* reverse, swing round

omduwen push over; *(ongewild)* knock over

omega omega

omelet omelette

omgaan 1 go round; *(hoek, bocht ook)* turn; round: *de hoek ~* turn the corner; *een blokje ~* (go for a) walk around the block 2 *(leven met, hanteren)* go about (with), associate (with); *(hanteren)* handle; manage: *zo ga je niet met mensen om* that's no way to treat people

omgang contact, association: *hij is gemakkelijk*

(of: *lastig*) *in de* ~ he is easy (*of:* difficult) to get on with
omgangsvormen manners, etiquette
[1]**omgekeerd** *bn* 1 turned round; *(ondersteboven)* upside down; *(binnenstebuiten)* inside out; *(achterstevoren)* back to front: ~ *evenredig* inversely proportional (to) 2 *(tegenovergesteld)* opposite, reverse
[2]**omgekeerd** *bw* the other way round: *het is precies* ~ it's just the other way round
omgeving neighbourhood, vicinity, surrounding area *(of:* districts)
omgooien 1 knock over, upset 2 *(veranderen)* change round
omhakken chop down, cut down, fell
omhalen *(Belg)* collect, make a collection
omhaling *(Belg)* collection
omhanden: *niets* ~ *hebben* have nothing to do, be at a loose end
omhangen hang over *(of:* round)
omheen round (about), around: *ergens* ~ *draaien* talk round sth, beat about the bush
omheining fence, enclosure
omhelzen embrace, hug: *iem stevig* ~ give s.o. a good hug
omhelzing embrace, hug
omhoog 1 up (in the air) 2 *(naar boven)* up(wards); *(de lucht in)* in(to) the air: *handen* ~*!* hands up!
omhoogduwen push up(wards)
omhooggaan go up(wards), rise: *de prijzen gaan omhoog* prices are going up (*of:* are rising)
omhooghouden hold up
omhulsel covering, casing, envelope, shell; *(zaadje)* husk; *(peulvrucht, graan)* hull; *(peulvrucht ook)* pod
omkadering *(Belg)* staff-pupil ratio
omkantelen tip over
omkappen chop down, cut down, fell
omkeerbaar reversible
[1]**omkeren** *intr (keren)* turn back, turn round
[2]**omkeren** *tr* 1 *(omdraaien)* turn (round); turn *(hooi, kaas enz.)*; invert: *zich* ~ turn (a)round 2 *(mbt situaties)* switch (round), change (round); *(verdraaien)* twist (round)
omkijken 1 look round: *hij keek niet op of om* he didn't even look up 2 *(aandacht besteden)* look after; worry about, bother about *(meestal negatief)*: *niet naar iem* ~ not worry (*of:* bother) about s.o., leave s.o. to his own devices; *je hebt er geen* ~ *naar* it needs no looking after
omkleden change, put other clothes on
omkomen 1 die; *(gedood worden ook)* be killed: ~ *van honger* starve to death 2 *(om iets heen komen)* come round, turn: *hij zag haar juist de hoek* ~ he saw her just (as she was) coming round (*of:* turning) the corner
omkopen bribe, buy (over), corrupt: *zich laten* ~ accept a bribe
omkoperij bribery, corruption
omlaag down, below: *naar* ~ down(wards)
omlaaggaan go down
omleiden divert, re-route; train *(plant)*
omleiding *(verkeer)* (traffic) diversion, detour; *(vervangende route)* relief route, alternative route
omliggend surrounding
omlijnd defined, definite: *een vast* (of: *scherp*) ~ *plan* a clear-cut (*of:* well-defined) plan
omlijsting frame; *(fig)* setting
omloop circulation
[1]**omlopen** *intr* walk round, go round: *ik loop wel even om* I'll go round the back
[2]**omlopen** *tr (omverlopen)* (run into and) knock over
ommekeer turn(about); *(180 graden)* about-turn; about-face, U-turn, revolution
ommezien: *in een* ~ *was hij terug* (of: *klaar*) he was back (*of:* finished) in a jiffy
ommezijde reverse (side), back, other side: *zie* ~ see overleaf
omnibus omnibus
omnivoor omnivore
omploegen 1 *(met de ploeg werken)* plough (up) 2 *(onderploegen)* plough in (*of:* under)
ompraten persuade, bring round, talk round; *(om iets te doen)* talk into; *(om iets niet te doen)* talk out of
omrastering fencing, fence(s)
omrekenen convert (to), turn (into)
[1]**omrijden** *intr* make a detour, take a roundabout route, take the long way round
[2]**omrijden** *tr (omverrijden)* knock down, run down
omringen surround, enclose
omroep broadcasting corporation *(of:* company), (broadcasting) network
omroepen 1 broadcast, announce (over the radio, on TV) 2 *(oproepen)* call (over the PA, intercom): *iemands naam laten* ~ have s.o. paged
omroeper announcer
omroeren stir, churn
omruilen exchange, trade (in), change (over, round, places), swap
omschakelen convert, change *(of:* switch) over (to)
omschakeling switch, shift, changeover
omscholen retrain, re-educate: *waarom laat je je niet* ~*?* why don't you get retrained?
omscholing retraining, re-education
omschoppen kick over
omschrijven 1 describe, determine 2 *(definiëren)* define, specify, state: *iemands bevoegdheden nader* ~ define s.o.'s powers
omschrijving 1 description, paraphrase 2 definition, specification, characterization
omsingelen surround, besiege
[1]**omslaan** *intr* 1 *(om iets heen gaan)* turn *(hoek)*; round *(boei, paal)* 2 *(radicaal veranderen)*

om

change; break *(weer);* swing (round), veer (round): *het weer slaat om* the weather is breaking 3 *(kantelen)* overturn, topple, keel (over); capsize *(schip)*

[2]**omslaan** *tr* 1 *(omvouwen)* fold over *(of:* back); turn down *(broekspijp);* turn back *(mouw)* 2 *(mbt een pagina)* turn (over)

omslachtig laborious; time-consuming *(procedure);* lengthy *(verhaal);* wordy *(spreker);* long-winded *(spreker);* roundabout *(methode)*

omslag 1 *(rand, boord)* cuff *(mouw)* 2 *(kaft)* cover; *(los)* dust jacket

omslagartikel cover story

omslagdoek shawl, wrap

omsmelten melt down, re-melt

omspitten dig up, break up, turn over

omspoelen rinse (out), wash out, wash up

omspringen deal (with): *slordig met andermans boeken* ~ be careless with s.o. else's books

omstander bystander, onlooker, spectator: *de ~s* bystanders

omstandigheid circumstance; *(mv ook)* situation; condition: *in de gegeven omstandigheden* under *(of:* in) the circumstances

omstoten knock over

omstreden controversial; *(figuur, idee ook)* debatable; contentious; contested *(gebied);* disputed *(gebied): een ~ boek* a controversial book

omstreeks *(rond, tegen)* (round) about, (a)round, towards, in the region *(of:* neighbourhood) of

omstreken neighbourhood, district; *(mv)* environs; *(mv)* surroundings: *de stad Brugge en ~* the city of Bruges and (its) environs

omstrengeling clasp, grasp, embrace

omtrek 1 *(wisk)* perimeter *(van willekeurige figuur);* circumference; periphery *(van cirkel)* 2 contour(s), outline(s), silhouette; skyline *(stad)* 3 *(nabijheid, omgeving)* surroundings, vicinity, environs, surrounding district *(of:* area): *in de wijde ~* for miles around

[1]**omtrent** *bw* about, approximately

[2]**omtrent** *vz* 1 *(mbt tijdstip)* about, (a)round 2 concerning, with reference to, about

omvallen fall over *(of:* down); turn over *(of:* on its side) *(bijv. auto): ~ van de slaap* be dead tired

omvang 1 girth, circumference, bulk(iness) 2 *(grootte)* dimensions, size, volume, magnitude, scope: *de volle ~ van de schade* the full extent of the damage

omvangrijk sizeable; bulky *(boek);* extensive *(gebied)*

omvatten contain, comprise, include, cover

omver over, down

omvergooien knock over, bowl over, upset, overturn

omverlopen knock, run down *(of:* over), bowl over: *omvergelopen worden* be knocked off one's feet

omverrijden run, knock down *(of:* over)

omverwerpen 1 knock over *(of:* down), throw down 2 *(fig)* overthrow *(bijv. regering)*

omvliegen 1 *(snel voorbijgaan)* fly past, fly by, rush by: *een bocht ~* tear round a corner 2 fly round, tear round, race round: *de tijd vloog om* the time flew by

omvouwen *((ten dele) vouwen)* fold down *(of:* over); turn down *(bladzijde in boek)*

omwaaien be *(of:* get) blown down, blow down; *(mens)* be blown off one's feet

omweg detour, roundabout route, roundabout way: *langs een ~* indirectly

omwenteling 1 rotation, revolution, turn; orbit *(van hemellichaam)* 2 *(pol)* revolution, upheaval

[1]**omwisselen** *intr* change places, swap places, change seats

[2]**omwisselen** *tr* exchange (for), swap: *dollars ~ in euro* change dollars into euros

omzeilen skirt, get round; by-pass *(obstakel)*

omzendbrief *(Belg) (rondschrijven)* circular (letter)

omzet 1 turnover, volume of trade *(of:* business) 2 *(som vd opbrengsten)* returns, sales, business

omzetbelasting sales tax, turnover tax

omzetten 1 turn over, sell: *goederen ~* sell goods 2 *(veranderen)* convert (into), turn (into): *een terdoodveroordeling in levenslang ~* commute a sentence from death to life imprisonment

omzichtig cautious, circumspect, prudent

omzien look (after)

onaangekondigd unannounced: *een ~ bezoek* a surprise visit

onaangenaam unpleasant, disagreeable

onaannemelijk implausible, incredible, unbelievable

onaantastbaar unassailable, impregnable

onaantrekkelijk unattractive, unprepossessing, unappealing

onaanvaardbaar unacceptable

onaardig *(onvriendelijk)* unpleasant, unfriendly, unkind

onacceptabel unacceptable

onachtzaam inattentive, careless; *(nalatig)* negligent

onaf unfinished, incomplete

onafgebroken 1 continuous, sustained: *40 jaar ~ dienst* 40 years continuous service 2 *(voortdurend)* unbroken, uninterrupted: *we hebben drie dagen ~ regen gehad* the rain hasn't let up for three days

onafhankelijk independent (of)

onafhankelijkheid independence

onafscheidelijk inseparable (from)

onafzienbaar immense, vast

onbarmhartig merciless, unmerciful, ruthless

onbedachtzaamheid thoughtlessness, rashness

onbedekt uncovered, exposed

onbedoeld unintentional, inadvertent: *iem ~*

kwetsen hurt s.o. unintentionally
onbedorven *(gaaf, fris)* unspoilt, untainted
onbeduidend insignificant, trivial, inconsequential
onbegaanbaar impassable
onbegonnen hopeless, impossible
onbegrensd unlimited, boundless, infinite
onbegrijpelijk incomprehensible, unintelligible
onbeheerd abandoned, unattended, ownerless: *laat uw bagage niet ~ achter* do not leave your baggage unattended
onbeheerst uncontrolled, unrestrained
onbeholpen awkward, clumsy, inept
onbekend unknown, out-of-the-way, unfamiliar: *met ~e bestemming vertrekken* leave for an unknown destination
onbekende unknown (person), stranger
onbekwaam incompetent, incapable
onbelangrijk unimportant, insignificant; inconsiderable *(mate, bedrag)*: *iets ~s* sth trivial
onbeleefd impolite, rude
onbeleefdheid impoliteness, rudeness, incivility, discourtesy; *(belediging)* insult
onbemand unmanned
onbenul fool, idiot
onbenullig inane, stupid, fatuous
onbepaald 1 indefinite, unlimited 2 *(niet precies vastgesteld)* indefinite, indeterminate, undefined
onbeperkt unlimited, unbounded
onbereikbaar 1 inaccessible 2 *(door geen moeite verkrijgbaar)* unattainable, out of (*of:* beyond) reach: *een ~ ideaal* an unattainable ideal
onberekenbaar unpredictable
onbeschaafd 1 uncivilized 2 *(mbt omgangsvormen)* uneducated, unrefined
onbeschadigd undamaged, intact
onbescheiden 1 immodest, forward 2 *(nieuwsgierig)* indiscreet, indelicate 3 *(brutaal)* presumptuous, bold: *zo ~ zijn om ...* be so bold as to ...
onbeschoft rude, ill-mannered, boorish
onbeschoftheid rudeness, boorishness
onbeschrijfelijk indescribable; beyond description (*of:* words) *(na ww)*; *(min)* unspeakable: *het is ~* it defies (*of:* beggars) description
onbeslist undecided, unresolved: *de wedstrijd eindigde ~* the match ended in a draw
onbespeelbaar unplayable; *(sportveld ook)* not fit (*of:* unfit) for play
onbespoten unsprayed
onbesproken: *van ~ gedrag* of irreproachable (*of:* blameless) conduct
onbestuurbaar 1 uncontrollable, out of control; unmanageable *(ook paard, schip)* 2 *(mbt land, organisatie)* ungovernable
onbetaalbaar 1 prohibitive, impossibly dear 2 *(onschatbaar)* priceless, invaluable 3 *(kostelijk)* priceless, hilarious
onbetaald unpaid (for); *(rekeningen, bedragen ook)* outstanding; unsettled; *(schuld ook)* undischarged
onbetrouwbaar unreliable; *(persoon ook)* untrustworthy; shady *(malafide)*; shifty *(malafide)*
onbetwist undisputed: *de ~e kampioen* the unrivalled champion
onbevlekt immaculate
onbevoegd unauthorized; unqualified *(ook zonder diploma)*
onbevoegde unauthorized person; unqualified person *(ook zonder diploma)*
onbevooroordeeld unprejudiced, open-minded
onbevredigend unsatisfactory
onbewaakt unguarded, unattended
onbeweeglijk motionless
onbewerkt unprocessed, raw
onbewogen 1 immobile 2 *(onaangedaan)* unmoved
onbewolkt cloudless, clear
onbewoonbaar uninhabitable
onbewoond *(mbt land, streek)* uninhabited: *een ~ eiland* a desert island
onbewust unconscious (of): *iets ~ doen* do sth unconsciously
onbezoldigd unpaid
onbezorgd carefree, unconcerned: *een ~e oude dag* a carefree old age
onbillijk unfair, unreasonable
onbrandbaar incombustible, non-flammable
onbreekbaar unbreakable, non-breakable
onbruikbaar unusable; *(nutteloos)* useless
onbuigzaam inflexible
oncomfortabel uncomfortable
oncontroleerbaar unverifiable
onconventioneel unconventional
ondankbaar ungrateful: *een ondankbare taak* a thankless (*of:* an unrewarding) task
ondankbaarheid ingratitude
ondanks in spite of, contrary to: *~ haar inspanningen lukte het (haar) niet* for (*of:* despite) all her efforts, she didn't succeed
ondenkbaar inconceivable, unthinkable
[1]**onder** *bw* below, at the bottom: *~ aan de bladzijde* at the foot (*of:* bottom) of the page
[2]**onder** *vz* 1 *(lager dan, beneden)* under, below, underneath: *hij zat ~ de prut* he was covered with mud; *de tunnel gaat ~ de rivier door* the tunnel goes (*of:* passes) under(neath) the river; *zes graden ~ nul* six degrees below zero 2 *(te midden van)* among(st): *er was ruzie ~ de supporters* there was a fight among the supporters; *~ andere* among other things; *~ ons gezegd (en gezwegen)* between you and me (and the doorpost) || *~ toezicht van de politie* under police surveillance; *zij leed erg ~ het verlies* she suffered greatly from the loss
onderaan at the bottom, below: *~ op de bladzijde* at the bottom (*of:* foot) of the page
onderaannemer subcontractor
onderaards subterranean

on

onderaf: *hij heeft zich van ~ opgewerkt* he has worked his way up from the bottom of the ladder
onderarm forearm
onderbeen (lower) leg; *(voorkant)* shin; *(kuit)* calf
onderbewuste subconscious, unconscious
onderbouw the lower classes of secondary school
onderbouwen build, found; *(fig ook)* substantiate
onderbreken 1 interrupt, break 2 *(storen, afbreken)* interrupt, cut short; *(gesprek ook)* break in (on)
onderbreking 1 interruption 2 *(pauze)* break
onderbrengen 1 accommodate; *(van slaapplaats)* lodge; *(van woon-, werkplaats)* house; *(tijdelijk)* put up: *zijn kinderen bij iem ~* lodge one's children with s.o. 2 *(categoriseren)* class(ify) (with, under, in)
onderbroek *(mannen)* underpants; *(vrouwen)* panties
onderbuik abdomen
onderbuikgevoel (instinctive) envy, hate, rancour
onderdaan subject
onderdak accommodation; *(toevluchtsoord)* shelter; *(slaapplaats)* lodging: *~ vinden* find accommodation
onderdanig submissive, humble
onderdeel part, (sub)division; *(tak)* branch: *het volgend ~ van ons programma* the next item on our programme
onderdirecteur assistant manager: *~ van een school* deputy headmaster
onderdoen be inferior (to): *voor niemand ~* yield/be second to none (*of:* no one)
onderdompelen immerse, submerge
onderdoor under
onderdrukken 1 oppress 2 *(bedwingen)* suppress, repress: *een glimlach ~* suppress a smile
onderdrukking oppression
onderduiken 1 go into hiding, go underground 2 *(onder water duiken)* dive (in)
onderduiker person in hiding
onderen 1 (met *naar*) down(wards); *(in huis)* downstairs 2 (met *van*) *(aan de onderkant)* below, underneath 3 (met *van*) *(van beneden)* from below; *(in huis)* from downstairs: *van ~ af beginnen* start from scratch (*of:* the bottom)
[1]**ondergaan** *intr* go down; *(zon ook)* set: *de ~de zon* the setting sun
[2]**ondergaan** *tr* undergo, go through
ondergang 1 ruin, (down)fall: *dat was zijn ~* that was his undoing 2 *(het dalen)* setting
ondergeschikt 1 subordinate 2 *(van weinig betekenis)* minor, secondary
ondergeschikte subordinate
ondergetekende 1 undersigned: *ik, ~* I, the undersigned 2 *(ik)* yours truly
ondergoed underwear
ondergrond base; *(vnl. abstr)* basis; foundation: *witte sterren op een blauwe ~* white stars on a blue background
ondergronds underground
ondergrondse 1 underground; *(Am)* subway 2 *(verzetsbeweging)* underground, resistance
onderhand meanwhile
onderhandelaar negotiator
onderhandelen negotiate; *(geldzaken ook)* bargain
onderhandeling 1 negotiation; *(geldzaken ook)* bargaining 2 *(bespreking)* negotiation; *(mv ook)* talks
onderhands 1 *(in het geheim)* underhand(ed), backstairs, underhand: *iets ~ regelen* make hole-and-corner arrangements 2 *(niet in het openbaar)* private 3 *(sport)* underhand, underarm: *een bal ~ ingooien* throw in a ball underarm
onderhavig present, in question, in hand
onderhevig liable (to), subject (to)
onderhoud maintenance, upkeep
onderhouden 1 maintain, keep up; *(auto ook)* service: *het huis was slecht ~* the house was in bad repair 2 *(verzorgen)* maintain, support
onderhoudend entertaining, amusing
onderhoudsbeurt overhaul, service
onderhuurder subtenant
[1]**onderin** *bw* below, at the bottom
[2]**onderin** *vz* at the bottom of: *het ligt ~ die kast* it's at the bottom of that cupboard
onderjurk slip
onderkaak lower jaw; *(dieren ook)* mandible
onderkant underside, bottom
onderkin double chin
onderkomen somewhere to go (*of:* sleep, stay), accommodation; *(schuilplaats)* shelter
onderkruiper 1 *(bij staking)* scab 2 *(klein persoon)* squirt, shrimp
onderlangs along the bottom (*of:* foot), underneath
onderlichaam lower part of the body
onderling mutual, among ourselves, among them(selves), together: *de partijen konden de kwestie ~ regelen* the parties were able to arrange the matter between (*of:* among) themselves
onderlip lower lip: *de ~ laten hangen (ongev)* pout
onderlopen be flooded
ondermijnen undermine, subvert
ondernemen undertake, take upon oneself
ondernemend enterprising
ondernemer entrepreneur, employer; *(exploitant)* operator; *(eigenaar)* owner
onderneming 1 undertaking, enterprise; *(met risico's)* venture: *het is een hele ~* it's quite an undertaking 2 *(bedrijf)* company, business; *(groot)* concern: *een ~ drijven* carry on an enterprise
ondernemingsraad works council, employees council

onderofficier NCO, non-commissioned officer
onderontwikkeld underdeveloped, backward
onderop at the bottom, below
onderpand pledge, security, collateral: *tegen ~ lenen* borrow on security
onderpastoor *(Belg; r-k)* curate, priest in charge
onderricht instruction, tuition
onderschatten underestimate
onderscheid difference, distinction: *een ~ maken tussen ...* distinguish ... from ... (*of:* between) ...
[1]**onderscheiden** *tr* 1 distinguish, discern: *niet te ~ zijn van* be indistinguishable from 2 *(orde verlenen)* decorate: *~ worden met een medaille* be awarded a medal
[2]**onderscheiden, zich** distinguish oneself (for)
onderscheiding decoration, honour: *(Belg) met ~* with distinction
onderscheppen intercept
onderschrift caption, legend
onderspit: *het ~ delven* get the worst (of it)
onderst bottom(most), under(most)
onderstaand (mentioned) below
ondersteboven 1 upside down: *je houdt het ~* you have it the wrong way up 2 *(van streek)* upset
ondersteek bedpan
onderstel chassis, undercarriage; *(van vliegtuig ook)* landing gear
ondersteunen support; *(bijstaan ook)* back (up)
ondersteuning 1 *(het steunen)* support 2 *(hulp, bijstand)* support, (public) assistance
onderstrepen underline
onderstuk base, lower part
ondertekenen sign
ondertekening 1 signing 2 *(handtekening)* signature
ondertitelen subtitle
ondertiteling subtitles
ondertussen meanwhile, in the meantime
onderuit 1 (out) from under: *je kunt er niet ~ haar ook te vragen* you can't avoid inviting her, too 2 *(omver)* down *(gaan);* flat; over *(vallen)* 3 *(met de benen uitgestrekt)* sprawled, sprawling
onderuitgaan topple over, be knocked off one's feet; *(struikelen, uitglijden)* trip; slip
onderuithalen 1 *(sport)* bring down, take down 2 *(doen afgaan)* trip up, floor: *hij werd volledig onderuitgehaald* they wiped the floor with him
ondervangen overcome
onderverdelen (sub)divide; break down *(in rubrieken)*
onderverdeling subdivision, breakdown
ondervinden experience: *medeleven ~* meet with sympathy; *moeilijkheden* (of: *concurrentie*) *~* be faced with difficulties (*of:* competition)
ondervinding experience
ondervoed undernourished
ondervoeding undernourishment; *(wat betreft hoeveelheid)* malnutrition
ondervraagde interviewee; *(politie)* person heard *(of:* questioned)
ondervragen 1 interrogate; question *(verdachte, kandidaat);* examine *(getuigen);* hear *(getuigen)* 2 *(in vraaggesprek)* interview
ondervraging questioning, interrogation, examination, interview
onderwaarderen underestimate
onderweg 1 on *(of:* along) the way; *(tijdens vervoer)* in transit; *(tijdens vervoer)* en route: *we zijn het ~ verloren* we lost it on the way 2 *(nog niet aangekomen)* on one's *(of:* its, the) way
onderwereld underworld
onderwerp subject (matter)
onderwerpen subject
onderwijl meanwhile
onderwijs education, teaching: *academisch ~* university education; *bijzonder ~* private education, *(Belg)* special needs education; *buitengewoon ~* special needs education; *hoger ~* higher education; *lager ~* primary education; *middelbaar (voortgezet) ~* secondary education; *openbaar ~* state education; *algemeen secundair ~* general secondary education; *speciaal ~* special needs education; *(Belg) technisch secundair ~* secondary technical education; *(Belg) vernieuwd secundair ~* comprehensive school system; *voortgezet ~* secondary education
onderwijsinspecteur school inspector
onderwijsinspectie schools inspectorate
onderwijsinstelling educational institution
onderwijskunde didactics, theory of education
onderwijsprofiel educational profile
onderwijzen teach, instruct: *iem iets ~* instruct s.o. in sth, teach s.o. sth
onderwijzer (school)teacher, schoolmaster, schoolmistress
onderzeeër submarine
onderzetter 1 mat, coaster 2 *(onder hete pannen)* mat, stand
onderzijde underside
onderzoek 1 *(bestudering)* investigation, examination, study, research: *bij nader ~* on closer examination *(of:* inspection) 2 investigation; *(door politie)* inquiry 3 *(med)* examination, check-up
onderzoeken 1 examine, inspect, investigate; *(doorzoeken)* search; *(op samenstelling)* test (for): *de dokter onderzocht zijn ogen* the doctor examined his eyes 2 *(bestuderen)* investigate, examine, inquire into: *mogelijkheden ~* examine *(of:* investigate) possibilities 3 *(nagaan)* inquire into, investigate, examine || *het bloed ~* carry out a blood test
onderzoeker researcher, research worker *(of:* scientist), investigator
ondeugd vice
ondeugend naughty, mischievous
ondiep shallow; superficial *(wond): een ~e tuin* a short garden

ondier monster, beast
onding rotten thing, useless thing
ondoenlijk unfeasible, impracticable
ondoordacht inadequately considered, rash
ondoordringbaar impenetrable; impermeable (to) *(voor water, stof, lucht): ondoordringbare duisternis* (of: *wildernis*) impenetrable darkness (*of:* wilderness)
ondoorzichtig 1 non-transparent, opaque 2 *(fig)* obscure
ondraaglijk unbearable
ondrinkbaar undrinkable
onduidelijk indistinct; *(onverklaard)* obscure; *(onverklaard)* unclear: *de situatie is* ~ the situation is obscure (*of:* unclear); ~ *spreken* speak indistinctly
onduidelijkheid indistinctness, lack of clarity; *(sterker)* obscurity
onecht 1 *(niet wettig)* illegitimate 2 *(onnatuurlijk, niet echt)* false 3 *(vals)* fake(d)
oneens in disagreement, at odds: *het met iem ~ zijn over iets* disagree with s.o. about sth
oneerbaar indecent, improper
oneerbiedig disrespectful
oneerlijk dishonest, unfair
oneerlijkheid dishonesty, unfairness
oneetbaar inedible; not fit to eat *(na ww): dit oude brood is* ~ this stale bread is not fit to eat
oneffen uneven
oneindig infinite, endless: ~ *groot* (of: *klein*) infinite(ly large), infinitesimal(ly)
oneindigheid infinity
onenigheid discord, disagreement
onervaren inexperienced
onervarenheid inexperience, lack of experience *(of:* skill)
oneven odd, uneven
onevenwichtig unbalanced, unstable
onfatsoenlijk ill-mannered, bad-mannered; *(aanstootgevend)* offensive; *(onbetamelijk)* improper; indecent
onfeilbaar infallible
onfris 1 unsavoury; stale *(lucht)*; musty *(ruimte)*; stuffy *(ruimte)*: *er ~ uitzien* not look fresh, *(mbt personen)* look unsavoury 2 *(bedenkelijk)* unsavoury, shady: *een ~se affaire* an unsavoury (*of:* a shady) business
ongeacht irrespective of, regardless of
ongeboren unborn
ongebruikelijk unusual
ongebruikt unused; *(nieuw)* new
ongecompliceerd uncomplicated
ongedaan undone: *dat kun je niet meer ~ maken* you can't go back on it now
ongedeerd unhurt, uninjured, unharmed
ongedekt uncovered
ongedierte vermin
ongeduld impatience
ongeduldig impatient
ongedurig restless, restive, fidgety
ongedwongen relaxed, informal
ongeëvenaard unequalled, unmatched
ongefrankeerd unstamped
ongegrond unfounded, groundless: *~e klachten* unfounded complaints
ongehinderd unhindered: ~ *werken* work undisturbed
ongehoorzaam disobedient
ongehoorzaamheid disobedience
ongehuwd single, unmarried
ongeïnteresseerd uninterested: ~ *toekijken* watch with indifference
ongekend unprecedented
ongekookt raw, uncooked
ongeldig invalid
ongelegen inconvenient, awkward
[1]**ongelijk** *zn* wrong: *ik geef je geen* ~ I don't blame you
[2]**ongelijk** *bn, bw* 1 unequal: *het is ~ verdeeld in de wereld* there's a lot of injustice in the world 2 *(oneffen, onregelmatig)* uneven
ongelijkheid 1 inequality; *(niet gelijkend)* difference 2 *(oneffenheid, ongelijkmatigheid)* unevenness
ongelijkmatig uneven, unequal; *(onregelmatig)* irregular
ongelofelijk incredible, unbelievable
ongelood unleaded
ongeloof disbelief
ongeloofwaardig incredible, implausible
ongeloofwaardigheid incredibility, implausibility
ongelovig 1 disbelieving, incredulous 2 *(niet gelovend)* unbelieving
ongeluk accident: *een ~ krijgen* have an accident; *per ~ iets verklappen* inadvertently let sth slip
ongelukkig 1 unhappy: *iem diep ~ maken* make s.o. deeply unhappy 2 *(geen geluk hebbend)* unlucky 3 *(mbt zaken)* unfortunate: *hij is ~ terechtgekomen* he landed awkwardly
ongeluksgetal unlucky number
ongemak inconvenience, discomfort
ongemakkelijk uncomfortable
ongemerkt unnoticed: ~ *(weten te) ontsnappen* (manage to) escape without being noticed
ongemotiveerd unmotivated, without motivation
ongenade 1 disgrace, disfavour: *in ~ vallen* fall into disfavour 2 *(woede)* displeasure
ongeneeslijk incurable: ~ *ziek* incurably ill
ongenoegen displeasure, dissatisfaction
ongeoorloofd illegal, illicit, improper
ongepast improper
ongerechtigheid 1 *(onrechtvaardigheid)* injustice 2 *(gebrek)* flaw
ongeregeld 1 disorderly, disorganized 2 *(onregelmatig)* irregular: *op ~e tijden* at odd times
ongeregeldheden disturbances, disorders

ongerept untouched, unspoilt
ongerust worried, anxious (for): *ik begin ~ te worden* I'm beginning to get worried
ongerustheid concern, worry
ongeschikt unsuitable
ongeschiktheid unsuitability; *(onbekwaamheid)* inaptitude
ongeschonden intact, undamaged
ongeschoold unskilled, untrained
ongesteld: *zij is ~* she is having a period
ongestoord 1 undisturbed 2 *(zonder storing)* clear: *~e ontvangst* clear reception
ongestraft unpunished: *iets ~ doen* get away with sth
ongetrouwd unmarried, single: *~e oom* bachelor uncle; *~e tante* maiden aunt
ongetwijfeld no doubt, without a doubt, undoubtedly
ongev *afk van ongeveer* approx.
ongevaarlijk harmless, safe
ongeval accident
ongevallenverzekering accident insurance
ongeveer about, roughly, around: *dat is het ~* that's about it
ongevoelig insensitive (to), insensible (to)
ongevoeligheid insensitivity
ongevraagd unasked(-for), uninvited
ongewapend unarmed
ongewenst unwanted, undesired; *(onwenselijk)* undesirable
ongewerveld invertebrate: *~e dieren* invertebrates
ongewild 1 *(onopzettelijk)* unintentional, unintended 2 *(ongewenst)* unwanted
ongewisse (state of) uncertainty: *iem in het ~ laten* keep s.o. guessing (*of:* in the dark)
ongewoon unusual
ongezellig 1 unsociable 2 *(onbehaaglijk)* cheerless, comfortless 3 *(onprettig)* unenjoyable, dreary, no fun
ongezien 1 unseen, unnoticed 2 *(zonder het gezien te hebben)* (sight) unseen: *hij kocht het huis ~* he bought the house (sight) unseen
ongezond 1 unhealthy 2 *(zwak, wankel)* unsound, unhealthy
ongrijpbaar elusive
ongunstig unfavourable: *in het ~ste geval* at (the) worst; *op een ~ moment* at an awkward moment
onguur 1 *(ruw, gemeen)* unsavoury 2 *(mbt het weer)* rough
onhandig clumsy, awkward: *zij is erg ~* she's all fingers and thumbs
onhandigheid clumsiness, awkwardness
onheil calamity, disaster; *(ondergang)* doom
onheilspellend ominous
onherkenbaar unrecognizable
onherroepelijk irrevocable
onherstelbaar irreparable: *~ beschadigd* damaged beyond repair
onhoorbaar inaudible
onhoudbaar 1 unbearable, intolerable 2 *(niet tegen te houden)* unstoppable
onhygiënisch unhygienic, insanitary
onjuist 1 inaccurate, false 2 *(fout, verkeerd)* incorrect, mistaken
onkosten 1 expense(s), expenditure: *~ vergoed* (all) expenses covered 2 *(buitengewone kosten)* extra expense(s)
onkostendeclaratie expenses claim
onkostenvergoeding payment (*of:* reimbursement) of expenses; *(mbt auto)* mileage allowance
onkruid weed(s): *~ vergaat niet* ill weeds grow apace
onkwetsbaar invulnerable
onlangs recently, lately: *ik heb hem ~ nog gezien* I saw him just the other day
onleesbaar 1 illegible 2 *(mbt de inhoud)* unreadable
onlogisch illogical
onlusten riots, disturbances
onmacht impotence, powerlessness
onmeetbaar immeasurable
onmens brute, beast
onmenselijk inhuman
onmerkbaar unnoticeable, imperceptible
onmetelijk immense, immeasurable
onmiddellijk immediate, immediately, directly, at once, straightaway: *ik kom ~ naar Utrecht* I'm coming to Utrecht straightaway (*of:* at once, immediately)
onmisbaar indispensable, essential
onmogelijk impossible: *een ~ verhaal* a preposterous story; *ik kan ~ langer blijven* I can't possibly stay any longer
onnatuurlijk unnatural
onnauwkeurig inaccurate
onnauwkeurigheid inaccuracy
onnodig unnecessary, needless, superfluous: *~ te zeggen dat ...* needless to say ...
onnozel foolish, silly: *met een ~e grijns* with a sheepish grin
onnozelaar *(Belg; min)* Simple Simon, birdbrain
onofficieel unofficial
onomstotelijk indisputable, conclusive
ononderbroken continuous, uninterrupted
onontbeerlijk indispensable
onopgemerkt unnoticed, unobserved
onophoudelijk continuous, ceaseless, incessant
onoplettend inattentive, inadvertent
onoplettendheid inattention, inadvertence
onoplosbaar 1 insoluble, indissoluble 2 *(mbt problemen)* unsolvable
onopvallend inconspicuous, nondescript; *(niet opdringerig)* unobtrusive; *(niet opdringerig)* discreet: *~ te werk gaan* act discreetly
onopzettelijk unintentional, inadvertent
onoverkomelijk insurmountable
onoverwinnelijk invincible

onoverzichtelijk cluttered, poorly organized *(of:* arranged)
onpaar unpaired, odd
onpartijdig impartial, unbiased
onpartijdigheid impartiality
onpasselijk sick
onpersoonlijk impersonal
onplezierig unpleasant, nasty
onprettig unpleasant, disagreeable, nasty
onraad trouble, danger: ~ *bespeuren* smell a rat
onrealistisch unrealistic
onrecht injustice, wrong: *iem ~ (aan)doen* do s.o. wrong
onrechtmatig unlawful, illegal; *(ten onrechte)* wrongful; unjust
onrechtvaardig unjust
onrechtvaardigheid injustice, wrong
onredelijk unreasonable, unfounded
onregelmatig irregular
onrijp 1 *(nog niet rijp)* unripe, unseasoned 2 *(mbt personen)* immature
onroerend immovable: *makelaar in ~ goed* estate agent
onroerendgoedbelasting property tax
onrust restlessness, agitation: ~ *zaaien* stir up trouble
onrustbarend alarming
onrustig restless, turbulent
onruststoker troublemaker, agitator
[1]**ons** *zn* quarter of a pound, four ounces: *een ~ ham* a quarter of ham
[2]**ons** *pers vnw* us: *het is ~ een genoegen* (it's) our pleasure; *onder ~ gezegd* (just) between ourselves; *dat is van ~* that's ours, that belongs to us
[3]**ons** *bez vnw (mbt eigendom)* our: ~ *huis* our house; *uw boeken en die van ~* your books and ours
onsamenhangend incoherent, disconnected
onschadelijk harmless; *(niet kwaadaardig)* innocent; *(mbt chemicaliën)* non-noxious: *een bom ~ maken* defuse a bomb
onschendbaar immune
onschendbaarheid immunity
onscherp out of focus, blurred
onschuld innocence
onschuldig 1 innocent, guiltless 2 *(onschadelijk)* innocent, harmless
onsmakelijk 1 distasteful, unpalatable 2 *(mbt het gemoed, gevoel)* distasteful, disagreeable, unsavoury
onsportief unsporting, unsportsmanlike: *hij heeft zich ~ gedragen* he behaved unsportingly
onstabiel unstable
onsterfelijk immortal
onsterfelijkheid immortality
onsympathiek uncongenial: *een ~e houding* an unengaging manner
onszelf ourselves
ontaarden degenerate (into), deteriorate
ontactisch impolitic
ontbering hardship, (de)privation
ontbieden summon, send for
ontbijt breakfast: *een kamer met ~* bed and breakfast, B & B
ontbijten (have) breakfast
ontbijtkoek *(ongev)* gingercake, gingerbread
ontbijtspek *(ongev)* bacon
ontbinden *(opheffen)* dissolve; disband *(genootschap, leger)*; annul *(contract, huwelijk enz.)*
ontbinding 1 annulment *(contract, huwelijk enz.)* 2 *(bederf, ook fig)* decomposition, decay; corruption *(ook fig)*: *tot ~ overgaan* decompose, decay
ontbloot bare, naked
ontbrandbaar ignitable, combustible
ontbreken 1 be lacking (in): *waar het aan ontbreekt is ...* what's lacking is ...; *er ontbreekt nog veel aan* there's still much to be desired 2 *(mbt personen)* be absent, be missing
ontcijferen decipher
ontdaan upset, disconcerted
ontdekken discover: *iets bij toeval ~* hit upon (*of:* stumble on) sth
ontdekker discoverer
ontdekking discovery, find: *een ~ doen* make a discovery
ontdekkingsreiziger explorer, discoverer
ontdoen, zich (met *van*) dispose of, get rid of, remove
ontdooien thaw, defrost; *(sneeuw ook)* melt
ontduiken evade, elude, dodge
ontegenzeglijk undeniable, incontestable
ontelbaar countless, innumerable
onterecht undeserved, unjust
ontevreden dissatisfied (with): *je mag niet ~ zijn* (you) mustn't grumble
ontevredenheid dissatisfaction (about, with)
ontfermen, zich (met *over*) take pity on
ontfutselen filch, pilfer
ontgaan 1 escape, pass (by): *de overwinning kon ons niet meer ~* victory was ours 2 *(aan het oog, oor ontsnappen)* escape, miss, fail to notice: *het kon niemand ~ dat* no one could fail to notice that 3 *(niet duidelijk zijn)* escape, elude: *de logica daarvan ontgaat mij* the logic of it escapes me
ontginnen reclaim; *(cultiveren)* cultivate
ontginning exploitation, development; *(mbt grond ook)* reclamation
ontgroeien outgrow: *(fig) de kinderschoenen* (of: *schoolbanken*) *ontgroeid zijn* have left one's childhood (*of:* schooldays) behind
ontgroening ragging; *(Am)* hazing
onthaal 1 welcome, reception 2 *(Belg)* reception
onthaalmoeder *(Belg)* babysitter, child minder
onthaalouder *(Belg)* temporary host to (foreign) children
onthaasten de-stress, relax, calm down
ontharen depilate
ontheffen exempt, release

ontheffing exemption; release *(van verplichting): ~ hebben van* be released from
onthoofden behead, decapitate
onthoofding decapitation, beheading
[1]**onthouden** *tr* remember: *goed gezichten kunnen ~* have a good memory for faces; *ik zal het je helpen ~* I'll remind you of it
[2]**onthouden, zich** abstain (from), refrain (from)
onthouding 1 *(van stemming)* abstention 2 *(mbt geslachtsverkeer)* continence, abstinence
onthullen 1 *(laten zien)* unveil 2 *(bekendmaken)* reveal, disclose, divulge
onthulling 1 *(mbt een standbeeld)* unveiling 2 *(openbaarmaking)* revelation, disclosure: *opzienbarende ~en* startling disclosures
onthutst disconcerted, dismayed
[1]**ontkennen** *intr (niet bekennen)* plead not guilty
[2]**ontkennen** *tr* deny, negate: *hij ontkende iets met de zaak te maken te hebben* he denied any involvement in the matter
ontkennend negative
ontkenning denial, negation
ontketenen let loose; unchain *(krachten);* unleash *(energie)*
ontkiemen germinate; *(fig ook)* bud
ontkleden undress: *zich ~* undress
ontknoping ending, dénouement: *zijn ~ naderen* reach a climax
ontkomen 1 escape, get away 2 *(zich onttrekken)* evade, get round
ontlading 1 *(mbt emoties)* release 2 *(nat)* discharge
ontlasting stools, (human) excrement; *(med)* faeces
ontleden 1 dissect, anatomize 2 *(analyseren)* analyse: *een zin ~* analyse (*of:* parse) a sentence
ontleding 1 dissection 2 *(analyse)* analysis
ontlenen 1 (met *aan*) *(overnemen uit)* derive (from), borrow (from), take 2 (met *aan*) *(te danken hebben)* take (from), derive (from)
ontlopen differ from: *die twee ~ elkaar niet veel* they don't differ greatly
ontmaagden deflower
ontmantelen dismantle, strip
ontmaskeren unmask, expose
ontmoedigen discourage, demoralize; *(afschrikken)* deter: *we zullen ons niet laten ~ door …* we won't let … get us down
ontmoeten 1 *(onvoorzien)* meet, run into, bump into 2 *(volgens afspraak)* meet, see
ontmoeting meeting, encounter: *een toevallige ~* a chance meeting (*of:* encounter)
ontmoetingsplaats meeting place
ontmoetingspunt meeting point
ontnieter staple extractor
ontoegankelijk inaccessible, impervious (to)
ontoelaatbaar inadmissible
ontoerekeningsvatbaar not responsible; *(jur)* of unsound mind

on

ontploffen explode, blow up: *ik dacht dat hij zou ~* I thought he'd explode
ontploffing explosion
ontrafelen unravel, disentangle
ontregeld unsettled, disordered
ontregelen disorder, disorganize, dislocate
ontroeren move, touch
ontroerend moving, touching; *(sentimenteel)* tear-jerking
ontroering emotion
ontroostbaar inconsolable, broken-hearted
[1]**ontrouw** *zn* 1 disloyalty, unfaithfulness 2 *(overspel)* unfaithfulness, infidelity
[2]**ontrouw** *bn* 1 disloyal (to), untrue (to) 2 *(overspelig)* unfaithful
ontruimen 1 *(verlaten)* clear, vacate 2 *(doen verlaten)* clear, evacuate: *de politie moest het pand ~* the police had to clear the building
ontruiming 1 *(het (doen) verlaten)* evacuation 2 *(de bewoners uitzetten)* eviction
ontschieten slip, elude
ontslaan 1 dismiss, discharge: *ontslagen worden* be dismissed; *iem op staande voet ~* dismiss s.o. on the spot 2 *(vrijstellen)* relieve, discharge
ontslag 1 dismissal, discharge: *eervol ~* honourable discharge 2 *(verzoek, verklaring)* resignation, notice 3 *(vrijstelling)* exemption
ontslagbrief notice *(aan werknemer);* (letter of) resignation *(van werknemer)*
ontslagvergoeding severance pay
ontsmetten disinfect
ontsmetting disinfection, decontamination
ontsmettingsmiddel disinfectant, antiseptic
ontsnappen 1 escape (from): *aan de dood ~* escape death 2 *(mbt gevangenschap)* escape, get away, get out: *weten te ~* make one's getaway 3 *(niet opmerken)* escape, elude: *aan de aandacht ~* escape notice 4 *(een voorsprong nemen)* pull (*of:* break) away (from)
ontsnapping escape
[1]**ontspannen** *bn* relaxed, easy: *zich ~ gedragen* have an easy manner
[2]**ontspannen** *tr* 1 *(weer slap maken)* slacken, unbend 2 *(tot rust brengen)* relax: *zich ~* relax
ontspanning relaxation, recreation
ontsporen 1 be derailed 2 *(fig)* go (*of:* run) off the rails
ontsporing derailment; *(fig)* lapse
[1]**ontstaan** *zn* origin; creation *(vd aarde);* development, coming into existence
[2]**ontstaan** *intr* 1 come into being, arise: *door haar vertrek ontstaat een vacature* her departure has created a vacancy 2 *(beginnen)* originate, start
ontsteken *(med)* be(come) inflamed
ontsteking 1 *(med)* inflammation 2 *(mbt een verbrandingsmotor)* ignition
ontstemd untuned, out of tune
ontstoken inflamed
ontstopper plunger

onttrekken, zich withdraw (from), back out of
ontucht illicit sexual acts, sexual abuse
ontuchtig lewd, lecherous
ontvangen 1 receive; collect *(geld)*; draw *(loon)*: *in dank* ~ received with thanks 2 *(onthalen)* receive; *(hartelijk)* welcome: *iem hartelijk* (of: *met open armen*) ~ receive s.o. with open arms, make s.o. very welcome
ontvanger 1 receiver, recipient 2 *(toestel)* receiver
ontvangst 1 receipt: *betalen na ~ van de goederen* pay on receipt of goods; *na ~ van uw brief* on receipt of your letter; *tekenen voor* ~ sign for receipt 2 *(mbt geld)* collection 3 *(gasten, radiosignalen)* reception: *een hartelijke* (of: *gunstige*) ~ a warm (*of:* favourable) reception
ontvangstbewijs receipt
ontvlambaar inflammable
ontvluchten 1 escape (from), run away from 2 *(wegvluchten)* flee
ontvoerder kidnapper
ontvoeren kidnap
ontvoering kidnapping
ontvreemden steal
ontwaken awake, (a)rouse
ontwapenen disarm: *een ~de glimlach* a disarming smile
ontwennen get out of the habit
ontwenningskuur detoxification
ontwerp draft; *(techn)* design
ontwerpen 1 design *(kleding, meubels, gebouw)*; plan *(stad, wegen)* 2 *(opstellen)* devise, plan; formulate *(stelsel, regeling)*; draft; draw up *(contract, document)*
ontwerper designer, planner
ontwijken avoid
ontwijkend evasive
ontwikkeld 1 developed, mature 2 *(geestelijk gevormd)* educated, informed; *(beschaafd)* cultivated; *(beschaafd)* cultured
[1]**ontwikkelen** *tr* 1 develop 2 *(kennis bijbrengen)* educate: *zich* ~ educate oneself || *foto's ~ en afdrukken* process a film
[2]**ontwikkelen, zich** develop (into): *we zullen zien hoe de zaken zich* ~ we'll see how things develop
ontwikkeling 1 development, growth: *tot ~ komen* develop 2 *(het kundig zijn)* education: *algemene* ~ general knowledge
ontwikkelingshulp foreign aid, development assistance
ontwikkelingsland developing country
ontwrichten 1 *(mbt samenleving e.d.)* disrupt 2 *(mbt ledematen)* dislocate
ontzag awe, respect
ontzenuwen refute, disprove
ontzet relief
[1]**ontzettend** *bn* 1 *(vreselijk)* appalling 2 *(geweldig)* terrific, immense, tremendous
[2]**ontzettend** *bw* awfully, tremendously: *het spijt me* ~ I'm terribly (*of:* awfully) sorry
ontzien spare: *iem* ~ spare s.o.
onuitputtelijk inexhaustible
onuitstaanbaar unbearable, insufferable: *die kerel vind ik* ~ I can't stand that guy
onvast unsteady, unstable
onveilig unsafe, dangerous
onveiligheid danger(ousness)
onveranderd unchanged, unaltered
onverantwoord irresponsible
onverantwoordelijk irresponsible; *(niet te verdedigen)* unjustifiable
onverbeterlijk incorrigible
onverbiddelijk unrelenting, implacable
onverdiend undeserved
onverdraagzaam intolerant (towards)
onverdraagzaamheid intolerance
onvergeeflijk unforgivable, inexcusable
onvergelijkbaar incomparable
onvergetelijk unforgettable
onverhard unpaved
onverklaarbaar inexplicable, unaccountable: *op onverklaarbare wijze* unaccountably
onverlicht unlit, unlighted
onvermijdelijk inevitable: *~e fouten* unavoidable mistakes
onvermoeibaar indefatigable, tireless
onvermogen impotence, powerlessness; inability *(om iets te doen)*
[1]**onverschillig** *bn* indifferent (to): *hij zat daar met een ~ gezicht* he sat there looking completely indifferent (*of:* unconcerned)
[2]**onverschillig** *bw* indifferently: *iem ~ behandelen* treat s.o. with indifference
onverschilligheid indifference
onverslijtbaar indestructible; durable *(goederen)*
onverstaanbaar unintelligible; *(onduidelijk sprekend)* inarticulate; *(zacht sprekend)* inaudible
onverstandig foolish, unwise
onverstoorbaar imperturbable, unflappable
onvervalst pure, unadulterated; broad *(dialect)*
onvervangbaar irreplaceable
onverwacht unexpected, surprise: *dat soort dingen gebeurt altijd* ~ that sort of thing always happens when you least expect it
onverwachts unexpected, sudden, surprise
onverwarmd unheated
onverwoestbaar indestructible; *(stof, tapijt ook)* tough; durable
onverzoenlijk irreconcilable *(tegenstanders)*
onverzorgd careless, untidy; *(niet verzorgd)* uncared-for; untended: *zij ziet er ~ uit* she neglects her appearance
onvindbaar untraceable; not to be found *(na ww)*
[1]**onvoldoende** *zn* unsatisfactory mark *(of Am:* grade), fail: *een ~ halen* fail (an exam, a test); *hij had twee ~s* he had two unsatisfactory marks

[2]**onvoldoende** *bn, bw* insufficient, unsatisfactory: *een ~ hoeveelheid* an insufficient amount
onvolledig incomplete
onvolmaaktheid imperfection
onvolwassen immature: *~ reageren* react in an adolescent way
onvolwassenheid immaturity
[1]**onvoorbereid** *bn* unprepared
[2]**onvoorbereid** *bw* unaware(s), by surprise
onvoordelig unprofitable, uneconomic(al): *~ uit zijn* pay too high a price
onvoorspelbaar unpredictable
onvoorstelbaar inconceivable, unimaginable, unthinkable: *het is ~!* it's unbelievable!, it's incredible!
onvoorwaardelijk unconditional, unquestioning: *~e straf* non-suspended sentence
onvoorzichtig careless; *(sterker)* reckless: *je hebt zeer ~ gehandeld* you have acted most imprudently
onvoorzichtigheid carelessness; *(sterker)* recklessness; lack of caution
[1]**onvoorzien** *bn* unforeseen: *~e uitgaven* incidental expenditure(s)
[2]**onvoorzien** *bw* accidentally
onvrede dissatisfaction (with)
onvriendelijk unfriendly, hostile
onvrij unfree
onvrijwillig involuntary
onvruchtbaar infertile, barren
onvruchtbaarheid infertility
onwaar untrue, false
onwaarschijnlijk unlikely, improbable: *het is hoogst ~ dat* it is most (*of:* highly) unlikely that
onwaarschijnlijkheid improbability, unlikelihood
onweer thunderstorm: *we krijgen ~* we're going to have a thunderstorm
onweersbui thunder(y) shower
onweerstaanbaar irresistible, compelling
onwel unwell, ill, indisposed
onwelkom unwelcome
onwennig unaccustomed, ill at ease: *zij staat er nog wat ~ tegenover* she has not quite got used to the idea
onweren thunder: *het heeft geonweerd* there has been a thunderstorm
onwerkelijk unreal
onwetendheid ignorance: *uit* (of: *door*) ~ out of (*of:* through) ignorance
onwetenschappelijk unscientific, unscholarly
onwettig 1 illegal; *(verboden)* illicit; unlawful 2 *(mbt kinderen)* illegitimate
onwijs awfully, fabulously, terrifically, ever so: *~ gaaf* brill; *~ hard werken* work like mad (*of:* crazy)
onwil unwillingness
onwillekeurig 1 involuntary 2 inadvertently, unconsciously || *~ lachte hij* he laughed in spite of himself
onzakelijk unbusinesslike
onzedelijk indecent, obscene
onzedelijkheid immorality, indecency, immodesty
onzedig immodest
onzeker 1 insecure, unsure 2 *(niet vaststaand)* uncertain, unsure; precarious *(positie)*: *het aantal gewonden is nog ~* the number of injured is not yet known; *hij nam het zekere voor het ~e* he decided to play safe
onzekerheid uncertainty, doubt: *in ~ laten* (of: *verkeren*) keep (*of:* be) in a state of suspense
Onze-Lieve-Heer Our Lord, (the good) God
onzelieveheersbeestje ladybird
Onze-Lieve-Vrouw Our Lady
onzevader Lord's Prayer: *het ~ bidden* say the Lord's Prayer
onzichtbaar invisible
onzijdig neutral
onzin nonsense: *klinkklare ~* utter nonsense
onzindelijk not toilet-trained
onzinnig absurd, senseless; nonsensical *(gepraat)*
onzorgvuldig careless, negligent
[1]**onzuiver** *bn* 1 impure 2 *(bruto)* gross 3 *(afwijkend)* inaccurate, imperfect
[2]**onzuiver** *bw* out of tune
oog 1 eye: *een blauw ~* a black eye; *dan kun je het met je eigen ogen zien* then you can see for yourself; *goede ogen hebben* have good eyesight; *geen ~ dichtdoen* not sleep a wink; *zijn ogen geloven* (of: *vertrouwen*) believe (*of:* trust) one's eyes; *hij had alleen ~ voor haar* he only had eyes for her; *aan één ~ blind* blind in one eye; *iem iets onder vier ogen zeggen* say sth to s.o. in private; *goed uit zijn ogen kijken* keep one's eyes open; *kun je niet uit je ogen kijken?* can't you look where you're going?; *zijn ogen de kost geven* take it all in; *~ om ~, tand om tand* an eye for an eye, a tooth for a tooth 2 *(blik)* look, glance, eye: *zij kon haar ogen niet van hem afhouden* she couldn't take (*of:* keep) her eyes off him; *(zo) op het ~* on the face of it; *iem op het ~ hebben (denken aan)* have s.o. in mind, have one's eye on s.o.; *wat mij voor ogen staat* what I have in mind 3 *(gezichtskring, ook fig)* view, eye: *zo ver het ~ reikt* as far as the eye can see; *in het ~ lopend* conspicuous, noticeable; *iets uit het ~ verliezen* lose sight of sth; *uit het ~, uit het hart* out of sight, out of mind || *in mijn ogen* in my opinion (*of:* view); *met het ~ op* with a view to, in view of
oogappel apple of one's eye: *hij was zijn moeders ~* he was the apple of his mother's eye
oogarts ophthalmologist, eye specialist
oogbol eyeball
ooggetuige eyewitness
ooghoek corner of the eye
ooghoogte eye level
oogje 1 eye: *een ~ dichtknijpen* (of: *dichtdoen*) close (*of:* shut) one's eyes (to) 2 *(blik)* glance,

look, peep: *een ~ in het zeil houden* keep a lookout || *een ~ hebben op* have one's eye on
ooglid (eye)lid
oogluikend: *iets ~ toelaten (toestaan)* turn a blind eye to sth
oogmeting eye test(ing)
oogopslag glance, look, glimpse
oogpunt viewpoint, point of view
oogschaduw eyeshadow
oogst 1 harvesting, reaping **2** *(gewas)* harvest, crop: *de ~ binnenhalen* bring in the harvest
oogsten harvest; pick *(fruit)*
oogsttijd harvest(ing) time
oogverblindend blinding, dazzling: *een ~e schoonheid* a raving beauty
oogwit white of the eye
ooi ewe
ooievaar stork
ooit ever, at any time: *Jan, die ~ een vriend van me was* John, who was once a friend of mine; *groter dan ~ tevoren* bigger than ever (before)
ook 1 also, too: *zijn er ~ brieven?* are there any letters?; *morgen kan ~ nog* tomorrow will be all right too; *ik hou van tennis en hij ~* I like tennis and so does he; *ik ben er ~ nog* I'm here too; *hij kookte, en heel goed ~* he did the cooking and very well too; *hij heeft niet gewacht, en ik trouwens ~ niet* he didn't wait and neither did I; *zo vreselijk moeilijk is het nu ~ weer niet* it's not all that difficult (after all); *dat hebben we ~ weer gehad* so much for that, that's over and done with; *opa praatte ~ zo* grandpa used to talk like that (too); *dat is waar ~!* that's true, of course!, *(bij het plots te binnen schieten)* oh, I almost forgot! **2** *(zelfs)* even: *~ al is hij niet rijk* even though he's not rich **3** *(als versterking)* anyhow, anyway: *hoe jong ik ~ ben …* (as) young as I may be (*of:* am) …; *hoe het ~ zij, laten we nu maar gaan* anyway, let's go now; *wat je ~ doet* whatever you do; *wie (dan) ~* whoever; *hoe zeer zij zich ~ inspande* however she tried **4** *(in wenszinnen, uitroepen)* again, too: *dat gezanik ~* all that fuss (too); *jij hebt ~ nooit tijd!* you never have any time!; *hoe heet hij ~ weer?* what was his name again?
oom uncle
oor 1 ear: *met een half ~ meeluisteren* listen with only an ear; *dat gaat het ene ~ in, het andere uit* it goes (at) in one ear and out (at) the other; *zijn oren (niet) geloven* (not) believe one's ears; *een en al ~ zijn* be all ears; *(Belg) op zijn beide* (of: *twee) oren slapen* have no worries, sleep the sleep of the just; *doof aan één ~* deaf in one ear; *gaatjes in de oren hebben* have pierced ears; *iets in de oren knopen* get sth into one's head; *ik stond wel even met mijn oren te klapperen* I couldn't believe my ears (*of:* what I was hearing); *iem met iets om de oren slaan* blow s.o. up over sth; *tot over de oren verliefd zijn* be head over heels in love **2** *(aan voorwerp)* handle, ear || *iem een ~ aannaaien* fool s.o., take s.o. for a ride
oorarts otologist, ear specialist
oorbel earring
oordeel judg(e)ment; *(vonnis)* verdict; sentence
oordelen 1 judge, pass judgement; *(veroordelen)* sentence **2** *(tot een gevolgtrekking komen)* judge, make up one's mind
oordopje earplug
oordruppels eardrops
oorkonde document, charter, deed
oorlel lobe (of the ear)
oorlog war: *het is ~* there's a war on; *~ voeren* wage war
oorlogsfilm war film
oorlogsheld war hero
oorlogspad: *op het ~ zijn* be on the warpath
oorlogstijd time(s) of war, wartime
oorlogvoering conduct (*of:* waging) of the war, warfare
oormerken earmark
oorontsteking inflammation of the ear
oorpijn earache
oorring earring
oorsmeer ear wax
oorsprong origin, source: *van ~* originally
[1]**oorspronkelijk** *bn* original, innovative: *een ~ kunstenaar* an original (*of:* innovative) artist
[2]**oorspronkelijk** *bw* originally, initially
oorspronkelijkheid originality
oortje *(oortelefoon)* earphone
oorverdovend deafening
oorvijg box on the ear
oorworm earwig
oorzaak cause, origin: *~ en gevolg* cause and effect
oost east: *~ west, thuis best* east, west, home's best
oostelijk 1 eastern **2** *(naar het oosten)* easterly; eastward; *(uit het oosten)* easter(ly) *(mbt wind): een ~e wind* an easterly wind
oosten east: *ten ~ van* (to the) east of; *het ~ van Frankrijk* eastern France
Oostende Ostend
Oostenrijk Austria
Oostenrijker Austrian
Oostenrijks Austrian
oostenwind east wind, easterly
oosterlengte eastern longitude
oosters oriental
Oost-Indisch East Indian || *~ doof zijn* pretend not to hear
oostkust east(ern) coast
oostwaarts eastward
Oostzee Baltic (Sea)
oostzijde east side
[1]**op** *bn (op-, verbruikt)* used up, gone: *het geld* (of: *mijn geduld) is op* the money (*of:* my patience) has run out; *hij is op van de zenuwen* he is a nervous wreck
[2]**op** *bw* up: *trap op en trap af* up and down the

stairs; *de straat op en neer lopen* walk up and down the street; *zij had een nieuwe hoed op* she had a new hat on

[3]**op** *vz* 1 in, on, at: *op een motor rijden* ride a motorcycle; *op de hoek wonen* live on the corner; *later op de dag* later in the day; *op negenjarige leeftijd* at the age of nine; *op maandag* (on) Monday; *op een maandag* on a Monday; *op vakantie* on holiday; *op zijn vroegst* at the earliest; *op haar eigen manier* in her own way; *op zijn minst* at (the very) least; *op zijn snelst* at the quickest 2 *(mbt een verhouding)* in, to: *op de eerste plaats* in the first place, first(ly), in first place *(wedstrijd); de auto loopt 1 op 8* the car does 8 km to the litre; *één op de duizend* one in a thousand; *op één na de laatste* the last but one

opa grandpa, grandad

[1]**opaal** *zn (steen)* opal

[2]**opaal** *zn (mineraal)* opal

opbellen (tele)phone, call, ring (up): *ik zal je nog wel even* ~ I'll give you a call (*of:* ring)

opbergen put away, store; *(documenten e.d.)* file (away)

opbeuren cheer up

opbiechten confess: *alles eerlijk* ~ make a clean breast of it

opblaasbaar inflatable

opblazen blow up, inflate

opblijven stay up

opbloeien 1 bloom 2 *(toenemen in bloei)* flourish, prosper

opbod: *iets bij ~ verkopen* sell sth by auction

opboksen compete

opbouw 1 construction 2 structure

opbouwen build up, set up: *het weefsel is uit cellen opgebouwd* the tissue is made up (*of:* composed) of cells

opbouwend constructive

opbranden be burned up *(of:* down)

opbreken 1 break up, take down *(of:* apart) 2 *(openbreken)* break up, tear up: *de straat* ~ dig (*of:* break) up the street

opbrengen 1 bring in, yield 2 *(in staat zijn tot)* work up: *begrip* (of: *belangstelling*) *~ voor* show understanding for (*of:* an interest in) 3 *(bedekken met)* apply

opbrengst yield, profit; *(van belasting)* revenue

opdagen turn up, show up

opdienen serve (up), dish up

opdoeken shut down

opdoemen loom (up), appear

opdoen 1 gain, get: *kennis* ~ acquire knowledge 2 apply, put on

opdoffen, zich doll oneself up

opdonder punch

opdonderen get lost

opdraaien: *ik wil hier niet voor* ~ I don't want to take any blame for this; *voor de kosten* ~ foot the bill; *iem voor iets laten* ~ land (*of:* saddle) s.o. with sth

opdracht assignment, order: *we kregen ~ om ...* we were told to ..., given orders to ...

opdrachtgever client, customer

opdragen charge, commission, assign

opdraven show up, put in an appearance

opdreunen rattle off, reel off, drone

opdrijven force up, drive up

[1]**opdringen** *intr* push forward, press forward; press on, push on *(verder)*

[2]**opdringen** *tr* force on, press on; *(raad, mening ook)* intrude on, impose on: *dat werd ons opgedrongen* that was forced on us

[3]**opdringen, zich** force oneself on, impose oneself (on), impose one's company (on): *ik wil me niet* ~ I don't want to intrude

opdringerig obtrusive; *(persoon ook)* pushy: *~e reclameboodschappen* aggressive advertising

opdrinken drink (up)

opdrogen dry (up); *(rivier, bron, fig ook)* run dry

opdruk (im)print

opdrukken 1 print on(to), impress on(to); stamp on(to) *(met stempel)* 2 push up, press up: *zich* ~ do press-ups

opduikelen dig up

opduiken 1 surface, rise *(of:* come) to the surface 2 *(verschijnen)* turn up

opduwen push up, press up

opdweilen mop up

opeen together

opeens suddenly, all at once, all of a sudden

opeenstapeling accumulation, build-up

opeenvolgend successive, consecutive

opeenvolging succession

opeisen claim, demand: *de aandacht* ~ demand (*of:* compel) attention; *een aanslag* ~ claim responsibility for an attack

open open; *(niet op slot ook)* unlocked; *(niet bezet)* vacant: *de deur staat* ~ the door is ajar (*of:* open); *met ~ ogen* with one's eyes open; *een ~ plek in het bos* a clearing in the woods; *tot hoe laat zijn de winkels ~?* what time do the shops close?; *~ en bloot* openly, for all (the world) to see

openbaar public, open: *de openbare orde verstoren* disturb the peace || *in het* ~ in public, publicly

openbaarheid publicity

openbaarmaking publication, disclosure

openbaarvervoerkaart public transport pass, travel card

openbaring revelation

openbarsten burst open

openbreken break (open), force open, prise open: *een slot* ~ force a lock

opendeurdag *(Belg)* open day

[1]**opendoen** *intr* open the door; answer the door (*of:* bell, ring) *(na bellen, kloppen): er werd niet opengedaan* there was no answer

[2]**opendoen** *tr* open

opendraaien open; turn on *(kraan);* unscrew *(deksel, dop)*

[1]**openen** *intr* open, begin: *(kaartspel) met schoppen* ~ lead spades

[2]**openen** *tr* **1** open; turn on *(kraan)*; unscrew *(deksel, dop)* **2** *(beginnen)* open, start

opener opener

opengaan open

openhalen tear: *ik heb mijn jas opengehaald aan een spijker* I tore my coat on a nail

openhartig frank, candid; *(oprecht)* straightforward: *een ~ gesprek* a heart-to-heart (talk)

openhartigheid frankness, candour

openheid openness, sincerity: *in alle ~* in all candour

openhouden keep open: *de deur voor iem ~* hold the door (open) for s.o.

opening opening; *(gat ook)* gap

openingsplechtigheid opening ceremony, inauguration

openingstijd opening hours; *(van kantoor, winkel ook)* business hours

openlaten **1** leave open; leave on, leave running *(kraan)* **2** *(niet invullen)* leave blank; *(datum)* leave open

openlijk **1** open, overt: *~ voor iets uitkomen* openly admit sth **2** *(in het openbaar)* public: *iets ~ verkondigen* declare sth in public

openlucht open air: *in de ~ slapen* sleep in the open air

openmaken open (up)

openscheuren tear open, rip open

openslaan open

openslaand: *~e deuren* double doors

opensnijden cut (open)

openstaan be open; *(niet op slot ook)* be unlocked: *mijn huis staat altijd voor jou open* my door will always be open to (*of:* for) you; *de kraan staat open* the tap is on (*of:* is running)

opentrappen kick open

opentrekken pull open, open: *een grote bek ~* open one's big mouth

openvallen fall open, drop open

openvouwen unfold, open (out)

openzetten open; turn on *(kraan)*

opera opera

operatie operation, surgery: *een grote* (of: *kleine*) *~ ondergaan* undergo major (*of:* minor) surgery

operatief surgical, operative

operatiekamer operating room

operatietafel operating table

opereren **1** work; *(werken met)* use **2** *(med)* operate, perform surgery *(of:* an operation): *iem ~* operate on s.o.; *zij is geopereerd aan de longen* she has had an operation on the lungs

operette light opera

opeten eat (up), finish

opfleuren cheer up, brighten up

opflikkeren flare up, flicker

opfokken work up, whip up, stir up

opfrissen freshen (up): *zijn Engels ~* brush up (on) one's English; *zich ~* freshen up, *(Am)* wash up

opgaan **1** go up; *(trap, heuvel ook)* climb **2** *(mbt de zon)* come up, rise **3** *(opgegeten, opgedronken worden)* go, be finished **4** *(juist zijn)* hold good *(of:* true), apply: *dit gaat niet op voor arme mensen* this doesn't apply to (*of:* this is not true of) poor people || *als het die kant opgaat met de maatschappij dan …* if that is the way society is going …

opgaand rising

opgave **1** statement, specification: *zonder ~ van redenen* without reason given **2** *(vraagstuk)* question *(vnl. mbt huiswerk, examen e.d.)*: *schriftelijke ~n* written assignments **3** *(taak)* task, assignment

opgeblazen puffy, bloated, swollen

opgebrand burnt-out, worn-out

opgefokt worked up

opgekropt pent-up, bottled up

opgelucht relieved: *~ ademhalen* heave a sigh of relief

opgemaakt **1** made up: *een ~ gezicht* a made-up face **2** *(gerangschikt)* made (up), laid out: *een ~ bed* a made (up) bed

opgeruimd tidy, neat: *~ staat netjes* good riddance (to bad rubbish)

opgescheept: *met iem (iets) ~ zitten* be stuck with s.o. (sth)

opgeschoten lanky

opgetogen delighted, overjoyed

opgeven **1** give up, abandon: *(het) niet ~* not give in (*of:* up), hang on; *je moet nooit (niet te gauw) ~* never say die **2** *(opnoemen)* give, state: *zijn inkomsten ~ aan de belasting* declare one's income to the tax inspector; *als reden ~* give (*of:* state) as one's reason **3** *(opdragen)* give, assign **4** *(aanmelden)* enter: *zich ~ voor een cursus* enrol (*of:* sign up) for a course; *als vermist ~* report (as) missing **5** *(overgeven)* give (up), surrender

opgewassen equal (to); *(tegen zaak ook)* up (to): *hij bleek niet ~ tegen die taak* the task proved beyond him (*of:* too much for him)

opgewekt cheerful, good-humoured: *hij is altijd heel ~* he is always in good spirits (*of:* bright and breezy)

opgewonden **1** excited **2** *(zenuwachtig)* agitated, in a fluster

opgezet **1** swollen, bloated **2** *(Belg)* happy, content: *~ zijn met iets* be pleased about sth

opgooien throw up, toss up

opgraven dig up, unearth; *(archeologie)* excavate; exhume *(lijk)*

opgraving **1** dig(ging); *(archeologisch ook)* excavation; exhumation *(lijk)*: *~en vonden plaats in …* excavations were carried out in … **2** *(plaats)* excavation, dig, (archaeological) site

opgroeien grow (up)

ophaalbrug lift bridge, drawbridge

ophaaldienst collecting service, collection service

ophalen 1 raise, draw up, pull up; hoist *(vlag, zeil)* 2 *(afhalen)* collect: *(comp) een bestand ~* download a file; *vuilnis ~* collect refuse (*of:* rubbish), *(Am)* collect garbage; *kom je me vanavond ~?* are you coming round for me tonight? 3 *(in herinnering brengen)* bring up, bring back, recall: *herinneringen ~ aan de goede oude tijd* reminisce about the good old days 4 *(inzamelen)* collect 5 *(verbeteren)* brush up (on), polish up: *rapportcijfers ~* improve on one's (report) marks

[1]**ophangen** *intr (van telefoon)* hang up, ring off

[2]**ophangen** *tr* hang (up); *(mededeling ook)* post: *de was ~* hang out the wash(ing)

ophebben 1 wear, have on 2 *(gegeten, gedronken hebben)* have finished, have had

ophef fuss, noise, song (and dance): *zonder veel ~* without much ado

opheffen 1 raise, lift: *met opgeheven hoofd* with (one's) head held high 2 *(tenietdoen)* cancel (out), neutralize: *het effect ~ van iets* counteract sth 3 *(doen ophouden)* remove; discontinue *(dienst, zaak, cursus): de club werd na een paar maanden opgeheven* the club was disbanded after a couple of months

opheffing removal; discontinuance *(dienst, zaak, cursus);* adjournment *(zitting): de ~ van het faillissement* the annulment of the bankruptcy

opheffingsuitverkoop closing-down sale

ophefmakend *(Belg) (sensationeel)* sensational

ophelderen clear up, clarify

opheldering explanation

ophemelen praise to the skies, extol

ophijsen pull up, hoist (up); raise *(vlag, zeil)*

ophitsen 1 egg on, goad: *een hond ~* tease (*of:* bait) a dog; *iem ~* get s.o.'s hackles up 2 *(opruien)* incite, stir up: *de mensen tegen elkaar ~* set people at one another's throats

ophoepelen *(plat)* get lost, clear (*of:* push, buzz) off

ophokken: *pluimvee ~* keep poultry indoors

ophopen, zich pile up, accumulate: *de sneeuw heeft zich opgehoopt* the snow has banked up

ophoping accumulation, pile

[1]**ophouden** *intr* stop; quit *(niet doorgaan met);* (come to an) end: *de straat hield daar op* the street ended there; *dan houdt alles op* then there's nothing more to be said; *plotseling ~* break off; *ze hield maar niet op met huilen* she (just) went on crying (and crying); *~ met roken* give up (*of:* stop) smoking; *het is opgehouden met regenen* the rain has stopped; *even ~ met werken* have a short break in one's work; *hou op!* stop it!, cut it out!; *laten we erover ~* let's leave it at that

[2]**ophouden** *tr* 1 hold up, delay; *(persoon ook)* keep; *(persoon ook)* detain: *iem niet langer ~* not take up any more of s.o.'s time; *dat houdt de zaak alleen maar op* that just slows things down; *ik werd opgehouden* I was delayed (*of:* held up) 2 *(van hoed, muts)* keep on

opinie opinion, view

opinieblad *(ongev)* news magazine

opiniepeiling (opinion) poll: *(een) ~(en) houden (over)* canvass opinion (on)

opium opium

opjagen hurry, rush; *(niet met rust laten)* hound

opkalefateren patch (up), doctor (up)

opkijken 1 look up: *~ tegen iem* look up to s.o. 2 *(verrast worden)* sit up, be surprised: *daar kijk ik van op* I'd never have thought it

opklapbed foldaway bed

opklappen fold up

opklaren brighten up, clear up: *de lucht klaart op* the sky's clearing up

opklimmen climb

opknapbeurt redecoration, facelift

[1]**opknappen** *intr* pick up, revive: *het weer is opgeknapt* the weather has brightened up; *hij zal er erg van ~* it'll do him all the good in the world

[2]**opknappen** *tr* 1 tidy up, do up, redecorate; *(restaureren)* restore: *het dak moet nodig eens opgeknapt worden* the roof needs repairing (*of:* fixing) 2 *(uitvoeren)* fix, carry out: *dat zal zij zelf wel ~* she'll take care of it herself

[3]**opknappen, zich** freshen (oneself) up

opknopen string up

opkomen 1 come up *(gewas enz.);* rise *(deeg, getijde);* come in *(getijde): spontaan (vanzelf) ~* crop up 2 *(boven de horizon komen)* rise, ascend 3 *(in gedachte komen)* occur; *(weer opkomen)* recur: *het komt niet bij hem op* it doesn't occur to him; *het eerste wat bij je opkomt* the first thing that comes into your mind 4 *(beginnen te ontstaan)* come on *(koorts, storm);* set in *(koorts);* rise *(wind): ik voel een verkoudheid ~* (of: *de koorts*) *~* I can feel a cold (*of:* the fever) coming on 5 *(theat)* enter, come on (stage) 6 *(verdedigen)* fight (for), stand up (for): *steeds voor elkaar ~* stick together || *kom op, we gaan* come on, let's go; *kom maar op als je durft!* come on if you dare!

opkomst 1 *(mbt de zon, maan)* rise 2 *(aantal verschenen mensen)* attendance; *(bij verkiezingen)* turnout 3 *(mbt het toneel)* entrance 4 *(vooruitgang)* rise, boom

opkopen buy up

opkrikken 1 jack up 2 *(opvijzelen)* hype up, pep up: *het moreel ~* boost morale

opkroppen bottle up, hold back

opkuisen *(Belg)* clean (up), tidy (up)

oplaadbaar rechargeable

oplaaien flare (*of:* flame, blaze) up

opladen charge

oplader charger

oplage edition, issue; *(van krant)* circulation: *een krant met een grote ~* a newspaper with a wide circulation

oplappen patch up

oplaten fly *(vlieger);* release *(vogel);* launch *(ballon, zweefvliegtuig)*

oplawaai wallop
opleggen enforce; impose *(straf, belasting, boete)*: *wetten ~* enforce (*of:* impose, lay down) laws
oplegger semi-trailer, trailer: *truck met ~* articulated lorry (*of Am:* truck)
opleiden educate, instruct: *hij is tot advocaat opgeleid* he has been trained as a lawyer
opleiding 1 education, training: *een wetenschappelijke ~* an academic (*of:* a university) education; *een ~ volgen (krijgen)* receive training, train; *zij volgt een ~ voor secretaresse* she is doing a secretarial course **2** institute, (training) college; *(school voor speciale opleidingen)* academy
opleidingscentrum training centre
opletten 1 watch, take care: *let op waar je loopt* look where you're going; *let maar eens op* mark my words, wait and see **2** *(aandachtig luisteren)* pay attention: *opgelet!, let op!* attention please!, take care!
oplettend 1 observant, observing: *zij sloeg hem ~ gade* she watched him carefully (*of:* closely) **2** *(aandachtig luisterend)* attentive
oplettendheid attention, attentiveness
opleven revive
opleveren 1 *(afleveren)* deliver; surrender *(onroerend goed)*: *tijdig ~* deliver on time **2** *(opbrengen)* yield: *wat levert dat baantje op?* what does (*of:* how much does) the job pay?; *voordeel ~* yield profit; *het schrijven van boeken levert weinig op* writing (books) doesn't bring in much **3** *(voortbrengen)* produce: *het heeft me niets dan ellende opgeleverd* it brought me nothing but misery
oplevering delivery; *(mbt gebouw)* completion
opleving revival; *(herstel)* recovery; upturn, pick-up: *een plotselinge ~* an upsurge
oplezen read (out), call (out, off)
oplichten swindle, cheat, con: *iem ~ voor 2 ton* swindle (*of:* con) s.o. out of 200,000 euros
oplichter swindler, crook, con(fidence) man (woman)
oplichterij swindle, con(-trick)
oplichting fraud, con(-trick)
oplikken lick up, lap up
oploop 1 crowd **2** *(relletje)* riot, tumult
[1]**oplopen** *intr* **1** go up, run up, walk up: *de trap ~* run (*of:* go, walk) up the stairs **2** *(toenemen)* increase, mount, rise: *de spanning laten ~* build up the tension **3** *(botsen op)* bump into, run into: *tegen een mooi huis ~* chance to come upon a nice house
[2]**oplopen** *tr (opdoen)* catch, get: *een verkoudheid ~* catch a cold
oplopend 1 rising, sloping (upwards) **2** *(toenemend)* increasing, mounting: *een hoog ~e ruzie* a flaming row
oplosbaar solvable
oploskoffie instant coffee
oplosmiddel solvent; thinner *(voor verf)*
[1]**oplossen** *intr* dissolve: *die vlekken lossen op als sneeuw voor de zon* those stains will vanish in no time
[2]**oplossen** *tr* **1** *(een oplossing vinden)* solve **2** *(tot een goed einde brengen)* (re)solve: *dit zou het probleem moeten ~* this should settle (*of:* solve) the problem
oplossing solution *(ook chem, nat)*; answer
opluchten relieve: *dat lucht op!* what a relief!
opluchting relief: *tot mijn grote ~* to my great relief, much to my relief
opmaak 1 layout, set-out, mock-up; *(comp)* format **2** *(versiering)* embellishment *(versiering)*; trimming *(garnering)*
opmaken 1 finish (up), use up: *al zijn geld ~* spend all one's money **2** *(gezichtsverfraaiing)* make up: *zich ~* make oneself up **3** *(samenstellen)* draw up: *de balans ~* weigh the pros and cons, take stock **4** lay out, make up **5** *(concluderen)* gather: *moet ik daaruit ~ dat …* do I gather (*of:* conclude) from it that …
opmerkelijk remarkable, striking
opmerken 1 observe; note *(bespeuren)* **2** *(bemerken, de aandacht vestigen op)* note, notice **3** *(een opmerking maken)* observe, remark: *mag ik misschien even iets ~?* may I make an observation?
opmerking remark, observation, comment: *hou je brutale ~en voor je* keep your comments to yourself
opmerkzaam attentive, observant
opname 1 *(in een ziekenhuis)* admission **2** *(foto)* shot; *(film)* shooting; take; *(van geluid)* recording **3** *(mbt geld)* withdrawal
opnamestudio recording studio; *(voor filmopnamen)* film studio; *(geluiddicht)* sound stage
opnemen 1 *(mbt tegoed)* withdraw: *een snipperdag ~* take a day off **2** *(beoordelen)* take: *iets (te) gemakkelijk ~* be (too) casual about sth **3** *(geluid, beeld)* record; *(film)* shoot: *een concert ~* record a concert **4** *(grootte, waarde bepalen)* measure: *de gasmeter ~* read the (gas)meter; *de tijd ~ (van)* time a person **5** *(noteren)* take down **6** *(een plaats geven)* admit, introduce, include: *laten ~ in een ziekenhuis* hospitalize; *in het ziekenhuis opgenomen worden* be admitted to hospital **7** *(ergens deel van doen uitmaken)* admit, receive: *ze werd snel opgenomen in de groep* she was soon accepted as one of the group **8** *(mbt telefoon)* answer: *er wordt niet opgenomen* there's no answer **9** *(absorberen)* absorb || *het tegen iem ~* take s.o. on; *hij kan het tegen iedereen ~* he can hold his own against anyone; *het voor iem ~* speak (*of:* stick) up for s.o.
opnieuw 1 (once) again, once more: *telkens (steeds) ~* again and again, time and (time) again **2** *(van voren af)* (once) again, once more: *nu moet ik weer helemaal ~ beginnen* now I'm back to square one
opnoemen name, call (out); *(opsommen)* enumerate: *te veel om op te noemen* too much (*of:* many) to mention

opoe gran(ny), gran(d)ma
opofferen sacrifice
opoffering sacrifice; *(fig)* expense *(moeite)*
oponthoud stop(page), delay: ~ *hebben* be delayed
oppakken run in, pick up, round up
oppas babysitter, childminder
oppassen 1 look out, be careful: *pas op voor zakkenrollers* beware of pickpockets 2 *(op kinderen)* babysit
oppasser keeper
oppeppen pep (up) *(nieuwe energie geven)*
opperbest splendid, excellent: *in een ~ humeur* in high spirits
opperbevel supreme command, high command
opperbevelhebber commander-in-chief, supreme commander
opperhoofd chief, chieftain
oppermachtig supreme
opperman bricklayer's assistant *(of:* labourer)
opperst supreme, complete
oppervlak 1 surface, face 2 *(grootte in m²)* (surface) area
oppervlakkig superficial, shallow: *(zo) ~ beschouwd* on the face of it
oppervlakkigheid superficiality, shallowness
oppervlakte 1 surface, face 2 *(buitenvlakken van een lichaam)* surface (area)
oppervlaktemaat square measure, area measure
oppiepen bleep
oppikken pick up, collect: *ik pik je bij het station op* I will pick you up at the station
opplakken stick (on), glue (on), paste (on), affix
oppompen pump up *(band);* blow up *(voetbal);* inflate *(luchtbed)*
oppositie opposition
oppositieleider opposition leader, leader of the opposition
opprikken pin up, hang up: *een bericht ~* put up a notice
opraken *(benzine, geld, voorraden)* run out *(of:* short, low), be low; *(fig; geduld)* run out
oprapen pick up, gather
oprecht sincere, heartfelt
oprennen 1 run (onto etc.): *hij rende het veld op* he ran onto the field 2 run up *(trap)*
oprichten set up, establish; start *(zaak, club);* found *(vereniging): een onderneming ~* establish *(of:* start) a company
oprichter founder
oprichting foundation; *(mbt een zaak)* establishment; *(mbt een vereniging)* formation
oprijden *(voortrijden)* ride along; *(auto ook)* drive along: *een oprijlaan ~* turn into a drive; *tegen iets ~* crash into *(of:* collide with) sth
oprijlaan drive(way)
oprit 1 drive, access 2 *(ve autoweg)* approach road, slip road
oproep call, appeal
oproepen 1 summon, call (up); page *(iemands naam omroepen): opgeroepen voor militaire dienst* conscripted *(of:* drafted) into military service 2 *(in gedachten)* call up, evoke, conjure up; *(iets negatiefs ook)* arouse
oproepkracht stand-by employee *(of:* worker)
oprollen 1 *(in elkaar rollen)* roll up, curl up; coil up *(touw);* wind 2 *(arresteren)* round up
opruimen clean (out), clear (out), tidy (up), clear (up): *de rommel ~* clear *(of:* tidy) away the mess; *opgeruimd staat netjes: a)* that's things nice and tidy again; *b) (iron)* good riddance (to bad rubbish)
opruiming clearance; *(winkel)* (clearance) sale; clear-out
opruimingsuitverkoop (stock-)clearance sale
oprukken advance
opschepen saddle with, palm off on: *iem met iets ~* saddle s.o. with sth, plant sth on s.o.
[1]**opscheppen** *intr (pochen)* brag, boast: *~ met (over) zijn nieuwe auto* show off one's new car
[2]**opscheppen** *tr* dish up, serve out, spoon out; ladle out *(soep): mag ik je nog eens ~?* may I give you *(of:* will you have) another helping?
opschepper boaster, braggart
opschepperig boastful
opschepperij bragging; exhibitionism *(vertoon);* show *(vertoon)*
opschieten 1 hurry up, push on *(of:* ahead) 2 *(vorderen)* get on, make progress *(of:* headway): *daar schiet je niks mee op* that's not going to get you anywhere 3 *(overweg kunnen)* get on *(of:* along)
opschrift 1 legend; inscription *(munt, gebouw, standbeeld);* lettering *(deur, vliegtuig)* 2 *(mbt boeken, geschriften)* headline *(boven krantenbericht);* heading *(titel, kop);* caption *(illustratie);* direction *(adres)*
opschrijven write/take/put *(of:* note, jot) down: *schrijf het maar voor mij op* charge it to *(of:* put it on) my account
opschrikken start, startle, jump
opschudding commotion, disturbance
opschuiven move up *(of:* over), shift up, shove up
opslaan 1 lay up, store 2 *(omhoog slaan)* hit up; serve *(serveren)* 3 *(mbt de ogen)* lift, raise 4 *(comp)* save: *bewaren als tekstbestand* save as text file
opslag 1 rise; *(Am; vnl. mbt loon)* raise; *(op premie, bedrag, prijs)* surcharge: *~ krijgen* get *(of:* receive) a rise 2 *(sport)* serve; service *(service);* ball *(worp)* 3 *(van goederen)* storage
opslagplaats warehouse, (storage) depot; store *(graan, munitie);* depository *(goederen)*
opslagtank storage tank
[1]**opsluiten** *tr* shut up, lock up; confine *(gevangenen);* put *(of:* place) under restraint *(psychiatrische patiënten);* cage *(dier);* pound *(in asiel, kennel): opgesloten in zijn kamertje zitten* be cooped up in one's room

[2]**opsluiten, zich** shut oneself in, lock oneself up
opsluiting confinement, imprisonment: *eenzame ~* solitary confinement
opsnuiven sniff (up), snuff; inhale *(geneesmiddel, rook);* snort *(cocaïne)*
opsolferen *(Belg)* palm off (on): *iem iets ~* palm sth off on s.o.
opsommen enumerate, recount
opsomming enumeration, list, run-down
opsparen save up; *(oppotten)* hoard (up)
opspelen play up
opsplitsen split up (into), break up (into)
opsporen track, trace; detect *(fout, lek);* track down, hunt down *(misdadiger, wild)*
opsporing location, tracing
opspraak discredit: *in ~ komen* get oneself talked about
opspringen jump/leap *(of:* spring, start) up; *(opveren)* spring *(of:* jump, start) to one's feet; bounce *(bal)*
opstaan stand up, get up, get *(of:* rise) to one's feet, get on one's feet: *met vallen en ~* with ups and downs; *hij staat altijd vroeg op* he's an early riser (*of:* bird), he is always up early
opstand (up)rising, revolt, rebellion, insurrection
opstandig rebellious, mutinous, insurgent
opstanding resurrection: *de ~ van Christus* the Resurrection of Christ
opstap step: *struikel niet over het ~je* don't stumble over the step, mind the step
[1]**opstapelen** *tr* pile up, heap up, stack (up); *(vergaren)* amass; accumulate
[2]**opstapelen, zich** pile up, accumulate, mount up
opstappen go away, move on; be off; *(ontslag nemen)* resign
opsteken 1 put up, hold up, raise **2** *(wijzer worden)* learn; pick up *(ideeën, taal, gewoonte): zij hebben er niet veel van opgestoken* they have not taken much of it in **3** *(mbt haar)* gather up, pin up
opsteker *(meestal -tje)* windfall, piece of (good) luck
opstel (school) essay, composition: *een ~ maken over* write/do an essay (*of:* a paper) on
[1]**opstellen** *tr* **1** set up *(of:* erect) *(materiaal);* post, place (sth, s.o.); *(in formatie)* arrange; dispose, line up; deploy *(leger, wapens): (sport) opgesteld staan* be lined up **2** *(ontwerpen)* draw up, formulate; draft *(vnl. van voorlopige versie): een plan ~* draw up a plan
[2]**opstellen, zich 1** take up a position; *(in een formatie)* form; line up, station oneself, post oneself **2** *(houding aannemen)* take up a position (on), adopt an attitude (towards); *(zich voordoen)* pose (as): *zich keihard ~* take a hard line
opstelling 1 placing, erection; deployment *(wapens); (arrangement)* position; arrangement **2** *(standpuntbepaling)* position, attitude **3** *(sport)* line-up
opstijgen 1 ascend, rise; *(klimmen ook)* go up; *(luchtv)* take off; *(luchtv, ruimtev)* lift off **2** *(te paard stijgen)* mount
opstoken incite (to), put up (to sth)
opstopping stoppage, blockage; *(verkeer)* traffic jam; congestion
opstrijken pocket, rake in, scoop in, scoop up
opstropen roll up, turn up
opsturen send, post, mail
optellen add (up), count up, total up: *twee getallen (bij elkaar) ~* add up two numbers
optelling 1 *(het optellen)* addition **2** *(optelsom)* (addition) sum
opticien optician
optie 1 option *(ook handel);* choice, alternative: *een ~ op een huis hebben* have an option on a house **2** *(Belg)* optional subject
optiebeurs options market
optiek point of view, angle
optillen lift (up), raise
[1]**optimaal** *bn* optimum
[2]**optimaal** *bw* optimal
optimaliseren optimize
optimisme optimism
optimist optimist
optimistisch optimistic: *de zaak ~ bekijken* look on the bright side
optisch optic(al), visual
optocht procession, parade; *(manifestatie)* march
[1]**optreden** *zn* **1** action; *(handelwijze)* way of acting; behaviour; *(houding)* attitude; manner; *(voorkomen)* bearing; demeanour: *het ~ van de politie werd fel bekritiseerd* the conduct of the police was strongly criticized **2** *(uitvoering)* appearance, performance; *(voorstelling)* show
[2]**optreden** *intr* **1** appear; perform *(vnl. in clubs): in een film ~* appear in a film **2** *(een functie vervullen)* act (as), serve (as) **3** *(handelen)* act, take action: *streng ~* take firm action
[1]**optrekken** *intr* **1** *(mbt auto's)* accelerate **2** *(zich bezighouden met) (zorgen voor)* be busy (with); take care (of); *(omgaan met)* hang around (with) **3** *(omhoog stijgen)* rise, lift
[2]**optrekken** *tr* pull up, haul up, raise; *(hijsen)* hoist (up): *met opgetrokken knieën* with one's knees pulled up
optuigen dress up, tart up
opvallen strike, be conspicuous, attract attention (*of:* notice): *~ door zijn kleding* attract attention because of (*of:* on account of) one's clothes
opvallend striking, conspicuous, marked: *het ~ste kenmerk* the most striking feature
opvang relief, emergency measures
opvangen 1 catch, receive **2** *(horen)* overhear, pick up, catch: *flarden van een gesprek ~* overhear scraps of conversation **3** *(helpen)* take care of; receive *(vluchtelingen): de kinderen ~ als ze uit school komen* take care of (*of:* look after) the

children after school 4 *(in iets verzamelen)* catch, collect
opvanghuis reception centre, relief centre
opvatten take, interpret: *iets verkeerd (fout)* ~ misinterpret (*of:* misunderstand) sth
opvatting view, notion, opinion
opvegen sweep up
opvoeden bring up, raise: *goed* (of: *slecht*) *opgevoed* well-bred (*of:* ill-bred), well (*of:* badly) brought up
opvoeder educator, tutor, governess
opvoeding upbringing, education: *een strenge* ~ a strict upbringing
opvoedkundig educational, educative, pedagogic(al)
opvoeren 1 *(kracht, omvang doen toenemen)* increase; step up, speed up *(de gang van iets);* accelerate *(de gang van iets): een motor* ~ tune (up) an engine 2 *(theat)* perform, put on, present
opvoering 1 production, presentation 2 *(keer, gelegenheid)* performance
opvolgen 1 *(mbt de troon)* succeed 2 *(mbt belofte enz.)* follow up, observe; comply with *(regels);* obey *(geboden): iemands advies* ~ follow (*of:* take) s.o.'s advice
opvolger successor (to)
opvouwbaar folding, fold-up, foldaway; collapsible *(doos, boot)*
opvouwen fold up; *(om op te bergen)* fold away
opvragen claim, ask for; *(terugvragen)* reclaim; *(terugvragen)* ask for (sth) back
opvreten eat up, devour
opvrolijken cheer (s.o.) up, brighten (s.o., sth) up
opvullen stuff, fill
opwaarderen revalue, upgrade, uprate
opwaarts upward; *(bw ook)* upwards: *~e druk* upward pressure, upthrust, *(als hoedanigheid ve vloeistof)* buoyancy
opwachten lie in wait for
[1]**opwarmen** *intr* 1 warm up, heat up 2 *(sport)* warm up, loosen up, limber up
[2]**opwarmen** *tr* warm up, heat up, reheat
opwegen be equal (to); *(goedmaken)* make up (for); compensate (for)
opwekken 1 arouse; excite *(belangstelling, gevoelens);* stir: *de eetlust (van iem)* ~ whet (s.o.'s) appetite 2 *(mbt energie)* generate, create
opwelling impulse: *in een ~ iets doen* do sth on impulse
opwerken, zich work one's way up, climb the ladder
[1]**opwinden** *tr* 1 *(mbt klok enz.)* wind up 2 *(mbt draad enz.)* wind 3 *(enthousiast maken)* excite, wind (*of:* key, tense) up
[2]**opwinden, zich** become incensed, get excited, fume: *zich ~ over iets* get worked up about sth
opwindend 1 exciting, thrilling: *het was heel* ~ it was quite a thrill 2 *(prikkelend)* sexy, suggestive
opwinding excitement; *(spanning)* tension: *voor de nodige ~ zorgen* cause quite a stir
opzeg *(Belg)* cancellation, termination; resignation *(van een betrekking)*
opzeggen 1 cancel, terminate; resign *(betrekking, lidmaatschap); (op termijn)* give notice: *zijn betrekking* ~ resign from one's job, resign one's post 2 *(mbt gedicht, gebed)* read out; recite *(gedicht, les)*
opzegtermijn (period, term of) notice
[1]**opzet** *zn* 1 organization; *(plan)* scheme; idea; *(ontwerp)* layout; design, plan; *(structuur, toestand)* set-up 2 *(beoogd doel)* intention, aim
[2]**opzet** *zn (bedoeling)* intention, purpose: *met* ~ on purpose
opzettelijk deliberate, intentional; *(bw)* on purpose: *hij deed het* ~ he did it on purpose
[1]**opzetten** *intr* blow up; arise *(storm);* gather *(nevel, wolken);* rise, set in
[2]**opzetten** *tr* 1 *(overeind zetten)* put up, raise; *(verticaal zetten)* stand (sth, s.o.) up: *een tent* ~ pitch (*of:* put up) a tent 2 *(op iets plaatsen)* put on: *zijn hoed* ~ put one's hat on; *theewater* ~ put the kettle on (for tea) 3 *(op touw zetten)* set up, start (off): *een zaak* ~ set up in business, set up shop 4 *(mbt dode dieren)* stuff
opzicht respect, aspect: *ten ~e van: a) (in vergelijking met)* compared with (*of:* to), in relation to; *b) (rekening houdend met)* with respect (*of:* regard) to, as regards; *in geen enkel* ~ in no way, not in any sense
opzichter 1 supervisor; overseer *(van werken);* superintendent 2 *(mbt de bouw(werken))* inspector; *(op bouwterrein)* (site) foreman
opzichtig showy *(kleur);* blatant *(daad)*
[1]**opzien** *zn* stir, fuss; *(verbazing)* amazement: *veel ~ baren* cause quite a stir (*of:* fuss)
[2]**opzien** *intr* 1 look up: *daar zullen ze van* ~ that'll make them sit up (and take notice) 2 (met *tegen*) *(vrezen)* not be able to face, shrink from: *ergens als (tegen) een berg tegen* ~ dread sth
opzienbarend sensational, spectacular, stunning
opziener supervisor, inspector
opzij 1 aside, out of the way 2 *(aan de zijde)* at (*of:* on) one side
opzijgaan give way to, make way for, go to one side
opzijleggen: *geld* ~ put money aside; *hij legde het boek opzij tot 's avonds* he put the book aside till the evening
opzijzetten put (*of:* set) aside, table, discard, scrap
opzitten *(mbt honden)* sit up (and beg) || *hij heeft er 20 jaar tropen* ~ he's been in the tropics 20 years
opzoeken 1 look up, find: *een adres* ~ look up an address 2 *(bezoeken)* look up, call on
opzuigen suck up; *(met stofzuiger)* hoover up, vacuum up: *limonade door een rietje* ~ drink lem-

onade through a straw
opzwellen swell (up, out), bulge; billow *(ve zeil, kleren);* balloon *(ve zeil, kleren)*
oraal oral
orakel oracle
orang-oetang orang-utan
[1]**oranje** *zn (kleur)* orange; *(mbt verkeerslicht)* amber
[2]**oranje** *bn* orange; *(mbt verkeerslicht)* amber
Oranje-Nassau Orange Nassau
orchidee orchid
orde 1 order: *voor de goede ~ wijs ik u erop dat …* for the record, I would like to remind you that …; *iem tot de ~ roepen* call s.o. to order **2** *(geregelde toestand, rust)* order; *(discipline ook)* discipline: *verstoring van de openbare ~* disturbance of the peace; *dat komt (wel) in ~* it will turn out all right (*of:* OK); *in ~!* all right!, fine!, OK! || *iem een ~ verlenen* invest s.o. with a decoration, decorate s.o.
ordelijk neat, tidy
ordenen arrange, sort (out)
ordening 1 arrangement, organization **2** *(volgens voorschriften)* regulation, structuring
order order, instruction, command: *uitstellen tot nader ~* put off until further notice; *een ~ plaatsen voor twee vrachtauto's bij D.* order two lorries from D.
ordeverstoring disturbance, disturbance (*of:* breach) of the peace
ordinair 1 common, vulgar; *(grof)* coarse; crude **2** *(alledaags)* common, ordinary, normal
ordner (document) file
orgaan organ
orgaandonatie organ donation
orgaantransplantatie organ transplant(ation)
organisatie 1 organization, arrangement **2** *(vereniging)* organization, society, association
organisator organizer
organisatorisch organizational
organiseren 1 organize, arrange **2** *(op touw zetten)* organize, fix up, stage
organisme organism
organist organist, organ player
orgasme orgasm, climax
orgel (pipe) organ: *een ~ draaien* grind an organ
orgelman organ-grinder
orgie orgy, revelry
Oriënt Orient
oriëntaal oriental
oriëntatie orientation, information: *zijn ~ kwijtraken* lose one's bearings
oriënteren, zich 1 orientate oneself **2** *(informatie vergaren)* look around
originaliteit originality
origine origin: *zij zijn van Franse ~* they are of French origin (*of:* extraction)
origineel original
orkaan hurricane
orkest orchestra
os bullock, ox: *slapen als een os* sleep like a log
OS *afk van Olympische Spelen* Olympic Games
ossenstaartsoep oxtail soup
otter otter
oubollig corny, waggish
oud 1 old: *zo'n veertig jaar ~* fortyish; *vijftien jaar ~* fifteen years old (*of:* of age), aged fifteen; *hij werd honderd jaar ~* he lived to (be) a hundred; *de ~ste zoon: a) (van twee)* the elder son; *b) (van meer dan twee)* the oldest son; *haar ~ere zusje* her elder (*of:* big) sister; *hoe ~ ben je?* how old are you?; *toen zij zo ~ was als jij* when she was your age; *zij zijn even ~* they are the same age; *hij is vier jaar ~er dan ik* he is four years older than me; *kinderen van zes jaar en ~er* children from six upwards **2** *(bejaard)* old, aged: *de ~e dag* old age; *men is nooit te ~ om te leren* you are never too old to learn **3** *(reeds lang bestaand)* old, ancient; longstanding *(situatie): een ~e mop* a corny joke; *~ papier* waste paper; *~er in dienstjaren* senior **4** *(uit vroeger tijd afkomstig)* ancient; *(verouderd)* outdated; *(verouderd)* archaic: *~ nummer (van tijdschrift)* back issue **5** *(voormalig)* ex-, former, old || *~ en jong* young and old; *~ en nieuw vieren* see in the New Year
oudejaarsavond New Year's Eve
ouder parent: *mijn ~s* my parents, my folks
ouderavond parents' evening
ouderdom age, (old) age
ouderejaars older student, senior student
ouderlijk parental
ouderling church warden, elder
ouderraad parents' council
ouderwets old-fashioned; *(verouderd)* outmoded
oudheid antiquity, ancient times
oudjaar New Year's Eve
oudje old person, old chap, old fellow, old dear, old girl
oud-leerling former pupil
oudoom great-uncle
oudsher: *van ~* of old, from way back
oudste 1 oldest, eldest: *wie is de ~, jij of je broer?* who is older, you or your brother? **2** *(in rang)* (most) senior
oudtante great-aunt
outbox outbox
outlet outlet
outplacement outplacement
ouverture overture, prelude
ouwe 1 *(baas)* chief, boss **2** *(vader)* old man || *een gouwe ~* a golden oldie
ouwehoer *(inform)* windbag
ouwel wafer
ov *afk van openbaar vervoer* public transport
[1]**ovaal** *zn* oval
[2]**ovaal** *bn* oval
ovatie ovation
oven oven

ovenwant oven mitt

[1]**over** *bn (voorbij)* over, finished: *de pijn is al ~* the pain has gone

[2]**over** *bw* 1 *(van de ene plaats naar de andere)* across, over: *zij zijn ~ uit Ankara* they are over from Ankara; *~ en weer* back and forth, *(van weerskanten)* from both sides 2 *(resterend)* left, over: *als er genoeg tijd ~ is* if there is enough time left

[3]**over** *vz* 1 over, above: *~ een periode van ...* over a period of ... 2 *(op, langs, aan de andere kant van)* across, over: *hij werkt ~ de grens* he works across (*of:* over) the border; *~ de heuvels* over (*of:* beyond) the hills; *~ straat lopen* walk around; *~ de hele lengte* all along 3 *(wat betreft)* about: *de winst ~ het vierde kwartaal* the profit over the fourth quarter 4 *(via)* by way of, via: *zij communiceren ~ de mobilofoon* they communicate by mobile telephone; *zij reed ~ Nijmegen naar Zwolle* she drove to Zwolle via Nijmegen; *een brug ~ de rivier* a bridge over (*of:* across) the river 5 *(wegens)* about: *verheugd ~* delighted at (*of:* with) 6 *(boven, langs iets heen)* over, across 7 *(na verloop van)* after, in: *zaterdag ~ een week* a week on Saturday 8 *(meer, verder dan)* over, past: *zij is twee maanden ~ tijd* she is two months overdue; *tot ~ zijn oren in de problemen zitten* be up to one's neck in trouble; *het is kwart ~ vijf* it is a quarter past five; *het is vijf ~ half zes* it is twenty-five to six

overal 1 everywhere; *(om 't even waar)* anywhere: *~ bekend* widely known; *van ~* from everywhere, from all over the place 2 *(alles)* everything: *zij weet ~ van* she knows about everything

overall overalls

overbelast overloaded, overburdened

overbelasten overload, overburden, overtax

overbelasting stress, strain

overbelichten overexpose

overbevolking overpopulation

overbezet overcrowded: *mijn agenda is al ~* my programme is already overbooked

overblijfsel 1 relic; *(restant)* remnant; *(mv)* remains 2 *(afval, restant) (mv)* remains; *(vnl. mbt eten; mv)* leftovers; remnant *(ve stof)*

overblijven 1 be left, remain: *van al mijn goede voornemens blijft zo niets over* all my good intentions are coming to nothing now 2 *(nog te doen)* be left (over)

overblijver school-luncher

overbodig superfluous, redundant; *(niet nodig)* unnecessary: *~ te zeggen* needless to say

overboeken transfer

overboeking transfer (into, to)

overboord overboard: *man ~!* man overboard!

overbrengen 1 take (*of:* bring, carry) (across), move, transfer 2 *(meedelen)* convey, communicate: *boodschappen* (of: *iemands groeten*) *~* convey messages (*of:* s.o.'s greetings) 3 *(overdragen)* pass (on)

overbruggen bridge; *(mbt tijd, kloof, verschil)* tide over

overdaad excess

overdadig excessive, profuse; *(verkwistend)* extravagant; *(verkwistend)* lavish; *(verkwistend)* wasteful

overdag by day, during the daytime

overdekken cover

overdekt covered: *een ~ zwembad* an indoor swimming pool

overdenken consider, think over

overdoen do again: *een examen ~* resit an examination

overdosis overdose

overdragen hand over, assign; delegate *(belangen, taken)*

overdreven exaggerated: *hij doet (is) wel wat ~* he lays it on a bit thick; *dat is sterk ~* that is highly (*of:* grossly) exaggerated, that's a bit thick

overdrijven 1 overdo (it, sth), go too far (with sth): *je moet (het) niet ~* you mustn't overdo it (*of:* things) 2 *(te sterk weergeven)* exaggerate

overdrijving exaggeration; *(mbt taal ook)* overstatement

overeen 1 to the same thing 2 *(over elkaar)* crossed || *(Belg) de armen ~* arms crossed

[1]**overeenkomen** *intr* 1 correspond (to): *~ met de beschrijving* fit the description 2 *(identiek zijn)* be similar (to): *geheel ~ met* fully correspond to (*of:* with)

[2]**overeenkomen** *tr* agree (on), arrange: *zoals overeengekomen* as agreed; *iets met iem ~* arrange sth with s.o.

overeenkomst 1 similarity, resemblance: *~ vertonen met* show similarity to, resemble 2 *(afspraak)* agreement

overeenkomstig in accordance with, according to: *~ de verwachtingen* in line with expectations

overeenstemming 1 harmony, conformity, agreement: *niet in ~ met* out of line (*of:* keeping) with, inconsistent with 2 *(eensgezindheid)* agreement: *tot (een) ~ komen* come to terms, reach an agreement

overeind 1 upright; *(staande op uiteinde)* on end: *~ gaan staan* stand up (straight), get to one's feet 2 standing: *~ blijven* keep upright, *(mbt personen ook)* keep one's footing

overgaan 1 move over (*of:* across), go over, cross (over): *de brug ~* go over the bridge, cross (over) the bridge 2 *(van eigenaar veranderen)* transfer, pass 3 *(bevorderd worden)* move up: *van de vierde naar de vijfde klas ~* move up from the fourth to the fifth form 4 *(veranderen in)* change, convert, turn: *de kleuren gingen in elkaar over* the colours shaded into one another 5 *(beginnen met, gaan gebruiken) (beginnen met)* move on to; proceed to, turn to; *(gaan gebruiken)* change (over) (to); switch (over) (to): *~ tot de aanschaf van* (of: *het gebruik van*) ... start buying (*of:* using) ... 6 *(voorbij-*

ov

gaan) pass (over, away); *(van gevoelens ook)* wear off; *(van weer ook)* blow over: *de pijn zal wel* ~ the pain will wear off 7 ring *(ve bel)*

overgang 1 transitional stage, link 2 *(verandering, wisseling)* transition, change(over) 3 *(menopauze)* change of life, menopause: *in de* ~ *zijn* be at the change of life

overgangsperiode transition(al) period

overgangsrapport end-of-year report

overgave 1 *(capitulatie)* surrender, capitulation 2 *(toewijding)* dedication, devotion, abandon(ment)

[1]**overgeven** *intr* be sick, vomit, throw up

[2]**overgeven, zich** surrender

overgevoelig hypersensitive, oversensitive

overgewicht overweight, extra (weight)

[1]**overgieten** *tr* bathe *(licht);* cover

[2]**overgieten** *tr* pour (into)

overgooier pinafore dress

overgordijn (long, heavy, lined) curtain

overgroot vast, huge: *met overgrote meerderheid* by an overwhelming majority

overgrootmoeder great-grandmother

overgrootvader great-grandfather

overhaast rash, hurried, (over)hasty

overhaasten rush, hurry

overhalen 1 persuade, talk (s.o.) into (sth): *iem tot iets* ~ talk s.o. into doing sth 2 *(trekken aan)* pull (on): *de trekker* ~ pull the trigger

overhand upper hand, advantage

overhandigen hand (over), present: *iem iets* ~ hand sth over to s.o.

overhangen hang over, overhang

overheadsheet overhead sheet, transparency

overhebben 1 *(beschikbaar stellen)* have (for), be prepared to give (for); *(kunnen missen)* not begrudge (s.o. sth): *ik zou er alles voor* ~ I would do (*of:* give) anything for it 2 *(meer hebben dan nodig is)* have over, have left: *geen geld meer* ~ have no more money left

overheen 1 over: *daar groeit hij wel* ~ he will grow out of it 2 *(langs de oppervlakte)* across, over: *er een doek* (of: *dweil*) ~ *halen* run a cloth (*of:* mop) over it 3 *(verder dan)* past || *ergens* ~ *lezen* miss (*of:* overlook) sth

overheersen dominate, predominate

overheersing rule, oppression

overheid 1 government 2 *(college)* authority: *de plaatselijke* ~ the local authorities

overheidsbedrijf public enterprise, state enterprise; *(nutsbedrijf)* a public utility company

overheidsdienst government service, public service, the civil service

overheidsinstelling government institution (*of:* agency)

overhellen lean (over), tilt (over)

overhemd shirt

overhevelen transfer

overhoop in a mess, upside down || *met elkaar* ~ *liggen* be at odds with each other

overhoophalen turn upside down

overhoopliggen 1 be in a mess 2 *(onenigheid hebben met)* be at loggerheads (with): *ze liggen altijd met elkaar overhoop* they're always at loggerheads (with one another)

overhoren test

overhoring test

overhouden have left, still have

overig remaining, other

overigens anyway, for that matter, though

overkant other side, opposite side: *zij woont aan de* ~ she lives across the street

overkijken look over: *zijn les* ~ look through one's lesson

overkoepelend coordinating

overkoken boil over

[1]**overkomen** *intr* 1 come over: *oma is uit Marokko overgekomen* granny has come over from Morocco 2 *(begrepen worden)* come across, get across

[2]**overkomen** *intr* happen to, come over: *dat kan de beste* ~ that could happen to the best of us; *ik wist niet wat mij overkwam* I didn't know what was happening to me

[1]**overladen** *bn* overloaded, overburdened

[2]**overladen** *tr* shower, heap on (*of:* upon): *hij werd* ~ *met werk* he was overloaded with work

[3]**overladen** *tr* transfer; *(trein, schip ook)* tranship

overlangs lengthwise; *(wtsch)* longitudinal: *iets* ~ *doorsnijden* cut sth lengthwise

overlappen overlap

overlast inconvenience, nuisance: ~ *veroorzaken* cause trouble (*of:* annoyance)

overlaten 1 leave: *laat dat maar aan mij over!* just leave that to me! 2 *(achterlaten)* leave (over): *veel* (of: *niets*) *te wensen* ~ leave much (*of:* nothing) to be desired

overleden dead

overledene deceased

overleg 1 thought, consideration 2 *(met anderen)* consultation, deliberation: *in (nauw)* ~ *met* in (close) consultation with; *in onderling* ~ by mutual agreement

overleggen 1 consider: *hij overlegt wat hem te doen staat* he is considering what he has to do 2 *(met anderen)* consult, confer: *iets met iem* ~ consult (with) s.o. on sth

overleven survive, outlive

overlevende survivor

overleveren hand over, turn over, turn in

overlezen read over (*of:* through): *een artikel vluchtig* ~ skim through an article

overlijden die

overlijdensadvertentie death announcement (*of:* notice)

overlijdensakte death certificate

overloop landing

overlopen 1 walk over (*of:* across) 2 *(naar een an-*

OV

dere partij gaan) go over, defect: ~ *naar de vijand* desert (*of:* defect) to the enemy 3 *(overstromen)* overflow

overloper deserter, defector

overmacht 1 superior numbers *(of:* strength, forces): *tegenover een geweldige ~ staan* face fearful odds 2 circumstances beyond one's control, force majeure; Act of God *(mbt verzekeringen)*

overmaken *(mbt een bedrag)* transfer, remit

overmeesteren overpower, overcome

overmoed overconfidence, recklessness

overmoedig overconfident, reckless

overmorgen the day after tomorrow

overnachten stay *(of:* spend) the night, stay (over)

overnachting 1 stay 2 *(keer dat men overnacht)* night: *het aantal ~en* the number of nights (spent, slept)

overname takeover, purchase, taking-over

overnemen 1 receive 2 *(op zich nemen)* take (over): *de macht* ~ assume power 3 *(navolgen)* adopt: *de gewoonten van een land* ~ adopt the customs of a country 4 *(kopen)* take over, buy

overplaatsen transfer

overplaatsing transfer, move

overplanten 1 *(verplanten)* transplant 2 *(med)* transplant, graft

overproductie overproduction

[1]**overrijden** *intr (over iets heen rijden)* drive over; *(op fiets, paard)* ride over

[2]**overrijden** *tr* run over, knock down

overrijp overripe

overrompelen (take by) surprise, catch off guard, catch napping

overschakelen 1 switch over 2 *(overstappen)* switch *(of:* change, go) over: *op de vierdaagse werkweek* ~ go over to a four-day week

overschakeling switch-over, changeover

overschatten overestimate, overrate

overschatting overestimation; overrating *(van belang of invloed)*

overschieten dash over *(of:* across): *het kind was plotseling de weg overgeschoten* the child had suddenly dashed (out) across the road

overschilderen repaint

overschot remainder; *(niet meer te gebruiken rest)* remains; residue; *(kleine rest)* remnant(s) || *(Belg)* ~ *van* be absolutely right

[1]**overschrijven** *tr (comp)* overwrite

[2]**overschrijven** *tr* 1 *(mbt een tekst)* copy; *(min)* crib: *iets in het net* ~ copy sth out neatly 2 transfer; *(op andermans naam zetten)* put in (s.o.'s) name

overschrijving 1 *(op een andere naam)* putting in s.o. (else)'s name; *(sport)* transfer 2 *(bedrag)* remittance

[1]**overslaan** *intr* 1 jump (over); *(ziekte)* be infectious; be catching 2 *(mbt de stem)* break, crack: *met ~de stem* with a catch in one's voice

[2]**overslaan** *tr* miss (out), skip, leave out, omit: *één beurt* ~ miss one turn; *een bladzijde* ~ skip a page; *een jaar* ~ skip a year

overspannen 1 overstrained, overtense(d) 2 *(overwerkt)* overwrought: *hij is erg* ~ he is suffering from severe (over)strain

overspel adultery

overspelen 1 replay: *de wedstrijd moest overgespeeld worden* the match had to be replayed 2 *(sport)* play on (to), pass the ball on to

overstap changeover, switch-over

overstappen 1 step over, cross 2 *(mbt een vervoermiddel)* change, transfer: ~ *op de trein naar Groningen* change to the Groningen train

overste 1 lieutenant-colonel 2 *(in klooster)* (father, mother) superior, prior, prioress

oversteek crossing

oversteekplaats crossing(-place); *(voor voetgangers ook)* pedestrian crossing

oversteken cross (over), go across, come across

overstemmen drown (out); *(overschreeuwen)* shout down

[1]**overstromen** *intr* 1 flow over, flood 2 *(overlopen)* overflow

[2]**overstromen** *tr* 1 flood, inundate 2 flood, swamp: *de markt* ~ *met* flood the market with

overstroming flood

overstuur upset; *(persoon ook)* shaken

overtocht crossing; *(lange afstand)* voyage

overtollig 1 surplus, excess 2 *(overbodig)* superfluous, redundant

overtreden break, violate

overtreder offender, wrongdoer

overtreding offence, violation *(of:* breach) (of the rules); *(sport)* foul: *een zware* ~ a bad foul; *een ~ begaan tegenover een tegenspeler* foul an opponent

overtreffen exceed, surpass, excel

overtrek cover, case

[1]**overtrekken** *intr* pass (over)

[2]**overtrekken** *tr (overtekenen)* trace: *met inkt* ~ trace in ink

[3]**overtrekken** *tr* cover; *(meubelen ook)* upholster

overtuigd confirmed, convinced: *hij was ervan ~ te zullen slagen* he was confident *(of:* sure) that he would succeed; *ik ben er (vast, heilig) van ~ dat ...* I'm (absolutely) convinced that ...

overtuigen convince, persuade

overtuigend convincing; *(argument, reden ook)* cogent; *(argument ook)* persuasive; *(bewijs ook)* conclusive

overtuiging conviction, belief, persuasion: *godsdienstige* ~ religious persuasion *(of:* beliefs); *vol (met)* ~ with conviction

overtypen *(opnieuw)* retype; type out *(klad)*

overuur overtime hour; *(mv vnl.)* overtime: *overuren maken* work overtime

overval surprise attack; *(politie ook)* raid; *(beroving)* hold-up; *(met vuurwapens)* stick-up

overvallen 1 raid; *(vooral beroven)* hold up; assault *(persoon)*; surprise *(vijand)* 2 *(verrassen)* surprise, take by surprise; overtake *(storm, ongeluk)*
overvaller raider, attacker
[1]**overvaren** *intr* cross (over), sail across
[2]**overvaren** *tr (overzetten)* ferry, take across, put across
oververhit overheated: *de gemoederen raakten ~* feelings ran high
oververhitten overheat
oververhitting overheating
oververmoeid overtired, exhausted
oververven paint over, repaint; redye *(stof, haar)*
overvloed abundance
overvloedig abundant, plentiful, copious
overvoeren glut, overstock, oversupply, surfeit
overvol overfull; *(met mensen ook)* overcrowded; packed
overwaaien blow over *(ook fig)*
overwaarderen overvalue, overrate
[1]**overweg** *zn* level crossing: *een bewaakte ~* a guarded (*of:* manned) level crossing
[2]**overweg** *bw: met een nieuwe machine ~ kunnen* know how to handle a new machine; *goed met elkaar ~ kunnen* get along well
overwegen consider, think over, think out: *de nadelen (risico's) ~* count the cost; *wij ~ een nieuwe auto te kopen* we are thinking of (*of:* considering) buying a new car
overwegend predominantly, mainly, for the most part
overweging 1 consideration, thought 2 *(reden)* consideration, ground, reason
overweldigen overwhelm, overcome
overweldigend overwhelming, overpowering: *een ~e meerderheid halen* win a landslide victory
overwerk overtime (work)
overwerken work overtime
overwerkt overworked, overstrained
overwicht ascendancy, preponderance; *(gezag)* authority
overwinnaar victor, winner; *(veroveraar)* conqueror
overwinnen 1 defeat, overcome 2 *(bedwingen)* conquer, overcome 3 *(te boven komen)* conquer, overcome, surmount
overwinning victory, conquest, triumph; *(sport ook)* win: *een verpletterende ~* a sweeping victory
overwinteren 1 (over)winter 2 *(de winter overleven)* hibernate
overwintering (over)wintering, hibernation
overwoekeren overgrow, overrun: *overwoekerd worden door onkruid* become overgrown with weeds
overzees oversea(s)
overzetten take across (*of:* over); *(met veer)* ferry (across, over): *iem de grens ~* deport s.o.
overzicht 1 survey, view: *~ vanuit de lucht* bird's-eye view; *ik heb geen enkel ~ meer* I have lost all track of the situation 2 *(samenvatting)* survey, (over)view, summary; *(van wat voorafging ook)* review
overzichtelijk well-organized; *(te overzien)* clearly set out
overzichtelijkheid clear organization: *ter wille van de ~* for easy reference, for convenience of comparison
overzien survey; *(van boven af)* overlook; command (a view of); review *(wat voorafging)*: *de gevolgen zijn niet te ~* the consequences are incalculable
overzijde other side, opposite side: *aan de ~ van het gebouw* opposite the building
overzwemmen swim (across): *het Kanaal ~* swim the Channel
ov-jaarkaart annual season ticket, travel card
OVSE *afk van Organisatie voor Veiligheid en Samenwerking in Europa* OSCE
ovulatie ovulation
oxidatie oxidation
oxide oxide
ozon ozone
ozonlaag ozone layer

p

pa dad(dy), pa: *haar pa en ma* her mum and dad(dy)
p/a *afk van per adres* c/o
paadje path; *(door wildernis)* trail
paal 1 post, stake, pole; *(heipaal)* pile 2 *(doelpaal)* (goal)post: *hij schoot tegen (op) de ~* he hit the (goal)post || *voor ~ staan* look foolish (*of:* stupid)
paaldansen pole dancing
paar 1 pair, couple: *twee ~ sokken* two pairs of socks 2 *(enkele stuks)* (a) few, (a) couple of
paard 1 horse: *op het verkeerde ~ wedden* back the wrong horse; *men moet een gegeven ~ niet in de bek zien* never look a gift horse in the mouth 2 *(gymnastiektoestel)* (vaulting) horse 3 *(schaakstuk)* knight
paardenbloem dandelion
paardenkastanje horse chestnut
paardenkracht horsepower
paardenrennen horse races
paardensport equestrian sport(s); *(rennen)* horse racing
paardenstaart 1 horsetail 2 *(haardracht)* ponytail
paardentram horse tram
paardrijden ride (horseback): *zij zit op ~* she is taking riding lessons
paars purple
paartijd mating season; *(van herten enz.)* rut
paartje couple, pair: *een pas getrouwd ~* a newly wed couple, newly-weds
paasbest: *op zijn ~ zijn* be all dressed up
paasdag Easter Day: *Eerste ~* Easter Sunday
paasfeest Easter
paashaas Easter bunny (*of:* rabbit)
paasvakantie Easter holidays
paasviering Easter service
paaszaterdag Holy Saturday, Easter Saturday
pabo *afk van pedagogische academie voor het basisonderwijs* teacher training college (for primary education)
pacht lease: *in ~ nemen* lease, take on lease
pachten lease, rent
pachter leaseholder, lessee; *(van boerderij ook)* tenant (farmer)
pachtgeld rent
pacifisme pacifism
pacifist pacifist
pacifistisch pacifist(ic)
pact pact, treaty
[1]**pad** *zn* toad || *(Belg) een ~ in iemands korf zetten* thwart s.o., set off
[2]**pad** *zn* 1 path, walk; *(niet aangelegd)* track; *(spoor)* trail; *(in kerk, schouwburg enz.)* gangway; aisle: *platgetreden ~en bewandelen* walk the beaten path (*of:* tracks) 2 *(levensweg)* path, way: *iem op het slechte ~ brengen* lead s.o. astray; *hij is het slechte ~ opgegaan* he has taken to crime || *op ~ gaan* set off
paddenstoel *(alg)* fungus; *(giftig)* toadstool; *(eetbaar)* mushroom
paddo shroom, magic mushroom
padvinder (boy) scout, girl guide
padvinderij scouting
paffen puff
pag. *afk van pagina* p.
pagina page: *~ 2 en 3* pages 2 and 3
pagode pagoda
pak 1 pack(age); *(pakje)* packet; *(pakketje)* parcel; *(kartonnen doos)* carton: *een ~ melk* a carton of milk; *een ~ sneeuw* a layer of snow 2 *(kostuum)* suit 3 *(bij elkaar gebonden) (baal)* bale; *(partij)* batch; *(bundel, pakket)* bundle; *(stapeltje)* packet: *een ~ oud papier* a batch (*of:* bundle) of waste paper || *een kind een ~ slaag geven* spank (*of:* wallop) a child, give a child a spanking
pakhuis warehouse, storehouse
Pakistaan Pakistani
Pakistaans Pakistan(i), of Pakistan, from Pakistan
Pakistan Pakistan
pakje parcel, present
[1]**pakken** *intr* hold; grip *(anker, rem);* bite *(sleutel, wiel);* take *(verf)*
[2]**pakken** *tr* 1 get, take, fetch: *een pen ~* get a pen; *pak een stoel* grab a chair 2 *(vastnemen)* catch, grasp, grab; *(grijpen)* seize: *een kind (eens lekker) ~ (knuffelen)* hug (*of:* cuddle) a child; *de daders zijn nooit gepakt* the offenders were never caught; *proberen iem te ~ te krijgen* try to get hold of s.o.; *iets te ~ krijgen* lay one's hands on sth; *(fig) iem te ~ nemen* have a go at s.o.; *nou heb ik je te ~* got you!; *als ik hem te ~ krijg* if I catch him, if I lay hands on him; *iem op iets ~* get s.o. on sth; *pak me dan, als je kan!* catch me if you can! 3 *(inpakken)* pack; wrap up *(cadeautje)*: *zijn boeltje bij elkaar ~* pack (one's bags)
pakkend catching; catchy *(liedje);* fascinating, appealing; fetching *(stijl);* arresting *(krantenkop);* gripping *(verhaal, boek);* catching; attractive *(reclame)*: *een ~e titel* a catchy (*of:* an arresting) title
pakkerd hug and a kiss
pakket 1 *((post)pakje)* parcel 2 *(set)* pack; *(gereedschap)* kit; *(fig)* package
pakketpost parcel post

pakkie-an *(inform): dat is niet mijn ~* that's not my department
pakking gasket, packing
pakpapier packing paper, wrapping paper
paksoi pak-choi cabbage
pakweg roughly, approximately, about, around
paleis 1 palace; *(hof)* court **2** *(groot openbaar gebouw)* hall
Palestijn Palestinian
Palestijns Palestinian, Palestine
Palestina Palestine
palet palette
paling eel, eels
pallet pallet (board)
palm palm
palmboom palm
Palmpasen Palm Sunday
palmtop palmtop
pamflet pamphlet; *(vlugschrift)* broadsheet
pamperen pamper
pampus: *voor ~ liggen* be dead to the world, be out cold
pan 1 pan: *(fig) dat swingt de ~ uit* that's really far out **2** *(dakbedekking)* (pan)tile || *in de ~ hakken* cut to ribbons (*of:* pieces), make mincemeat of
Panama Panama
Panamees Panamanian
pand 1 premises, property, building, house **2** *(onderpand)* pawn, pledge, security
panda panda
pandjesjas tailcoat
paneel panel
paneermeel breadcrumbs
panel panel
panfluit pan pipe(s)
pang pow, bang
paniek panic, alarm; *(gevoel)* terror: *er ontstond ~* panic broke out; *geen ~!* don't panic
panisch panic, frantic: *een ~e angst hebben voor iets* (of: *om iets te doen*) be terrified (of doing) sth
panne breakdown: *~ hebben* have a breakdown, have engine trouble
pannenkoek pancake
pannenkoekmix *(ongev)* batter mix
pannenlap oven cloth; *(want)* oven glove
pannenset set of (pots and) pans
panorama panorama
pantalon (pair of) trousers; *(voor sport en vrije tijd)* (pair of) slacks: *twee ~s* two pair(s) of trousers
panter panther; *(Afrikaanse)* leopard
pantoffel (carpet) slipper
pantomime mime, dumbshow
pantser 1 (plate) armour, armour-plating **2** *(harnas)* (suit of) armour
pantserauto armoured car
pantserdivisie armoured division
pantseren armour(-plate)
panty (pair of) tights: *drie ~'s* three pairs of tights
pantykous nylon knee-socks, pop sock
pap porridge; *(voor zieken, zuigelingen)* pap: *ik lust er wel ~ van* this is meat and drink to me || *geen ~ meer kunnen zeggen: a) (vermoeid)* be (dead)beat, be whacked (out), be fagged (out); *b) (veel gegeten hebben)* be full up
papa papa, dad(dy)
papaver poppy
papegaai parrot
paperassen papers, paperwork; *(inform)* bumf
paperclip paperclip
Papiamento Papiamento
papier 1 paper: *zijn gedachten op ~ zetten* put one's thoughts down on paper **2** *(officieel bewijsstuk) (vnl. mv)* paper; document
papieren paper
papiergeld paper money: *€100,- in ~* 100 euros in notes
papiertje piece of paper; *(van snoepje)* wrapper
papierversnipperaar (paper) shredder
papil papilla
paplepel: *dat is hem met de ~ ingegeven* he learned it at his mother's knee
Papoea Papuan
Papoea-Nieuw-Guinea Papua New Guinea
pappa papa, dad, daddy
pappie daddy
paprika (sweet) pepper
paps dad, daddy
papyrus papyrus
paraaf initials
paraat ready, prepared
parabel parable
parachute parachute
parachutespringen parachuting
parachutist parachutist
paracommando *(Belg)* peacekeeper
parade parade
paradepaard showpiece
paradijs paradise
paradox paradox
paradoxaal paradoxical
paraferen initial
paragnost psychic
paragraaf section
[1]**parallel** *zn* parallel: *deze ~ kan nog verder doorgetrokken worden* this parallel (*of:* analogy) can be carried further
[2]**parallel** *bn, bw* **1** parallel (to, with): *die wegen lopen ~ aan (met) elkaar* those roads run parallel to each other **2** *(vergelijkbaar)* parallel (to), analogous (to, with)
parallellogram parallelogram
paranoia paranoia
paranoïde paranoid
paranormaal paranormal, psychic
paraplu umbrella
parapsychologie parapsychology, psychic research

parasiet 1 *(biol)* parasite 2 *(klaploper)* parasite, sponge(r)
parasiteren parasitize; *(fig)* sponge (on, off)
parasol sunshade, parasol
paratyfus paratyphoid (fever)
parcours track
pardoes bang, slap, smack
[1]**pardon** *zn* pardon, mercy
[2]**pardon** *tw* pardon (me), I beg your pardon, excuse me, (so) sorry: *stond ik op uw tenen? ~!* sorry, did I step on your toe?
parel pearl
[1]**paren** *intr* mate (with)
[2]**paren** *tr (fig)* combine (with), couple (with): *gepaard gaan met* go (hand in hand) with
parfum perfume, scent
paria pariah, outcast
Parijs Paris
Parisienne Parisian
park 1 park 2 *(auto's)* fleet; *(machines)* plant
parka parka
parkeerautomaat (car-park) ticket machine *(of:* dispenser); *(Am)* (parking lot) ticket machine
parkeerboete parking fine
parkeerbon parking ticket
parkeergarage (underground) car park; *(Am)* (underground) parking garage
parkeergeld parking fee
parkeermeter parking meter
parkeerplaats parking place *(of:* space); *(parkeerterrein)* car park; *(Am)* parking lot
parkeerschijf (parking) disc
parkeerterrein car park; *(Am)* parking lot
parkeerverbod parking ban; *(opschrift)* No Parking: *hier geldt een ~* this is a no-parking zone
parkeren park; *(stoppen)* pull in *(of:* over)
parket 1 *(parketvloer)* parquet (floor) 2 *(het Openbaar Ministerie)* public prosecutor
parkiet parakeet
parkinson Parkinson's disease
parlement parliament: *in het ~* in parliament
parlementair parliamentary
parlementariër member of (a) parliament, parliamentarian; *(afgevaardigde)* representative
parlofoon *(Belg)* intercom
parmantig jaunty, dapper
Parmezaans: *~e kaas* Parmesan cheese
parochiaal parochial
parochiaan parishioner
parochie parish
parodie parody (of, on); *(ongewenst)* travesty (of)
parool watchword, slogan: *opletten is het ~* pay attention is the motto
part share, portion || *voor mijn ~* for all I care, as far as I'm concerned
[1]**particulier** *zn* private individual *(of:* person): *geen verkoop aan ~en* trade (sales) only
[2]**particulier** *bn, bw* private: *het ~ initiatief* private enterprise
partij 1 party, side: *de strijdende ~en* the warring parties; *~ kiezen* take sides 2 *(mbt goederen)* set, batch, lot; *(zending)* consignment; *(zending)* shipment: *bij (in) ~en verkopen* sell in lots 3 *(muz)* part 4 *(spel)* game
partijdig bias(s)ed, partial
partijleider party leader
partituur score
partizaan partisan
partner 1 partner, companion 2 *(compagnon)* (co-)partner, associate
partnerregister register in which cohabitation contracts are officially recorded
parttimebaan part-time job
partydrug party drug
[1]**pas** *zn* 1 step, pace; *(manier van lopen)* gait: *iem de ~ afsnijden* cut *(of:* head) s.o. off 2 *(in gebergte)* pass 3 *(legitimatiebewijs)* pass; passport *(paspoort)* || *het leger moest er aan te ~ komen* the army had to step in; *goed van ~ komen (bijv. geld)* come in handy *(of:* useful); *dat komt uitstekend van ~* that's just the thing; *altijd wel van ~ komen* always come in handy
[2]**pas** *bw* 1 *(zojuist; nog maar net)* (only) just, recently: *hij begint ~* he is just beginning, he has only just started; *~ geplukt* freshly picked; *een ~ getrouwd stel* a newly-wed couple; *~ geverfd* wet paint; *ik werk hier nog maar ~* I'm new here *(of:* to this job) 2 *(niet meer dan)* only, just: *hij is ~ vijftig (jaar)* he's only fifty 3 *(niet eerder dan)* only, not until: *~ toen vertelde hij het mij* it was only then that he told me; *~ toen hij weg was, begreep ik …* it was only after he had left that I understood …; *~ geleden, ~ een paar dagen terug* only recently, only the other day 4 *(nog)* really: *dat is ~ een vent* he's (what I call) a real man; *dat is ~ hard werken!* now, that really is hard work!
Pasen Easter
pasfoto passport photo(graph)
pasgeboren newborn, newly born
pasgetrouwd newly married
pashokje fitting room
pasje 1 step 2 *(legitimatiebewijs)* pass
paskamer fitting room
pasklaar (made) to measure; fitted *(kleed)*; *(fig)* ready-made
paspoort passport
paspoortcontrole passport control
passaatwind trade wind
passage passage, extract: *een ~ uit een gedicht voorlezen* read an extract from a poem
passagier passenger
passagiersschip passenger ship
passant: *en ~* in passing; *(schaakspel) en ~ slaan* take (a pawn) en passant
[1]**passen** *intr* 1 fit: *het past precies* it fits like a glove; *deze sleutel past op de meeste sloten* this key fits most locks 2 (met *bij*) fit, go (with), match: *deze hoed past er goed bij* this hat is a good match; *ze ~*

goed (of: *slecht*) *bij elkaar* they are well-matched (*of:* ill-matched) 3 (met *op*) *(letten (op), (ervoor) waken)* look after, take care of: *op de kinderen ~* look after the children; *pas op het afstapje* (of: *je hoofd*) watch/mind the step (*of:* your head) 4 *(kaartspel)* pass

[2]**passen** *tr* 1 fit: *~ en meten* try it in all different ways; *met wat ~ en meten komen we wel rond* with a bit of juggling we'll manage 2 *(precies genoeg betalen)* pay with the exact money: *hebt u het niet gepast?* haven't you got the exact change? (*of:* money?) 3 *(mbt kleren)* try on

passend 1 suitable (for), suited (to), appropriate: *niet bij elkaar ~e partners* incompatible partners; *niet bij elkaar ~e sokken* odd socks; *slecht bij elkaar ~* ill-matched 2 *(gepast, correct)* proper, becoming: *een ~ gebruik maken van* make proper use of

passer compass

[1]**passeren** *intr, tr* pass, overtake: *de auto passeerde (de fietser)* the car overtook (the cyclist); *een huis ~* pass (by) a house

[2]**passeren** *tr* 1 *(door)* pass through; *(over)* cross: *de grens* (of: *een brug*) *~* cross the border (*of:* a bridge); *de vijftig gepasseerd zijn* have turned fifty 2 *(overslaan)* pass over

passie *(hartstocht)* passion (for); *(voor een zaak)* zeal (for), enthusiasm (for)

passief passive

passievrucht passion fruit

passiva liabilities

pasta 1 *(mengsel)* paste 2 *(deegwaar)* pasta

pastei pasty, pie

pastel pastel

pasteltint pastel shade (*of:* tone)

pasteuriseren pasteurize

pastoor (parish) priest; *(mil; in gevangenis)* padre: *Meneer Pastoor* Father

pastor pastor, minister; *(r-k)* priest

pastorie parsonage; *(r-k)* presbytery

pasvorm fit

pat stalemate: *iem ~ zetten* stalemate s.o.

patat chips, French fries: *een zakje ~* a bag of chips; *~ met* chips with mayonnaise

patatgeneratie couch potato generation

patatje (portion of) chips

patattent chip shop

patch patch

paté pâté

patent patent

pater father

pathetisch pathetic

patience patience; *(Am)* solitaire

patiënt patient: *zijn ~en bezoeken* do one's rounds

patio patio

patisserie 1 pastries 2 *(winkel)* pastry shop

patrijs partridge

patrijspoort porthole

patriottisch patriotic

patronaat *(Belg)* employers

patrones 1 patron (saint) 2 *(beschermvrouwe)* patron(ess)

[1]**patroon** *zn* 1 *(beschermer, -heer)* patron 2 *(baas)* boss

[2]**patroon** *zn (mbt wapen, vulpen)* cartridge: *een losse ~* a blank

[3]**patroon** *zn* 1 *(model, voorbeeld)* pattern, design: *volgens een vast ~* according to an established pattern 2 pattern, style

patrouille patrol

patrouilleren patrol

pats wham, bang: *pats-boem* wham bam

patser show-off

patserig flashy

pauk kettledrum; *(mv)* timpani

pauper pauper

paus pope

pauw peacock; *(vrouwtje ook)* peahen

pauze interval, break, intermission; *(sport)* (half-)time: *een kwartier ~ houden* take (*of:* have) a fifteen-minute break

pauzeren pause, take a break, have a rest

paviljoen pavilion

pay-per-view pay-per-view

pc *afk van personal computer* pc

pech 1 bad (*of:* hard, tough) luck: *~ gehad* hard (*of:* tough) luck 2 *(panne)* breakdown || *~ met de auto* car trouble

pechdienst *(Belg)* breakdown service

pechstrook *(Belg)* hard shoulder

pechvogel unlucky person: *hij is een echte ~* he's a walking disaster area

pedaal treadle; *(mbt muziekinstrument, fiets)* pedal

pedaalemmer pedal bin

pedagogiek (theory of) education, educational theory (*of:* science); *(vaktaal)* pedagogy

pedagogisch pedagogic(al): *~e academie* teacher(s') training college

pedagoog education(al)ist

peddel paddle

peddelen paddle

pedicure chiropodist, pedicure

[1]**pedofiel** *zn* paedophile

[2]**pedofiel** *bn* paedophile

peen carrot || *~tjes zweten* be in a cold sweat

peer 1 pear 2 *(lampje)* bulb

pees tendon, sinew

peetmoeder godmother

peetoom godfather

peettante godmother

peetvader godfather

pegel icicle

peignoir dressing gown, housecoat

peil 1 level, standard: *het ~ van de conversatie daalde* the level of conversation dropped 2 *(bepaalde stand)* mark, level: *zijn conditie op ~ brengen*

(of: *houden*) get oneself into condition, keep fit (*of:* in shape)
peilen 1 sound, fathom 2 *(fig)* gauge *(karakter);* sound (out) *(gevoelens, meningen): ik zal Bernard even ~, kijken wat die ervan vindt* I'll sound Bernard out, see what he thinks
peiling sounding
peinzen *(met over)* think about, contemplate: *hij peinst er niet over* he won't even contemplate (*of:* consider) it; *hij peinst zich suf over een oplossing* he is racking his brains to find a solution
pek pitch
pekel salt, grit
pekinees pekinese
pelgrim pilgrim
pelgrimstocht pilgrimage
pelikaan pelican
pellen peel, skin; blanch *(amandelen);* husk *(rijst);* hull *(rijst);* shell *(pinda's)*
peloton 1 platoon 2 *(sport)* pack, (main)bunch
pels fleece, fur
pelsdier furred animal, furbearing animal
pen 1 pen 2 *(metalen stift)* pin; *(breipen)* needle
penalty penalty (kick, shot): *een ~ nemen* take a penalty
pendelaar commuter
pendelen commute
pendule (mantel) clock (with pendulum)
penibel painful, awkward
penicilline penicillin
penis penis
penlight 1 *(zaklamp)* penlight 2 *(batterij)* penlight battery
pennen scribble, pen
penning token
penningmeester treasurer
pens *(buik)* paunch, belly, gut
penseel (paint)brush
pensioen pension, retirement (pay); *(bedrijfspensioenfonds ook)* superannuation: *~ aanvragen* apply for a pension; *met ~ gaan* retire
pension 1 guest house, boarding house 2 *(kost en inwoning)* bed and board: *vol ~* full board; *in ~ zijn* be a lodger 3 *(mbt huisdieren)* kennel
pensionaat boarding school
pensionhouder landlord
pensionhoudster landlady
peper pepper: *een snufje ~* a dash of pepper
peperduur very expensive, pricey
peperkoek *(ongev)* gingerbread, gingercake
pepermunt peppermints: *een rolletje ~* a tube of peppermints
pepernoot *(ongev)* spiced ginger nut
pepmiddel pep pill
per 1 per, a, by: *iets ~ post verzenden* send sth by post (*of:* mail); *het aantal inwoners ~ vierkante kilometer* the number of inhabitants per square kilometre; *iets ~ kilo* (of: *paar*) *verkopen* sell sth by the kilo (*of:* in pairs); *ze kosten 3 euro ~ stuk* they cost 3 euros apiece (*of:* each); *~ uur betaald worden* be paid by the hour 2 *(met ingang van)* from, as of: *de nieuwe tarieven worden ~ 1 februari van kracht* the new rates will take effect on February 1
perceel 1 *(pand)* property 2 *(stuk land)* parcel, lot, section
percent per cent
percentage percentage
percussie percussion
perenboom pear (tree)
perfect perfect: *hij gaf een ~e imitatie van die zangeres* he did a perfect imitation of that singer; *in ~e staat: a) (auto's, toestellen enz.)* in mint condition; *b) (huis)* in perfect condition; *alles is ~ in orde* everything is perfect
perfectionist perfectionist
perfectionistisch perfectionist
perforator perforator, punch
pergola pergola
periode period, time; *(fase)* phase; episode, chapter: *~n met zon* sunny periods; *verkozen voor een ~ van twee jaar* elected for a two-year term (of office)
periscoop periscope
perk 1 bed; *(voor bloemen ook)* flower bed 2 *(begrenzing)* bound, limit: *binnen de ~en houden* limit, contain; *dat gaat alle ~en te buiten* that's the very limit
perkament parchment
[1]**permanent** *zn* permanent (wave)
[2]**permanent** *bn* 1 permanent, perpetual 2 *(duurzaam)* permanent, enduring; lasting *(vrede, gevaar);* standing *(commissie, tentoonstelling)*
[3]**permanent** *bw* permanently, perpetually, all the time
permanenten give a permanent wave, perm
permissie permission, leave
permitteren permit, grant permission, allow: *ik kan me niet ~ dat te doen (het is mij te duur)* I can't afford to do that
perplex perplexed, baffled, flabbergasted
perron platform
pers 1 press: *de ~ te woord staan* talk to the press 2 *(drukpers)* (printing) press
Pers Persian
persagent press agent
persbericht press report, newspaper report
persbureau news agency, press agency, press bureau
perscommuniqué news release
persconferentie press conference, news conference
per se at any price, at all costs: *hij wilde haar ~ zien* he was set on seeing (*of:* determined to see) her
[1]**persen** *intr, tr* press, compress: *je moet harder ~* you must press harder
[2]**persen** *tr* 1 *(drukken)* press; *(stempelen)* stamp (out) 2 *(door drukken uit iets halen)* press (out),

squeeze (out) 3 *(door drukken verplaatsen)* press, squeeze, push: *zich door een nauwe doorgang ~* squeeze (oneself) through a narrow gap
persfotograaf press photographer, newspaper photographer
persiflage *(met op)* parody (of)
personage character, role
personeel personnel, staff; *(werknemers ook)* employees; workforce; *(bemanning ook)* crew; *(fabrieksarbeiders ook)* (factory) hands: *tien man ~* a staff of ten; *wij hebben een groot tekort aan ~* we are badly understaffed (*of:* short-staffed); *onderwijzend ~* teaching staff
personeelschef personnel manager, staff manager
personeelslid staff member, member of (the) staff
personeelszaken 1 personnel matters, staff matters 2 *(afdeling)* personnel department
personenauto (private, passenger) car
personenlift passenger lift
persoon person, individual; *(mv meestal)* people: *een tafel voor één ~* a table for one || *ze kwam in (hoogst)eigen ~* she came personally (*of:* in person)
[1]**persoonlijk** *bn* 1 personal, private: *om ~e redenen* for personal (*of:* private) reasons, for reasons of one's own; *een ~ onderhoud* a personal talk 2 *(individueel)* personal, individual
[2]**persoonlijk** *bw* personally || *~ vind ik hem een kwal* personally, I think he's a pain
persoonlijkheid personality, character
persoonsbeschrijving personal description
persoonsbewijs identity card
persoonsvorm finite verb
perspectief 1 *(vooruitzicht)* prospect, perspective 2 perspective, context: *iets in breder ~ zien* look at (*of:* see) sth in a wider context || *in ~ tekenen* draw in perspective
persvrijheid freedom of the press
pertinent definite(ly), emphatic(ally)
Peru Peru
Peruaan Peruvian
pervers perverted, degenerate; *(abnormaal, tegennatuurlijk)* unnatural
Perzië Persia
perzik peach
Perzisch Persian
peseta peseta
pessimisme pessimism
pessimist pessimist
pessimistisch pessimistic, gloomy
pest 1 (bubonic) plague, pestilence 2 *(klein)* miserable || *de ~ in hebben* be in a foul mood; *de ~ aan iets (iem) hebben* loathe/detest sth (s.o.)
pesten pester, tease: *hij zit mij altijd te ~* he is always on at me
pesto pesto
pet 1 cap: *daar neem ik mijn ~je voor af* I take my hat off for that (*of:* you); *met de ~ naar iets gooien (met weinig inzet)* make a half-hearted attempt at sth, have a shot at sth; *met de ~ rondgaan* pass the hat round 2 *(fig) (hersens)* upstairs: *dat gaat boven mijn ~* that is beyond me; *ik kan er met mijn ~ niet bij* it beats me || *geen hoge ~ op hebben van* not think much of, have a low opinion of
petekind godchild
peter godfather
peterselie parsley
petitie petition: *een ~ indienen* file a petition
petroleum petroleum, mineral oil
petticoat petticoat
petto: *iets in ~ hebben* have sth in reserve (*of:* in hand)
petunia petunia
peuk 1 butt, stub 2 *(sigaret)* fag
peul pod, capsule
peulenschil trifle: *dat is maar een ~(letje) voor hem: a) (mbt bedrag)* that's peanuts (*of:* chicken feed) to him; *b) (mbt karwei)* he can do it standing on his head
peuter pre-schooler, toddler
peuteren *(wroeten)* pick: *in zijn neus ~* pick one's nose
peuterleidster nursery-school teacher
peuterspeelzaal playgroup
peutertuin day nursery, crèche
pfeiffer glandular fever
pH-waarde pH value
pi pi
pianist pianist, piano player
piano piano
pianoles piano lesson
pias clown, buffoon
piccalilly piccalilli
piccolo 1 bell-boy 2 *(fluit)* piccolo
picknick picnic
picknicken picnic
picknickmand picnic hamper *(of:* basket)
pick-up record player
pico bello splendid, outstanding
pictogram pictogram
piek 1 *(plukje haar)* spike: *een ~ haar* a spike of hair 2 *(bergtop)* peak, summit 3 *(kerstversiering)* top
pieken be spiky, stand out
piekeren worry, brood
piekfijn posh, smart
piemel willie
pienter bright, sharp, shrewd
piep squeak *(muizen)*; peep; cheep *(vogels)*
piepen squeak *(muizen)*; peep; cheep *(vogels)*; creak *(scharnieren, deuren)*; pipe *(schril stemgeluid)*
pieper 1 b(l)eeper 2 *(aardappel)* spud
piepjong: *niet (zo) ~ meer zijn* be no chicken
piepklein teeny(-weeny), teensy
piepschuim styrofoam, polystyrene foam

pieptoon bleep, beep
pier 1 worm, earthworm 2 *(in zee)* pier
piercing piercing
pierenbad paddling pool
pies *(inform)* pee, wee
piesen *(inform)* pee, wee
piespot *(inform)* chamber pot
piet geezer, feller: *hij vindt zichzelf een hele ~* he thinks he's really s.o.
Piet: *Jan, ~ en Klaas* Tom, Dick and Harry; *er voor ~ Snot bijzitten* sit there like a fool
pietje-precies: *een ~ zijn* be a fusspot
pietluttig meticulous, petty, niggling
pigment pigment
pigmentvlek birthmark, mole
pijl arrow: *nog meer ~en op zijn boog hebben* have more than one string to one's bow
pijler pillar
pijlsnel (as) swift as an arrow
pijltje dart
pijn pain; *(aanhoudend)* ache: *~ in de buik hebben* have (a) stomach-ache, have a pain in one's stomach; *~ in de keel hebben* have a sore throat
pijnappel pine cone
pijnbank rack
pijnboom pine (tree)
[1]**pijnlijk** *bn* 1 painful, sore: *~ aanvoelen* hurt, be painful 2 *(krenkend)* painful, hurtful: *een ~e opmerking* an embarrassing remark 3 *(onaangenaam)* painful, awkward, embarrassing: *er viel een ~e stilte* there was an uncomfortable silence
[2]**pijnlijk** *bw* painfully: *~ getroffen zijn* be pained
pijnloos painless
pijnstiller painkiller
pijp 1 pipe, tube 2 *(broekspijp)* leg
pijpleiding piping; *(over grote afstand)* pipeline
pijplijn pipeline: *dat zit in de ~* that's in the pipeline
pik penis: *(plat) een stijve ~* a hard-on
pikant piquant
pikdonker pitch-dark, pitch-black
[1]**pikken** *intr, tr (met de snavel)* peck
[2]**pikken** *tr* 1 *(stelen)* lift, pinch: *zij heeft dat geld gepikt* she stole that money 2 *(accepteren)* take, put up with
pikzwart pitch-black: *~ haar* raven(-black) hair
pil pill: *het is een bittere ~ voor hem* it is a bitter pill for him to swallow; *de ~ slikken* be on the pill
pilaar pillar
piloot pilot: *automatische ~* automatic pilot
pils beer, lager
pimpelen tipple, booze
pimpelmees blue tit
pimpen pimp
pin peg, pin
pinautomaat *(ongev)* EFTPOS, Electronic Fund Transfer at Point Of Sale: *kan ik de ~ gebruiken?* can I use my direct debit card?, can I use Chip and PIN?
pincet (pair of) tweezers
pincode PIN code
pinda peanut
pindakaas peanut butter
pindasaus peanut sauce
pineut dupe: *de ~ zijn* be the dupe
pingelaar 1 *(voetbal)* player who holds on to the ball 2 *(afdinger)* haggler
pingelen 1 *(afdingen)* haggle (over, about) 2 *(mbt voetbal)* hold on to the ball
pingpong ping-pong
pingpongen play ping-pong
pinguïn penguin
pink little finger
pinksterbloem cuckoo flower, lady's smock
pinksterdag Whit Sunday, Whit Monday
Pinksteren Whitsun(tide)
pinksterfeest (feast of) Whitsun
pinkstervakantie Whitsun holiday
pinnen 1 *(betalen met pasje)* pay by switch card 2 *(uit automaat)* withdraw cash from a cashpoint
pinpas cash card; *(om in winkel te betalen)* switch card
pint pint
pioen peony
pion pawn
pionier pioneer
pipet pipette
piraat pirate
piramide pyramid
piramidespel pyramid scheme
piranha piranha
piratenzender pirate (radio station)
pirouette pirouette
pis piss
pisang banana
pissebed woodlouse
pissen piss
pissig pissed off, bloody annoyed
pistache pistachio (nut)
piste 1 ring 2 *(wielersp)* track 3 *(skisport)* piste
pistolet bread roll
pistool pistol, gun: *nietpistool* staple gun
[1]**pit** *zn* 1 seed; pip *(van appel, sinaasappel enz.)*; stone *(van kers, perzik enz.)* 2 *(in kaars)* wick 3 *(brander)* burner
[2]**pit** *zn* spirit: *er zit ~ in die meid* she's a girl with spirit
pitabroodje pitta (bread)
pitbullterriër pit bull (terrier)
pits pit(s)
pitten turn in, kip: *gaan ~* hit the sack
pittig 1 lively, pithy; *(taal)* racy 2 *(fig)* stiff 3 *(kruidig)* spicy, hot, strong 4 *(moeilijk)* tough
pixel pixel
pizza pizza
pizzakoerier pizza deliverer, pizza delivery boy
pizzeria pizzeria
pk *afk van paardenkracht* h.p.

PKN *afk van Protestantse Kerk in Nederland* Dutch United Protestant Chruches
plaag plague
plaaster *(Belg)* plaster of Paris
plaat 1 plate; sheet *(van dun glas, metaal);* slab *(van marmer, steen, beton)* 2 *(grammofoonplaat)* record 3 *(prent)* plate, print
plaatje 1 plate; *(hout, glas)* sheet; *(marmer)* slab; *(om nek)* identity disc 2 *(foto)* snapshot, photo 3 *(verklarende tekening e.d.)* picture
plaats 1 place, position: *de ~ van bestemming* the destination; *de juiste man op de juiste ~* the right man in the right place; *op uw ~en! klaar, af* on your marks, get set, go; *in (op) de eerste ~* in the first place; *op de eerste ~ komen* come first, take first place; *op de eerste ~ eindigen* be (placed) first 2 *(ingenomen, nodige ruimte)* room, space; *(zitplaats)* seat: *~ maken (voor iem)* make room (for s.o.) 3 *(stad, dorp)* town 4 *(zit-, staan-, ligplaats)* place; *(zitplaats ook)* seat: *neemt u a.u.b. ~* please take your seats || *in ~ van* instead of
plaatsbewijs ticket
[1]**plaatselijk** *bn* local: *een ~e verdoving* a local anaesthetic
[2]**plaatselijk** *bw* 1 *(ter plaatse)* locally, on the spot: *iets ~ onderzoeken* investigate sth on the spot 2 *(op enkele plaatsen)* in some places: *~ regen* local showers
[1]**plaatsen** *tr* 1 place, put: *de ladder tegen het schuurtje ~* lean (*of:* put) the ladder against the shed 2 *(klasseren)* rank || *een order ~* place an order
[2]**plaatsen, zich** qualify (for)
plaatsgebrek lack of space
plaatshebben take place
plaatsing 1 placement, positioning 2 *(sport)* ranking; *(kwalificatie)* qualification
plaatsnaam place name
plaatsnemen take a seat
plaatsvervanger substitute, replacement; deputy *(met volmacht)*
plaatsvinden take place, happen
placemat place mat
placenta placenta
pladijs *(Belg)* plaice
plafond ceiling
plag sod, turf
plagen tease: *iem met iets ~* tease s.o. about sth
plagerig teasing
plagiaat plagiarism: *~ plegen* plagiarize
plak 1 slice: *iets in ~ken snijden* slice sth 2 *(tandaanslag)* (dental) plaque
plakband adhesive tape
plakboek scrapbook
plakbord noticeboard
plakkaatverf poster paint
plakken *intr* stick; *(comp)* paste
plakken *tr* 1 stick (to, on), glue (to, on) 2 *(herstellen)* repair: *een band ~* repair a puncture
plakker billsticker
plakkerig sticky
plakplaatje transfer
plaksel paste
plakwerk sticking, glueing
plamuren fill
plamuur filler
plan 1 plan: *een ~ uitvoeren* carry out a plan; *een ~ maken (voor ...)* draw up a plan for sth, plan sth; *zijn ~ trekken (Belg)* manage, cope; *wat ben je van ~?* what are you going to do?; *we waren net van ~ om ...* we were just about (*of:* going) to ... 2 *(ontwerp)* plan, design
planeet planet
plank plank; *(dun)* board; *(schap)* shelf: *de ~ misslaan* be wide of the mark
plankenkoorts stage fright
plankgas *(ongev)* full throttle: *~ geven* step on the gas
plankton plankton
plannen plan
planning plan, planning
plant plant
plantaardig vegetable
plantage plantation
planten plant; *(uitplanten)* plant out
planteneter herbivore
plantenkas greenhouse
planter planter
plantkunde botany
plantsoen public garden(s), park
plas 1 puddle, pool 2 *(urine)* water, pee: *een ~je (moeten) doen* (have to) go (to the toilet, loo), *(kindertaal)* (have to) do a wee(-wee) 3 *(poel)* pool, pond
plasma plasma
[1]**plassen** *intr* 1 *(urineren)* go (to the toilet, loo), (have a) pee: *ik moet nodig ~* I really have to go 2 *(knoeien)* splash
[2]**plassen** *tr* pass: *bloed ~* pass blood (in one's urine)
[1]**plastic** *zn* plastic
[2]**plastic** *bn* plastic
plasticlijm (a) plastic adhesive, plastic cement
plastificeren plasticize
plastisch plastic
[1]**plat** *bn* 1 flat 2 *(door staking)* closed down, shut down: *de haven gaat morgen ~* tomorrow the port will be shut down
[2]**plat** *bn, bw* broad || *~ uitgedrukt* to put it crudely (*of:* coarsely)
[1]**plataan** *zn (boom)* plane (tree)
[2]**plataan** *zn (hout)* plane (tree)
platbranden burn to the ground
plateau 1 *(bord)* dish, platter 2 *(hoogvlakte)* plateau
plateauzool platform sole
platenmaatschappij record(ing) company
platenspeler record player
platenzaak record shop

platform platform
platgaan be bowled over by (s.o.): *de zaal ging plat (mbt lachen)* the audience was rolling in the aisles
[1]**platina** *zn* platinum
[2]**platina** *bn* platinum
platleggen 1 lay flat 2 *(door een staking)* bring to a standstill
platliggen *(door een staking)* be at a standstill
plattegrond 1 (street) map 2 *(van gebouwen enz.)* floor plan
plattekaas *(Belg)* cottage cheese, cream cheese
platteland country(side)
platvis flatfish
platvloers coarse, crude
platvoet flatfoot
plausibel plausible
plaveisel paving, pavement
plavuis (floor) tile; *(stenen)* flag(stone)
playback miming
playbacken mime (to one's own, another person's voice)
playboy playboy
plechtig solemn: *~ beloven (te)* solemnly promise (to)
plechtigheid ceremony
plectrum plectrum
plee loo; *(Am)* john: *op de ~ zitten* be in the loo
pleegdochter foster-daughter
pleeggezin foster home
pleegkind foster-child: *(iem) als ~ opnemen* take (s.o.) in as foster-child
pleegmoeder foster-mother
pleegouders foster-parents
pleegvader foster-father
pleegzoon foster-son
plegen commit
pleidooi 1 plea: *een ~ houden voor* make a plea for 2 *(van advocaat)* counsel's speech *(of:* argument)
plein square, plaza: *op (aan) het ~* in the square
[1]**pleister** *zn* (sticking) plaster
[2]**pleister** *zn (kalkmengsel)* plaster
pleisteren 1 plaster 2 *(pleisters leggen op)* put a plaster on
pleiten plead: *dat pleit voor hem* that is to his credit
pleiter counsel
plek 1 spot: *een blauwe ~* a bruise; *iemands zwakke ~ raken* find s.o.'s weak spot 2 *(plaats)* spot, place
plensbui downpour
[1]**plenzen** *intr* pour
[2]**plenzen** *tr* splash
pleonasme pleonasm
pletter: *te ~ slaan tegen de rotsen* be dashed against the rocks; *zich te ~ vervelen* be bored stiff *(of:* to death)
plevier plover
plexiglas plexiglass
plezant *(Belg)* pleasant
plezier 1 pleasure, fun: *iem een ~ doen* do s.o. a favour; *veel ~!* enjoy yourself! 2 *(genoegen)* pleasure, enjoyment: *met alle ~* with pleasure; *ik heb hier altijd met ~ gewerkt* I have always enjoyed working here
plezierig pleasant
plezierjacht pleasure yacht
plicht duty: *het is niet meer dan je ~ (om …)* you are in duty bound (to …); *de ~ roept* duty calls
plichtsbesef sense of duty
plichtsgetrouw dutiful
plint skirting board; *(Am)* baseboard
ploeg 1 gang; shift *(in ploegendienst): in ~en werken* work (in) shifts 2 *(sport)* team; side *(vooral voetbal)* 3 *(landbouwwerktuig)* plough
ploegen plough: *een akker* (of: *het land*) *~* plough a field *(of:* the land)
ploegendienst shift work: *in ~ werken* work (in) shifts
ploeggeest team spirit
ploegleider *(sport)* team manager; *(aanvoerder)* captain
ploegverband *(sport): in ~* as a team
ploeteren plod (away, along)
plof thud, bump, plop
ploffen 1 thud, flop 2 *(ontploffen)* pop, bang || *in een stoel ~* plump down *(of:* flop) into a chair
plomp *(log)* plump; squat *(mensen);* cumbersome *(zaken)*
plons splash || *~! daar viel de steen in het water* splash! went the stone into the water
plonzen splash
plooi pleat, fold
plooien fold, pleat, crease
[1]**plotseling** *bn* sudden, unexpected
[2]**plotseling** *bw* suddenly, unexpectedly
[1]**pluche** *zn* plush
[2]**pluche** *bn* plush
plug plug
pluim 1 plume, feather 2 *(toef)* plume; *(klein)* tuft: *een ~ van rook* a plume of smoke || *iem een ~ geven* pat s.o. on the back
pluimage plumage
pluimvee poultry
pluimveehouderij 1 poultry farm 2 *(bedrijfstak)* poultry farming
pluis bit of fluff || *het is daar niet ~* there's sth fishy there
pluizen give off fluff; *(op trui)* pill
pluk 1 tuft, wisp 2 *(oogst)* crop
plukken 1 pick: *pluk de dag* live for the moment 2 *(mbt veren)* pluck
plumpudding plum pudding
plunderaar plunderer, looter
plunderen 1 plunder, loot 2 *(leegroven)* plunder, raid; rifle through *(iemands zakken, geldlade): de koelkast ~* raid the fridge
plundering plundering, looting

pl

plunjezak kitbag
[1]**plus** *zn* 1 plus (sign) 2 *(op batterijen e.d.)* plus (pole)
[2]**plus** *vz* plus: *twee ~ drie is vijf* two plus (*of:* and) three is five || *vijfenzestig ~* over-65
plusminus approximately, about: *~ duizend euro* approximately (*of:* about) a thousand euros
pluspunt plus, asset: *ervaring is bij sollicitaties een ~* experience is a plus (*of:* an asset) when applying for a job
plusteken plus (sign)
plutonium plutonium
pneumatisch pneumatic
po chamber pot, po
pochen boast, brag
pocheren poach
pochet dress-pocket handkerchief, breast-pocket handkerchief
pocketboek paperback
podium 1 stage; *(gedeelte vh toneel)* apron 2 *(verhoging)* platform, podium
poedel poodle
poeder powder
poederbrief powder letter
poederdoos compact
poederen powder: *zich (het gezicht) ~* powder one's face (*of:* nose)
poederkoffie instant coffee
poedermelk dried milk, powdered milk
poedersuiker icing sugar
poef hassock
poel pool; puddle *(op straat)*
poelier poulterer('s)
poema puma
poen dough, dosh
poep *(inform)* crap, shit; *(honden-, vogelpoep)* dog-do; bird-do
poepen *(inform)* (have a) crap: *in zijn broek ~* do it in one's pants
poes (pussy)cat: *een jong ~je* a kitten || *mis ~!* wrong!
poeslief suave, bland, smooth; honeyed *(woorden);* sugary *(woorden, glimlach);* silky *(glimlach, toon, manieren): iets ~ vragen* purr a question, ask sth in the silkiest tones
poespas hoo-ha, song and dance: *laat die ~ maar achterwege* stop making such a song and dance about it
poëtisch poetic
poetsdoek cleaning cloth, cleaning rag
poetsen clean; polish *(polijsten): zijn tanden ~* brush one's teeth
poetsvrouw cleaning woman
poëzie poetry
pofbroek knickerbockers *(mv)*
poffen roast; pop *(mais)*
poffertje kind of small pancake
poging attempt, try; *(met krachtsinspanning)* effort: *een ~ wagen* have a try at sth; *~ tot moord* attempted murder
poken poke
poker poker
pokeren play poker
pokergezicht poker face
pokken smallpox
pokkenprik smallpox vaccination
pokkenwerk nasty work, unpleasant work
pol clump
polariseren polarize
polaroid polaroid
polder polder
poldermodel polder model
polderpop Dutch pop music
polemiek polemic: *een ~ voeren* engage in a polemic (*of:* controversy)
polemist polemicist
Polen Poland
poli outpatients'
polijsten polish (up); *(met schuurpapier ook)* sand(paper)
polikliniek outpatient clinic
poliklinisch: *~e patiënt* outpatient
polio polio
polis (insurance) policy
polishouder policyholder
polisvoorwaarden terms *(of:* conditions) of a policy
politicologie political science
politicus politician
politie police (force)
politieacademie police college *(of Am:* academy)
politieagent police officer, policeman
politieauto police car, patrol car
politiebureau police station
politiecommissaris Chief of Police
[1]**politiek** *zn* 1 politics: *in de ~ zitten* be in politics, be a politician 2 *(beleid)* policy: *binnenlandse* (of: *buitenlandse*) *~* internal (*of:* foreign) policy
[2]**politiek** *bn, bw* political
politiekordon police cordon
politiekorps police (force), constabulary
politieman policeman, police officer
politierechter magistrate
politieschool police college
politiestaat police state
politieverordening by-law; *(Am)* local ordinance
polka polka
pollen pollen
pollepel wooden spoon
polo 1 *(balspel)* polo 2 *(kledingstuk)* sports shirt
polonaise 1 conga: *een ~ houden* do the conga 2 *(dans, muziek(stuk))* polonaise
pols 1 wrist 2 *(polsslag)* pulse: *iem de ~ voelen* feel (*of:* take) s.o.'s pulse
polsbandje wrist band
polsen: *iem ~ over iets* sound s.o. out on (*of:* about) sth

polsgewricht wrist (joint)
polshorloge wristwatch
polsslag pulse
polsstok (jumping) pole
polsstokhoogspringen pole vaulting
polyester polyester
polyether polyether; *(schuimrubber ook)* foam rubber
[1]**polyfoon** *zn* polyphonic ringtone
[2]**polyfoon** *bn* polyphonic
Polynesisch Polynesian
pomp pump
pompbediende service *(of:* petrol) station attendant
pompelmoes grapefruit
pompen pump
pomphouder petrol *(of Am:* gas) station owner
pompoen pumpkin
pompstation filling station, service station
poncho poncho
pond half a kilo(gram), 500 grams; *(ongeveer)* pound; *(munteenheid)* pound: *het weegt een ~* it weighs half a kilo || *het volle ~ moeten betalen* have to pay the full price
ponsen punch
pont ferry(boat)
pontonbrug pontoon bridge
pony 1 pony 2 *(haar)* fringe
pooier pimp
pook 1 poker 2 *(versnellingshendel)* gear lever, (gear)stick
pool pole
Pool Pole
poolcirkel polar circle
poolen *(Am)* carpool
poolexpeditie polar expedition
poolgebied polar region
[1]**Pools** *zn* Polish
[2]**Pools** *bn* Polish
poolshoogte latitude, altitude of the pole: *~ nemen: a) (scheepv)* take one's bearings; *b) (fig)* size up the situation
Poolster (the) Pole Star, Polaris
poon gurnard
poort gate, gateway
poos while, time: *een hele ~* a good while, a long time
poot 1 *(lichaamsdeel)* paw, leg: *de poten van een tafel* the legs of a table; *(fig) zijn ~ stijf houden* stand firm, stick to one's guns; *geen ~ hebben om op te staan* not have a leg to stand on 2 *(homo)* queer, gay (man) || *de ~ van een bril* the arms of a pair of glasses; *(fig) alles kwam op zijn ~jes terecht* everything turned out all right
pootjebaden paddle
pop 1 doll 2 *(marionet)* puppet: *daar heb je de ~pen al aan het dansen* here we go, now we're in for it 3 *(etalagepop, paspop)* dummy: *zij is net een aangeklede ~* she looks like a dressed-up doll

popconcert rock concert, pop concert
popcorn popcorn
popelen quiver: *zitten te ~ om weg te mogen* be raring *(of:* itching) to go
popfestival pop festival, rock festival
popgroep pop group, rock group, rock band
[1]**popiejopie** *zn* popular person
[2]**popiejopie** *bn* popular
popmuziek rock music, pop music
poppengezicht baby face
poppenhuis doll's house
poppenkast 1 puppet theatre 2 puppet show
poppenwagen doll's pram; *(Am)* baby carriage
populair popular
populairwetenschappelijk popular-science
populariteit popularity
populatie population
populier poplar
pop-up pop-up
popzanger pop singer, rock singer
por jab, prod, dig
poreus porous
porie pore
porno porn(o)
pornografie pornography
porren prod: *iem in de zij ~* poke s.o. in the ribs
porselein china(ware), porcelain
porseleinen china, porcelain
[1]**port** *zn (wijn)* port (wine)
[2]**port** *zn* 1 postage 2 *(strafport)* surcharge
portaal porch, hall; *(kerk ook)* portal
portefeuille wallet
portemonnee purse, wallet
portfolio portfolio
portie 1 share, portion: *zijn ~ wel gehad hebben* have had one's fair share 2 *(gedeelte)* portion; *(aan tafel)* helping: *een grote (flinke) ~ geduld* a good deal of patience
portiek porch; *(ingebouwd)* doorway
[1]**portier** *zn* doorkeeper, gatekeeper
[2]**portier** *zn (van auto)* door
portierraampje car window
porto postage
portofoon walkie-talkie
portokosten postage charges *(of:* expenses)
portret portrait
Portugal Portugal
Portugees Portuguese
portvrij post-paid, postage free
pose pose, posture: *een ~ aannemen* assume a pose
poseren pose, sit
positie 1 position, posture: *~ kiezen* (of: *innemen*) choose *(of:* take) up a position 2 *(mening, houding)* position, attitude: *in een conflict ~ nemen* (of: *kiezen*) take *(of:* choose) sides in a conflict 3 *(toestand)* position, situation 4 *(betrekking)* position, post 5 *(maatschappelijke rang, rol)* (social) position, status, (social) rank: *een hoge ~* a high

position (*of:* rank) (in society)
positief 1 positive, affirmative 2 *(opbouwend)* positive, favourable: *positieve kritiek* constructive criticism; *iets ~ benaderen* approach sth positively
positiekleding maternity clothes
positieven: *weer bij zijn ~ komen* come to one's senses
post 1 post office, postal services 2 *(poststukken, postbestelling)* post, mail: *aangetekende ~* registered mail; *elektronische ~* electronic mail, e-mail 3 post; *(kantoor)* post office; *(bus)* letterbox 4 *(raam-, deurstijl)* post, jamb 5 *(mbt boekhouding, begroting)* item *(op rekening)*; entry *(boekhouding)*: *de ~ salarissen* the salary item 6 post, position: *een ~ bekleden* hold a post, occupy a position
postadres address
postagentschap sub-post office
postbank *(fin)* (Dutch) Post Office Bank
postbeambte postal employee (*of:* worker)
postbestelling postal delivery; *(Am)* mail delivery; delivery of the post (*of Am:* mail)
postbode postman; *(Am)* mailman
postbus postoffice box, PO Box
postcheque giro cheque
postcode postal code; *(Am)* ZIP code
postduif carrier pigeon, homing pigeon
postelein purslane
[1]**posten** *intr (op wacht staan)* stand guard
[2]**posten** *tr* post; *(Am)* mail; send off
poster poster
poste restante poste restante; *(Am)* general delivery: *De heer H. de Vries, ~ Hoofdpostkantoor Brighton* Mr H. de Vries, c/o Main Post Office, Brighton
posterijen Post Office, Postal Services
postgiro (Post Office) giro
postkantoor post office
postkoets stagecoach
postmeester *(Belg)* postmaster
postmodern postmodern
postnataal postnatal
postnummer *(Belg)* postcode, postal code
postorder mail order
postorderbedrijf mail-order firm (*of:* company), catalogue house
postpakket parcel, parcel-post package
postpapier writing paper, letter paper, notepaper: *~ en enveloppen* stationery
postreclame direct mail advertising
postrekening giro bank account
postspaarbank post office savings bank
poststempel postmark
postuum posthumous
postuur figure, shape; *((lichaams)bouw)* build; *((lichaams)lengte)* stature
postvak pigeon-hole
postvatten 1 *(gaan staan)* take up one's station, post oneself 2 *(mbt gedachte, mening)* take form
postwissel postal order, money order
postzegel stamp: *voor een euro aan ~s bijplakken* stamp an excess amount of one euro; *voor drie euro aan ~s bijsluiten* enclose three euros in stamps
postzegelverzameling stamp collection
[1]**pot** *zn (inform) (lesbienne)* dyke, dike; *(neutraal)* gay
[2]**pot** *zn* 1 pot *(aardewerk)*; jar *(glas)*: *een ~ jam* a jar of jam 2 *(po)* pot, chamber pot: *hij kan (me) de ~ op* he can get stuffed 3 *(kookpot)* pot, saucepan: *eten wat de ~ schaft* eat whatever's going 4 *(inzet bij spellen)* kitty, pool || *dat is één ~ nat* you can't really tell the difference, *(mbt personen)* they're birds of a feather
potdicht tight, locked, sealed: *de deur is ~* the door is shut tight
poten plant; *(zaaien, planten)* set; *(zaaien, uitzetten)* put in
potent potent, virile
[1]**potentieel** *zn* potential; *(aanleg, talent)* capacity
[2]**potentieel** *bn, bw* 1 potential: *potentiële koper* prospective (*of:* would-be) buyer 2 *(in aanleg)* latent, potential
potentiepil anti-impotence drug
potig burly, sturdy, husky
potje 1 (little) pot; *(cul)* terrine: *zijn eigen ~ koken (fig)* fend for oneself 2 *(partijtje)* game 3 *(opzij gelegd geld)* fund || *er een ~ van maken* mess (*of:* muck) things up
potlood pencil: *met ~ tekenen* draw in pencil
potloodventer flasher
potplant pot plant, potted plant
potpourri potpourri, medley
potsierlijk clownish, ridiculous, grotesque
pottenbakken pottery(-making), ceramics
pottenbakker potter
pottenbakkerij pottery
pottenkijker Nosy Parker, snooper
potverteren squander
potvis sperm whale
poule group
pover poor, meagre, miserable: *een ~ resultaat* a poor result
pr *afk van public relations* PR
Praag Prague
praat talk: *veel ~(s) hebben* be all talk; *met iem aan de ~ raken* get talking to s.o. || *een auto aan de ~ krijgen* get a car to start
praatgroep discussion group
praatje 1 chat, talk 2 *(woorden)* talk, speech: *mooie ~s* fine words 3 *(mv) (kapsones)* airs: *~s krijgen* put on airs
praatjesmaker 1 boaster, braggart 2 *(zwetser)* windbag, gasbag
praatpaal emergency telephone
praatshow *(tv)* chat show, talk show
pracht 1 magnificence, splendour 2 *(fig)* beauty, gem

prachtig 1 splendid, magnificent 2 *(van grote schoonheid)* exquisite, gorgeous || *~!* excellent!
practicum practical, lab(oratory): *ik heb vanmiddag ~* I've got a practical this afternoon
prairie prairie
prak mash, mush || *een auto in de ~ rijden* smash (up) a car
prakken mash
prakkeseren 1 muse, think 2 *(piekeren)* brood, worry: *zich suf ~* worry oneself sick
prakkiseren brood (on, over), have a think
praktijk practice; *(ervaring)* experience: *echt een man van de ~* a doer (rather than a thinker); *een eigen ~ beginnen* start a practice of one's own; *in de ~* in (actual) practice
praktijkervaring practical experience
praktijkgericht practically-oriented
[1]**praktisch** *bn, bw* 1 practical, handy, useful: *~e kennis* working knowledge 2 *(nuchter)* practical, realistic; businesslike *(zakelijk)*
[2]**praktisch** *bw (bijna)* practically, almost: *de was is ~ droog* the laundry's practically dry
praktiseren practise
praline chocolate (praline)
prat proud: *~ gaan op zijn intelligentie* boast (*of:* brag) about one's intelligence
praten talk, speak: *we ~ er niet meer over* let's forget it, let's leave it at that; *je hebt gemakkelijk ~* it's easy (*of:* it's all right) for you to talk; *daarover valt te ~* that's a matter for discussion; *iedereen praat erover* it's the talk of the town, everyone is talking about it
prater talker: *hij is geen grote ~* he isn't much of a talker
prauw proa
precedent precedent: *een ~ scheppen* establish (*of:* create) a precedent
[1]**precies** *bn, bw* precise, exact, accurate, specific: *~ een kilometer* one kilometre exactly; *dat is ~ hetzelfde* that is precisely (*of:* exactly) the same (thing); *om ~ te zijn* to be precise; *~ in het midden* right in the middle; *~ om twaalf uur* at twelve (o'clock) sharp, on the stroke of twelve; *~ op tijd* right on time; *~ drie jaar geleden* exactly (*of:* precisely) three years ago
[2]**precies** *tw* precisely, exactly
precisie precision, accuracy
predicaat 1 *(titel)* title 2 *(taalk)* predicate
predikant 1 *(protestant)* minister, pastor; vicar, rector; parson *(anglicaanse kerk)*; clergyman 2 *(r-k)* preacher
prediken preach
preek 1 sermon, homily (on): *een ~ houden* deliver a sermon 2 *(vermaning)* sermon, lecture (on)
preekstoel pulpit
prefabriceren prefabricate
prefereren prefer: *dit is te ~ boven dat* this is preferable to that
prehistorie prehistory
prehistorisch prehistoric
prei leek
preken 1 preach, deliver (*of:* preach) a sermon 2 *(mbt zedenpreek)* preach, moralize
premie 1 premium, bonus, gratuity 2 *(mbt verzekeringen)* premium; *(vnl. mbt sociale verzekering)* (insurance) contribution: *de sociale ~s* social insurance (*of:* security) contributions
premier prime minister, premier
première première; *(mbt toneel ook)* first night; opening performance
preminiem *(Belg)* junior member (6-10 years) of sports club
prenataal antenatal; *(Am)* prenatal
prent print, illustration; *(satirisch)* cartoon
prentbriefkaart (picture) postcard
prepareren prepare
presbyteriaan Presbyterian
preselectie *(Belg)* qualifying round
[1]**present** *zn* present, gift
[2]**present** *bn* present; *(vergadering, officiële functie)* in attendance: *ze waren allemaal ~* they were all present; *~!* present!, here!
presentatie presentation, introduction: *de ~ is in handen van Joris* the programme is presented by Joris
presentator presenter *(van nieuws, actualiteiten)*; host, hostess, anchorman
presenteerblaadje tray, platter: *de baan werd hem op een ~ aangeboden* the job was handed to him on a silver platter
presenteren 1 present, introduce 2 *(aanbieden)* present; *(mbt etenswaren enz.)* offer 3 *(doen voorkomen)* pass off (as) 4 *(als presentator optreden)* present, host
presentie presence
presentielijst attendance list, (attendance) roll, (attendance) register
president President
president-directeur chairman (of the board)
presidentsverkiezing presidential election
prestatie performance, achievement, feat: *een hele ~* quite an achievement
prestatieloon merit pay
presteren achieve, perform: *hij heeft nooit veel gepresteerd* he has never done anything to speak of
prestige prestige
pret 1 fun, hilarity: *~ hebben* (of: *maken*) have fun, have a good time; *dat mag de ~ niet drukken* never mind 2 *(genoegen)* fun, enjoyment 3 *(vermaak)* fun, entertainment: *(het is) uit met de ~!* the party is over
pretje bit of fun: *dat is geen ~* that's no picnic
pretogen twinkling eyes
pretpark amusement park
prettig pleasant, nice: *~ weekend!* have a pleasant (*of:* nice) weekend; *deze krant leest ~* this paper is nice to read

preuts prudish, prim (and proper)
preutsheid prudishness, primness
prevelen mumble, murmur
preventie prevention
preventief preven(ta)tive, precautionary
pr-functionaris PR officer
prieel summerhouse, arbour
priegelen do fine *(of:* delicate) (needle)work
priegelwerk close work, delicate work
priem awl, bodkin
priemgetal prime (number)
priester priest
prijken be resplendent, adorn
prijs 1 price; *(voor vervoer)* fare; *(volgens tarief)* charge: *voor een zacht ~je* at a bargain price; *tot elke ~* at any price *(of:* cost), at all costs 2 *(prijskaartje)* price (tag): *het ~je hangt er nog aan* it has still got the price on 3 *(wat men wint)* prize, award: *een ~ uitloven* put up a prize; *in de prijzen vallen* be among the winners 4 *(uitgeloofde beloning)* reward, prize
prijsbewust cost-conscious
prijsdaling fall *(of:* drop, decrease) in price
prijskaartje price tag
prijsklasse price range, price bracket
prijslijst price list
prijsopgave estimate; *(offerte)* quotation; tender
prijsuitreiking distribution of prizes; *(ceremonie)* prize-giving (ceremony)
prijsvechter 1 *(winkel)* discounter 2 *(vechtsporter)* prize fighter
prijsverhoging price increase, rise
prijsverlaging price reduction, price cut
prijsvraag competition, (prize) contest
prijswinnaar prizewinner
[1]**prijzen** *tr* praise, commend: *een veelgeprezen boek* a highly-praised book
[2]**prijzen** *tr* price; *(met prijskaartje ook)* ticket; mark: *vele artikelen zijn tijdelijk lager geprijsd* many articles have been temporarily marked down
prijzig expensive, pricey
prik 1 prick, prod 2 *(injectie)* injection, shot 3 *(limonade)* pop, fizz: *mineraalwater zonder ~* still mineral water
prikactie lightning strike
prikbord noticeboard; *(Am)* bulletin board
prikje: *iets voor een ~ kopen* buy sth dirt cheap *(of:* for next to nothing)
prikkaart time card
prikkel incentive, stimulant, stimulus
prikkelbaar touchy, irritable
prikkeldraad barbed wire
[1]**prikkelen** *intr (prikkelend gevoel geven)* prickle, tingle; sting *(bijv. door brandnetel)*: *mijn been prikkelt* my leg is tingling
[2]**prikkelen** *tr (ergeren)* irritate, vex
[1]**prikken** *intr (mbt insecten, rook enz.)* sting, tingle: *de rook prikt in mijn ogen* the smoke is making my eyes smart
[2]**prikken** *tr* 1 prick; *(met vork ook)* prod: *een ballon lek ~* pop a balloon 2 *(vasthechten)* stick (to), affix (to): *een poster op de muur ~* pin a poster on the wall 3 *(injectie geven)* inject
prikklok time clock
priklimonade pop
pril early, fresh, young
[1]**prima** *bn, bw* excellent, great, terrific, fine: *een ~ vent* a nice chap, *(Am)* a great guy
[2]**prima** *tw* great
[1]**primair** *bn (elementair)* primary, basic
[2]**primair** *bn, bw* 1 primary, initial, first 2 *(de eerste plaats innemend)* primary, principal, essential, chief
primeur something new; scoop *(voor krant)*
primitief 1 primitive, elemental 2 *(gebrekkig)* primitive, makeshift: *het ging er heel ~ toe* it was very rough and ready there
principe principle: *een man met hoogstaande ~s* a man of high principles; *uit ~* on principle, as a matter of principle
principieel 1 fundamental, essential, basic 2 *(mbt een overtuiging)* on principle, of principle: *een ~ dienstweigeraar* a conscientious objector (to military service)
prins prince
prinses princess
Prinsjesdag *(ongev)* day of the Queen's *(of:* King's) speech
printen print
printer printer
prior prior
prioriteit priority: *~en stellen* establish priorities, get one's priorities right
prisma prism
privacy privacy, seclusion
privatiseren privatize, denationalize
privé private, confidential, personal: *ik zou je graag even ~ willen spreken* I'd like to talk to you privately *(of:* in private) for a minute
privédetective private detective
privéleven private life
privérekening personal account
privilege privilege
pr-man PR-man, public relations officer
pro pro(-) || *het ~ en het contra horen* hear the pros and cons
probeersel experiment, try-out
proberen 1 try (out), test: *het met water en zeep ~* try soap and water 2 *(een poging doen)* try, attempt: *dat hoef je niet eens te ~* you needn't bother (trying that)
probleem problem, difficulty, trouble: *in de problemen zitten* be in difficulties *(of:* trouble); *geen ~!* no problem!
probleemloos uncomplicated, smooth, trouble-free: *alles verliep ~* things went very smoothly *(of:* without a hitch)
problematiek problem(s), issue

problematisch problematic(al)
procedé process, technique
procederen litigate, take legal action, proceed (against); *(strafrecht)* prosecute: *gaan ~* go to court
procedure 1 procedure, method 2 *(proces)* (law)-suit, action, legal proceedings *(of:* procedure): *een ~ tegen iem aanspannen* start legal proceedings against s.o.
procedurefout procedural mistake, mistake in procedure
procent per cent, percent: *honderd ~ zeker* dead certain *(of:* sure)
proces 1 (law)suit; *(mbt strafrecht)* trial; action, legal proceedings: *iem een ~ aandoen* take s.o. to court 2 *(ontwikkelingsgang)* process
proceskosten (legal) costs
processie procession
proces-verbaal charge; *(dagvaarding)* summons; ticket: *een ~ aan zijn broek krijgen* be booked, get a ticket
pro Deo free (of charge), for nothing
producent producer
produceren produce, make, manufacture; generate *(warmte, elektriciteit)*
product product, production; *(handelsproduct ook)* commodity: *het bruto nationaal ~* the gross national product, the GNP
productie 1 production: *uit de ~ nemen* stop producing *(of:* production) 2 *(wat geproduceerd is)* production; *(opbrengst)* output; yield; *(agrarisch ook)* produce
productief 1 productive, fruitful 2 *(veel voortbrengend)* productive, prolific: *een ~ dagje* a good day's work
productiekosten cost(s) of production
productieleider production manager; *(theat, film)* producer
productiemaatschappij film production company
productieproces production process, manufacture
productiviteit productivity, productive capacity
proef 1 test, examination, trial: *op de ~ stellen* put to the test; *proeven nemen* carry out experiments 2 *(probeersel)* test, try, trial, probation: *iets een week op ~ krijgen* have sth on a week's trial; *op ~* on probation 3 *(typ)* proof
proefballon trial balloon
proefdier laboratory animal
proefdraaien *(mbt machines)* trial run, test run
proefkonijn guinea pig
proefperiode trial period; *(ook mbt baan)* probationary period; probation
proefpersoon (experimental, test) subject
proefrit test drive; *(mbt trein enz.)* trial run: *een ~ maken met de auto* test-drive the car
proefschrift (doctoral, Ph D) thesis, dissertation
proeftijd probation, probationary period, trial period: *(jur) voorwaardelijk veroordeeld met een ~ van twee jaar* a suspended sentence with two years' probation
proeftuin experimental garden *(of:* field)
proefwerk test (paper): *een ~ opgeven* set a test
proesten 1 sneeze 2 *(snuivend blazen)* snort, splutter
proeven taste, try, sample, test: *van het eten ~* try some of the food
proeverij tasting
prof 1 *(professor)* prof 2 *(professional)* pro
profclub professional club
profeet prophet, prophetess
professionalisme professionalism
professioneel professional || *iets ~ aanpakken* approach sth in a professional way
professor professor: *~ in de taalwetenschap* a professor of linguistics
profetisch prophetic
proficiat congratulations: *~ met je verjaardag* happy birthday!
profiel profile
profielschets profile
profielzool grip sole, sole with a tread
profijt profit, benefit
profijtig *(Belg)* economical, cheap
profiteren profit (from, by), take advantage (of), exploit: *zoveel mogelijk ~ van* make the most of
profiteur profiteer
profvoetbal professional football
prognose prognosis, forecast
programma 1 programme: *het hele ~ afwerken* go *(of:* get) through the whole programme 2 *(comp)* program
programmaboekje programme
programmagids *(ongev)* listings; *(Am)* TV guide
programmamaker programme maker *(of:* writer), producer
programmeertaal computer language
[1]**programmeren** *intr, tr (comp)* program
[2]**programmeren** *tr (programma opstellen)* programme, schedule: *de uitzending is geprogrammeerd voor woensdag* the programme is to be broadcast on Wednesday
programmeur programmer
progressief progressive; *(pol ook)* liberal
project project
projecteren project
projectie projection
projectiel missile, projectile
projectonderwijs project learning
projectontwikkelaar property *(of Am:* real estate) developer
projectontwikkeling 1 *(exploitatie van bouwprojecten)* property *(of Am:* real estate) development 2 *(het opzetten van nieuwe ondernemingen)* project planning *(of:* development)
projector projector

pr

promenade shopping precinct, shopping mall
promillage *(mbt alcohol)* blood alcohol level
promille per thousand, per mil(le): *acht* ~ 0.8 percent
prominent prominent
promotie promotion: ~ *maken* get promotion
promotieklasse *(sport)* promotion division
promoveren 1 *(aan universiteit)* take one's doctoral degree *(of:* one's Ph D): *hij is gepromoveerd op een onderzoek naar …* he obtained his doctorate with a thesis on … 2 *(sport)* be promoted, go up
prompt 1 *(snel)* prompt, speedy 2 *(stipt)* punctual, prompt: ~ *op tijd* right (*of:* dead) on time
pronken flaunt (oneself, sth); *(lopen te pronken)* prance; strut: *zij loopt graag te ~ met haar zoon* she likes to show off her son
prooi 1 prey; *(jacht)* quarry 2 *(slachtoffer)* prey, victim: *ten ~ vallen aan* become prey to
proost cheers
proosten toast, raise one's glass
prop ball: *een ~ watten* a wad of cotton wool || *met iets op de ~pen komen* come up with sth
propaganda propaganda
propedeuse foundation course
propedeutisch preliminary, introductory
propeller (screw) propeller, (air)screw
proper neat, tidy; clean
proportie 1 proportion, relation: *iets in (de juiste) ~(s) zien* keep sth in perspective 2 *(afmeting)* proportion, dimension
proportioneel proportional
proppen shove, stuff, cram, pack: *iedereen werd in één auto gepropt* everyone was squeezed (*of:* packed) into one car
propvol full to the brim *(of:* to bursting), chock-full, crammed; *(vol mensen ook)* packed (tight): *een ~le bus* an overcrowded bus
prospectus prospectus
prostaat prostate (gland)
prostaatkanker cancer of the prostate
prostituee prostitute
prostitutie prostitution
proteïne protein
protest protest: *uit ~ (tegen)* in protest (against)
protestant Protestant
protestants Protestant; *(niet-anglicaans)* dissenting; Nonconformist
protesteren protest
prothese prothesis, prosthesis; *(gebit)* dentures; *(gebit)* false teeth
protocol 1 protocol 2 *(verslag)* record
protonkaart *(Belg)* rechargeable smart card
prototype prototype
proviand provisions
provider provider
provinciaal provincial: *een provinciale weg (ongev)* a secondary road
provincie province, region: *de ~ Limburg* the Province of Limburg
provisie *(loon)* commission; *(makelaar)* brokerage
provoceren provoke, incite
provocerend provocative, provoking
proza prose
pruik wig, toupee
pruilen pout, sulk
pruim 1 plum; prune *(gedroogd)* 2 *(pluk tabak)* plug, wad
pruimen chew tobacco
pruimenboom plum (tree)
Pruisen Prussia
Pruisisch Prussian
prul 1 *(papiertje)* piece of waste paper 2 *(waardeloos voorwerp)* (piece of) trash, piece of rubbish *(of:* junk)
prullenmand waste paper basket, wastebasket
prut 1 mud, ooze, sludge 2 *(brij)* mush 3 *(koffiedik)* grounds
pruts *(Belg)* trinket
prutsen mess about *(of:* around), potter (about), tinker (about): *je moet niet zelf aan je tv gaan zitten ~* you shouldn't mess about with your TV-set yourself
prutser botcher, bungler
prutswerk botch(-up)
pruttelen simmer, perk; percolate *(koffie)*
PS *afk van postscriptum* PS
psalm psalm
psalmboek psalm-book, psalter
pseudoniem pseudonym
psoriasis psoriasis
psyche psyche
psychedelisch psychedelic
psychiater psychiatrist: *je moet naar een ~* you should see a psychiatrist
psychiatrie psychiatry
psychiatrisch psychiatric: *een ~e inrichting* a mental hospital
psychisch psychological, mental: ~ *gestoord* emotionally disturbed; *dat is ~, niet lichamelijk* that is psychological, not physical
psychoanalyse psychoanalysis
psychologie psychology
psychologisch psychological
psycholoog psychologist
psychoot psychotic
psychopaat psychopath
psychose psychosis
psychosomatisch psychosomatic
psychotherapeut psychotherapist
psychotherapie psychotherapy, psychotherapeutics
psychotisch psychotic
PTT *afk van Post, Telegrafie, Telefonie* Post Office
puber adolescent
puberaal adolescent
puberen reach puberty
puberteit puberty, adolescence: *in de ~ zijn* be

going through one's adolescence
publicatie publication
publiceren publish
publiciteit publicity: ~ *krijgen* attract attention, get publicity; *iets in de ~ brengen* bring sth to public notice
publiciteitsstunt publicity stunt
[1]**publiek** *zn* 1 public; *(sport)* crowd; *(film, toneel)* audience; *(boek, krant)* readership; *(klanten)* clientele; *(museum)* visitors: *een breed ~ proberen te bereiken* try to cater for a broad public; *veel ~ trekken* draw a good crowd 2 *(de massa)* (general) public: *toegankelijk voor (het) ~* open to the (general) public
[2]**publiek** *bn, bw* public: *er was veel ~e belangstelling* it was well attended
publieksprijs prize awarded by the public
publiekstrekker crowd-puller; *(mbt theater, concert enz. ook)* (good) box-office draw; *(mbt film, toneelstuk ook)* box-office success, box-office hit
publiekswissel *(mbt sport)* last-minute substitution
pudding pudding
puf (get up and) go, energy: *ergens de ~ niet meer voor hebben* not feel up to sth any more
puffen pant: ~ *van de warmte* pant with the heat
pui (lower) front, (lower) façade; *(van winkel)* shopfront
puik 1 choice *(eten)*; top quality 2 *(voortreffelijk)* great, first-rate
puilen bulge
puin rubble: ~ *ruimen: a)* clear up the rubble; *b) (fig)* pick up the pieces, sort sth out; *in ~ liggen* lie (*of:* be) in ruins, be smashed (up, to bits)
puinhoop 1 heap of rubble (*of:* rubbish) 2 *(rotzooi)* mess, shambles: *jij hebt er een ~ van gemaakt* you have made a mess of it
puist pimple, spot: *~jes uitknijpen* squeeze spots
puit frog
pukkel pimple, spot
pul tankard, mug
pulken pick: *zit niet zo in je neus te ~* stop picking your nose
pullover pullover, sweater
pulp 1 pulp: *tot ~ geslagen* beaten to a pulp 2 *(mbt boeken, films)* pulp, junk (reading)
pump pump
pumpschoen court (shoe); *(Am)* pump
punaise drawing pin; *(Am)* thumbtack
punctueel punctual
punk punk
punker punk
[1]**punt** *zn* 1 *(uiteinde)* point, tip; *(hoek)* corner; *(hoek)* angle: *het ligt op het ~je van mijn tong* it's on the tip of my tongue; *een ~ aan een potlood slijpen* sharpen a pencil; *op het ~je van zijn stoel zitten* be (sitting) on the edge of his seat 2 *(puntig gesneden)* wedge || *(Belg) op ~ stellen* arrange, fix up
[2]**punt** *zn* 1 *(plaats)* point, place: *het laagste ~ bereiken* reach rock-bottom 2 *(moment)* point, moment: *hij stond op het ~ om te vertrekken* he was (just) about to leave 3 *(onderdeel)* point; *(van programma, agenda ook)* item; *(van aanklacht ook)* count; *(kwestie, onderwerp ook)* matter; *(kwestie, onderwerp ook)* question; *(kwestie, onderwerp ook)* issue: *zijn zwakke ~* his weak point; *tot in de ~jes verzorgd: a) (uitstekend gekleed)* impeccably dressed; *b) (zeer goed georganiseerd)* shipshape; *geen ~!* no problem!
[3]**punt** *zn* 1 *(leesteken)* full stop; *(decimaalpunt ook)* decimal (point): *~en en strepen* dots and dashes; *de dubbelepunt* the colon; *ik was gewoon kwaad, ~, uit!* I was just angry, full stop 2 *(mbt waardering)* point: *hoeveel ~en hebben jullie?* what's your score?; *op ~en winnen (verslaan)* win on points; *hij is twee ~en vooruitgegaan* he has gone up (by) two marks 3 *(cijfer)* mark *(bijv. door jury)*
puntdak gable(d) roof, peaked roof
puntendeling draw
puntenklassement points classification
puntenlijst *(bij spel)* scorecard; scoresheet; *(op school)* report
puntenslijper (pencil) sharpener
puntensysteem points system, scoring system
puntentelling scoring
puntgaaf perfect, flawless
punthoofd: *ik krijg er een ~ van* it is driving me crazy (*of:* up the wall)
puntig pointed, sharp: *~e uitsteeksels* sharp points; *~e bladeren* pointed leaves
puntje 1 (small, little) point, tip, dot: *de ~s op de i zetten* dot the i's and cross the t's 2 *(broodje) (ongev)* roll 3 *(vlek, stip)* dot; *(ook op lichaam)* spot || *als ~ bij paaltje komt* when it comes to the crunch (*of:* point)
puntkomma semicolon
puntmuts pointed cap, pointed hat
puntsgewijs point by point, step by step
puntzak cornet, cone
pupil 1 pupil, student 2 *(sport; ongev)* junior
puppy puppy
puree puree; *(aardappels)* mashed potatoes || *in de ~ zitten* be in hot water (*of:* the soup)
pureren puree, mash
[1]**purper** *zn* purple
[2]**purper** *bn* purple
pus pus
put 1 well: *dat is een bodemloze ~* it's a bottomless pit; *diep in de ~ zitten* be down, feel low; *iem uit de ~ halen* cheer s.o. up 2 *(afvoerput)* drain || *geld in een bodemloze ~ gooien* pour (*of:* throw) money down the drain
putten draw (from, on)
putter goldfinch
puur 1 pure: *pure chocola* plain chocolate; ~ *goud* solid gold; *een whisky ~ graag* a straight whisky, please 2 *(zuiver en alleen; geheel en al)* pure, absolute, sheer

puzzel puzzle
puzzelen do puzzles, solve crossword, jigsaw puzzles
pvc PVC
pygmee pygmy
pyjama pyjamas: *twee ~'s* two pairs of pyjamas
pyjamabroek pyjama trousers
Pyreneeën Pyrenees
pyromaan pyromaniac, firebug
Pythagoras Pythagoras: *stelling van ~* Pythagorean theorem
python python

q

qua as regards, as far as … goes
quadrafonie quadraphonics, quadraphony
quarantaine quarantine: *in ~ gehouden worden* be kept in quarantine
quasi 1 *(pseudo-)* quasi(-), pseudo-: *een quasi-intellectueel* a pseudo-intellectual 2 *(Belg)* almost, nearly: *het is ~ onmogelijk* it is scarcely (*of:* hardly) possible
quatre-mains (piano) duet, composition for four hands
quatsch nonsense, rubbish: *ach, ~!* nonsense!
quiche quiche
quilten quilt
quitte quits, even: *~ spelen* break even; *~ staan met* be quits with
quiz quiz
quizleider quizmaster
quota quota, share
quotiënt quotient

r

[1]**ra** *zn (scheepv)* yard
[2]**ra** *tw: ra, ra, wie is dat?* guess who?
raad 1 *(advies)* advice: *iem ~ geven* advise s.o.; *luister naar mijn ~* take my advice **2** *(adviserend college)* council, board: *de ~ van bestuur* (of: *van commissarissen*) the board (of directors, of management) || *met voorbedachten rade* intentionally, deliberately; *moord met voorbedachten rade* premeditated (*of:* wilful) murder; *hij weet overal ~ op* he's never at a loss; *geen ~ weten met iets* not know what to do with sth, not know how to cope with sth; *ten einde ~ zijn* be at one's wits' end
raadhuis town hall, city hall
raadplegen consult, confer with
raadsel 1 riddle: *een ~ opgeven* ask a riddle **2** *(mysterie, geheim)* mystery: *het is mij een ~ hoe dat zo gekomen is* it's a mystery to me how that could have happened
raadselachtig mysterious, puzzling
raadsheer *(schaak)* bishop
raadslid councillor
raadsman legal adviser
raadsverkiezing municipal election
raadzaal council chamber
raadzaam advisable, wise
raaf raven
raak home: *~ schieten* hit the mark; *ieder schot was ~* every shot went home; *(iron) het is weer ~* they're at it again || *maar ~* at random; *maar ~ slaan* hit right and left; *klets maar ~* say what you like
raaklijn tangent (line)
raam window, casement: *het ~pje omlaag draaien* wind down the car window
raamkozijn window frame
raamvertelling frame story
raap turnip || *recht voor zijn ~* straight from the shoulder
raapstelen turnip tops (*of:* greens)
[1]**raar** *bn* odd, funny, strange: *een rare* an odd fish, an oddball
[2]**raar** *bw (vreemd)* oddly, strangely: *daar zul je ~ van opkijken* you'll be surprised
raaskallen rave, talk gibberish, talk rot
raat (honey)comb
rabarber rhubarb
rabbi rabbi
rabbijn rabbi
rabiës rabies
race race: *nog in de ~ zijn* still be in the running; *een ~ tegen de klok* a race against time
raceauto racing car
racebaan (race)track
racefiets racing bicycle *(of:* bike)
racen race
racepaard racehorse
racisme racism
racist racist
racistisch racist
rad *((tand)wiel)* (cog)wheel: *het ~ van avontuur* the wheel of Fortune; *iem een ~ voor (de) ogen draaien* pull the wool over s.o.'s eyes
radar radar
radeloos desperate
raden guess: *raad eens wie daar komt* guess who's coming; *goed geraden!* you've guessed it; *mis (fout) ~* guess wrong; *je raadt het toch niet* you'll never guess; *je mag driemaal ~ wie het gedaan heeft* you'll never guess who did it || *dat is je geraden* you'd better
radertje cog(wheel): *een klein ~ in het geheel zijn* be just a cog in the machine
radiaalband radial (tyre)
radiator radiator
radicaal radical, drastic: *een ~ geneesmiddel* a radical cure; *een radicale partij* a radical party
radijs radish
radio radio, radio set: *de ~ uitzetten* switch off (*of:* turn off) the radio
radioactief radioactive: *~ afval* radioactive waste
radioactiviteit radioactivity
radiojournaal radio news (programme)
radionieuwsdienst radio news department *(of:* service)
radio-omroep broadcasting service
radio-omroeper radio announcer
radiotherapie radiotherapy, radiation therapy
radiotoestel radio (set)
radio-uitzending radio broadcast *(of:* transmission)
radioverslag radio report; *(van sportwedstrijd)* commentary
radius radius
radslag cartwheel: *~en maken* turn cartwheels
rafelen fray: *een gerafeld vloerkleed* a frayed carpet
raffinaderij refinery
raffineren refine
rag cobweb(s)
rage craze, rage: *de nieuwste ~* the latest craze
ragebol ceiling mop
ragfijn as light *(of:* fine, thin) as gossamer
ragout ragout: *~ van rundvlees* beef ragout (*of:* stew)
rail 1 rail: *iets (iem) weer op de ~s zetten* put sth

(s.o.) back on the rails 2 *(spoorweg)* rail(way): *vervoer per ~* rail transport
rakelings closely, narrowly: *de steen ging ~ langs zijn hoofd* the stone narrowly missed his head
[1]raken *intr (geraken (tot), worden)* get, become: *betrokken ~ bij* become involved in; *gewend ~ aan* get used to; *(sport) uit vorm ~* lose one's form
[2]raken *tr* 1 hit 2 *(beroeren)* affect, hit: *dat raakt me totaal niet* that leaves me cold 3 *(aanraken)* touch: *de auto raakte heel even het paaltje* the car grazed the post
raket missile, rocket: *een ~ lanceren* launch a missile (*of:* rocket)
raketbasis missile base, rocket base
raketschild space shield, rocket shield
rakker rascal
ram ram
Ram Aries, the Ram
ramadan Ramadan
rammel beating: *een pak ~* a beating
rammelaar rattle
[1]rammelen *intr* 1 rattle: *aan de deur ~* rattle the door; *met z'n sleutels ~* clink one's keys 2 *(onsamenhangend in elkaar zitten)* be ramshackle: *dit plan rammelt aan alle kanten* this plan is totally unsound || *ik rammelde van de honger* my stomach was rumbling with hunger
[2]rammelen *tr (schudden)* shake: *een kind door elkaar ~* give a child a shaking
rammen ram, bash in (*of:* down): *de deur ~* bash the door down; *de auto ramde een muur* the car ran into a wall
ramp disaster: *een ~ voor het milieu* an environmental disaster; *ik zou het geen ~ vinden als hij niet kwam* I wouldn't shed any tears if he didn't come; *tot overmaat van ~* to make matters worse
rampenfilm disaster film
rampenplan contingency plan
rampgebied disaster area
rampzalig disastrous
rand 1 edge, rim: *de ~ van een bord* (of: *schaal*) the rim of a plate (*of:* dish); *een opstaande ~* a raised edge; *een brief met een zwarte ~* a black-edged letter; *aan de ~ van de stad* on the outskirts of the town; *aan de ~ van de samenleving* on the fringes of society 2 *(versiering)* border, edge: *een ~ langs het tafelkleed* a border on the tablecloth 3 *(omlijsting)* frame, rim: *de ~ van een spiegel* the frame of a mirror; *een bril met gouden ~en* gold-rimmed glasses 4 *(mbt een holte, diepte)* edge, brink, (b)rim, verge: *aan de ~ van de afgrond: a)* on the brink of the precipice; *b) (fig)* on the verge of disaster; *tot de ~ gevuld* filled to the brim 5 *(Zuid-Afrikaanse munt)* rand || *zwarte ~en onder zijn nagels hebben* have dirt under one's fingernails
randapparatuur peripheral equipment
randgemeente suburb
randgroepjongere young drop-out
randje edge, border, rim; *(fig)* verge; *(fig)* brink || *op het ~ (af)* on the borderline; *dat was op het ~* that was close (*of:* touch and go)
Randstad: *de ~ (Holland)* the cities (*of:* conurbation) of western Holland
randverschijnsel marginal phenomenon
randvoorwaarde precondition
rang 1 rank, position: *een ~ hoger dan hij* one rank above him; *mensen van alle ~en en standen* people from all walks of life 2 *(mbt plaatsen)* circle: *we zaten op de tweede ~* we were in the upper circle
rangeerder shunter *(ook loc)*
rangeerterrein marshalling yard
rangeren shunt: *een trein op een zijspoor ~* shunt a train into a siding
ranglijst (priority) list, list (of candidates); *(sport ook)* (league) table: *bovenaan de ~ staan* be at the top of the list
rangschikken 1 classify, order, class 2 *(ordenen)* order, arrange: *alfabetisch ~* arrange in alphabetical order
rangtelwoord ordinal (number)
ranja orange squash, orangeade
rank tendril
ranselen flog, thrash
rantsoen ration, allowance: *een ~ boter* a ration (*of:* an allowance) of butter
ranzig rancid
rap quick, swift: *iets ~ doen* do sth quickly
rapen pick up
rapmuziek rap music
rappen rap
rapport report, despatch: *~ uitbrengen* (of: *opmaken*) *over* produce (*of:* make) a report on; *een onvoldoende op zijn ~ krijgen* get a fail mark in one's report
rapportcijfer report mark
rapportenvergadering meeting to discuss pupils' reports
rapporteren report; *(door journalist)* cover: *~ aan* report to
rapsodie rhapsody
ras race *(mensen)*; breed *(dieren)*; variety *(planten)*: *van gemengd ~* of mixed race
rasartiest born artist
rashond pedigree dog, pure-bred dog
rasp grater
raspaard thoroughbred
raspen grate: *kaas ~* grate cheese
rassendiscriminatie racial discrimination
rasta Rasta(farian)
raster fence, lattice
raszuiver pure-blooded; *(van dieren)* pure-bred
rat rat: *hij zat als een ~ in de val* he was caught out
ratel rattle
ratelen rattle: *de wekker ratelt* the alarm clock is jangling
ratelslang rattlesnake

ratio 1 reason 2 *(evenredige verhouding)* ratio
rationeel rational
ratjetoe hotchpotch, mishmash
rats: *in de ~ zitten (over)* have the wind up (about)
rattenkruit arsenic
[1]**rauw** *bn* 1 raw: *~e biefstuk* raw steak 2 *(mbt lichaamsdelen, keel)* sore: *een ~e plek* a raw spot 3 *(mbt personen)* rough, tough || *dat viel ~ op mijn dak* that was an unexpected blow
[2]**rauw** *bw* rawly, sorely, roughly
rauwkost vegetables eaten raw
ravage 1 ravage(s), havoc: *die hevige storm heeft een ~ aangericht* that violent storm has wreaked havoc 2 *(puinhoop)* debris
rave rave
ravijn ravine, gorge
ravioli ravioli
ravotten romp, horse around
rayon district; territory *(van verkoper)*: *hij heeft Limburg als zijn ~* he works Limburg
rayonchef area supervisor
razen race, tear: *de auto's ~ over de snelweg* the cars are racing along the motorway
razend 1 furious: *iem ~ maken* infuriate s.o.; *als een ~e tekeergaan* rave like a madman 2 *(mateloos)* terrific: *hij heeft het ~ druk* he's up to his neck in work; *~ snel, in ~e vaart* at a terrific pace, at breakneck speed
razendsnel super-fast, high-speed
razernij frenzy, rage: *in blinde ~* in a blind rage; *iem tot ~ brengen* infuriate s.o.
razzia razzia
r&b R&B, rhythm and blues
re re, D
reactie reaction, response: *als ~ op* in reaction to; *snelle ~s* sharp reflexes
reactiesnelheid speed of reaction
reactor reactor: *snelle ~* fast reactor
reageerbuis test tube: *bevruchting in een ~* test-tube (*of:* in vitro) fertilization
reageerbuisbaby test-tube baby
reageerbuisbevruchting test-tube (*of:* in vitro) fertilization
reageren react (to); respond *(op medische behandeling)*: *te sterk ~* overreact; *moet je eens kijken hoe hij daarop reageert* look how he reacts to that; *ze reageerde positief op de behandeling* she responded to the treatment
realiseerbaar realizable, feasible
[1]**realiseren** *tr* realize: *dat is niet te ~* that is impracticable
[2]**realiseren, zich** *(beseffen)* realize
realisme realism
realist realist
realistisch realistic: *~ beschrijven* (of: *schilderen*) describe (*of:* paint) realistically
realiteit reality: *we moeten de ~ onder ogen zien* we must face facts (*of:* reality)
realitysoap reality soap
reallifesoap real-life soap
reanimatie resuscitation, reanimation
reanimeren resuscitate, revive
rebel rebel
rebellenleider rebel leader
rebelleren rebel: *~ tegen …* rebel against …
rebels rebellious
rebound rebound
rebus rebus
recensent reviewer, critic
recensie review, notice: *lovende (juichende) ~s krijgen* get rave reviews
recent recent
recept 1 *(med)* prescription: *alleen op ~ verkrijgbaar* available only on prescription 2 *(mbt gerechten)* recipe *(voor koken)*
receptie 1 reception: *staande ~* stand-up reception 2 *(ontvangstbalie)* reception (desk): *melden bij de ~* report to the reception (desk)
receptionist receptionist
recessie recession
recherche criminal investigation department
rechercheur detective
[1]**recht** *zn* 1 justice, right: *iem ~ doen* do s.o. justice; *iem (iets) geen ~ doen* be unfair to s.o. (sth); *het ~ handhaven* uphold the law; *het ~ aan zijn kant hebben* be in the right 2 *(rechtsregels)* law: *student (in de) ~en* law student; *burgerlijk ~* civil law; *het ~ in eigen handen nemen* take the law into one's own hands; *~en studeren* read (*of:* study) law; *volgens Engels ~* under English law 3 *(bevoegdheid)* right: *~ van bestaan hebben* have a right to exist; *het ~ van de sterkste* the law of the jungle; *dat is mijn goed ~* that is my right; *het volste ~ hebben om …* have every right to …; *niet het ~ hebben iets te doen* have no right to do sth; *goed tot zijn ~ komen* show up well; *voor zijn ~(en) opkomen* defend one's right(s) 4 *(mv) (bevoegdheden behorend bij een stand, positie)* rights: *de ~en van de mens* human rights 5 *(aanspraak)* right, claim: *~ op uitkering* entitlement to a benefit; *~ hebben op iets* have the right to sth 6 *(mv) (bevoegdheid tot reproductie van een boek, film enz.)* (copy)right(s): *alle ~en voorbehouden* all rights reserved
[2]**recht** *bn, bw* 1 straight: *de auto kwam ~ op ons af* the car was coming straight at us; *iets ~ leggen* put sth straight; *~ op iem (iets) afgaan* go straight for s.o. (sth); *iem ~ in de ogen kijken* look s.o. straight in the eye; *~ voor zich uitkijken* look straight ahead; *hij woont ~ tegenover mij* he lives straight across from me; *~ tegenover elkaar* face-to-face 2 *(rechtop)* straight (up), upright: *~ zitten* (of: *staan*) sit (*of:* stand) up straight; *~ overeind* straight up, bolt upright 3 right *(kant van stof)*; direct *(evenredigheid)*; directly: *de ~e zijde van een voorwerp* the right side of an object 4 *(juist)* right *(woord, pad)*; true *(oorzaak)*: *op het ~e pad blijven* keep to the straight and narrow || *~e hoek* right angle

rechtbank 1 court (of law, justice), lawcourt: *voor de ~ moeten komen* have to appear in court (*of:* before the court) 2 *(gebouw)* court, law courts, magistrates' court; *(Am)* courthouse
rechtbreien put right, rectify
rechtbuigen straighten (out), bend straight
rechtdoor straight on *(of:* ahead)
rechtdoorzee straight, honest, sincere
[1]**rechter** *zn* judge, magistrate: *naar de ~ stappen* go to court; *voor de ~ moeten verschijnen* have to appear in court
[2]**rechter** *bn* right; *(mbt zaken)* right(-hand): *de ~ deur* the door on the (*of:* your) right
rechterarm right arm
rechterbeen right leg
rechter-commissaris examining judge *(of:* magistrate)
rechterhand right hand: *de tweede straat aan uw ~* the second street on your right
rechterkant right(-hand) side: *aan de ~* on the right(-hand) side
rechterlijk judicial, court: *de ~e macht* the judiciary
rechtervoet right foot
rechterzijde right(-hand) side: *pijn in de ~ hebben* have a pain in one's right side; *aan de ~* on the right(-hand side)
rechthoek rectangle, oblong
rechthoekig 1 right-angled, at right angles: *een ~e driehoek* a right-angled triangle 2 *(met de vorm ve rechthoek)* rectangular, oblong: *een ~e kamer* a rectangular room
rechtmatig rightful *(erfgenaam enz.);* lawful *(handeling);* legitimate *(bewind, erfgenaam): de ~e eigenaars* the rightful (*of:* legitimate) owners
rechtop upright, straight (up); on end *(van langwerpige voorwerpen): ~ lopen* walk upright; *~ zitten* sit up straight
rechts 1 right(-hand): *de eerste deur ~* the first door on (*of:* to) the right; *~ afslaan* turn (off to the) right; *~ houden* keep (to the) right; *~ rijden* drive on the right; *~ boven* (of: *beneden*) top (*of:* bottom) right; *hij zat ~ van mij* he sat on my right(-hand side) 2 *(rechtshandig)* right-handed: *~ schrijven* write with one's right hand 3 *(pol)* right-wing
rechtsachter right back
rechtsaf (to the, one's) right: *bij de splitsing moet u ~* you have to turn right at the junction
rechtsbescherming legal protection
rechtsbijstand legal aid
rechtsbuiten right-winger, outside right
rechtsgebouw law courts, magistrates' court; *(Am)* court-house
rechtsgeldig (legally) valid, lawful
rechtsgeldigheid legality, legal force *(of:* validity)
rechtsgelijkheid equality before the law, equality of rights *(of:* status)
rechtshandig right-handed
rechtshulp legal aid: *bureau voor ~* legal advice centre
rechtsomkeert: *~ maken: a) (mil)* do an about-turn; *b) (fig)* make a U-turn
rechtsongelijkheid inequality of status, legal inequality
rechtsorde legal order, system of law(s)
rechtspersoon legal body *(of:* entity, person)
rechtspositie legal position
rechtspraak 1 administration of justice *(of:* of the law) 2 *(rechtspleging)* jurisdiction: *de ~ in strafzaken* criminal jurisdiction
rechtspreken administer justice: *de ~de macht* the judicature, the judiciary; *~ in een zaak* judge a case
rechtsstaat constitutional state
rechtstreeks 1 direct, straight(forward): *een ~e verbinding* a direct connection; *~ naar huis gaan* go straight (*of:* right) home 2 *(zonder tussenschakel)* direct, immediate: *een ~e uitzending* a direct broadcast; *hij wendde zich ~ tot de minister* he went straight to the minister
rechtsvervolging legal proceedings, prosecution: *een ~ tegen iem instellen* institute legal proceedings against s.o.; *ontslaan van ~* acquit
rechtswinkel law centre *(of:* clinic)
rechtszaak lawsuit: *ergens een ~ van maken* take a matter to court
rechtszaal courtroom
rechtszitting sitting *(of:* session) of the court
rechttoe: *~, rechtaan* straightforward; *het was allemaal ~ rechtaan* it was plain sailing all the way
rechttrekken *(goedmaken)* set right, put right
rechtuit straight on *(of:* ahead): *~ lopen* walk straight on
rechtvaardig just, fair: *een ~ oordeel* a fair judg(e)ment; *iem ~ behandelen* treat s.o. fairly
rechtvaardigen justify; *(wettigen ook)* warrant: *zich tegenover iem ~* justify oneself to s.o.
rechtvaardigheid justice
rechtvaardiging justification
rechtzetten 1 put right, set right, rectify 2 *(in de juiste stand zetten)* adjust 3 *(overeind zetten)* set up, put up, raise
recital recital
reclame 1 advertising, publicity: *~ maken (voor iets)* advertise (sth) 2 *(bericht)* ad(vertisement), sign
reclameaanbieding special offer
reclameblaadje advertising leaflet, pamphlet; *(krantje ook)* free sheet
reclameboodschap commercial
reclamebord billboard; *(groot)* hoarding; (advertising) sign *(tegen muur)*
reclamebureau advertising agency
reclamecampagne advertising campaign: *een ~ voeren* run (*of:* conduct) an advertising campaign
reclamedrukwerk advertising leaflets *(of:* bro-

chures): *mijn brievenbus zat vol ~* my letterbox was full of advertisements
reclamefolder advertising brochure *(of:* pamphlet)
reclameren complain, put in a claim
reclamespot commercial, (advertising) spot
reclamestunt advertising stunt, publicity stunt
reclassering after-care and rehabilitation
reclasseringsambtenaar probation officer
reclasseringswerk after-care and resettlement (of discharged prisoners)
reconstructie reconstruction
reconstrueren reconstruct
record record: *een ~ breken* (of: *vestigen*) break (*of:* establish) a record
recordhouder record-holder
recordpoging attempt on a record
recreatie recreation, leisure
recreatief recreational
rectificatie rectification
rector 1 headmaster; *(vnl. Am)* principal **2** *(van universiteit enz.)* rector
reçu receipt
recyclen recycle
redacteur editor
redactie editors, editorial staff
redactioneel editorial: *een ~ artikel* an editorial
[1]**redden** *tr* **1** save, rescue; *(bij ramp ook)* salvage: *de ~de hand toesteken* be the saving of a person; *we moeten zien te ~ wat er te ~ valt* we must make the best of a bad job; *gered zijn* be helped *(bijv. door iets te krijgen)* **2** (met *het*) *(gedaan krijgen)* manage: *de zieke zal het niet ~* the patient won't pull through || *Jezus redt* Jesus saves
[2]**redden, zich** manage, cope: *ik red me best!* I can manage all right!
redder rescuer, saviour
redding rescue, salvation
reddingsactie rescue operation
reddingsboot lifeboat
reddingsbrigade rescue party *(of:* team)
reddingsoperatie rescue operation
reddingsploeg rescue party *(of:* team); *(om iem te zoeken)* search party
reddingspoging rescue attempt *(of:* bid, effort): *hun ~en mochten hem niet baten* their attempts (*of:* efforts) to rescue him were in vain
rede 1 reason, sense: *hij is niet voor ~ vatbaar* he won't listen to (*of:* see) reason **2** *(redevoering)* speech; address *(toespraak)*: *een ~ houden* make a speech **3** *(begripsvermogen)* reason, intelligence, intellect || *iem in de ~ vallen* interrupt s.o.
[1]**redelijk** *bn* **1** rational, sensible **2** *(billijk; acceptabel)* reasonable, fair: *binnen ~e grenzen* within (reasonable) limits; *een ~e prijs* a reasonable price; *een ~e kans maken* stand a reasonable chance
[2]**redelijk** *bw* **1** rationally: *~ denken* think rationally **2** *(tamelijk)* reasonably, fairly: *ik ben ~ gezond* I am in reasonably good health
redelijkerwijs in fairness: *~ kunt u niet meer verlangen* in all fairness you cannot expect more
redeloos 1 irrational **2** *(dwaas)* unreasonable
reden 1 reason, cause, occasion: *om persoonlijke ~en* for personal reasons; *ik heb er mijn ~ voor* I have my reasons; *om die ~* for that reason; *geen ~ tot klagen hebben* have no cause (*of:* ground) for complaint; *een ~ te meer om …* all the more reason why … **2** *(motief, argument)* reason, motive: *zonder opgaaf van ~en* without reason; *~ geven tot* give cause for
redenaar speaker, orator
redeneren reason, argue (about): *daartegen is (valt) niet te ~* there is no arguing with that
redenering reasoning, argumentation: *een fout in de ~* a flaw in the reasoning
reder shipowner
rederij shipping company, shipowner(s)
redevoering speech, address: *een ~ houden* make (*of:* deliver) a speech
reduceren reduce, decrease: *gereduceerd tarief* reduced rate
reductie reduction, decrease; *(vnl. besnoeiing)* cut; cutback: *~ geven* give a discount
ree roe(deer)
reebok roebuck
reëel 1 real, actual: *reële groei van het inkomen* growth of real income **2** *(zakelijk, nuchter)* realistic, reasonable: *een reële kijk op het leven hebben* have a realistic outlook on life
reeks 1 series, row; string *(woorden, tekens)* **2** *(opeenvolging)* series, succession, sequence: *een ~ ongelukken* a string (*of:* succession) of accidents
reep 1 strip; thong *(leer)*; *(band)* band; *(reepje)* sliver: *de komkommer in ~jes snijden* slice the cucumber thinly **2** *(van chocolade)* (chocolate) bar
reet 1 crack, chink **2** *(plat) (achterste)* arse; *(Am)* ass; backside
referentie *((opgave van) personen)* reference; *(persoon ook)* referee: *mag ik u als ~ opgeven?* may I use you as a reference?
reflecteren reflect, mirror
reflectie reflection
reflector reflector; *(op wegdek)* Catseye
reflex reflex: *een aangeboren ~* an innate reflex
reformartikel health food product, wholefood product
reformwinkel health food shop, wholefood shop
refrein refrain, chorus: *iedereen zong het ~ mee* everybody joined in the chorus
refter refectory
regeerakkoord coalition agreement
regeerperiode period of office, period of government
regel 1 line: *een ~ overslaan* skip a line, *(bij schrijven ook)* leave a line blank; *tussen de ~s door lezen* read between the lines **2** *(gewoonte)* rule: *het is ~ dat …* it is a (general) rule that …; *in de ~* as

a rule, ordinarily 3 *(voorschrift)* rule, regulation; *(van spel ook)* law: *tegen alle ~s in* contrary to (*of:* against) all the rules
regelafstand line space, spacing: *op enkele ~* single-spaced
regelen 1 regulate; *(organiseren)* arrange; fix (up); settle *(zaken, schulden);* control *(verkeer); (techn ook)* adjust; *(orde scheppen)* order: *de geluidssterkte ~* adjust the volume; *de temperatuur ~* regulate (*of:* control) the temperature; *het verkeer ~* direct the traffic; *ik zal dat wel even ~* I'll take care of that 2 *(bepalen, vaststellen)* regulate, lay down rules for
regeling 1 regulation, arrangement, settlement, ordering; control *(verkeer); (afstelling)* adjustment: *de ~ van de geldzaken* the settling of money matters; *een ~ treffen* make an arrangement (*of:* a settlement) 2 *(schikking)* arrangement, settlement; scheme *(pensioen, sparen)*
regelmaat regularity: *met de ~ van de klok* as regular as clockwork
regelmatig 1 regular, orderly: *een ~e ademhaling* regular (*of:* even) breathing; *een ~ leven leiden* lead a regular (*of:* an orderly) life 2 *(geregeld)* regular; *(vaak)* frequent: *~ naar de kerk gaan* be a regular churchgoer; *dat komt ~ voor* that happens regularly
regelrecht straight, direct; *(bw ook)* right: *de kinderen kwamen ~ naar huis* the children came straight home
regen 1 rain: *aanhoudende ~* persistent rain; *in de stromende ~* in the pouring rain; *zure ~* acid rain 2 *(bui)* rain; *(buitje)* shower
regenachtig rainy, showery: *een ~e dag* a rainy day
regenboog rainbow
regenboogtrui *(sport)* rainbow jersey
regenboogvlies iris
regenbui shower (of rain); *(zwaar)* downpour
regendruppel raindrop
regenen rain; *(licht)* shower; drizzle: *het heeft flink geregend* there was quite a downpour; *het regent dat het giet* it is pouring
regenjas raincoat, mackintosh
regenkleding rainproof clothing, rainwear
regenmeter rain gauge
regenpijp drainpipe
regent 1 regent 2 *(Belg)* teacher for lower classes in secondary school
regentijd rainy season, rains: *in de ~* during the rainy season
regenval rain(fall); *(bui)* shower
regenworm earthworm
regenwoud rainforest
regeren rule (over); reign *(vnl. vorst);* govern, control: *de ~de partij* the party in power
regering government: *de ~ is afgetreden* the government has resigned
regeringsbeleid government policy
regeringsleider leader of the government
regeringspartij party in office (*of:* power), government party
regie direction, production
regieassistent *(film, tv)* assistant to the director
regime regime
regiment regiment
regio region, area
regiokorps regional police force
regionaal regional
regisseren direct, produce
regisseur director, producer
register 1 register, record: *de ~s van de burgerlijke stand* the register of births, deaths and marriages; *een alfabetisch ~* an alphabetical register 2 *(inhoudsopgave)* index, table of contents
registeraccountant chartered accountant, certified public accountant
registratie registration
registreren register, record
reglement regulation(s), rule(s); *(concr)* rule book; *(concr)* rules and regulations: *huishoudelijk ~* regulations
reguleren regulate, control, adjust
regulier regular, normal
rehabilitatie rehabilitation, vindication
rehabiliteren rehabilitate, vindicate
rei *(Belg) (stadsgracht)* town canal, city canal
reiger heron
reiken reach, extend: *zo ver het oog reikt* as far as the eye can see
reikwijdte range, scope
reïncarnatie reincarnation
reinigen clean (up), wash; cleanse *(wonden): chemisch ~* dry-clean
reiniging cleaning, cleansing, washing, purification: *chemische ~* dry-cleaning
reinigingsdienst cleansing service (*of:* department)
reinigingsmiddel cleansing agent, clean(s)er; *((af)wasmiddel)* detergent
reis 1 trip, journey; voyage *(per boot);* passage *(per boot);* flight *(per vliegtuig): enkele ~* single (journey), *(Am)* one-way; *goede ~* have a good (*of:* pleasant) journey; *een ~ om de wereld maken* go round the world; *op ~ gaan* go on a journey 2 *(arrangement)* trip, tour: *een geheel verzorgde ~* a package tour (*of:* holiday)
reisbureau travel agency; *(winkel)* travel agent's
reischeque traveller's cheque
reisdeclaratie claim for travelling expenses
reis- en kredietbrief circular letter of credit
reisgezelschap tour(ing) group (*of:* party); *(in bus ook)* coach party
reisgids 1 travel brochure (*of:* leaflet) 2 *(boek)* guidebook, (travel) guide 3 *(persoon)* (travel) guide, courier
reiskaart ticket
reiskosten travelling expenses: *reis- en verblijf-*

kosten travel and living expenses

reiskostenvergoeding travelling allowance

reisleider (travel, tour) guide, courier

reisorganisatie travel organization *(of:* company), tour operator

reisorganisator tour operator

reistas holdall

reisverzekering travel insurance

reiswieg carrycot, portable crib

reizen travel, go on a trip *(of:* journey): *op en neer ~* travel up and down; *per spoor ~* travel by train

reiziger 1 traveller, tourist; *(passagier)* passenger: *~s naar Londen hier overstappen* passengers for London change here **2** *(handelsreiziger)* travelling salesman

[1]**rek** *zn* elasticity, give, flexibility: *de ~ is er uit* the party is over

[2]**rek** *zn* rack; shelves *(mv)*

[1]**rekenen** *intr* **1** calculate, do sums *(of:* figures), reckon: *goed kunnen ~* be good at figures; *in euro ~* reckon in euros **2** *(rekening houden met)* consider, include, take into consideration *(of:* account): *daar had ik niet op gerekend* I hadn't counted on *(of:* expected) that; *daar mag je wel op ~* you'd better allow for that **3** (met *op*) *(vertrouwen)* rely, count on, trust: *kan ik op je ~?* can I count *(of:* depend) on you?; *reken maar niet op ons* count us out **4** (met *op*) *(verwachten)* expect: *je kunt op 40 gasten ~* you can expect 40 guests

[2]**rekenen** *tr* **1** count: *alles bij elkaar gerekend* all told, in all **2** *((geld) vragen)* charge, ask: *hoeveel rekent u daarvoor?* how much do you charge for that? **3** *(begrijpen onder)* count, number: *zich ~ tot* count oneself as *(of:* among) **4** *(in aanmerking nemen)* bear in mind, remember, allow for: *reken maar!* you bet!

rekening 1 bill; *(Am ook)* check; invoice: *een hoge ~* a stiff bill; *een ~ betalen* (of: *voldoen*) pay/settle an account *(of:* a bill); *ober, mag ik de ~?* waiter, may I have the bill please? **2** *(staat met debet- en creditzijde)* account: *een ~ openen (bij een bank)* open an account (at a bank); *op ~ van* at the expense of; *dat is voor mijn ~* I'll take care of that, leave that to me; *kosten voor zijn ~ nemen* pay the costs **3** (met *voor*) expense: *voor eigen ~* at one's own expense || *~ houden met iets* take sth into account; *je moet een beetje ~ houden met je ouders* you should show some consideration for your parents

rekening-courant current account

rekeninghouder account holder

rekeningnummer account number

Rekenkamer audit office, auditor's office

rekenkunde arithmetic, maths

rekenkundig arithmetic(al)

rekenliniaal slide rule

rekenmachine calculator

rekensom 1 sum; *(mv ook)* number work **2** *(fig)* problem, question: *het is een eenvoudig ~metje* it's just a matter of adding two and two; *een eenvoudige ~ leert dat ...* it is easy to calculate that ...

[1]**rekken** *intr* stretch: *dat elastiek rekt niet goed meer* that elastic has lost its stretch

[2]**rekken** *tr* **1** *(wijder maken)* stretch (out) *(schoenen, linnen)* **2** *(mbt duur)* drag out, draw out; prolong *(onderhandelingen, leven)*: *het leven van een stervende ~* prolong a dying person's life; *(voetbal) tijd ~* use delaying tactics

rekruut recruit

rekstok horizontal bar, high bar

rekwisiet (stage-)property, prop

rel disturbance, riot: *een ~ schoppen* kick up *(of:* cause) a row

relais relay

relatie 1 relation(s), connection, relationship, contact: *~s onderhouden (met)* maintain relations (with); *in ~ staan tot* have relations with **2** *(liefdesverhouding)* affair, relationship: *een ~ hebben met iem* have a relationship with s.o.

relatief relative, comparative

relatiegeschenk business gift

relativeren put into perspective

relaxen relax

relevant relevant: *die vraag is niet ~* that question is irrelevant

relevantie relevance

reliëf relief

religie religion

religieus religious

relikwie relic

reling rail

relschopper rioter, hooligan

rem brake: *op de ~ gaan staan* slam *(of:* jam) on the brakes

rembekrachtiging power(-assisted) brakes

rembours cash on delivery, COD: *onder ~ versturen* send (sth) COD

remise draw, tie, drawn game

remlicht brake light

remmen brake; *(fig ook)* curb; check *(stuiten, afremmen)*; inhibit *(vertragen, ook psychisch)*: *geremd in zijn ontwikkeling* curbed in its development

remming check; *(fig)* inhibition

rempedaal brake pedal

remspoor skid mark

remweg braking distance

ren *(voor kippen enz.)* run

renaissance renaissance

renbaan (race)track, (race)course

rendabel profitable, cost-effective

rendement 1 return, yield, output: *het ~ van obligaties* the return *(of:* yield) on bonds **2** *(nuttig effect)* efficiency, output, performance: *het ~ van een elektrische lamp* the efficiency *(of:* output) of an electric lamp

rendier reindeer

rennen run, race: *we zijn laat, we moeten ~* we're

late; we must dash (off) (*of:* must fly)
renner rider
renovatie renovation, redevelopment
renoveren renovate; *(hele wijk)* redevelop
renpaard racehorse, thoroughbred
rentabiliteit productivity, cost-effectiveness, profitability
rente interest: ~ *opbrengen* yield interest; ~ *op* ~ compound interest; *een lening tegen vijf procent* ~ a loan at five per cent interest
rentenieren 1 live off one's investments 2 *(niets uitvoeren)* lead a life of leisure
rentepercentage interest rate
renteverhoging rise in interest rates
renteverlaging fall in interest rates
rentevoet interest rate, rate of interest
reorganisatie reorganization
reorganiseren reorganize: *het onderwijs* ~ reorganize the educational system
rep: *het hele land was in* ~ *en roer* the entire country was in (an) uproar
reparateur repairer, repairman; *(monteur)* service engineer
reparatie repair: *mijn horloge is in (de)* ~ my watch is being repaired
repareren repair, mend, fix: *dat is niet meer te* ~ it's beyond repair
repertoire repertoire, repertory: *het klassieke* ~ the classics; *zijn* ~ *afwerken* do one's repertoire
[1]**repeteren** *intr* 1 *(instuderen)* rehearse 2 *(zich herhalen)* repeat, circulate
[2]**repeteren** *tr* rehearse; *(oefenen)* run through, go through
repetitie rehearsal; run-through *(toneel-, muziekstuk)*; practice *(vooral van koren)*: *generale* ~ dress rehearsal *(toneel)*, final (*of:* last) rehearsal *(muziek)*
reportage report, coverage; *(commentaar)* commentary: *de* ~ *van een voetbalwedstrijd* the coverage of a football match
reporter reporter
reppen 1 mention 2 hurry, rush
represaille reprisal, retaliation: ~*s nemen (tegen)* retaliate (*of:* take reprisals) (against)
representatief 1 representative (of), typical (of): *een representatieve groep van de bevolking* a cross-section of the population; *een representatieve steekproef* a representative sample 2 *(goede indruk makend)* representative, presentable
representeren represent
reproduceren reproduce, copy
reproductie reproduction, copy
reptiel reptile
republiek republic
republikein republican
reputatie reputation, name; fame *((goede) naam)*: *een goede* (of: *slechte*) ~ *hebben* have a good (*of:* bad) reputation; *iemands* ~ *schaden, slecht zijn voor iemands* ~ damage s.o.'s reputation
requiem requiem (mass)
research research
reservaat reserve, preserve: *indianenreservaat* Indian reservation; *natuurreservaat* nature reserve
reserve 1 reserve(s): *zijn* ~*s aanspreken* draw on one's reserves 2 *(terughoudendheid)* reserve, reservation: *zonder enige* ~ without reservations
reserveband spare tyre
reservebank reserve(s') bench, sub bench
reserveonderdeel spare part
reserveren 1 reserve, put aside (*of:* away, by): *1000 euro* ~ *voor* set aside 1000 euros for; *een artikel voor iem* ~ put aside an article for s.o. 2 *(bespreken)* book, reserve: *een tafel* ~ reserve (*of:* book) a table
reservering booking, reservation
reservesleutel spare key
reservespeler reserve (player), substitute (player)
reservewiel spare wheel
reservoir reservoir, tank
resoluut resolute, determined
resoneren resonate
respect respect; *(achting)* regard; *(eerbied)* deference: ~ *afdwingen* command respect; *voor iets (iem)* ~ *tonen* show respect for sth (s.o.); *met alle* ~ with all (due) respect
respectabel respectable; *(aanzienlijk)* considerable
respecteren respect, appreciate: *zichzelf* ~*d* self-respecting; *iemands opvattingen* ~ respect s.o.'s views
respectievelijk respective: *bedragen van* ~ *10, 20 en 30 euro* sums of 10, 20 and 30 euros respectively
respons response, reaction
rest rest, remainder: *de* ~ *van het materiaal* the remainder of the material; *voor de* ~ *geen nieuws* otherwise no news
restant remainder, remnant
restaurant restaurant
restauratie restoration
restaureren restore
resten remain, be left: *hem restte niets meer dan* ... there was nothing left for him but to ...; *nu rest mij nog te verklaren* ... now it only remains for me to say ...
resteren be left, remain
restje: *ik heb nog een* ~ *van gisteren* I've got a few scraps (left over) from yesterday
restwarmte residual heat (*of:* warmth)
resultaat 1 result, effect, outcome: *het plan had het beoogde* ~ the plan had the desired effect; *resultaten behalen* achieve results; *met het* ~ *dat* ... with the result that ...; *zonder* ~ with no result 2 *(opbrengst)* result; *(winst)* returns
retorisch rhetorical: *een* ~*e vraag* a rhetorical question

retort retort
retoucheren retouch, touch up
[1]**retour** *zn* return (ticket); *(Am)* round-trip (ticket): *een ~ eerste klas Utrecht* a first-class return (ticket) to Utrecht; *op zijn ~* past his (*of:* its) best
[2]**retour** *bw* back || *~ afzender* return to sender; *drie euro ~* three euros change
retourbiljet return ticket; *(Am)* round-trip ticket
retourenveloppe self-addressed envelope
retourneren return
retourtje return; *(Am)* round-trip
retourvlucht 1 return flight **2** *(heen en weer)* return flight; *(Am)* round-trip flight
reu male dog
reuk 1 smell, odour: *een onaangename ~ verspreiden* give off an unpleasant smell **2** *(reukzin)* smell; *(van dieren ook)* scent: *op de ~ afgaan* hunt by scent
reukloos odourless *(gas e.d.)*; scentless *(bloem)*
reukzin (sense of) smell
reuma rheumatism
reumatisch rheumatic
reünie reunion
reus giant
reusachtig 1 gigantic, huge **2** *(prachtig)* great, terrific
reuze *(in hoge mate)* enormously: *~ veel* an awful lot; *~ bedankt* thanks awfully
reuzel lard
reuzenrad Ferris wheel
revalidatie rehabilitation
revalidatiecentrum rehabilitation centre
revalideren recover, convalesce
revalueren revalue
revanche 1 revenge: *~ nemen op iem* take revenge on s.o. **2** *(sport)* return (game, match); *(boksen)* return bout: *iem ~ geven* give s.o. a return game
revers lapel
reviseren overhaul
revolutie revolution: *de Amerikaanse Revolutie* the American War of Independence
revolutionair revolutionary: *een ~e ontdekking* a revolutionary discovery
revolver revolver
revue 1 revue, show **2** review
Rhodos Rhodes
Riagg *afk van Regionale Instelling voor Ambulante Geestelijke Gezondheidszorg* regional institute for mental welfare
riant ample, spacious: *een ~e villa* a spacious villa
rib rib: *de zwevende ~ben* the floating ribs; *je kunt zijn ~ben tellen* he is a bag of bones
ribbel rib, ridge; *(in zand enz.)* ripple
ribbenkast rib cage
ribbroek cord(uroy) trousers
ribeye ribeye
ribfluweel cord(uroy)
ribkarbonade rib chop
richel ledge, ridge
[1]**richten** *intr, tr* **1** direct, aim, orient: *gericht op* aimed at, directed at, oriented towards; *zijn ogen op iets ~* focus one's eyes on sth; *het geweer op iem ~* aim a gun at s.o. **2** *(sturen)* direct, address; extend *(uitnodiging, dankwoord enz.)*: *een brief, aan mij gericht* a letter addressed to me; *een vraag ~ tot de voorzitter* direct a question to the chairman **3** *(in bepaalde richting brengen)* align: *naar het oosten gericht* facing east
[2]**richten, zich 1** (met *tot*) *(zich wenden tot)* address (oneself to): *richt u met klachten tot ons bureau* address any complaints to our office **2** (met *naar*) *(als voorbeeld nemen)* conform to: *zich ~ naar de omstandigheden* be guided by circumstances
richting direction: *zij gingen ~ Amsterdam* they went in the direction of (*of:* they headed for) Amsterdam; *iem een zetje in de goede ~ geven* give s.o. a push in the right direction; *(verkeer) ~ aangeven* indicate direction, signal; *dat komt aardig in de ~* that's looks something like it; *van ~ veranderen* change direction
richtingaanwijzer (direction) indicator
richtinggevoel sense of direction
richtlijn guideline; *(mv)* directions: *iets volgens de ~en uitvoeren* do sth in the prescribed way
richtmicrofoon directional microphone
ridder knight: *iem tot ~ slaan* dub s.o. a knight, knight s.o.
ridderlijk chivalrous || *hij kwam er ~ voor uit* he frankly (*of:* openly) admitted it
ridderorde knighthood, order
ridicuul ridiculous
riedel tune, jingle
riek (three-pronged) fork
riem 1 belt **2** strap *(aan horloge e.d.)*; belt *(over schouder)*; sling *(van fototoestel, kijker, geweer)*; leash *(van hond)* **3** *(mv) (veiligheidsgordels)* seat belts
riet reed; *(dik)* cane
rieten reed; *(van biezen)* rush; *(van bamboe)* cane; *(van tenen)* wicker(work): *~ stoel* cane (*of:* wicker) chair; *~ dak* thatched roof
rietje 1 straw **2** *(muz)* reed
rietsuiker cane sugar
rif reef
rigoureus rigorous
rij 1 row, line: *~en auto's* rows of cars, *(files)* queues of cars; *een ~ bomen* a line of trees; *een ~ mensen: a) (naast elkaar)* a row of people; *b) (achter elkaar)* a line (*of:* queue) of people; *in de eerste* (of: *voorste*) *~en* in the front seats (*of:* rows); *in de ~ staan* queue, *(Am)* stand in line **2** *(volgorde)* row; *(cijfers)* string: *een ~ getallen: a) (onder elkaar)* a column of figures; *b) (naast elkaar)* a row of figures; *ze niet allemaal op een ~tje hebben* have a screw loose
rijbaan roadway; *(strook)* lane: *weg met gescheiden rijbanen* dual carriageway
rijbewijs driving licence; *(Am)* driver's license:

z'n ~ halen pass one's driving test
rijbroek jodhpurs, riding breeches
rijden 1 *(besturen)* drive *(auto, bus, trein);* ride *((motor)fiets, paard): honderd kilometer per uur ~* drive (*of:* do) a hundred kilometres an hour; *het is twee uur ~* it's a two-hour drive; *hij werd bekeurd omdat hij te hard reed* he was fined for speeding; *door het rode licht ~* go through a red light; *in een auto ~* drive (in) a car; *op een (te) paard ~* ride a horse (*of:* on horseback) 2 drive *(auto);* ride *((motor)fiets, rolstoel); (snelheid hebben)* move; *(volgens dienstregeling)* run *(trein, bus);* do *(mbt snelheid, afstand): hoeveel heeft je auto al gereden?* how many miles (*of:* kilometres) has your car done?; *(te) dicht op elkaar ~* not keep one's distance; *de tractor rijdt op dieselolie* the tractor runs (*of:* operates) on diesel oil; *die auto rijdt lekker* that car is pleasant to drive
rijdend 1 mobile: *~e bibliotheek* mobile (*of:* travelling) library, *(Am)* bookmobile 2 *(in beweging zijnd)* moving
rijder rider *(racefietser);* driver *(auto); (fietser)* cyclist
rijendik packed
rijexamen driving test: *~ doen* take one's driving test
rijgedrag driving (behaviour), motoring performance
rijgen thread, string
rijglaars lace-up boot
rijhoogte maximum vehicle height
rijinstructeur driving instructor
[1]**rijk** *zn* 1 realm: *het ~ der hemelen* the Kingdom of Heaven; *het Britse Rijk* the British Empire 2 *(land, natie)* state, kingdom, empire 3 *(landelijke overheid)* government, State: *door het Rijk gefinancierd* State-financed
[2]**rijk** *bn* 1 rich, wealthy: *stinkend ~ zijn* be filthy rich 2 *(overvloedig)* rich; fertile *(grond enz.);* generous *(maal): hij heeft een ~e verbeelding* he has a fertile imagination
rijkdom 1 wealth, affluence 2 *(iets dat de mens van nut is)* resource: *natuurlijke ~men* natural resources
rijkelijk lavish, liberal
rijkelui rich people
rijksambtenaar public servant
rijksbegroting (national) budget
rijksdaalder two-and-a-half guilder coin
rijksinstelling government institution (*of:* institute)
rijksinstituut national institute
rijksluchtvaartdienst Civil Aviation Authority
Rijksmunt Mint
rijksmuseum national museum; *(voor kunst ook)* national gallery
rijksoverheid central government, national government
rijkspolitie national police (force)
rijksrecherche national department of criminal investigation
rijksuniversiteit state university
rijksvoorlichtingsdienst government information service
Rijkswacht *(Belg)* state police
rijkswachter *(Belg)* state policeman
rijkswaterstaat *(ongev)* Department (*of:* Ministry) of Waterways and Public Works
rijksweg national trunk road; *(Am)* state highway
rijles driving lesson; *(paard)* riding lesson: *~ nemen* take driving (*of:* riding) lessons
rijm rhyme; *(gedicht ook)* verse: *op ~* rhyming, in rhyme
rijmen 1 be in rhyme (*of:* verse), rhyme (with): *deze woorden ~ op elkaar* these words rhyme (with each other) 2 *(verzen maken)* rhyme, versify
rijmpje rhyme, short verse
Rijn Rhine
rijnaak Rhine barge
[1]**rijp** *zn* (white) frost, hoarfrost
[2]**rijp** *bn* 1 ripe: *~ maken (worden)* ripen, mature 2 *(mbt personen)* mature: *op ~ere leeftijd* at a ripe age 3 (met *voor*) *(geschikt geworden)* ripe (for), ready (for): *~ voor de sloop* ready for the scrap heap 4 *(goed overwogen)* serious: *na ~ beraad* after careful consideration
rijpen ripen; *(mbt personen, zaken)* mature
rijpheid ripeness, maturity: *tot ~ komen* ripen, mature
rijschool driving school; *(manege)* riding school (*of:* academy)
rijst rice
rijstebrij rice pudding
rijstijl driving style
rijstkorrel grain of rice
rijstoogst rice crop (*of:* harvest)
rijstrook (traffic) lane
rijsttafel (Indonesian) rice meal
rijtjeshuis terrace(d) house; *(Am)* row house
rijtuig 1 carriage 2 *(treinstel)* carriage; *(Am)* car
rijvaardigheid driving ability (*of:* proficiency)
rijven *(Belg) (harken)* rake
rijweg road(way)
rijwiel (bi)cycle
rijwielhandel bicycle shop
rijwielhandelaar bicycle dealer
rijwielpad cycle path, cycle track
rijwielstalling (bi)cycle lock-up
rijzen rise: *laat het deeg ~* leave the dough to rise; *de prijzen ~ de pan uit* prices are soaring
rijzweep (hunting, riding) crop, riding whip
rikketik ticker
riks two-and-a-half guilder (coin)
riksja rickshaw
rillen shiver, shudder, tremble: *hij rilde van de kou* he shivered with cold
rilling shiver, shudder, tremble: *koude ~en heb-*

ben have the shakes (*of:* shivers); *er liep een ~ over mijn rug* a shiver ran down my spine
rimboe jungle
rimpel wrinkle: *een gezicht vol ~s* a wrinkled face
rimpelen 1 wrinkle (up): *het voorhoofd ~* wrinkle one's forehead **2** *(plooien (maken in))* crinkle (up)
rimpelig wrinkled: *een ~e appel* a wizened apple
ring ring
ringbaard fringe of beard
ringband ring-binder
ringmap ring-binder
ringslang grass snake, ring(ed) snake
ringtone ring tone
ringvinger ring finger
ringweg ring road
ringworm ringworm
rinkelen jingle, tinkle; ring *(bel)*; chink *(glas, metaal)*: *~de ruiten* rattling panes of glass; *de ~de tamboerijn* the jingling tambourine
rinoceros rhinoceros, rhino
riolering sewerage, sewer system
riool sewer: *een open ~* an open sewer
rioolbuis sewer
rioolwaterzuiveringsinrichting sewage plant
risico risk: *dat behoort tot de ~'s van het vak* that's an occupational hazard; *het ~ lopen (van)* run the risk (of); *te veel ~'s nemen* run (*of:* take) too many risks; *op eigen ~* at one's own risk; *voor ~ van de eigenaar* at the owner's risk; *geen ~ willen nemen* not want to take any chances
risicodragend risk-bearing
risicogroep high-risk group
risicowedstrijd high-risk match
riskant risky: *een ~e onderneming* a risky enterprise
riskeren risk
rit 1 ride, run; *(met auto ook)* drive: *een ~je maken* go for a ride **2** *(wielersport)* stage, ride
ritme rhythm: *uit zijn ~ raken* lose one's rhythm
ritmisch rhythmic(al): *~ bewegen* move rhythmically
rits 1 zipper, zip **2** *(serie, rij)* bunch; string *(namen, auto's)*; batch *(schriften, brieven)*; battery *(camera's, vragen)*: *een ~ kinderen* a whole string of children
ritselen rustle: *ik hoor een muis ~ achter het behang* I can hear a mouse scuffling behind the wallpaper; *~ met een papiertje* rustle a paper
ritssluiting zipper, zip: *kun je me even helpen met mijn ~?* can you help zip me up? (*of:* unzip me?)
[1]**ritueel** *zn* ritual
[2]**ritueel** *bn* ritual
ritzege stage victory: *een ~ behalen* win a stage
rivaal rival
rivaliteit rivalry
rivier river: *een ~ oversteken* cross a river; *een huis aan de ~* a house on the river
Rivièra Riviera
riviermond river mouth; *(breed)* estuary
rivierpolitie river police
rob seal
robbenjacht seal hunting
robe gown
[1]**robijn** *zn (edelsteen)* ruby
[2]**robijn** *zn (mineraal)* ruby
robot robot: *hij lijkt wel een ~* he is like a robot
robuust robust; solid *(dingen)*: *een ~e gezondheid* robust health
rochelen hawk (up)
rockzanger rock singer
rococo rococo
roddel gossip: *de nieuwste ~s uit de showwereld* the latest gossip in show business
roddelblad gossip magazine
roddelen gossip (about)
roddelpers gutter press, gossip papers
rode 1 redhead **2** *(socialist, communist)* red
rodehond German measles, rubella
rodekool red cabbage
Rode Kruis Red Cross
rodeo rodeo
roe rod
roebel rouble
roedel *(herten e.d.)* herd; *(honden, wolven)* pack
roeiboot rowing boat
roeien row: *met grote slagen ~* take big strokes
roeier rower, oarsman
roeispaan oar; *(lichte riem)* scull; *(kort, met breed blad)* paddle
roeister rower, oarswoman
roeivereniging rowing club
roeiwedstrijd boat race, rowing race; *(groot concours)* regatta
roekeloos reckless: *~ rijden* drive recklessly
roem glory, fame, renown: *op zijn ~ teren* rest on one's laurels
Roemeen Romanian
Roemeens Romanian
Roemenië Romania
roemer rummer
roep call; *(van vogel ook)* cry; shout
[1]**roepen** *intr, tr* call, cry, shout; *(dringend vragen)* clamour: *om hulp ~* call (*of:* cry) out for help; *een ~de in de woestijn* a voice (crying) in the wilderness
[2]**roepen** *tr (ontbieden)* call, summon: *de ober ~* call the waiter; *de plicht roept (mij)* duty calls; *je komt als geroepen* (you're) just the person we need; *ik zal je om zeven uur ~* I'll call you at seven
roepia rupiah
roeping vocation, mission, calling
roepnaam nickname
roer 1 rudder **2** *(stuurmiddelen)* helm; *(roerpen ook)* tiller: *het ~ niet uit handen geven* remain at the helm; *het ~ omgooien (fig)* change course (*of:* tack)

roerbakken stir-fry
roerei scrambled eggs *(mv)*
roeren stir, mix: *de soep ~* stir the soup; *door elkaar ~* mix together
roerend moving, touching
roerig lively, active, restless
roerloos motionless, immovable, immobile
roerspaan stirrer
roerstaafje coffee stirrer
roes 1 *(toestand van bedwelming)* flush; high *(drugs e.d.): in een ~* in a whirl (of excitement) **2** *(bedwelming)* fuddle, intoxication; high *(drank, drugs): zijn ~ uitslapen* sleep it off
roest rust: *een laag ~* a layer of rust || *oud ~* scrap iron
roestbruin rust, rust-coloured
roesten rust, get rusty
roestig rusty
roestvrij rustproof, rust-resistant: *~ staal* stainless steel
roet soot: *zo zwart als ~* as black as soot
roffel roll; *(langzamer)* ruffle
rog ray
rogge rye: *brood van ~* bread made from rye
roggebrood rye bread, pumpernickel
rok 1 skirt; petticoat *(onderrok): Schotse ~* kilt; *een wijde ~* a full skirt **2** *(jas voor mannen)* tail coat, tails: *de heren waren in ~* the men wore evening dress
rokade castling: *de korte* (of: *lange*) *~* castling on the king's side (*of:* queen's side)
roken 1 smoke, puff (at): *stoppen met ~* stop (*of:* give up) smoking; *verboden te ~* no smoking; *minder gaan ~* cut down on smoking; *de schoorsteen rookt* the chimney is smoking **2** *(in de rook hangen)* smoke, cure
roker smoker
rokeren castle: *kort (lang) ~* castle on the king's (*of:* queen's) side
rokerig smoky
rokkenjager womanizer
rol 1 *(theat)* part, role: *zijn ~ instuderen* learn one's part; *de ~len omkeren* reverse roles, *(wraak)* turn the tables **2** *(opgerolde hoeveelheid)* roll; *(hol)* cylinder; *(touw enz.)* coil; *(perkament)* scroll; *(camera)* reel; spool: *een ~ behang* a roll of wallpaper; *een ~ beschuit* a packet of rusks **3** *(rolrond stuk materiaal)* roller; *(deegrol)* rolling pin
rolgordijn (roller) blind: *een ~ ophalen* (of: *laten zakken*) let up (*of:* down) a blind
rollade rolled meat
rollator Zimmer frame, rollator
[1]**rollen** *intr* roll: *er gaan koppen ~* heads will roll; *de zaak aan het ~ brengen* set the ball rolling
[2]**rollen** *tr* **1** *(oprollen)* roll (up): *een sigaret ~* roll a cigarette **2** *(wikkelen)* wrap, roll (up): *zich in een deken ~* wrap oneself up in a blanket **3** *(stelen)* lift: *zakken ~* pick pockets
rollenspel role-playing
roller curler, roller
rolletje (small) roll; *(rolrond voorwerp)* roller: *een ~ drop* a packet of liquorice; *alles liep op ~s* everything went like clockwork (*of:* went smoothly)
rolluik roll-down shutter
rolschaats roller skate
rolschaatsen roller skate
rolschaatser roller skater
rolstoel wheelchair: *toegankelijk voor ~en* with access for wheelchairs
rolstoelgebruiker wheelchair user
roltrap escalator, moving staircase
rolverdeling cast(ing); *(fig)* division of roles
Romaans 1 Latin: *de ~e volken* the Latin peoples **2** *(mbt taal)* Romance, Latin
roman novel
romance romance
romanschrijver novelist, fiction writer
romanticus romantic
romantiek romance: *een vleugje ~* a touch of romance
romantisch romantic
romantiseren romanticize
Rome Rome: *het oude ~* Ancient Rome; *zo oud als de weg naar ~* as old as the hills
Romein Roman
Romeins Roman: *uit de ~e oudheid* from Ancient Rome; *het ~ recht* Roman law
romig creamy
rommel 1 mess, shambles: *~ maken* make a mess **2** *(ondeugdelijke waar)* junk, rubbish, trash
rommelen 1 rumble, roll: *de donder rommelt in de verte* the thunder is rumbling in the distance **2** rummage: *in zijn papieren ~* shuffle one's papers
rommelig messy, untidy
rommelmarkt flea market, jumble sale
romp 1 trunk; *(van mens, standbeeld ook)* torso **2** *(mbt grote voorwerpen)* shell; *(van schip)* hull
rompslomp fuss, bother: *ambtelijke ~* red tape, bureaucracy; *papieren ~* paperwork
[1]**rond** *bn, bw* **1** round, circular **2** *(zo dat er niets ontbreekt)* arranged, fixed (up): *de zaak is ~* everything is arranged (*of:* fixed) **3** *(ongeveer)* around, about || *een mooi ~ bedrag* a nice round figure
[2]**rond** *vz* **1** round; *(fig)* surrounding: *in de berichtgeving ~ de affaire* in the reporting of the affair **2** *(ongeveer)* around, about: *~ de middag* around midday; *~ de 2000 betogers* approximately (*of:* about, some) 2000 demonstrators
rondbazuinen broadcast, trumpet (around)
rondbrengen bring round
ronddraaien turn (round); *(snel)* spin (round): *~ in een cirkel, kringetje* go round in circles
ronde 1 rounds; *(politie)* beat: *de ~ doen* go on one's rounds **2** *(rondgang; sessie)* round(s): *de eerste ~ van onderhandelingen* the first round of talks; *de praatjes doen de ~* stories are going

around 3 *(omtrek ve wedstrijdbaan)* lap, circuit: *laatste ~* bell lap; *twee ~n voor* (of: *achter*) *liggen* be two laps ahead (*of:* behind) 4 *(wielerwedstrijd)* tour *(meerdaags);* race: *de ~ van Frankrijk* the Tour de France

rondetijd lap time: *de snelste ~* the fastest lap

rondgaan 1 go round: *~ als een lopend vuurtje* spread like wildfire 2 *(beurtelings langskomen)* go round, pass round: *laat de schaal nog maar eens ~* pass the plate round again

rondgang 1 circuit 2 *(het bezoeken van afdelingen)* tour

rondhangen hang around *(of:* about)

ronding curve

rondje 1 round: *een ~ van de zaak* (a round of) drinks on the house; *hij gaf een ~* he stood a round (of drinks) 2 *(ronde) (sport)* lap; circuit

rondkijken look round: *goed ~ voor je iets koopt* shop around

rondkomen manage, get by; *(geld ook)* live: *hij kan er net mee ~* he can just manage (*of:* get by) on it

rondleiden 1 lead round 2 *(overal heen leiden)* show round, take round: *mensen in een museum ~* show (*of:* take) people round a museum

rondleiding (guided, conducted) tour

rondlopen go around, walk around: *je moet daar niet mee blijven ~* you shouldn't let that weigh (*of:* prey) on your mind

rondneuzen nose about, prowl

[1]**rondom** *bw* all round, on all sides: *het plein met de huizen ~* the square with houses round it

[2]**rondom** *vz* (a)round

rondpunt *(Belg)* roundabout

rondreis tour, circular tour: *op haar ~ door de Verenigde Staten* on her tour of America

rondreizen travel around *(of:* about): *de wereld ~* travel round the globe (*of:* world)

rondrennen run around, chase about

rondrijden go for a drive *(of:* run, ride)

rondrit tour

rondslingeren lie about *(of:* around): *zijn boeken laten ~* leave his books lying around (*of:* about)

rondsluipen prowl about, prowl (a)round

rondsturen send round: *circulaires ~* distribute circulars

rondte circle, round(ness): *in de ~ zitten* sit in a circle

rondtrekken travel (a)round: *~de seizoenarbeiders* migrant seasonal workers

ronduit plain, straight(forward), frank: *het is ~ belachelijk* absolutely (*of:* simply) ridiculous; *iem ~ de waarheid zeggen* tell s.o. the plain truth

rondvaart round trip, circular trip (*of:* tour); *(lange afstand)* cruise: *een ~ door de grachten maken* make (*of:* go) for a tour of the canals

rondvaartboot boat for canal trips

rondvliegen fly about *(of:* around): *geraakt worden door ~de kogels* be hit by flying bullets

rondvraag: *iets voor de ~ hebben* have sth for any other business

rondweg ring road, bypass, relief road: *een ~ aanleggen om L.* by-pass L.

rondzwerven roam about, wander about: *op straat ~: a) (kinderen)* hang about the streets; *b) (zwervers)* roam the streets

ronken 1 *(snurken)* snore 2 *(van motoren)* throb

röntgen roentgen

röntgenafdeling radiography department, X-ray department

röntgenapparaat X-ray machine

röntgenfoto X-ray, roentgenogram, roentgenograph: *een ~ laten maken* have an X-ray taken

röntgenonderzoek X-ray

röntgenstralen X-rays, roentgen rays

rood red; ginger *(haar);* ruddy *(wangen); (roodgeel)* copper(y); ginger: *met een ~ hoofd van de inspanning* flushed with exertion; *iem de rode kaart tonen* show s.o. the red card; *door ~ (licht) rijden* jump the lights; *~ worden* go red (*of:* scarlet), flush, blush; *het licht sprong op ~* the light changed to red; *over de rooie gaan (boos zijn)* flip one's lid, lose one's cool || *~ staan* be in the red; *in het ~ (gekleed)* dressed in red

roodbont red and white *(vee);* skewbald *(paard)*

roodborstje robin (redbreast)

roodbruin reddish brown, russet; sorrel *(paard): het ~ van herfstbladeren* the russet (colour) of autumn leaves

roodgloeiend red-hot: *de telefoon staat ~* the telephone hasn't stopped ringing

roodharig red-haired, red-headed

roodhuid redskin

Roodkapje Little Red Riding Hood

roodvonk scarlet fever

roof 1 robbery: *op ~ uitgaan* commit robbery 2 *(het bejagen)* preying, hunting

roofbouw exhaustion, overuse: *~ plegen op zijn gezondheid* undermine one's health; *~ plegen op zijn lichaam* wear oneself out

roofdier animal *(of:* beast) of prey, predator

roofmoord robbery with murder

roofoverval robbery, hold-up: *een ~ plegen op een juwelierszaak* rob a jeweller's

roofvogel bird of prey

rooien dig up; lift, raise *(aardappels, bieten enz.);* uproot *(boom): een bos ~* clear a wood (*of:* forest)

rook smoke; *(rook en gassen)* fume(s): *men kan er de ~ snijden* it's thick with smoke in here; *in ~ opgaan* go up in smoke; *waar ~ is, is vuur* there's no smoke without fire

rookartikelen smokers' requisites

rookbom smoke bomb

rookgordijn smokescreen: *een ~ leggen* put up (*of:* lay) a smokescreen

rookkanaal flue

rooklucht smell of smoke

rookmelder smoke alarm, smoke detector
rookpaal *(ongev)* pillar indicating 'smoking zone' on a railway platform
rookpauze cigarette break: *een ~ inlassen* take a break for a cigarette
rooksignaal smoke signal
rookverbod ban on smoking
rookvlees *(ongev)* smoke-dried beef *(of:* meat)
rookvrij no(n)-smoking
rookwolk cloud *(of:* pall) of smoke
rookworst *(ongev)* smoked sausage
room cream: *dikke ~* double cream; *zure ~* sour cream
roomboter butter
roomklopper cream whipper; *(garde)* whisk
rooms Roman Catholic
Rooms Roman
roomsaus cream sauce
rooms-katholicisme Roman Catholicism
rooms-katholiek Roman Catholic
roomsoes cream puff
roos 1 rose: *(fig) op rozen zitten* lie on a bed of roses **2** *(van een schietschijf)* bull's-eye: *in de ~ schieten* score a bull's-eye; *(midden) in de ~* bang in the middle **3** *(hoofdroos)* dandruff
rooskleurig rosy, rose-coloured: *een ~e toekomst* a rosy *(of:* bright) future
rooster 1 grid, grating, grate; *(vnl. versiering)* grille; gridiron *(van barbecue enz.)*: *het ~ van de kachel* the stove grate; *(Belg) iem op het ~ leggen* grill s.o. **2** *(tabel)* grid **3** *(programma, schema)* schedule *(ook school)*; timetable, roster: *een ~ opstellen (opmaken)* draw up a roster *(of:* rota)
roosteren 1 grill, roast, broil **2** *(mbt brood)* toast
ros steed
rosbief roast beef
rosé rosé (wine)
roskammen groom, curry(comb)
rossig reddish, ruddy; sandy *(haar)*
rot 1 rotten, bad; decayed *(kies)*; putrid *(ei)*: *door en door ~, zo ~ als een mispel* rotten to the core **2** *(ellendig)* rotten, lousy, wretched: *zich ~ lachen* split one's sides laughing; *zich ~ vervelen* be bored to tears
rotanstoel cane rattan chair
rotbaan lousy job
rotding damn thing, bloody thing
rotgang breakneck speed: *met een ~ door de bocht gaan* go round the bend at a breakneck speed
rotje (fire)cracker, squib, banger
rotjong brat, little pest
rotmeid bitch, cow
rotonde roundabout
rotopmerking nasty remark
rotor rotor
rots rock, cliff; *(steil)* crag: *als een ~ in de branding* as steady as a rock; *het schip liep op de ~en* the ship struck the rocks
rotsachtig rocky, rugged
rotsblok boulder
rotskust rocky coast
rotsschildering cave painting, wall painting
rotstreek dirty trick, mean trick: *iem een ~ leveren* play a dirty trick on s.o.
rotstuin rock garden, rockery
rotsvast rock-solid, rocklike: *een ~e overtuiging* a deep-rooted conviction
rotswand rock face, cliff face
rotten rot, decay: *~d hout* rotting wood
rottig rotten, nasty
rottigheid misery, wretchedness
rottweiler Rottweiler
rotvent bastard, jerk
rotwerk nasty work
rotwijf bitch
rotzak *(scheldw., inform)* bastard, jerk
rotzooi 1 (piece of) junk, trash **2** *(wanorde)* mess, shambles
rotzooien mess about: *~ met de boekhouding* tamper with the accounts
rouge rouge, blusher
roulatie circulation: *in ~ brengen* bring into circulation *(film)*
roulatiesysteem rotation system
rouleren 1 circulate, be in circulation **2** *(om beurten doen)* rotate, take turns; *(ploegendienst)* work in shifts
roulette roulette (table)
route route, way; round *(melkboer)*
routebeschrijving itinerary, route description
routine 1 *(vaardigheid)* practice, skill, knack **2** *(sleur)* routine, grind: *de dagelijkse ~* the daily grind
routineklus routine job
routinematig routine
routineonderzoek routine check-up
routineus routine
rouw mourning; *(droefheid ook)* sorrow; grief: *in de ~ zijn* be in mourning
rouwadvertentie death announcement
rouwen mourn, grieve
rouwig regretful, sorry: *ergens niet ~ om zijn* not regret sth
rouwkrans funeral wreath
rouwproces mourning process
rouwstoet funeral procession
roven steal, rob
rover robber
royaal 1 generous, open-handed: *een royale beloning* a handsome *(of:* generous) reward **2** *(voldoende)* spacious, ample: *een royale meerderheid* a comfortable majority
roze pink, rose
rozemarijn rosemary
rozenbottel rose hip
rozengeur smell *(of:* scent) of roses: *het is er niet alleen ~ en maneschijn* it's not all sweetness and light there

rozenkrans rosary: *de ~ bidden* say the rosary
rozenstruik rose bush
rozijn raisin
rozijnenbrood raisin loaf
RSI RSI
rubber rubber
rubberboot (rubber) dinghy
rubberen rubber
rubberlaars rubber boot, wellington
rubriceren class, classify
rubriek 1 column, feature, section: *de advertentierubriek(en)* the advertising columns **2** *(categorie)* section, group
rug back: *iem de ~ toekeren* turn one's back on s.o.; *achter de ~ van iem kwaadspreken* talk about s.o. behind his back; *ik zal blij zijn als het achter de ~ is* I'll be glad to get it over and done with; *hij heeft een moeilijke tijd achter de ~* he had a difficult time; *het (geld) groeit mij niet op de ~* I am not made of money
rugby rugby
rugbybal rugger ball, rugby (foot)ball
rugbyen play rugby *(of:* rugger)
ruggengraat backbone, spine
ruggenmerg spinal marrow *(of:* cord)
rugklachten back trouble, backache
rugleuning back (of a chair)
rugnummer (player's) number
rugpijn pain in the back, backache
rugslag backstroke, back-crawl
rugvin dorsal fin
rugwind tail wind, following wind
rugzak rucksack, backpack
rui 1 moult(ing) **2** *(Belg)* covered canal, roofed-over canal
ruien moult, shed one's feathers
ruif rack
ruig 1 rough: *een ~ feest* a rowdy party **2** *(harig)* shaggy, hairy
[1]**ruiken** *intr* **1** smell: *aan iets ~* have a smell (*of:* sniff) at sth **2** *(stinken)* smell, stink, reek
[2]**ruiken** *tr (ook fig)* smell, scent: *onraad ~* scent (*of:* sense) danger; *hoe kon ik dat nu ~!* how could I possibly know!
ruiker posy, bouquet
ruil exchange, swap
[1]**ruilen** *intr* change: *ik zou niet met hem willen ~* I would not change places with him
[2]**ruilen** *intr, tr* exchange, swap
ruilhandel barter (trade): *~ drijven* barter
ruilmiddel means *(of:* medium) of exchange
[1]**ruim** *zn* hold
[2]**ruim** *bn, bw* **1** spacious, large; roomy: *een ~ assortiment* a large assortment; *~ wonen* live spaciously **2** *(open, onbelemmerd)* free: *~ baan maken* make way; *in de ~ste zin* in the broadest sense **3** *(met tussenruimte, wijd)* wide, roomy, loose: *die jas zit ~* that coat is loose-fitting **4** *(meer dan voldoende)* ample, liberal: *een ~e meerderheid* a big majority
[3]**ruim** *bw* (rather) more than, something over, well over: *~ een uur* well over an hour; *dat is ~ voldoende* that is amply sufficient
ruimdenkend broad(-minded)
ruimen 1 clear out **2** *(wegruimen)* clear away
ruimschoots amply, plentifully: *~ de tijd* (of: *gelegenheid) hebben* have ample time (*of:* opportunity); *~ op tijd aankomen* arrive in ample time
ruimte room; *(plaats)* space: *wegens gebrek aan ~* for lack of room (*of:* space); *de begrippen ~ en tijd* the concepts of time and space; *te weinig ~ hebben* be cramped for space; *~ uitsparen* save space; *iem de ~ geven* give s.o. elbow room
ruimtegebrek lack (*of:* shortage) of space
ruimtelijk 1 spatial, spacial, space: *~e ordening* environmental (*of:* town and country) planning **2** *(driedimensionaal)* three-dimensional
ruimtepak space suit
ruimtesonde space probe
ruimtestation space station
ruimtevaarder spaceman, astronaut
ruimtevaart space travel
ruimtevaartuig spacecraft
ruimteveer (space) shuttle
ruïne ruins, ruin; *(persoon)* wreck
ruis noise; *(mbt hart)* murmur
ruisen rustle; *(van water enz.)* gurgle
ruisfilter noise filter
ruit 1 (window)pane, window **2** *(vierhoek)* diamond *(ook kaartspel); (patroon in textiel e.d.)* check
[1]**ruiten** *zn* diamonds: *~vrouw* queen of diamonds; *~boer* jack (*of:* knave) of diamonds; *~ is troef* diamonds are trumps
[2]**ruiten** *bn* check(ed), chequered
ruitenwisser windscreen wiper, wiper
ruiter horseman, rider
ruiterij cavalry, horse
ruiterpad bridle path
ruitersport equestrian sport(s), riding
ruitjespapier squared paper
ruk 1 jerk, tug **2** *(windvlaag)* gust (of wind) **3** *(afstand)* distance, way **4** *(tijdsduur)* time, spell: *in één ~ doorwerken* work on at one stretch
[1]**rukken** *intr* jerk (at), tug (at)
[2]**rukken** *tr* tear, wrench: *iem de kleren van het lijf ~* tear the clothes from s.o.'s body
rukwind squall, gust (of wind)
rul loose, sandy
rum rum
rumboon rum bonbon
rum-cola rum and coke
rumoer noise; *(kabaal)* din; racket, row: *~ maken* make a noise
rumoerig noisy
rund 1 cow; *(mv)* cattle; *(trekdier)* ox **2** *(koe)* cow; *(stier)* bull; *(mv)* cattle **3** *(stommeling)* idiot, fool: *een ~ van een vent* a prize idiot
rundergehakt minced beef, mince

runderhaas tenderloin, fillet of beef
runderlap braising steak
runderrollade collared beef, rolled beef
rundvee cattle: *twintig stuks* ~ twenty head of cattle
rundvlees beef
rune rune
rups caterpillar
rupsband caterpillar (track)
Rus Russian
Rusland Russia
Russisch Russian || *een ~ ei* egg mayonnaise
rust 1 rest; *(ontspanning)* relaxation **2** rest; *((middag)slaapje)* lie-down **3** *(het vrij zijn van drukte)* quiet: *gun hem wat ~* give him a break; *nooit (geen ogenblik) ~ hebben* never have a moment's peace; *wat ~ nemen* take a break; *laat me met ~!* leave me alone!; *tot ~ komen* settle (*of:* calm) (down) **4** *(stilte)* (peace and) quiet; *(stilte, kalmte)* still(ness): *alles was in diepe ~* all was quiet **5** *(sport)* half-time, interval
rustdag rest day; *(vrije dag)* day off; holiday
rusteloos restless
rusteloosheid restlessness
rusten 1 rest, relax, take (*of:* have) a rest: *even ~* have (*of:* take) a break **2** *(slapen)* rest, sleep: *hij ligt te ~* he is resting **3** *(vrij zijn)* rest, pause **4** *(als iets bezwarends)* weigh; *(gebukt gaan onder)* be burdened (*of:* encumbered) with: *op hem rust een zware verdenking* he is under strong suspicion
rustgevend 1 comforting **2** *(kalmerend)* restful, calming
[1]rustig *bn, bw* **1** peaceful, quiet **2** *(niet in beweging)* calm, still: *het water is ~* the water's calm **3** *(niet haastig)* steady: *een ~e ademhaling* even breathing **4** *(kalm)* calm: *~ weer* calm weather; *~ antwoorden* answer calmly; *zich ~ houden* keep calm; *hij komt ~ een uur te laat* he quite happily (*of:* cheerfully) comes an hour late; *ze zat ~ te lezen* she sat quietly reading; *het ~ aan doen* take it easy **5** *(ongestoord)* quiet; smooth *(verloop)*; *(zonder voorvallen)* uneventful: *daar kan ik ~ studeren* I can study there in peace; *het is hier lekker ~* it's nice and quiet here
[2]rustig *bw (zonder bezwaar)* safely: *je kunt me ~ bellen* feel free to call me; *dat mag je ~ weten* I don't mind if you know that
rustplaats resting place: *de laatste ~* the final resting place; *naar zijn laatste ~ brengen* lay to rest
rustpunt pause; period *(aan het eind vd zin)*
ruststand *(sport)* half-time score
ruw 1 rough: *een ~e plank* a rough plank; *een ~e schets* a rough draft; *een ~ spel* a rough game; *iets ~ afbreken* break sth off abruptly; *iem ~ behandelen* treat s.o. roughly **2** *(niet afgewerkt)* raw, crude; rough-hewn *(steen)*: *~e olie* crude oil
ruwweg roughly: *~ geschat* at a rough estimate (*of:* guess)
ruzie quarrel, argument: *slaande ~ hebben* have a blazing row; *een ~ bijleggen* patch up a quarrel; *~ krijgen met iem* have an argument with s.o.; *~ zoeken* look for trouble (*of:* a fight); *~ hebben met iem* (of: *om iets*) quarrel with s.o. (*of:* over sth)
ruziën quarrel

S

saai boring, dull
sabbat sabbath
sabbatical year sabbatical year
sabbelen suck: ~ *aan een lolly* suck a lollipop
sabel sabre
sabotage sabotage
saboteren 1 *(sabotage plegen)* commit sabotage (on) 2 *(in de war sturen)* sabotage, undermine
saboteur saboteur
sacrament sacrament
sadisme sadism
sadist sadist
sadistisch sadistic
sadomasochisme sadomasochism
safari safari: *op ~ gaan* go on safari
safaripark safari park
safe safe, safe-deposit box
[1]**saffier** *zn (edelsteen)* sapphire
[2]**saffier** *zn (mineraal)* sapphire
sage legend
Sahara Sahara
Saksisch Saxon
salade salad
salamander salamander
salami salami
salaris salary, pay
salarisverhoging (salary) increase, (pay) rise
saldo balance: *een positief ~* a credit balance; *een negatief ~* a deficit; *per ~* on balance
saldotekort deficit; *(op giro-, bankrekening)* overdraft
salie sage
Salomo Solomon
salon drawing room, salon
salontafel coffee table
salto somersault: *een ~ maken* turn a somersault
salueren salute
salvo salvo, volley
Samaritaan Samaritan || *de barmhartige ~* the good Samaritan
sambal sambal
samen 1 together; in chorus *(zingen, spreken)*: *zij hebben ~ een kamer* they share a room 2 *(onderling)* with each other, with one another: *het ~ goed kunnen vinden* get on well (together) 3 *(in sommen)* in all, altogether: *~ is dat 21 euro* that makes 21 euros altogether (*of:* in all)
samendoen be partners; *(samen delen)* go shares
samengaan go together, go hand in hand: *niet ~ met* not go (together) with
samenhang connection
samenhangen be connected, be linked: *dat hangt samen met het klimaat* that has to do with the climate
samenhangend related, connected: *een hiermee ~ probleem* a related problem
samenknijpen squeeze together; screw up *(ogen)*
samenkomen come together, meet (together); converge (on) *(in één punt, op één plaats)*
samenkomst meeting
samenleven live together
samenleving society: *de huidige ~* modern society
samenlevingscontract cohabitation agreement
samenloop concurrence, conjunction: *een ~ van omstandigheden* a combination of circumstances
samenpersen compress, press together
samenraapsel pack; *(vnl. ideeën)* ragbag
samenscholing gathering, assembly
samensmelten fuse (together)
samenspannen conspire, plot (together)
samenspelen play together
samenstellen 1 put together, make up, compose: *samengesteld zijn uit* be made up (*of:* composed) of 2 *(opstellen, schrijven)* draw up, compose; compile *(lijst, woordenboek enz.)*
samensteller compiler; *(auteur)* composer
samenstelling composition, make-up
samentrekken contract, shrink
samenvallen coincide (with); *(overeenkomen)* correspond: *gedeeltelijk ~* overlap
samenvatten summarize, sum up: *kort samengevat* (to put it) in a nutshell; *iets in een paar woorden ~* sum sth up in a few words
samenvatting summary; *(mbt wedstrijd ook)* highlights *(mv)*
samenwerken cooperate, work together: *gaan ~* join forces (with); *nauw ~* cooperate closely
samenwerking cooperation, teamwork: *in nauwe ~ met* in close collaboration with
samenwonen 1 live together, cohabit 2 *(onder hetzelfde dak wonen)* live (together) with, share a house *(of:* flat)
samenzweerder conspirator
samenzweren conspire, plot: *tegen iem ~* conspire (*of:* plot) against s.o.
samenzwering conspiracy, plot
samsam fifty-fifty: *~ doen* go halves (with s.o.)
sanatorium sanatorium
sanctie sanction: *~s verbinden aan* apply sanctions to
sandaal sandal
sandwich 1 sandwich 2 *(Belg)* bridge roll
saneren 1 put in order, see to: *zijn gebit laten ~*

have one's teeth seen to 2 *(op orde stellen)* reorganize, redevelop: *de binnenstad* ~ redevelop the town centre
sanering 1 *(mbt gebit) (ongev)* course of dental treatment 2 reorganization; *(stedenbouw)* redevelopment; *(milieu)* clean-up (operation)
[1]**sanitair** *zn* sanitary fittings, bathroom fixtures
[2]**sanitair** *bn* sanitary: *~e artikelen* bathroom equipment; *~e voorzieningen* toilet facilities
Sanskriet Sanskrit: *dat is ~ voor hem* that is Greek to him
sap juice *(vrucht)*; sap *(plant)*; fluid *(lichaam)*: *het ~ uit een citroen knijpen* squeeze the juice from a lemon
sapje (fruit) juice
sappig *(mbt vrucht)* juicy: *~ vlees* juicy (*of:* succulent) meat
sarcasme sarcasm
sarcastisch sarcastic: *~e opmerkingen* snide remarks
sarcofaag sarcophagus
sardine sardine
Sardinië Sardinia
sarong sarong
sarren bait, (deliberately) provoke, needle
satan devil, fiend
Satan Satan
satanisch satanic(al), diabolic: *een ~e blik* (of: *lach*) a fiendish look (*of:* laugh)
saté satay
satelliet satellite
satellietschotel satellite dish
satellietverbinding satellite link(-up)
satéstokje skewer
satijn satin
satire satire: *een ~ schrijven op* satirize, write a satire on
satirisch satiric(al)
Saturnus Saturn
saucijs sausage
saucijzenbroodje sausage roll
Saudi-Arabië Saudi Arabia
Saudi-Arabisch Saudi (Arabian)
sauna sauna (bath)
saus sauce; *(jus)* gravy; *(op sla)* (salad) dressing: *zoetzure ~ (mbt oosterse gerechten)* sweet and sour (sauce)
savanne savannah
savooikool savoy (cabbage)
sax sax(ophone)
saxofoon saxophone
scala scale, range: *een breed ~ van artikelen* a wide range of items
scalp scalp
scalpel scalpel
scalperen scalp
Scandinavië Scandinavia
Scandinaviër Scandinavian
Scandinavisch Scandinavian
scannen scan
scenario scenario; screenplay *(film)*; script *(drama)*
scène scene: *hij had de overval zelf in ~ gezet* he had faked the robbery himself
scepter sceptre: *de ~ voeren (zwaaien)* hold sway (over)
sceptisch sceptical
schaaf 1 *(voor hout)* plane 2 *(om plakjes te snijden)* slicer
schaafwond graze, scrape
[1]**schaak** *zn* chess: *een partij ~* a game of chess
[2]**schaak** *bn* in check: *~ staan* be in check; *iem ~ zetten* put s.o. in check
schaakbord chessboard
schaakcomputer chess computer
schaakmat checkmate: *~ staan* be checkmated; *iem ~ zetten* checkmate s.o.
schaakpartij game of chess
schaakspel 1 chess 2 *(bord en stukken)* chess set
schaakspelen play chess
schaakstuk chessman, piece
schaaktoernooi chess tournament
schaal 1 *(maatstaf)* scale: *er wordt op grote ~ misbruik van gemaakt* it is misused on a large scale; *op ~ tekenen* draw to scale; *~ 4:1* a scale of four to one 2 *(schotel)* dish; plate *(ook voor collecte)*: *een ~ met fruit* a bowl of fruit
schaaldier crustacean
schaalmodel scale model
schaalverdeling graduation, scale division: *een ~ op iets aanbrengen* graduate sth
schaambeen pubis, pubic bone
schaamdeel genital(s), private part(s): *de vrouwelijke* (of: *mannelijke*) *schaamdelen* the female (*of:* male) genitals
schaamhaar pubic hair
schaamlippen labia: *de grote* (of: *de kleine*) ~ the labia majora (*of:* minora)
schaamte shame: *blozen* (of: *rood worden*) *van ~* blush (*of:* go red) with shame
schaap sheep: *een kudde schapen* a flock of sheep; *het zwarte ~ (van de familie) zijn* be the black sheep (of the family); *~jes tellen* count sheep
schaapachtig silly: *iem ~ aankijken* look stupidly at s.o.; *~ lachen* grin sheepishly
schaapherder shepherd
schaar 1 (pair of) scissors *(mv)*: *de ~ in iets zetten* take the scissors (*of:* a pair of scissors) to sth; *één ~* one pair of scissors; *twee scharen* two (pairs of) scissors 2 *(van dieren e.d.)* pincers *(mv)*; claws *(mv)*
[1]**schaars** *bn* scarce: *mijn ~e vrije ogenblikken* my rare free moments
[2]**schaars** *bw* sparingly, sparsely; *(mbt kleding)* scantily: *~ verlicht* dimly lit
schaarste scarcity, shortage
schaats skate: *de ~en aanbinden* put on one's skates

schaatsbaan (skating) rink
schaatsen skate
schaatser skater
schacht 1 shaft; *(sleutel)* shank; *(plantk)* stem 2 *(Belg)* fresher, first-year student
schade 1 loss(es): *de ~ inhalen* recoup one's losses; *~ lijden* suffer a loss 2 *(beschadiging)* damage; *(persoon ook)* harm: *~ aanrichten* damage sth; *~ aan iets toebrengen* (of: *berokkenen*) do (*of:* cause) damage to sth; *zijn auto heeft heel wat ~ opgelopen* his car has suffered quite a lot of damage; *de ~ loopt in de miljoenen* the damage runs into millions
schadeclaim insurance claim (for damage): *een ~ afhandelen* settle a claim
schadeformulier claim form
schadelijk harmful, damaging: *~e dieren* pests, vermin; *~e gewoonten* pernicious habits
schadeloos unharmed, undamaged
schadeloosstellen compensate; *(mbt onkosten ook)* repay; *(mbt onkosten ook)* reimburse: *zich ergens voor ~* compensate (oneself) for sth
schadeloosstelling compensation: *volledige ~ betalen* pay full damages
schaden damage, harm: *roken schaadt de gezondheid* smoking damages your health
schadepost loss, (financial) setback
schadevergoeding compensation; damages *(mv)*: *volledige ~ betalen* pay full damages; *~ eisen voor* claim compensation (*of:* damages) for; *€1000,- ~ krijgen* receive 1000 euros in damages
schaduw shade, shadow: *in iemands ~ staan* be outshone (*of:* overshadowed) by s.o.
schaduwen shadow, tail: *iem laten ~* have s.o. shadowed (*of:* tailed)
schaduwkabinet shadow cabinet
schaduwzijde 1 shady side 2 *(nadelige kant)* drawback: *de ~ van een overigens nuttige maatregel* the drawback to an otherwise useful measure
schaften *(pauzeren)* break (for lunch, dinner)
schakel link: *een belangrijke ~* a vital link; *de ontbrekende ~* the missing link
schakelaar switch
schakelarmband chain bracelet
schakelen 1 connect: *parallel* (of: *in serie*) *~* connect in parallel (*of:* in series) 2 *(mbt motorvoertuigen)* change, change gear(s): *naar de tweede versnelling ~* change to second (gear)
schakeling 1 connection, circuit 2 *(mbt een auto)* gear change: *automatische ~* automatic gear change
schaken play chess: *een partijtje ~* play a game of chess; *simultaan ~* play simultaneous chess
schaker chess player
schalks mischievous, sly
schamel poor, shabby: *een ~ pensioentje* a meagre (*of:* miserable) pension
schamen, zich be ashamed (of), be embarrassed: *zich dood* (of: *rot*) *~* die with shame; *daar hoef je je niet voor te ~* there's no need to be ashamed of that; *zich nergens voor ~* not be ashamed of anything
schamper scornful, sarcastic, sneering
schandaal 1 scandal, outrage: *een publiek* (of: *een politiek*) *~* a public outrage, a political scandal 2 *(schande)* shame, disgrace: *een grof ~* a crying shame
schandalig scandalous, outrageous, disgraceful: *~ duur* outrageously expensive; *het is ~ zoals hij ons behandelt* it's disgraceful the way he treats us
schande disgrace, shame: *het is (een) ~* it's a disgrace; *~ van iets spreken* cry out against sth
schandelijk scandalous, outrageous: *een ~ boek* an infamous book
schandpaal: *iem aan de ~ nagelen* pillory s.o.
schans ski jump
schansspringen ski jump
schap shelf: *de ~pen bijvullen* re-stock the shelves
schapenfokkerij 1 sheep breeding 2 *(bedrijf)* sheep farm
schapenscheerder sheepshearer
schapenvacht sheepskin, fleece
schapenvlees mutton, lamb
schapenwol sheep's wool
schappelijk reasonable, fair
schar dab, sheepdog
scharminkel scrag(gy person): *een mager ~* a bag of bones
scharnier hinge: *om een ~ draaien* hinge
scharnieren hinge
scharrelei free-range egg
scharrelen 1 rummage (about): *hij scharrelt de hele dag in de tuin* he potters about in the garden all day (long) 2 *(mbt kippen)* scratch
scharrelkip free-range chicken
scharrelvlees free-range meat
schat 1 treasure: *een verborgen ~* a hidden treasure 2 *(groot bezit aan geld)* treasure, riches: *~ten aan iets verdienen* make a fortune out of sth; *een ~ aan gegevens* (of: *materiaal*) a wealth of data (*of:* material) 3 *(lieverd)* darling, dear, honey: *zijn het geen ~jes?* aren't they sweet?
schatbewaarder *(Belg)* *(penningmeester)* treasurer
schateren roar (with laughter): *de kinderen ~ van plezier* the children shouted with pleasure
schatkamer treasury, treasure house
schatkist 1 treasure chest 2 *(staatskas)* treasury, (the) Exchequer
schatrijk wealthy: *ze zijn schat- en ~* they are fabulously wealthy
schatten value; estimate *(verlies, schade)*; assess *(inkomen, schade ook)*; appraise *(mbt taxateur)*: *de afstand ~* estimate the distance; *hoe oud schat je hem?* how old do you take him to be?; *de schade ~ op* assess the damage at
schattig sweet, lovely: *zij ziet er ~ uit* she looks lovely

schatting estimate, assessment: *een voorzichtige ~* a conservative estimate; *naar ~ drie miljoen* an estimated three million
schaven 1 plane: *planken ~* plane boards 2 *(licht verwonden)* graze, scrape 3 *(fijn snijden met een schaaf)* slice, shred: *komkommers ~* slice cucumbers
schavot scaffold: *iem op het ~ brengen: a)* condemn s.o. to the scaffold; *b) (fig)* cause s.o.'s downfall
schede 1 *(voor mes, zwaard e.d.)* sheath 2 *(anat)* vagina
schedel skull
scheef 1 crooked *(rug, boomstam); (schuin)* oblique; leaning *(toren);* slanting *(oppervlak);* sloping *(oppervlak): scheve hoeken* oblique angles; *een ~ gezicht trekken* pull a wry face; *een scheve neus hebben* have a crooked nose; *het schilderij hangt ~* the picture is crooked 2 *(verkeerd)* wrong, distorted: *de zaak gaat (loopt) ~* things are going wrong
scheel cross-eyed
scheen shin: *iem tegen de schenen schoppen* tread on s.o.'s toes
scheenbeen shinbone
scheenbeschermer shinguard
scheepsbouwer shipbuilder
scheepshut (ship's) cabin
scheepslading shipload, (ship's) cargo
scheepsramp shipping disaster
scheepsruim (ship's) hold
scheepswerf shipyard
scheepvaart shipping (traffic), navigation
scheepvaartbericht shipping news *(of:* report)
scheepvaartverkeer shipping (traffic)
scheerapparaat shaver
scheermes razor
scheermesje razor blade
scheerwol (virgin) wool: *zuiver ~* pure new wool
scheet fart: *een ~ laten* fart
[1]**scheiden** *intr* 1 part (company), separate: *hier ~ onze wegen* here our ways part; *~ van* part *(of:* separate) from; *als vrienden ~* part (as) friends 2 *(mbt huwelijk)* divorce; separate *(van tafel en bed): zij gaan ~* they are getting divorced
[2]**scheiden** *tr* 1 separate, divide: *dooier en eiwit ~* separate the yolk from the (egg) white; *het hoofd van de romp ~* sever the head from the body; *twee vechtende jongens ~* separate two fighting boys 2 *(echtscheiding uitspreken)* divorce; separate *(van tafel en bed): zich laten ~* get a divorce
scheiding 1 separation, detachment: *een ~ maken (veroorzaken) (in)* rupture, disrupt 2 *(mbt huwelijk)* divorce: *~ van tafel en bed* legal separation, separation from bed and board 3 *(mbt haar)* parting
scheidslijn dividing line; *(fig)* borderline
scheidsrechter umpire *(tennis, cricket, honkbal);* referee *(voetbal, hockey): als ~ optreden bij een wedstrijd* umpire *(of:* referee) a match
scheikunde chemistry
scheikundig chemical
schel shrill: *een ~le stem* a shrill *(of:* piercing) voice
Schelde Scheldt
schelden curse, swear: *vloeken en ~* curse and swear; *op iem ~* scold s.o., call s.o. names
scheldnaam term of abuse
scheldwoord term of abuse
schelen 1 differ: *ze ~ twee maanden* they are two months apart 2 *(ter harte gaan)* concern, matter: *het kan mij niets* (of: *geen bal*) *~* I don't give a hoot *(of:* care two hoots); *het kan me niet ~* I don't care, *(geen bezwaar)* I don't mind; *kan mij wat ~!* why should I care! || *het scheelde geen haar* it was a close shave; *het scheelde weinig, of hij was verdronken* he narrowly escaped being drowned; *dat scheelt (me) weer een ritje* that saves (me) another trip
schelp 1 shell 2 *(deel van het oor)* auricle
schelpdieren shellfish
schelvis haddock
schema 1 diagram, plan 2 plan, outline 3 *(tijdsplanning)* schedule: *we liggen weer op ~* we're back on schedule; *achter* (of: *voor*) *op het ~* behind *(of:* ahead of) schedule
schematisch schematic, diagrammatic: *iets ~ voorstellen (aangeven)* represent sth in diagram form
schemeren *('s avonds)* grow dark; *('s ochtends)* become light: *het begint te ~* it is getting dark *(of:* light), twilight is setting in
schemerig dusky
schemering twilight, dusk, dawn
schemerlamp *(op vloer)* floor lamp, standard lamp
schenden 1 damage 2 *(verbreken)* break, violate: *een verdrag* (of: *mensenrechten*) *~* violate a treaty *(of:* human rights)
schending violation *(eer, verdrag, rechten);* breach *(vertrouwen)*
schenken 1 pour (out) 2 *(cadeau geven)* give: *zijn hart ~ aan* give one's heart to
schenking gift, donation: *een ~ doen* make a gift *(of:* donation)
schep 1 scoop; *(groter)* shovel 2 *(hoeveelheid)* (table)spoon(ful), scoop(ful): *drie ~pen ijs* three scoops of ice cream
schepen *(Belg)* alderman
schepijs (easy-scoop) ice cream
schepje 1 (small) spoon 2 *(hoeveelheid)* spoon(ful): *een ~ suiker* a spoonful of sugar
scheppen 1 create: *God schiep de hemel en de aarde* God created heaven and earth 2 *(met een schep, emmer enz.)* scoop, shovel: *een emmer water ~* draw a bucket of water; *leeg ~* empty; *vol ~* fill; *zand op een kruiwagen ~* shovel sand into a wheelbarrow

schepper creator
schepping creation
schepsel creature
scheren shave; *(mbt dieren)* shear: *zich* ~ shave; *geschoren schapen* shorn sheep
scherf fragment; splinter *(ook mbt granaten)*: *in scherven (uiteen)vallen* fall to pieces
scherm 1 screen, shade **2** *(toneeldoek)* curtain: *de man achter de ~en* the man behind the scenes **3** *(beeldscherm)* screen, display
schermen fence
schermutseling skirmish, clash
[1]**scherp** *zn* **1** edge: *op het ~ van de snede balanceren* be on a knife-edge **2** *(kogels)* ball: *met ~ schieten* fire (with) live ammunition; *op ~ staan* be on edge
[2]**scherp** *bn* **1** sharp, pointed; *(wisk)* acute *(hoek)*: *een ~e kin* a pointed chin **2** *(mbt de zintuigen)* sharp, pungent, hot; spicy *(voedsel)*; cutting; biting *(kou, wind)*: *~e mosterd* (of: *kerrie*) hot mustard (*of:* curry) **3** *(streng)* strict, severe: *~ toezicht* close control **4** *(vinnig)* sharp, harsh: *~e kritiek* sharp criticism **5** *(duidelijk uitkomend)* sharp, clear-cut: *een ~ contrast vormen* be in sharp contrast with; *(foto) ~ stellen* focus **6** *(met vermogen te doden)* live *(munitie)*; armed *(bom)*
scherpomlijnd clear-cut, well-defined
scherpschutter sharpshooter; *(verdekt)* sniper
scherpte sharpness, keenness: *de ~ van het beeld (van kijker, tv)* the sharpness of the picture; *de ~ van een foto* the focus of a picture
scherpzinnig 1 acute, discerning, sharp(-witted): *een ~e geest* a subtle mind **2** *(spitsvondig)* shrewd, clever: *~ antwoorden* give a shrewd answer
scherpzinnigheid 1 acuteness, discernment **2** *(spitsvondigheid)* shrewdness, wit
scherts joke, jest
schertsen joke, jest
schertsvertoning joke
schets sketch: *een eerste ~* a first draft; *een ruwe* (of: *korte*) *~ van mijn leven* a rough (*of:* brief) outline of my life
schetsboek sketchbook
schetsen sketch: *ruw (in grote lijnen) ~* give a rough sketch (of)
schetteren blare
scheur 1 crack, crevice; *(spleet)* split: *een ~ in een muur* a crack in a wall **2** *(mbt weefsel, papier)* tear: *hij heeft een ~ in mijn nieuwe boek gemaakt* he has torn my new book
[1]**scheuren** *intr (een scheur krijgen)* tear (apart) *(stof, papier)*; crack *(iets hards)*; *(hout ook)* split: *pas op, het papier zal ~* be careful, the paper will tear; *de auto scheurde door de bocht* the car came screeching round the corner
[2]**scheuren** *tr* tear: *zijn kleren ~* tear one's clothes
scheut 1 *(van plant)* shoot, sprout **2** *(korte pijn)* twinge, stab (of pain) **3** *(hoeveelheid vloeistof)* dash; shot *(sterkedrank)*: *een ~ melk* a dash of milk
scheutig generous
schichtig nervous, timid; skittish *(paard)*
schielijk quickly, rapidly
schiereiland peninsula
schietbaan shooting range
[1]**schieten** *intr* **1** shoot; *(met vuurwapen ook)* fire: *op iem ~* shoot (*of:* take a shot) at s.o. **2** *(snel bewegen)* shoot, dash: *de prijzen ~ omhoog* prices are soaring **3** (met *laten*) *(niet langer tegenhouden)* let go, release; drop *(persoon)*; forget *(persoon)*: *laat hem ~* forget (about) him || *de tranen schoten haar in de ogen* tears rushed to her eyes; *weer te binnen ~* come back (to mind)
[2]**schieten** *tr* shoot: *hij kon haar wel ~* he could (cheerfully) have murdered her; *zich een kogel door het hoofd ~* blow out one's brains; *naast ~* miss; *in het doel ~* net (the ball)
schietgebed short prayer, quick prayer: *een ~je doen* say a quick prayer
schietschijf target
schietstoel ejector seat, ejection seat
schiettent rifle gallery, shooting gallery
schietwedstrijd shooting-match; *(boogschieten)* archery contest
[1]**schiften** *intr (mbt melk)* curdle, turn
[2]**schiften** *tr* sort (out), sift (through)
schifting 1 sifting: *Jan is bij de eerste ~ afgevallen* Jan was weeded out in the first round **2** curdling *(van melk)*
schijf 1 disc **2** *(draaiend)* disc, plate; *(van pottenbakker)* (potter's) wheel **3** *(plak)* slice: *een ~je citroen* a slice of lemon **4** *(geheugenschijf)* disk
schijn 1 appearance, semblance: *op de uiterlijke ~ afgaan* judge by (outward) appearances; *~ bedriegt* appearances are deceptive; *de ~ ophouden tegenover de familie* keep up appearances in front of the family **2** *(vertoon)* show, appearances: *schone ~* glamour, cosmetics, gloss **3** *(zeer kleine hoeveelheid)* shadow, gleam: *geen ~ van kans hebben* not have the ghost of a chance
schijnbaar seeming, apparent: *~ oprecht* seemingly sincere
schijnbeweging feint, dummy (movement, pass): *een ~ maken* (make a) feint
[1]**schijndood** *zn* apparent death, suspended animation
[2]**schijndood** *bn* apparently dead, in a state of suspended animation
schijnen 1 shine: *de zon schijnt* the sun is shining; *met een zaklantaarn in iemands gezicht ~* flash a torch in s.o.'s face **2** *(lijken)* seem, appear: *het schijnt zo* it looks like it; *hij schijnt erg rijk te zijn* apparently he is very rich
schijnheilig hypocritical, sanctimonious: *met een ~ gezicht* sanctimoniously
schijnheilige hypocrite
schijnsel shine, light
schijntje: *ik kocht het voor een ~* I bought it for a song

schijnwerper floodlight; *(op het toneel)* spotlight: *iem in de ~s zetten* spotlight s.o.
schijt *(inform)* shit, crap
schijten *(inform)* shit, crap
schijterd funk, scaredy-cat
schijterig chicken-hearted
schijterij *(inform)* shits *(mv);* trots; runs *(beide mv): aan de ~ zijn* have the shits (*of:* trots, runs)
schik contentment, fun: *~ hebben in zijn werk* enjoy one's work
schikken arrange, order: *de boeken in volgorde ~* put the books in order
schikking arrangement, ordering || *een ~ treffen (met)* reach an understanding (with)
schil *(dun)* skin; *(dik)* rind *(sinaasappel);* peel *(banaan, sinaasappel)*
schild 1 shield; *(kreeft, schildpad)* shell 2 *(bord met opschrift)* sign
schilder 1 (house-)painter; (house-)decorator *(binnenshuis)* 2 *(kunstschilder(es))* painter
schilderachtig picturesque; scenic *(route)*
schilderen paint, decorate: *zijn huis laten ~* have one's house painted
schilderij painting, picture: *een ~ in olieverf* an oil painting
schildering painting, picture: *~en op een wand* murals
schilderkunst (art of) painting
schildersbedrijf painter and decorator's business
schildersezel (painter's) easel
schilderstuk painting, picture
schilderwerk 1 painting: *het ~ op de wand* the mural (painting) 2 *(werk voor, ve huisschilder)* paintwork: *het ~ aanbesteden* give out the paintwork by contract
schildklier *(med)* thyroid gland
schildknaap shield-bearer, squire
schildpad tortoise; turtle *(vnl. zee)*
schildwacht sentry, guard: *~en aflossen* change the guard
schilfer scale; flake *(van zacht oppervlak);* chip *(van hard oppervlak);* sliver *(scherp, bijv. glas)*
schilferen flake (off), peel (off)
schillen peel: *aardappels ~* peel potatoes
schim shadow: *~men in het donker* shadows in the dark
schimmel 1 mould, mildew: *de ~ van kaas afhalen* scrape the mould off cheese; *er zit ~ op die muur* there is mildew on the wall 2 *(plantk)* fungus 3 *(paard)* grey
schimmelen mould, become mouldy *(of:* mildewed)
schimmelinfectie fungal infection
schimmenspel shadow theatre, shadow play
schimmig shadowy
schip ship; *(vnl. voor op zee)* vessel; *(voor binnenvaart)* barge; boat: *zijn schepen achter zich verbranden* burn one's boats; *het zinkende ~ verlaten* leave the sinking ship; *per ~* by ship (*of:* boat)
schipbreuk shipwreck, wreck: *~ lijden: a) (schip zelf)* founder, be wrecked; *b) (opvarenden)* be shipwrecked
schipbreukeling shipwrecked person
schipper 1 master (of a ship), captain, skipper 2 *(bestuurder ve binnenvaartuig)* captain of a barge
schipperen give and take: *je moet een beetje weten te ~* you've got to give and take (a bit)
schippersjongen bargehand, deckhand (on a barge)
schipperstrui seaman's pullover
schitteren 1 glitter, shine, twinkle: *zijn ogen schitterden van plezier* his eyes twinkled with amusement 2 *(uitblinken)* shine (in, at), excel (in, at): *~ in gezelschap* be a social success
schitterend 1 brilliant, sparkling: *het weer was ~* the weather was gorgeous 2 *(prachtig)* splendid, magnificent: *een ~ doelpunt* a marvellous goal
schittering brilliance, radiance
schizofreen schizophrenic
schizofrenie schizophrenia
schlager (schmalzy) pop(ular) song
schlemiel wally
schmink greasepaint, make-up
schminken make (s.o.) up: *zich ~* make (oneself) up
schnabbel (bit of a) job on the side: *daar heb ik een leuke ~ aan* it brings in a bit extra for me
schnabbelaar *(ongev)* moonlighter
schnabbelen have a (bit of a) job on the side; *(na het gewone werk)* moonlight
schnitzel (veal, pork) cutlet, schnitzel
schoeisel footwear
schoen shoe: *twee paar ~en* two pairs of shoes; *hoge ~en* boots; *(Belg) in nauwe ~tjes zitten* be in dire straits; *zijn ~en aantrekken* put on one's shoes; *zijn ~en uittrekken* take off one's shoes; *ik zou niet graag in zijn ~en willen staan* I wouldn't like to be in his shoes
schoenenzaak shoe shop
schoener schooner
schoenlepel shoehorn
schoenmaat shoe size
schoenmaker cobbler, shoemaker: *die schoenen moeten naar de ~* those shoes need repairing
schoenpoets shoe polish
schoenpoetsen cleaning *(of:* polishing) of shoes
schoenpoetser shoeshine boy
schoenveter shoelace: *zijn ~s strikken* (of: *vastmaken*) lace up (*of:* tie) one's shoes
schoenzool sole
schoffel hoe
schoffelen weed
schoft 1 bastard 2 *(schouder ve dier)* shoulder; *(ve paard ook)* withers *(mv)*
schoftenstreek dirty trick, nasty trick
schok 1 shock: *dat nieuws zal een ~ geven* that

news will come as quite a shock; *de ~ te boven komen* get over the shock **2** *(stoot)* jolt: *de ~ken van een aardbeving* earthquake tremors; *de ~ was zo hevig dat …* the (force of the) impact was so great that …
schokbreker shock absorber
schokeffect shock, impact: *voor een ~ zorgen* create a shock
¹schokken *intr* shake, jolt
²schokken *tr* shock: *~de beelden* shocking scenes
¹schol *zn* plaice
²schol *tw (Belg)* cheers!
scholen school, train
scholengemeenschap *(ongev)* comprehensive school
scholier 1 pupil; *(Am)* student **2** *(Belg)* junior member (14, 15 years) of sports club
scholing training, schooling: *een man met weinig ~* a man of little schooling (*of:* education)
schommel swing
schommelbeweging swing, swinging motion, rocking motion
schommelen 1 swing; *(stoel, trein)* rock; *(boot)* roll **2** *(met een schommel spelen)* swing, rock: *ze zijn aan het ~* they are playing on the swings **3** *(mbt waarden, bedragen)* fluctuate
schommeling fluctuation, swing
schommelstoel rocking chair
schone beauty
schooien beg: *die hond schooit bij iedereen om een stukje vlees* that dog begs a piece of meat from everybody
schooier tramp, vagrant; *(Am)* bum
school school: *een ~ haringen* a school of herring; *een bijzondere ~* a denominational school; *hogere ~* college for higher education; *de lagere ~* primary school; *de middelbare ~* secondary (*of Am:* high) school; *een neutrale ~* a non-denominational school; *een openbare ~* a state (*of Am:* public) school; *Vrije School* Rudolf Steiner School; *een witte ~* a predominantly white school; *naar ~ gaan* go to school; *de kinderen zijn naar ~* the children are at school; *op de middelbare ~ zitten* go to (*of:* attend) secondary school; *uit ~ komen* come home from school; *als de kinderen van ~ zijn* when the children have finished school; *zij werd van ~ gestuurd* she was expelled from school; *een ~ voor voortgezet onderwijs* a secondary school
schoolagenda school diary
schoolartikelen school supplies
schoolbank school desk: *ik heb met hem in de ~en gezeten* we went to school together, we were schoolmates
schoolbegeleidingsdienst education advisory service
schoolbel school bell
schoolbestuur board of governors
schoolblijven stay in (after school), be kept in (after school)
schoolboek school book, textbook
schoolbord blackboard
schoolbus school bus
schooldag school day: *de eerste ~* the first day of school
schooldiploma diploma, school (leaving) certificate
schooldirecteur principal, headmaster, headmistress
schoolfeest school party
schoolgaand schoolgoing
schoolgebouw school (building)
schoolgeld tuition, fee(s)
schoolhoofd principal, headmaster, headmistress
schoolinspecteur school inspector
schooljaar school year: *het eerste ~ over moeten doen* have to repeat the first year
schooljongen schoolboy
schooljuf *(inform)* schoolmarm
schooljuffrouw (school)teacher
schoolkeuze choice of school
schoolkind schoolchild
schoolklas class, form
schoolkrant school (news)paper
schoolleiding school management
schoollokaal schoolroom
schoolmeester 1 schoolteacher **2** *(pedant type)* pedant, prig: *de ~ spelen (uithangen)* be a pedant
schoolmeisje schoolgirl
schoolonderzoek exam(ination)
schoolopleiding education: *een goede ~ genoten hebben* have had the advantage of a good education
schoolplein (school) playground: *de kinderen spelen op het ~* the children were playing in the playground
schoolradio educational radio
schoolreglement school regulations (*of:* rules)
schoolreis school trip
schoolreünie school reunion
schools *(weinig zelfstandig)* scholastic
schoolschrift school notebook
schoolslag breaststroke
schooltas schoolbag; *(met schouderband)* satchel
schooltelevisie educational television
schooltijd school time (*of:* hours): *de ~en variëren soms van school tot school* school hours can vary from school to school; *buiten* (of: *na*) *~* outside (*of:* after) school; *gedurende de ~, onder ~* during school (time)
schooluitgave school edition
schoolvak school subject
schoolvakantie school holidays
schoolverlater school leaver; *(Am)* recent graduate; *(zonder diploma)* drop-out
schoolverzuim school absenteeism
schoolvoorbeeld classic example: *dit is een ~ van hoe het niet moet* this is a classic example of

how it shouldn't be done
schoolziek shamming, malingering
[1]**schoon** *zn* beauty: *het vrouwelijk ~* female beauty
[2]**schoon** *bn* 1 clean; *(netjes, opgeruimd)* neat: *~ water* clean (*of:* fresh) water 2 *(mooi)* beautiful, fine: *de schone kunsten* the fine arts 3 *(vrij van onkosten)* clear; *(mbt belasting)* after tax: *50 pond ~ per week verdienen* make 50 pounds a week net (*of:* after tax) 4 *(Belg)* fine, pretty
schoonbroer brother-in-law
schoondochter daughter-in-law
schoonfamilie in-laws
schoonheid beauty
schoonheidsfoutje little slip, flaw
schoonheidssalon beauty salon *(of:* parlour)
schoonheidsspecialiste beautician; *(make-up)* cosmetician
schoonheidsvlekje beauty spot
schoonheidswedstrijd beauty contest
schoonhouden clean: *een kantoor ~* clean an office
schoonmaak (house) cleaning, clean-up: *de grote ~* the spring-cleaning; *grote ~ houden* spring-clean, make a clean sweep
schoonmaakartikelen cleaning products, cleanser(s)
schoonmaakbedrijf cleaning agency *(of:* service), (professional) cleaners
schoonmaken clean
schoonmaker cleaner
schoonmoeder mother-in-law
schoonouders in-laws
schoonschrift calligraphy
schoonschrijven calligraphy
schoonspoelen rinse (out)
schoonspringen platform diving
schoonvader father-in-law
schoonzoon son-in-law
schoonzus sister-in-law
schoonzwemmen synchronized swimming
schoorsteen chimney: *de ~ trekt niet goed* the chimney doesn't draw well; *de ~ vegen* sweep the chimney
schoorsteenbrand chimney fire
schoorsteenmantel mantelpiece
schoorsteenveger chimney sweep
schoorvoetend reluctantly
schoot lap: *bij iem op ~ kruipen* clamber onto s.o.'s lap
schoothondje lapdog
schop 1 kick: *een vrije ~* a free kick; *iem een ~ onder zijn kont geven* kick s.o. on (*of:* up) the behind 2 *(schep)* shovel; *(spade)* spade
[1]**schoppen** *zn* spades: *~aas* ace of spades; *~ is troef* spades are trump; *één ~* one spade
[2]**schoppen** *intr, tr* kick: *tegen een bal ~* kick a ball || *het ver ~* go far (in the world)
schor hoarse, husky
schorem riff-raff, scum

SC

schorpioen scorpion
Schorpioen Scorpio
schors bark
schorsen 1 *(tijdelijk sluiten)* adjourn *(vergadering)* 2 *(uitsluiten)* suspend: *een speler voor drie wedstrijden ~* suspend a player for three games; *als lid ~* suspend s.o. from membership
schorsing suspension: *door zijn gedrag een ~ oplopen* be suspended for bad conduct
schort apron: *een ~ voordoen* put on an apron
schot 1 shot *(knal): een ~ in de roos* a bull's-eye; *een ~ op goal* a shot at goal 2 *(bereik)* range: *buiten ~ blijven, zich buiten ~ houden* keep out of range; *iem (iets) onder ~ hebben* have s.o. (sth) within range; *onder ~ houden* keep covered; *onder ~ nemen* cover 3 *(voortgang)* movement: *er komt (zit) ~ in de zaak* things are beginning to get going (*of:* to move) 4 *(afscheiding)* partition
Schot Scot
schotel 1 dish; *(klein)* saucer: *een vuurvaste ~* an ovenproof dish 2 *(gerecht)* dish: *een warme ~* a hot dish || *een vliegende ~* a flying saucer
schotelantenne (satellite) dish, dish aerial, saucer aerial
Schotland Scotland
schots (ice) floe || *~ en scheef* higgledy-piggledy, topsy-turvy
Schots *(uit, van Schotland)* Scottish, Scots; *(niet voor personen; wel in vaste uitdrukkingen)* Scotch: *~e whisky* Scotch (whisky)
schotwond bullet wound, gunshot wound
schouder shoulder: *de ~s ophalen* shrug one's shoulders; *iem op zijn ~ kloppen* pat s.o. on the back
schouderband shoulder strap: *zonder ~jes* strapless
schouderblad shoulder blade *(of:* bone)
schouderklopje pat on the back
schouderophalen shrug
schoudervulling shoulder pad
schouw mantel(piece)
schouwburg theatre: *naar de ~ gaan* go to the theatre
schouwspel spectacle; *(aanblik)* sight; *(spektakel)* show: *een aangrijpend ~* a touching sight
schraagtafel trestle table
schraal 1 *(mager)* lean 2 *(mbt grond)* poor; arid *(dor)* 3 *(mbt het weer)* bleak; cutting *(wind)* 4 *(mbt huid)* dry: *schrale handen* chapped hands
schram scratch, scrape: *vol ~men zitten* be all scratched
schrander clever, sharp
schranzen gormandize, stuff oneself
schrap braced: *zich ~ zetten* brace oneself, *(weigeren toe te geven)* dig (one's heels) in
schrapen 1 clear: *de keel ~* clear one's throat 2 *(bij elkaar halen)* scrape: *geld bij elkaar ~* scrape money together
schrappen 1 scrape *(worteltjes e.d.)*; scale *(vis)*

2 *(doorhalen)* strike off, strike out, delete: *iem als lid* ~ drop s.o. from membership
schrede pace, step
schreef: *over de ~ gaan* overstep the mark
schreeuw shout, cry: *een ~ geven* (let out a) yell, give a cry
[1]**schreeuwen** *intr* 1 *(gillen)* scream, cry (out), yell (out) 2 *(roepen (om))* cry out (for): *deze problemen ~ om een snelle oplossing* these problems are crying out for a quick solution 3 *(hevig tekeergaan)* scream, shout: *hij schreeuwt tegen iedereen* he shouts at everyone 4 *(mbt dieren)* cry; screech *(pauw, uil)*; squeal *(varken)*
[2]**schreeuwen** *tr* shout (out), yell (out): *een bevel ~* shout (*of:* yell) (out) an order
schreeuwlelijk 1 loudmouth, bigmouth 2 *(kind)* squaller, screamer
schreien weep, cry (out) || *bittere* (of: *hete*) *tranen ~* weep bitter (*of:* hot) tears
schriel thin, meagre
schrift 1 writing: *iets op ~ stellen* put sth in writing; *ik heb het op ~* I have it in writing 2 *(handschrift)* (hand)writing: *duidelijk leesbaar ~* legible handwriting 3 *(cahier)* exercise book, notebook
Schrift Scripture(s): *de Heilige ~* (Holy) Scripture, the Scriptures
schriftelijk written, in writing: *een ~e cursus* a correspondence course; *~ bevestigen* confirm in writing; *iets ~ vastleggen* put sth in writing || *voor het ~ zakken* fail one's written exams
schrijden stride, stalk
schrijfbenodigdheden stationery, writing materials
schrijfblok writing pad, (note)pad
schrijfgerei stationery
schrijfkramp writer's cramp
schrijfmachine typewriter
schrijfster writer
schrijftaal written language
schrijfvaardigheid writing skill
schrijlings straddling, astride: *~ op een paard zitten* sit astride a horse
schrijnen 1 chafe 2 *(mbt wonden)* smart
schrijven write: *een vriend ~* write to a friend; *voluit ~* write (out) in full; *op een advertentie ~* answer an advertisement; *op het moment waarop ik dit schrijf* at the time of writing
schrijver writer, author
schrik 1 terror, shock, fright: *iem ~ aanjagen* give s.o. a fright; *van de ~ bekomen* get over the shock; *met de ~ vrijkomen* have a lucky escape; *tot mijn ~* to my alarm (*of:* horror); *tot hun grote ~* to their horror 2 *(vrees)* fright, fear 3 *(wie, wat schrik veroorzaakt)* terror: *hij is de ~ van de buurt* he is the terror of the neighbourhood
schrikaanjagend terrifying, frightening
schrikbarend alarming, shocking: *~ hoge prijzen* staggering prices
schrikbeeld phantom, spectre, bogey: *het ~ van de werkloosheid* the spectre of unemployment
schrikdraad electric fence
schrikkeldag leap day
schrikkeljaar leap year
schrikkelmaand February
schrikken be shocked *(of:* scared, frightened): *ik schrik me kapot (dood)* I'm scared stiff (*of:* to death); *wakker ~* wake with a start; *iem laten ~* frighten s.o.; *hij schrok ervan* it frightened him; *van iets ~* be frightened by sth; *iem aan het ~ maken* give s.o. a fright
schril 1 shrill; *(piepend)* squeaky: *een ~le stem* a shrill voice 2 *(scherp afstekend)* sharp; glaring *(kleuren)*
schrobben scrub
schroef 1 screw: *alles staat weer op losse schroeven* everything's unsettled (*of:* up in the air) again; *(fig) de schroeven aandraaien* put the screws on; *een ~ vastdraaien* (of: *losdraaien*) tighten (*of:* loosen) a screw; *er zit een ~je bij hem los* he has a screw loose 2 *(voor voortstuwing)* screw propeller
schroefdeksel screw cap, screw-on lid
schroefdop screw cap, screw top: *de ~ van een fles losdraaien* screw the top off a bottle
schroefdraad (screw) thread
schroeien 1 singe; sear *(vlees)*: *zijn kleren ~* singe one's clothes 2 *(sterk uitdrogen)* scorch: *de zon schroeide het gras* the sun scorched the grass
schroeven screw: *iets in elkaar ~* screw sth together; *iets uit elkaar ~* unscrew sth
schroevendraaier screwdriver
schrokken cram down, gobble: *zit niet zo te ~* don't bolt your food like that
schromelijk gross: *~ overdreven* grossly exaggerated
schromen hesitate
schrompelen shrivel
schroom hesitation, diffidence
[1]**schroot** *zn (strook hout)* lath: *een muur met ~jes betimmeren* lath a wall
[2]**schroot** *zn* 1 scrap (iron, metal) 2 *(brokstukken)* lumps *(mv)*
schroothandelaar scrap (iron, metal) dealer, junk dealer
schroothoop scrap heap: *deze auto is rijp voor de ~* this car is fit for the scrap heap
schrootjeswand lathed wall
schub scale
schuchter shy, timid: *een ~e poging* a timid attempt
schudden shake; shuffle *(kaarten)*: *~ voor gebruik* shake before use; *iem flink de hand ~* pump s.o.'s hand; *nee ~ (met het hoofd)* shake one's head; *iem van zich af ~* shake s.o. off; *iem door elkaar ~* shake s.o. up || *dat kun je wel ~!* forget it!, nothing doing!
schuier brush
schuif 1 *(grendel)* bolt 2 *(Belg)* drawer
schuifbalk *(comp)* scroll bar

schuifdak sunroof
schuifdeur sliding door
schuifelen shuffle: *met de voeten* ~ shuffle one's feet
schuifje (small) bolt
schuifladder extension ladder
schuifpui sliding French window *(of Am:* door), sliding patio doors
schuiftrombone slide trombone
schuiftrompet trombone
schuifwand sliding wall
schuilen 1 hide: *daarin schuilt een groot gevaar* that carries a great risk (with it) 2 *(beschutting zoeken)* shelter (from)
schuilkelder air-raid shelter
schuilnaam pseudonym, pen-name
schuilplaats 1 hiding place, (place of) shelter; hideout *(vnl. van misdadigers): iem een ~ verlenen* give shelter to s.o. 2 *(plaats om te schuilen)* shelter: *een ~ zoeken* take shelter
schuim foam; froth *(op bier enz.)*; lather *(zeep)*
schuimbad bubble bath
schuimblusapparaat foam extinguisher
schuimen foam, froth; lather *(zeep): die zeep schuimt niet* that soap does not lather
schuimkraag head
schuimpje meringue
[1]**schuimplastic** *zn* foam plastic
[2]**schuimplastic** *bn* foam plastic
[1]**schuimrubber** *zn* foam rubber
[2]**schuimrubber** *bn* foam rubber
schuimspaan skimmer
schuimwijn sparkling wine
schuin 1 slanting, sloping: *~e rand* bevelled edge; *een ~e streep* a slash; *een stuk hout ~ afzagen* saw a piece of wood slantwise; *iets ~ houden* slant sth; *~ oversteken* cross diagonally; *~ schrijven* write in italics; *hier ~ tegenover* diagonally across from here 2 *(onfatsoenlijk)* smutty, dirty
schuinschrift sloping handwriting, slanting handwriting
schuit barge, boat
schuitje boat: *in hetzelfde ~ zitten* be in the same boat
[1]**schuiven** *intr* 1 slide: *de lading ging ~* the cargo shifted; *in elkaar ~* slide into one another, telescope 2 *(zich met een stoel verplaatsen)* move *(of:* bring) one's chair: *dichterbij ~* bring one's chair closer || *laat hem maar ~* let him get on with it; *met data ~* rearrange dates
[2]**schuiven** *tr* push, shove: *een stoel bij de tafel ~* pull up a chair; *iets (iem) terzijde ~* brush sth (s.o.) aside; *iets voor zich uit ~* put sth off, postpone sth
schuiver skid, lurch: *een ~ maken* skid, lurch
schuld 1 debt: *zijn ~en afbetalen* pay off *(of:* settle) one's debts; *~en hebben* have debts, be in debt 2 *(verantwoordelijkheid)* guilt, blame: *iem de ~ van iets geven* blame s.o. for sth; *het is mijn eigen ~* it is my own fault
schuldbekentenis 1 *(document)* bond; IOU *(I owe you)* 2 *(schuld toegeven)* admission *(of:* confession) of guilt: *een volledige ~ afleggen* make a full confession
schuldbelijdenis *(r-k)* confession
schuldeiser creditor
schuldgevoel feeling of guilt, guilty conscience
schuldig 1 owing: *hoeveel ben ik u ~?* how much do I owe you? 2 *(schuld hebbend)* guilty: *de rechter heeft hem ~ verklaard* the judge has declared him guilty
schuldige culprit, guilty party; *(overtreder)* offender
schuldvraag the question of guilt
schulp shell: *in zijn ~ kruipen* withdraw *(of:* retire) into one's shell
schunnig shabby; *(taal)* filthy
schuren 1 grate, scour 2 *(met schuurpapier)* sand(paper)
schurft scabies; mange *(vnl. dieren): de ~ aan iem hebben* hate s.o.'s guts
schurk scoundrel, villain
schut shelter, cover || *iem voor ~ zetten* make s.o. look a fool; *voor ~ staan* look a fool *(of:* an idiot)
schutkleur camouflage
schutter *(met geweer)* rifleman; marksman || *hij is een goede ~* he is a crack shot
schutting fence: *een ~ om een bouwterrein zetten* fence off a construction site
schuttingtaal foul language, obscene language: *~ uitslaan* use foul *(of:* obscene) language
schuttingwoord four-letter word, obscenity
schuur shed; barn *(van boerderij): de oogst in de ~ brengen* bring in the harvest
schuurmachine sander, sanding machine
schuurmiddel abrasive
schuurpapier sandpaper
schuurpoeder scouring powder
schuurspons scourer
schuw shy, timid
schuwen shun, shrink from
sclerose sclerosis: *multiple ~* multiple sclerosis
scooter (motor) scooter
scootmobiel miniscooter, mobility scooter
score score: *een gelijke ~* a draw *(of:* tie); *een ~ behalen van …* make a score of …
scorebord scoreboard
scoren score: *een doelpunt ~* score (a goal)
scrabbelen play Scrabble
screensaver screensaver
scriptie thesis, term paper: *een ~ schrijven over* write a thesis about *(of:* on)
scrollen scroll
seance seance *(van spiritisten)*
sec *afk van seconde* sec
seconde 1 second: *in een onderdeel van een ~* in a split second 2 *(ogenblik)* second, moment: *hij houdt geen ~ zijn mond* he never stops talking
secondelijm superglue

secondewijzer second hand
secretaresse secretary
secretariaat secretariat; *(kantoor ook)* secretary's office
secretarie office; town clerk's office *(bij gemeente)*
secretaris secretary; clerk *(in gemeente, rechtbank)*
sectie 1 *(mbt lijk)* autopsy; post-mortem (examination); dissection: ~ *verrichten* carry out a post-mortem (*of:* an autopsy) 2 *(afdeling)* section; department *(mbt een organisatie, school): de ~ betaald voetbal* the Football League; *de ~ Frans* the French department
sector sector: *de agrarische ~* the agricultural sector; *de zachte ~* the social sector
secundair secondary, minor: *van ~ belang* of minor importance
secuur precise, meticulous
sedert since *(vanaf)*; for *(gedurende): ~ enige tijd* for some time
seffens *(Belg)* at once, straightaway
segment segment: *de ~en van een tunnel* the sections of a tunnel
sein 1 signal, sign: *het ~ op veilig zetten* set the sign at clear 2 *(waarschuwing, tip)* tip, hint: *geef me even een ~tje als je hulp nodig hebt* just let me know if you need any help
seinen 1 signal; flash *(met lichten)* 2 *(berichten afzenden)* telegraph; *(draadloos)* radio
seinwachter signalman
seismisch seismic
seismograaf seismograph
seizoen season: *weer dat past bij het ~* seasonable weather; *buiten het ~* in the off-season, out of season, off-season
seizoenarbeid seasonal work (*of:* employment)
seizoenartikel seasonal article
seizoenkaart season ticket
seks sex: *~ bedrijven* have sex
seksblad sex magazine
sekse sex: *iem van de andere ~* s.o. of the opposite sex
seksfilm sex film; *(plat)* skin-flick
seksisme sexism; *(van man(nen) ook)* male chauvinism
seksist sexist; *(man)* male chauvinist
seksistisch sexist, like a sexist: *een ~e opmerking* a sexist remark
sekslijn sex line
seksmaniak sex maniac
seksnummer sex line, erotic line
seksshop sex shop, porn shop
seksualiteit sexuality
seksueel sexual: *seksuele voorlichting* sex education; *~ overdraagbare aandoeningen* sexually transmitted disease(s)
seksuoloog sexologist
sekte sect
selderij celery
selecteren select, pick (out): *hij werd niet geselecteerd voor die wedstrijd* he was not picked (*of:* selected) for that match
selectie selection: *(sport) de ~ bekendmaken* announce the selection, name the squad
selectief selective
selectieprocedure selection procedure
selectiewedstrijd selection match; *(voorronde wedstrijd)* preliminary match
semafoon *(ongev)* radio(tele)phone
semester six months, semester, term (of six months)
semieten Semites
seminarie seminary: *op het ~ zitten* be at a seminary
semioverheidsbedrijf semi state-controlled company
senaat senate
senator senator: *tot ~ gekozen worden* be elected (as) senator
Senegal Senegal
seniel senile
seniliteit senility
senior senior
seniorenpas pensioner's ticket (*of:* pass), senior citizen's pass (*of:* reduction card)
sensatie sensation, feeling; *(opwinding)* thrill; *(opschudding)* stir: *op ~ belust zijn* be looking for sensation
sensatiepers gutter press
sensationeel sensational; *(opzienbarend)* spectacular
sentiment sentiment: *vals ~* cheap sentiment
sentimenteel sentimental: *een sentimentele film* a sentimental film, a tear-jerker
seponeren dismiss, drop
september September
septisch septic
sereen serene
serenade serenade: *iem een ~ brengen* serenade s.o.
sergeant sergeant
sergeant-majoor sergeant major
serie series; *(feuilleton)* serial: *een Amerikaanse ~ op de tv* an American serial on TV
seriemoordenaar serial killer
serieproductie serial production, series production
serieus serious; straight *(zonder grapjes): een serieuze zaak* no laughing matter; *~?* seriously?, really?
sering lilac: *een boeket ~en* a bouquet of lilac
seropositief HIV-positive
serpentine streamer
serre 1 sunroom 2 *(broeikas) (aan huis, gebouw vast)* conservatory *(voor planten)*
serum serum
serveerder *(bediende) (aan tafel)* waiter; *(achter toonbank)* server

serveerster waitress
serveren serve: *koel* ~ serve chilled; *onderhands* (of: *bovenhands*) ~ serve underarm (*of:* overarm)
servet napkin
service 1 service: *dat is nog eens ~!* that is what I call service! **2** *(bedieningsgeld)* service charge: ~ *inbegrepen* service charges included
servicebeurt service: *met je auto naar de garage gaan voor een* ~ take the car to be serviced
serviceflat service flat
servicekosten service charge(s)
servicelijn service line
servicevak service court
Servië Serbia
Serviër Serb(ian)
servies service: *theeservies* tea service (*of:* set); *30-delig* ~ 30-piece service
serviesgoed crockery
[1]**Servisch** *zn* Serbian
[2]**Servisch** *bn* Serbian
sesamzaad sesame seed(s)
sessie session, sitting; *(van muzikanten)* jam session
set set
setter setter: *Ierse* ~ Irish setter
Seychellen the Seychelles
sfeer 1 atmosphere **2** *(karakteristieke eigenschap)* atmosphere; character *(plaats, gebouw);* ambience *(plaats): een huis met een heel eigen* ~ a house with a distinctive character **3** *(gebied)* sphere: *in hogere sferen zijn* have one's head in the clouds
sfeervol attractive
sfinx sphinx
shag hand-rolling tobacco: ~ *roken* roll one's own
shampoo shampoo
sharia sharia(h)
sheriff sheriff
sherry sherry
shetlander Shetland (pony)
shirt shirt; *(bloes)* blouse
shirtreclame shirt advertising
shoarma doner kebab: *een broodje* ~ a doner kebab
shoarmabroodje pitta bread
shock shock
shocktoestand state of shock: *hij is in* ~ he is in (a state of) shock
short shorts *(mv)*
shotten *(Belg)* play football
show show, display
si *(muz)* ti, si
siamees Siamese (cat)
Siamees Siamese
Siberië Siberia
Siberisch Siberian
Siciliaan Sicilian
Sicilië Sicily
sidderen tremble, shiver: *ik sidderde bij de gedachte alleen al* the very thought of it made me shudder
sieraad jewel; *(mv)* jewellery
sieren adorn: *dat siert hem* it is to his credit
sierlijk elegant, graceful
sierlijkheid elegance, grace(fulness)
sierplant ornamental plant
sierstrip trim *(op auto)*
siësta siesta: ~ *houden* have a siesta
sigaar cigar: *een* ~ *opsteken* light a cigar || *de* ~ *zijn* have had it, get the blame
sigarenbandje cigar band
sigarenboer tobacconist
sigarenwinkel cigar shop, tobacconist's
sigaret cigarette: *een pakje ~ten* a packet (*of Am:* pack) of cigarettes; *een* ~ *opsteken* (of: *uitmaken*) light (*of:* put out) a cigarette
sigarettenautomaat cigarette (vending) machine
sigarettenpeuk cigarette end *(of:* butt)
sigarettenvloei cigarette paper
signaal 1 signal, sign: *het* ~ *voor de aftocht geven* sound the retreat **2** *(instrument)* signal: *het* ~ *stond op rood* the signal was red
signalement description: *hij beantwoordt niet aan het* ~ he doesn't fit the description
signaleren 1 see, spot: *hij was in een nachtclub gesignaleerd* he had been seen in a nightclub **2** *(wijzen op)* point out: *problemen* (of: *misstanden*) ~ point out problems (*of:* evils)
signalisatie *(Belg)* traffic signs, road signs
signeren sign, autograph: *een door de auteur gesigneerd exemplaar* a signed (an autographed) copy
significant significant
sijpelen trickle, ooze, seep
sik goatee
sikkel sickle
sikkeneurig peevish, grouchy
sikkepit whit, bit
silhouet silhouette
silicium silicon
siliconenkit silicone paste, fibre-glass paste
silo silo
simpel simple: *~e kost* simple (*of:* modest) fare; *zo* ~ *ligt dat!* it's as simple as that!
simuleren simulate, sham
simultaan simultaneous: *(sport)* ~ *spelen* give a simultaneous display
simultaanpartij simultaneous game
simultaanschaken play simultaneous chess
sinaasappel orange
sinaasappelkist orange crate, orange box
sinaasappelsap orange juice
sinas orangeade, orange soda
[1]**sinds** *vz (voor tijdstip)* since; *(voor periode)* for: *ik ben hier al* ~ *jaren niet meer geweest* I haven't been here for years; *ik heb hem* ~ *maandag niet*

meer gezien I haven't seen him since Monday; ~ *kort* recently, for a short time now
[2]**sinds** *vw* since; *(onafgebroken)* ever since: ~ *ik Jan ken* since I met (*of:* have known) Jan
singel 1 canal 2 *(band, riem)* webbing
singer-songwriter singer-song writer
single single
singlet singlet; *(Am)* undershirt
sinister sinister: *~e plannen* sinister designs
sint 1 saint 2 *(Sinterklaas)* St Nicholas
sint-bernardshond St Bernard (dog)
sintel cinder: *gloeiende ~s* glowing embers
Sinterklaas *zie* Sint-Nicolaas
sinterklaasavond St Nicholas' Eve
sinterklaasgedicht St Nicholas' poem
sint-juttemis: *wachten tot ~* wait till the cows come home
Sint-Nicolaas 1 St Nicholas 2 *(feest)* feast of St Nicholas
sinus sine (of angle)
sip glum, crestfallen
Sire your Majesty, Sire
sirene siren: *met loeiende ~* with wailing sirens
Sirius Sirius
siroop syrup: *vruchten op lichte* (of: *zware*) ~ fruit in light (*of:* heavy) syrup
sisklank sibilant
sissen 1 hiss: *een ~d geluid maken* make a hissing noise 2 *(mbt vocht, vet)* sizzle: *het spek siste in de pan* the bacon was sizzling in the pan
sisser: *met een ~ aflopen* blow over *(iets dreigends)*, fizzle out *(tegenvallen)*
sitar sitar
site site, website
situatie situation, position: *een moeilijke ~* a difficult situation; *in de huidige ~* as things stand, in the present situation
sjaal scarf: *een ~ omslaan* put on a scarf
sjabloon stencil (plate); template *(voor snijden, boren); (fig)* stereotype
sjacheraar haggler, horse-trader
sjah shah
sjalot shallot
sjansen flirt, make eyes at s.o.: *~ met de buurman* flirt with the neighbour
sjasliek shashlik
sjeik sheik(h)
sjekkie (hand-rolled) cigarette, roll-up: *een ~ draaien* roll a cigarette
sjerp sash
sjiek *zie* chic
sjilpen cheep, chirp
sjoelen play at shovelboard
sjofel shabby
sjokken trudge
sjonnie greaser
sjorren lug, heave
sjouwen lug, drag: *lopen ~* trudge, traipse
sjouwer porter; *(in haven)* docker
[1]**skai** *zn* imitation leather
[2]**skai** *bn* imitation leather
skateboard skateboard
skaten skateboard
skeeler skeeler
skeeleren rollerblade
skelet skeleton; *(bouwk ook)* frame
skelterbaan go-kart (race)track
skelteren go-kart: *het ~* go-karting
sketch sketch
ski ski
skicentrum ski resort
skiën ski: *gaan ~* go skiing
skiër skier
skigebied skiing area (*of:* centre)
skileraar ski instructor
skilift ski lift
skipiste ski run
skischans ski jump
skischoen ski boot
skistok ski stick *(of Am:* pole)
sla lettuce; *(als koud gerecht)* salad: *een krop ~* a head of lettuce; *de ~ aanmaken* dress the salad
slaaf slave
slaafs slavish, servile: *~e gehoorzaamheid* servile obedience
slaag: *(ook fig) iem (een pak) ~ geven* give s.o. a beating
slaan 1 hit, strike; slap *(met vlakke hand);* beat *(een pak slaag geven): de klok slaat ieder kwartier* the clock strikes the quarters; *zich ergens doorheen ~* pull through; *zijn hart ging sneller ~* his heart beat faster; *een paal in de grond ~* drive a stake into the ground; *met de vleugels ~* flap one's wings; *met de deur ~* slam the door; *iem in elkaar ~* beat s.o. up; *hij is er niet (bij) weg te ~* wild horses couldn't drag him away 2 *(mbt spel)* take, capture 3 (met *op*) *(betreffen)* refer to: *waar slaat dat nu weer op?* what do you mean by that?; *dat slaat op mij* that is meant for (*of:* aimed at) me; *dat slaat nergens op* that makes no sense at all || *over de kop ~* overturn; *een mantel om iem heen ~* wrap a coat round s.o.; *de armen om de hals van iem ~* fling one's arms around s.o.'s neck; *de benen over elkaar ~* cross one's legs
slaap 1 sleep: *in ~ vallen* fall asleep 2 *(neiging)* sleepiness: *~ hebben* be (*of:* feel) sleepy; *~ krijgen* get sleepy 3 *(aan het hoofd)* temple
slaapbank sofa bed
slaapgelegenheid sleeping accommodation, place to sleep
slaapje nap, snooze
slaapkamer bedroom
slaapkop 1 *(slaperig persoon)* sleepyhead 2 *(sufferd)* dope
slaapliedje lullaby
slaapmiddel sleeping pill
slaapmuts nightcap
slaapmutsje *(borrel)* nightcap

slaappil sleeping pill
slaapplaats place to sleep, bed
slaapstad dormitory suburb; *(satellietstad)* dormitory town
slaapster: *de Schone Slaapster* Sleeping Beauty
slaaptrein sleeper, overnight train
slaapverwekkend sleep-inducing; *(fig)* soporific: *een ~ boek* a tedious book
slaapwandelaar sleepwalker
slaapwandelen walk in one's sleep: *het ~* sleepwalking
slaapzaal dormitory, dorm
slaapzak sleeping bag
slaatje salad || *hij wil overal een ~ uit slaan* he tries to cash in on everything
slab bib: *een kind een ~ voordoen* put a child's bib on
slabak salad bowl
slabakken *(Belg) (slecht gaan)* hang fire, do badly: *de ~de economie* the stagnating economy
slacht slaughter(ing)
slachtafval offal
slachtbank: *naar de ~ geleid worden* be led to the slaughter
slachten slaughter, butcher: *geslachte koeien* slaughtered cows
slachthuis slaughterhouse
slachting slaughter(ing); *(massamoord ook)* massacre
slachtoffer victim; *(vnl. mv ook)* casualty *(in oorlog, bij ramp): ~ worden van* fall victim (*of:* prey) to
slachtofferhulp help (*of:* aid) to victims
slachtpartij slaughter, massacre
slachtvee stock (*of:* cattle) for slaughter(ing), beef cattle
[1]**slag** *zn* 1 blow; *(vuistslag ook)* punch; *(met zweep ook)* lash: *iem een (zware) ~ toebrengen* deal s.o. a heavy blow 2 *(klap tegen een bal)* stroke; *(golf ook)* drive: *een ~ in de lucht* a shot in the dark 3 *(mil)* battle: *in de ~ bij Nieuwpoort* at the Battle of Nieuwpoort; *(Belg) zich uit de ~ trekken* get out of a difficult situation 4 *(geluid)* bang, bump 5 *(golvende beweging)* wave: *hij heeft een mooie ~ in zijn haar* he has a nice wave in his hair 6 *(het slaan, keer)* stroke; *(muz; van pols, hart)* beat: *(totaal) van ~ zijn* be (completely) thrown out 7 *(handigheid)* knack: *de ~ van iets te pakken krijgen* get the knack (*of:* hang) of sth 8 *(kaartspel)* trick: *iem een ~ voor zijn* be one up on s.o. 9 *(damspel)* take, capture 10 *(zwemmen, roeien)* stroke: *(zwemmen) vrije ~* freestyle || *een ~ naar iets slaan* have a shot (*of:* stab) at sth; *een goede ~ slaan* make a good deal; *aan de ~ gaan* get to work; *hij was op ~ dood* he was killed instantly
[2]**slag** *zn (aard, soort)* sort, kind: *dat is niet voor ons ~ mensen* that's not for the likes of us; *iem van jouw ~* s.o. like you
slagader artery: *grote ~* aorta
slagboom barrier
slagen 1 (met *in, met*) *(het er goed afbrengen) (met persoon als onderwerp)* succeed (in); be successful (in): *ben je erin geslaagd?* did you pull it off, did you manage? 2 (met *in* en *ww*) *(weten te)* succeed in (-ing), manage (to): *ik slaagde er niet in de top te bereiken* I failed to make it to the top 3 (met *voor*) *(examen halen)* pass; qualify (as, for) *(mbt bevoegdheid): hij is voor zijn Frans geslaagd* he has passed (his) French 4 *(succes hebben)* be successful: *de operatie is geslaagd* the operation was successful; *de tekening is goed geslaagd* the drawing has turned out well
slager butcher
slagerij butcher's (shop)
slaggitaar rhythm guitar
slaghout bat
slaginstrument percussion instrument
slagpen 1 *(vogelveer)* flight feather 2 *(in vuurwapen)* firing pin
slagroom: *aardbeien met ~* strawberries and whipped cream
slagschip battleship
slagtand 1 tusk *(olifant)* 2 fang *(wolf, hond)*
slagveld battlefield
slagwerk *(slaginstrumenten)* percussion (section); *(jazz)* rhythm section
slagwerker percussionist; drummer *(alleen trommels)*
slagzij list *(schip);* bank *(vliegtuig): dat schip maakt zware ~* that ship is listing heavily
slagzin slogan, catchphrase
slak 1 snail *(met huisje);* slug *(zonder huisje)* 2 *(afval van metalen, verbrande steenkool)* slag, dross
slaken give, utter: *een kreet ~* give a cry, shriek; *een zucht ~* give (*of:* heave) a sigh
slakkengang snail's pace
slakkenhuis 1 snail's shell 2 *(med)* cochlea
slalom slalom
slang 1 snake: *giftige ~en* poisonous snakes 2 *(buigzame buis)* hose
slank slender; slim *(mensen): aan de ~e lijn doen* be slimming (*of:* dieting)
slaolie salad oil
slap 1 slack: *(fig) een ~pe tijd* a slack season; *het touw hangt ~* the rope is slack 2 *(niet stijf)* soft, limp 3 *(mbt het lichaam)* weak, flabby: *~pe spieren* flabby muscles; *we lagen ~ van het lachen* we were in stitches 4 *(inhoudloos)* empty, feeble: *een ~ excuus* a lame (*of:* feeble) excuse
slapeloos sleepless
slapeloosheid insomnia, sleeplessness: *aan ~ lijden* suffer from insomnia
slapen 1 sleep: *gaan ~* go to bed *(naar bed),* go to sleep *(inslapen); hij kon er niet van ~* it kept him awake; *slaap lekker* sleep well; *bij iem blijven ~* spend the night at s.o.'s house (*of:* place), *(in hetzelfde bed)* spend the night with s.o.; *ik wil er een nachtje over ~* I'd like to sleep on it; *hij slaapt als*

sl

een os (een roos) he sleeps like a log 2 *(geslachtsgemeenschap hebben)* sleep (with) || *mijn been slaapt* I've got pins and needles in my leg

slapend sleeping: *~e rijk worden* make money without any effort

slaperig sleepy; *(soezerig ook)* drowsy

slapjanus wimp, weed

slappeling weakling, softie

slapte *(mbt handel)* slackness

slasaus salad dressing

slavenarbeid slave labour

slavenhandel slave trade

slavernij slavery: *afschaffing van de ~* abolition of slavery

slavin (female) slave

slecht 1 bad; poor *(van kwaliteit)*: *een ~ gebit* bad teeth; *~ betaald* badly (*of:* low) paid; *~er worden (van kwaliteit e.d.)* worsen, deteriorate; *~ ter been zijn* have difficulty (in) walking 2 *(ongunstig)* bad, unfavourable: *hij heeft het ~ getroffen* he has been unlucky 3 *(in moreel, zedelijk opzicht)* bad, wrong: *zich op het ~e pad begeven* go astray 4 *(niet voorspoedig)* bad, ill: *het loopt nog eens ~ met je af* you will come to no good

slechterik baddie, bad guy, villain

slechtgehumeurd bad-tempered

slechthorend hard of hearing

slechts only, merely, just: *in ~ enkele gevallen* in only (*of:* just) a few cases

slechtziend visually handicapped: *~ zijn* have bad eyesight

slee sledge; *(Am)* sled

sleeën sledge; *(Am)* sled; sleigh

sleep tow: *iem een ~(je) geven, iem op ~ nemen* give s.o. a tow, take s.o. in tow

sleepboot tug(boat)

sleepkabel tow rope

sleeptouw tow rope: *iem op ~ nemen* take s.o. in tow

sleepwagen breakdown truck, breakdown van; *(Am)* tow truck

slenteren stroll, amble: *op straat ~* loaf about the streets

slepen 1 drag, haul: *iem door een examen ~* pull s.o. through an exam; *iem voor de rechter ~* take s.o. to court 2 *(mbt auto enz.)* tow

slepend 1 dragging: *een ~e gang hebben* drag (*of:* shuffle) one's feet 2 *(lang van duur)* lingering, long-drawn-out

slet slut

sleuf 1 slot; slit *(langwerpig)*: *de ~ van een spaarpot* the slot in a piggybank 2 *(smalle groef)* groove; trench *(in grond)*

sleur rut, grind: *de alledaagse ~* the daily grind

sleuren drag, haul

sleutel 1 key 2 *(fig)* key, clue 3 *(werktuig, gereedschap)* spanner; *(Am)* wrench: *een Engelse ~* a monkey wrench 4 *(muz)* clef

sleutelbeen collarbone, clavicle

sleutelbos bunch of keys

sleutelen 1 work (on), repair 2 *(fig)* fiddle (with), tinker (with): *er moet nog wel wat aan de tekst gesleuteld worden* the text needs a certain amount of touching up

sleutelgat keyhole: *aan het ~ luisteren* listen (*of:* eavesdrop) at the keyhole; *door het ~ kijken* peep through the keyhole

sleutelhanger keyring

sleutelpositie key position

sleutelring keyring

sleutelrol key role, central role (*of:* part)

slib silt; *(bezinksel)* sludge

slibberig slippery; slimy *(door slijm)*

sliding sliding tackle

sliert 1 string, thread; wisp *(haar)*: *~en rook* wisps of smoke 2 *(een heleboel)* pack, bunch: *een hele ~* a whole bunch

slijk mud, mire: *iem* (of: *iemands naam*) *door het ~ sleuren* drag s.o. (*of:* s.o.'s name) through the mud/mire

slijm mucus; phlegm *(fluim)*

slijmbal toady, bootlicker

slijmen butter up, soft-soap: *~ tegen iem* butter s.o. up

slijmerig slimy

slijmvlies mucous membrane

slijpen 1 sharpen 2 *(effen maken, polijsten)* grind, polish; *(edelsteen ook)* cut: *diamant ~* cut diamonds 3 *(mbt glaswerk)* cut

slijpsteen grindstone

slijtage wear (and tear): *tekenen van ~ vertonen* show signs of wear; *aan ~ onderhevig zijn* be subject to wear

slijten 1 wear (out): *die jas is kaal gesleten* that coat is worn bare 2 wear away, wear off; *(vermageren, verzwakken)* waste (away) 3 *(doorbrengen)* spend, pass: *zijn leven in eenzaamheid ~* spend one's days in solitude

slijter wine merchant; *(Am)* liquor dealer || *ik ga naar de ~* I'm going to the wine shop

slijterij wine shop; *(Am)* liquor store

slijtvast hard-wearing, wear-resistant

slikken 1 swallow; gulp (down) *(haastig)* 2 *(accepteren)* swallow, put up with: *je hebt het maar te ~* you just have to put up with it

slim clever, smart: *~me oogjes* shrewd eyes; *een ~me zet* a clever move; *iem te ~ af zijn* be too clever for s.o.

slimheid cleverness

slimmigheid dodge, trick: *hij wist zich door een ~je eruit te redden* he weaseled his way out of it

slinger 1 festoon, streamer; garland *(bloemen)* 2 *(zwaai)* swing, sway 3 *(van een klok)* pendulum

slingerbeweging 1 swing 2 *(van lichaam)* swerve

[1]**slingeren** *intr* 1 swing, sway: *~ op zijn benen* sway on one's legs 2 *(zigzaggen)* sway, lurch; yaw *(schip)* 3 *(ordeloos neergelegd zijn)* lie about (*of:* around): *laat je boeken niet altijd op mijn bureau*

~! don't always leave your books lying around on my desk! 4 *(kronkelen)* wind

²**slingeren** *tr* 1 *(werpen)* sling, fling: *bij de botsing werd de bestuurder uit de auto geslingerd* in the crash the driver was flung out of the car 2 *(zwaaiende beweging doen maken)* swing, sway

³**slingeren, zich** wind; *(om een voorwerp)* wind (oneself)

slinken shrink: *de voorraad slinkt* the supply is dwindling

slinks cunning, devious: *op ~e wijze* by devious means

slip skid: *in een ~ raken* go into a skid

slipje (pair of) briefs *(of:* panties), (pair of) knickers

slippen slip; *(van voertuig, fiets)* skid

slipper mule; slipper *(pantoffel)*

slippertje: *een ~ maken* have a bit on the side

sliptong slip, sole

slissen lisp

slobberen 1 bag, sag: *zijn jasje slobbert om zijn lijf* his baggy coat hangs around his body 2 *(slurpen)* slobber, slurp

sloddervos slob

sloeber: *een arme ~* a poor wretch *(of:* devil)

sloep cutter: *de ~ strijken* lower the boat

slof 1 slipper, mule: *zij kan het op haar ~fen af* she can do it with her eyes shut *(of:* with one hand tied behind her back) 2 *(pak met pakjes sigaretten)* carton || *uit zijn ~ schieten* hit the roof

sloffen shuffle: *loop niet zo te ~!* don't shuffle *(of:* drag) your feet!

slogan slogan

slok 1 drink; sip *(klein): grote ~ken nemen* gulp 2 *(een keer slikken)* swallow, gulp

slokdarm gullet

slons slattern, sloven, slut

slonzig slovenly, sloppy

sloom listless, slow: *doe niet zo ~ (opschieten)* come on, I haven't got all day

¹**sloop** *zn* 1 demolition 2 *(bedrijf)* demolition firm; scrapyard *(mbt auto's)*

²**sloop** *zn* pillowcase: *lakens en slopen* bedlinen

sloopauto scrap car, wreck

sloopbedrijf demolition firm *(of:* contractors), scrapyard; *(Am)* wrecker *(mbt auto's)*

sloot ditch; *(sport)* water jump

slootjespringen leap (over) ditches

slootwater ditchwater; *(fig)* dishwater

slop alley(way); *(doodlopend)* blind alley: *in het ~ raken* come to a dead end

slopen 1 demolish 2 *(uit elkaar nemen)* break up; scrap *(schip, auto)* 3 *(verteren)* undermine *(gezondheid): ~d werk* exhausting *(of:* back-breaking) work; *een ~de ziekte* a wasting disease

sloper demolition contractor

sloperij demolition firm *(of:* contractors) *(mbt gebouwen);* scrapyard *(mbt auto's)*

sloppenwijk slums, slum area

slordig careless; *(onordelijk)* untidy; *(werk, kleding ook)* sloppy: *wat zit je haar ~* how untidy your hair is; *~ schrijven* scribble

slordigheid carelessness, sloppiness

slot 1 lock; fastening *(ve armband): iem achter ~ en grendel zetten* put s.o. behind bars; *achter ~ en grendel* under lock and key; *een deur op ~ doen* lock a door; *alles op ~ doen* lock up 2 *(einde)* end, conclusion: *~ volgt* to be concluded 3 *(kasteel)* castle

slotenmaker locksmith

slotfase final stage

slotgracht (castle) moat

slotscène final scene

slotsom conclusion

Sloveen Slovene, Slovenian

sloven drudge

Slovenië Slovenia

Slowaak Slovak

Slowakije Slovakia

sluier veil

sluik straight, lank

sluikreclame clandestine advertising

sluikstorten *(Belg) (clandestien afval storten)* dump (illegally)

sluimeren slumber

sluipen 1 steal, sneak; stalk *(bij de jacht): naar boven ~* steal *(of:* sneak) upstairs 2 *(mbt zaken)* creep

sluiproute short cut

sluipschutter sniper

sluis *(voor schepen)* lock; *(voor uitwatering)* sluice: *door een ~ varen* pass through a lock

sluiswachter lock-keeper

¹**sluiten** *intr* balance: *de begroting ~d maken* balance the budget || *(reclame) over en ~* over and out

²**sluiten** *tr* 1 shut, close; *(voorgoed)* close down: *de grenzen ~* close the frontiers; *het raam ~* shut *(of:* close) the window; *de winkel (zaak) ~: a) (voorgoed)* close (the shop) down; *b) (ook 's avonds)* shut up shop; *dinsdagmiddag zijn alle winkels gesloten* it is early closing day on Tuesday 2 *(aangaan)* conclude, enter into: *een verbond ~ (met)* enter into an alliance (with); *vrede ~* make peace, *(na ruzie)* make up (with s.o.) 3 *(beëindigen)* close, conclude

sluiting 1 shutting (off); closure *(van debat, bedrijf);* conclusion *(van vrede, debat): ~ van de rekening* balancing of the account 2 *(wat dient om te sluiten)* fastening, fastener; *(slot)* lock; clasp *(armband e.d.): de ~ van deze jurk zit op de rug* this dress does up at the back

sluitingsdatum closing date

sluitingstijd closing time: *na ~* after hours

sluitspier sphincter

sluitstuk final piece

sluizen channel, transfer

slungel beanpole

slungelig lanky
slurf trunk
slurpen slurp
sluw sly, crafty, cunning: *de ~e vos* the sly (*of:* cunning) old fox
sluwheid slyness, cunning
smaad defamation (of character), libel
smaak taste; *(mbt voedsel ook)* flavour: *een goede ~ hebben* have good taste; *van goede* (of: *slechte*) *~ getuigen* be in good (*of:* bad) taste; *de ~ van iets te pakken hebben* have acquired a taste for; *in de ~ vallen bij …* appeal to …, find favour with …; *over ~ valt niet te twisten* there is no accounting for taste(s)
smaakje taste: *er zit een ~ aan dat vlees* that meat has a funny taste
smaakstof flavour(ing), seasoning
smaakvol tasteful; in good taste *(alleen na ww): ~ gekleed zijn* be tastefully dressed
smachten 1 languish: *iem ~de blikken toewerpen* look longingly at s.o. 2 (met *naar*) long (for), yearn (for)
smadelijk humiliating; *(honend)* scornful
smak 1 fall: *een ~ maken* fall with a bang 2 *(slag, klap)* crash, smack: *met een ~ neerzetten* slam (*of:* slap) down 3 *(grote menigte, hoeveelheid)* heap, pile: *dat kost een ~ geld* that costs a load of money
smakelijk tasty, appetizing: *eet ~!* enjoy your meal
smakeloos tasteless; *(alleen na ww)* lacking in taste
smaken taste: *hoe smaakt het?* how does it taste?; *heeft het gesmaakt, meneer?* (of: *mevrouw?*) did you enjoy your meal, sir? (*of:* madam?); *naar iets ~* taste of sth
smakken 1 smack one's lips: *smak niet zo!* don't make so much noise (when you're eating) 2 *(vallen)* crash: *tegen de grond ~* crash to the ground
smal narrow: *~le opening* small opening; *een ~ gezichtje* a pinched face; *de ~le weg (fig)* the straight and narrow (path)
smalend scornful
smalfilm cinefilm; *(Am)* movie film
[1]**smaragd** *zn (edelsteen)* emerald
[2]**smaragd** *zn (mineraal)* emerald
smart 1 sorrow, grief, pain: *gedeelde ~ is halve ~* a sorrow shared is a sorrow halved 2 *(verlangen)* yearning, longing: *met ~ op iets (iem) wachten* wait anxiously for sth (s.o.)
smartengeld damages *(mv);* (financial, monetary) compensation
smartlap tear-jerker
smeden forge: *twee stukken ijzer aan elkaar ~* weld two pieces of iron (together); *uit één stuk gesmeed* forged in one piece
smederij forge
smeedijzer wrought iron
smeer grease, oil; polish *(voor schoenen)*
smeerbaar spreadable
smeerbeurt 2000-mile service
smeerboel mess
smeergeld bribe(s)
smeerkaas cheese spread
smeerlap 1 skunk, bastard 2 *(vunzig, ontuchtig persoon)* pervert; dirty old man *(oud)*
smeerleverworst liver pâté (*of:* sausage)
smeerolie lubricant
smeerworst pâté
smeken implore, beg: *iem om hulp ~* beg (for) s.o.'s help
smelten melt; *(metalen ook)* melt down: *de sneeuw smelt* the snow is melting (*of:* thawing); *deze reep chocolade smelt op de tong* this bar of chocolate melts in the mouth
smeltpunt melting point, point of fusion
smeren 1 grease, oil; lubricate *(met olie)* 2 *(uitstrijken)* smear: *crème op zijn huid ~* rub cream on one's skin 3 *(van boter, vet voorzien)* butter: *brood ~* butter bread, make sandwiches
smerig dirty; *(sterker)* filthy: *een ~e streek (truc)* a dirty (*of:* shabby) trick
smering lubrication
smeris cop
smeuïg 1 smooth, creamy 2 *(smakelijk)* vivid
smeulen smoulder
smid smith
smiespelen whisper
smijten throw, fling: *met de deuren ~* slam the doors; *(fig) iem iets naar het hoofd ~* throw sth in s.o.'s teeth
smikkelen tuck in
smoel 1 trap: *houd je ~!* shut your trap! 2 *(grimas)* face: *~en trekken* pull faces
smoelenboek almanac, year book, web page with photos, staff pages
smoes excuse: *een ~je bedenken* think up a story (*of:* an excuse)
smoezelig grubby, dingy
smoezen 1 invent (*of:* cook up) excuses 2 *(zacht praten)* whisper
smog smog
smoking dinner jacket
smokkel smuggling
smokkelaar smuggler
smokkelarij smuggling
smokkelen smuggle
smokkelwaar contraband
smoorverliefd smitten (with s.o.)
smoren 1 smother, choke 2 *(gaar laten worden)* braise
smout *(Belg) (reuzel)* lard
sms 1 *(techniek)* short message service 2 *(bericht)* text message
sms'en text: *ik heb haar ge-sms't* I texted her, I sent her a text (message)
smullen feast (on): *dat wordt ~!* yum-yum!
snaar string, chord; *(van trommel)* snare: *een gevoelige ~ raken* touch a tender spot; *de snaren*

spannen string, snare *(trommel)*
snaarinstrument stringed instrument
snack snack
snackbar snack bar
snakken 1 gasp, pant: *naar adem ~* gasp for breath 2 crave: *~ naar aandacht* be craving (for) attention
snappen get: *snap je?* (you) see?; *ik snap 'm* I get it; *ik snap niet waar het om gaat* I don't see it; *ik snap er niets van* I don't get it, it beats me
snateren honk
snauwen snarl, growl, snap
snauwerig snappish; *(korzelig)* gruff
snavel bill; *(groot, krom)* beak: *hou je ~!* shut up!
snee 1 slice: *een dun ~tje koek* a thin slice of cake 2 *(snijwond)* cut; *(diepe wond)* gash 3 *(med)* incision
sneeuw snow: *een dik pak ~* (a) thick (layer of) snow; *natte ~* sleet; *(Belg) zwarte ~ zien* be destitute, live in poverty; *smeltende ~* slush; *vastzitten in de ~* be snowbound
sneeuwbal snowball
sneeuwbui snow (shower)
sneeuwen snow: *het sneeuwt hard* (of: *licht*) it is snowing heavily (*of:* lightly)
sneeuwgrens snowline
sneeuwketting (snow) chain
sneeuwklokje snowdrop
sneeuwman snowman
sneeuwruimen clear snow, shovel (away) snow
sneeuwruimer snowplough
sneeuwschuiver 1 snow shovel 2 *(auto)* snowplough
sneeuwstorm snowstorm
sneeuwval snowfall
sneeuwvlok snowflake
sneeuwvrij clear of snow: *de wegen ~ maken* clear the roads of snow
Sneeuwwitje Snow White
snel 1 fast, rapid 2 quick, swift; *(ook bw)* fast *(vaart);* speedy *(genezing, vooruitgang): een ~ besluit* a quick decision; *~ achteruitgaan* decline rapidly; *~ van begrip zijn* be quick (on the uptake)
snelbinder carrier straps *(mv)*
sneldienst fast service, express service
snelfilter coffee filter
snelheid speed, pace, tempo; *(licht, geluid ook)* velocity: *bij hoge snelheden* at high speeds; *de maximum ~* the speed limit *(op weg); op volle ~* (at) full speed; *~ minderen* reduce speed, slow down
snelheidsbegrenzer governor, speed limiting device
snelheidscontrole speed(ing) check
snelkookpan pressure cooker
snelrecht summary justice (*of:* proceedings)
sneltrein express (train), intercity (train)
sneltreinvaart tearing rush (*of:* hurry): *hij kwam in een ~ de hoek om* he came tearing round the corner
snelweg motorway; *(Am)* freeway || *elektronische* (of: *digitale*) *~* electronic (*of:* digital) highway
snerpen 1 bite, cut: *een ~de kou* cutting (*of:* piercing) cold 2 *(van geluid)* squeal, shriek
snert pea soup
sneu unfortunate
sneuvelen 1 fall (in battle), be killed (in action): *~ in de strijd* be killed in action 2 *(kapotgaan)* break, get smashed
snibbig snappy, snappish
snijbloem cut flower
snijboon *(groente)* French bean; *(Am)* string bean
[1]**snijden** *intr, tr* 1 cut, carve; *(in plakken snijden)* slice *(bijv. ham, brood)* 2 *(verkeer)* cut in (on s.o.)
[2]**snijden** *tr* 1 cut: *uit hout een figuur ~* carve a figure out of wood 2 *(mbt lijnen)* cross, intersect
snijdend cutting: *een ~e wind* a piercing (*of:* biting) wind
snijkant (cutting) edge
snijmachine cutter, cutting machine; *(vlees)* slicer; *(groente, afvalpapier)* shredder
snijmais green maize (fodder)
snijplank breadboard; *(van groente e.d.)* chopping board; *(vleesplank)* carving board
snijpunt crossing; *(wisk ook)* intersection
snijtand incisor
snijwond cut
snik gasp: *de laatste ~ geven* breathe one's last; *tot aan zijn laatste ~* to his dying day || *niet goed ~* cracked, off one's rocker
snikheet sizzling (hot), scorching (hot)
snikken sob
snipper snip, shred; *(het afgeknipte)* clipping: *in ~s scheuren* tear (in)to shreds
snipperdag day off
snipverkouden (all) stuffed up: *~ zijn* have a streaming cold
snob snob
snoeien 1 trim; *(mbt takken)* prune 2 *(inkorten)* cut back, prune: *in een begroting ~* prune a budget
snoeischaar pruning shears
snoek pike
snoekbaars pikeperch
snoep sweets; *(Am)* candy
snoepen eat sweets *(of Am:* candy)
snoepgoed confectionery, sweets; *(Am ook)* candy
snoepje *(stukje snoep)* sweet; *(Am)* candy
snoepwinkel sweetshop; *(Am)* candy store
snoer 1 string, rope: *kralen aan een ~ rijgen* string beads 2 *(elektrische leiding)* flex, lead; *(Am)* cord
snoes sweetie, pet, poppet
snoet 1 snout 2 face, mug: *een aardig ~je* a pretty little face
snoezig cute, sweet
snol tart
snor 1 moustache: *zijn ~ laten staan* grow a mous-

tache 2 *(van dieren)* whiskers
snorfiets moped
snorhaar 1 (hair of a) moustache 2 *(mbt dieren)* whisker
snorkel snorkel
snorkelen snorkel
snorren whirr, buzz, hum: *een ~de kat* a purring cat
snorscooter (motor) scooter
snot (nasal) mucus *(of:* discharge); *(inform)* snot
snotlap nose rag
snotneus 1 runny nose 2 *(klein kind)* (tiny) tot, (little) kid 3 *(kwajongen)* brat
snotteren 1 *(neus ophalen)* sniff(le) 2 *(huilen)* blubber
snowboarden go snowboarding
snuffelen 1 sniff (at) 2 *(mbt personen)* nose (about), pry (into): *in laden ~* rummage in drawers
snuffelhond sniffer dog
snufferd hooter || *ik gaf hem een klap op zijn ~* I gave him one on the kisser
snufje 1 novelty; *(technisch)* newest device *(of:* gadget): *het nieuwste ~* the latest thing 2 *(kleine hoeveelheid)* dash: *een ~ zout* a pinch of salt
snugger bright, clever
snuit snout: *de ~ van een varken* a pig's snout
snuiten blow (one's nose)
snuiven 1 sniff(le), snort: *cocaïne ~* sniff cocaine; *~ als een paard* snort like a horse 2 *(ruiken, snuffelen)* sniff (at)
snurken snore
so 1 *afk van schriftelijke overhoring (Ned)* quiz, written test 2 *afk van secundair onderwijs (Belg)* secondary education
soa *afk van seksueel overdraagbare aandoening* VD, venereal disease
soapie soap star
soapster soap star
sober austere, frugal: *in ~e bewoordingen* in plain words *(of:* language); *hij leeft zeer ~* he lives very austerely *(of:* frugally)
soberheid austerity, frugality
[1]**sociaal** *bn* social: *iemands sociale positie* s.o.'s social position
[2]**sociaal** *bw* 1 socially 2 *(gevoelig voor andermans nood)* socially-minded: *~ denkend* humanitarian, socially aware
sociaaldemocratisch social democratic
socialisatie socialization
socialisme socialism
socialist socialist
socialistisch socialist(ic)
sociëteit 1 association, club: *lid van een ~ worden* become a member of *(of:* join) an association 2 *(gebouw)* association (building), club(house) 3 *(genootschap)* society
sociologie sociology
sociologisch sociological
socioloog sociologist
soda 1 (washing) soda 2 *(sodawater)* soda (water): *een whisky-soda* a whisky and soda
soenniet Sunni
soep soup; *(helder)* consommé: *een ~ laten trekken* make a stock *(of:* broth)
soepballetje meatball
soepbord soup bowl
soepel 1 supple, pliable 2 *(plooibaar)* supple; flexible; *(meegaand)* (com)pliant: *een ~e regeling* a flexible arrangement 3 *(lenig)* supple: *~e bewegingen* supple *(of:* lithe) movements
soepelheid suppleness, flexibility
soepgroente vegetables for soup
soeplepel 1 *(opscheplepel)* soup ladle 2 *(eetlepel)* soup spoon
soesa fuss, to-do, bother
soeverein sovereign
soevereiniteit sovereignty
soezen doze, drowse
sof flop, washout
sofa sofa, couch
sofinummer *(ongev)* National Insurance Number; *(Am; ongev)* Social Security Number
softballen play softball
softijs soft ice-cream, Mr. Softy
softporno soft porn(ography)
software software
soigneur helper; *(boksen; ongev)* second
soja (sweet) soy (sauce)
sojaboon soya bean
sojaolie soya bean oil
sojasaus soy sauce
sojavlees soya meat
sok sock: *hij haalde het op zijn ~ken* he did it effortlessly || *iem van de ~ken rijden* bowl s.o. over, knock s.o. down
sokkel pedestal
sol *(muz)* so(h), sol, G
solarium solarium
soldaat 1 (common) soldier, private: *de gewone soldaten* the ranks 2 *(elke militair)* soldier; *(mv ook)* troops: *de Onbekende Soldaat* the Unknown Soldier
soldaatje toy soldier, tin soldier: *~ spelen* play (at) soldiers
soldeer solder
soldeerbout soldering iron
soldeerpistool soldering gun
solden *(Belg)* sale
solderen solder
soldij pay(ment)
solfège solfeggio
solidair sympathetic: *~ zijn* show solidarity (with)
solidariteit solidarity: *uit ~ met* in sympathy with
solide 1 solid; hard-wearing *(schoenen enz.)* 2 *(degelijk)* steady

solist *(musicus)* soloist
sollen (met *met)* trifle with: *hij laat niet met zich* ~ he won't be trifled with
sollicitant applicant
sollicitatie application
sollicitatiebrief (letter of) application
sollicitatieformulier application form
sollicitatiegesprek interview (for a position, job)
sollicitatieprocedure selection procedure
solliciteren apply (for)
solo solo
solocarrière solo career
soloconcert solo concert
solotoer: *op de ~ gaan* go it alone
som sum: *een ~ geld* a sum of money; *~men maken* do sums || *8-5=3* eight minus five equals three; *5+3=8* five plus (*of:* and) three is eight; *3×5=15* three times five is (*of:* makes) fifteen; *15:3=5* fifteen divided by three is five; $3^2=9$ three squared equals nine; $3^3=27$ three to the power of three equals twenty-seven; $\sqrt{9}=3$ the square root of nine is three; $\sqrt[3]{27}=3$ the cube root of twenty-seven is three
Somalië Somalia
somber 1 dejected, gloomy: *het ~ inzien* take a sombre (*of:* gloomy) view (of things) **2** *(donker)* gloomy; dark *(ook kleur): ~ weer* gloomy weather
somma sum
sommige some, certain: *~n* some (people)
soms 1 sometimes **2** *(misschien)* perhaps, by any chance: *heb je Jan ~ gezien?* have you seen John by any chance?; *dat is toch mijn zaak, of niet ~?* that's my business, or am I mistaken?
sonar sonar
sonate sonata
sonde 1 *(meetinstrument)* probe **2** *(med)* catheter
sondevoeding drip-feed
songfestival song contest: *het Eurovisie ~* the Eurovision Song Contest
songtekst lyric(s)
sonnet sonnet
[1]**soort** *zn (biol)* species: *de menselijke ~* the human species
[2]**soort** *zn* **1** sort, kind, type: *ik ken dat ~* I know the type; *in zijn ~* in its way, of its kind; *in alle ~en en maten* in all shapes and sizes **2** *(ongeveer)* sort (of), kind (of): *als een ~ vis* (rather) like some kind of a fish
soortelijk specific
soortgelijk similar; of the same kind *(alleen na ww)*
soos club
sop (soap)suds
sopje (soap)suds: *zal ik de keuken nog een ~ geven?* shall I give the kitchen a(nother) wash?
soppen dunk
[1]**sopraan** *zn (zangeres)* soprano
[2]**sopraan** *zn (stem)* soprano
sorbet sorbet
sorteren sort (out): *op maat ~* sort according to size
sortering selection, range, assortment
SOS *afk van Save our Souls* SOS: *een ~(-signaal) uitzenden* broadcast an SOS (message)
soufflé soufflé
souffleren prompt
souffleur prompter
soulmuziek soul music
souper supper, dinner
souteneur pimp
souterrain basement
souvenir souvenir
sovjet soviet: *de Opperste Sovjet* the Supreme Soviet
Sovjet-Unie Soviet Union
sowieso in any case, anyhow: *het wordt ~ laat op dat feest* that party will in any case go on until late
spa 1 ® mineral water **2** spade
spaak spoke: *iem een ~ in het wiel steken* put a spoke in s.o.'s wheel
spaan 1 chip (of wood): *er bleef geen ~ van heel* there was nothing left of it **2** *(keukengereedschap)* skimmer
spaander chip, splinter
spaanplaat chipboard
Spaans *(uit Spanje)* Spanish || *zeg het eens op z'n ~* say it in Spanish
spaarbank savings bank: *geld op de ~ hebben* have money in a savings bank (*of:* savings account)
spaarbankboekje deposit book
spaarcenten savings
spaargeld savings
spaarhypotheek (type of) endowment mortgage
spaarlamp low-energy light bulb
spaarpot 1 money box, piggy bank **2** *(gespaard geld)* savings, nest egg: *een ~je aanleggen* start saving for a rainy day; *zijn ~ aanspreken* draw on one's savings
spaarrekening savings account
spaartegoed savings balance
spaarvarken piggy bank
spaarzaam 1 thrifty, economical: *hij is erg ~ met zijn lof* he's very sparing in (*of:* with) his praise; *~ zijn met zijn woorden* not waste words **2** *(schaars)* scanty, sparse: *de doodstraf wordt ~ toegepast* the death penalty is seldom imposed
spaarzegel trading stamp
spade spade
spagaat splits
spaghetti spaghetti: *een sliert ~* a strand of spaghetti
spalk splint
spalken put in splints
spam spam
spamfilter spam filter

spammen spam
span team; *(mbt personen)* couple: *een ~ paarden* a team of horses
spandoek banner: *een ~ met zich meedragen* carry a banner
spaniël spaniel
Spanjaard Spaniard
Spanje Spain
[1]**spannen** *intr (spannend zijn)* be tense: *het zal erom ~ wie er wint* it will be a close match (*of:* race)
[2]**spannen** *tr* **1** stretch, tighten: *een draad ~* stretch (*of:* tighten) a string; *zijn spieren ~* tense (*of:* flex) one's muscles **2** *(vastmaken)* harness: *een paard voor een wagen ~* harness (*of:* hitch) a horse to a cart
spannend exciting, thrilling: *een ~ ogenblik* a tense moment; *een ~ verhaal* an exciting story
spanning **1** tension; *(fig ook)* suspense: *~ en sensatie* excitement and suspense; *de ~ stijgt* the tension mounts; *de ~ viel van haar af* that was a load off her shoulders; *ze zaten vol ~ te wachten* they were waiting anxiously; *in ~ zitten* be in suspense **2** *(elektriciteit)* tension: *een ~ van 10.000 volt* a charge of 10,000 volts
spant rafter, truss
spanwijdte wingspan *(vliegtuig);* wingspread *(vogel)*
spar spruce
sparappel fir cone
[1]**sparen** *intr, tr* save (up): *voor een nieuwe auto ~* save up for a new car
[2]**sparen** *tr* **1** *(zuinig zijn met)* save, spare **2** *(verzamelen)* collect
sparren work out; *(vechtsporten)* spar
spartelen flounder, thrash about: *het kleine kind spartelde in het water* the little child splashed about in the water
spastisch spastic
spat **1** splash **2** *(vlek)* speck, spot
spatader varicose vein
spatbord mudguard; *(Am)* fender
spatel spatula
spatie space, spacing, interspace: *iets typen met een ~* type sth with interspacing
spatiebalk space bar
spatlap mud flap
spatten splash, sp(l)atter: *vonken ~ in het rond* sparks flew all around; *er is verf op mijn kleren gespat* some paint has splashed on my clothes; *zij spatte (mij) met water in mijn gezicht* she spattered water in my face; *uit elkaar ~* burst
specerij spice, seasoning
specht woodpecker
[1]**speciaal** *bn* special: *in dit speciale geval* in this particular case
[2]**speciaal** *bw* especially, particularly, specially: *ik doel ~ op hem* I mean him in particular; *~ gemaakt* specially made
speciaalzaak specialist shop
special special (issue): *een ~ over de Kinks* a special on the Kinks
specialisatie specialization
specialiseren, zich (met *in)* specialize (in)
specialisme specialism
specialist specialist
specialiteit speciality
specie cement, mortar
specificatie specification: *~ van een nota vragen* request an itemized bill
specificeren specify, itemize
specifiek specific
specimen specimen, exemplar
spectaculair spectacular
spectrum spectrum
speculaas: *gevulde ~ (ongev)* spiced cake filled with almond paste
speculaaspop *(ongev)* gingerbread man
speculant speculator
speculatie speculation
speculeren **1** (met *op*) speculate (on) **2** *(veronderstellen)* speculate
speech speech: *een ~ afsteken* deliver a speech
speedboot speedboat
speeksel saliva
speelautomaat slot machine
speeldoos music box
speelduur playing time
speelfilm (feature) film
speelgoed toy(s): *een stuk ~* a toy
speelgoedafdeling toy department
speelgoedtrein (toy) train
speelhal amusement arcade
speelhelft half
speelhol gambling den, gaming den
speelkaart playing card
speelkamer playroom
speelkameraad playfellow, playmate
speelkwartier playtime; *(voor oudere leerlingen)* break
speelplaats playground, play area: *op de ~* in the playground
speelruimte **1** play, latitude: *~ hebben* have some play; *iem ~ geven* leave s.o. a bit of elbow room **2** *(voor kinderen)* play area, room to play
speels **1** *(dartel)* playful; *(vnl. dier)* frisky **2** *(luchtig)* playful
speelschuld gambling debt
speeltafel gaming table
speeltuin playground
speelveld (sports, playing) field
speen **1** (rubber) teat; *(Am)* nipple **2** *(tepel)* teat
speer spear; *(werpspeer)* javelin || *als een ~* like a rocket
speerpunt spearhead
speerwerpen throw(ing) the javelin: *het ~ winnen* win the javelin (event)
speerwerper javelin thrower

spek bacon; *(mbt mensen)* fat
spekken lard: *zijn verhaal met anekdotes ~* spice one's story with anecdotes
spekkie *(ongev)* marshmallow
speklap thick slice of fatty bacon
spektakel 1 spectacle, show: *het ~ is afgelopen* the show is over 2 *(opschudding)* uproar, fuss: *het was me een ~* it was a tremendous fuss
spel 1 game; *(kansspel)* gambling 2 *(partij, wedstrijd)* game, match: *(kaartspel) een goed (sterk) ~ in handen hebben* have a good hand; *doe je ook een ~letje mee?* do you want to join in? (*of:* play?); *het ~ meespelen* play the game, play along (with s.o.); *zijn ~ slim ~en* play one's cards well 3 *(manier van spelen)* play *(ook toneel)*: *hoog ~ ~en* play for high stakes, play high; *vals ~* cheating; *vuil (onsportief) ~* foul play 4 *(wijze van acteren)* acting, performance || *een ~ kaarten* a pack (*of:* deck) of cards; *buiten ~ blijven* stay (*of:* keep) out of it; *in het ~ zijn* be involved, *(het onderwerp vormen)* be in question, be at stake; *er is een vergissing in het ~* there is an error somewhere; *zijn leven* (of: *alles*) *op het ~ zetten* risk/stake one's life (*of:* everything)
spelbreker spoilsport
speld pin: *men kon er een ~ horen vallen* you could have heard a pin drop; *daar is geen ~ tussen te krijgen* there's no flaw in that argument
spelden pin
speldenkussen pincushion
speldje 1 pin 2 pin, badge
[1]**spelen** *intr* 1 be set (in), take place (in): *de film speelt in New York* the film is set in New York 2 play: *de wind speelde met haar haren* the wind played (*of:* was playing) with her hair
[2]**spelen** *tr* 1 play: *al ~d leren* learn through play; *vals ~: a) (spel)* cheat; *b) (muz)* play out of tune; *(sport) voor ~* play up front 2 *(toneelspelen)* act, play 3 *(bespelen)* play: *piano ~* play the piano 4 *(uitvoeren)* play, perform 5 *(van invloed zijn)* be of importance, count: *dat speelt geen rol* that is of no account; *die kwestie speelt nog steeds* that is still an (important) issue
spelenderwijs without effort, with (the greatest of) ease
speler player; *(gokker ook)* gambler
spelfout spelling mistake *(of:* error)
speling 1 play: *een ~ van de natuur* a freak of nature 2 *(vrije beweging; speelruimte)* play; *(van touw)* slack; *(marge)* margin
spellen spell: *hoe spelt hij zijn naam?* how does he spell his name?; *een woord verkeerd ~* misspell a word
spelletje game
spelling spelling
spelonk cave, cavern
spelregel rule of play *(of:* the game): *je moet je aan de ~s houden* you must stick to the rules; *de ~s overtreden* break the rules

sp

spelshow game show
spelverdeler *(sport)* playmaker
spenderen spend
sperma sperm
spermabank sperm bank
spermadonor sperm donor
sperwer sparrowhawk
sperzieboon green bean
spetter 1 spatter 2 *(knappe man)* hunk
spetteren sp(l)atter; crackle *(geluid)*
speurder detective, sleuth
speuren investigate, hunt: *naar iets ~* hunt (*of:* search) for sth
speurhond tracker (dog), bloodhound
speurtocht search
speurwerk investigation, detective work
spichtig lanky, spindly: *een ~ meisje* a skinny girl
spie pin; *(wig)* wedge
spieden: *~d om zich heen kijken* look furtively around
spiegel mirror: *vlakke* (of: *holle, bolle*) *~s* flat (*of:* concave, convex) mirrors; *in de ~ kijken* look at oneself (in the mirror)
spiegelbeeld 1 reflection 2 *(omgekeerde afbeelding)* mirror image
spiegelei fried egg
spiegelen reflect, mirror
spiegelglad as smooth as glass; icy *(van wegen)*; slippery *(van wegen)*
spiegeling reflection
spiegelruit plate-glass window
spiegelschrift mirror writing
spiekbriefje crib (sheet)
spieken copy, use a crib: *bij iem ~* copy from s.o.
spier muscle: *de ~en losmaken* loosen up the muscles, limber up, warm up; *hij vertrok geen ~ (van zijn gezicht)* he didn't bat an eyelid
spierbal: *zijn ~len gebruiken* flex one's muscle(s)
spierkracht muscle (power), muscular strength
spiernaakt stark naked
spierpijn sore muscles, aching muscles, muscular pain
spierweefsel muscular tissue
spierwit (as) white as a sheet
spies skewer
spijbelaar truant
spijbelen play truant
spijker nail: *de ~ op de kop slaan* hit the nail on the head; *~s met koppen slaan* get down to business
spijkerbroek (pair of) jeans: *ik heb een nieuwe ~* I've got a new pair of jeans; *waar is mijn ~?* where are my jeans?
spijkerhard (as) hard as a rock; *(fig)* (as) hard as nails: *~e journalisten* hard-boiled journalists
spijkerjasje denim jacket, jeans jacket
spijkerpak denim suit
spijkerschrift cuneiform script
spijkerstof denim

spijl bar *(van kooi, kinderbed enz.)*; rail(ing) *(van hek)*
spijs foods, victuals
spijsvertering digestion: *een slechte ~ hebben* suffer from indigestion
spijt regret: *daar zul je geen ~ van hebben* you won't regret that; *geen ~ hebben* have no regrets; *daar zul je ~ van krijgen* you'll regret that, you'll be sorry; *tot mijn (grote) ~* (much) to my regret
spijten regret, be sorry: *het spijt me dat ik u stoor* I'm sorry to disturb you; *het spijt me u te moeten zeggen ...* I'm sorry (to have) to tell you ...
spijtig regrettable
spike spikes
spikkel fleck, speck
spiksplinternieuw spanking new, brand new
spil 1 pivot: *om een ~ draaien* pivot, swivel **2** *(persoon)* pivot, key figure; playmaker *(voetbal)*
spillebeen spindleshanks
spin 1 spider: *nijdig als een ~* furious, absolutely wild **2** *(snelbinder)* spider **3** *(tollende beweging, aswenteling)* spin: *een bal veel ~ geven* give a ball a lot of spin
spinazie spinach: *~ à la crème* creamed spinach
spinet spinet
spinnen 1 spin: *garen ~* spin thread (*of:* yarn) **2** *(van katten)* purr
spinnenweb cobweb, spider('s) web
spinnewiel spinning wheel
spinrag cobweb, spider('s) web: *zo fijn* (of: *zo dun, zo teer*) *als ~* as fine (*of:* thin, delicate) as gossamer
spion spy
spionage espionage, spying
spioneren spy
spiraal spiral
spiraalmatras spring mattress
spiraaltje IUD, coil
spiritisme spiritualism
spiritistisch spiritualist: *een ~e bijeenkomst* a spiritualist gathering, a seance
spiritus methylated spirits, alcohol
[1]**spit** *zn* spit: *aan het ~ gebraden* broiled on the spit; *kip van 't ~* barbecued chicken
[2]**spit** *zn* lumbago *(in rug)*
[1]**spits** *zn* **1** peak, point: *de ~ van een toren* the spire **2** *(spitsuur)* rush hour **3** *(voorhoede) (sport)* forward line **4** *(speler)* striker || *de (het) ~ afbijten* open the batting; *iets op de ~ drijven* bring sth to a head
[2]**spits** *bn, bw* pointed, sharp: *~ toelopen* taper (off), end in a point
spitsen prick *(oren)*
spitskool pointed cabbage, hearted cabbage
spitsstrook hard shoulder used as running lane during rush hour, hard shoulder running
spitstechnologie *(Belg) (zeer moderne technologie)* state-of-the-art technology
spitsuur rush hour: *buiten de spitsuren* outside the rush hour; *in het ~* during the rush hour
spitten dig: *land ~* turn the soil over
spleet crack
splijten split
splijtstof nuclear fuel, fissionable material
splinter splinter
splinternieuw brand-new
split slit; *(in kleding ook)* placket
spliterwt split pea
[1]**splitsen** *tr* **1** divide, split **2** *(chem)* separate, split up
[2]**splitsen, zich** split (up), divide: *daar splitst de weg zich* the road forks there
splitsing 1 splitting (up), division **2** *(mbt weg e.d.)* fork, branch(ing): *bij de ~ links afslaan* turn left at the fork
spoed speed: *op ~ aandringen* stress the urgency of the matter; *met ~* with haste, urgently; *~! (op brieven)* urgent
spoedbehandeling *(med)* emergency treatment
spoedbestelling rush order; express delivery, special delivery *(van post)*
spoedcursus intensive course, crash course
spoedgeval emergency (case), urgent matter
[1]**spoedig** *bn* **1** near: *~e levering* prompt (*of:* swift) delivery **2** *(met snelle voortgang)* speedy, quick: *een ~ antwoord* a quick answer
[2]**spoedig** *bw* shortly, soon: *zo ~ mogelijk* as soon as possible
spoedzending urgent shipment; *(pakket)* express parcel
spoel 1 reel; *(Am)* spool; bobbin *(op naaimachine)* **2** *(mbt weven)* shuttle
[1]**spoelen** *intr (wegdrijven)* wash: *naar zee* (of: *aan land*) *~* wash out to sea (*of:* ashore)
[2]**spoelen** *intr, tr* rinse (out): *de mond ~* rinse one's mouth (out)
spoeling rinse *(ook van mond, haar)*; rinsing: *een ~ geven* rinse (out)
spoken 1 prowl (round, about): *nog laat door het huis ~* prowl about in the house late at night **2** be haunted: *in dat bos spookt het* that forest is haunted
spons sponge
sponsor sponsor
sponsoren sponsor
spontaan spontaneous
spontaniteit spontaneity
spook ghost; *(hersenschim)* phantom: *overal spoken zien* see ghosts everywhere
spookachtig ghostly
spookhuis haunted house
spookrijder ghostrider
spookverschijning spectre, ghost
[1]**spoor** *zn* spur: *een paard de sporen geven* spur a horse
[2]**spoor** *zn* **1** track, trail: *ik ben het ~ bijster (kwijt)* I've lost track of things; *op het goede ~ zijn* be on the right track (*of:* trail); *de politie heeft een ~ ge-*

vonden the police have found a clue; *iem op het ~ komen* track s.o. down, trace s.o.; *iem op het ~ zijn* be on s.o.'s track 2 *(geluidsspoor)* track 3 *(blijk van vroegere aanwezigheid)* trace: *sporen van geweld(pleging)* marks of violence 4 *(gebaande weg, rails)* track, trail: *op een dood ~ komen (raken)* get into a blind alley; *uit het ~ raken* run off the rails

spoorboekje (train, railway) timetable

spoorboom level-crossing barrier

spoorlijn railway

spoorloos without a trace: *mijn bril is ~* my glasses have vanished

spoorweg railway (line)

spoorwegovergang level crossing: *bewaakte ~* guarded level crossing

spoorwegstation railway station

spoorzoeken tracking

sporadisch sporadic: *maar ~ voorkomen* be few and far between

spore *(plantk)* spore, sporule

sporenplant cryptogam

sport 1 sport(s): *veel* (of: *weinig*) *aan ~ doen* go in for (*of:* not go in for) sports 2 *(trede)* rung: *de hoogste ~ bereiken* reach the highest rung (of the ladder)

sportartikelen sports equipment

sportarts sports doctor *(of:* physician)

sportbril protective glasses

sportbroek shorts

sportclub sports club

sportdag sports day

sporten: *Jaap sport veel* Jaap does a lot of sport

sporter sportsman

sportfanaat sports fanatic *(of:* freak)

sportfiets sports bicycle, racing bicycle

sporthal sports hall *(of:* centre)

sportief 1 sports, sporty: *een ~ evenement* a sports event; *een ~ jasje* a casual (*of:* sporty) jacket 2 *(van sport houdend)* sport(s)-loving, sporty 3 *(eerlijk, fair)* sportsmanlike: *~ zijn* be sporting (*of:* a good sport) (about sth)

sportiviteit sportsmanship

sportkleding sportswear

sportliefhebber sports enthusiast

sportman sportsman

sportpark sports park

sportprestatie sporting achievement

sportschoen sport(s) shoe

sporttas sports bag, kitbag

sportterrein sports field, playing field

sportuitslagen sports results

sportveld sports field, playing field

sportvereniging sports club

sportvliegtuig private pleasure aircraft

sportvrouw sportswoman

sportwagen sport(s) car

sportzaak sports shop

sportzaal fitness centre, gym

spot 1 mockery: *de ~ drijven met* poke fun at, mock 2 *(reclame-uitzending)* (advertising) spot 3 *(lamp)* spot(light)

spotgoedkoop dirt cheap

spotprijs bargain price, giveaway price

spotten 1 joke, jest 2 *(belachelijk maken)* mock: *hij laat niet met zich ~* he is not to be trifled with || *daar moet je niet mee ~* that is no laughing matter

spouwmuur cavity wall

spraak speech

spraakgebrek speech defect

spraakherkenning speech recognition

spraakles speech training; *(bij logopedist)* speech therapy

spraaksynthese *(comp)* speech synthesis

spraakverwarring babel, confusion of tongues

spraakzaam talkative

sprake: *er is geen ~ van* that is (absolutely) out of the question; *er is hier ~ van ...* it is a matter (*of:* question) of ...; *iets ter ~ brengen* bring sth up; *ter ~ komen* come up; *geen ~ van!* certainly not!

sprakeloos speechless: *iem ~ doen staan* leave s.o. speechless

sprankelen sparkle

sprankje spark: *er is nog een ~ hoop* there is still a glimmer of hope

spray spray

spreekbeurt talk

spreekkamer consulting room, surgery

spreektaal spoken language

spreekuur office hours; *(med)* surgery (hours): *~ houden* have office hours, have surgery; *op het ~ komen* come during office hours

spreekvaardigheid fluency, speaking ability

spreekwoord proverb, saying: *zoals het ~ zegt* as the saying goes

spreeuw starling

sprei (bed)spread

spreiden 1 spread (out): *het risico ~* spread the risk; *de vakanties ~* stagger holidays 2 *(uit elkaar plaatsen)* spread (out), space

spreiding 1 spread(ing), dispersal 2 *(verdeling over een periode, ruimte, personen)* spacing; *(reikwijdte)* spread: *de ~ van de macht* the distribution of power

[1]**spreken** *intr* speak, talk: *de feiten ~ voor zich* the facts speak for themselves; *het spreekt vanzelf* it goes without saying; *(telefoon) daar spreekt u mee!* speaking; *(telefoon) spreek ik met Jan?* is that Jan?

[2]**spreken** *tr* 1 *(uitspreken)* speak, tell: *een vreemde taal ~* speak a foreign language 2 *(praten met)* speak, talk to (*of:* with): *iem niet te ~ krijgen* not be able to get in touch with s.o. || *niet te ~ zijn over iets* be unhappy (*of:* be not too pleased) about sth

[1]**sprekend** *bn* 1 speaking, talking: *een ~e film* a talking film; *een ~e papegaai* a talking parrot 2 *(sterk uitkomend)* strong, striking: *een ~e gelijkenis* a striking resemblance 3 *(met veel uitdrukking)* expressive

sp

[2]**sprekend** *bw (precies)* exactly: *zij lijkt ~ op haar moeder* she looks exactly (*of:* just) like her mother; *dat portret lijkt ~ op Karin* that picture captures Karin perfectly
spreker speaker
spreuk maxim, saying: *oude ~* old saying
spriet blade
springconcours jumping competition
springen 1 jump, leap, spring; *(op handen steunend)* vault: *hoog* (of: *ver, omlaag*) *~* jump high (*of:* far, down); *over een sloot ~* leap a ditch; *staan te ~ om weg te komen* be dying to leave; *zitten te ~ om iets* be bursting (*of:* dying) for sth **2** *(ketel, kruitvat)* burst; explode; *(brug, rots, mijn)* blast; *(ballonnetje)* pop: *mijn band is gesprongen* my tyre has burst; *een snaar is gesprongen* a string has snapped; *op ~ staan: a) (boos zijn)* be about to explode; *b) (nodig naar de wc moeten)* be bursting || *op groen ~* change to green *(verkeerslicht)*
springkasteel bouncy castle
springlading explosive charge
springlevend alive (and kicking)
springplank springboard
springstof explosive
springtouw skipping rope
springveer box spring
sprinkhaan grasshopper; *(Afrika en Azië)* locust
sprinklerinstallatie sprinkler system
sprint sprint
sprinten sprint
sprinter sprinter
sproeien spray, water; *(sprenkelen)* sprinkle; *(irrigeren)* irrigate
sproeier sprinkler; jet *(carburator);* spray nozzle *(carburator); (mbt landb)* irrigator
sproet freckle: *~en in het gezicht hebben* have a freckled face
sprokkelen gather wood *(of:* kindling): *hout ~* gather wood
sprong leap, jump; vault *(met stok, handensteun): hij gaat met ~en vooruit* he's coming along by leaps and bounds
sprookje fairy tale || *iem ~s vertellen* lead s.o. up the garden path
sprookjesachtig fairy-tale; *(fig)* fairy-like: *de grachten waren ~ verlicht* the canals were romantically illuminated
sprot sprat
spruit 1 shoot **2** *(kind)* sprig, sprout
spruitjes *(groente)* (Brussels) sprouts
spruw thrush
spugen 1 spit **2** *(braken)* throw up: *de boel onder ~* be sick all over the place
spuien spout, unload: *kritiek ~* pour forth criticism
spuigat scupper
spuit 1 syringe, squirt **2** *(injectiespuit)* needle; *(injectie)* shot
spuitbus spray (can)

[1]**spuiten** *intr (naar buiten geperst worden)* squirt, spurt; *(gutsen)* gush
[2]**spuiten** *tr* **1** squirt, spurt; erupt *(geiser, vulkaan): lak op iets ~* spray lacquer on sth **2** *(spuitend lakken)* spray(-paint) **3** *(mbt geneesmiddelen, drugs)* inject: *hij spuit* he's a junkie
spuiter junkie
spuitje 1 needle **2** *(injectie)* shot
spul 1 gear, things; *(kleren)* togs; *(persoonlijke spullen)* belongings **2** *(waar, goed)* stuff, things
spurt spurt: *er de ~ in zetten* step on it
sputteren sputter, cough
spuug spittle, spit
spuugzat: *iets ~ zijn* be sick and tired of sth
spuwen 1 spit, spew **2** *(braken)* spew (up), throw up
spyware spyware
squashbaan squash court
squashen play squash
sr. *afk van senior* Sr.
Sri Lanka Sri Lanka
sst (s)sh, hush
staaf bar
staafmixer hand blender
staak stake, pole, post
staakt-het-vuren cease-fire
staal 1 steel: *zo hard als ~* as hard as iron **2** *(monster, voorbeeld)* sample: *een (mooi) ~tje van zijn soort humor* a fine example of his sense of humour
staalborstel wire brush
staalindustrie steel industry
staan 1 stand: *gaan ~* stand up; *achter* (of: *naast*) *elkaar gaan ~* queue (*of:* line) up; *die gebeurtenis staat geheel op zichzelf* that is an isolated incident **2** *(in een toestand, hoedanigheid zijn)* stand, be: *hoe ~ de zaken?* how are things?; *er goed voor ~* look good; *zij ~ sterk* they are in a strong position; *buiten iets ~* not be involved in sth; *de snelheidsmeter stond op 80 km/uur* the speedometer showed 80 km/h; *zij staat derde in het algemeen klassement* she is third in the overall ranking **3** *(mbt kleren)* look **4** *(opgetekend, gedrukt zijn)* say, be written: *er staat niet bij wanneer* it doesn't say when; *in de tekst staat daar niets over* the text doesn't say anything about it; *wat staat er op het programma?* what's on the programme? **5** *(stilstaan)* stand still: *blijven ~* stand still **6** *(onaangeroerd zijn)* leave, stand: *hij kon nauwelijks spreken, laat ~ zingen* he could barely speak, let alone sing; *zijn baard laten ~* grow a beard **7** *(eisen)* insist (on) || *er staat hem wat te wachten* there is sth in store for him; *ergens van ~ (te) kijken* be flabbergasted; *ze staat al een uur te wachten* she has been waiting (for) an hour
staanplaats standing room; *(open tribune)* terrace
staar cataract, stare; *(waas op het oog)* film
staart 1 tail: *met de ~ kwispelen* wag its tail **2** *(bos*

neerhangend haar) pigtail; *(opgebonden haar)* ponytail
staartbeen tail-bone, coccyx
staartdeling long division
staartmees long-tailed tit
staartster comet
staartvin tail fin
staat 1 state, condition, status: *burgerlijke ~* marital status; *in goede ~ verkeren* be in good condition; *in prima ~ van onderhoud* in an excellent state of repair 2 *(mogelijkheid, gelegenheid)* condition: *tot alles in ~ zijn* be capable of anything 3 *(rijk)* state, country, nation, power; *(het staatslichaam)* the body politic: *de ~ der Nederlanden* the kingdom of the Netherlands 4 *(bestuurscollege)* council, board: *de Provinciale Staten* the Provincial Council 5 *(opgave, overzicht)* statement, record, report, survey
staatsbezoek state visit
staatsblad law gazette
Staatsbosbeheer Forestry Commission
staatsburger citizen; *(in een koninkrijk ook)* subject
staatsexamen state exam(ination), university entrance examination
staatsgeheim official secret, state secret
staatsgreep coup (d'état)
staatshoofd head of state
staatsieportret official portrait
staatsinrichting civics
staatsloterij state lottery, national lottery
staatssecretaris *(in Ned en Belg)* State Secretary
staatsveiligheid state *(of:* national, public) security
stabiel stable; firm *(ook handel)*
stabilisatie stabilization
stabiliseren stabilize, steady; *(verstevigen)* firm (up)
stabiliteit stability; *(evenwicht)* balance; steadiness
stabiliteitspact stability pact
stacaravan caravan
stad *(grote plaats)* town; *(grote, dichtbevolkte stad)* city; *(stedelijke gemeente)* borough: *~ en land aflopen* search high and low, look everywhere (for); *de ~ uit zijn* be out of town
stadbewoner city dweller, citizen
stadhuis town hall, city hall
stadion stadium
stadium stage, phase
stadsbestuur town council, city council, municipality
stadsbus local bus
stadsdeel quarter, area, part of town; *(wijk)* district; *(ongev)* borough
stadsmens city dweller, townsman
stadsmuur town wall, city wall
stadsplattegrond town plan, town map, street map *(of:* plan) (of a town, the city)
stadsvernieuwing urban renewal
staf 1 staff, (walking) stick; *(toverstaf)* wand 2 *(leiding)* staff; *(wetenschappelijk personeel; Am)* faculty 3 *(mil)* staff, corps
stafkaart topographic map, ordnance survey map
stage work placement; *(school)* teaching practice; *(med)* housemanship; *(Am)* intern(e)ship: *~ lopen* do a work placement practice
stageperiode traineeship, period of practical training *(of:* work experience)
stageplaats trainee post
stagiair student on work placement; *(in school)* student teacher
stagnatie stagnation
stagneren stagnate, come to a standstill
[1]**staken** *intr* 1 *(het werk neerleggen)* strike, go on strike: *gaan ~* go (*of:* come out) on strike 2 *(mbt een stemming)* tie
[2]**staken** *tr* cease, stop, discontinue; *(tijdelijk)* suspend: *zijn pogingen ~* cease one's efforts; *het verzet ~* cease resistance
staker striker
staking strike (action), walkout: *in ~ zijn* (of: *gaan)* be (*of:* come out) on strike
stakingsactie strike action
stakingsbreker strike-breaker; *(min)* scab
stakker wretch, poor soul *(of:* creature, thing): *een arme ~* a poor beggar
stal stable *(voor paarden);* cowshed *(voor koeien);* sty *(voor varkens);* fold *(voor schapen): iets van ~ halen* dig sth out *(of:* up) (again)
stalactiet stalactite
stalagmiet stalagmite
stalen steel, steely: *met een ~ gezicht* stony-faced
stalgeld storage charge(s) *(voor fiets, auto, enz.);* garage charge(s) *(voor auto enz.)*
stalker stalker
stalking stalking
stalknecht stableman, stable hand, groom
stallen store, put up *(of:* away); garage *(motorvoertuig)*
stalletje stall, stand, booth
stalling garage *(voor auto enz.);* shelter *(voor fiets enz.)*
stam 1 trunk, stem, stock 2 *(geslacht)* stock, clan 3 *(volksstam)* tribe, race
stamboek pedigree; studbook *(vnl. voor paarden);* herdbook *(voor runderen, varkens, schapen)*
stamboekvee pedigree(d) cattle
stamboom family tree, genealogical tree; *(tekening)* genealogy; pedigree
stamcafé favourite pub *(of Am:* bar), local; *(Am)* hangout
stamelen stammer, stutter, sp(l)utter
stamgast regular (customer)
stamhoofd chieftain, tribal chief, headman
stamhouder son and heir, family heir

staminee *(Belg)* pub
stammen descend (from), stem (from); *(dateren)* date (back to, from)
stammenstrijd (inter)tribal dispute, tribal war
[1]**stampen** *intr* stamp: *met zijn voet ~* stamp one's foot
[2]**stampen** *tr (door stoten kleiner maken, mengen)* pound, crush, pulverize: *gestampte aardappelen* mashed potatoes
stamper 1 stamp(er), pounder; masher *(voor puree e.d.)* **2** *(plantk)* pistil
stamppot *(ongev)* stew, hotchpotch; *(met kool)* mashed potatoes and cabbage
stampvol packed *(van ruimtes);* full to the brim *(van dozen, kisten e.d.);* full up *(met eten)*
stamtafel table (reserved) for regulars
stamvader ancestor, forefather
stand 1 posture, bearing: *een ~ aannemen* assume a position **2** *(mbt positie, meting)* position: *de ~ van de dollar* the dollar rate; *de ~ van de zon* the position of the sun **3** *(toestand, gesteldheid)* state, condition: *de burgerlijke ~* the registry office **4** score: *de ~ is 2-1* the score is 2-1 **5** *(rang)* estate, class, station, order: *mensen van alle rangen en ~en* people from all walks of life **6** *(het zijn)* existence, being: *tot ~ brengen* bring about, achieve **7** *(plaats op een tentoonstelling)* stand
[1]**standaard** *zn* **1** stand, standard **2** *(exemplaar van eenheid van maat, gewicht)* standard, prototype
[2]**standaard** *bn, bw* standard
standaardisatie standardization
standaardiseren standardize: *het gestandaardiseerde type* the standard model
standaarduitvoering standard type *(of:* model, design)
standaardvoorbeeld classic example
standaardwerk standard work *(of:* book)
standbeeld statue
standhouden hold out, stand up
standje 1 position, posture **2** *(berisping)* rebuke
standlicht *(Belg)* sidelight, parking light
standplaats stand: *~ voor taxi's* taxi rank (*of Am:* stand)
standpunt standpoint, point of view: *bij zijn ~ blijven* hold one's ground
stand-upcomedian stand-up comedian
standvastig firm, perseverant, persistent
standwerker hawker, (market, street) vendor
stang stave, bar, rod; *(van herenfiets)* crossbar || *iem op ~ jagen* needle s.o.
stank stench, bad *(of:* foul, nasty) smell
stansen punch
stap 1 step, footstep, pace, stride: *een ~ in de goede richting doen* take a step in the right direction; *~(je) voor ~(je)* inch by inch, little by little; *een ~(je) terug doen* take a step down (in pay) **2** *(fig)* step, move; *(stadium)* grade: *~pen ondernemen tegen* take steps against **3** *(tred)* step, tread || *op ~ gaan* set out *(of:* off)
stapel 1 pile, heap, stack **2** *(vee)* stock || *te hard van ~ lopen* go too fast
stapelbed bunk beds
stapelen pile up, heap up, stack
stapelgek 1 crazy, (as) mad as a hatter, (raving) mad **2** *(bezeten van liefde)* mad, crazy
stapelhuis *(Belg)* warehouse
stappen 1 step, walk **2** *(uitgaan)* go out, go for a drink
stappenplan step-by-step plan
stapvoets at a walk; at walking pace *(ook mbt paarden)*
star 1 frozen, stiff; glassy *(blik)* **2** *(koppig, vasthoudend)* rigid, inflexible, uncompromising
staren 1 stare, gaze **2** *(turen)* peer: *zich blind ~ op iets* be fixated on sth
start start: *(auto) de koude ~* the cold start
startbaan runway; airstrip *(van klein vliegveld)*
startblok starting block
starten start, begin; *(vliegtuig ook)* take off; *(sport)* be off
starter starter
startkabel jump lead; *(Am)* jumper cable
startklaar ready to start *(of:* go); *(vliegtuig)* ready for take-off
startpagina start page
startpunt starting point
stateloos stateless
Staten *(Provinciale Staten)* (Dutch) Provincial Council
Statenbijbel (Dutch) Authorized Version (of the Bible)
Staten-Generaal States General, Dutch parliament
statief tripod, stand
statiegeld deposit: *geen ~* non-returnable
statig 1 stately, grand: *een ~e dame* a queenly woman, a woman of regal bearing **2** *(plechtig)* solemn
station (railway) station; *(Am)* depot
stationair stationary: *een motor ~ laten draaien* let an engine idle
stationcar estate (car); *(Am)* station wagon
stationeren station, post
stationschef stationmaster
stationsgebouw station (building)
stationshal station concourse
statisch static
statistiek statistics
statistisch statistical
status 1 (social) status, standing **2** *(plaats, positie)* (legal) status
statusregel *(comp)* status line
statussymbool status symbol
statuut statute, regulation
stedelijk municipal, urban: *de ~e bevolking* the urban population
steeds 1 always, constantly: *iem ~ aankijken* keep looking at s.o.; *~ weer* time after time, repeated-

ly 2 *(voortdurend)* increasingly, more and more: *~ groter* bigger and bigger; *~ slechter worden* go from bad to worse; *het regent nog ~* it is still raining

steeg alley(way)

steek 1 stab; thrust *(van zwaard enz.); prick (van naald); (wond)* stab wound 2 *(ve insect)* sting; bite *(ve mug)* 3 *(pijnscheut)* shooting pain, stabbing pain; *(lichter)* twinge: *een ~ in de borst* a twinge in the chest 4 *(mbt handwerken)* stitch || *iem in de ~ laten* let s.o. down

steekpartij knifing

steekpenningen bribe(s); *(inform)* kickback(s)

steekproef random check, spot check, (random) sample survey

steekproefsgewijs random; *(na ww)* at random

steeksleutel (open-end, fork) spanner *(of:* wrench)

steekvlam (jet, burst of) flame, flash

steekwond stab wound

steel 1 *(mbt planten)* stalk, stem 2 *(handvat)* handle; stem *(van wijnglas)*

steelpan saucepan

steels stealthy

[1]**steen** *zn* 1 *(stuk steen)* stone; *(Am)* rock; *(groot)* rock; *(klein, rond)* pebble 2 *(als bouwmateriaal)* stone; *(baksteen)* brick; *(kinderhoofdje)* cobble(stone): *ergens een ~tje toe bijdragen* do one's bit towards sth, chip in with *(bedrag)* 3 *(sport)* man; *(bij damspel ook)* piece

[2]**steen** *zn* stone || *~ en been klagen* complain bitterly

steenarend golden eagle

steenbok *(geit)* ibex, wild goat

Steenbok *(astrol)* Capricorn

Steenbokskeerkring tropic of Capricorn

steenfabriek brickyard

steengrillen stone grill

steenkolenengels broken English

steenkool coal

steenpuist boil

steentijd Stone Age

steentje small stone; *(kiezelsteen)* pebble: *een ~ bijdragen* do one's bit

steenweg *(Belg)* (paved) road

steiger 1 landing (stage, place) 2 *(stelling)* scaffold(ing)

steigeren rear (up)

steil steep; *(zeer steil)* precipitous: *een ~e afgrond* a sharp drop; *~ haar* straight hair; *ergens ~ van achterover slaan* be flabbergasted by sth

stek 1 cutting, slip 2 *(uitgekozen plekje)* niche, den: *dat is zijn liefste ~* that is his favourite spot

stekel prickle, thorn; spine *(van cactus enz.)*

stekelbaars stickleback

stekelhaar crew-cut; bristle *(vnl. op gezicht)*

stekelig 1 prickly, spiny, bristly 2 *(fig)* sharp, cutting

stekelvarken porcupine; *(egel)* hedgehog

[1]**steken** *intr* 1 *(vastzitten)* stick: *ergens in blijven ~* get stuck *(of:* bogged) (down) in sth 2 *(gevoel van pijn veroorzaken)* sting: *de zon steekt* there is a burning sun 3 *(stekende beweging maken)* thrust, stab || *daar steekt iets achter* there is sth behind it

[2]**steken** *tr* 1 stab: *alle banden waren lek gestoken* all the tyres had been punctured 2 *(grieven)* sting, cut 3 *(mbt dieren, planten)* sting, prick 4 *(in iets vastprikken)* stick 5 *(in een omhulsel bergen)* put, place: *veel tijd in iets ~* spend a lot of time on sth; *zijn geld in een zaak ~* put one's money in(to) an undertaking

stekend stinging, sharp

stekken slip, strike: *planten ~* take *(of:* strike) cuttings of plants

stekker plug

stel 1 set: *ik neem drie ~ kleren mee* I'll take three sets of clothes with me 2 *(tweetal personen)* couple: *een pasgetrouwd ~* newly-weds 3 *(aantal)* couple, lot

stelen steal: *uit ~ gaan* go thieving

stellage stand, stage, platform

stellen 1 put, set: *iem iets beschikbaar ~* put sth at s.o.'s disposal 2 set, adjust: *een machine ~* adjust *(of:* regulate) a machine 3 *(veronderstellen)* suppose: *stel het geval van een leraar die …* take the case of a teacher who … 4 *(klaarspelen, redden)* manage, (make) do: *we zullen het met minder moeten ~* we'll have to make do with less

stelletje 1 bunch: *een ~ ongeregeld* a disorderly bunch 2 *(paartje)* couple, pair

stellig definite, certain

stelling 1 *(steiger)* scaffold(ing) 2 *(staand rek)* rack 3 *(beginsel)* proposition 4 theorem, proposition: *de ~ van Pythagoras* the Pythagorean theorem

stelpen staunch, stem

stelplaats *(Belg)* depot

stelregel principle: *een goede ~* a good rule to go by

stelsel system

stelselmatig systematic

stelt stilt || *de boel op ~en zetten* raise hell

steltloper grallatorial bird

stem 1 voice: *zijn ~ verliezen* lose one's voice; *met luide ~* out loud; *een ~ van binnen* an inner voice 2 *(zangpartij)* part, voice 3 *(kiesstem)* vote: *beiden behaalden een gelijk aantal ~men* it was a tie between the two; *de ~men staken* there is a tie; *de ~men tellen* count the votes; *zijn ~ uitbrengen* cast one's vote, vote

stemband vocal cord

stembiljet ballot (paper)

stembureau 1 polling station *(of Am:* place) 2 *(college van personen)* polling committee

stembus ballot box: *naar de ~ gaan* go to the polls

stemcomputer voting computer

stemdistrict constituency *(voor 2e kamer);* bor-

ough *(voor 2e kamer, gemeenteraad)*; ward *(gemeenteraad)*
stemgerechtigd entitled to vote
stemhebbend voiced
stemhokje (voting) booth
stemloos voiceless, unvoiced
stemmen **1** *(kiezen)* vote: *ik stem voor* (of: *tegen*) I vote in favour (*of:* against) **2** *(muz)* tune; tune up *(orkest)*
stemmer tuner
stemmig sober, subdued
stemming **1** mood: *in een slechte* (of: *goede*) ~ *zijn* be in a bad (*of:* good) mood; *de ~ zit erin* there's a general mood of cheerfulness **2** *(gezindheid)* feeling: *er heerst een vijandige ~* feelings are hostile **3** *(mbt verkiezingen; voorstellen)* vote: *een geheime ~* a secret ballot; *een voorstel in ~ brengen* put a proposal to the vote **4** *(muz)* tuning
stempel **1** seal: *zijn ~ op iem drukken* leave one's mark on s.o. **2** *(afdruk)* stamp; postmark *(op post)*
[1]**stempelen** *intr (Belg)* be unemployed (*of:* on the dole)
[2]**stempelen** *tr* stamp; postmark *(post)*
stempelgeld *(Belg)* unemployment benefit, the dole
stempelkussen inkpad
stemplicht compulsory voting
stemrecht (right to) vote, voting right; *(pol ook)* franchise; suffrage
stemvork tuning fork
stemwijzer voting aid
stencil stencil, handout
stencilen duplicate, stencil
stenen stone; *(van baksteen)* brick
stengel **1** stalk, stem **2** *(koekje)* stick
stenigen stone
steniging stoning
steno stenography, shorthand
step scooter
steppe steppe
ster star: *een vallende ~* a shooting star
stereo stereo(phony)
stereotiep stock, stereotypic(al): *een ~e uitdrukking* a cliché
stereotoren music centre
stereotype stereotype
sterfbed deathbed: *op zijn ~ zal hij er nog berouw over hebben* he'll regret it to his dying day
sterfelijk mortal
sterfgeval death
sterftecijfer mortality rate
steriel **1** sterile **2** *(onvruchtbaar)* sterile, infertile
sterilisatie sterilization
steriliseren sterilize; *(mbt dieren)* fix
steriliteit sterility
[1]**sterk** *bn* **1** strong, powerful, tough: *~e thee* strong tea **2** *(hevig)* strong, sharp: *een ~e stijging* a sharp rise; *een ~e wind* a strong wind || *~er nog* indeed, more than that
[2]**sterk** *bw* **1** *(zeer)* strongly, greatly, highly: *een ~ vergrote foto* a much enlarged photograph; *iets ~ overdrijven* greatly exaggerate sth **2** *(goed)* well || *zij staat (nogal) ~ (deugdelijke argumenten)* she has a strong case
sterkedrank strong drink, liquor
sterkte **1** strength, power, intensity; *(mbt geluid ook)* volume; *(mbt geluid ook)* loudness: *de ~ ve geluid* (of: *van het licht*) the intensity of a noise (*of:* the light); *op volle* (of: *halve*) ~ at full (*of:* half) strength **2** *(kracht om smart, leed te dragen)* fortitude, courage: *~ (gewenst)!* all the best!, good luck! **3** *(mbt uitwerking)* strength, potency
sterrenbeeld sign of the zodiac
sterrenkijker telescope
sterrenkunde astronomy
sterrenkundige astronomer
sterrenstelsel stellar system
sterretje **1** sparkler **2** *(tekentje)* star, asterisk
sterveling mortal: *er was geen ~ te bekennen* there wasn't a (living) soul in sight
sterven die: *~ aan een ziekte* die of an illness; *~ aan zijn verwondingen* die from one's injuries; *op ~ na dood zijn* be as good as dead
stethoscoop stethoscope
steun **1** support, prop: *een ~tje in de rug* a bit of encouragement (*of:* support), a helping hand **2** *(houvast)* support, assistance: *dat zal een grote ~ voor ons zijn* that will be a great help to us **3** *(materiële hulp)* support, aid, assistance
steunbeer buttress
[1]**steunen** *intr (leunen)* lean (on), rest (on)
[2]**steunen** *tr* **1** support, prop (up): *een muur ~* support (*of:* prop up) a wall **2** *(fig)* support, back up: *iem ergens in ~* back up s.o. in sth
steunfraude social security fraud
steunzool arch support
steur sturgeon
steven *(scheepv)* stem; *(achter)* stern
[1]**stevig** *bn* **1** substantial, hearty **2** *(fors)* robust, hefty; *(fig)* stiff; *(fig)* heavy: *een ~e hoofdpijn* a splitting headache **3** *(solide, degelijk)* solid, strong, sturdy **4** *(krachtig)* tight, firm: *een ~ pak slaag* a good hiding **5** *(flink, behoorlijk)* substantial, considerable
[2]**stevig** *bw* **1** solidly, strongly: *die ladder staat niet ~* that ladder is a bit wobbly **2** *(krachtig)* tightly, firmly: *we moeten er ~ tegenaan gaan* we really need to get (*of:* buckle) down to it
stevigheid sturdiness, strength, solidity
stewardess stewardess, (air) hostess
stichtelijk *(vroom)* devotional, pious
stichten found, establish: *een gezin ~* start a family
stichter founder
stichting foundation, establishment
sticker sticker
stickie joint, stick
stiefbroer stepbrother

stiefdochter stepdaughter
stiefkind stepchild
stiefmoeder stepmother
stiefvader stepfather
stiefzoon stepson
stiefzuster stepsister
[1]**stiekem** *bn* 1 *(geniepig)* sneaky 2 *(geheim)* secret
[2]**stiekem** *bw* 1 *(geniepig)* in an underhand way, on the sly 2 *(geheim)* in secret: *iets ~ doen* do sth on the sly; *~ weggaan* steal (*of:* sneak) away
stiekemerd sneak, sly dog
stielman *(Belg)* craftsman, skilled worker
stier bull
Stier *(astrol)* Taurus
stierengevecht bullfight
stierlijk: *ik verveel me ~* I'm bored stiff (*of:* to tears)
stift 1 *(mbt een vulpotlood, balpen)* cartridge 2 *(viltstift)* felt-tip (pen)
stifttand crowned tooth
[1]**stijf** *bn* 1 stiff, rigid: *~ van de kou* numb with cold 2 *(houterig)* stiff, wooden
[2]**stijf** *bw* 1 stiffly, rigidly: *zij hield het pak ~ vast* she held on to the package with all her might 2 *(niet hartelijk)* stiffly, formally
stijfheid stiffness
stijfjes stiff, formal
stijfkop stubborn person, pigheaded person
stijfsel paste
stijgbeugel stirrup
stijgen 1 rise; climb *(vliegtuig)*: *een ~de lijn* an upward trend 2 *(toenemen)* increase, rise: *de prijzen* (of: *lonen*) *~* prices (*of:* wages) are rising
stijging rise, increase
stijl 1 style; *(taalk ook)* register: *ambtelijke ~* officialese; *journalistieke ~* journalese; *het onderwijs nieuwe ~* the new style of education; *in de ~ van* after the fashion of 2 *(paal)* post || *dat is geen ~* that's no way to behave
stijldansen ballroom dancing
stijlfiguur figure of speech, trope
stijlloos 1 tasteless, lacking in style 2 *(zonder manieren)* ill-mannered
stijlvol stylish, fashionable
stik *(plat)* oh heck, oh damn; *(verwensing)* nuts (to you); get lost
stikdonker pitch-dark, pitch-black
stikken 1 suffocate, choke; *(benauwd worden)* be stifled: *in iets ~* choke on sth; *~ van het lachen* be in stitches 2 (met *in*) be bursting (with) *(jaloezie, trots)*; be up to one's ears (in) *(werk e.d.)* 3 *(doodvallen)* drop dead: *iem laten ~* leave s.o. in the lurch, *(niet verschijnen)* stand s.o. up 4 *(naaien)* stitch 5 *(mbt overvloedigheid)* be full (of), swarm (with): *dit opstel stikt van de fouten* this essay is riddled with errors
stikstof nitrogen
[1]**stil** *bn* 1 quiet, silent 2 *(bewegingloos)* still, motionless 3 *(bedaard)* quiet, calm: *de ~le tijd* the slack season, the off season || *Stille Nacht* Silent Night
[2]**stil** *bw* 1 *(zonder (veel) geluid)* quietly 2 *(roerloos)* still 3 *(zonder ophef)* quietly, calmly
stiletto flick knife; *(Am)* switchblade
[1]**stilhouden** *intr (stoppen)* stop, pull up
[2]**stilhouden** *tr* 1 keep quiet, hold still 2 *(geheimhouden)* keep quiet, hush up: *zij hielden hun huwelijk stil* they got married in secret
stille plain-clothes policeman
stilleggen stop, shut down, close down
stilletjes 1 quietly 2 *(stiekem)* secretly, on the sly
stilleven still life
stilliggen 1 lie still (*of:* quiet) 2 *(niet functioneren)* lie idle, be idle: *het werk ligt stil* work is at a standstill
stilstaan 1 stand still, pause, come to a standstill: *heb je er ooit bij stilgestaan dat …* has it ever occurred to you that … 2 *(niet functioneren)* stand still, stop, be at a standstill
stilstand 1 standstill, stagnation 2 *(Belg)* stop: *deze trein heeft ~en te Lokeren en te Gent* this train stops at Lokeren and Ghent
stilte 1 silence, quiet: *een minuut ~* a minute's silence; *de ~ verbreken* break the silence 2 *(heimelijkheid)* quiet, privacy, secrecy
stilzetten (bring to a) stop
stilzitten sit still, stand still
stilzwijgend tacit, understood: *~ aannemen (veronderstellen) dat …* take (it) for granted that …; *een contract ~ verlengen* automatically renew a contract
stimulans stimulus
stimuleren stimulate, encourage; boost *(handel)*
stimulus stimulus, incentive
stinkbom stink bomb
stinkdier skunk
stinken stink, smell: *uit de mond ~* have bad breath
stinkend stinking, smelly
stip 1 dot; speck *(vlekje)* 2 *(sport)* (penalty) spot (*of:* mark)
stippelen dot, speckle
stippellijn dotted line
stipt exact, punctual; prompt *(tijdig)*; strict *(mbt navolging van regels)*: *~ om drie uur* at three o'clock sharp; *~ op tijd* right on time
stiptheid accuracy; punctuality *(steeds op tijd zijn)*; promptness *(tijdigheid)*; strictness *(mbt navolging van regels)*
stiptheidsactie work-to-rule, go-slow; *(Am)* slow-down (strike)
stockeren *(Belg) (opslaan)* stock
stoeien play around: *met het idee ~* toy with the idea (of)
stoel chair; seat *(zitplaats)*: *een luie (gemakkelijke) ~* an easy chair; *pak een ~* take a seat; *de poten onder iemands ~ wegzagen* cut the ground from under s.o.'s feet, pull the rug from under s.o.

stoelendans musical chairs
stoelgang (bowel) movement, stool(s)
stoeltjeslift chairlift
stoep 1 pavement; *(Am)* sidewalk **2** *(stenen opstap)* (door)step: *onverwachts op de ~ staan bij iem* turn up on s.o.'s doorstep
stoeprand kerb; *(Am)* curb
stoeptegel paving stone
stoer 1 sturdy, powerful(ly built) **2** *(flink)* tough
stoet procession, parade
stoethaspel clumsy person, bungler
[1]**stof** *zn* **1** *(materie)* substance; matter *(niet-telbaar)* **2** *(weefsel)* material, cloth, fabric **3** *(materiaal, onderwerp)* (subject) matter, material: *~ tot nadenken hebben* have food for thought
[2]**stof** *zn* dust: *~ afnemen* dust; *in het ~ bijten* bite the dust; *iem in het ~ doen bijten* make s.o. grovel, make s.o. eat dirt
stofdoek duster, (dust)cloth
stoffelijk material
[1]**stoffen** *bn* cloth, fabric
[2]**stoffen** *intr, tr* dust
stoffer brush: *~ en blik* dustpan and brush
stofferen 1 upholster **2** *(mbt vloerbedekking, gordijnen) (ongev)* decorate; furnish with carpets and curtains
stoffering soft furnishings; *(Am)* fabrics; cloth; upholstery *(bekleding van stoelen)*
stofjas dustcoat, duster
stofwisseling metabolism
stofzuigen vacuum, hoover
stofzuiger vacuum (cleaner), hoover
stok stick; *(wandelstok ook)* cane: *zij kregen het aan de ~ over de prijs* they fell out over the price
stokbrood baguette, French bread
stokdoof stone-deaf, (as) deaf as a post
[1]**stoken** *intr* **1** *(mbt een vuur)* heat **2** *(opruien)* make trouble
[2]**stoken** *tr* **1** stoke (up); *(vuur ook)* feed; *(aansteken)* light; *(aansteken)* kindle: *het vuur ~* stoke up the fire **2** *(als brandstof gebruiken)* burn **3** *(aanwakkeren)* stir up: *ruzie ~* stir up strife **4** *(distilleren)* distil
stoker 1 fireman, stoker; *(fig)* firebrand; troublemaker **2** *(distilleerder)* distiller
stokje stick; perch *(voor vogel)*: *ergens een ~ voor steken* put a stop to sth; *van zijn ~ gaan* pass out, faint
stokoud ancient
stokpaardje hobbyhorse: *iedereen heeft wel zijn ~* everyone has his fads and fancies
stokstijf (as) stiff as a rod; *(onbeweeglijk)* stock-still
stokvis stockfish
stollen solidify *(kwik, lava enz.)*; coagulate; congeal *(door o.a. kou)*; set *(ei, gelei)*; clot *(bloed)*
stolp (bell-)glass
stolsel coagulum; *(bloed ook)* clot
stom 1 *(niet kunnende spreken)* dumb, mute **2** *(dom)* stupid, dumb: *ik voelde me zo ~* I felt such a fool; *iets ~s doen* do sth stupid
stomdronken dead drunk
[1]**stomen** *intr* steam
[2]**stomen** *tr (reinigen)* dry-clean: *een pak laten ~* have a suit cleaned
stomerij dry cleaner's
stomheid dumbness, muteness; *(van emotie)* speechlessness: *met ~ geslagen zijn* be dumbfounded
stommelen stumble
stommeling fool, idiot
stommetje: *~ spelen* keep one's mouth shut
stommiteit stupidity: *~en begaan* make stupid mistakes
[1]**stomp** *zn* **1** stump, stub **2** *(stoot)* thump; *(met vuist)* punch
[2]**stomp** *bn* blunt: *een ~e neus* a snub nose
stompen thump; *(vuistslag geven)* punch
stompzinnig obtuse, dense, stupid: *~ werk* monotonous (*of:* stupid) work
stompzinnigheid stupidity, denseness, obtuseness
stomtoevallig accidentally, by a (mere) fluke
stomverbaasd astonished, amazed, flabbergasted
stomvervelend deadly dull, boring; *(lastig)* really annoying: *~ werk moeten doen* have to do deadly boring work
stomweg simply, just
stoned high, stoned
stoof footwarmer
stoofpan stew(ing)-pan
stoofschotel stew, casserole
stookkosten fuel costs, heating costs
stookolie fuel oil
stookplaat grate
stoom steam: *~ afblazen* let off steam
stoombad steam bath, Turkish bath
stoomboot steamboat, steamer
stoomcursus crash course, intensive course
stoornis disturbance, disorder
stoorzender jammer, jamming station
stoot thrust; *(vuistslag)* punch; *(met dolk)* stab; *(wind)* gust: *een ~ onder de gordel* a blow below the belt
stootje thrust; *(duw)* push; *(met elleboog)* nudge: *wel tegen een ~ kunnen* stand rough handling (*of:* hard wear), *(tegen kritiek kunnen)* be thick-skinned
[1]**stop** *zn* **1** *(zekering)* fuse: *alle ~pen sloegen bij hem door* he blew a fuse **2** *(pauze)* stop, break: *een sanitaire ~ maken* stop to go to the bathroom
[2]**stop** *tw* **1** *(niet verder!)* stop! **2** *(genoeg)* stop (it)
stopbord stop sign
stopcontact (plug-)socket, power point, electric point, outlet
stopgaren *(wol)* mending wool; *(katoen)* mending cotton, darning cotton

stoplicht traffic light(s)
stopnaald darning needle
stoppel stubble, bristle
[1]**stoppen** *intr (halt houden)* stop: *stop!* stop!
[2]**stoppen** *tr* 1 fill (up); *(volstoppen, volproppen)* stuff: *een gat ~* fill a hole 2 *(iets in een ruimte bergen)* put (in(to)): *iets in zijn mond ~* put sth in(to) one's mouth 3 *(tot stilstand brengen)* stop: *de keeper kon de bal niet ~* the goalkeeper couldn't save the ball 4 *(mbt kleding e.d.)* darn, mend
stopplaats stop, stopping place
stopstreep halt line
stoptrein slow train
stopverf putty
stopwoord stopgap
stopzetten stop, bring to a standstill *(of:* halt); discontinue *(bootdienst, subsidie); (tijdelijk, werkzaamheden ook)* suspend
storen 1 disturb; *(zich opdringen)* intrude; *(onderbreken)* interrupt; *(zich ergens mee bemoeien; radio)* interfere: *de lijn is gestoord* there is a breakdown on the line; *stoor ik u?* am I in your way?, *(bij binnenkomen)* am I interrupting (you)?, am I intruding?; *niet ~!* do not disturb!; *iem in zijn werk ~* disturb s.o. at his work 2 *(geven om)* take notice (of), mind: *zij stoorde er zich niet aan* she took no notice of it
storing 1 disturbance; *(treinverkeer, telefoon)* interruption; *(defect)* trouble; *(uitvallen)* failure; *(uitvallen)* breakdown 2 *(reclame)* interference, static 3 *(weerk)* disturbance; *(lage drukgebied)* depression
storm gale, storm: *een ~ in een glas water* a storm in a teacup; *het loopt ~* there is a real run on it
stormachtig 1 stormy, blustery 2 *(onstuimig)* stormy; *(luidruchtig)* tumultuous
stormen storm, rush: *naar voren ~* rush forward *(of:* ahead)
stormloop rush, run
stormram battering-ram
stormvloed storm tide, storm flood *(of:* surge)
stort dump, tip
stortbak cistern, tank
stortbui downpour, cloudburst
[1]**storten** *intr* fall, crash: *in elkaar ~: a)* collapse, cave in *(gebouw); b) (geestelijk)* collapse, crack up
[2]**storten** *tr* 1 throw, dump 2 *(overmaken)* pay, deposit: *het gestorte bedrag is …* the sum paid is …
[3]**storten, zich** 1 *(zich werpen)* throw oneself: *zich in de politiek ~* dive into politics 2 (met *op*) *(met hartstocht aanpakken)* throw oneself (into), dive (into), plunge (into)
storting payment, deposit
stortkoker (garbage) chute *(of:* shoot)
stortplaats dump, dumping ground *(of:* site)
stortregen downpour
stortregenen pour (with rain, down)
[1]**stoten** *intr, tr* bump, knock, hit: *pas op, stoot je hoofd niet* mind your head; *op moeilijkheden ~* run into difficulties
[2]**stoten** *tr* 1 *(duwen)* thrust, push: *niet ~!* handle with care!; *een vaas van de kast ~* knock a vase off the sideboard 2 *(biljart)* play *(of:* shoot) (a ball)
[3]**stoten, zich** *(botsen)* bump (oneself): *we stootten ons aan de tafel* we bumped into the table
stotteraar stutterer, stammerer
stotteren stutter, stammer
stout naughty: *~ zijn* misbehave
stouwen stow, cram
stoven stew, simmer
stoverij *(Belg)* stew
straal 1 beam, ray 2 *(stroom vloeistof, gas)* jet; *(straaltje)* trickle 3 radius: *binnen een ~ van 10 kilometer* within a radius of 10 km
straaljager fighter jet
straalkachel electric heater
straalvliegtuig jet
straat street: *een doodlopende ~* dead end street; *de volgende ~ rechts* the next turning to the right; *de ~ opbreken* dig up the street; *op ~ staan (dakloos)* be (out) on the street(s); *drie straten verderop* three streets away
straatarm penniless
straatbende street gang
straathandelaar street vendor; *(drugs)* pusher, dealer
straathond cur, mutt
straatje alley, lane
straatjongen street urchin
straatlantaarn street lamp
straatmuzikant busker
straatorgel barrel organ
Straatsburg Strasbourg
straatsteen paving brick
straatventer vendor
straatvuil street refuse *(of Am:* garbage)
[1]**straf** *zn* punishment; *(vnl. strafmaatregel, boete)* penalty: *een zware* (of: *lichte*) *~* a heavy *(of:* light) punishment; *een ~ ondergaan* pay the penalty; *zijn ~ ontlopen* get off scot-free; *voor ~* for punishment
[2]**straf** *bn, bw* stiff, severe: *~fe taal* hard words
strafbaar punishable: *een ~ feit* an offence, a punishable *(of:* penal) act; *dat is ~* that's an offence; *iets ~ stellen* attach a penalty to sth, make sth punishable
strafbank 1 dock: *op het ~je zitten* be in the dock 2 *(sport)* penalty box *(of:* bench)
strafblad police record, record of convictions *(of:* offences)
strafcorner penalty corner
straffen punish, penalize
strafport surcharge
strafpunt penalty point: *een ~ geven* award a penalty point
strafrecht criminal law, criminal justice
strafrechtelijk criminal: *iem ~ vervolgen* prosecute s.o.

st

strafschop penalty (kick), spot kick
strafschopgebied penalty area, penalty box
strafwerk lines, (school) punishment: ~ *maken* do (*of:* write) lines, do impositions (*of:* an imposition)
strafworp penalty throw; *(basketbal)* foul shot
strak 1 tight; taut *(touw, zeil)*: *iem ~ houden* keep s.o. on a tight rein; ~ *trekken* stretch, pull tight **2** *(onafgewend)* fixed, set, intent **3** *(geen gevoelens uitdrukkend)* fixed, set; *(streng)* stern; *(gespannen)* tense
strakblauw clear blue, sheer blue, cloudless
straks later, soon, next: ~ *meer hierover* I'll return to this later; *tot ~* so long, see you later (*of:* soon)
stralen 1 radiate, beam **2** *(van geluk)* shine, beam, radiate
stralend 1 radiant, brilliant; *(sterker)* dazzling **2** *(van geluk)* radiant, beaming **3** *(met veel zonneschijn)* glorious, splendid
straling radiation
stram stiff, rigid
strand beach, seaside
stranden 1 *(aanspoelen)* be cast (*of:* washed) ashore; *(mbt een schip)* run aground (*of:* ashore); be stranded **2** *(mislukken)* fail: *een plan laten ~* wreck a project **3** *(in een reis)* be stranded
strandhuisje beach cabin
strandjutter beachcomber; *(mbt wrakken)* wrecker
strandstoel deck chair
strandwandeling walk on (*of:* along) the beach
strateeg strategist
strategie strategy
strategisch strategic
stratengids street map (*of:* plan), A to Z
stratenmaker paviour, road worker; *(voor reparatie wegdek)* road mender
stratosfeer stratosphere
streber careerist, (social) climber
streefgetal target number (*of:* figure)
streek 1 trick; *(van kind)* prank; *(dwaze)* antic; *(dwaze)* caper: *een stomme ~ uithalen* do sth silly **2** *(landstreek)* region, area: *in deze ~* in these parts (*of:* this part) of the country **3** *(strijkende beweging)* stroke || *van ~ zijn: a) (niet in zijn normale doen)* be out of sorts; *b) (nerveus)* be upset, be in a dither; *c) (van maag)* be upset, be out of order
streekbus regional (*of:* county, country) bus
streekroman regional novel
streep 1 line, score; *(teken)* mark(ing) **2** *(smalle strook)* stripe, line; *(breed)* band; *(breed)* bar; *(onregelmatig)* streak *(van licht, vuil)*: *iem over de ~ trekken* win s.o. over **3** *(onderscheidingsteken)* stripe, chevron
streepje thin line, narrow line; *(koppelteken)* hyphen; *(gedachtestreepje)* dash; *(schuin)* slash
streepjescode bar code
strekken *intr* **1** extend, stretch, go **2** *(genoeg zijn)* last, go
[2]**strekken** *tr* stretch, unbend, extend, straighten
strekking import; *(kennelijke bedoeling, betekenis)* tenor; purport; *(bedoeling)* purpose; *(bedoeling)* intent; effect: *de ~ van het verhaal* the drift of the story
strelen caress, stroke, fondle
streling caress
stremmen block, obstruct
[1]**streng** *zn* **1** twist, twine, skein, hank **2** *(mbt een touw)* strand
[2]**streng** *bn, bw* **1** severe, hard: *het vriest ~* there's a sharp frost **2** *(strak, hard)* severe, strict; stringent *(bepaling, regel)*; rigid *(bepaling, regel)*; *(zeer)* harsh: *~e eisen* stern demands; *een ~e onderwijzer* a stern (*of:* strict) teacher
strepen line, streak, stripe
stress stress, strain
stressen work under stress
stretch stretchy material (*of:* fabric), elastic
stretcher stretcher
[1]**streven** *zn* **1** striving (for), pursuit (of); *(poging)* endeavour: *het ~ naar onafhankelijkheid* the pursuit of independence **2** *(wat men zich ten doel stelt)* ambition, aspiration, aim
[2]**streven** *intr* strive (for, after), aspire (after, to), aim (at): *je doel voorbij ~* defeat your object
striem slash, score; *(met litteken)* weal; *(met litteken)* welt
strijd 1 fight, struggle; *(slag)* combat; *(slag)* battle: *hevige (zware) ~* fierce battle (*of:* struggle, fighting), battle royal; *~ leveren* wage a fight, put up a fight (*of:* struggle); *de ~ om het bestaan* the struggle for life **2** *(onenigheid)* strife, dispute, controversy, conflict: *innerlijke ~* inner struggle (*of:* conflict); *in ~ met de wet* against the law
strijdbijl battle-axe; *(van indianen)* tomahawk: *de ~ begraven* bury the hatchet
strijden 1 struggle, fight, wage war (against, on); *(slag leveren)* battle **2** *(mbt wedstrijd)* compete, contend
strijder fighter; *(krijgsman)* warrior; combatant
strijdig 1 contrary (to), adverse (to), inconsistent (with) **2** *(tegenstrijdig)* conflicting; *(onverenigbaar)* incompatible (with)
strijdkrachten (armed) forces (*of:* services)
strijdkreet battle cry, war cry
strijdlustig pugnacious, combative; *(voor een zaak)* militant
strijdperk arena
strijkbout iron
[1]**strijken** *intr (gaan langs, over)* brush, sweep || *met de eer gaan ~* carry off the palm (for), take the credit (for)
[2]**strijken** *tr* **1** smooth, spread, brush **2** *(met hand)* stroke, brush **3** *((textiel) gladmaken)* iron
strijkijzer iron, flat-iron
strijkinstrument stringed instrument: *de ~en (in orkest)* the strings
strijkorkest string orchestra

strijkplank ironing board
strijkstok bow || *er blijft veel aan de ~ hangen* the rake-off is considerable
strik 1 bow **2** *(valstrik)* snare, trap
strikje bow tie
strikken 1 tie in a bow: *zijn das ~* knot a tie **2** *(in een strik vangen)* snare **3** *(overhalen)* trap (into)
strikt strict; stringent *(regel);* rigorous: *~ vertrouwelijk* strictly confidential
strikvraag catch question, trick question
string *(slipje)* thong
strip 1 strip; *(van papier ook)* slip; band **2** *(stripverhaal)* comic strip, (strip) cartoon
stripboek comic (book)
stripfiguur comic(-strip) character
stripheld comic(-strip) hero
strippen strip
strippenkaart *(ongev)* bus and tram card
stripteasedanseres striptease dancer *(of:* artist), stripper
striptekenaar strip cartoonist
stripverhaal comic (strip)
stro straw *(ook mbt peulgewassen)*
strobloem strawflower, everlasting (flower)
stroef 1 rough, uneven **2** *(moeilijk bewegend)* stiff, difficult, awkward; *(hortend)* jerky; *(hortend)* brusque; *(bijna vast)* tight **3** *(niet vlot, toeschietelijk)* stiff, staid; *(onbeholpen)* awkward; *(stug)* stern; *(moeilijk van aard)* difficult (to get on with); *(gereserveerd)* remote; *(gereserveerd)* reserved; *(terughoudend)* stand-offish
strohalm (stalk of) straw: *zich aan een (laatste) ~ vastklampen* clutch at a straw *(of:* at straws)
stroman straw man, man of straw, puppet, figurehead
stromen 1 stream, pour, flow: *een snel ~de rivier* a fast-flowing river **2** *(van grote massa's)* pour, flock
stroming 1 current, flow **2** *(heersende denkwijze, werkwijze)* movement, trend, tendency
strompelen stumble, totter, limp
stronk 1 stump, stub **2** *(ve koolplant)* stalk
stront *(inform)* shit, dung, filth: *er is ~ aan de knikker* the shit has hit the fan, we're in the shit
strooibiljet handbill, pamphlet, leaflet
[1]**strooien** *bn* straw: *een ~ dak* a thatched roof, a thatch
[2]**strooien** *intr, tr* scatter; strew *(bloemen);* sow *(zaad);* sprinkle *(zout, peterselie, suiker);* dredge *(suiker): zand (pekel) ~ bij gladheid* grit icy roads
strooizand (road) grit
strook 1 strip; band *(stof)* **2** *(reep papier)* strip, slip; *(etiket)* label; *(etiket)* tag; *(controlestrookje)* stub; *(controlestrookje)* counterfoil
stroom 1 stream, flow; *(stroming)* current; *(grote hoeveelheid)* flood: *de zwemmer werd door de ~ meegesleurd* the swimmer was swept away by the current *(of:* tide) **2** *(grote menigte, hoeveelheid)* stream, flood: *een ~ goederen* a flow of goods; *er kwam een ~ van klachten binnen* complaints came pouring in **3** *(hoeveelheid elektriciteit, spanning)* (electric) power, (electric) current: *er staat ~ op die draad* that is a live wire
stroomafwaarts downstream, downriver
stroomdraad live wire, contact wire, electric wire
stroomlijnen streamline
stroomopwaarts upstream, upriver
stroomschema flow chart *(of:* sheet, diagram)
stroomstoot (current) surge; *(puls)* pulse; transient
stroomstoring electricity failure, power failure
stroomuitval power failure
stroomverbruik electricity consumption, power consumption
stroomversnelling *(versnelling van de stroom)* rapid *(vnl. mv): in een ~ geraken* gain momentum, develop *(of:* move) rapidly *(plannen),* be accelerated *(ontwikkeling)*
stroop syrup; *(suikerstroop)* treacle: *~ (om iemands mond) smeren* butter s.o. up, softsoap s.o.
stroopwafel treacle waffle
strop 1 halter, (hangman's) rope; *(met schuifknoop)* noose; *(om wild te vangen)* snare; *(om wild te vangen)* trap **2** *(pech)* bad luck, tough luck; *(mbt transactie)* raw deal; *(financieel)* financial blow *(of:* setback); *(financieel)* loss
stropdas tie
stropen 1 *(villen)* skin **2** *(jagen zonder vergunning)* poach
stroper poacher
stroperij poaching
strot throat; *(keel)* gullet: *het komt me de ~ uit* I'm sick of it; *ik krijg het niet door mijn ~* I couldn't eat it to save my life, *(ik wil het niet zeggen)* the words stick in my throat
strottenhoofd larynx
structureel structural; *(mbt de bouw ook)* constructional
structureren structure, structuralize
structuur structure, texture, fabric
structuurverf cement paint
struif (contents of an) egg
struik 1 bush, shrub **2** *(krop, stronk)* bunch; head *(andijvie, bleekselderij)*
struikelblok stumbling block, obstacle
struikelen stumble (over), trip (over)
struikgewas bushes, shrubs, brushwood
struikrover highwayman, footpad
struisvogel ostrich
struisvogelpolitiek ostrich policy: *een ~ volgen* refuse to face facts, bury one's head in the sand
stucwerk stucco(work)
stucwerker plasterer
studeerkamer study
student student; *(voor eerste graad)* undergraduate; *(na afstuderen)* (post)graduate: *~ Turks* student of Turkish

studentenbeweging student movement
studentencorps *(ongev)* student(s') union
studentenflat (block of) student flats; *(ongev)* hall of residence; student apartments
studententijd college days, student days
studentenvereniging *(ongev)* student union
studeren 1 study; *(aan de universiteit)* go to *(of:* be at) university/college: *Marijke studeert* Marijke is at university (*of:* college); *oude talen* ~ read classics; *hij studeert nog* he is still studying (*of:* at college); *verder* ~ continue one's studies; ~ *voor een examen* study (*of:* revise) for an exam **2** *(in de muziek oefenen)* practise (music): *piano* ~ practise the piano
studie study: *met een* ~ *beginnen* take up a (course of) study
studiebegeleiding tutoring, coaching
studiebeurs grant
studieboek textbook, manual
studiebol bookworm, scholar
studiefinanciering student grant(s)
studiegids prospectus; *(Am)* catalog
studiehuis 1 space in secondary school for private study **2** educational reform stimulating private study
studiejaar (school) year; *(aan universiteit ook)* university year, academic year
studiekosten cost(s) of studying; *(aan universiteit ook)* university expenses, college expenses
studiemeester *(Belg) (ongev)* supervisor
studieprogramma course programme, study programme, syllabus
studiepunt credit
studiereis study tour *(of:* trip)
studierichting subject, course(s), discipline, branch of study *(of:* studies)
studietoelage scholarship, (study) grant
studieverlof study leave; *(voor lange periode)* sabbatical (leave)
studiezaal reading room
studio studio
stuff dope, stuff; *(hasj ook)* pot; *(marihuana ook)* grass; weed
stug 1 stiff, tough **2** *(nors)* surly, dour, stiff || ~ *doorwerken* work (*of:* slog) away
stuifmeel pollen
stuip convulsion; *(klein)* twitch; *(aanval)* fit; spasm *(vnl. mv): iem de ~en op het lijf jagen* scare s.o. stiff, scare the (living) daylights out of s.o.
stuiptrekken convulse, be convulsed, become convulsed
stuiptrekking convulsion, spasm; *(klein)* twitch
stuitbeen tailbone, coccyx
stuiten 1 *(aantreffen)* encounter, happen upon, chance upon, stumble across **2** *(geconfronteerd worden)* meet with, run up against **3** *(terugspringen)* bounce, bound
stuiter big marble, taw, bonce
stuiteren play at marbles
stuitje tail bone
stuiven 1 blow, fly about, fly up **2** *(met grote snelheid voortbewegen)* dash, rush, whiz || *(Belg) het zal er* ~ there'll be a proper dust-up
stuiver five-cent piece
[1]**stuk** *zn* **1** piece, part, fragment; *(land)* lot; length *(stof, plank, koord): iets in ~ken snijden* cut sth up (into pieces); *uit één ~ vervaardigd* made in (*of:* of) one piece **2** *(één uit een verzameling)* piece, item: *een ~ gereedschap* a piece of equipment, a tool; *per ~ verkopen* sell by the piece, sell singly; *twintig ~s vee* twenty head of cattle; *een ~ of tien appels* about ten apples, ten or so apples **3** *(poststuk)* (postal) article, (postal) item **4** *(geschrift)* piece, article **5** *(document)* document, paper **6** *(kunstwerk)* piece, picture **7** *(toneelstuk)* piece, play **8** *(schaaksport, damsport)* piece; *(schaaksport ook)* chessman; *(damsport ook)* draughtsman || *iem van zijn ~ brengen* unsettle (*of:* unnerve, disconcert) s.o.; *een ~ in de kraag hebben* be tight (*of:* plastered); *(Belg) op het ~ van ...* as far as ... is concerned, as for ...
[2]**stuk** *bn* **1** apart, to pieces **2** *(defect)* out of order, broken down, bust: *iets ~ maken* break (*of:* ruin) sth
stukadoor plasterer
stuken plaster
stukgaan break down, fail; *(in stukken)* break to pieces
stukje 1 small piece, little bit: ~ *bij beetje* bit by bit, inch by inch **2** *(kort verhaal, opstel)* short piece
stukprijs unit price
stulp 1 hovel, hut **2** *(stolp)* bell-glass
stumper wretch
stunt stunt, tour de force, feat
stuntelen bungle, flounder
stunten stunt
stuntman stunt man
stuntprijs incredibly *(of:* record) low price; price breakers *(mv)*
stuntvliegen stunt flying, aerobatics
stuntwerk stuntwork
sturen 1 steer; *(auto ook)* drive; guide *(paard, pen, iemands hand)* **2** send; forward *(goederen); (verzenden)* dispatch; address: *van school* ~ expel (from school)
stut prop, stay, support
stutten prop (up), support
stuur steering wheel; *(auto)* wheel; *(scheepv)* helm; *(scheepv, luchtv)* rudder; *(luchtv)* controls *(mv); (fiets)* handlebars *(mv): aan het ~ zitten* be at (*of:* behind) the wheel; *de macht over het ~ verliezen* lose control (of one's car, bike)
stuurboord starboard
stuurcabine cockpit
stuurknuppel control stick *(of:* lever), (joy) stick
stuurloos out of control, rudderless, adrift
stuurman 1 mate **2** *(sport)* helmsman; *(roeiboot)* cox(swain)

stuurs surly, sullen
stuurslot steering wheel lock
stuurwiel (steering) wheel; *(mbt vliegtuig)* control wheel; *(scheepv)* helm
stuw dam, barrage, flood-control dam
stuwadoor stevedore
stuwdam dam, barrage, flood-control dam
stuwen 1 drive, push, force, propel, impel 2 *(stouwen)* stow, pack, load
stuwkracht force, drive; *(techn)* thrust
stuwmeer (storage) reservoir
stylist *(vormgever)* stylist
subcultuur subculture; *(mbt muziek of experimentele kunst)* (the) underground
subjectief subjective, personal
subjectiviteit subjectivity
subliem sublime, fantastic, super
subsidie subsidy; *(onderwijs, ontwikkelingshulp)* (financial) aid; grant; *(regelmatige toelage)* allowance: *een ~ geven voor* grant a subsidy for
subsidiëren subsidize, grant (an amount)
substantie substance, matter
subtiel subtle, sophisticated; *(verfijnd)* delicate
subtopper sub-world-class player
subtotaal subtotal
subtropisch subtropical
succes success, luck: *een goedkoop ~je boeken* score a cheap success; *veel ~ toegewenst!* good luck!; *~ met je rijexamen!* good luck with your driving test!; *een groot ~ zijn* be a big success, be a hit
succesnummer hit
succesvol successful
Sudan (the) Sudan
sudderen simmer
sudoku sudoku
[1]**suède** *zn* suede
[2]**suède** *bn* suede
Suezkanaal Suez Canal
suf drowsy, dozy; *(door drugsgebruik)* dopey; *(vnl. door ziekte)* groggy
suffen nod, (day)dream
sufferd dope, fathead
suggereren suggest, imply
suggestie suggestion; *(voorstel)* proposal: *een ~ doen* make a suggestion (*of:* proposal)
suiker sugar: *~ doen in (de koffie e.d.)* put sugar in
suikerbiet sugar beet
suikerfabriek sugar refinery
Suikerfeest Sugar feast, Eid al-Fitr
suikerklontje lump of sugar, sugar cube
suikeroom rich uncle
suikerpatiënt diabetic
suikerpot sugar bowl
suikerriet sugar cane
suikerspin candy floss; *(Am)* cotton candy
suikertante rich aunt
suikervrij sugarless, diabetic; low-sugar *(dieet, voedsel)*
suikerzakje sugar bag
suikerziek diabetic
suikerziekte diabetes
suite suite (of rooms)
suizen rustle *(bomen, papier)*; sing *(water, oren)*; whisper *(wind, bomen)*
sukade candied peel
sukkel dope, idiot, twerp
sukkelaar wretch, poor soul (*of:* beggar)
sukkelen be ailing, be sickly, suffer (from sth): *hij sukkelt met zijn gezondheid* he is in bad health
sukkelgangetje jog(trot), shambling gait
sul softy, sucker
sulky sulky
sultan sultan
summier summary, brief
super super, great, first class
superbenzine 4 star petrol; *(Am)* high octane gas(oline)
superette *(Belg)* small self-service shop
supergeleiding superconductivity
superieur superior
supermacht superpower
supermarkt supermarket
supermens superman, superwoman
supersonisch supersonic
supervisie supervision
supplement supplement
suppoost attendant
supporter supporter
supportersbus supporters' special (bus, coach)
supporterstrein supporters' special (train)
surfen 1 be surfing (*of:* surfboarding); *(plankzeilen)* windsurfing 2 *(comp)* surf
surfer surfer; *(plankzeiler)* windsurfer
surfplank surfboard; *(mbt plankzeilen)* sailboard
Surinaams Surinamese; Surinam *(voor zn)*
Suriname Surinam
Surinamer Surinamese
surprise surprise (gift)
surrealisme surrealism
surrealistisch surrealist(ic)
surrogaat surrogate
surveillance surveillance; supervision *(ook op examen)*; duty *(op school, bij politie)*
surveillancewagen patrol car
surveillant supervisor, observer; invigilator *(op examen)*
surveilleren supervise; invigilate *(op examen)*; (be on) patrol *(politieagent met auto)*
sussen soothe; pacify *(persoon)*; ease *(geweten)*; hush up *(ruzie, politiek schandaal)*
SUV *afk van sports utility vehicle* SUV
s.v.p. *afk van s'il vous plaît* please
swastika swastika
Swaziland Swaziland
sweater sweater, jersey
sweatshirt sweatshirt
swingen swing

syfilis syphilis
symboliek symbolism
symbolisch symbolic(al): *een ~ bedrag* a nominal amount
symboliseren symbolize, represent
symbool symbol
symfonie symphony
symfonieorkest symphony orchestra
symmetrie symmetry
symmetrisch symmetrical
sympathie sympathy, feeling: *zijn ~ betuigen* express one's sympathy
sympathiek sympathetic, likable, congenial: *ik vind hem erg ~* I like him very much; *~ staan tegenover iem (iets)* be sympathetic to(wards) s.o. (sth)
symptomatisch symptomatic
symptoom symptom, sign: *een ~ zijn van* be symptomatic (*of:* a symptom) of
synagoge synagogue
synchronisatie synchronization
synchroon synchronous, synchronic
syndicaat syndicate
syndroom syndrome
[1]**synoniem** *zn* synonym
[2]**synoniem** *bn* synonymous (with)
syntactisch syntactic(al)
syntaxis syntax
synthese synthesis
synthesizer synthesizer
synthetisch synthetic, man-made
Syrië Syria
Syriër Syrian
[1]**Syrisch** *zn* Syrian
[2]**Syrisch** *bn* Syrian
systeem system; *(methode ook)* method: *daar zit geen ~ in* there is no system (*of:* method) in it; *(voetbal) spelen volgens het 4-3-3-systeem* play in the 4-3-3 line-up
systeembeheerder system manager
systematisch systematic; *(volgens bepaalde methode)* methodical: *een ~ overzicht* a systematic survey

t

taai tough, hardy: ~ *vlees* tough meat; *houd je ~: a)* take care (of yourself); *b) (Am)* hang in there; *c) (kop op)* chin up
taaitaai gingerbread
taak 1 task, job, duty; *(verantwoordelijkheid)* responsibility; *(opdracht)* assignment: *een zware ~ op zich nemen* undertake an arduous task; *het is niet mijn ~ dat te doen* it is not my place to do that; *iem een ~ opgeven (opleggen)* set s.o. a task; *tot ~ hebben* have as one's duty; *niet voor zijn ~ berekend zijn* be unequal to one's task **2** *(ond)* assignment
taakleerkracht remedial teacher
taakleraar *(Belg)* remedial teacher
taakomschrijving job description
taakstraf community service
taakuur non-teaching period, free period
taakverdeling division of tasks *(of:* labour)
taal 1 language; *(gesproken)* speech; *(vak op school)* language skills: *vreemde talen* foreign languages **2** *(iemands woorden)* language: *gore ~ uitslaan* use foul language || *de ~ van het lichaam* body language
taalbarrière language barrier
taalfout language error
taalgebruik (linguistic) usage, language
taalkunde linguistics
taalkundig linguistic: ~ *ontleden* parse
taallab *(Belg, spr)* language laboratory
taalvaardigheid language proficiency; *(als schoolvak)* (Dutch) language skills
taalwetenschap linguistics
taart cake; *(vruchten)* pie; tart
taartje a (piece of) cake; *(vruchten)* a tart *(of:* pie)
tabak tobacco
tabaksartikel tobacco product
tabaksrook tobacco smoke, cigar smoke
tabaksvergunning licence to sell tobacco
tabel table
tabernakel tabernacle
tablet tablet; *(chocolade ook)* bar: *een ~je innemen tegen de hoofdpijn* take a pill for one's headache
tabloid tabloid
tabloidformaat tabloid size
[1]**taboe** *zn* taboo
[2]**taboe** *bn* taboo: *iets ~ verklaren* pronounce sth taboo
taboeret tabouret
tachtig eighty: *mijn oma is ~ (jaar oud)* my grandmother is eighty (years old); *de jaren ~* the eighties; *in de ~ zijn* be in one's eighties
tachtigjarig 1 *(tachtig jaar oud)* eighty-year-old: *een ~e* an eighty-year-old **2** *(tachtig jaar durend)* eighty years'
tachtigste eightieth
tackelen *(sport)* tackle
tact tact: *iets met ~ regelen* use tact in dealing with sth
tactiek tactics *(mv); strategy: dat is niet de juiste ~ om zoiets te regelen* that is not the way to go about such a thing; *van ~ veranderen* change *(of:* alter) one's tactics
tactisch tactical; *(handig)* tactful: *iets ~ aanpakken* set about sth tactically *(of:* shrewdly)
tactvol tactful
Tadzjikistan Tadzhikistan
tafel table: *de ~s van vermenigvuldiging* the multiplication tables; *de ~ afruimen* (of: *dekken*) clear *(of:* lay) the table; *aan ~ gaan* sit down to dinner; *om de ~ gaan zitten* sit down at the table (and start talking); *iem onder ~ drinken* drink s.o. under the table; *het ontbijt staat op ~* breakfast is on the table *(of:* ready); *ter ~ komen* come up (for discussion); *van ~ gaan* leave the table
tafelkleed tablecloth
tafelpoot table-leg
tafeltennissen play table tennis
tafeltennisser table-tennis player
tafelvoetbal table football
tafelwijn table wine
tafelzilver silver cutlery, silverware
tafereel tableau, scene
tai chi tai chi, t'ai chi (ch'uan)
taille waist: *een dunne ~ hebben* have a slender waist
Taiwan Taiwan
tak branch; *(vertakking ook)* fork; *(onderdeel, afdeling ook)* section: *een ~ van sport* a branch of sports; *de wandelende ~* the stick insect, *(Am)* the walking stick
takel tackle: *in de ~s hangen* be in the sling
takelen hoist: *een auto uit de sloot ~* hoist a car (up) out of the ditch
takelwagen breakdown lorry; *(Am)* tow truck
takenpakket job responsibilities (in a job) *(mv)*
taks regular *(of:* usual) amount, share
tal number: ~ *van voorbeelden* numbers of *(of:* numerous) examples
talenknobbel linguistic talent, gift *(of:* feel) for languages
talenpracticum language lab(oratory)
talent 1 talent; gift *(kunstzinnig);* ability *(bijv. voor studie, zaken): ze heeft ~* she is talented **2** *(persoon)* talent(ed person)

talentenjacht talent scouting
[1]**talentvol** *bn* talented, gifted
[2]**talentvol** *bw* ably, with great talent
talenwonder linguistic genius
talisman talisman
talkpoeder talcum powder
talloos innumerable, countless
talrijk numerous, many
talud incline, slope; bank *(van weg, spoordijk)*
tam 1 tame, tamed; domestic *(van huisdieren): een ~me vos* a tame fox; *~ maken* domesticate *(kleine dieren),* tame *(leeuwen e.d.)* **2** *(mak)* tame, gentle: *een ~ paard* a gentle (*of:* tame) horse
tamboer drummer
tamboerijn tambourine
tamelijk fairly, rather: *~ veel bezoekers* quite a lot of visitors
Tamil Tamil
tampon tampon
tamtam 1 tom-tom **2** *(ophef)* fanfare: *~ maken over iets* make a fuss about (*of:* a big thing) of sth
tand 1 tooth: *er breekt een ~ door* he/she is cutting a tooth (*of:* teething); *een ~ laten vullen* (of: *trekken*) have a tooth filled (*of:* extracted); *zijn ~en laten zien (dreigen)* show (*of:* bare) one's teeth; *zijn ~en poetsen* brush one's teeth; *iem aan de ~ voelen* grill s.o.; *tot de ~en gewapend zijn* be armed to the teeth **2** *(van werktuigen)* tooth; *(van vork, eg)* prong; *(aan tandwiel)* cog: *de ~en van een kam* (of: *hark, zaag*) the teeth of a comb (*of:* rake, saw)
tandarts dentist
tandartsassistente dentist's assistant
tandeloos toothless
tandem tandem
tandenborstel toothbrush
tandenknarsen gnash (*of:* grind) one's teeth
tandenstoker toothpick
tandheelkunde dentistry
tandheelkundig dental
tandpasta toothpaste
tandplak (dental) plaque
tandsteen tartar
tandvlees gums *(mv)*
tandwiel gearwheel, cogwheel; *(van fiets)* chainwheel *(voor);* sprocket wheel *(achter)*
tang 1 tongs; *(buigtang)* (pair of) pliers; *(nijptang)* (pair of) pincers **2** *(vrouw)* shrew, bitch
tangens tangent
tango tango
tank tank: *een volle ~ benzine* a full/whole tank of petrol (*of Am:* gas); *de ~ volgooien* fill up (the tank)
tankauto tank lorry *(of Am:* truck)
tanken fill up (with): *ik heb 25 liter getankt* I put 25 litres in (the tank); *ik tank meestal super* I usually take four star (*of Am:* super)
tanker tanker
tankschip (oil) tanker, tankship
tankstation filling station
tankwagen tank lorry *(of Am:* truck)
tante 1 aunt, auntie **2** woman, female: *een lastige ~, geen gemakkelijke ~* a fussy (*of:* difficult) lady/woman
Tanzania Tanzania
tap 1 plug; *(vnl. in fust)* bung; *(op fles)* stopper; *(in vat)* tap **2** *(kraan)* tap; *(in vat)* spigot: *bier uit de ~* beer on tap (*of:* draught) **3** *(tapkast)* bar: *achter de ~ staan* serve at the bar
tapas tapas
tapdansen tap-dance
tapdanser tap-dancer
tape tape
tapenade tapenade
tapijt carpet; *(klein)* rug: *een vliegend ~* a magic carpet
tapijttegel carpet tile (*of:* square)
tapkraan tap
tappen 1 tap, draw (off); *(schenken)* serve: *hier wordt bier getapt* they sell beer here; *bier ~* tap beer **2** *(vertellen)* crack: *moppen ~* crack (*of:* tell) jokes
tapvergunning licence to sell spirits; *(Am)* liquor license
tarief tariff, rate; *(openbaar vervoer)* fare: *het gewone ~ betalen* pay the standard charge (*of:* rate); *vast ~* fixed (*of:* flat) rate; *tegen verlaagd ~* at a reduced tariff (*of:* rate); *het volle ~ berekenen* charge the full rate
tarra tare (weight)
tartaar steak tartare
Tartaar Tartar
tarten defy, flout: *de dood ~* brave death; *het noodlot ~* tempt fate
tarwe wheat
tarwebloem wheat flour
tarwekorrel grain of wheat
tas 1 bag; *(school-)* satchel; *(akte-)* (brief)case; *(hand-)* (hand)bag: *een plastic ~* a plastic bag **2** *(Belg)* cup
tasjesdief bag snatcher, purse snatcher
Tasmanië Tasmania
tast 1 touch **2** *(zoekende handbeweging)* groping, feeling: *hij greep op de ~ naar de lamp* he groped (*of:* felt) for the lamp; *iets op de ~ vinden* find sth by touch
tastbaar tangible
tasten 1 grope **2** *(reiken)* dip: *in zijn beurs ~* dip into one's purse
tatoeage tattoo
tatoeëren tattoo: *zich laten ~* have oneself tattooed
taugé bean sprouts
t.a.v. 1 *afk van ten aanzien van* with regard to **2** *afk van ter attentie van* attn., (for the) attention (of)
taxateur appraiser; *(van belastingen, verzekeringen)* assessor
taxatie 1 assessment, appraisal: *een ~ verrichten*

make an assessment 2 *(raming, schatting)* estimation 3 *(waardebepaling)* valuation
taxatiekosten cost(s) of evaluation *(of:* assessment, appraisal)
taxatiewaarde assessed value
taxeren evaluate, value (at): *de schade ~* assess the damage
taxi taxi, cab: *een ~ bestellen* call a cab
taxichauffeur taxi driver
taxistandplaats taxi rank *(of Am:* stand)
taxus yew (tree)
tb *afk van tuberculose* TB
tbc *zie* tb
T-biljet tax reclaim form
tbs *afk van terbeschikkingstelling: ~ krijgen* be detained under a hospital order
t.b.v. 1 *afk van ten behoeve van* on behalf of 2 *afk van ten bate van* in favour of
[1]**te** *bw* too: *te laat* too late, *(van trein enz.)* late, overdue; *dat is een beetje te* that's a bit much; *te veel om op te noemen* too much (*of:* many) to mention
[2]**te** *vz* 1 *(voor het hele werkwoord)* to: *dreigen te vertrekken* threaten to leave; *zij ligt te slapen* she is sleeping (*of:* asleep); *een dag om nooit te vergeten* a day never to be forgotten 2 *(mbt plaats)* in: *te Parijs aankomen* arrive in Paris 3 *(mbt doel, bestemming)* to, for: *te huur* to let || *te voet* on foot
team team: *een ~ samenstellen* put together a team; *samen een ~ vormen* team up together
teamgeest team spirit
teamverband team: *in ~ werken* work in (*of:* as) a team
techneut boffin
technicus engineer, technician
techniek 1 technique, skill: *over onvoldoende ~ beschikken* possess insufficient skills 2 *(bewerkingen mbt de industrie)* engineering, technology
technisch technical, technological, engineering: *een Lagere* (of: *Middelbare*) *Technische School* a junior (*of:* senior) secondary technical school; *een Hogere Technische School* (of: *Technische Universiteit*) a college (*of:* university) of technology; *een ~e term* a technical term; *hij is niet erg ~* he is not very technical(ly-minded)
techno *(muziekgenre)* techno
technokeuring inspection, AA report
technologie technology
technologisch technological
teckel dachshund
tectyleren rustproof
teddybeer teddy bear
teder tender
tederheid tenderness
teef bitch: *een loopse ~* a bitch on (*of:* in) heat
teek tick
teelt 1 culture, cultivation, production: *de ~ van druiven* the cultivation of grapes 2 *(geteeld gewas enz.)* culture; *(landb ook)* crop; harvest: *eigen ~* home-grown
teen toe; *(knoflook)* clove: *de grote* (of: *kleine*) ~ the big (*of:* little) toe; *op zijn tenen lopen (fig)* push oneself to the limit; *van top tot ~* from head to foot
[1]**teer** *zn* tar
[2]**teer** *bn, bw* delicate: *een tere huid* a delicate skin
teergehalte tar content
teevee TV, telly: *(naar de) ~ kijken* watch TV
tegel tile; *(in stoep)* paving stone: *~s zetten* tile
tegelijk at the same time *(of:* moment), also, as well: *~ met* at the same time as; *hij is dokter en ~ apotheker* he is a doctor as well as a pharmacist
tegelijkertijd at the same time *(of:* moment), simultaneously
tegelpad tile, path; *(grote tegels)* flagstone path
tegelvloer tiled floor
tegelwand tiled wall
tegelzetter tiler
tegemoet: *iem ~ gaan* (of: *komen, lopen*) go to meet s.o., go (*of:* come, walk) towards s.o.; *aan iemands wensen ~ komen* meet s.o.'s wishes; *iem een heel eind ~ komen* meet s.o. (more than) half way; *iets ~ zien* await (*of:* face) sth, look forward to sth
tegemoetkomend oncoming, approaching: *~ verkeer* oncoming traffic
tegemoetkoming *(in kosten)* subsidy, contribution: *een ~ in* a contribution towards, a grant for
[1]**tegen** *zn* con(tra), disadvantage: *alles heeft zijn voor en ~* everything has its advantages and disadvantages; *de voors en ~s op een rij zetten* weigh the pros and cons; *de argumenten voor en ~* the arguments for and against
[2]**tegen** *bw* against: *zijn stem ~ uitbrengen* vote against (*of:* no); *ergens iets (op) ~ hebben* mind sth, have something against sth, be opposed to sth, object to sth; *iedereen was ~* everybody was against it; *hij was fel ~* he was dead set against it
[3]**tegen** *vz* 1 against: *~ de stroom in* against the current 2 *(gekeerd naar)* (up) to, against: *iets ~ iem zeggen* say sth to s.o. 3 *(ten opzichte van)* against, to, with: *vriendelijk* (of: *lomp*) *~ iem zijn* be friendly towards (*of:* rude to) s.o.; *daar kun je niets op ~ hebben* you cannot object to that; *zij heeft iets ~ hem* she has a grudge against him; *daar is toch niets op ~?* nothing wrong with that, is there?; *hij kan niet ~ vliegen* flying doesn't agree with him; *ergens niet ~ kunnen* not be able to stand (*of:* take) sth; *er is niets ~ te doen* it can't be helped; *zich ~ brand verzekeren* take out fire insurance 4 *(in strijd met)* against, counter to; in contravention of *(de wet): dat is ~ de wet* that is illegal (*of:* against the law) 5 *(kort vóór)* towards, by, come: *~ elf uur* towards eleven (o'clock), just before eleven o'clock, by eleven; *een man van ~ de zestig* a man getting (*of:* going) on for sixty 6 *(in aanraking met)* (up) against 7 *(in ruil voor)* against, for, at: *~ elke prijs* whatever the cost; *een lening ~ 7,5 % rente* a loan at 7.5% interest 8 *(verge-*

leken met) to, (as) against: *(bij weddenschap, kansrekening) tien ~ één* ten to one
tegenaan (up) against: *er flink ~ gaan* go hard at it; *ergens (toevallig) ~ lopen* hit (*of:* chance) upon sth, run into sth
tegenaanval counter-attack: *in de ~ gaan* counter-attack, strike (*of:* hit) back
tegenargument counter-argument
tegenbericht notice *(of:* message) to the contrary: *zonder ~ reken ik op uw komst* if I don't hear otherwise, I'll be expecting you
tegenbod counter-offer
tegendeel opposite: *het bewijs van het ~ leveren* provide proof (*of:* evidence) to the contrary
tegendoelpunt goal against one('s team): *twee ~en krijgen* concede two goals; *een ~ maken* score in reply
tegeneffect 1 counter-effect **2** *(baleffect)* backspin
tegengas: *~ geven* resist, put up a fight
tegengesteld opposite: *in ~e richting* in the opposite direction
tegengestelde opposite
tegengif antidote
tegenhanger counterpart
tegenhouden 1 stop: *ik laat me door niemand ~* I won't be stopped by anyone **2** *(verhinderen)* prevent, stop
tegenin opposed to, against: *ergens ~ gaan* oppose sth
tegenkandidaat opponent, rival (candidate)
tegenkomen 1 meet: *iem op straat ~* run (*of:* bump) into s.o. on the street **2** *(aantreffen)* stumble across *(of:* upon); *(van personen ook)* run across
tegenlicht backlight(ing)
tegenligger *(auto)* oncoming vehicle, approaching vehicle
tegenoffensief counter-offensive
tegenop up: *er ~ zien om ...* not look forward to ... || *daar kan ik niet ~* that's too much for me; *niemand kon tegen hem op* nobody could match (*of:* beat) him
tegenover 1 across, facing, opposite: *~ elkaar zitten* sit opposite (*of:* facing) each other; *de huizen hier ~* the houses across from here (*of:* opposite) **2** *(in tegenstelling met)* against, as opposed to: *daar staat ~ dat je ...* on the other hand you ... **3** *(ten opzichte van)* towards; *(in tegenwoordigheid van)* before: *hoe sta je ~ die kwestie?* how do you feel about that matter? || *staat er nog iets ~?* what's in it (for me)?
tegenovergesteld opposite; *(van uitwerking)* reverse
tegenoverstellen provide *(of:* offer) (sth) in exchange *(beloning, vergoeding); (ter vergelijking)* set (sth) against: *ergens een financiële vergoeding ~* offer compensation for sth
tegenpartij opposition; *(vijand)* (the) other side: *een speler van de ~* a player from the opposing team
tegenpool opposite
tegenprestatie sth done in return *(of:* exchange): *een ~ leveren* do sth in return
tegenslag setback, reverse: *~ hebben* (of: *ondervinden*) meet with (*of:* experience) adversity
tegenspel defence; *(reactie op aanval)* response: *~ bieden* offer resistance
tegenspeler co-star
tegenspoed adversity, misfortune
tegenspraak 1 *(protest)* objection, protest, argument **2** contradiction: *dat is in flagrante ~ met* that is in flagrant contradiction to (*of:* with)
tegenspreken 1 object, protest, argue (with); *(brutaal)* answer back, talk back **2** *(ontkennen)* deny, contradict: *dat gerucht is door niemand tegengesproken* nobody disputed (*of:* refuted) the rumour; *zichzelf ~* contradict oneself
tegensputteren protest, grumble
tegenstaan: *dat eten staat hem tegen* he can't stomach that food; *zijn manieren staan me tegen* I can't stand his manners
tegenstand opposition; *(weerstand)* resistance: *~ bieden (aan)* offer resistance (to)
tegenstander opponent: *~ van iets zijn* be opposed to sth
tegenstelling contrast: *in ~ met* (of: *tot*) in contrast with (*of:* to), contrary to
tegenstemmen vote against
tegenstoot countermanoeuvre, countermove
tegenstrever opponent
tegenstribbelen struggle (against), resist
tegenstrijdig contradictory, conflicting
tegenstrijdigheid contradiction, inconsistency
tegenvallen disappoint: *dat valt mij van je tegen* you disappoint me
tegenvaller disappointment: *een financiële ~* a financial setback
tegenvoorstel counter-proposal
tegenwerken work against (one, s.o.), cross, oppose
tegenwerking opposition
tegenwerping objection
tegenwicht counterbalance
tegenwind headwind; *(fig)* opposition: *wij hadden ~* we had the wind against us
[1]**tegenwoordig** *bn* present, current
[2]**tegenwoordig** *bw (nu)* now(adays), these days: *de jeugd van ~* today's youth
tegenzet countermove, response
tegenzin dislike; *(sterker)* aversion: *hij doet alles met ~* he does everything reluctantly
tegenzitten be against, go against
tegoed balance
tegoedbon credit note
Teheran Teh(e)ran
tehuis home; *(voor daklozen)* hostel; shelter: *~ voor ouden van dagen* old people's home

teil (wash)tub; *(afwasteil)* washing-up bowl
teint complexion
teisteren ravage; *(razen)* sweep: *door de oorlog geteisterd* war-stricken
tekeergaan rant (and rave), storm, carry on (about sth): *tegen iem ~* rant and rave at s.o.
teken 1 sign; *(aanwijzing ook)* indication: *het is een veeg ~* it promises no good; *een ~ van leven* a sign of life 2 *(aanduiding)* sign; symbol *(ook wisk); (van tevoren vastgesteld)* signal: *een ~ geven om te beginnen* (of: *vertrekken*) give a signal to start (*of:* leave); *het is een ~ aan de wand* the writing is on the wall 3 *(symbool)* mark
tekenaar artist; *(techn meestal)* draughtsman
tekenacademie academy *(of:* college, school) of art
tekenblok drawing pad, sketch pad
tekenbord drawing board
tekendoos set *(of:* box) of drawing instruments
tekenen 1 draw; *(fig)* portray; *(met woorden)* depict: *figuurtjes ~* doodle; *met potlood* (of: *houtskool, krijt*) *~* draw in pencil (*of:* charcoal, crayon) 2 *(een handtekening zetten)* sign: *hij tekende voor vier jaar* he signed on for four years
tekenfilm (animated) cartoon
tekening 1 drawing; *(bouwk ook)* design; plan: *een ~ op schaal* a scale drawing 2 *(patroon)* pattern; marking *(huid, bladeren)*
tekenleraar art teacher
tekenles drawing lesson
tekenlokaal art room
tekentafel drawing table *(of:* stand)
tekort 1 deficit, shortfall 2 *(hoeveelheid die ontbreekt)* shortage, deficiency: *een ~ aan vitamines* a vitamin deficiency
tekortkoming shortcoming, failing
tekst 1 text; *(theat; mv)* lines 2 *(lied, schlager)* words, lyrics
tekstboekje book (of words); libretto *(opera, musical)*
tekstschrijver scriptwriter *(films);* copywriter *(reclameteksten);* songwriter *(liedjes)*
tekstverklaring close reading
tekstverwerker word processor
tekstverwerking word processing
tel 1 count: *ik ben de ~ kwijt* I've lost count 2 moment, second: *in twee ~len ben ik klaar* I'll be ready in two ticks (*of:* a jiffy) 3 *(aanzien)* account: *weinig in ~ zijn* not count for much || *op zijn ~len passen* watch one's step, mind one's p's and q's; *(Belg) van geen ~ zijn* be of little (*of:* no) account
telbaar countable: *~ naamwoord* count(able) noun
telebankieren computerized banking
telecommunicatie telecommunication
telefax 1 *(faxpost)* (tele)fax 2 *(faxtoestel)* (tele)-fax (machine)
telefoneren telephone, phone, call: *hij zit te ~* he's on the phone; *met iem ~* telephone s.o.
telefonisch by telephone: *~e antwoorddienst* (telephone) answering service
telefonist telephonist, (switchboard) operator
telefoon 1 telephone, phone: *draagbare (draadloze) ~* cellular (tele)phone, cellphone, mobile phone; *de ~ gaat* the phone is ringing; *blijft u even aan de ~?* would you hold on for a moment please?; *per ~* by telephone 2 *(hoorn)* receiver: *de ~ neerleggen* put down the receiver (*of:* phone); *de ~ opnemen* answer the phone 3 *(oproep, gesprek)* (telephone) call: *er is ~ voor u* there's a (phone) call for you
telefoonaansluiting (telephone) connection
telefoonboek (telephone) directory, phone book
telefooncel telephone box *(of:* booth)
telefooncentrale (telephone) exchange; switchboard *(in bedrijf)*
telefoongesprek 1 telephone conversation 2 *(verbinding)* phone call
telefoongids (telephone) directory, phone book
telefoonkaart phonecard
telefoonlijn telephone line
telefoonnummer (phone) number: *geheim ~* ex-directory number
telefoonrekening telephone bill
telefoonseks telephone sex
telefoontik (telephone) unit
telefoontoestel telephone
telegraaf telegraph
telegraferen telegraph: *hij telegrafeerde naar Parijs* he telegraphed (*of:* cabled) Paris
telegrafie telegraphy
telegrafisch telegraphic
telegrafist telegrapher, telegraph operator
telegram telegram: *iem een ~ sturen* telegraph (*of:* cable) s.o.; *per ~* by telegram (*of:* cable)
telegramstijl telegram style
telelens telephoto lens
telemarketeer telemarketer
telemarketing telemarketing
telen grow, cultivate
teleonthaal *(Belg) (telefonische hulpdienst)* helpline
telepathie telepathy
telepathisch telepathic
telescoop telescope
teleshoppen teleshopping
teletekst teletext
teleurstellen disappoint, let down, be disappointing: *zich teleurgesteld voelen* feel disappointed; *stel mij niet teleur* don't let me down; *teleurgesteld zijn over iets (iem)* be disappointed with sth (in s.o.)
teleurstellend disappointing
teleurstelling disappointment
televergaderen teleconferencing
televisie television; *(toestel ook)* television set: *(naar de) ~ kijken* watch television

televisieactie telethon
televisieantenne television aerial
televisiefilm TV film
televisiekijker (television) viewer
televisieomroep television company
televisieopname television recording
televisieprogramma television programme
televisieserie television series
televisietoestel television set, TV set
televisie-uitzending television broadcast *(of:* programme)
televisiezender 1 television channel *(of Am:* station) 2 *(zendmast)* television transmitter *(of:* mast)
telewerken teleworking
telewerker teleworker
telewinkelen teleshopping
telex telex: *per ~* by telex
telexbericht telex (message)
telexen telex
telg descendant
telganger ambler
telkens 1 every time, in each case: *~ en ~ weer, ~ maar weer* again and again, time and (time) again 2 *(herhaaldelijk)* repeatedly
[1]**tellen** *intr* 1 count: *tot tien ~* count (up) to ten 2 *(van belang zijn)* count, matter: *het enige dat telt bij hem* the only thing that matters to him
[2]**tellen** *tr* 1 *(het aantal bepalen)* count: *wel (goed) geteld zijn er dertig* there are thirty all told 2 number, have; *(bestaan uit)* consist of: *het huis telde 20 kamers* the house had 20 rooms
teller 1 *(wisk)* numerator: *de ~ en de noemer* the numerator and the denominator 2 *(toestel, tikker)* counter, meter
telling count(ing): *de ~ bijhouden* keep count *(of:* score)
telraam abacus
telwoord numeral
temmen 1 tame, domesticate: *zijn driften* (of: *hartstochten*) ~ control one's urges (*of:* passions) 2 *(africhten)* tame; break *(paarden)*
temmer tamer
tempel temple
temperament 1 temperament, disposition 2 *(vurigheid)* spirit
temperatuur temperature: *iemands ~ opnemen* take s.o.'s temperature; *op ~ moeten komen* have to warm up
temperatuurschommeling fluctuation in temperature
temperatuurstijging rise *(of:* increase) in temperature
temperatuurverschil difference in temperature
temperen temper, mitigate
tempex expanded polystyrene, styrofoam
tempo 1 tempo, pace: *het jachtige ~ van het moderne leven* the feverish pace of modern life; *het ~ aangeven* set the pace; *het ~ opvoeren* increase the pace 2 *(muz)* tempo, time 3 *(vaart)* speed: *~ maken* make good time
tempobeul pacer, stayer
tendens tendency, trend
tendentieus tendentious, biased
teneinde so that, in order to
tengel *(hand)* paw
tenger slight, delicate: *~ gebouwd* slightly built
tenminste at least: *ik doe het liever niet, ~ niet dadelijk* I'd rather not, at least not right away; *dat is ~ iets* that is sth at any rate
tennis tennis
tennisarm tennis elbow
tennisbaan tennis court: *verharde ~* hard court
tennishal indoor tennis court(s)
tennisracket tennis racket
tennissen play tennis
tennisser tennis player
tennistoernooi tennis tournament
tenor tenor
tenslotte 1 *(immers)* after all: *~ is zij nog maar een kind* after all she's only a child 2 *(uiteindelijk)* finally, eventually, at last
tent 1 tent; *(kraam)* stand: *een ~ opslaan* (of: *opzetten, afbreken*) pitch (*of:* put up, take down) a tent; *iem uit zijn ~ lokken* draw s.o. out 2 *(openbaar lokaal)* place, joint || *ze braken de ~ bijna af* you could hardly keep them in their seats
tentakel tentacle
tentamen exam: *~ doen* take an exam
tentenkamp (en)camp(ment), campsite
tentharing tent peg
tentoonstellen exhibit, display: *tentoongestelde voorwerpen* exhibits, articles on display
tentoonstelling exhibition, show, display
tentstok tent pole
tentzeil canvas
tenue dress, uniform
tenzij unless, except(ing)
tepel nipple *(van mens);* teat *(van mens, dier)*
terdege thoroughly, properly
[1]**terecht** *bn (juist)* correct, appropriate
[2]**terecht** *bw* 1 *(teruggevonden)* found (again): *haar horloge is ~* her watch has been found 2 *(met recht)* rightly: *hij is voor zijn examen gezakt, en ~* he failed his examination and rightly so
terechtkomen 1 fall, land, end up (in, on, at): *lelijk ~* have (*of:* take) a nasty fall 2 *(goed worden)* turn out all right: *wat is er van hem terechtgekomen?* what has happened to him?
terechtkunnen 1 go into, enter 2 *(geholpen kunnen worden)* (get) help (from): *daarmee kun je overal terecht* that will do (*of:* be acceptable) everywhere; *iedereen kan altijd bij hem ~* everyone can call on him any time
terechtstaan stand trial, be tried: *~ wegens diefstal* be tried for theft
terechtstellen execute, put to death
terechtstelling execution

teren *(leven van)* live (on, off)
tergen provoke (deliberately), badger, bait: *iem zo ~ dat hij iets doet* provoke s.o. into (doing) sth
tergend provocative: *~ langzaam* exasperatingly slow
tering consumption, tuberculosis
terloops casual, passing
term term, expression: *in bedekte ~en iets meedelen* speak about sth in guarded terms
termiet termite, white ant
termijn 1 term, period: *op korte* (of: *op lange*) *~* in the short (*of:* long) term; *op kortst mogelijke ~* as soon as possible 2 *(vooraf vastgesteld tijdstip)* deadline: *een ~ vaststellen* set a deadline 3 *(deel ve schuld)* instalment
termijnhandel futures (dealings): *~ in olie* oil futures
termijnmarkt forward market, futures market: *de ~ voor goud* the forward market in gold, gold futures
terminaal terminal, final: *terminale zorg* terminal care
terminal terminal
terminologie terminology, jargon
terminus *(Belg)* terminus
ternauwernood hardly, scarcely, barely
terp mound, terp
terpentine white spirit
terrarium terrarium
terras 1 pavement café; *(Am)* sidewalk café; outdoor café: *op een ~je zitten* sit in an outdoor café 2 *(als wandel-, zitplaats)* terrace, patio 3 *(plat dak)* terrace, sunroof
terrein 1 ground(s), territory; terrain *(ook mil): de voetbalclub speelde op eigen ~* the football team played on home turf; *eigen ~* (of: *privéterrein*) private property; *het ~ verkennen: a) (lett)* explore the area; *b) (fig)* scout (out) the territory; *~ winnen* gain ground 2 *(fig)* field, ground: *zich op bekend ~ bevinden* be on familiar ground; *zich op gevaarlijk ~ begeven* be on slippery ground, be on thin ice; *onderzoek doen op een bepaald ~* do research in a particular area (*of:* field)
terreur terror
terreuralarm terror alert, terror alarm
terriër terrier
territoriaal territorial
territorium territory
terroriseren terrorize
terrorisme terrorism
terrorist terrorist
terroristisch terrorist(ic): *een ~e aanslag* a terrorist attack
terstond 1 at once, immediately 2 *(zo meteen)* presently, shortly
tertiair tertiary: *~ onderwijs* higher education
terts *(muz)* tierce, third
terug 1 back: *hij wil zijn fiets ~* he wants his bike back; *ik ben zo ~* I'll be back in a minute; *heb je ~ van 20 euro?* do you have change for 20 euros?; *wij moeten ~* we have to go back; *heen en ~* back and forth; *~ naar af* back to square one; *~ uit het buitenland* back from abroad; *~ van weg geweest: a)* be back again; *b) (fig)* have made a comeback 2 *(Belg)* again || *daar heeft hij niet van ~* that's too much for him
terugbellen call back
terugbetalen pay back, refund
terugbetaling repayment, reimbursement
terugbezorgen return: *iem iets ~* return sth to s.o.
terugblik review, retrospect(ive)
terugbrengen 1 bring back, take back, return: *een geleend boek ~* return a borrowed book 2 *(in de oorspronkelijke toestand)* restore: *iets in de oorspronkelijke staat ~* restore sth to its original state 3 *(mbt omvang)* reduce, cut back: *de werkloosheid* (of: *inflatie*) *~* reduce unemployment (*of:* inflation)
terugdeinzen shrink, recoil: *voor niets ~* stop at nothing
terugdenken think back to: *met plezier aan iets ~* remember sth with pleasure
terugdoen 1 *(weer steken (in))* put back 2 *(als antwoord)* return, do in return: *doe hem de groeten terug* return the compliments to him
terugdraaien reverse, change, undo: *een maatregel ~* reverse a measure
terugeisen demand back, claim back, reclaim
terugfluiten call back
teruggaan go back, return: *~ in de geschiedenis* (of: *tijd*) go back in history (*of:* time); *naar huis ~* go back home
teruggang decline, decrease: *economische ~* economic recession
teruggave restoration, return, restitution: *~ van de belasting* income tax refund
teruggetrokken retired, withdrawn: *een ~ leven leiden* lead a retired (*of:* secluded) life
teruggeven 1 give back, return: *ik zal je het boek morgen ~* I'll return the book (to you) tomorrow 2 *(het teveel terugbetalen)* give (back), refund: *hij kon niet ~ van vijftig euro* he couldn't change a fifty-euro note
terugkeer return, comeback, recurrence
terugkeren return, come back, go back; recur *(steeds opnieuw): naar huis ~* return home; *een jaarlijks ~d festival* a recurring yearly festival
terugkijken look back (on, upon)
terugkomen return, come back; recur: *ze kan elk moment ~* she may be back (at) any moment; *weer ~ bij het begin* come full circle; *daar kom ik nog op terug* I'll come back to that; *op een beslissing ~* reconsider a decision; *hij is er van teruggekomen* he changed his mind
terugkomst return: *bij zijn ~* on his return
terugkrabbelen back out; go back on *(belofte);* cop out, opt out

terugkrijgen 1 get back, recover, regain: *zijn goederen ~* get one's goods (*of:* things) back **2** *(als antwoord, reactie krijgen)* get in return: *te weinig (wissel)geld ~* be short-changed
terugleggen put back
terugloop fall(ing-off), decrease
teruglopen 1 walk back; flow back *(vloeistoffen)* **2** *(achteruitgaan)* drop, fall, decline: *de dollar liep nog verder terug* the dollar suffered a further setback
terugnemen take back; *(intrekken ook)* retract: *(fig) gas ~* ease up (*of:* off), take things easy; *zijn woorden ~* retract (*of:* take back) one's words
terugreis return trip
terugrijden drive back; *(fiets, paard)* ride back
terugroepen call back, recall; call off *(honden)*: *de acteurs werden tot driemaal toe teruggeroepen* the actors had three curtain calls
terugschakelen change down, shift down
terugschieten shoot back
terugschrijven write back
terugschrikken 1 recoil; shy *(ook paard)* **2** *(fig) (bang zijn)* recoil, baulk: *~ van de hoge bouwkosten* baulk at the high construction costs; *nergens voor ~* be afraid of nothing
[1]**terugslaan** *intr* **1** hit back **2** *(met kracht)* backfire: *de motor slaat terug* the engine backfires **3** *(zich terug bewegen)* blow back, move back
[2]**terugslaan** *tr* hit back, strike back
terugslag 1 recoil(ing); backfire *(motor)*: *het geweer had een ontzettende ~* the gun had a terrible kick (*of:* recoil) **2** *(negatieve reactie)* reaction, backlash: *een ~ krijgen* be set back, experience a backlash
terugspelen play back
terugspoelen rewind
terugsturen send back, return
terugtraprem hub brake, back-pedalling brake
[1]**terugtrekken** *tr* **1** withdraw: *troepen ~* withdraw (*of:* pull back) troops **2** *(naar de plaats van herkomst)* draw back, pull back
[2]**terugtrekken, zich 1** *(naar een rustige plaats)* retire, retreat: *zich ~ op het platteland* retreat to the country **2** *(niet meer deelnemen, terugtreden)* withdraw (from): *zich voor een examen ~* withdraw from an exam
terugval reversion, relapse; *(handel)* spin *(in prijs, waarde)*
terugvallen *(*met *op)* fall back on
terugverdienen recover the costs on
terugverlangen recall longingly: *naar huis ~* long to go back home
terugvinden *(weer vinden)* find again, recover
terugvragen ask back
terugwedstrijd *(Belg)* return match
terugweg way back: *op de ~ gaan we bij oma langs* on the way back we shall drop in on grandma
terugwerken be retrospective, be retroactive: *met ~de kracht* retrospectively
terugzetten put back, set back, replace: *de wijzers ~* put (*of:* move) back the hands; *de teller ~ op nul* reset the counter (to zero)
terugzien see again
terwijl 1 while: *~ hij omkeek, ontsnapte de dief* while he looked round, the thief escaped **2** *(hoewel)* whereas, while: *hij werkt over, ~ zijn vrouw vandaag jarig is* he is working overtime even though his wife has her birthday today
test test: *een schriftelijke ~* a written test
testament 1 will: *een ~ maken* (of: *herroepen*) make (*of:* revoke) a will **2** *(gedeelte vd Bijbel)* Testament
testbeeld test card
testen test
testosteron testosterone
testpiloot test pilot
tetanus tetanus
teug draught; *(Am)* draft; pull: *met volle ~en van iets genieten* enjoy sth thoroughly (*of:* to the full)
teugel rein *(vaak mv)*: *de ~s in handen nemen* take (up) the reins, assume control
teut 1 dawdler **2** bore
teveel surplus
tevens 1 *(daarbij)* also, besides, as well as **2** *(tegelijkertijd)* at the same time: *hij was voorzitter en ~ penningmeester* he was chairman and treasurer at the same time
tevergeefs in vain, vainly
tevoorschijn: *~ komen* appear, come out *(sterren)*; *~ brengen* produce; *zijn zakdoek ~ halen* take out one's handkerchief
tevoren before, previously: *van ~* before(hand), in advance
tevreden satisfied, contented
tevredenheid satisfaction: *werk naar ~ verrichten* work satisfactorily
tevredenstellen satisfy
tevree satisfied, happy
teweegbrengen bring about; bring on *(ziekte enz.)*; produce *(verandering, onrust enz.)*
textiel textile
textielfabriek textile factory
tgv *(trein)* High Speed Train
t.g.v. 1 *(ten gevolge van)* as a result of, resulting from **2** *(ter gelegenheid van)* on the occasion of
Thailand Thailand
Thailander Thai
thans at present, now
theater 1 theatre: *die film draait in verschillende ~s* that film is running in several cinemas (*of Am:* movie theaters) **2** *(artistieke productie)* dramatic arts, performing arts, (the) stage
theaterschool school of dramatic arts
theatervoorstelling theatre performance
thee tea: *een kopje ~* a cup of tea; *slappe ~* weak tea; *~ drinken* drink (*of:* have) tea; *~ inschenken* pour out tea; *~ zetten* make tea

theedoek tea towel
theedrinken have tea
theelepel teaspoon
theelepeltje teaspoon; *(hoeveelheid ook)* teaspoonful
theelichtje *(elektrisch)* hot plate (for tea); *(waxinelichtje)* tea-warmer
Theems Thames
theemuts (tea-)cosy
theepauze tea break
theepot teapot
theeservies tea service
theezakje tea bag
theezeefje tea strainer
thema theme, subject (matter): *een ~ aansnijden* broach a subject
themapark theme park
theologie theology, divinity
theologisch theological
theoloog theologian
theoreticus theoretician, theorist
¹**theoretisch** *bn* theoretic(al)
²**theoretisch** *bw* theoretically, in theory
theorie theory, hypothesis: *~ en praktijk* theory and practice; *in ~ is dat mogelijk* theoretically (speaking) that's possible
therapeut therapist
therapeutisch therapeutic(al)
therapie 1 therapy 2 *(psychotherapie)* (psycho)-therapy: *in ~ zijn* be having (*of:* undergoing) therapy
thermometer thermometer: *de ~ daalt* (of: *stijgt*) the thermometer is falling (*of:* rising); *de ~ stond op twintig graden Celsius* the thermometer read (*of:* stood at) twenty degrees centigrade
thermopane double glazing
thermosfles thermos (flask)
thermoskan thermos (jug)
thermostaat thermostat
thesis *(Belg)* dissertation, thesis
thomas: *een ongelovige ~* a doubting Thomas
Thora Torah
¹**thuis** *zn* home, hearth: *hij heeft geen ~* he has no home; *mijn ~* my home; *bericht van ~ krijgen* receive news from home
²**thuis** *bw* 1 home: *de artikelen worden kosteloos ~ bezorgd* the articles are delivered free; *wel ~!* safe journey! 2 *(in huis)* at home: *verzorging ~* home nursing; *doe maar of je ~ bent* make yourself at home; *zich ergens ~ gaan voelen* settle down (*of:* in); *(sport) spelen we zondag ~?* are we playing at home this Sunday?; *iem (bij zich) ~ uitnodigen* ask s.o. round (*of:* to one's house); *zich ergens ~ voelen* feel at home (*of:* ease) somewhere; *hij was niet ~* he wasn't in (*of:* at home), he was out; *bij ons ~* at our place, at home, back home; *bij jou ~* (over) at your place
thuisbankieren home banking
thuisbezorgen deliver (to the house, door)
thuisbioscoop home cinema
thuisblijven stay at home, stay in
thuisbrengen 1 bring home, see home; *(naar zijn eigen huis brengen)* take home: *de man werd ziek thuisgebracht* the man was brought home sick 2 *(weten te plaatsen)* place: *iets (iem) niet thuis kunnen brengen* not be able to place sth (s.o.)
thuisclub home team
thuisfront home front
thuishaven home port, port of register (*of:* registry); home base, haven
thuishoren 1 belong, go: *dat speelgoed hoort hier niet thuis* those toys don't belong here; *waar hoort dat thuis?* where does that go? 2 *(afkomstig zijn van)* be from, come from: *waar* (of: *in welke haven) hoort dat schip thuis?* what is that ship's home port? (*of:* port of registry?)
thuishouden keep at home || *hou je handen thuis!* keep (*of:* lay) off me!, (keep your) hands off (me)!
thuiskomen come home, come back, get back: *je moet ~* you're wanted at home; *ik kom vanavond niet thuis* I won't be in tonight
thuiskomst homecoming, return: *behouden ~* safe return
thuisland homeland
thuismoeder baby minder
thuisonderwijs distance learning
thuisreis homeward journey: *hij is op de ~* he is bound for home
thuisverpleging home nursing, home care
thuiswedstrijd home game (*of:* match)
thuiswerk outwork; *(huisindustrie, nijverheid)* cottage industry: *~ doen* take in outwork
thuiswerker outworker
thuiszorg home care
ti *(muz)* te, ti
TIA *afk van transient ischaemic attack* TIA
tic 1 trick, quirk: *zij heeft een ~ om alles te bewaren* she's got a quirk of hoarding things 2 *(zenuwtrekking)* tic, jerk 3 *(scheutje sterkedrank) (ongev)* shot: *een tonic met een ~* a tonic with a shot (of gin), a gin and tonic
ticket ticket
tiebreak tie break(er)
tien ten; *(in datum)* tenth: *zij is ~ jaar* she is ten years old (*of:* of age); *een man of ~* about ten people; *~ tegen één dat …* ten to one that … || *een ~ voor Engels* top marks for English, an A+ for English
tiende tenth, tithe: *een ~ gedeelte, een ~* a tenth (part), a tithe
tienduizend ten thousand || *enige ~en* some tens of thousands
tiener teenager
tienerjaren teens
tienjarig decennial, ten-year
tienkamp decathlon
tiental ten: *na enkele ~len jaren* after a few decades

th

tientallig decimal, denary
tientje ten euros; *(briefje)* ten-euro note
tienvoud tenfold
tiet *(inform)* boob, knocker
tig umpteen; *(heel veel)* zillions: *ik heb het al ~ keer gezegd* I've already said it umpteen times
tij tide: *het is hoog* (of: *laag*) ~ it's high (*of:* low) tide, the tide is in (*of:* out)
tijd 1 time: *in de helft van de* ~ in half the time; *in een jaar* ~ (with)in a year; *na bepaalde* ~ after some (*of:* a) time, eventually; *een hele ~ geleden* a long time ago; *een ~ lang* for a while (*of:* time); *vrije* ~ spare (*of:* free) time, time off, leisure (time); *het duurde een ~je voor ze eraan gewend was* it took a while before (*of:* until) she got used to it; *ik geef je vijf seconden de* ~ I'm giving you five seconds; *heb je even ~?* have you got a moment? (*of:* a sec?); *~ genoeg hebben* have plenty of time, have time enough; *~ kosten* take time; *de ~ nemen voor iets* take one's time over sth; *~ opnemen* record the time; *dat was me nog eens een ~!* those were the days!; *~ winnen* gain time, *(bij gevaar ook)* play for time; *uw ~ is om* your time is up; *binnen de kortst mogelijke* ~ in (next to) no time; *het heeft in ~en niet zo geregend* it hasn't rained like this for ages; *sinds enige* ~ for some time (past); *de ~ zal het leren* time will tell; *de ~ van aankomst* the time of arrival; *vorig jaar om dezelfde* ~ (at) the same time last year; *het is* ~ it's time, *(tijd om te stoppen)* time's up; *zijn ~ uitzitten* serve (*of:* do) one's time; *eindelijk! het werd* ~ at last! it was about time (too)!; *het wordt ~ dat ...* it is (high) time that ...; *morgen om deze* ~ (about, around) this time tomorrow; *op vaste ~en* at set (*of:* fixed) times; *de brandweer kwam net op* ~ the fire brigade arrived just in time; *stipt op* ~ punctual, on the dot; *op ~ naar bed gaan* go to bed in good time; *te zijner* ~ in due course, when appropriate; *tegen die* ~ by that time, by then; *van ~ tot* ~ from time to time; *van die ~ af* from that time (on, onwards), ever since, since then; *veel ~ in beslag nemen* take up a lot of time; *~ te kort komen* run out (*of:* run short) of time 2 *(tijdvak)* time(s), period, age: *de laatste* ~ lately, recently; *hij heeft een moeilijke ~ gehad* he has been through (*of:* had) a hard time; *de goede oude* ~ the good old days; *zijn (beste) ~ gehad hebben* be past one's best (*of:* prime); *de ~en zijn veranderd* times have changed; *in deze ~ van het jaar* at this time of (the) year; *met zijn ~ meegaan* keep up with (*of:* move with) the times; *dat was voor mijn* ~ that was before my time (*of:* day); *dat was voor die ~ heel ongebruikelijk* in (*of:* for) those days it was most unusual; *je moet de eerste ~ nog rustig aandoen* to begin with (*of:* at first) you must take it easy; *een ~je* a while 3 *(seizoen)* season, time 4 *(taalk)* tense: *de tegenwoordige* (of: *verleden*) ~ the present (*of:* past) tense; *toekomende* ~ future tense
tijdbom time bomb
[1]**tijdelijk** *bn* temporary, provisional, interim: ~ *personeel* temporary staff
[2]**tijdelijk** *bw (voor enige tijd)* temporarily
tijdens during
tijdgebrek lack of time
tijdgenoot contemporary
[1]**tijdig** *bn* timely: *~e hulp is veel waard* timely help is of great value
[2]**tijdig** *bw (op tijd)* in time *(om iets te doen, voorkomen)*; on time *(volgens een bep tijdschema)*
tijdloos timeless, ageless
tijdnood lack (*of:* shortage) of time: *in ~ zitten* be pressed for time
tijdperk period, age, era: *het ~ van de computer* the age of the computer; *het stenen* ~ the Stone Age
tijdrekken time wasting; *(milder)* playing for time
tijdrit time trial
tijdrovend time-consuming: *dit is zeer* ~ this takes up a lot of time
tijdsbesparend time-saving
tijdschrift periodical, journal; *(mode enz.)* magazine
tijdsduur (length of) time
tijdslimiet time limit, deadline: *de ~ overschrijden* exceed (*of:* go over) the time limit
tijdstip (point of, in) time; *(ogenblik ook)* moment
tijdsverschil time difference
tijdverdrijf pastime
tijdverlies loss of time
tijdverspilling waste of time
tijdwaarnemer timekeeper *(ook sport)*
tijdwinst gain in time: *enige ~ boeken* gain some time
tijger tiger
tijm thyme
tik tap; *(van hand)* slap; *(van klok)* tick: *iem een ~ om de oren* (of: *op de vingers*) *geven* give s.o. a cuff on the ear (*of:* a rap on the knuckles)
tikfout typing error (*of:* mistake)
tikje 1 touch, clip: *de bal een ~ geven* clip the ball 2 *(kleine hoeveelheid)* touch, shade: *zich een ~ beter voelen* feel slightly better
tikkeltje touch, shade
[1]**tikken** *intr (licht geluid geven)* tap; *(mechanisch)* tick: *de wekker tikte niet meer* the alarmclock had stopped ticking; *tegen het raam* ~ tap at (*of:* on) the window
[2]**tikken** *tr* 1 tap: *de maat* ~ tap (out) the beat 2 *(typen)* type: *een brief* ~ type a letter
tikkertje tag: ~ *spelen* play tag
til: *er zijn grote veranderingen op* ~ there are big changes on the way
tilapia tilapia
[1]**tillen** *intr* lift (a weight): *ergens niet (zo) zwaar aan* ~ not feel strongly about

[2]**tillen** *tr (opheffen)* lift, raise: *iem in de hoogte ~* lift s.o. up (in the air)
tillift hoist, lift
tilt: *op ~ slaan* hit the roof
timbre *(muz)* timbre
timen time
timide timid, shy
[1]**timmeren** *intr* hammer: *goed kunnen ~* be good at carpentry; *de hele boel in elkaar ~* smash the whole place up
[2]**timmeren** *tr (iets van hout maken)* build, put together: *een boekenkast ~* build a bookcase
timmerman carpenter
timmerwerk carpentry, woodwork
tin tin
tingelen tinkle, jingle: *op de piano ~* tinkle away at the piano
tinkelen tinkle, jingle
tinnen tin, pewter: *~ soldaatjes* tin soldiers
tint tint, hue: *iets een feestelijk ~je geven* give sth a festive touch; *Mary had een frisse* (of: *gelige*) *~* Mary had a fresh (*of:* sallow) complexion; *warme ~en* warm tones
tintelen tingle
tinteling tingle, tingling
tinten tint, tinge
tip 1 tip; *((zak)doek, sluier enz.)* corner: *een ~je van de sluier oplichten* lift (*of:* raise) (a corner of) the veil **2** *(inlichting)* tip, lead, clue; *(vnl. politie)* tip-off: *iem een ~ geven* tip s.o. off, give s.o. a tip-off
tipgeld tip-off money
tipgever *(mbt politie)* (police) informer; *(mbt gokkers, speculanten)* tipster
tippelaarster streetwalker
tippelen *(mbt de prostitutie)* be on (*of:* walk) the streets, solicit
tippen 1 *(een inlichting geven)* tip (s.o.) off; *(aan politie ook; Am)* finger **2** *(als vermoedelijke winnaar aanwijzen)* tip (as) **3** tip, touch lightly, finger lightly: *aan iets (iem) niet kunnen ~* have nothing on sth (s.o.)
tiptoets touch control
tiran tyrant
Tiroler Tyrolean
tissue paper handkerchief
titel 1 title; *(van hoofdstuk, artikel ook)* heading **2** *(rang)* title; *(universitaire graad)* (university) degree: *een ~ behalen* get a degree, win a title; *de ~ veroveren* (of: *verdedigen*) win (*of:* defend) the title
titelhouder title-holder
titelpagina title-page, title
titelrol title role
titelsong title track
titelverdediger titleholder, defender
titularis *(Belg)* class teacher
tja well
tjaptjoi chop suey
tjilpen chirp *(vogels);* peep; tweet *(jonge vogels)*
tjirpen chirp, chirrup; *(krekels ook)* chirr
tjonge dear me
T-kruising T-junction
tl-buis strip light, neon light (*of:* tube, lamp)
tl-verlichting neon light(ing)
TMT *afk van technologie, media en telecommunicatie* TMT
t.n.v. *(ten name van)* in the name of
toa *afk van technisch onderwijsassistent* school laboratory assistant
toast (piece, slice of) toast
tobbe (wash)tub
tobben 1 worry, fret **2** *(sukkelen)* struggle: *opa tobt met zijn been* grandpa is troubled by his leg
toch 1 nevertheless, still, yet, all the same: *(na een verbod) ik doe het (lekker) ~* I'll do it anyway; *maar ~* (but) still, even so **2** *(eigenlijk)* rather, actually **3** *(inderdaad)* indeed **4** *(nu eenmaal)* anyway, anyhow: *het wordt ~ niks* it won't work anyway; *nu je hier ~ bent* since you're here || *dat kunnen ze ~ niet menen?* surely they can't be serious?; *we hebben het ~ al zo moeilijk* it's difficult enough for us as it is
tocht 1 draught; *(windje)* breeze: *~ voelen* feel a draught **2** *(reis)* journey, trip: *een ~ maken met de auto* go for a drive in the car
tochten be draughty
tochtig *(mbt ruimte)* draughty; *(winderig)* breezy
tochtje trip, ride, drive
tochtstrip draught excluder, weather strip(ping)
[1]**toe** *bw* **1** to(wards) **2** too, as well: *dat doet er niet(s) ~* that doesn't matter **3** *(mbt een bedoeling)* to, for: *aan iets ~ komen* get round to sth **4** *(dicht)* shut, closed || *er slecht aan ~ zijn* be in a bad way; *tot nu ~* so far, up to now
[2]**toe** *tw* **1** *(vooruit)* come on **2** *(alstublieft)* please, do **3** *(och kom)* come on, go on **4** *(kom kom)* there now
[1]**toebehoren** *zn* accessories; attachments *(bijv. van stofzuiger)*
[2]**toebehoren** *intr* belong to
toebrengen deal, inflict, give: *iem een wond ~* inflict a wound on s.o.
toedekken cover up; *(in bed stoppen)* tuck in, tuck up: *iem warm ~* tuck s.o. in nice and warm
toedienen administer, apply: *medicijnen ~* administer medicine
[1]**toedoen** *zn* agency, doing: *dit is allemaal door jouw ~ gebeurd* this is all your doing
[2]**toedoen** *tr* add: *wat doet het er toe?* what does it matter?, what difference does it make?; *wat jij vindt, doet er niet toe* your opinion is of no consequence
toedracht facts, circumstances: *de ware ~ van de zaak* what actually happened
toe-eigenen, zich appropriate
toef *(bosje, pluk)* tuft: *een ~ slagroom* a blob of cream

toegaan happen, go on: *het gaat er daar ruig aan toe* there are wild goings-on there
toegang 1 entrance, entry, access: *verboden* ~ no admittance 2 *(mogelijkheid, verlof)* access; *(toelating)* admittance; *(toegang(sgeld))* admission: *bewijs van* ~ ticket (of admission); ~ *hebben tot een vergadering* be admitted to a meeting; *zich* ~ *verschaffen* gain access (to)
toegangskaartje (admission) ticket, pass
toegangsprijs entrance fee, price of admission
toegangsweg access (road), approach
toegankelijk accessible, approachable: *moeilijk* (of: *gemakkelijk*) ~ difficult (*of:* easy) of access; ~ *voor het publiek* open to the public
toegankelijkheid accessibility, approachability
toegeeflijk indulgent, lenient: ~ *zijn tegenover een kind* indulge a child
toegeeflijkheid indulgence, lenience
[1]**toegeven** *intr* 1 *(geen weerstand bieden aan)* yield, give in; *(bezwijken)* give way: *onder druk* ~ submit under pressure 2 *(erkennen)* admit, own: *hij wou maar niet* ~ he wouldn't own up
[2]**toegeven** *tr* 1 indulge, humour; *(al te veel toegeven)* pamper; spoil, allow (for), take into account: *over en weer wat* ~ give and take 2 *(als juist erkennen)* admit, grant: *zijn nederlaag* ~ admit defeat 3 *(extra geven)* throw in, add: *op de koop* ~ include in the bargain
toegevend indulgent, lenient
toegewijd devoted, dedicated: *een ~e verpleegster* a dedicated nurse
toegift encore: *een* ~ *geven* do an encore
toehoorder listener
toejuichen 1 cheer; *(applaudisseren voor)* clap; *(applaudisseren voor)* applaud 2 *(goedkeuren)* applaud: *een besluit* ~ welcome a decision
toekennen 1 ascribe to, attribute to 2 *(toewijzen)* award, grant: *macht* ~ *aan* assign authority to
toekijken 1 look on, watch 2 *(niet meedoen)* sit by (and watch)
toekomen 1 belong to, be due: *iem de eer geven die hem toekomt* do s.o. justice 2 *(bereiken, naderen)* approach: *daar ben ik nog niet aan toegekomen* I haven't got round to that yet
toekomend future
toekomst future: *in de nabije* (of: *verre*) ~ in the near (*of:* distant) future; *de* ~ *voorspellen* tell fortunes
toekomstig future, coming || *zijn ~e echtgenote* his bride-to-be; *de ~e eigenaar* the prospective owner
toekomstmuziek: *dat is nog* ~ that's still in the future
toelaatbaar permissible, permitted
toelage allowance; *((studie)beurs)* grant
toelaten 1 permit, allow: *als het weer het toelaat* weather permitting 2 *(binnenlaten)* admit, receive: *zij werd niet in Nederland toegelaten* she was refused entry to the Netherlands
toelatingsexamen entrance exam(ination)
toeleggen add (to)
toeleveringsbedrijf supplier, supply company
toelichten explain, throw light on, clarify: *zijn standpunt* ~ explain one's point of view; *als ik dat even mag* ~ if I may go into that briefly
toelichting explanation, clarification: *dat vereist enige* ~ that requires some explanation
toelopen taper (off), come *(of:* run) to a point
toeluisteren listen (to): *aandachtig* ~ listen carefully
toemaatje *(Belg)* extra, bonus
[1]**toen** *bw* 1 *(vroeger)* then, in those days, at the *(of:* that) time: *er stond hier* ~ *een kerk* there used to be a church here 2 *(daarna)* then, next: *en* ~? (and) then what?, what happened next?
[2]**toen** *vw* when, as: ~ *hij binnenkwam* when he came in
toenadering *(vaak mv)* advance; approach
toename increase, growth: *een* ~ *van het verbruik* an increase in consumption
toendra tundra
toenemen increase, grow; *(in omvang)* expand: *in ~de mate* increasingly, to an increasing extent; *in kracht* ~ grow (*of:* increase) in strength
toenmalig then: *de ~e koning* the king at the (*of:* that) time
toepasselijk appropriate, suitable
toepassen 1 use, employ 2 *(in praktijk brengen)* apply, adopt; *(wet ook)* enforce: *een methode* ~ use a method; *in de praktijk* ~ use in (actual) practice
toepassing 1 use, employment: *niet van* ~ *(n.v.t.)* not applicable (n/a); *van* ~ *zijn op* apply to 2 *(het in praktijk brengen)* application: *in* ~ *brengen* put into practice
toer 1 trip, tour; *(met auto, (motor)fiets, paard)* ride; *(met auto ook)* drive 2 *(draai)* revolution: *op volle ~en draaien* go at full speed, be in top gear; *hij is een beetje over zijn ~en* he's in a bit of a state 3 *(lastig werk)* job, business || *op de lollige* ~ *gaan* act the clown
toerbeurt turn: *bij* ~ in rotation, by turns; *we doen dat bij* ~ we take turns at it
toerekeningsvatbaar accountable, responsible
toeren go for a ride; *(met auto)* go for a drive
toerfiets touring bicycle, sports bicycle
toerisme tourism
toerist tourist
toeristenindustrie tourist industry, tourism
toeristenklasse tourist class, economy class
toeristenplaats tourist centre
toeristenseizoen tourist season
toeristisch tourist: *een ~e trekpleister* a tourist attraction
toernooi tournament
toerusten equip; *(bevoorraden)* furnish: *een leger* ~ equip an army; *toegerust met* equipped (*of:* fitted) (out) with

toeschietelijk accommodating, obliging
toeschouwer 1 spectator; *(televisie)* viewer; *(mv ook)* audience: *veel ~s trekken* draw a large audience 2 *(iem die niet meedoet)* onlooker, bystander
toeschrijven 1 blame, attribute: *een ongeluk ~ aan het slechte weer* blame an accident on the weather 2 *(toekennen)* attribute, ascribe: *dit schilderij schrijft men toe aan Vermeer* this painting is attributed to Vermeer
toeslaan 1 hit home, strike home 2 *(zijn kans benutten)* strike: *inbreker slaat opnieuw toe!* burglar strikes again!
toeslag 1 surcharge 2 *(extra inkomen)* bonus: *een ~ voor vuil werk* a bonus for dirty work
toespelen pass (to); *(onopvallend toespelen)* slip (to)
toespeling allusion, reference: *~en maken* drop hints, make insinuations
toespijs 1 dessert, sweet, pudding 2 side dish
toespitsen intensify
toespraak speech; *(officiële)* address: *een ~ houden* make a speech
toespreken speak to, address
toestaan allow, permit: *uitstel* (of: *een verzoek*) ~ grant a respite (*of:* a request)
toestand state, condition, situation: *de ~ van de patiënt is kritiek* the patient is in a critical condition; *de ~ in de wereld* the state of world affairs
toesteken extend, put out, hold out: *de helpende hand ~* extend (*of:* lend) a helping hand
toestel 1 apparatus, appliance; *(radio, tv)* set: *vraag om ~ 212* ask for extension 212 2 *(vliegtuig)* plane
toestelnummer extension (number)
toestemming agreement, consent, approval (of); *(vergunning)* permission: *zijn ~ geven* (of: *verlenen, weigeren*) *aan iem* give (*of:* grant, refuse) permission to s.o.
toestoppen slip
toestromen stream to(wards), flow (*of:* flock, crowd) towards
toesturen send; remit *(geld)*
toet face
toetakelen 1 beat (up), knock about: *hij is lelijk toegetakeld* he has been badly beaten (up) 2 *(op vreemde wijze kleden, versieren)* rig out
toeter 1 tooter 2 *(claxon)* horn
[1]**toeteren** *intr* hoot, honk
[2]**toeteren** *tr (schetteren)* bellow
toetje *(mbt eten)* dessert: *als ~ is er fruit* there is fruit for dessert
toetreding joining, entry (into)
toets 1 test, check 2 *(mbt instrumenten)* key: *een ~ aanslaan* strike a key
toetsen test, check: *iets aan de praktijk ~* test sth out in practice
toetsenbord keyboard; *(machine ook)* console
toeval coincidence, accident, chance: *door een ongelukkig ~* by mischance; *stom ~* by sheer accident, *(stom geluk)* (by) a (mere) fluke; *niets aan het ~ overlaten* leave nothing to chance
[1]**toevallig** *bn* accidental: *een ~e ontmoeting* a chance meeting; *een ~e voorbijganger* a passer-by
[2]**toevallig** *bw (bij toeval)* by (any) chance: *elkaar ~ treffen* meet by chance
toevalligheid coincidence
toevalstreffer chance hit, stroke of luck
toevertrouwen 1 entrust: *dat is hem wel toevertrouwd* leave that to him, trust him for that 2 *(in vertrouwen meedelen)* confide (to): *iets aan het papier ~* commit sth to paper
toevlucht refuge, shelter: *dit middel was zijn laatste ~* this (expedient) was his last resort
toevluchtsoord (port, house, haven of) refuge
toevoegen add: *suiker naar smaak ~* add sugar to taste
toevoeging addition; additive *(o.a. in voedsel)*
toevoer supply
toewensen wish: *iem veel geluk ~* wish s.o. all the best (*of:* every happiness)
toewijding devotion
toewijzen assign, grant: *het kind werd aan de vader toegewezen* the father was awarded (*of:* granted, given) custody of the child; *een prijs ~* award a prize
toezeggen promise
toezegging promise: *~en doen* make promises
toezenden send (to)
toezicht supervision: *~ houden op* supervise, oversee, look after *(kinderen)*; *onder ~ staan van* be supervised by
toezichthouder supervisor
toezien 1 look on, watch: *machteloos ~* stand by helplessly 2 *(oppassen)* see, take care: *hij moest er op ~ dat alles goed ging* he had to see to it that everything went all right
tof 1 decent, O.K.: *een ~fe meid* a decent girl, an O.K. girl 2 *(fijn)* great
toffee toffee
toga gown, robe: *een advocaat in ~* a robed lawyer
toilet toilet: *een openbaar ~* a public convenience, *(Am)* a restroom; *naar het ~ gaan* go to the toilet
toiletartikel toiletry; *(mv ook)* toilet requisites (*of:* things)
toiletjuffrouw lavatory attendant
toiletpapier toilet paper (*of:* tissue)
toiletreiniger toilet cleaner
toiletrol toilet paper
toilettafel dressing table
toilettas toilet bag
toiletverfrisser toilet freshener, lavatory freshener
tokkelen strum
tol 1 top: *mijn hoofd draait als een ~* my head is spinning 2 *(tolgeld)* toll: *ergens ~ voor moeten betalen (fig)* have to pay the price for sth; *~ heffen*

levy (*of:* take) (a) toll (on)
tolerant tolerant
tolereren tolerate, put up with
tolgeld toll (money)
tolk interpreter
tolken interpret
tollen 1 play with (*of:* spin) a top 2 *(snel ronddraaien)* spin, whirl: *zij stond te ~ van de slaap* she was reeling with sleep
tolweg toll road; *(Am snelweg)* turnpike
tomaat tomato
tomatenketchup (tomato) ketchup
tomatenpuree tomato purée
tomatensap tomato juice
tomatensoep tomato soup
tombe tomb
tompoes vanilla slice
ton 1 cask, barrel 2 *(100.000 euro)* a hundred thousand euros 3 *(gewichtsmaat)* (metric) ton
tondeuse (pair of) clippers, trimmers; *(voor schapen)* shears
toneel 1 stage: *op het ~ verschijnen* enter the stage, appear on the stage 2 *(tafereel)* scene, spectacle 3 *(spel)* theatre
toneelgezelschap theatrical company, theatre company
toneelschool drama school
toneelschrijver playwright
toneelspel 1 play 2 *(aanstellerij)* play-acting
toneelspelen 1 act, play 2 *(zich aanstellen)* play-act, dramatize: *wat kun jij ~!* what a play-actor you are!
toneelspeler 1 actor, player 2 *(aansteller)* play-actor
toneelstuk play: *een ~ opvoeren* perform a play
toneelvereniging drama club
tonen show; *(tentoonstellen)* display
toner toner
tong 1 tongue: *met dubbele (dikke) ~ spreken* speak thickly, speak with a thick tongue; *de ~en kwamen los* the tongues were loosened, tongues were wagging; *zijn ~ uitsteken tegen iem* put out one's tongue at s.o.; *het ligt vóór op mijn ~* it's on the tip of my tongue 2 *(vis)* sole
tongzoen French kiss
tonijn tunny(fish), tuna (fish)
tooi decoration(s), ornament(s); plumage *(vogel)*
toom bridle, reins: *in ~ houden* (keep in) check, keep under control
toon 1 tone; *(muz; fig ook)* note: *een halve ~* a semitone, a half step; *de ~ aangeven: a)* give the key; *b) (fig)* lead (*of:* set) the tone; *c) (in mode)* set the fashion; *een ~tje lager zingen* change one's tune; *uit de ~ vallen* not be in keeping, not be incongruous, *(mbt persoon)* be the odd man out; *(fig) de juiste ~ aanslaan* strike the right note 2 *(geluid van een stem, instrument)* tone (colour), timbre
toonaangevend authoritative, leading
toonaard: *in alle ~en* in every possible way
toonbank counter: *illegale cd's (van) onder de ~ verkopen* sell bootleg CDs under the counter
toonder bearer: *een cheque aan ~* a cheque (payable) to bearer
toonhoogte pitch: *de juiste ~ hebben* be at the right pitch
toonladder scale: *~s spelen* play (*of:* practise) scales
toonsoort *(muz)* key
toonzaal showroom
toorn wrath, anger
toorts torch
toost toast: *een ~ (op iem) uitbrengen* propose a toast (to s.o.)
toosten toast: *~ op* drink (a toast) to
top 1 top, tip; *(van berg ook)* peak: *aan (op) de ~ staan* be at the top; *van ~ tot teen* from head to foot 2 *(hoogtepunt)* top, peak, height || *~ tien* top ten; *(Belg) hoge ~pen scheren* be successful
topaas topaz
topatleet top-class athlete
topconditie (tip-)top condition (*of:* form)
topconferentie summit (conference, meeting); *(gesprekken)* summit talks, top-level talks
topfunctie top position, leading position
topje 1 tip: *het ~ van de ijsberg* the tip of the iceberg 2 *(truitje)* top
topklasse top class
topkwaliteit top quality, (the) highest quality
topman senior man (*of:* executive), top-ranking official, senior official: *~ in het bedrijfsleven* captain of industry
topografie topography
topoverleg top-level talks, summit talks
toppositie top position, leading position
topprestatie top performance, record performance: *een ~ leveren* turn in a top performance
toppunt 1 height, top: *dat is het ~!* that's the limit!, that beats everything! 2 *(bovenste punt)* top, highest point; *(berg ook)* summit
topscorer top scorer
topsnelheid top speed: *op ~ rijden* drive at top speed
topspeler top(-class) player
topspin topspin
topsport top-class sport
topvorm top(-notch) form
topzwaar top-heavy
tor beetle
toren 1 tower; *(spitse kerktoren)* steeple; *(torenspits)* spire: *in een ivoren ~ zitten* live in an ivory tower 2 *(schaakstuk)* rook, castle
torenflat high-rise flat(s) *(of Am:* apartment(s))
torenhoog towering; *(hemelhoog)* sky-high
torenvalk kestrel, windhover
tornado tornado
tornen unsew, unstitch: *er valt aan deze beslissing niet te ~* there's no going back on this decision

torpederen torpedo
torpedo torpedo
tortelduif turtle-dove
tossen toss (up, for)
tosti toasted ham and cheese sandwich
tot 1 (up) to, as far as: *de trein rijdt ~ Amsterdam* the train goes as far as Amsterdam; *~ hoever, ~ waar?* how far?; *~ bladzijde drie* up to page three 2 *(mbt een punt in de tijd)* to, until: *van dag ~ dag* from day to day; *~ zaterdag!* see you on Saturday!; *~ de volgende keer* until (the) next time; *~ nog (nu) toe* so far; *~ en met 31 december* up to and including 31 December; *van 3 ~ 12 uur* from 3 to (*of:* till) 12 o'clock; *van maandag ~ en met zaterdag* from Monday to Saturday, *(Am ook)* Monday through Saturday 3 *(tegen)* at: *~ elke prijs* at any price || *iem ~ president kiezen* elect s.o. president
totaal total, complete: *een totale ommekeer (ommezwaai)* an about-turn, an about-face; *totale uitverkoop* clearance sale; *iets ~ anders* sth completely different; *het is €33,- ~* it's 33 euro in all; *in ~* in all (*of:* total)
totaalbedrag total (sum, amount)
total loss: *een auto ~ rijden* smash (up) a car, wreck a car
totdat until
totempaal totem pole
toto *(paardenrennen)* tote; *(voetbal)* (football) pools: *in de ~ geld winnen* win money on the pools
touchscreen touch screen
toupet toupee
tour 1 *(uitstapje)* outing, trip 2 *(rondgang)* tour
touringcar (motor) coach; *(Am)* bus
tournee tour: *op ~ zijn* be on tour
touw rope, (piece of) string: *ik kan er geen ~ aan vastknopen* I can't make head or tail of it; *iets met een ~ vastbinden (dichtbinden)* tie sth (up)
touwladder rope ladder
touwtje (piece of) string: *de ~s in handen hebben* be pulling the strings, be running the show
touwtjespringen skipping
touwtrekken tug-of-war
tovenaar magician, sorcerer, wizard
[1]**toveren** *intr* work magic; *(goochelen)* do conjuring tricks
[2]**toveren** *tr* conjure (up): *iets tevoorschijn ~* conjure up sth
toverfluit magic flute
toverheks sorceress, magician
toverij magic, sorcery
toverspreuk (magic) spell, (magic) charm
toverstaf magic wand
traag slow: *hij is nogal ~ van begrip* he isn't very quick in the uptake; *~ op gang komen* get off to a slow start
traagheid slowness: *de ~ van geest* slowness (of mind)
traan tear; *(een enkele)* teardrop: *in tranen uitbarsten* burst into tears, burst out crying
traangas tear-gas
traanklier tear gland
trachten attempt, try
tractor tractor
traditie tradition: *een ~ in ere houden* uphold a tradition
traditiegetrouw traditional; *(na ww)* true to tradition
traditioneel traditional
trafo *afk van transformator* transformer
tragedie tragedy
tragiek tragedy
tragisch tragic: *het ~e is* the tragedy of it is …
trailer trailer
[1]**trainen** *intr* train; work out *(voor conditie): (weer) gaan ~* go into training (again)
[2]**trainen** *tr* train: *een elftal ~* train (*of:* coach) a team; *zijn geheugen ~* train one's memory; *zich ~ in iets* train for sth
trainer trainer, coach
training training, practice; workout: *een zware ~* a heavy workout
trainingspak tracksuit, jogging suit
traject route, stretch; *(stuk spoorlijn)* section
traktatie treat
trakteren treat: *~ op gebakjes* treat s.o. to cake; *ik trakteer* this is my treat
tralie bar: *achter de ~s zitten* be behind bars
tram tram: *met de ~ gaan* take the (*of:* go by) tram
tramhalte tramstop
trammelant *(inform)* trouble
trampoline trampoline
trampolinespringen trampolining
trance trance: *iem in ~ brengen* send s.o. into a trance
tranen run, water: *~de ogen* running (*of:* watering) eyes
transactie transaction, deal
trans-Atlantisch transatlantic
transferium *(ongev)* Park and Ride
transferlijst transfer list
transfersom transfer fee
transformator transformer
transistor transistor
transistorradio transistor (radio)
transit transit
transitief transitive
[1]**transparant** *zn* transparency, overhead sheet
[2]**transparant** *bn* transparent
transpiratie perspiration
transpiratiegeur body odour
transpireren perspire
transplantatie transplant(ation)
transplanteren transplant
transport transport; *(vnl. Am)* transportation: *tijdens het ~* in (*of:* during) transit
transportbedrijf transport company, haulier

[1]**transporteren** *intr, tr (doordraaien)* wind (the film) (on)
[2]**transporteren** *tr* transport
transporteur carrier
transportkosten transport costs *(of:* charges)
transportonderneming *zie* transportbedrijf
transportschip transport (ship)
transportvliegtuig transport aircraft
transportwagen truck; *(klein)* van
transseksualiteit transsexualism
[1]**transseksueel** *zn* transsexual
[2]**transseksueel** *bn* transsexual
trant 1 style, manner: *in dezelfde ~* (all) in the same key **2** *(soort)* kind: *iets in die ~* something of the kind *(of:* sort)
trap 1 (flight of) stairs; (flight of) steps *(van steen): een steile ~* steep stairs; *de ~ afgaan* go down(stairs); *de ~ opgaan* go upstairs; *boven* (of: *onder, beneden) aan de ~* at the head *(of:* at the foot, at the bottom) of the stairs **2** *(schop)* kick: *vrije ~* free kick; *iem een ~ nageven (fig)* hit s.o. when he is down **3** *(trede)* step **4** *(taalk)* degree: *de ~pen van vergelijking* the degrees of comparison; *overtreffende ~* superlative; *vergrotende ~* comparative
trapeze trapeze
trapezium trapezium; *(Am)* trapezoid
trapleuning (stair) handrail; banister *(met spijlen)*
traploos stepless
traploper stair carpet
trappelen stamp: *~de paarden* stamping (and pawing) horses; *~ van ongeduld* strain at the leash, be dying (to do sth, go somewhere)
[1]**trappen** *intr* step, stamp: *ergens in ~* fall for sth, rise to the bait, buy sth
[2]**trappen** *intr, tr (schoppen)* kick, boot: *tegen een bal ~* kick a ball; *eruit getrapt zijn* have got the boot *(of:* sack) *(ontslagen),* have been kicked out *(klas)*
trappenhuis (stair)well
trapper pedal: *op de ~s gaan staan* throw one's weight on the pedals
trappist Trappist
trappistenbier Trappist beer
trapportaal landing
trauma trauma
traumahelikopter trauma helicopter
traumateam medical emergency team
traumatisch traumatic
traumatiseren traumatize
travestie transvestism
travestiet transvestite
trechter funnel
tred step, pace: *gelijke ~ houden met* keep pace with
trede step; rung *(van ladder)*
treden *(gaan)* step: *in bijzonderheden ~* go into detail(s); *in contact ~ met iem* contact s.o.; *in het huwelijk ~ (met)* get married (to s.o.)
tree *zie* trede
treeplank footboard
treffen 1 *(raken)* hit: *getroffen door de bliksem* struck by lightning **2** *(aantreffen)* meet: *niemand thuis ~* find nobody (at) home **3** *(mbt iets onaangenaams)* hit, strike: *getroffen worden door* meet with *(ongeluk, ramp),* be stricken by *(ziekte, epidemie)* **4** *(tot stand brengen)* make: *voorbereidingen ~* make preparations || *je treft het (goed)* you're lucky *(of:* in luck)
treffend striking; *(raak)* apt: *een ~e gelijkenis* a striking similarity
treffer hit; *(doelpunt)* goal
trefpunt meeting place; crossroads *(van culturen)*
trefwoord headword; *(in register ook)* reference
trefwoordenregister subject index
trein train: *per ~ reizen* go by train; *iem van de ~ halen* meet s.o. at the station
treinbestuurder train driver
treinbotsing train crash
treinconducteur guard; *(Am)* conductor
treincoupé (train) compartment
treinkaartje train ticket
treinongeval train accident
treinramp train disaster
treinreis train journey
treinreiziger rail(way) passenger
treinstel train unit
treintaxi train taxi
treinverkeer train traffic, rail traffic
treiteren torment
trek 1 pull **2** *(met een pen)* stroke **3** *(gelaatstrek)* feature, line **4** *(kenmerkende eigenschap)* (characteristic) feature, trait: *dat is een akelig ~je van haar* that is a nasty trait of hers **5** *(eetlust, begeerte) (vnl. eetlust)* appetite: *~ hebben* feel *(of:* be) hungry; *heeft u ~ in een kopje koffie?* do you feel like a cup of coffee, would you care for a cup of coffee? **6** *(populariteit)* popularity: *in ~ zijn* be popular, be in demand **7** *(van vogels, volkeren)* migration || *Boyzonefans komen vanavond goed aan hun ~ken* Boyzone fans will get their money's worth tonight; *een ~ aan een sigaar doen* take a puff at a cigar
trekhaak drawbar; *(aan auto enz.)* tow bar
trekharmonica accordion; *(kleiner, voor op de schoot)* concertina
[1]**trekken** *intr* **1** pull: *aan een sigaar ~* puff at *(of:* draw) a cigar **2** go, move; *(reizen)* travel; migrate *(nomadenstammen, vogels enz.): in een huis ~* move into a house **3** *(spierbewegingen maken)* stretch: *met zijn been ~* walk with a stiff leg || *deze planken zijn krom getrokken* these planks are warped; *thee laten ~* brew tea
[2]**trekken** *tr* **1** draw; *(tandarts enz.)* extract; pull (out) **2** *(aantrekken)* draw, attract: *publiek* (of: *kopers*) *~* draw an audience *(of:* customers) **3** pull:

iem aan zijn haar ~ pull s.o.'s hair; *iem aan zijn mouw* ~ pull (at) s.o.'s sleeve 4 *(slepen)* pull, draw, tow: *de aandacht* ~ attract attention 5 *(eruit halen, afleiden)* draw; *(wisk)* extract *(wortel)*: *een conclusie* ~ draw a conclusion || *gezichten* ~ make (*of:* pull) (silly) faces

trekker 1 *(iem op trektocht)* hiker 2 *(mbt een vuurwapen)* trigger: *de ~ overhalen* pull the trigger 3 *(mbt een vrachtwagen)* truck, lorry: ~ *met oplegger* truck and trailer 4 tractor

trekking draw

trekkracht tractive power, pulling power

trekpleister draw, attraction: *een toeristische* ~ a tourist attraction

trekschuit tow barge

trektocht hike, hiking tour

trekvogel migratory bird, bird of passage

trema diaeresis

tremolo tremolo

trend trend

trendgevoelig subject to trends

trendsettend trendsetting

treuren 1 sorrow, mourn, grieve: ~ *om een verlies* mourn a loss 2 *(bedrukt zijn)* be sorrowful, be mournful

treurig sad, tragic, unhappy: *een ~ gezicht* a sorry (*of:* gloomy) sight, *(gelaat)* a sad (*of:* dejected) face

treurigheid sorrow, sadness

treurspel tragedy

treuzelen dawdle: ~ *met zijn werk* dawdle over one's work

triangel triangle

triatlon triathlon

tribunaal tribunal

tribune stand *(vaak mv)*; *(voor publiek bij vergadering)* gallery

tricot tricot

triest 1 sad 2 *(droevig stemmend)* melancholy, depressing, dreary

triktrak backgammon

triktrakken play backgammon

trillen vibrate; *(huizen enz. ook)* tremble; shake: *met ~de stem* in a trembling voice

trilling 1 vibration; tremor *(aardbeving)* 2 *(siddering, beving)* trembling, shaking

trilogie trilogy

trimbaan keep-fit trail

trimester trimester; term *(school)*: *midden in het* ~ (in) mid-term

[1]**trimmen** *intr* do keep-fit (exercises); *(buiten)* jog; *(binnen)* work out

[2]**trimmen** *tr (haar bijknippen)* trim

trimmer jogger

trimoefening (keep-fit) exercise

trimpak tracksuit

trimschoen training shoe, jogging shoe

trimtoestel exerciser

trio trio

triomf triumph

triomfantelijk triumphant

trip 1 trip 2 *(mbt drugs)* (acid) trip

triphop trip hop

triplex plywood

triplo: *in* ~ in triplicate

trippelen trip, patter

trippen trip (out): *hij tript op hardrockmuziek* he gets off on hard rock (music)

triptiek triptych

troebel turbid, cloudy: *in ~ water vissen* fish in troubled waters

troef trumps, trump (card): *welke kleur is ~?* what suit is trumps?; *zijn laatste ~ uitspelen* play one's trump card

troep 1 troop; pack *(wolven)* 2 *(rommel)* mess: *gooi de hele ~ maar weg* just get rid of the whole lot; ~ *maken* make a mess 3 *(mil)* troop 4 *(gezelschap)* company

troepenmacht (military) force

troeteldier cuddly toy, soft toy

troetelkind darling, pet; spoiled child

troetelnaam pet name

troeven *(kaartspel)* trump, play trumps

trofee trophy

troffel trowel

trog trough

Trojaans Trojan

Troje Troy

trol troll

trolley *(kar met etenswaar)* (tea) trolley

trolleybus trolleybus

trom drum

trombone trombone

trombonist trombonist

trombose thrombosis

trommel 1 drum: *de ~ slaan* beat the drum 2 *(blikken doos)* box

trommeldroger tumble-dryer

trommelen drum: *op de tafel* ~ drum (on) the table || *een groep mensen bij elkaar* ~ drum up a group of people

trommelrem drum brake

trommelvlies eardrum, tympanum

trompet trumpet

trompettist trumpet player

tronie mug

troon throne: *de ~ beklimmen (bestijgen)* come to (*of:* ascend) the throne

troonopvolger heir (to the throne)

troonopvolgster heiress

troonrede Queen's speech, King's speech

troost comfort, consolation: *een bakje ~: a) (in Ned)* a cup of coffee; *b) (in Engeland)* a cuppa; *een schrale* ~ cold (*of:* scant) comfort/consolation

troosteloos disconsolate *(vnl. van mensen)*; cheerless: *een ~ landschap* a dreary (*of:* desolate) landscape/scene

troosten comfort, console: *zij was niet te* ~ she

was beyond (all) consolation
troostprijs consolation prize
tropen tropics
tropenuitrusting tropical gear; *(kleding)* tropical outfit
tropisch tropical: *het is hier ~ (warm)* it is sweltering here
tros 1 cluster; bunch *(druiven, bananen)* **2** *(touw, kabel)* hawser: *de ~sen losgooien* cast off, unmoor
trostomaat vine tomato
[1]**trots** *zn* pride, glory: *ze is de ~ van haar ouders* she is her parents' pride and joy
[2]**trots** *bn, bw* proud
trotseren 1 defy *(weer enz.)*; brave: *de blik(ken) ~ (van)* outface, outstare **2** *(bestand zijn tegen)* stand up (to)
trottoir pavement; *(Am)* sidewalk
troubadour troubadour
[1]**trouw** *zn* fidelity, loyalty, faith(fulness); allegiance *(aan land, partij)*: *te goeder ~ zijn* be bona fide, be in good faith; *te kwader ~* mala fide, in bad faith
[2]**trouw** *bn, bw* faithful: *~e onderdanen* loyal subjects; *elkaar ~ blijven* be (*of:* remain) faithful/true to each other
trouwdag wedding day
[1]**trouwen** *intr* get married: *ik ben er niet mee getrouwd* I'm not wedded (*of:* tied) to it; *ze trouwde met een arts* she married a doctor; *voor de wet ~* get married in a registry office
[2]**trouwen** *tr* marry
trouwens 1 mind you: *ik vind haar ~ wel heel aardig* mind you, I do think she's very nice; *hij komt niet; ik ~ ook niet* he isn't coming; neither am I for that matter **2** *(tussen haakjes)* by the way: *~, was Jan er ook?* by the way, was Jan there as well?
trouwerij wedding
trouwjurk wedding dress
trouwpartij 1 wedding (party) **2** *(plechtigheid)* wedding ceremony, marriage ceremony
trouwplannen: *~ hebben* be going (*of:* planning) to get married
trouwreportage wedding photos
trouwring wedding ring
truc trick: *een ~ met kaarten* a card trick
trucage trickery
truck articulated lorry; *(Am)* trailer truck; *(open)* truck
trucopname special effect
truffel truffle
trui 1 jumper; *(dik)* sweater **2** *(shirt)* jersey, shirt: *de gele ~* the yellow jersey
trust trust, cartel
trut cow: *stomme ~!* silly cow!
tsaar tsar, czar
T-shirt T-, tee shirt
Tsjaad Chad
Tsjech Czech
Tsjechië Czech Republic
tso *(Belg) afk van technisch secundair onderwijs* secondary technical education
tsunami tsunami
tuba tuba
tube tube
tuberculose tuberculosis
tucht discipline: *de ~ handhaven* maintain (*of:* keep) discipline
tuchtcollege disciplinary tribunal
tuchtschool youth custody centre
tuig 1 *(mbt trekdieren)* harness **2** *(slecht volk)* riffraff: *langharig werkschuw ~* long-haired workshy layabouts **3** *(om te vissen)* tackle
tuigen harness *(trekpaard)*; tackle (up) *(rijpaard)*; bridle *(alleen hoofdstel)*
tuigje safety harness
tuimelaar *(speelgoed)* tumbler, wobbly clown, wobbly man
tuimelbeker training cup
tuimelen tumble, topple
tuin garden || *iem om de ~ leiden* lead s.o. up the garden path
tuinboon broad bean
tuinbouw horticulture, market gardening
tuinbouwbedrijf market garden
tuinbouwschool horticultural school (*of:* college)
tuinbroek dungarees, overalls
tuincentrum garden centre
tuinder market gardener
tuinfeest garden party
tuingereedschap garden(ing) tools
tuinhuis garden house
tuinier gardener
tuinieren garden
tuinkabouter garden gnome
tuinman gardener
tuinslang (garden) hose
tuinstoel garden chair
tuit 1 spout **2** *(spits toelopend einde)* nozzle
[1]**tuiten** *intr (suizen)* tingle, ring: *mijn oren ~* my ears are ringing
[2]**tuiten** *tr* purse: *de lippen ~* purse one's lips
tuk keen (on): *daar ben ik ~ op* I'm keen on (*of:* mad about) that || *ik had je lekker ~ gisteren, hè?* I really had you fooled yesterday, didn't I?; *iem ~ hebben* pull s.o.'s leg
tukje nap: *een ~ doen* take a nap
tukken nap, doze
tulband turban
tulp tulip
tulpenbol tulip bulb
tulpvakantie half-term holiday, spring holiday
tumor tumour: *kwaadaardige* (of: *goedaardige*) *~* malignant (*of:* benign) tumour
tumtum dolly mixture
tumult tumult, uproar
tuner-versterker tuner-amplifier
Tunesië Tunisia

Tunesiër Tunisian
tunnel tunnel
turbine turbine
turbo 1 *(krachtversterker)* turbo((super)charger) 2 *(auto)* turbo(-car) || *~stofzuiger* high-powered vacuum cleaner
tureluurs mad, whacky, crazy: *het is om ~ (van) te worden* it's enough to drive anybody mad (*of:* up the wall)
turen peer, gaze, stare: *in de verte ~* gaze into the distance
turf 1 *(brandstof)* peat 2 *(vijf streepjes als rekenhulp)* tally 3 *(dik boek)* tome
Turijn Turin
Turk Turk
Turkije Turkey
Turkmeens Turkoman, Turkman
Turkmenistan Turkmenistan
[1]**turkoois** *zn (edelsteen)* turquoise
[2]**turkoois** *zn (mineraal)* turquoise
Turks Turkish: *~ bad* Turkish bath
turnen practise gymnastics, perform gymnastics
turner gymnast
turquoise turquoise
turven tally
tussen 1 between: *~ de middag* at lunchtime; *dat blijft ~ ons (tweeën)* that's between you and me 2 *(te midden van)* among: *het huis stond ~ de bomen in* the house stood among(st) the trees; *~ vier muren* within four walls || *iem er (mooi) ~ nemen* have s.o. on, take s.o. in; *als er niets ~ komt, dan …* unless something unforeseen should occur
tussenbeide between, in: *~ komen* interrupt, butt in *(met woorden)*, step in, intervene *(handelend)*, intercede *(bemiddelend)*
tussendeur communicating door, dividing door
tussendoor 1 through; *(twee dingen)* between them 2 *(tussentijds)* between times: *proberen ~ wat te slapen* try to snatch some sleep
tussendoortje snack
tussenhandel distributive trade(s)
tussenhandelaar middleman
tussenin in between, between the two, in the middle
tussenkomst 1 intervention 2 *(bemiddeling)* mediation
tussenlanding stop(over)
tussenliggend intervening *(tijd, gebied)*
tussenmuur *(tussen vertrekken)* partition; *(tussen huizen)* dividing wall
tussenperiode intervening period
tussenpersoon go-between, intermediary: *als ~ fungeren* act as an intermediary
tussenpoos: *met korte tussenpozen* at short intervals; *met tussenpozen* every so often
tussenruimte space: *met gelijke ~n plaatsen* space evenly
tussenstand *(ongev)* score (so far); *(ruststand)* half-time score
tussenstop stop(over)
tussenstuk joint, connecting-piece
tussentijd interim: *in de ~* in the meantime, meanwhile
tussentijds interim: *~e verkiezingen* by-elections
tussenuit out (from between two things) || *er ~ knijpen* do a bunk, cut and run
tussenuur 1 free hour 2 *(vrij lesuur)* free period
tussenvoegen insert
tussenwand partition
tussenweg middle course
tussenwoning terraced house, town house
tut frump
tuthola silly old cow *(of:* bitch)
tutoyeren be on first-name terms
tutu tutu
tv TV, television: *tv kijken* watch TV; *wat komt er vanavond op (de) tv?* what's on (TV) tonight?
tv-serie TV series
twaalf twelve; *(data)* twelfth: *~ dozijn* gross; *om ~ uur 's nachts* at midnight; *om ~ uur 's middags* at (twelve) noon || *de grote wijzer staat al bijna op de ~* the big hand is nearly on the twelve
twaalfde twelfth
twaalfjarig 1 twelve-year-old 2 *(twaalf jaar durend)* twelve-year
twaalftal dozen, twelve
twaalfuurtje midday snack, lunch
twee two; *(in data)* second: *~ keer per week* twice a week; *een stuk of ~* a couple of; *~ weken* a fortnight, two weeks; *in ~ën delen* divide in two, halve *(etenswaren, geld); zij waren met hun ~ën* there were two of them || *hij eet en drinkt voor ~* he eats and drinks (enough) for two; *~ aan ~* in twos
tweebaansweg 1 two-lane road 2 *(met gescheiden rijbanen)* dual carriageway; *(Am)* divided highway
tweedaags two-day
[1]**tweede** *zn* half: *anderhalf is gelijk aan drie ~n* one and a half is the same as three halves
[2]**tweede** *rangtelw* second: *de ~ Kamer* the Lower House (*of:* Chamber); *~ keus* second rate, seconds; *als ~ eindigen: a)* finish second, be runner-up *(in wedstrijd); b) (fig)* come off second best; *ten ~* in the second place
tweedegraads second-degree: *~bevoegdheid* lower secondary school teaching qualification; *~verbranding* second-degree burn
tweedehands second-hand
tweedejaars second-year
Tweede Kamerlid member of the Lower House
tweedekansonderwijs secondary education for adults
tweedelig two-piece: *een ~ badpak* a two-piece (bathing-suit)
tweedelijns(gezondheids)zorg secondary health care
tweederangs second-class
tweeduizend two thousand

twee-eiig fraternal
tweehonderd two hundred
tweehonderdste two-hundredth
tweehoog on the second *(of Am:* third) floor
tweejarig 1 two-year(-old) **2** *(twee jaar durend; om de twee jaar)* biennial
tweekamerwoning two-room flat
tweekamp *(reeks wedstrijden)* twosome
tweekwartsmaat two-four time
tweeledig double, twofold
tweeling 1 twins: *eeneiige* (of: *twee-eiige*) *~en* identical (*of:* fraternal) twins **2** *(één kind ve tweeling)* twin
tweelingbroer twin brother
Tweelingen *(astrol)* Gemini, Twins
tweelingzus twin sister
tweemaal twice: *zich wel ~ bedenken* think twice
tweemaandelijks 1 bimonthly: *een ~ tijdschrift* a bimonthly **2** *(twee maanden durend)* two-month
twee-onder-een-kapwoning semi-detached house; *(Am)* (one side of a) duplex
tweepersoonsbed double bed
tweepersoonskamer double(-bedded) room *(met één tweepersoonsbed);* twin-bedded room *(met twee bedden)*
tweestrijd internal conflict: *in ~ staan* be torn between (two things)
tweetal pair, couple
tweetalig bilingual
tweetallig binary
tweetjes: *wij ~* we two; *zij waren met hun ~* there were two of them
tweeverdiener two-earner; *(mv)* two-earner family, double-income family
tweevoud 1 double, duplicate: *in ~* in duplicate **2** *(door twee deelbaar getal)* binary, double (of a number)
tweevoudig double, twofold
tweewieler two-wheeler
tweezitsbank two-person settee, two-seater settee
twijfel doubt: *het voordeel van de ~* the benefit of the doubt; *boven (alle) ~ verheven zijn* be beyond all doubt; *iets in ~ trekken* cast doubt on sth, question sth; *zonder ~* no doubt, doubtless, undoubtedly
twijfelachtig 1 doubtful **2** *(dubieus)* dubious: *de ~e eer hebben om …* have the dubious honour of (doing sth)
twijfelen doubt: *daar valt niet aan te ~* that is beyond (all) doubt
twijfelgeval dubious case, doubtful case
twijg twig
twinkelen twinkle
twinkeling twinkling
twintig twenty; *(data)* twentieth: *de jaren ~* the Twenties, the 1920s; *zij was in de ~* she was in her twenties; *er waren er in de ~* there were twenty odd
twintiger person in his *(of:* her) twenties
twintigste twentieth: *een shilling was een ~ pond* a shilling was a twentieth of a pound
twist quarrel: *een ~ bijleggen* settle a quarrel (*of:* dispute)
twisten 1 dispute: *daarover wordt nog getwist* that is still a moot point (*of:* in dispute); *over deze vraag valt te ~* this is a debatable (*of:* an arguable) question **2** *(ruzie hebben)* quarrel: *de ~de partijen* the contending parties
tyfoon typhoon
tyfus typhoid
type type, character: *een onguur ~* a shady customer; *hij is mijn ~ niet* he's not my type
typefout typing error, typo
typekamer typing pool
typemachine typewriter
typen type: *een getypte brief* a typed (*of:* typewritten) letter; *blind ~* touch-type
typeren typify, characterize: *dat typeert haar* that is typical of her
typerend typical (of)
typewerk typing
typisch 1 typical: *dat is ~ mijn vader* that's typical of my father; *~ Amerikaans* typically American; *het ~e van de zaak* the curious part of the matter **2** *(eigenaardig)* peculiar
typist typist
tyrannosaurus tyrannosaurus

u

u you: *als ik u was* if I were you
ufo *afk van unidentified flying object* UFO
Uganda Uganda
Ugandees Ugandan
ui onion
uiensoep onion soup
uier udder
uil owl
uilenbal 1 (owl's) pellet 2 *(sufferd)* dimwit, nincompoop
uilskuiken *(fig)* ninny, nitwit
[1]**uit** *bn* 1 *(elders, niet thuis)* out, away: *de bal is ~* the ball is out; *die vlek gaat er niet ~* that stain won't come out 2 *(afgelopen)* over: *de school gaat ~* school is over, school is out *(einde vh schooljaar)*; *het is ~ tussen hen* it is finished between them; *het is ~ met de pret* the game (*of:* party) is over now 3 *(niet brandend)* (gone) out: *de lamp is ~* the light is out (*of:* off) 4 *(bedacht op, zoekend naar)* out, after: *op iets ~ zijn* be out for (*of:* after) sth || *dit boek is pas ~* this book has just been published
[2]**uit** *bw* out: *hij liep de kamer ~* he walked out of the room; *Ajax speelt volgende week ~* Ajax are playing away next week || *moet je ook die kant ~?* are you going that way, too?; *voor zich ~ zitten kijken* sit staring into space; *ik zou er graag eens ~ willen* I would like to get away sometime; *de aankoop heb je er na een jaar ~* the purchase will save its cost in a year
[3]**uit** *vz* 1 out (of), from: *~ het raam kijken* look out of the window; *een speler ~ het veld sturen* order a player off (the field) 2 *(verwijderd van)* off: *2 km ~ de kust* 2 kilometres off the coast 3 *(afkomstig van, door middel van)* (out) of: *iets ~ ervaring kennen* know sth from experience; *~ zichzelf* of itself *(ding)*, of one's own accord *(persoon)* 4 *(vanwege)* out of, from: *~ bewondering* out of (*of:* in) admiration; *zij trouwden ~ liefde* they married for love
uitademen breathe out, exhale
uitademing exhalation
uitbalanceren balance
uitbarsten 1 burst out: *in lachen ~* burst out laughing; *in tranen ~* burst into tears 2 *(mbt vulkaan)* erupt
uitbarsting 1 outburst; eruption *(vulkaan)* 2 *(het uitbarsten)* bursting out: *tot een ~ komen* come to a head
uitbeelden portray, represent: *een verhaal ~* act out a story
uitbeelding portrayal, representation
uitbesteden 1 board out: *de kinderen een week ~* board the children out for a week 2 *(aan anderen overdoen)* farm out, contract (out)
uitbetalen pay (out); *(cheque ook)* cash
uitbetaling payment
uitbijten 1 bite (out) 2 *(van een bijtende stof)* eat away: *dat zuur bijt uit* that acid is corrosive
[1]**uitblazen** *intr (op adem komen)* take a breather, catch one's breath
[2]**uitblazen** *tr* 1 blow (out); *(uitademen)* breathe out: *de laatste adem ~* breathe one's last 2 *(doven)* blow out
uitblijven 1 stay away; *(van huis)* stay out 2 *(niet gebeuren)* fail to occur (*of:* appear, materialize): *de gevolgen bleven niet uit* the consequences (soon) became apparent
uitblinken excel: *~ in* excel in
uitblinker brilliant person (*of:* student): *in sport was hij geen ~* he did not shine in sports
uitbloeien leave off flowering: *de rozen zijn uitgebloeid* the roses have finished flowering
uitbouw extension, addition
uitbouwen 1 build out; *(huis ook)* add on to 2 *(verder ontwikkelen)* develop, expand
uitbraak break, jailbreak
[1]**uitbranden** *intr* 1 burn up 2 *(door vuur verwoest worden)* be burnt down (*of:* out)
[2]**uitbranden** *tr (door vuur verwoesten)* burn down, burn out
uitbrander dressing down, telling-off
[1]**uitbreiden** *tr* extend, expand: *zijn kennis ~* extend one's knowledge
[2]**uitbreiden, zich** *(groeien)* extend, expand; spread *(ziekte, gewoonte, brand enz.)*
uitbreiding 1 extension, expansion 2 *(gedeelte waarmee uitgebreid is)* extension, addition; *(stadswijk)* development
uitbreken break out: *er is brand* (of: *een epidemie) uitgebroken* a fire (*of:* an epidemic) has broken out; *een muur ~* knock down (a part of) a wall
uitbrengen 1 bring out, say: *een toost ~* propose a toast to s.o. 2 *(kenbaar maken)* make, give: *verslag ~ van een vergadering* give an account of a meeting 3 *(op de markt brengen)* bring out; *(plaat, film ook)* release; *(publiceren)* publish: *een nieuw merk auto ~* put a new make of car on the market
uitbroeden hatch (out): *eieren ~* hatch (out) eggs; *hij zit een idee uit te broeden* he is brooding over an idea
uitbuiten exploit, use: *een gelegenheid ~* make the most of an opportunity
uitbuiter exploiter
uitbuiting exploitation
uitbundig exuberant
uitdagen challenge: *tot een duel ~* challenge s.o. to a duel

uitdagend defiant: ~ *gekleed gaan* dress provocatively
uitdager challenger
uitdaging challenge, provocation
uitdelen distribute, hand out
uitdeuken beat out (a dent, dents)
uitdijen expand, swell, grow
uitdoen 1 take off, remove: *zijn kleren* ~ take off one's clothes **2** *(doven)* turn off, switch off
uitdokteren work out, figure out
uitdossen dress up, deck out
uitdoven extinguish; *(sigaret ook)* stub out
uitdraai print-out
uitdraaien 1 *(uitdoen)* turn off, switch off; *(licht ook)* turn out, put out **2** *(comp)* print out
uitdragen propagate, spread
uitdrijven drive out, expel; *(kwade geest ook)* exorcize
uitdrogen dry out; dry up *(rivier, vijver)*
uitdrukkelijk express, distinct: *iets ~ verbieden* expressly forbid sth
uitdrukken 1 express, put: *zijn gedachten* ~ express (*of:* convey, voice) one's thoughts; *om het eenvoudig uit te drukken* in plain terms, to put it plainly (*of:* simply) **2** *(doven)* stub out, put out || *de waarde van iets in geld* ~ express the value of sth in terms of money
uitdrukking 1 expression, idiom; *(benaming)* term: *een vaste* ~ a fixed expression **2** *(mbt het gezicht)* expression, look: *een verwilderde ~ in zijn ogen* a wild (*of:* haggard) look in his eyes
uitdunnen thin (out), deplete
uiteenlopen vary, differ, diverge: *de meningen liepen zeer uiteen* opinions were sharply (*of:* much) divided; *sterk* ~ vary (*of:* differ) widely
uiteenlopend various, varied
uiteenzetting explanation, account: *een ~ houden over een kwestie* give an account of sth
uiteinde 1 extremity, tip, (far) end **2** *(afloop)* end, close; *(jaareinde)* end of the year: *iem een zalig ~ wensen* wish s.o. a happy New Year
[1]**uiteindelijk** *bn, bw* final, ultimate, last: *de ~e beslissing* the final decision
[2]**uiteindelijk** *bw (ten slotte)* finally, eventually, in the end: ~ *belandde ik in Rome* eventually I ended (*of:* landed) up in Rome
uiten utter, express, speak
uitentreuren over and over again, continually
uiteraard of course; *(van nature)* naturally
[1]**uiterlijk** *zn* **1** appearance, looks: *hij heeft zijn ~ niet mee* his looks are against him; *mensen op hun ~ beoordelen* judge people by their looks **2** *(schijn)* (outward) appearance, show: *dat is alleen maar voor het* ~ that's just for appearance's sake (*of:* for show)
uiterlijk *bn* outward, external: *op de ~e schijn afgaan* judge by appearances
uiterlijk *bw* **1** *(naar buiten toe)* outwardly, from the outside, externally: ~ *scheen hij kalm* outwardly he seemed calm enough **2** *(op zijn laatst)* at the (very) latest, not later than: ~ *(op) 1 november* not later than November 1; *tot ~ 10 juli* until July 10 at the latest
[1]**uiterst** *bn* **1** far(thest), extreme, utmost: *het ~e puntje* the (extreme) tip, the far end; ~ *rechts* (the) far right **2** *(hoogst)* greatest, utmost: *zijn ~e best doen om te helpen* do one's level best to help, bend over backwards to help **3** *(laatst)* final, last: *een ~e poging* a last-ditch effort
[2]**uiterst** *bw* extremely, most
uiterste 1 extreme, utmost, limit: *tot ~n vervallen* go to extremes; *van het ene ~ in het andere (vervallen)* go from one extreme to the other **2** *(mbt een rangorde, intensiteit)* utmost, extreme, last: *bereid zijn tot het ~ te gaan* be prepared to go to any length **3** *(einde)* extremity, end
uitfluiten hiss (at), give (s.o.) the bird: *uitgefloten worden* receive catcalls, get the bird
uitgaan 1 go out, leave: *het huis (de deur)* ~ leave the house; *een avondje* ~ have a night out; *met een meisje* ~ go out with a girl, take a girl out, date a girl **2** *(verlaten worden)* be over, be out; break up *(vergadering, school);* go out: *de school* (of: *de bioscoop) gaat uit* school (*of:* the film) is over **3** (met *van*) *(als uitgangspunt nemen)* start (from), depart (from), take for granted, assume: *men is ervan uitgegaan dat …* it has been assumed (*of:* taken for granted) that … || *die vlekken gaan er niet uit* these spots won't come out
uitgaand outgoing, outward; *(schepen, verkeer ook)* outbound; outward bound: *~e brieven* (of: *post*) outgoing letters (*of:* post)
uitgaansavond (regular) night out
uitgaansgelegenheid place of entertainment
uitgaansleven nightlife: *een bruisend* ~ a bustling nightlife
uitgang exit, way out
uitgangspositie point of departure: *zich in een goede* (of: *slechte*) *~ bevinden om …* be in a good (*of:* bad) position for sth
uitgangspunt point of departure, starting point
uitgave 1 outlay; *(mv)* spending; expenditure, costs: *de ~n voor defensie* defence expenditure **2** *(druk)* edition; issue *(van tijdschrift)* **3** *(publicatie)* publication, production
uitgavenpatroon pattern of spending
uitgeblust washed out: *een ~e indruk maken* look washed out
uitgebreid *(veelomvattend)* extensive, comprehensive; detailed *(onderzoek)*
uitgehongerd famished, starving
uitgekiend sophisticated, cunning
uitgekookt sly, shrewd
uitgelaten elated, exuberant
uitgemaakt established, settled
uitgemergeld emaciated, gaunt
uitgeput 1 exhausted, worn out: ~ *van pijn* exhausted with pain **2** *(leeg)* empty; flat *(batterij)*

3 *(op)* exhausted, at an end: *onze voorraden zijn ~* our supplies have run out (*of:* are exhausted)

uitgerekend precisely, of all (people, things), very: *~ jij!* you of all people!; *~ vandaag* today of all days

uitgeslapen wide awake, rested

uitgesloten out of the question, impossible

uitgestorven 1 deserted, desolate 2 *(niet meer bestaand)* extinct

uitgestrekt vast, extensive

uitgeteld exhausted, deadbeat; *(sport)* (counted) out || *wanneer is zijn vrouw ~?* when is their baby due?

uitgeven 1 spend, pay: *geld aan boeken* (of: *als water*) *~* spend money on books (*of:* like water) 2 *(in omloop brengen)* issue, emit: *vals geld ~* pass counterfeit money 3 *(in druk)* publish 4 *(laten doorgaan voor)* pass off (as): *zich voor iem anders ~* impersonate s.o., pose as s.o. else

uitgever publisher

uitgeverij publishing house *(of:* company), publisher('s)

uitgewerkt elaborate, detailed

uitgewoond run-down, dilapidated

uitgezakt flopped down: *~ in een luie stoel zitten* lie slumped in an armchair

[1]**uitgezonderd** *vz* except for, apart from: *niemand ~* with no exceptions, bar none

[2]**uitgezonderd** *vw* except(ing), apart from, but, except for the fact that: *iedereen ging mee, ~ hij* everyone came (along), except for him, everybody but him came (along)

uitgifte issue, distribution

uitgillen scream (out), shriek (out): *hij gilde het uit van de pijn* he screamed with pain

uitglijden 1 slip, slide 2 *(glijdend vallen)* slip (and fall): *~ over een bananenschil* slip on a banana peel

uitgooien throw out, eject (from): *een anker ~* cast (*of:* drop) anchor

uitgraven 1 dig up, excavate 2 *(gravend dieper maken)* dig out: *een sloot ~* deepen (*of:* dig out) a ditch

uitgroeien grow (into), develop (into)

uithaal hard shot, sizzler

uithakken 1 chop *(of:* cut, hack) away 2 *(een beeld enz.)* cut out

[1]**uithalen** *intr (een arm, been uitstrekken)* (take a) swing: *~ in de richting van de bal* take a swing (*of:* swipe) at the ball

[2]**uithalen** *tr* 1 take out, pull out, remove; unpick, undo *(breiwerk);* extract *(bijv. tand)* 2 *(leeghalen)* empty, clear out, clean out; draw *(gevogelte): een vogelnest ~* take the eggs from a bird's nest 3 *(uitvoeren)* play, do: *een grap met iem ~* play a joke on s.o.; *wat heb je nu weer uitgehaald!* what have you been up to now! 4 *(resultaat hebben)* be of use, help: *het haalt niets uit* it is no use (*of:* all in vain)

uithangbord sign(board): *mijn arm is geen ~* I can't hold this forever

[1]**uithangen** *intr* 1 hang out 2 *(zich bevinden)* be, hang out

[2]**uithangen** *tr* 1 *(naar buiten hangen)* hang out, put out 2 *(zich voordoen als)* play, act

uitheems exotic, foreign

uithoek remote corner, outpost: *tot in de verste ~en van het land* to the farthest corners of the country; *in een ~ wonen* live in the back of beyond

uithollen 1 scoop out, hollow out 2 erode: *de democratie ~* undermine (*of:* erode) democracy

uithongeren starve (out): *de vijand ~* starve the enemy out (*of:* into submission)

uithoren interrogate, question

uithouden 1 stand, endure: *hij kon het niet langer ~* he could not take (*of:* stand) it any longer 2 *(volhouden)* stick (it) out: *het ergens lang ~* stay (*of:* stick it out) somewhere for a long time

uithoudingsvermogen staying power, endurance: *geen ~ hebben* lack stamina

uithuilen cry to one's heart's content

uithuwelijken marry off, give in marriage

uiting utterance, expression, word(s): *~ geven aan zijn gevoelens* express (*of:* vent, air) one's feelings; *tot ~ komen in* manifest (*of:* reveal) itself in

uitje 1 outing, (pleasure) trip, excursion 2 *(zilverui)* cocktail onion

uitjoelen *zie* uitjouwen

uitjouwen boo, hoot at, jeer at

uitkammen comb (out), search

uitkauwen chew (up)

uitkeren pay (out), remit

uitkering payment, remittance; *(sociaal)* benefit; allowance, pension: *recht hebben op een ~* be entitled to benefit; *een maandelijkse ~* a monthly allowance; *van een ~ leven* live on social security, be on the dole

uitkiezen choose, select: *je hebt het maar voor het ~* (you can) take your pick

uitkijk lookout, watch: *op de ~ staan* be on the watch (*of:* lookout) (for), keep watch (for)

uitkijken 1 watch out, look out, be careful: *~ met oversteken* take care crossing the street 2 *(uitzicht hebben)* overlook, look out on: *dit raam kijkt uit op de zee* this window overlooks the sea 3 *(voortdurend kijken)* look out (for), watch (for): *naar een andere baan ~* watch (*of:* look) out for a new job 4 *(verlangend wachten)* look forward (to): *naar de vakantie ~* look forward to the holidays 5 *(kijken tot men er genoeg van heeft)* tire (of sth): *gauw uitgekeken zijn op iets* quickly tire (*of:* get tired) of sth

uitkijkpost lookout *(ook persoon);* observation post *(voor de vijand)*

uitkijktoren watchtower

uitklapbaar folding, collapsible: *deze stoel is ~ tot een bed* this chair converts into a bed

uitklappen fold (out)
uitklaren clear (through customs)
uitkleden undress, strip (off): *zich* ~ undress, strip (off)
uitkloppen beat (out), shake (out): *een kleed* ~ beat a carpet
uitknijpen squeeze (out, dry): *een puistje* ~ squeeze out a pimple
uitknippen cut, clip: *prentjes* ~ cut out pictures
uitkomen 1 end up, arrive at: *op de hoofdweg* ~ join (onto) the main road 2 *(toegang geven tot)* lead (to), give out (into, on to): *die deur komt uit op de straat* ~ this door opens (out) on to the street 3 *(planten)* come out, sprout 4 *(uit het ei)* hatch (out) 5 *(bekend worden)* be revealed *(of:* disclosed): *het kwam uit* it was revealed, it transpired 6 (met *voor*) admit: *voor zijn mening durven* ~ stand up for one's opinion; *eerlijk* ~ *voor* admit openly, be honest about 7 *(kloppen)* prove to be true *(of:* correct), come true; *(berekening)* come out, work out; be right: *die som komt niet uit* that sum doesn't add up; *mijn voorspelling kwam uit* my prediction proved correct (*of:* came true) 8 *(sport)* play; *(kaartspel)* lead: *met klaveren* (of: *troef*) ~ lead clubs (*of:* trumps) 9 *(verschijnen)* appear, be published: *een nieuw tijdschrift laten* ~ publish a new magazine 10 *(tot slot, resultaat hebben)* turn out, work out: *bedrogen* ~ be deceived; *dat komt (me) goed uit* that suits me fine, that's very timely (*of:* convenient) 11 *(waarneembaar zijn)* show up, stand out, come out, be apparent: *iets goed laten* ~ show sth to advantage; *tegen de lichte achtergrond komen de kleuren goed uit* the colours show up (*of:* stand out) well against the light background
uitkomst (final, net) result, outcome
uitkopen buy out
uitkotsen *(inform)* throw up, spew up
uitkrijgen 1 get off, get out of: *zijn laarzen niet* ~ not be able to get one's boots off 2 *(ten einde lezen)* finish, get to the end of
uitlaat exhaust (pipe); *(Am)* muffler *(van auto);* funnel
uitlaatgassen exhaust fumes
uitlaatklep 1 outlet valve *(vloeistof);* exhaust valve, escape valve *(gas)* 2 *(fig)* outlet
uitlaatpijp *(auto)* exhaust pipe
uitlachen laugh at, deride, scoff (at), ridicule: *iem in zijn gezicht* ~ laugh in s.o.'s face
uitladen unload; discharge *(schip)*
uitlaten show out (*of:* to the door), see out (*of:* to the door), let out; discharge *(ook gevangene): een bezoeker* ~ show a visitor out (*of:* to the door); *de hond* ~ take the dog out (for a walk)
uitleentermijn lending period
uitleg explanation, account: *haar* ~ *van wat er gebeurd was* her account of what had happened
uitleggen explain, interpret: *dromen* ~ interpret dreams; *verkeerd* ~ misinterpret, misconstrue
uitlekken 1 drain; drip dry *(wasgoed): groente laten* ~ drain vegetables 2 *(bekend worden)* get out, leak out
uitlenen lend (out), loan
uitleven, zich live it up, let oneself go
uitleveren extradite *(naar ander land);* hand over: *iem aan de politie* ~ hand s.o. over (*of:* turn s.o. in) to the police
uitlevering extradition
uitlezen 1 read to the end, read through, finish (reading) 2 *(comp)* read out
uitlikken lick clean, lick out
uitloggen *(comp)* log off, log out
uitlokken provoke, elicit, stimulate: *een discussie* ~ provoke a discussion; *hij lokt het zelf uit* he is asking for it (*of:* trouble)
uitloop extension: *een* ~ *tot vier jaar* an extension to four years
uitlopen 1 run out (of), walk out (of), leave: *de straat* ~ walk down the street 2 *(planten, knoppen)* sprout, shoot, come out 3 *(leiden tot)* result in, end in: *dat loopt op niets* (of: *een mislukking*) *uit* that will come to nothing (*of:* end in failure); *die ruzie liep uit op een gevecht* the quarrel ended in a fight 4 *(een voorsprong nemen)* draw ahead (of): *hij is al 20 seconden uitgelopen* he's already in the lead by 20 seconds 5 *(meer tijd in beslag nemen)* overrun its (*of:* one's) time: *de receptie liep uit* the reception went on longer than expected 6 *(uitvloeien)* run: *uitgelopen oogschaduw* smeared (*of:* smudged) eyeshadow; *de verf is uitgelopen* the paint has run
uitloten 1 eliminate by lottery 2 *(door loting trekken)* draw, select
uitloven offer, put up: *een beloning* ~ offer (*of:* put up) a reward
uitmaken 1 break off *(relatie); (beëindigen ook)* finish; terminate: *het* ~ *(mbt paar)* break (*of:* split) up 2 *(vormen)* constitute, make up: *deel* ~ *van* be (a) part of; *een belangrijk deel van de kosten* ~ form (*of:* represent) a large part of the cost 3 *(van belang zijn)* matter, be of importance: *het maakt mij niet(s) uit* it is all the same to me, I don't care; *wat maakt dat uit?* what does that matter?; *weinig* ~ make little difference 4 *(beslissen)* determine, establish; *(ontcijferen)* make out: *dat maakt hij toch niet uit* that's not for him to decide; *dat maak ik zelf nog wel uit* I'll be the judge of that 5 (met *voor*) *(noemen)* call, brand: *iem voor dief* ~ call s.o. a thief
uitmelken bleed dry (*of:* white), strip bare: *een onderwerp* ~ flog a subject to death
uitmergelen emaciate, starve, exhaust: *een uitgemergeld paard* a wasted horse
uitmesten 1 clean out, muck out: *een stal* ~ muck out a stable 2 *(ontdoen van rommel)* clean up, tidy up: *een kast* ~ tidy up (*of:* clear out) a cupboard
uitmonden 1 flow (out), discharge, run into 2 *(uitlopen op)* lead to, end in: *het gesprek mondde uit*

in een enorme ruzie the conversation ended in a fierce quarrel
uitmoorden massacre, butcher
uitmuntend excellent, first-rate
uitnemen remove, take out
uitnodigen invite, ask: *iem op een feestje ~* invite (*of:* ask) s.o. to a party
uitnodiging invitation: *een ~ voor de lunch* an invitation to lunch
uitoefenen 1 practise, pursue, be engaged in **2** *(laten gelden)* exert; exercise *(gezag);* wield *(macht): kritiek ~ op* criticize, censure
uitoefening exercise; *(macht ook)* exertion; practice *(beroep, kunst): in de ~ van zijn ambt* in the performance (*of:* discharge, exercise) of his duties
uitpakken unwrap, unpack
uitpersen squeeze *(citroen);* crush *(druiven, olijven)*
uitpluizen unravel *(geheimen);* sift (out, through) *(feiten): iets helemaal ~* get to the bottom of sth
[1]**uitpraten** *intr* finish (talking), have one's say: *iem laten ~* let s.o. finish, hear s.o. out
[2]**uitpraten** *tr (tot een oplossing brengen)* talk out (*of:* over), have out: *we moeten het ~* we'll have to talk this out (*of:* over)
uitprinten print (out)
uitproberen try (out), test
uitpuilen bulge (out), protrude: *~de ogen* bulging (*of:* protruding) eyes
uitputten 1 exhaust, finish (up): *de voorraad raakt uitgeput* the supply is running out **2** *(afmatten)* exhaust, wear out
uitputting exhaustion, fatigue: *de ~ van de olievoorraden* the exhaustion of oil supplies
uitrangeren sidetrack, shunt
uitrazen let (*of:* blow) off steam; blow out *(storm): de kinderen laten ~* let the children have their fling
uitreiken distribute, give out; present *(prijs, medaille enz.): diploma's ~* present diplomas; *iem een onderscheiding ~* confer a distinction on s.o.
uitreiking distribution; presentation *(prijs, medaille enz.)*
uitreisvisum exit visa
uitrekenen calculate, compute || *zij is begin maart uitgerekend* the baby is due at the beginning of March
[1]**uitrekken** *intr (langer worden)* stretch: *de trui is in de was uitgerekt* the sweater has stretched in the wash
[2]**uitrekken** *tr* stretch (out); elongate *(langer): een elastiek ~* stretch out a rubber band; *zich ~* stretch oneself (out)
uitrichten do, accomplish: *dat zal niet veel ~* that won't help much
uitrijden drive to the end (of) *(auto, bus enz.);* ride to the end (of) *(fiets, paard)* || *mest ~* spread manure (*of:* fertilizer)
uitrijstrook deceleration lane
uitrit exit: *~ vrijhouden s.v.p.* please keep (the) exit clear
uitroeien *(verdelgen)* exterminate, wipe out
uitroeiing extermination
uitroep exclamation, cry
uitroepen 1 exclaim, shout, cry (out), call (out) **2** *(afkondigen)* call, declare: *een staking ~* call a strike; *hij werd tot winnaar uitgeroepen* he was declared (*of:* voted) the winner
uitroepteken exclamation mark
uitroken smoke out: *vossen ~* smoke out foxes
uitrollen unroll: *de tuinslang ~* unreel the garden hose
uitruimen clear out, tidy out, turn out: *een kast ~* tidy (*of:* turn) out a cupboard
[1]**uitrukken** *intr* turn out: *de brandweer rukte uit* the fire brigade turned out
[2]**uitrukken** *tr* tear out, pull out: *planten ~* root up (*of:* uproot) plants
[1]**uitrusten** *intr* rest
[2]**uitrusten** *tr (voorzien van)* equip, fit out: *(techn) uitgerust met 16 kleppen* fitted with 16 valves
uitrusting equipment, kit, outfit, gear: *zijn intellectuele ~* his intellectual baggage; *ze waren voorzien van de modernste ~* they were fitted out with the latest equipment
uitschakelen 1 switch off: *de motor ~* cut (*of:* stop) the engine **2** *(fig)* eliminate; *(sport ook)* knock out: *door ziekte uitgeschakeld zijn* be out of circulation through ill health
uitscheiden *(inform)* (met *met*) *(ophouden)* stop (-ing), cease (to, -ing): *ik schei uit met werken als ik zestig word* I'll stop working when I turn sixty; *schei uit!* cut it out!, knock it off!
uitschelden abuse, call names: *iem ~ voor dief* call s.o. a thief
[1]**uitscheuren** *intr (scheurend kapotgaan)* tear: *het knoopsgat is uitgescheurd* the buttonhole is torn
[2]**uitscheuren** *tr* tear out
uitschieten shoot out, dart out: *het mes schoot uit* the knife slipped
uitschieter peak, highlight
uitschijnen *(Belg): iets laten ~* let it be understood, hint at sth
uitschoppen kick out
uitschot 1 refuse **2** *(tuig)* scum, dregs
uitschreeuwen cry out: *het ~ van pijn* cry out (*of:* yell, bellow) with pain
uitschrijven 1 write out, copy out: *aantekeningen ~* write out notes **2** *(uitvaardigen)* call *(vergadering, verkiezing);* hold; organize *(wedstrijd)* **3** *(invullen, ondertekenen)* write out *(cheque): een recept ~* write out a prescription; *rekeningen ~* make out accounts || *iem als lid ~* strike s.o.'s name off the membership list
uitschudden shake (out)
uitschuifbaar extending

uitschuiven 1 slide out, pull out 2 *(door uit elkaar te schuiven vergroten)* extend: *een tafel* ~ extend (*of:* pull out) a table

[1]**uitslaan** *intr (bedekt worden met aanslag)* grow mouldy, become mouldy; sweat *(muren)* || *een ~de brand* a blaze

[2]**uitslaan** *tr* 1 beat out, strike out: *het stof* ~ beat (*of:* shake) out the dust 2 *(zuiveren)* shake out, beat out: *een stofdoek* ~ shake out a duster 3 *(uiten)* utter, talk: *onzin* ~ talk rot

uitslag 1 *(mbt huid)* rash; *(vocht)* damp: *daar krijg ik ~ van* that brings out (*of:* gives me) a rash 2 *(resultaat)* result, outcome: *de ~ van de verkiezingen* (of: *van het examen*) the results of the elections (*of:* examination)

uitslapen have a good lie-in, sleep late: *goed uitgeslapen zijn (fig)* be pretty astute (*of:* shrewd); *tot 10 uur* ~ stay in bed until 10 o'clock

uitsloven slave away, work oneself to death

uitsluiten 1 shut out, lock out: *zij wordt van verdere deelname uitgesloten* she has been disqualified 2 *(onmogelijk maken)* exclude, rule out: *die mogelijkheid kunnen we niet* ~ that is a possibility we can't rule out (*of:* ignore); *dat is uitgesloten* that is out of the question

uitsluitend only; exclusively *(alleen bw):* ~ *volwassenen* adults only

uitsluiting 1 exclusion; *(sport)* disqualification 2 *(uit-, afzondering)* exception: *met ~ van* exclusive of, to the exclusion of

uitsmijter 1 *(persoon)* bouncer 2 *(gerecht)* fried bacon and eggs served on slices of bread 3 *(slotnummer)* final number of a show

uitsnijden cut (out); carve (out) *(hout): een laag uitgesneden japon* a low-cut (*of:* low-necked) dress

uitsparen 1 save (on), economize (on): *dertig euro* ~ save thirty euros 2 *(openlaten)* leave blank (*of:* open): *openingen* ~ leave spaces

uitsparing cutaway; *(inkeping)* notch

uitspatten live it up

uitspatting splurge; *(financieel)* extravagance: *zich overgeven aan ~en* indulge in excesses

uitspelen 1 finish, play out 2 *(in het spel werpen)* play, lead: *mensen tegen elkaar* ~ play people off against one another

uitsplitsen itemize, break down

uitsplitsing itemization, breakdown

uitspoelen rinse (out), wash (out)

uitspoken be (*of:* get) up to

uitspraak 1 pronunciation, accent: *de ~ van het Chinees* the pronunciation of Chinese 2 *(oordeel)* pronouncement, judgement 3 *(jur)* judg(e)ment, sentence; verdict *(mbt jury):* ~ *doen* pass judg(e)ment, pass (*of:* pronounce) sentence

uitspreiden spread (out), stretch (out)

uitspreken 1 pronounce; articulate *(duidelijk uitspreken): hoe moet je dit woord ~?* how do you pronounce this word? 2 *(uiten)* say, express: *iem laten* ~ let s.o. have his say, hear s.o. out 3 *(bekendmaken)* declare, pronounce: *een vonnis* ~ pronounce judgement

uitspringen *(opvallen)* stand out

uitspugen spit out

uitspuwen *zie* uitspugen

[1]**uitstaan** *intr* stand (*of:* stick, jut) out, protrude

[2]**uitstaan** *tr* stand, endure, bear: *hitte* (of: *lawaai*) *niet kunnen* ~ not be able to endure the heat (*of:* noise); *iem niet kunnen* ~ hate s.o.'s guts || *ik heb nog veel geld* ~ I have a lot of money out (at interest)

uitstalkast show case, display case

uitstallen display, expose (for sale); *(fig)* show off

uitstalraam *(Belg) (etalage)* shop window, display window

uitstapje trip, outing, excursion: *een ~ maken* take (*of:* make) a trip, go on an outing

uitstappen get off (*of:* down), step out, get out

uitsteeksel projection, protuberance

[1]**uitsteken** *intr* 1 stick out, jut out, project, protrude 2 *(reiken, komen)* stand out: *de toren steekt boven de huizen uit* the tower rises (high) above the houses; *boven alle anderen* ~ tower above all the others

[2]**uitsteken** *tr* 1 *(naar buiten steken)* hold out, put out 2 *(uitstrekken)* reach out, stretch out: *zijn hand naar iem* ~ extend one's hand to s.o.

uitstekend excellent, first-rate: *van ~e kwaliteit* of high quality

uitstel delay, postponement, deferment: ~ *van betaling* postponement (*of:* extension) of payment; *zonder* ~ without delay || *(Belg; jur) met* ~ suspended

uitstellen put off, postpone, defer: *voor onbepaalde tijd* ~ postpone indefinitely

uitsterven die (out); *(geslacht, diersoort enz. ook)* become extinct: *het dorp was uitgestorven* the village was deserted

uitstijgen surpass

uitstippelen outline, map out, trace out; work out *(plan, beleid): een route* ~ map out a route

uitstoot discharge, emissions

uitstorten 1 pour out (*of:* forth), empty (out) 2 *(uiten)* pour out: *zijn woede ~ over iem* vent one's rage upon s.o.

uitstorting 1 pouring out; outpouring *(fig)* 2 *(mbt bloed)* effusion

uitstoten 1 expel, cast out: *iem ~ uit de groep* expel (*of:* banish) s.o. from the group 2 *(spreken)* emit, utter: *onverstaanbare klanken* ~ emit (*of:* utter) unintelligible sounds 3 *(naar buiten stoten)* eject; emit *(rook, gassen enz.)*

[1]**uitstralen** *intr ((als) stralen uitgaan van)* radiate, emanate

[2]**uitstralen** *tr (ook fig)* radiate, give off, exude: *zelfvertrouwen* ~ radiate (*of:* exude, ooze) self-confidence

uitstraling radiation, emission; *(fig)* aura: *een enorme ~ hebben (ongev)* possess charisma, have a certain magic

[1]**uitstrekken** *tr* 1 stretch (out), reach (out), extend: *met uitgestrekte armen* with outstretched arms 2 *(doen reiken)* extend

[2]**uitstrekken, zich** extend, stretch (out): *zich ~ over* extend over

uitstrijken spread, smear

uitstrijkje (cervical) smear, swab

uitstromen 1 stream out, pour out 2 *(uitmonden)* flow *(of:* discharge, empty) into

uitstrooien scatter, spread

uitsturen send out; *(sport)* send off (the field): *iem op iets ~* send s.o. for sth

uittekenen draw, trace out: *ik kan die plaats wel ~* I know every detail of that place

uittesten test (out), try (out), put to the test

uittikken type out

uittocht exodus, trek

uittrap goal kick

uittrappen 1 kick (the ball) into play, take a goal kick 2 *(uit het speelveld trappen)* put out of play *(of:* into touch, over the line) 3 *(uitdoen)* kick off

uittreden resign (from): *vervroegd ~ (met pensioen)* retire early, take early retirement

[1]**uittrekken** *intr (naar buiten trekken)* go out, march out: *erop ~ om* set out to

[2]**uittrekken** *tr* 1 take off; *((hand)schoenen, sokken ook)* pull off: *zijn kleren ~* take off one's clothes, undress 2 *(bestemmen)* put aside, set aside, reserve: *een bedrag voor iets ~* put *(of:* set) aside a sum (of money) for sth

uittreksel excerpt, extract

uittypen type out

uitvaardigen issue, put out; *(wet, decreet ook)* make

uitvaart funeral (service), burial (service)

uitvaartcentrum funeral parlour, mortuary

uitvaartdienst funeral service, burial service

uitvaartmis funeral mass

uitvaartstoet funeral procession

uitval 1 *(van woede enz.)* outburst, explosion 2 *(van haar)* (hair) loss

uitvallen 1 burst out, explode, blow up 2 *(van haar)* fall *(of:* drop, come) out: *zijn haren vallen uit* he is losing his hair 3 *(wegvallen)* drop out, fall out; *(verbinding)* break down: *de stroom is uitgevallen* there's a power failure 4 *(aflopen)* turn out, work out: *we weten niet hoe de stemming zal ~* we don't know how *(of:* which way) the vote will go

uitvaller person who drops out, casualty

uitvalsweg main traffic road (out of a town)

uitvaren sail, put (out) to sea, leave port

uitvechten fight out: *iets met iem ~* fight *(of:* have) sth out with s.o.

uitvegen 1 sweep out, clean out 2 *(wissen)* wipe out; *(wrijven)* erase: *een woord op het schoolbord ~* wipe *(of:* rub) out a word on the blackboard

uitvergroten enlarge, magnify, blow up

uitvergroting enlargement, blow-up

uitverkocht 1 sold out: *onze kousen zijn ~* we have run out of stockings 2 *(vol)* sold out, booked out, fully booked: *voor een ~e zaal spelen* play to a full house

uitverkoop (clearance, bargain) sale

uitverkopen sell off, clear; *(hele voorraad)* sell out

uitvinden 1 invent 2 *(te weten komen)* find out, discover

uitvinder inventor

uitvinding invention; *(ding)* gadget: *een ~ doen* invent sth

uitvissen dig *(of:* fish, ferret) out

uitvlucht excuse, pretext: *~en zoeken* make excuses, *(ook)* dodge *(of:* evade) the question

uitvoegen *(via uitvoegstrook)* exit

uitvoegstrook deceleration lane

uitvoer 1 export: *de in- en ~ van goederen* the import and export of goods 2 *(wat uitgevoerd wordt)* exports 3 *(uitvoering)* execution: *een opdracht ten ~ brengen* carry out an instruction *(of:* order)

uitvoerartikel export product

uitvoerbaar feasible, workable, practicable

uitvoerder works foreman

uitvoeren 1 export 2 *(doen)* do: *hij voert niets uit* he doesn't do a stroke (of work) 3 *(volbrengen)* perform, carry out: *plannen ~* carry out *(of:* execute) plans

uitvoerend executive: *~ personeel* staff carrying out the work

uitvoerhaven port of export *(of:* shipment), shipping port

uitvoerig comprehensive, full; *(gedetailleerd)* elaborate; detailed: *iets ~ beschrijven* (of: *bespreken*) describe/discuss sth at great *(of:* some) length

uitvoering 1 carrying out, performance: *werk in ~* road works (ahead), men at work, work in progress 2 *(het spelen)* performance; *(muziekstuk ook)* execution 3 *(wijze van bewerking)* design, construction; *(mbt kwaliteit vh werk)* workmanship: *wij hebben dit model in twee ~en* we have two versions of this model

uitvoerrecht export duty

uitvoerverbod prohibition of export(s), ban on export(s)

uitvoervergunning export licence

uitvouwen unfold, fold out, spread out

uitvreten be up to: *wat heeft hij nou weer uitgevreten?* what has he been up to now?

uitwaaien 1 blow out, be blown out 2 *(een frisse neus halen)* get a breath of (fresh) air

uitwas excrescence, morbid growth; *(mv)* excesses

uitwasemen 1 evaporate 2 *(damp afgeven)* steam; *(van huid)* perspire

uitwassen 1 wash (out); swab (out) *(een wond)*

2 *(doen verdwijnen)* wash out *(of:* away)
uitwedstrijd away match *(of:* game)
uitweg way out; *(oplossing, ook)* answer: *hij zag geen andere ~ meer dan onder te duiken* he had no choice but to go into hiding
uitweiden expatiate (on), hold forth
uitwendig external, outward, exterior: *een geneesmiddel voor ~ gebruik* a medicine for external use
[1]**uitwerken** *intr* wear off; *(geen kracht meer hebben)* have spent one's force: *de verdoving is uitgewerkt* (the effect of) the anaesthetic has worn off
[2]**uitwerken** *tr* 1 work out, elaborate: *zijn aantekeningen ~* work up one's notes; *een idee ~* develop an idea; *uitgewerkte plannen* detailed plans 2 *(helemaal berekenen)* work out, compute: *sommen ~* work out sums
uitwerking 1 effect, result: *de beoogde ~ hebben* have the desired *(of:* intended) effect, be effective; *de medicijnen hadden geen ~* the medicines had no effect *(of:* didn't work) 2 *(bewerking)* working out, elaboration 3 *(berekening)* working out, computation
uitwerpen 1 throw out: *zijn hengel ergens ~* cast one's line somewhere 2 *(door werpen verwijderen)* throw out
uitwerpselen excrement; *(van dieren ook)* droppings
uitwijkeling *(Belg)* emigrant
uitwijken get out of the way (of); *(plaatsmaken)* make way (for): *rechts ~* swerve to the right; *men liet het luchtverkeer naar Oostende ~* air traffic was diverted to Ostend
uitwijzen 1 show, reveal: *de tijd zal het ~* time will tell 2 *(mbt vreemdelingen)* deport; expel
uitwijzing *(mbt vreemdelingen)* deportation; expulsion
uitwisselbaar interchangeable, exchangeable
uitwisselen exchange; *(inform)* swap: *ervaringen ~* compare notes
uitwisseling exchange, swap
uitwissen wipe out, erase; *(vnl. fig)* efface: *een opname ~* wipe *(of:* erase) a recording; *sporen ~* cover up one's tracks
uitwonend (living) away from home: *een ~e dochter* one daughter living away from home
uitworp throw(-out)
uitwrijven 1 rub; *(schoenen enz.)* polish (up): *zijn ogen ~* rub one's eyes 2 *(uitspreiden)* spread, rub over
uitwringen wring out
uitzaaien *tr (med)* sow, disseminate
uitzaaien, zich *(med)* metastasize; *(niet technisch)* spread: *de kanker had zich uitgezaaid* the cancer had spread *(of:* formed secondaries)
uitzaaiing *(med)* spread, dissemination
uitzakken sag, give way: *een uitgezakt lichaam* a sagging body
uitzeilen sail (away, off), set sail
uitzendbureau (temporary) employment agency, temp(ing) agency: *voor een ~ werken* temp, do temping
uitzenden broadcast, transmit: *de tv zendt de wedstrijd uit* the match will be televised *(of:* be broadcast)
uitzending broadcast, transmission: *een rechtstreekse ~* a direct *(of:* live) broadcast; *u bent nu in de ~* you're on the air now
uitzendkracht temporary worker *(of:* employee), temp
uitzet outfit; *(van bruid)* trousseau
uitzetten 1 throw out, put out, expel; *(uit land)* deport: *ongewenste vreemdelingen ~* deport *(of:* expel) undesirable aliens 2 *(uitschakelen)* switch off, turn off: *het gas ~* turn the gas off 3 *(mbt omvang)* expand, enlarge; *(langer maken)* extend
uitzetting ejection, expulsion; *(uit land ook)* deportation; *(uit huis)* eviction
uitzicht 1 view, prospect, panorama: *vrij ~* unobstructed view; *met ~ op* with a view of, overlooking, looking (out) onto 2 *(vooruitzicht)* prospect, outlook: *~ geven op promotie* hold out prospects *(of:* the prospect) of promotion
uitzichtloos hopeless, dead-end
uitzien *(tot uitzicht hebben)* face, front, look out on: *een kamer die op zee uitziet* a room with a view of the sea, a room facing the sea
uitzingen hold out, manage
uitzinnig delirious, wild: *een ~e menigte* a frenzied *(of:* hysterical) crowd
uitzitten sit out, stay until the end of: *zijn tijd ~* sit out *(of:* wait out) one's time
uitzoeken 1 select, choose, pick out 2 *(sorteren)* sort (out) 3 *(uitpuzzelen)* sort out, figure out
uitzonderen except, exclude
uitzondering exception: *een ~ maken voor* make an exception for; *een ~ op de regel* an exception to the rule; *met ~ van* with the exception of, excepting, save
uitzonderlijk exceptional, unique
uitzuigen 1 *(uitbuiten)* squeeze dry, bleed dry, exploit 2 *(met stofzuiger)* vacuum (out)
uitzuiger bloodsucker, extortionist
uitzwaaien send off, wave goodbye to
uitzweten sweat out
uk toddler, kiddy
ultiem ultimate, last-minute
ultimatum ultimatum: *een ~ stellen* give (s.o.) an ultimatum
ultramodern ultramodern
ultraviolet ultraviolet
UMTS *afk van universal mobile telecommunications system* UMTS
unaniem unanimous: *~ aangenomen* adopted unanimously
unie union, association: *Europese Unie* European Union
unief *(Belg) (verkorting van universiteit)* university

uniek unique
uniform uniform: *een ~ dragen* wear a uniform
uniseks unisex
universeel universal: *de universele rechten van de mens* the universal rights of man
universitair university: *iem met een ~e opleiding* s.o. with a university education
universiteit university: *hoogleraar aan de ~ van Oxford* professor at Oxford University; *naar de ~ gaan* go to the university, *(Am ook)* go to college
universum universe
unzippen *(comp)* unzip, decompress, unpack
uploaden upload
uranium uranium: *verrijkt ~* enriched uranium
urban urban music
urgent urgent
urgentie urgency
urgentieverklaring certificate of urgency *(of:* need)
urine urine
urineonderzoek urine analysis
urineren urinate
urinoir urinal
URL *afk van uniform resource locator* URL
urn urn
urologie urology
uroloog urologist
Uruguay Uruguay
USA *afk van United States of America* USA
utopie utopia, utopian dream
utopisch utopian
uur 1 hour: *lange uren maken* put in (*of:* work) long hours; *verloren ~(tje)* spare time (*of:* hour); *het duurde uren* it went on for hours, it took hours; *over een ~* in an hour; *€25 per ~ verdienen* earn 25 euros an hour; *100 kilometer per ~* 100 kilometres per (*of:* an) hour; *per ~ betaald worden* be paid by the hour; *kun je hier binnen twee ~ zijn?* can you be here within two hours?; *het is een ~ rijden* it is an hour's drive; *een ~ in de wind stinken* stink to high heaven 2 *(lesuur)* hour, period, lesson: *we hebben het derde ~ natuurkunde* we have physics for the third lesson 3 *(punt op een wijzerplaat)* o'clock: *op het hele ~* on the hour; *op het halve ~* on the half hour; *hij kwam tegen drie ~* he came around three o'clock; *om ongeveer acht ~* round about eight (o'clock); *om negen ~ precies* at nine o'clock sharp 4 *(ogenblik)* hour, moment: *het ~ van de waarheid is aangebroken* the moment of truth is upon us; *zijn laatste ~ heeft geslagen* his final hour has come, his number is up
uurloon hourly wage, hourly pay: *zij werkt op ~* she is paid by the hour
uurtarief hourly rate
uurtje hour: *in de kleine ~s thuiskomen* come home in the small hours
uurwerk *(klok)* clock, timepiece
uurwijzer hour hand
uw your: *het uwe* yours
uzelf yourself, yourselves

V

vaag vague, faint, dim: *ik heb zo'n ~ vermoeden dat…* I have a hunch (*of:* a sneaking suspicion) that…
vaagheid vagueness
vaak often, frequently: *dat gebeurt niet ~* that doesn't happen very often; *steeds vaker* more and more (frequently)
vaal faded
vaan flag, standard
vaandel banner, flag
vaantje (small) flag, pennant
vaarbewijs navigation licence
vaardig skilful, proficient
vaardigheid skill, skilfulness; *(mbt vreemde talen)* proficiency: *sociale vaardigheden* social skills; *~ in het schrijven* writing skill
vaargeul channel, waterway
vaarroute sea lane
vaars heifer
vaart 1 speed; *(ook fig)* pace: *in volle ~* at full speed (*of:* tilt); *de ~ erin houden* keep up the pace; *het zal zo'n ~ niet lopen* it won't come to that (*of:* get that bad); *~ minderen* reduce speed, slow down; *ergens ~ achter zetten* hurry (*of:* speed) things up, get a move on **2** *(het varen)* navigation, (sea) trade: *de wilde ~* tramp shipping
vaartijd sailing time
vaartuig vessel, craft
vaarwater water(s): *in rustig ~* in smooth water(s)
vaarwel farewell: *iem ~ zeggen* bid s.o. farewell
vaas vase
vaat washing-up, dishes
vaatdoek dishcloth
vaatwasmachine dishwasher
vaatwasser dishwasher
vacant vacant, free, open: *een ~e betrekking* a vacancy, an opening
vacature vacancy, opening: *voorzien in een ~* fill a vacancy
vacaturebank job vacancy department
vaccin vaccine
vaccinatie vaccination
vaccineren vaccinate
vacht 1 *(van een schaap)* fleece; *(van andere dieren)* fur; coat **2** *(geprepareerde schapenhuid)* sheepskin **3** *(pels)* fur, pelt: *de ~ van een beer* a bearskin
vacuüm vacuum
vader father: *~tje en moedertje spelen* play house; *het Onze Vader* the Lord's Prayer; *natuurlijke* (of: *wettelijke*) *~* natural (*of:* legal) father; *hij zou haar ~ wel kunnen zijn* he is old enough to be her father; *van ~ op zoon* from father to son; *zo ~, zo zoon* like father, like son
Vaderdag Father's Day
vaderland (native) country: *voor het ~ sterven* die for one's country; *een tweede ~* a second home
vaderlands national, native: *de ~e geschiedenis* national history
vaderlandsliefde patriotism, love of (one's) country
[1]**vaderlijk** *bn* **1** paternal **2** *(als (van) een vader)* fatherly
[2]**vaderlijk** *bw* in a fatherly way, like a father
vaderschap paternity, fatherhood
vaderszijde father's side, paternal side: *grootvader van ~* paternal grandfather
vadsig (fat and) lazy
vagebond vagabond, tramp
vagelijk vaguely, faintly
vagevuur purgatory
vagina vagina
vaginaal vaginal
vak 1 section, square, space; box *(formulier, puzzel)* **2** *(deel ve kast, doos)* compartment; *(postvak)* pigeon-hole; shelf *(winkel, bibliotheek)*: *de ~ken bijvullen* fill the shelves **3** *(beroep)* trade; *(hoger)* profession: *een ~ leren* learn a trade; *een ~ uitoefenen* practise a trade, be in a trade (*of:* business); *zijn ~ verstaan* understand one's business, know what one is about **4** *(op school enz.)* subject; *(vnl. mbt hoger onderwijs)* course: *exacte ~ken* (exact) sciences, science and maths
vakantie holiday(s); *(vnl. Am)* vacation: *een week ~* a week's holiday; *de grote ~* the summer holidays; *prettige ~!* have a nice holiday!; *een geheel verzorgde ~* a package tour; *~ hebben* have a holiday; *~ nemen* take a holiday; *met ~ gaan* go on holiday
vakantieadres holiday address
vakantiebestemming holiday destination
vakantiedag (day of one's) holiday
vakantieganger holidaymaker
vakantiegeld holiday pay
vakantiehuis holiday cottage
vakantietijd holiday period (*of:* season)
vakantiewerk holiday job, summer job
vakbekwaam skilled
vakbekwaamheid (professional) skill
vakbeurs trade fair
vakbeweging trade unions
vakblad trade journal
vakbond (trade) union

vakbondsleider (trade) union leader
vakbondslid (trade) union member
vakcentrale trade union federation
vakdidactiek teaching method(ology)
vakdiploma (professional) diploma
vakgebied field (of study)
vakjargon (technical) jargon
vakje 1 compartment 2 *(van formulier, puzzel)* box 3 *(van bureau, geheugen)* pigeon-hole
vakkennis professional knowledge, expert knowledge; *(praktisch)* know-how
vakkenpakket chosen set of course options
vakkenvuller stock clerk, grocery clerk
vakkleding working clothes
[1]**vakkundig** *bn* skilled, competent
[2]**vakkundig** *bw* competently, with great skill: *het is ~ gerepareerd* it has been expertly done
vakman expert, professional; *(arbeider)* skilled worker
vakmanschap skill; *(vaardigheid)* craftsmanship: *het ontbreekt hem aan ~* he lacks skill
vakonderwijs vocational education *(of:* training)
vakopleiding vocational training
vaktaal jargon
vaktechnisch technical
vakterm technical term
vakwerk craftmanship, workmanship: *~ afleveren* produce excellent work
val 1 fall (off, from); *(misstap)* trip: *een vrije ~ maken* skydive; *hij maakte een lelijke ~* he had a nasty fall; *ten ~ komen* fall (down), have a fall; *iem ten ~ brengen* bring s.o. down 2 *(ondergang)* (down)-fall, collapse: *de regering ten ~ brengen* overthrow (*of:* bring down) the government 3 *(om dieren te vangen)* trap; *(strik)* snare: *een ~ opzetten* set (*of:* lay) a trap 4 *(hinderlaag)* trap, frame-up: *in de ~ lopen* walk (*of:* fall) into a trap, *(erin lopen)* rise to (*of:* swallow) the bait
valavond *(Belg)* dusk, twilight
Valentijnsdag St Valentine's Day
valhelm (crash) helmet
valies (suit)case
valium® Valium
valk falcon
valkuil pitfall, trap
vallei valley
vallen 1 fall, drop: *er valt sneeuw* (of: *hagel*) it is snowing (*of:* hailing); *uit elkaar ~* fall apart, drop to bits; *zijn blik laten ~ op* let one's eye fall on 2 *(omvallen)* fall (over); *(struikelen)* trip (up): *iem doen ~* make s.o. fall, *(doen struikelen)* trip s.o. up; *zij kwam lelijk te ~* she had a bad fall; *met ~ en opstaan* by trial and error; *van de trap ~* fall (*of:* tumble) down the stairs 3 *(mbt bevoegdheid enz.)* come, fall: *dat valt buiten zijn bevoegdheid* that falls outside his jurisdiction 4 *(verloren gaan)* drop: *iem laten ~* drop (*of:* ditch) s.o.; *hij liet de aanklacht ~* he dropped the charge 5 *(zich aangetrokken voelen tot)* go (for), take (to): *zij valt op donkere mannen* she goes for dark men || *Kerstmis valt op een woensdag* Christmas (Day) is on a Wednesday; *het ~ van de avond* nightfall; *er vielen doden* (of: *gewonden*) there were fatalities (*of:* casualties); *er viel een stilte* there was a hush, silence fell; *met haar valt niet te praten* there is no talking to her; *er valt wel iets voor te zeggen om …* there is sth to be said for …
valling slope, gradient
valluik trapdoor
valnet safety net
valpartij spill, fall
valreep gangway, gangplank || *op de ~* right at the end, at the final (*of:* last) moment
[1]**vals** *bn* 1 false, fake, phoney; *(voor zn)* pseudo- 2 *(foutief)* wrong, false: *een ~ spoor* a false trail 3 *(muz)* flat *(te laag);* sharp *(te hoog);* false 4 *(gemeen)* mean, vicious: *een ~ beest* a vicious animal 5 *(vervalst)* forged, fake, false, counterfeit: *een ~e Vermeer* a forged (*of:* fake) Vermeer 6 *(kunst-, namaak-)* false, artificial; *(voor zn)* mock; *(voor zn)* imitation: *~ haar* false hair
[2]**vals** *bw* falsely: *~ spelen* play out of tune, cheat (at cards); *~ zingen* sing out of tune, sing off key
valsemunter counterfeiter, forger
valsemunterij counterfeiting, forgery
valsheid 1 spuriousness: *overtuigd van de ~ van het schilderij* convinced that the painting is a fake 2 *(het vervalsen)* forgery, fraud, counterfeiting: *~ in geschrifte* forgery
valstrik snare, trap: *iem in een ~ lokken* lead (*of:* lure) s.o. into a trap
valuta currency
vampier vampire
[1]**van** *bw* of, from: *je kunt er wel een paar ~ nemen* you can have some (of those)
[2]**van** *vz* 1 *(mbt plaats, oorsprong)* from: *hij is ~ Amsterdam* he's from Amsterdam; *~ dorp tot dorp* from one village to another; *~ een bord eten* eat from (*of:* off) a plate 2 *(vanaf, sinds)* from: *~ de vroege morgen tot de late avond* from (the) early morning till late at night; *~ tevoren* beforehand, in advance; *~ toen af* from then on, from that day (*of:* time) (on) 3 *(om bezit of relatie aan te geven)* of: *het hoofd ~ de school* the head(master) of the school; *de trein ~ 9.30 uur* the 9.30 train; *een foto ~ mijn vader: a) (eigendom)* a picture of my father's; *b) (hem voorstellend)* a picture of my father; *~ wie is dit boek? het is ~ mij* whose book is this? it's mine 4 *(gemaakt, bestaande uit)* (made, out) of: *een tafel ~ hout* a wooden table 5 *(mbt maker, auteur)* by, of: *dat was niet slim ~ Jan* that was not such a clever move of Jan's; *het volgende nummer is ~ Van Morrison* the next number is by Van Morrison; *een plaat ~ de Stones* a Stones record, a record by the Stones || *drie ~ de vier* three out of four; *een jas met ~ die koperen knopen* a coat with those brass buttons; *~ dat geld kon hij een auto ko-*

pen he was able to buy a car with that money; *daar niet ~* that's not the point; *ik geloof ~ niet* I don't think so; *ik verzeker u ~ wel* I assure you I do; *het lijkt ~ wel* it seems (*of:* looks) like it

vanaf 1 from, as from; *(Am)* as of; beginning; since *(punt in het verleden): ~ de 16e eeuw* from the 16th century onward(s); *~ vandaag* as from (*of Am:* as of) today **2** *(mbt een volgorde)* from, over: *prijzen ~ …* prices (range) from …

vanavond tonight, this evening

vanbinnen (on the) inside

vanboven 1 on the top, on the upper surface, above **2** *(van een hoger punt)* from above

vanbuiten 1 from the outside **2** *(aan de buitenzijde)* on the outside **3** *(uit het hoofd)* by heart: *iets ~ kennen* (of: *leren*) know (*of:* learn) sth by heart

vandaag today: *~ de dag* nowadays, these days, currently; *tot op de dag van ~* to this very day, to date; *~ is het maandag* today is Monday; *~ over een week* a week from today, in a week's time, a week from now; *de krant van ~* today's paper; *liever ~ dan morgen* the sooner the better || *~ of morgen* one of these days, soon

vandaal vandal

vandaan 1 away, from: *we moeten hier ~!* let's go away! **2** *(uit)* out of, from: *waar heb je die oude klok ~?* where did you pick up (*of:* get) that old clock?; *waar kom (ben) jij ~?* where are you from?, where do you come from? || *hij woont overal ver ~* he lives miles from anywhere

vandaar therefore, that's why

vandalisme vandalism

vandoor off, away: *ik moet er weer ~* I have to be off; *hij is er met het geld ~* he has run off with the money

vaneen separated, split up

vangen 1 catch; *(gevangennemen ook)* capture; *(in een val)* (en)trap: *een dief ~* catch a thief **2** *(opvangen)* catch *(blik, wind)* **3** *(verdienen)* make: *twintig piek per uur ~* make five quid (*of Am:* ten bucks) an hour

vangnet 1 (trap-)net **2** *(om mensen op te vangen)* safety net

vangrail crash barrier

vangst catch, capture; *(buit)* haul: *de politie deed een goede ~* the police made a good catch (*of:* haul)

vanille vanilla

vanille-ijs vanilla ice cream

vanillevla *(ongev)* vanilla custard

vanmiddag this afternoon

vanmorgen this morning; *(later in de dag gezegd; ook)* in the morning: *~ vroeg* early this morning

vannacht tonight; *(de afgelopen nacht)* last night: *je kunt ~ blijven slapen, als je wil* you can stay the night, if you like; *hij kwam ~ om twee uur thuis* he came home at two o'clock in the morning

vanouds: *het was weer als ~* it was just like old times again

vanuit 1 from; *(door iets heen)* out of: *ik keek ~ mijn raam naar beneden* I looked down from (*of:* out of) my window **2** *(uitgaande van)* starting from

vanwaar 1 from where **2** *(om welke reden)* why: *~ die haast?* what's the hurry?

vanwege because of, owing to, due to, on account of

vanzelf 1 by oneself, of oneself, of one's own accord **2** *(automatisch)* as a matter of course, automatically: *alles ging (liep) als ~* everything went smoothly; *dat spreekt ~* that goes without saying

[1]**vanzelfsprekend** *bn* obvious, natural, self-evident

[2]**vanzelfsprekend** *bw* obviously, naturally, of course: *als ~ aannemen* take sth for granted

[1]**varen** *zn* fern

[2]**varen** *intr* sail: *het schip vaart 10 knopen* the ship sails at 10 knots; *hij wil gaan ~* he wants to go to sea (*of:* be a sailor)

variabel variable, flexible: *~e werktijden* flexible working hours

variabele variable

variant variant, variation: *een ~ op* a variant of, a variation on

variatie variation, change: *voor de ~* for a change

variëren vary, differ: *sterk ~de prijzen* widely differing prices

variété variety, music hall

variëteit variety, diversity

varken pig; *(gecastreerd)* hog; *(als scheldwoord ook)* swine: *zo lui als een ~* bone idle (*of:* lazy)

varkensfokkerij pig farm

varkenshaas pork tenderloin *(of:* steak)

varkenshok pigsty

varkenskotelet pork chop

varkensleer pigskin

varkensstal pigsty; *(modern)* pig house

varkensvlees pork

varkensvoer pigfeed, pigfood; *(vloeibaar)* (pig)-swill

vaseline vaseline

[1]**vast** *bn* **1** fixed, immovable: *~e vloerbedekking* wall-to-wall carpet(ing) **2** *(niet van plaats, richting veranderend)* fixed, stationary: *~ raken* get stuck (*of:* caught, jammed); *~e datum* fixed date; *~e inkomsten* a fixed (*of:* regular) income; *~e kosten* fixed (*of:* standing) charges; *een ~e prijs* a fixed (*of:* set) price **3** *(niet weifelend)* firm, steady: *met ~e hand* with a steady (*of:* sure) hand; *~e overtuiging* firm conviction **4** *(permanent)* permanent; regular *(werk)*; steady *(vriend(in))*: *~ adres* fixed address; *een ~e betrekking* a permanent position **5** *(compact)* solid: *~ voedsel* solid food **6** *(stevig)* firm: *~e vorm geven* shape **7** *(goed bevestigd)* tight, firm **8** *(mbt gewoonten, afspraken)* established, standing: *een ~ gebruik* a (set) custom; *een ~e regel* a fixed (*of:* set) rule

[2]**vast** *bw* **1** fixedly, firmly **2** *(stellig)* certainly, for

certain *(of:* sure): *hij is het ~ vergeten* he must have forgotten (it); *~ en zeker* definitely, certainly 3 *(alvast)* for the time being, for the present: *begin maar ~ met eten* go ahead and eat *(of:* start eating)

vastberaden resolute, firm, determined

vastbesloten determined

vastbinden tie (up, down), bind (up), fasten: *zijn armen werden vastgebonden* his arms were tied *(of:* bound) (up)

vasteland 1 continent 2 *(de vaste wal)* mainland; *(vasteland van Europa)* Continent

[1]**vasten** *zn* fast(ing)

[2]**vasten** *intr* fast

vastentijd 1 Lent 2 fast, time of fasting

vastgeroest stuck: *in zijn gewoonten ~* set in his ways

vastgoed real estate *(of:* property)

vasthouden hold (fast); *(stevig vasthouden)* grip; *(in arrest)* detain: *iemands hand ~* hold s.o.'s hand; *hou je vast!* brace yourself (for the shock)!

vasthoudend tenacious; *(niet aflatend)* persistent; *(volhardend)* persevering

vastklemmen clip (on), tighten: *de deur zat vastgeklemd* the door was jammed

vastleggen 1 tie up: *zich niet ~ op iets, zich nergens op ~* refuse to commit oneself, leave one's options open, *(zich vrijblijvend opstellen)* be noncommittal 2 set down, record: *iets schriftelijk ~* put sth down in writing

vastliggen be tied up, be fixed: *die voorwaarden liggen vast in het contract* those conditions have been laid down in the contract

vastlijmen glue (together), stick (together)

vastlopen 1 jam, get jammed *(verkeer, machine, motor): het schip is vastgelopen* the ship has run aground 2 *(fig)* get stuck, be bogged down: *de onderhandelingen zijn vastgelopen* negotiations have reached a deadlock

vastmaken fasten; tie up *(boot, veter, pakje);* do up, button up *(jas); (stevig)* secure

vastpakken grip, grasp; *(vastgrijpen)* grab

vastplakken stick together, glue together

vastroesten rust

vastspijkeren nail (down); tack *(met duimspijkertjes)*

vaststaan 1 *(geheel zeker zijn)* be certain: *het staat nu vast, dat* it is now definite *(of:* certain) that; *de datum stond nog niet vast* the date was still uncertain (yet) 2 *(onveranderlijk zijn)* be fixed: *zijn besluit staat vast* his mind is made up

vaststaand certain; final *(beslissing): een ~ feit* an established *(of:* a recognized) fact

vaststellen 1 fix, determine, settle, arrange: *een datum ~* settle on *(of:* fix) a date; *een prijs ~* fix a price 2 *(voorschrijven, besluiten)* decide (on), specify; lay down *(wetten): op vastgestelde tijden* at stated times *(of:* intervals) 3 *(constateren)* find, conclude 4 *(zich zekerheid verschaffen over)* determine, establish: *de doodsoorzaak ~* establish *(of:* determine) the cause of death; *de schade ~* assess the damage

vastvriezen freeze (in)

vastzetten 1 fix, fasten; *(goed vast doen staan)* secure 2 tie up, lock up, settle (on): *zijn spaargeld voor vijf jaar ~* tie up one's savings for five years

vastzitten 1 be stuck; *(van deur enz. ook)* be jammed: *~ in de file* be stuck in a tailback 2 *(vastgehecht zijn)* be stuck *(of:* fixed): *daar zit heel wat aan vast* there is (a lot) more to it (than meets the eye) 3 *(in gevangenschap)* be locked up, be behind bars: *hij heeft een jaar vastgezeten* he has been inside for a year 4 *(in moeilijkheden)* be in a fix 5 *(gebonden zijn aan)* be tied (down) (to), be committed (to): *hij heeft het beloofd; nu zit hij eraan vast* he made that promise, he can't get out of it now

[1]**vat** *zn* hold, grip; *(handgreep)* handle: *geen ~ op iem hebben* have no hold over s.o.

[2]**vat** *zn (ton)* barrel *(ook als maat, vnl. van aardolie); (fust)* cask; *(van ijzer)* drum: *een ~ petroleum* an oil drum; *bier van het ~* draught beer

vatbaar 1 susceptible to, liable to: *hij is zeer ~ voor kou* he is very prone to catching colds 2 *(ontvankelijk)* amenable (to), open to: *hij is niet voor rede ~* he's impervious *(of:* not open) to reason

Vaticaan Vatican

Vaticaanstad Vatican City

vatten catch

vbo *afk van voorbereidend beroepsonderwijs* junior secondary vocational education

v.C(hr). *afk van voor Christus* BC

vechten 1 fight; *(bestrijden)* combat: *wij moesten ~ om in de trein te komen* we had to fight our way into the train 2 *(zich weren voor, tegen)* fight (for, against): *tegen de slaap ~* fight off sleep

vechter fighter, combatant

vechtlustig pugnacious

vechtpartij fight, brawl

vechtsport combat sport

vector vector

[1]**vedergewicht** *zn (bokser)* featherweight

[2]**vedergewicht** *zn* featherweight

vedette star, celebrity

vee cattle: *een stuk ~* a head of cattle

veearts veterinary (surgeon); *(Am)* veterinarian; vet

[1]**veeg** *zn* 1 wipe; *(lik)* lick 2 *(vlek, streep)* streak; *(vlek)* smudge: *er zit een zwarte ~ op je gezicht* there's a black smudge on your face

[2]**veeg** *bn* 1 fatal 2 *(onheilspellend)* ominous, fateful: *een ~ teken* a bad sign *(of:* omen)

veehouder cattle breeder, cattle farmer; *(Am)* rancher

veehouderij cattle farm *(of Am:* ranch)

veejay veejay, VJ

[1]**veel** *onbep vnw* much, many, a lot, lots: *~ geluk!* good luck!; *weet ik ~* how should I know?; *~ te ~* far too much *(of:* many); *één keer te ~* (just) once too often

va

[2]**veel** *bw* much, a lot: *hij was kwaad, maar zij was nog ~ kwader* he was angry, but she was even more so; *ze lijken ~ op elkaar* they are very much alike
[3]**veel** *telw* many, a lot || *het zijn er ~* there's a lot of them
veelbelovend promising: *~ zijn* show great promise
veeleisend demanding, particular (about)
veelpleger multiple offender
veelvoud multiple: *zijn salaris bedraagt een ~ van het hare* his salary is many times larger than hers
veelvraat glutton
veelvuldig frequently, often
veelzijdig many-sided, versatile: *haar ~e belangstelling* her varied interests; *een ~e geest* a versatile mind
veelzijdigheid versatility
veemarkt cattle market
veen peat
veenbes cranberry
[1]**veer** *zn* 1 feather 2 *(draad)* spring
[2]**veer** *zn* ferry
veerdienst ferry (service, line)
veerkracht elasticity, resilience
veerkrachtig elastic, springy, resilient
veerpont ferry(boat)
veertien fourteen: *vandaag over ~ dagen* in a fortnight('s time), two weeks from today; *~ dagen* fourteen days, a fortnight; *het zijn er ~* there are fourteen (of them)
veertiendaags 1 biweekly, fortnightly: *een ~ tijdschrift* a biweekly (magazine) 2 *(voor zn)* two-week; fourteen-day 3 *(veertien dagen oud)* two weeks *(of:* fourteen days) old
veertiende fourteenth
veertiende-eeuws fourteenth-century
veertig forty: *in de jaren ~* in the forties; *hij loopt tegen de ~* he is pushing forty; *~ plus* more than 40% fat
veertiger man of forty: *hij is een goede ~* he is somewhere in his forties
veertigjarig 1 forty years', fortieth: *~e bruiloft* fortieth wedding anniversary 2 *(veertig jaar oud)* forty-year-old
veertigplusser over-40
veertigste fortieth
veertigurig forty-hour: *de ~e werkweek* the forty-hour week
veestal cowshed
veestapel (live)stock
veeteelt stock breeding, cattle breeding
veevervoer transport of livestock *(of:* cattle)
veevoer feed
veewagen *(spoorwegen)* cattle truck; *(wegverkeer)* cattle lorry
vegen 1 sweep, brush: *de schoorsteen ~* sweep the chimney 2 *(afvegen, schoonmaken)* wipe: *voeten ~ a.u.b.* wipe your feet please
veger (sweeping) brush: *~ en blik* dustpan and brush
vegetariër vegetarian
vegetarisch vegetarian: *ik eet altijd ~* I'm a vegetarian
vehikel vehicle
veilen sell by auction: *antiek* (of: *huizen*) *~* auction antiques *(of:* houses)
veilig safe, secure; *(mbt signaal)* (all-)clear: *~ verkeer (ongev)* road safety; *iets ~ opbergen* put sth in a safe place; *~ thuiskomen* return home safe(ly); *~ en wel* safe and sound
veiligheid safety, security: *de openbare ~* public security; *iets in ~ brengen* bring sth to (a place of) safety
veiligheidsagent security officer
veiligheidsbril safety goggles, protective goggles
veiligheidsdienst security forces *(leger, politie): binnenlandse ~* (counter)intelligence
veiligheidsgordel safety belt; *(autogordel ook)* seat belt
veiligheidshelm safety helmet; *(inform)* hard hat *(op bouwterrein e.d.)*
veiligheidsmaatregel security measure
Veiligheidsraad Security Council
veiligheidsslot safety lock
veiligheidsspeld safety pin
veiling auction
veilinghuis auctioneering firm
veilingmeester auctioneer
veilingsite auction site
vel 1 skin: *het is om uit je ~ te springen* it is enough to drive you up the wall; *~ over been zijn* be all skin and bone 2 *(blad papier)* sheet
veld field; *(open land)* open country *(of:* fields); *(sport ook)* pitch; *(schaakbord)* square: *in geen ~en of wegen was er iem te zien* there was no sign of anyone anywhere; *een speler uit het ~ sturen* send a player off (the field)
veldbed camp bed
veldboeket bouquet of wild flowers
veldfles water bottle
veldloop cross-country (race)
veldmaarschalk Field Marshal; *(Am)* General of the Army
veldmuis field vole, field mouse
veldrijder cyclo-cross rider
veldsla lamb's lettuce
veldslag (pitched) battle
veldspeler fielder
veldsport outdoor sports
veldwerk fieldwork: *het ~ verrichten* do the donkey work, do the spadework
velg rim
vellen cut down, fell: *bomen ~* cut down trees
velo *(Belg)* bike
velours velour(s)
ven pool; *(droog)* hollow

Venetië Venice
Venezuela Venezuela
venijn *(gif)* poison, venom: *het ~ zit in de staart* the sting is in the tail
venijnig vicious; venomous *(kritiek): ~e blikken* malicious looks
venkel fennel
vennoot partner
vennootschap 1 partnership, firm; *(Am ook)* company 2 *(overeenkomst op handelsgebied)* trading partnership: *besloten ~* private limited company; *naamloze ~* public limited company
venster window
vensterbank windowsill
vensterenveloppe window envelope
vensterglas window glass; *(ruit ook)* windowpane
vent 1 fellow, guy, bloke: *een leuke ~ (aantrekkelijke)* a dishy bloke (*of:* guy) 2 *(jochie)* son(ny), lad(die)
venten hawk, peddle
venter street trader, hawker, pedlar
ventiel valve
ventilatie ventilation
ventilator fan, ventilator
[1]**ventileren** *intr* air
[2]**ventileren** *tr (de lucht verversen in; uiten)* ventilate, air
ventweg service road
[1]**ver** *bn* distant, far; *(voor zn)* far-off; *(na ww)* far off; a long way: *~re landen* distant (*of:* far-off) countries; *de ~re toekomst* the distant future; *in een ~ ~leden* in some distant (*of:* remote) past; *een ~re reis* a long journey
[2]**ver** *bw* 1 *(vnl. in ontkennende en vragende zinnen)* far; *(in bevestigende zinnen)* a long way: *hij sprong zeven meter ~* he jumped a distance of seven metres; *~ gevorderd zijn* be well advanced; *het zou te ~ voeren om …* it would be going too far to …; *~ vooruitzien* look well (*of:* way) ahead; *hoe ~ is het nog?* how much further is it?; *hoe ~ ben je met je huiswerk?* how far have you got with your homework?; *dat gaat te ~!* that is the limit!; *~ weg* a long way off, far away; *het is zo ~!* here we go, this is it; *ben je zo ~?* (are you) ready?; *van ~ komen* come a long way, come from distant parts 2 *(in hoge mate)* (by) far, way: *~ heen zijn* be far gone; *zijn tijd ~ vooruit zijn* be way ahead of one's time
verachten despise, scorn
verademing relief
veraf far away, far off, a long way away *(of:* off)
verafgelegen *(voor zn)* far-away; *(na ww)* far away; remote
veranda veranda
[1]**veranderen** *intr* 1 *(anders worden)* change: *de tijden ~* times are changing 2 *(wisselen (van))* change, switch: *van huisarts ~* change one's doctor; *van onderwerp ~* change the subject
[2]**veranderen** *tr* 1 alter, change: *een jurkje ~* alter a dress; *dat verandert de zaak* that changes things; *daar is niets meer aan te ~* nothing can be done about that 2 *(in het genoemde overbrengen)* change, turn (into): *Jezus veranderde water in wijn* Jesus turned water into wine
verandering 1 change; *(afwisseling)* variation: *~ van omgeving* change of scene(ry); *voor de ~* for a change 2 *(wijziging)* alteration: *een ~ aanbrengen in* make an alteration (*of:* a change) to
veranderlijk changeable, variable; *(weer ook)* unsettled; *(wispelturig)* fickle
verantwoord 1 safe; *(verstandig)* sensible 2 *(weloverwogen)* well-considered, sound: *~e voeding* a well-balanced (*of:* sensible) diet
verantwoordelijk responsible: *de ~e minister* the minister responsible; *iem voor iets ~ stellen* hold s.o. responsible for sth
verantwoordelijkheid responsibility: *de ~ voor iets op zich nemen* take (*of:* assume) responsibility for sth; *de ~ voor een aanslag opeisen* claim responsibility for an attack
verantwoordelijkheidsgevoel sense of responsibility
[1]**verantwoorden** *tr* justify, account for: *ik kan dit niet tegenover mijzelf ~* I cannot square this with my conscience
[2]**verantwoorden, zich** *(rekenschap afleggen)* justify, answer (to s.o. for sth)
verantwoording 1 account: *~ afleggen* render account; *aan iem ~ verschuldigd zijn* be accountable (*of:* answerable) to s.o.; *iem ter ~ roepen* call s.o. to account 2 *(verantwoordelijkheid)* responsibility: *op jouw ~* you take the responsibility
verassen incinerate, cremate
[1]**verbaal** *zn (proces-verbaal)* booking, ticket
[2]**verbaal** *bn* verbal
verbaasd surprised, astonished, amazed: *~ zijn over iets* be surprised (*of:* amazed) at sth
verband 1 bandage: *een ~ aanleggen* put on a bandage 2 *(samenhang, betrekking)* connection; *(zinsverband)* context; relation(ship): *in landelijk* (of: *Europees*) *~* at a national (*of:* European) level; *in ruimer ~* in a wider context; *~ houden met iets* be connected with sth; *dit houdt ~ met het feit dat* this has to do with the fact that; *de woorden uit hun ~ rukken* take words out of context
verbandtrommel first-aid kit, first-aid box
verbannen banish, exile: *~ zijn* be banished, be under a ban
verbanning banishment, exile
[1]**verbazen** *tr* amaze, surprise, astonish: *dat verbaast me niets* that doesn't surprise me in the least
[2]**verbazen, zich** be surprised (*of:* amazed) (at)
verbazing surprise, amazement, astonishment: *wie schetst mijn ~* imagine my surprise; *dat wekte ~* that came as a surprise; *tot mijn ~ hoorde ik …* I was surprised to hear …
verbazingwekkend astonishing, surprising; *(sterker)* amazing

[1]**verbeelden** *tr (uitbeelden)* represent, be meant (*of:* supposed) to be: *dat moet een badkamer ~!* that is supposed to be a bathroom!
[2]**verbeelden, zich** imagine, fancy: *dat verbeeld je je maar* you are just imagining it (*of:* things); *hij verbeeldt zich heel wat* he has a high opinion of himself; *verbeeld je maar niets!* don't go getting ideas (into your head)!
verbeelding 1 imagination: *dat spreekt tot de ~* that appeals to one's imagination **2** *(verwaandheid)* conceit(edness), vanity: *~ hebben* be conceited, think a lot of oneself
verbergen hide, conceal: *zij hield iets voor hem verborgen* she was holding sth back from him
verbeten grim, dogged
[1]**verbeteren** *intr (beter worden)* improve, get better: *verbeterde werkomstandigheden* improved working conditions
[2]**verbeteren** *tr* **1** improve: *zijn Engels ~* improve (*of:* brush up) one's English **2** *(corrigeren)* correct **3** *(overtreffen)* beat, improve on: *een record ~* break a record
verbetering 1 improvement: *het is een hele ~ vergeleken met …* it's a great improvement on … **2** *(correctie)* correction; *(van fouten ook)* rectification; *(van huiswerk, examens)* marking
verbieden forbid; ban *(film, boek)*; suppress *(publicatie)*: *verboden toegang* no admittance; *verboden in te rijden* no entry (*of:* access); *verboden te roken* no smoking; *verboden voor onbevoegden* no unauthorized entry, *(op terrein)* no trespassing
verbijsterd bewildered, amazed, baffled
verbijsteren bewilder, amaze
verbijstering bewilderment, amazement
verbinden 1 join (together), connect (to, with): *~ met* join to, link up to (*of:* with) **2** *(in samenhang brengen)* connect, link **3** *(omzwachtelen)* bandage **4** *(door een overeenkomst, band koppelen aan)* connect, attach, join (up): *er zijn geen kosten aan verbonden* there are no expenses involved **5** *(mbt telefoonverbinding)* connect (with), put through (to): *ik ben verkeerd verbonden* I have got a wrong number; *kunt u mij met de heer Jefferson ~?* could you put me through to Mr Jefferson?
verbinding 1 connection, link: *een ~ tot stand brengen* establish (*of:* make) a connection **2** *(mogelijkheid tot verkeer)* connection: *een directe ~* a direct connection, *(trein ook)* a through train; *de ~en met de stad zijn uitstekend (het vervoer)* connections with the city are excellent **3** *(mbt telefoon)* connection: *geen ~ kunnen krijgen* not be able to get through; *de ~ werd verbroken* the connection was broken, we (*of:* they) were cut off
verbindingsstreepje hyphen
verbitterd bitter (at, by), embittered (at, by)
verbittering bitterness
verbleken 1 (turn, go) pale, turn white, go white **2** *(mbt kleuren, vervagen)* fade
verblijf 1 stay **2** *(onderkomen)* residence; *(tijdelijk ook)* accommodation: *de verblijven voor de bemanning* (of: *het personeel*) the crew's (*of:* servants') quarters
verblijfkosten accommodation expenses, living expenses
verblijfplaats (place of) residence, address: *iem zonder vaste woon- of ~* s.o. with no permanent home or address
verblijfsvergunning residence permit
verblijven 1 stay: *hij verbleef enkele maanden in Japan* he stayed in Japan for several months **2** *(onderdak hebben, wonen)* live
verblinden dazzle, blind: *een ~de schoonheid* a dazzling (*of:* stunning) beauty
verbloemen disguise, gloss over, cover up
verbluffend staggering, astounding: *~ snel handelen* act amazingly (*of:* incredibly) quickly
verbluft staggered, stunned: *~ staan kijken* be dumbfounded
verbod ban, prohibition; *(mbt handel ook)* embargo: *een ~ uitvaardigen* impose (*of:* declare) a ban
verboden forbidden, banned, prohibited: *tot ~ gebied verklaren* declare (*of:* put) out of bounds; *~ wapenbezit* illegal possession of arms
verbond 1 treaty, pact: *een ~ sluiten* (of: *aangaan*) *met* make (*of:* enter) into a treaty with **2** *(vereniging)* union
verbonden 1 committed, bound **2** *(verenigd)* allied, joined (together) **3** *(met verband omzwachteld)* bandaged, dressed **4** *(gebonden)* joined (to), united (with); bound (to), wedded (to) *(bijv. aan beroep)*: *zich met iem ~ voelen* feel a bond with s.o. || *verkeerd ~* wrong number
verborgen hidden, concealed
verbouwen 1 cultivate, grow **2** *(mbt gebouwen)* carry out alterations, renovate
verbouwereerd dumbfounded, flabbergasted
verbouwing alteration, renovation: *gesloten wegens ~* closed for repairs (*of:* alterations)
[1]**verbranden** *intr* **1** *(opbranden)* burn down, burn up: *hij is bij dat ongeluk levend verbrand* he was burnt alive in that accident **2** *(aanbranden)* burn; scorch *(oppervlakte)*: *het vlees staat te ~* the meat is burning
[2]**verbranden** *tr* **1** burn (down), incinerate **2** *(verwonden)* burn; scald *(hete vloeistof)*: *zijn gezicht is door de zon verbrand* his face is sunburnt
verbranding 1 burning, incineration **2** *(verwonding, beschadiging)* burn; scald *(door vloeistof)*
verbrandingsmotor (internal-)combustion engine
[1]**verbreden** *tr* broaden, widen
[2]**verbreden, zich** *(breder worden)* broaden (out): *de weg verbreedt zich daar* the road broadens (out) there
verbreken 1 break (up): *een zegel ~* break a seal **2** *(afbreken)* break (off), sever: *een relatie ~* break off a relationship

verbrijzelen shatter, crush
verbrodden *(Belg)* botch (up), mess up
verbrokkelen crumble
verbruik consumption
verbruiken consume, use up
verbruiker consumer, user
verbuigen bend, twist
[1]**verdacht** *bn* 1 suspected: *iem ~ maken* cast a slur on s.o., smear s.o. 2 *(verdenking wekkend)* suspicious, questionable: *een ~ zaakje* a questionable (*of:* shady) business
[2]**verdacht** *bw* suspiciously: *dat lijkt ~ veel op ...* that looks suspiciously like ...
verdachte suspect
verdachtenbank dock, witness box *(of Am:* stand)
verdachtmaking imputation; *(toespeling)* insinuation; slur
verdagen adjourn: *een zitting ~* adjourn a session
verdaging postponement; *(mbt iets wat al begonnen is)* adjournment
verdampen evaporate, vaporize
verdamping evaporation, vaporization
verdedigen 1 defend: *een ~de houding aannemen* be on the defensive 2 *(pleiten voor)* defend, support: *zijn belangen ~* stand up for (*of:* defend) one's interests; *zich ~* defend (*of:* justify) oneself
verdediger 1 defender, advocate 2 *(advocaat)* counsel (for the defence) 3 *(sport)* defender, back: *centrale ~* central defender; *vrije ~* libero
verdediging 1 defence: *(sport) in de ~ gaan* go on the defensive 2 *(advocaat)* counsel (for the defence), defence
verdeeld divided: *hierover zijn de meningen ~* opinions are divided on this (problem, issue, question)
verdeeldheid discord, dissension: *er heerst ~ binnen de partij* the party is divided (*of:* split); *~ zaaien* spread discord
verdekt concealed, hidden: *zich ~ opstellen* conceal oneself, take cover
[1]**verdelen** *tr* 1 divide, split (up) 2 *(afmeten)* divide (up), distribute: *de buit ~* divide the loot 3 *(evenwichtig spreiden)* spread: *de taken ~* allocate (*of:* share) (out) the tasks
[2]**verdelen, zich** *(splitsen)* divide, split (up): *de rivier verdeelt zich hier in twee takken* the river divides (*of:* forks) here
verdelgingsmiddel *(tegen dieren)* pesticide; *(tegen insecten)* insecticide; *(tegen onkruid)* weedkiller
verdeling 1 division 2 *(uitdeling)* distribution
verdenken suspect (of): *zij wordt ervan verdacht, dat ...* she is under the suspicion of ...; *iem van diefstal ~* suspect s.o. of theft
verdenking suspicion: *iem in hechtenis nemen op ~ van moord* arrest s.o. on suspicion of murder
[1]**verder** *bn* 1 (the) rest of 2 *(nader)* further, subsequent
[2]**verder** *bw* 1 farther, further: *twee regels ~* two lines (further) down; *hoe ging het ~?* how did it go on?; *~ lezen* go on (*of:* continue) reading, read on 2 *(bovendien)* further, furthermore, in addition, moreover: *~ verklaarde zij ...* she went on (*of:* proceeded) to say ... 3 *(overigens)* for the rest, apart from that: *is er ~ nog iets?* anything else?
verderf ruin, destruction: *iem in het ~ storten* ruin s.o., bring ruin upon s.o.
verderfelijk pernicious: *~e invloeden* baneful influences
verderop further on, farther on: *zij woont vier huizen ~* she lives four houses (further) down; *~ in de straat* down (*of:* up) the street
verderven deprave, corrupt
[1]**verdiend** *bn* deserved: *volkomen ~* richly deserved
[2]**verdiend** *bw* deservedly: *de thuisclub won ~ met 3-1* the home team won deservedly by 3 to 1
[1]**verdienen** *intr* 1 *(mbt salaris)* earn, make money: *zij verdient uitstekend* she is very well paid 2 *(salaris opleveren)* pay: *dat baantje verdient slecht* that job does not pay well
[2]**verdienen** *tr* 1 earn, make, be paid: *een goed salaris ~* earn a good salary; *zuur verdiend* hard-earned, hard-won 2 *(waard zijn)* deserve, merit: *dat voorbeeld verdient geen navolging* that example ought not to be followed
verdienste 1 wages, pay, earnings; *(winst)* profit: *zonder ~n zijn* be out of a job, earn no money 2 *(verdienstelijkheid)* merit: *een man van ~* a man of (great) merit
verdienstelijk deserving, (praise)worthy: *zich ~ maken* make oneself useful
[1]**verdiepen** *tr* deepen, broaden: *zijn kennis ~* gain more in-depth knowledge
[2]**verdiepen, zich** (met *in*) go (deeply) into, be absorbed in: *verdiept zijn in* be engrossed (*of:* absorbed) in
verdieping floor, storey: *een huis met zes ~en* a six-storeyed house; *op de tweede ~* on the second floor, *(Am)* on the third floor
verdikking thickening, bulge
verdoemd damned
verdoen waste (away), fritter (away), squander: *ik zit hier mijn tijd te ~* I am wasting my time here
verdoezelen blur, disguise: *de ware toedracht ~* fudge (*of:* disguise) the real facts
verdonkeremanen embezzle *(geld)*; suppress
verdoofd stunned, stupefied, numb
verdord shrivelled; *(verwelkt)* withered; parched: *~e bladeren* withered leaves
verdorren shrivel (up), parch; *(verwelken)* wither (up); *(verwelken)* wilt
verdorven depraved, perverted: *een ~ mens* a wicked person, a pervert

verdoven stun, stupefy; benumb *(door kou; geest)*: *~de middelen* drugs, narcotic(s); *de patiënt wordt plaatselijk verdoofd* the patient receives a local anaesthetic
verdoving 1 anaesthesia, anaesthetic 2 *(gevoelloosheid)* stupor
verdovingsmiddel anaesthetic
verdraaglijk bearable, tolerable
verdraagzaam tolerant: *~ jegens elkaar zijn* be tolerant of each other
verdraagzaamheid tolerance
verdraaien 1 turn 2 *(verkeerd weergeven)* distort; *(woorden ook)* twist: *de waarheid ~* distort the truth 3 *(opzettelijk anders voordoen)* disguise: *zijn stem ~* disguise (*of:* mask) one's voice
verdraaiing distortion, twist
verdrag treaty, agreement: *een ~ sluiten* enter into (*of:* make) a treaty
verdragen 1 bear, endure, stand: *hij kan de gedachte niet ~, dat …* he cannot bear (*of:* stand) the idea that … 2 *(velen, uithouden)* bear, stand, put up with, take: *ik kan veel ~, maar nu is 't genoeg* I can stand (*of:* take) a lot, but enough is enough
verdriet grief (*of:* distress) (at, over), sorrow (at): *iem ~ doen (aandoen)* distress s.o., give s.o. pain (*of:* sorrow); *~ hebben* be in distress, grieve
verdrietig sad, grieved: *~ maken* sadden
verdrievoudigen triple, treble: *de winst is verdrievoudigd* profit has tripled
verdrijven drive away, chase away, dispel: *de pijn ~* dispel the pain
[1]**verdringen** *tr* 1 push away (*of:* aside) 2 *(naar de achtergrond verdrijven)* shut out; *(psych ook)* repress *(onbewust)*; suppress *(bewust)*
[2]**verdringen, zich** *(elkaar van de plaats dringen)* crowd (round): *de menigte verdrong zich voor de etalage* people crowded round the shop window
[1]**verdrinken** *intr* drown: *~ in het huiswerk* be swamped by homework
[2]**verdrinken** *tr (door alcoholgebruik)* drink away *(geld, bezit)*; drown *(zorgen, verdriet enz.)*
verdrinkingsdood death by drowning
verdrogen 1 dry out, dry up, dehydrate: *dat brood is helemaal verdroogd* that loaf (of bread) has completely dried out 2 *(door droogte teniet-gaan)* shrivel (up), wither (away, up)
verdrukken oppress, repress
verdrukking: *in de ~ raken (komen)* get into hot water (*of:* a scrape)
verdubbelen double: *met verdubbelde energie* with redoubled energy
verduidelijken explain, make (more) clear, clarify
verduidelijking explanation: *ter ~* by way of illustration
verduisteren 1 darken, dim: *de zon ~* blot out the sun 2 *(achteroverdrukken)* embezzle
verduistering 1 darkening 2 eclipse 3 *(mbt goed, geld)* embezzlement
verdunnen 1 thin; *(vloeistof ook)* dilute: *melk met water ~* dilute milk with water 2 *(mbt omvang)* thin (out)
verdunning thinning, dilution
verduren bear, endure, suffer: *heel wat moeten ~* have to put up with a great deal; *het zwaar te ~ hebben: a) (in moeilijkheden)* have a hard (*of:* rough) time of it; *b) (ontberen)* suffer great hardship(s)
verduurzamen preserve, cure
verdwaald lost; *(van dieren ook)* stray: *een ~e kogel* a stray bullet; *~ raken* lose one's way
verdwaasd foolish; *(verdoofd)* groggy: *~ voor zich uit staren* stare vacantly into space
verdwalen lose one's way, get lost, go astray
verdwijnen disappear; *(vlug, geheimzinnig)* vanish: *een verdwenen boek* a missing (*of:* lost) book; *mijn kiespijn is verdwenen* my toothache has worn off (*of:* disappeared); *geleidelijk ~* fade out (*of:* away), melt away; *spoorloos ~* vanish without (leaving) a trace
verdwijning disappearance
verdwijntruc disappearing act, vanishing trick
veredelen ennoble, elevate, refine
veredeling refinement; *(techn ook)* improvement; upgrading
vereenvoudigen simplify: *de vereenvoudigde spelling* simplified spelling
vereenvoudiging simplification; reduction *(breuk)*
vereenzamen grow lonely, become lonely
vereenzaming (social) isolation, (enforced) loneliness
vereenzelvigen identify: *zij vereenzelvigde zich met Julia Roberts* she identified (herself) with Julia Roberts
vereerder worshipper, admirer
vereffenen settle, square; smooth out *(verschillen)*: *iets* (of: *een rekening*) *met iem te ~ hebben* have to settle an account
vereffening settlement, payment
vereisen require, demand: *ervaring vereist* experience required; *de vereiste zorg aan iets besteden* give the necessary care (*of:* attention) to sth
vereiste requirement: *aan de ~n voldoen* meet (*of:* fulfil) the requirements; *dat is een eerste ~* that is a prerequisite (*of:* a must)
[1]**veren** *bn* feather: *een ~ pen* a quill (pen)
[2]**veren** *intr* 1 be springy: *het veert niet meer* it has lost its spring (*of:* bounce) 2 *(als door een veer)* spring: *overeind ~* spring to one's feet
verend springy, elastic: *een ~ matras* a springy (*of:* bouncy) mattress
verenigbaar compatible (with), consistent (with)
verenigd united, allied
Verenigde Arabische Emiraten United Arab Emirates
Verenigde Staten United States (of America)

Verenigd Koninkrijk United Kingdom
verenigen *(samenvoegen)* unite (with), combine, join (to, with): *zich ~ in een organisatie* form an organisation; *het nuttige met het aangename ~* mix (*of:* combine) business with pleasure
vereniging club, association, society: *een ~ oprichten* found an association
vereren worship, adore
[1]**verergeren** *intr (erger worden)* worsen, become worse, grow worse, deteriorate: *de toestand verergert* the situation is deteriorating (*of:* growing worse)
[2]**verergeren** *tr* worsen, make worse, aggravate
verering 1 worship, veneration 2 *(godsd)* devotion, cult: *de ~ van Maria* the devotion to Maria, the Maria cult
verf paint; *(voor stoffen, haar)* dye: *pas op voor de ~!* (watch out,) fresh (*of:* wet) paint!; *het huis zit nog goed in de ~* the paintwork (on the house) is still good || *niet uit de ~ komen* not live up to its promise, not come into its own
verfdoos paint box, (box of) paints
verffabriek paint factory
verfijnen refine: *zijn techniek ~* refine (*of:* polish (up)) one's technique
verfijning refinement, sophistication
verfilmen film, turn (*of:* make) into a film: *een roman ~* film a novel, adapt a novel for the screen
verfilming film version, screen version
verfkwast paintbrush
verflaag coat (*of:* layer) of paint: *bovenste ~* topcoat
verfoeien detest, loathe
verfomfaaid dishevelled, tousled
verfomfaaien crumple (up), rumple
verfpot paint pot
verfraaien embellish (with)
verfraaiing embellishment
verfrissen refresh, freshen up: *zich ~* freshen up, refresh (oneself)
verfrissend refreshing, invigorating
verfrissing refreshment: *enige ~en gebruiken* take (*of:* have) some refreshments
verfroller paint roller
verfrommelen crumple (up), rumple (up)
verfspuit paint spray(er), spray gun
verfstof paint; *(voor stoffen, haar)* dye (base); *(grondstof)* pigment
verfverdunner thinner
verfwinkel paint shop
vergaan 1 fare: *vergane glorie* lost (*of:* faded) glory 2 *(ophouden)* perish, pass away: *horen en zien vergaat je erbij* the noise is enough to waken the dead 3 *(verteren)* perish, decay, rot 4 *(ten onder gaan)* perish; *(fig)* be consumed with; *(scheepv ook)* be wrecked (*of:* lost); *(scheepv ook)* founder: *ik verga van de kou* I am freezing to death; *~ van de honger* be starving to death; *~ van de dorst* be dying of thirst
vergaand far-reaching, drastic
vergaderen meet, assemble: *hij heeft al de hele ochtend vergaderd* he has been in conference all morning; *de raad vergaderde twee uur lang* the council sat for two hours
vergadering meeting, assembly: *het verslag van een ~* the minutes of a meeting; *gewone (algemene) ~* general meeting (*of:* assembly); *een ~ bijwonen* (of: *houden*) attend (*of:* hold) a meeting; *de ~ sluiten* close (*of:* conclude) the meeting; *een ~ leiden* chair a meeting
vergaderzaal meeting hall, assembly room, conference room
vergallen embitter, spoil
vergankelijk transitory, transient; fleeting *(leven, schoonheid, roem enz.)*
vergapen, zich gaze at, gape at: *zich ~ aan een motor* gape (in admiration) at a motorbike
vergaren gather
vergassen 1 gas 2 *(in gas omzetten)* gasify
vergassing 1 *(mbt stoffen)* gasification 2 *(mbt mensen)* gassing
[1]**vergeefs** *bn (vruchteloos)* vain, futile; *(na ww ook)* in vain: *een ~e reis* a futile (*of:* useless) journey
[2]**vergeefs** *bw* in vain: *~ zoeken* look in vain
vergeetachtig forgetful
vergeet-mij-niet forget-me-not
vergelden repay; *(belonen)* reward; *(wraak nemen)* take revenge on: *kwaad met kwaad ~* pay back (*of:* repay) evil with evil
vergelding repayment; *(beloning)* reward; *(uit wraak)* revenge; *(oog om oog)* retaliation: *ter ~ werden krijgsgevangenen doodgeschoten* prisoners of war were shot in retaliation (*of:* reprisal)
vergeldingsactie reprisal (attack, raid)
vergelen yellow, go yellow, turn yellow
vergelijkbaar comparable: *meel en vergelijkbare producten* flour and similar products; *~ zijn met* be comparable to
vergelijken compare; *(nadruk op onderlinge verschillen)* compare with sth; *(nadruk op overeenkomst)* compare to sth: *vergelijk artikel 12, tweede lid* see (*of:* cf.) article 12, subsection two; *niet te ~ zijn met* be (*of:* bear) no comparison with, not be comparable to
vergelijking 1 comparison; *(overeenkomsten)* analogy: *de trappen van ~* the degrees of comparison; *in ~ met* in (*of:* by) comparison with; *ter ~* by way of comparison, for comparison 2 *(wisk)* equation
vergemakkelijken simplify, facilitate: *dat dient om het leven te ~* that serves to make life easier
vergemakkelijking simplification, facilitation
vergen demand, require; *(belasten)* tax: *het uiterste ~ van iem* strain (*of:* try) s.o. to the limit
[1]**vergeten** *bn* forgotten; *(onopgemerkt)* neglected: *~ schrijvers* forgotten (*of:* obscure) writers
[2]**vergeten** *tr* 1 forget, slip one's mind: *alles is ~*

en vergeven everything is forgiven and forgotten, (there are) no hard feelings; *dat ben ik glad* ~ clean forgot(ten); *dat kun je wel* ~ you can kiss that goodbye! 2 *(verzuimen te doen, noemen)* forget, overlook; *(laten liggen)* leave behind: *ze waren ~ zijn naam op de lijst te zetten* they had forgotten to put his name on the list; *niet te* ~ not forgetting (*of:* omitting) 3 *(van zich afzetten)* forget, put out of one's mind: *zijn zorgen* ~ forget one's worries; *vergeet het maar!* forget it!, no way!
vergeven 1 forgive: *ik kan mezelf nooit ~, dat ik* ... I can never forgive myself for (...ing) 2 *(doordrenkt zijn van)* poison: *het huis is ~ van de stank* the house is pervaded by the stench; *~ van de luizen* lice-ridden, crawling with lice 3 *(uitdelen)* give (away): *zij heeft zes vrijkaartjes te* ~ she has six free tickets to give away
vergeving forgiveness; *(ook jur)* pardon; *(door priester)* absolution: *iem om ~ vragen voor iets* ask s.o.'s forgiveness for sth
vergevorderd (far) advanced
vergezellen accompany; *(volgelingen)* attend (on): *iem op (de) reis* ~ accompany s.o. on a journey
vergezicht *(panorama)* (panoramic, wide) view, vista
vergezocht far-fetched
vergiet colander; *(vloeistoffen)* strainer: *zo lek als een* ~ leak like a sieve
vergif *(gif)* poison; *(mbt dieren)* venom: *dodelijk* ~ lethal (*of:* deadly) poison
vergiffenis forgiveness; *(ook jur)* pardon; *(door priester)* absolution
vergiftig poisonous; *(mbt dieren)* venomous
vergiftigen poison
vergiftiging poisoning: *hij stierf door* ~ he died of poisoning
vergissen, zich be mistaken (*of:* wrong), make a mistake: *zich lelijk* ~ be greatly mistaken; *vergis je niet* make no mistake; *als ik mij niet vergis* if I'm not wrong (*of:* mistaken); *zich in de persoon* ~ mistake s.o.; *zich in iem* ~ be mistaken (*of:* wrong) about s.o.; *als hij dat denkt, vergist hij zich* if he thinks that he'll have to think again; *~ is menselijk* to err is human
vergissing mistake, error: *iets per ~ doen* do sth by mistake (*of:* inadvertently)
vergoeden 1 make good, compensate for, refund: *onkosten* ~ pay expenses; *iem de schade* ~ compensate (*of:* pay) s.o. for the damage 2 *(als compensatie dienen voor)* compensate, make up (for): *dat vergoedt veel* that makes up for a lot
vergoeding 1 compensation, reimbursement: *~ eisen* claim damages; *een ~ vragen voor* charge for 2 *(bedrag)* allowance, fee; expenses *(voor gemaakte onkosten, bewezen diensten): tegen een geringe* ~ for a small fee
vergokken gamble away
vergooien throw away, waste: *zijn leven* ~ throw (*of:* fritter) away one's life
vergrendelen bolt, (double) lock
vergrijp offence: *een licht* ~ a minor offence
vergrijpen, zich assault; *(schenden)* violate: *zich aan iem* ~ assault s.o.
vergrijzen age, get old: *Nederland vergrijst* the population of the Netherlands is ageing
vergrijzing ageing
vergroeien grow crooked; *(mbt mensen ook)* grow deformed, become deformed
vergroeiing 1 deformity 2 crooked growth: *~ van de ruggengraat* curvature of the spine
vergrootglas magnifying glass
vergroten 1 increase: *de kansen* (of: *risico's*) ~ increase the chances (*of:* risks) 2 *(groter maken)* enlarge: *de kamer* ~ extend (*of:* enlarge) the room 3 *(groter weergeven)* magnify, enlarge; *(zeer sterk vergroten van foto's; ook fig)* blow up
vergroting 1 increase: *~ van de omzet* increase in the turnover 2 *(het groter maken, worden)* enlargement *(ook van foto)*
vergruizen pulverize, crush
verguld 1 gilded, gilt, gold-plated 2 *(gevleid)* pleased, flattered: *Laurette was er vreselijk mee* ~ Laurette was absolutely delighted with it
vergulden gild, gold-plate
vergunning 1 *(toestemming)* permission 2 *(officiële machtiging)* permit; *(mbt drank, vuurwapens, vervoer)* licence: *een restaurant met volledige* ~ a fully licensed restaurant; *een ~ verlenen* (of: *intrekken*) grant (*of:* suspend) a licence
vergunninghouder licensee, licence-holder
verhaal story: *de kern van het* ~ the point of the story; *om een lang ~ kort te maken* to cut a long story short; *sterke verhalen* tall stories; *zijn ~ doen* tell (*of:* relate) one's story; *~tjes vertellen* tell tales || *het is weer het bekende* ~ it's the same old story; *iem op ~ laten komen* let s.o. get one's breath back
verhalen recover, recoup: *de schade op iem* ~ recover the damage from s.o.
verhandelen trade (in), sell
verhandeling *(Belg) (scriptie)* (mini-)dissertation
verhangen, zich hang oneself
verhard 1 hard; *(mbt grond)* paved: *~e wegen* metalled (*of Am:* paved) roads 2 *(fig)* hardened, callous
[1]**verharden** *intr* harden: *in het kwaad* ~ become set in evil ways
[2]**verharden** *tr (hardmaken)* harden; *(mbt grond)* metal; pave: *een tuinpad* ~ pave a garden path
verharding hardening; *(mbt grond)* metalling *(materiaal ook)*; paving: *een ~ van standpunten* a hardening of points of view
verharen moult; *(pels, kleed)* shed (hair): *de kat is aan het* ~ the cat is moulting
[1]**verheffen** *tr* 1 raise, lift 2 *(fig)* raise, elevate; *(mbt smaak, moraliteit)* uplift; lift up: *iets tot regel* ~ make sth the rule

[2]**verheffen, zich** rise: *zich hoog ~ boven de stad* rise (*of:* tower) above the city

[1]**verhelderen** *intr* clear (up): *de lucht verhelderde* the sky cleared (*of:* brightened up)

[2]**verhelderen** *tr (verduidelijken)* clarify: *een ~d antwoord* an illuminating answer

verhelpen put right, remedy

verhemelte palate, roof of the mouth: *een gespleten ~* a cleft palate

verheugd glad, pleased: *zich bijzonder ~ tonen (over iets)* take great pleasure in sth

verheugen, zich be glad, be pleased (*of:* happy): *zich ~ op* look forward to

verheugend joyful: *~ nieuws* good news

verheven elevated; *(fig)* above (to), superior (to): *boven iedere verdenking ~* above (*of:* beyond) all suspicion

verhevigen intensify

verhinderen prevent: *iemands plannen ~* obstruct (*of:* foil) s.o.'s plans; *dat zal mij niet ~ om tegen dit voorstel te stemmen* that won't prevent me from voting against this proposal; *verhinderd zijn* be unable to come (*of:* attend)

verhindering absence, inability to come: *bij ~* in case of absence

verhit 1 hot; *(mbt gezicht)* flushed 2 heated: *~te discussies* heated discussions

verhitten 1 heat 2 inflame, stir up: *dat verhitte de gemoederen* that made feelings run high

verhitting heating(-up)

verhoeden prevent, forbid: *God verhoede dat je ziek wordt* God forbid that you should be ill

verhogen 1 raise: *een dijk ~* raise a dike 2 *(vermeerderen)* increase: *de prijzen ~* raise (*of:* increase) prices

verhoging 1 raising 2 *(verhoogde plaats)* elevation, platform; *(mbt grond)* rise: *de spreker stond op een ~* the speaker stood on a (raised) platform 3 *(bedrag)* increase, rise 4 *(hogere lichaamstemperatuur)* temperature, fever: *ik had wat ~* I had a slight temperature

[1]**verhongeren** *intr* 1 starve (to death), die of starvation 2 *(erge honger lijden)* starve, go hungry

[2]**verhongeren** *tr (uithongeren)* starve (to death): *de kinderen waren half verhongerd* the children were famished (*of:* half starved)

verhoogd increased; raised *(belasting, zitplaats)*: *~e bloeddruk* high blood pressure

verhoor interrogation, examination

verhoren 1 interrogate, question; cross-examine *(zeer streng)*: *getuigen ~* hear witnesses 2 *(toestaan, vervullen)* hear, answer; grant *(wens)*: *een gebed ~* answer (*of:* hear) a prayer

verhouden, zich be as, be in the proportion of: *60 verhoudt zich tot 12 als 5 tot 1* 60 is to 12 as 5 to 1

verhouding 1 relation(ship), proportion: *in ~ tot* in proportion to; *naar ~ is dat duur* that is comparatively expensive 2 *(liefdesbetrekking)* affair, relationship 3 *(mv) (afmetingen)* proportions: *gevoel voor ~en bezitten* have a sense of proportion

verhoudingsgewijs comparatively, relatively

verhuisbedrijf removal firm *(of:* company)

verhuisbericht change of address card

verhuiswagen removal van

verhuizen move (house), relocate || *iem ~* move s.o.

verhuizer remover

verhuizing move, moving

verhullen veil, conceal (from): *niets ~de foto's* revealing photos

verhuren let *(huis); (Am)* rent; lease out *(land, huis op contract)*

verhuur letting; *(Am)* rental

verhuurbedrijf leasing company, hire company *(of:* firm); *(vnl. Am ook)* rental company *(of:* agency)

verhuurder letter; *(Am)* renter; landlord; landlady *(land, huis e.d.)*

verifiëren verify, examine, audit, prove

verijdelen frustrate, defeat: *een aanslag ~* foil an attempt on s.o.'s life

vering springs; *(auto)* suspension

verjaard time-barred, superannuated

verjaardag birthday: *vandaag is het mijn ~* today is my birthday

verjaardagscadeau birthday present

verjaardagsfeest birthday party

verjaardagskaart birthday card

verjaardagskalender birthday calendar

verjagen drive away, chase away

verjaren become prescribed, become (statute-)barred, become out-of-date

verjaring prescription *(van recht);* limitation *(van vordering)*

verjongen rejuvenate, make young

verkalking calcification; hardening *(bloedvaten)*

verkassen move (house)

verkavelen parcel out, (sub)divide

verkaveling allotment, subdivision

verkeer 1 traffic: *handel en ~* trade (*of:* traffic) and commerce; *druk ~* heavy traffic; *veilig ~* road safety; *het overige ~ in gevaar brengen* be a danger to other road-users 2 *(omgang)* association: *in het maatschappelijk ~* in society; *in het dagelijks ~* in everyday life 3 *(het gaan en komen)* movement: *er bestaat vrij ~ tussen die twee landen* there is freedom of movement between the two countries

verkeerd 1 wrong: *een verdediger op het ~e been zetten* wrong-foot a defender; *een ~e diagnose* a faulty diagnosis; *de ~e dingen zeggen* say the wrong things; *het eten kwam in mijn ~e keelgat* the food went down the wrong way; *op een ~ spoor zitten* be on the wrong track; *iets ~ aanpakken* go about sth the wrong way; *hij doet alles ~* he can't do a thing right; *pardon, u loopt ~* pardon me, but you're going the wrong way (*of:* in the wrong direction); *het liep ~ met hem af* he came to grief (*of:* to a bad end); *iets ~ spellen* (of:

uitspreken, vertalen) misspell (*of:* mispronounce, mistranslate) sth; ~ *verbonden zijn* have dialled a wrong number; *we zitten* ~ we must be wrong; *hij had iets ~s gegeten* sth he had eaten had upset him; *je hebt de ~e voor* you've mistaken your man 2 *(omgekeerd)* wrong; *(binnenste buiten)* inside out: *zijn handen staan* ~ he's all thumbs; ~ *om* the other way round, *(onderste boven)* upside down

verkeersagent traffic policeman *(of:* police-woman)

verkeersbord road sign, traffic sign

verkeersbrigadier lollipop man *(of:* lady)

verkeerscontrole (road) traffic surveillance

verkeersdrempel speed ramp

verkeersdrukte (amount of) traffic

verkeersleider air-traffic controller

verkeersleiding traffic department; *(luchtv)* air-traffic control, ground control

verkeerslicht traffic lights: *het ~ sprong op groen* the traffic lights changed to green

verkeersongeval road accident, traffic accident

verkeersopstopping traffic jam

verkeersovertreding traffic offence

verkeersplein roundabout; *(Am)* rotary (inter-section)

verkeerspolitie traffic police

verkeersregel traffic rule

verkeerstoren control tower

verkeersveiligheid road safety, traffic safety

verkeersweg traffic route; *(in stad ook)* thor-oughfare

verkeerswisselaar *(Belg) (klaverblad)* clover-leaf junction

verkennen explore, scout (out); *(mil)* reconnoi-tre: *de boel* ~ explore the place; *de markt* ~ feel out the market

verkenner 1 scout **2** *(padvinder)* (Boy) Scout, Girl Scout

verkenning exploration, scout(ing)

verkeren *(zich bewegen (in))* be (in): *in de hoog-ste kringen* ~ move in the best circles

verkering courtship: *vaste ~ hebben* go steady; ~ *krijgen met iem* start going out with s.o.

verkiesbaar eligible (for election): *zich ~ stel-len als president* run for president; *zich ~ stellen* stand for office

verkiezen prefer (to): *lopen boven fietsen* ~ pre-fer walking to cycling

verkiezing election: *algemene ~en* general elec-tions; *tussentijdse ~en (ongev)* by-elections; *~en uitschrijven* call (for) an election

verkiezingscampagne election campaign

verkiezingsdebat election debate

verkiezingsprogramma (electoral) platform: *iets als punt in het ~ opnemen* make sth a plank in one's platform

verkiezingsstrijd electoral struggle

verkiezingsuitslag election result: *de ~ bekend-maken* declare the poll

[1]**verkijken** *tr (verloren, voorbij laten gaan)* give away, let go by: *die kans is verkeken* that chance has gone by

[2]**verkijken, zich** make a mistake, be mistaken: *ik heb me op hem verkeken* I have been mistaken in him

verkikkerd nuts (on, about), gone (on)

verklaarbaar explicable, explainable; *(begrijpe-lijk)* understandable: *om verklaarbare redenen* for obvious reasons

verklappen give away, let out: *een geheim* ~ tell a secret

[1]**verklaren** *tr* **1** explain, elucidate: *iemands gedrag* ~ account for s.o.'s conduct **2** *(plechtig)* declare; *(officieel)* certify: *iem krankzinnig* ~ certify s.o. insane; *iets ongeldig* ~ declare sth invalid; *een huis onbewoonbaar* ~ condemn a house

[2]**verklaren, zich** explain oneself: *verklaar je nader* explain yourself

verklaring 1 explanation: *dat behoeft geen nade-re* ~ that needs no further explanation **2** *(mede-deling)* statement; *(vnl. onder ede)* testimony: *een beëdigde* ~ a sworn statement; *een ~ afleggen* make a statement

verkleden, zich 1 change (one's clothes): *ik ga me* ~ I'm going to change (my clothes); *zich ~ voor het eten* dress for dinner **2** *(vermommen)* dress up

verkleinen 1 reduce, make smaller: *op verkleinde schaal* on a reduced scale **2** *(verminderen)* reduce, diminish, lessen

verkleining reduction

verkleinwoord diminutive

verkleumd numb (with cold)

verkleumen grow numb: *we staan hier te* ~ we are freezing in (*of:* out) here

verkleuren discolour, lose colour; *(verbleken)* fade: *deze trui verkleurt niet* this sweater will keep its colour

verkleuring fading; *(verandering van kleur)* dis-coloration

verklikken give away; squeal on *(iem): iets* ~ blab sth, spill the beans

verklikker telltale, tattler; *(politiespion)* inform-er; grass

verknallen blow, spoil: *je hebt het mooi verknald* you've made a hash of it

verknipt hung-up, kooky, nutty: *een ~e figuur* a weirdo, a nut(case)

verknocht devoted (to), attached (to)

verknoeien botch (up), spoil, mess up: *de boel le-lijk* ~ make a fine mess of things

verkoelend cooling, refreshing

verkoeling cooling

verkoeverkamer *(med)* recovery room

verkommeren sink into poverty, pine away

verkondigen proclaim, put forward

verkondiging proclamation; *(prediken)* preach-ing

verkoop sale(s): ~ *bij opbod* (sale by) auction;

iets in de ~ brengen put sth up for sale (*of:* on the market)
verkoopafdeling sales department
verkoopakte sales document
verkoopbaar saleable, marketable
verkoopbaarheid saleability, marketability
verkoopcijfers sales figures
verkoopdatum date of sale: *uiterste ~* sell-by date
verkoopleider sales manager
verkoopovereenkomst sales agreement
verkooppraatje sales pitch
verkoopprijs selling price
verkooppunt (sales) outlet, point of sale
verkoopresultaat sales figure (*of:* result) *(vaak mv)*
verkoopster saleswoman; *(in winkel ook)* shop assistant
verkooptechniek salesmanship
verkoopvoorwaarden terms and conditions of sale
verkoopwaarde selling value, market value
verkopen 1 sell: *nee ~* give (s.o.) no for an answer; *met winst* (of: *verlies*) *~* sell at a profit (*of:* loss); *éénmaal! andermaal! verkocht!* going! going! gone! 2 *(toedienen)* give: *iem een dreun ~* clobber s.o.
verkoper salesman; *(in winkel ook)* shop assistant
verkoping (public) sale, auction: *bij openbare ~* by auction
verkort shortened, abridged, condensed
verkorten shorten, abridge, condense; *(van duur)* reduce
verkouden: *~ worden* catch (a) cold; *~ zijn* have a cold
verkoudheid (common) cold: *een ~ opdoen* catch (a) cold
verkrachten rape, (sexually) assault
verkrachter rapist
verkrachting rape
verkrampt contorted; *(fig)* constrained
[1]**verkreukelen** *intr* crumple: *een verkreukeld pak* a creased suit
[2]**verkreukelen** *tr (door kreuken bederven)* rumple (up), crumple (up): *papier ~* crumple up paper
verkrijgbaar available: *het formulier is ~ bij de administratie* the form can be obtained from the administration; *zonder recept ~* over-the-counter
verkrijgen 1 receive, get 2 *(bemachtigen)* obtain, come by, secure: *een betere positie ~* secure a better position; *moeilijk te ~* hard to come by
verkromming bend, twist: *~ van de ruggengraat* curvature of the spine
verkroppen: *iets niet kunnen ~* be unable to take sth
verkrotten decay, become run-down: *verkrotte huizen* slummy (*of:* dilapidated) houses
verkruimelen crumble
verkwanselen bargain away, fritter away, squander
verkwikkend refreshing, invigorating, stimulating
verkwisten waste; *(geld ook)* squander
verkwisting waste(fulness), squandering: *het is pure ~* it's an utter waste
verlagen lower; *(verminderen ook)* reduce: *(met) 30% ~* lower (*of:* reduce) by 30%
verlaging lowering; *(vermindering ook)* reduction
[1]**verlammen** *intr* become paralysed (*of:* numb)
[2]**verlammen** *tr (lam maken)* paralyse: *de schrik verlamde mij* I was paralysed with fear
verlammend paralysing
verlamming paralysis
[1]**verlangen** *zn* longing, desire; *(sterk verlangen)* craving: *aan iemands ~ voldoen* comply with s.o.'s wish
[2]**verlangen** *intr* (met *naar) (vervuld zijn ve begeerte)* long (for), crave: *ik verlang ernaar je te zien* I long to see you, *(sterker)* I'm dying to see you
[3]**verlangen** *tr (begeren)* want, wish for; *(eisen)* demand: *wat kun je nog meer ~* what more can you ask for?; *dat kunt u niet van mij ~* you can't expect me to do that
verlanglijst list of gifts wanted
[1]**verlaten** *bn* 1 deserted: *een ~ huis* an abandoned house 2 *(eenzaam, afgelegen)* desolate, lonely 3 *(achtergelaten)* abandoned
[2]**verlaten** *tr* 1 leave: *het land ~* leave the country; *de school ~* leave school 2 *(in de steek laten)* abandon, leave: *vrouw en kinderen ~* leave (*of:* abandon) one's wife and children
verlatenheid desolation, abandonment: *een gevoel van ~* a feeling of desolation
[1]**verleden** *zn* past: *het ~ laten rusten* let bygones be bygones; *teruggaan in het ~* go back in time
[2]**verleden** *bn* past: *het ~ deelwoord* the past (*of:* perfect) participle; *de ~ tijd* the past tense; *voltooid ~ tijd* past perfect (*of:* pluperfect) (tense); *~ week* last week
verlegen 1 shy: *~ zijn tegenover meisjes* be shy with girls 2 (met *om*) in need of, at a loss for, pressed for: *ik zit niet om werk ~* I have my work cut out as it is
verlegenheid 1 shyness 2 *(moeilijke omstandigheid)* embarrassment, trouble: *iem in ~ brengen* embarrass s.o.
verleggen move, shift; *(grenzen)* push back
verleidelijk tempting, inviting, seductive: *een ~ aanbod* a tempting offer
verleiden 1 tempt, invite, entice: *iem ertoe ~ om iets te doen* tempt s.o. into doing sth 2 *(mbt geslachtsgemeenschap)* seduce
verleider seducer, tempter
verleiding temptation; *(het verleiden)* seduction: *de ~ niet kunnen weerstaan* be unable to resist (the) temptation; *in de ~ komen om* feel (*of:* be) tempted to

verleidster seducer, temptress
verlenen grant, confer: *iem onderdak* ~ take s.o. in, harbour s.o. *(misdadiger); voorrang* ~ give way (*of:* priority), *(verkeer)* give right of way, *(Am)* yield
verlengde extension: *in elkaars ~ liggen* be in line
verlengen 1 extend, lengthen 2 *(langer laten duren)* extend, prolong: *een (huur)contract* ~ renew a lease; *zijn verblijf* ~ prolong one's stay; *verlengd worden (wedstrijd)* go into extra (*of:* injury) time, *(Am)* go (into) overtime
verlenging 1 extension; *(sport)* extra time, injury time; *(Am)* overtime 2 *(het verlengen)* lengthening, extension
verlengsnoer extension lead
verlept withered, wilted
verleren forget (how to); *(opzettelijk)* unlearn: *je bent het schaken blijkbaar een beetje verleerd* your chess seems a bit rusty; *om het niet (helemaal) te* ~ just to keep one's hand in
verlevendigen revive; enliven *(voordracht, lessen enz.)*
verlicht 1 lit (up), lighted, illuminated: *helder* ~ well-lit, brightly lit 2 *(ve last bevrijd)* relieved, lightened: *met ~ gemoed* with (a) light heart
verlichten 1 light, illuminate 2 *(minder zwaar maken)* relieve, lighten: *dat verlicht de pijn* that relieves (*of:* eases) the pain
verlichting 1 light(ing), illumination 2 *(het minder zwaar maken)* lightening: ~ *van straf* mitigation of punishment
verliefd in love (with), amorous, loving: *zwaar ~ zijn* be madly (*of:* deeply) in love || *hij keek haar ~ aan* he gave her a fond (*of:* loving) look
verliefdheid being in love, love
verlies loss: ~ *lijden* suffer a loss, *(financieel)* make a loss; *met ~ verkopen* sell at a loss; *met ~ draaien* make a loss (*of:* losses); *niet tegen (zijn) ~ kunnen* be a bad loser
verliesgevend loss-making
verliezen 1 lose: *zijn bladeren* ~ defoliate; *de macht* ~ fall from power; *terrein* ~ lose ground 2 *(laten voorbijgaan)* lose, miss: *er is geen tijd te* ~ there is no time to lose (*of:* to be lost)
verliezer loser
verlinken tell on, grass on
verloedering corruption
verlof 1 leave, permission: ~ *krijgen om* ... obtain permission to ... 2 *(verloftijd)* leave (of absence); *(mil ook)* furlough: *buitengewoon* ~ special leave; *met ~ zijn* be on leave
verloofd engaged (to)
verloofde fiancé; *(vrl)* fiancée
verloop 1 course, passage: *na ~ van tijd* in time, after some time 2 *(ontwikkeling, afloop)* course, progress, development: *voor een vlot ~ van de besprekingen* for smooth progress in the talks 3 *(mbt personeel, klantenkring)* turnover, wastage: *natuurlijk* ~ natural wastage
verlopen 1 (e)lapse, go by, pass 2 *(vervallen)* expire: *mijn rijbewijs is* ~ my driving licence has expired 3 *(zijn beloop nemen)* go (off): *vlot* ~ go smoothly 4 *(minder bezocht, beoefend worden)* drop off, fall off, go down(hill)
verloren lost: ~ *moeite* wasted effort; *een ~ ogenblik* an odd moment; *voor een ~ zaak vechten* fight a losing battle
verloskamer delivery room
verloskunde obstetrics
verloskundig obstetric
verloskundige *(vroedvrouw)* midwife; *(specialist)* obstetrician
verlossen 1 deliver (from), release (from), save (from): *een dier uit zijn lijden* ~ put an animal out of its misery 2 *(mbt een bevalling)* deliver (of)
verlosser saviour, rescuer: *de Verlosser* our Saviour, the Redeemer
verlossing deliverance, release
verloten raffle (off)
verloven, zich get engaged (to)
verloving engagement: *zijn ~ verbreken* break off one's (*of:* the) engagement
verlovingsring engagement ring
verlummelen fritter away
vermaak amusement, enjoyment, pleasure: *onschuldig* ~ good clean fun
vermaard renowned (for), celebrated (for), famous (for)
vermageren lose weight, become thin(ner), get thin(ner); *(als kuur)* slim: *sterk vermagerd* emaciated, wasted
vermageringskuur slimming diet: *een ~ ondergaan* be (*of:* go) on a (slimming, reducing) diet
vermaken 1 amuse, entertain: *zich* ~ enjoy (*of:* amuse) oneself, have fun 2 *(bij testament)* bequeath, make over
vermalen grind
vermanen admonish, warn
vermannen, zich screw up one's courage, take heart
vermeend supposed, alleged
vermeerderen increase, enlarge, grow: ~ *met 25%* increase by 25 per cent
vermelden 1 mention 2 *(aangeven)* state, give
vermelding mention, statement: *eervolle* ~ honourable mention; *onder ~ van* ... giving (*of:* stating, mentioning) ...
vermengen mix; blend *(thee, koffie, tabak)*
vermenging mix(ture), mixing, blend(ing)
[1]**vermenigvuldigen** *tr* 1 duplicate 2 *(wisk)* multiply: *vermenigvuldig dat getal met 8* multiply that number by 8
[2]**vermenigvuldigen, zich** *(talrijker worden)* multiply, increase; reproduce
vermenigvuldiging multiplication: *tafel van* ~ multiplication table
vermicelli vermicelli

vermijden avoid: *angstvallig* ~ shun, fight shy of
verminderd diminished, reduced: ~ *toerekeningsvatbaar* not fully accountable for one's actions
verminderen decrease, reduce: *de uitgaven* ~ cut (back on) expenses
vermindering decrease, reduction: ~ *van straf* reduction of (a) sentence
verminken mutilate
verminking mutilation
vermissen miss: *iem (iets) als vermist opgeven* report s.o. missing, report sth lost
vermissing loss; absence *(ook persoon)*
vermiste missing person
vermits *(Belg) (omdat, daar, aangezien)* since, as, because
vermoedelijk supposed: *de ~e dader* the suspect; *de ~e oorzaak* the probable cause
[1]**vermoeden** *zn* 1 conjecture, surmise 2 *(gedachte)* suspicion: *ik had er geen flauw ~ van* I didn't have the slightest suspicion (*of:* the faintest idea); *ik had al zo'n ~, ik had er al een ~ van* I had my suspicions (all along)
[2]**vermoeden** *tr* suspect, suppose: *dit heb ik nooit kunnen* ~ this is the last thing I expected
vermoeid tired (with), weary (of): *dodelijk* ~ dead tired, completely worn-out
vermoeidheid tiredness; *(grote vermoeidheid)* weariness; fatigue: ~ *van de ogen* eye strain
vermoeien tire (out), weary, fatigue; *(uitputten)* exhaust
vermoeiend tiring; *(vervelend ook)* wearisome; *(vervelend ook)* tiresome
vermogen 1 fortune; *(bezit)* property; *(fin)* capital 2 *(capaciteit)* power, capacity 3 *(macht, kracht)* power, ability: *naar mijn beste* ~ to the best of my ability
vermogend rich, wealthy: *~e mensen* people of substance
vermolmd mouldered, decayed, rotten
vermommen disguise, dress up: *vermomd als* disguised as
vermomming disguise
vermoorden murder; assassinate *(vooraanstaande personen)*
vermorzelen crush, smash up
vermout vermouth
vernauwen narrow (down), constrict, contract || *zich* ~ narrow
vernauwing narrowing, constriction: ~ *van de bloedvaten* stricture (*of:* stenosis) of the blood vessels
vernederen humble; *(krenkend behandelen)* humiliate
vernederend humiliating; degrading *(straf enz.)*
vernedering humiliation: *een ~ ondergaan* suffer a humiliation (*of:* an indignity)
vernederlandsen become Dutch, turn Dutch
vernemen learn, be told (*of:* informed) (of)

ve

vernielen destroy, wreck
vernieling destruction, devastation: *~en aanrichten* go on the rampage; *zij ligt helemaal in de* ~ she's a complete wreck
vernielzucht destructiveness, vandalism
vernietigen destroy, ruin; *(totaal wegvagen)* annihilate: *iemands verwachtingen* ~ dash s.o.'s expectations
vernietigend destructive, devastating: *een ~ oordeel* a scathing judgment
vernietiging destruction; *(totaal wegvagen)* annihilation
vernietigingskamp extermination camp
vernieuwen 1 renew, modernize; renovate *(gebouw)* 2 *(vervangen)* renew, restore
vernieuwer 1 renewer; *(van gebouw enz.)* renovator 2 *(iem met nieuwe ideeën)* innovator
vernieuwing 1 renewal, modernization; renovation *(gebouw)*; rebuilding 2 *(aangebrachte aanpassing)* modernization, renovation; reform *(onderwijs)*: *allerlei ~en aanbrengen* carry out all sorts of renovations *(huis)*
vernis varnish
vernissen varnish
vernuftig ingenious, witty
veronderstellen suppose, assume: *ik veronderstel van wel* I suppose so
veronderstelling assumption, supposition: *in de ~ verkeren dat ...* be under the impression that ...
verongelukken 1 have an accident; be lost, be killed *(mensen bij vliegramp, schipbreuk)* 2 *(mbt schepen, vliegtuigen)* (have a) crash; be wrecked, be lost *(schip)*: *het vliegtuig verongelukte* the plane crashed
verontreinigen pollute, contaminate
verontreiniging pollution, contamination: *de ~ van het milieu* environmental pollution
verontrust alarmed, worried, concerned
verontrustend alarming, worrying, disturbing
[1]**verontschuldigen** *tr* excuse, pardon: *iem* ~ excuse s.o.
[2]**verontschuldigen, zich** *(excuses aanbieden)* apologize, excuse: *zich laten ~ (formeel, bij vergadering)* beg to be excused; *zich vanwege ziekte* ~ excuse oneself on account of illness
verontschuldiging 1 excuse, apology: *~en aanbieden* apologize, offer one's apologies 2 *(rechtvaardiging)* excuse, defence: *hij voerde als ~ aan dat* he offered the excuse that
verontwaardigd indignant (about, at)
verontwaardiging indignation, outrage: *tot grote ~ van* to the great indignation of
veroordeelde condemned man (*of:* woman), convict
veroordelen 1 condemn; *(jur)* sentence; *(schuldig bevinden)* find guilty: ~ *tot de betaling van de kosten* order (s.o.) to pay costs 2 *(afkeuren)* condemn; denounce *(iem, gedrag)*

veroordeling 1 *(jur)* conviction; *(vonnis)* sentence: *voorwaardelijke* ~ suspended sentence 2 *(afkeuring)* condemnation; *(openlijk)* denunciation
veroorloven permit, allow; afford *(mbt aanschaf): zo'n dure auto kunnen wij ons niet* ~ we can't afford such an expensive car
veroorzaken cause, bring about: *schade* ~ cause damage
verorberen consume
verordening regulation(s), ordinance, statute
verouderd old-fashioned, (out)dated
verouderen become obsolete *(of:* antiquated), date, go out of date
veroudering obsolescence, getting *(of:* becoming) out of date
veroveraar conqueror: *Willem de Veroveraar* William the Conqueror
veroveren conquer, capture, win: *de eerste plaats* ~ *in de wedstrijd* take the lead
verovering conquest, capture
verpachten lease (out): *verpachte grond* land on lease
verpakken pack (up), package: *een cadeau in papier* ~ wrap a present in paper
verpakking packing, wrapping, paper
verpakkingsmateriaal packing material
verpatsen flog
verpauperen impoverish, go down (in the world), be reduced to poverty: *een verpauperde stad* a run-down town
verpaupering deterioration, impoverishment
verpesten poison, contaminate, spoil: *de sfeer* ~ spoil the atmosphere
verpinken *(Belg): zonder (te)* ~ without batting an eyelid
verplaatsbaar movable; *(draagbaar)* portable; mobile: *een verplaatsbare barak* a transportable shed
[1]**verplaatsen** *tr* move; shift *(dingen, gewicht): zijn activiteiten* ~ shift one's activities
[2]**verplaatsen, zich** 1 move, shift, change places 2 *(zich inleven)* project oneself, put oneself in s.o. else's shoes: *zich in iemands positie* ~ imagine oneself in s.o. else's position
verplanten transplant
verpleeghuis nursing home, convalescent home
verpleeghulp nurse's aide, nursing auxiliary, medical orderly
verpleegkundige nurse: *gediplomeerd* ~ trained *(of:* qualified) nurse
verpleegster nurse
verplegen nurse, care for: ~*d personeel* nursing staff
verpleger (male) nurse
verpleging nursing, care: *zij gaat in de* ~ she is going into nursing
verpletteren 1 crush, smash 2 *(fig)* shatter: *dit bericht verpletterde haar* the news shattered her
verpletterend crushing: *een* ~*e nederlaag* a crushing defeat
verplicht 1 compelled, obliged: *zich* ~ *voelen om* feel compelled to 2 *(voorgeschreven)* compulsory, obligatory: ~*e lectuur* required reading (matter); ~ *verzekerd zijn* be compulsorily insured; *iets* ~ *stellen* make sth compulsory
verplichten oblige, compel: *de wet verplicht ons daartoe* the law obliges us to do that
verplichting obligation, commitment; liability *(wettelijk, financieel): financiële* ~*en* financial liabilities *(of:* obligations); *sociale* ~*en* social duties; ~*en aangaan* enter into obligations *(of:* a contract); *zijn* ~*en nakomen* fulfil one's obligations
verpoten transplant
verprutsen bungle, botch
verpulveren pulverize; *(tr ook)* crush
verraad treason, treachery, betrayal: ~ *plegen* commit treason
verraden 1 betray, commit treason: *iem aan de politie* ~ squeak *(of:* rat) on s.o. 2 *(verklappen)* betray: *een geheim* ~ betray *(of:* let out) a secret; *niets* ~*, hoor!* don't breathe a word!
verrader traitor, betrayer; squealer *(aan politie)*
verraderlijk treacherous
verrassen (take by) surprise: *door noodweer verrast* caught in a thunderstorm
verrassing 1 surprise; *(onaangenaam)* shock: *voor iem een* ~ *in petto hebben* have a surprise in store for s.o.; *het was voor ons geen* ~ *meer* it didn't come as a surprise to us 2 *(verwondering)* surprise, amazement: *tot mijn* ~ *bemerkte ik ...* I was surprised to see that ...
verrast surprised; *(verwonderd)* amazed: ~ *keek hij op* he looked up in surprise
verregaand far-reaching, outrageous; radical *(ideeën, veranderingen): in* ~*e staat van ontbinding* in an advanced state of decomposition
verrek gosh, (good) gracious
verrekenen settle, deduct, adjust; *(uitbetalen)* pay out: *iets met iets* ~ balance sth with sth
verrekening settlement
verrekijker binoculars; telescope *(één lens)*
[1]**verrekken** *intr (inform) (sterven)* die, kick the bucket: ~ *van de honger* starve; ~ *van de pijn* be groaning with pain; ~ *van de kou* perish with cold
[2]**verrekken** *tr* strain; pull *(spier);* twist, wrench; *(verstuiken)* sprain: *een pees* ~ stretch a tendon; *zich* ~ strain oneself
verrekt *(ontwricht)* strained
verreweg (by) far, much; easily *(met overtreffende trap): dat is* ~ *het beste* that's easily *(of:* much) the best; *hij is* ~ *de sterkste* he's far and away the strongest
verrichten perform; conduct *(onderzoek, zaken);* carry out *(onderzoek, zaken, reparatie): wonderen* ~ work wonders, perform miracles
verrijden 1 move; *(duwend)* wheel; drive *(besturen)* 2 *(rijden om)* compete in, compete for: *een*

kampioenschap ~ organize (*of:* hold) a championship; *een wedstrijd laten* ~ run off a race

verrijken enrich: *zijn kennis* ~ improve one's knowledge; *zich* ~ *ten koste van een ander* get rich at the expense of s.o. else

verrijzen (a)rise; spring up *(gebouw); (heel snel)* shoot up

verrijzenis resurrection

verroeren, zich move: *je kunt je hier nauwelijks* ~ you can hardly move in here; *verroer je niet* don't move

verroest rusty

verroesten rust, get rusty: *verroest ijzer* rusty iron

verrot rotten; bad *(appel, tand);* putrid, wretched: *iem* ~ *slaan* knock the living daylights out of s.o.; *door en door* ~ rotten to the core

verrotten rot, decay: *doen* ~ rot (down) *(composthoop),* decay *(tanden)*

verrotting rot(ting), decay: *dit hout is tegen* ~ *bestand* this wood is treated for rot

verruilen (ex)change, swap

verruimen widen, broaden; liberalize *(maatregel): zijn blik* ~ widen (*of:* broaden) one's outlook; *mogelijkheden* ~ create more possibilities

verruiming widening, broadening; liberalization *(mbt maatregel)*

verrukkelijk delightful, gorgeous; delicious *(mbt voedsel)*

verrukt delighted, overjoyed

verruwing coarsening, vulgarization

[1]**vers** *zn* 1 verse: *Lucas 6,* ~ *10* St Luke, chapter 6, verse 10 2 *(couplet)* verse, stanza; *(twee regels)* couplet: *dat is* ~ *twee* that's another story 3 *(gedicht)* verse, poem; *(rijmpje)* rhyme

[2]**vers** *bn, bw* fresh, new: ~ *bloed* fresh (*of:* young, new) blood; ~*e eieren* new-laid eggs; ~*e sneeuw* fresh (*of:* new-fallen) snow; ~ *blijven* keep fresh (*of:* good); ~ *van de pers* hot from the press

verschaffen provide (with), supply (with): *het leger verschafte hem een complete uitrusting* the army issued him with a complete kit

verschansen, zich entrench oneself, barricade oneself, take cover: *zich in zijn kamer* ~ barricade oneself in one's room

verscheidene several, various

verscheidenheid variety, diversity; *(verzameling ook)* assortment; range: *een grote* ~ *aan gerechten* a wide variety of dishes

verschepen ship (off, out)

verscheping shipping

verscherpen tighten (up): *het toezicht* ~ tighten up control

verscheuren 1 tear (up); shred *(in kleine stukjes);* rip (up) *(met kracht)* 2 *(met de tanden vaneenrijten)* maul, tear to pieces (*of:* apart)

verschieten fade: *de gordijnen zijn verschoten* the curtains are (*of:* have) faded

verschijnen 1 appear, surface; emerge *(uit iets)* 2 *(komen opdagen)* appear, turn up 3 *(boeken, cd's)* appear, come out, be published

verschijning 1 appearance; publication *(mbt boeken)* 2 *(persoon)* figure, presence: *een indrukwekkende* ~ an imposing presence

verschijnsel phenomenon; symptom *(van ziekte, problemen);* sign: *een eigenaardig* ~ a strange phenomenon

verschil 1 difference, dissimilarity, distinction: ~ *van mening* a difference of opinion; *een groot* ~ *maken* make all the difference; ~ *maken tussen* draw a distinction between, differentiate between; ~ *maken* make a difference; *met dit* ~, *dat ...* with one difference, namely that ...; *een* ~ *van dag en nacht* a world of difference 2 *(uitkomst ve aftrekking)* difference, remainder: *het* ~ *delen* split the difference

verschillen differ (from), be different (from); vary *(ook mening): van mening* ~ *met iem* disagree with s.o., differ with s.o.

verschillend 1 different (from), various: *wij denken daar* ~ *over* we don't see eye to eye on that 2 several, various, different: *bij* ~*e gelegenheden* on various occasions

verscholen hidden; secluded *(plekje): het huis lag* ~ *achter de bomen* the house was tucked away behind the trees

verschonen change: *de baby* ~ change the baby's nappy; *de bedden* ~ put clean sheets on the beds; *zich* ~ put on clean clothes

verschoning change of underwear

verschoppeling outcast

[1]**verschrikkelijk** *bn* terrible; devastating *(ramp, nieuws);* excruciating *(pijn, lawaai): een* ~*e hongersnood* a devastating famine; ~*e sneeuwman* Abominable Snowman, yeti; *een* ~ *kabaal* an infernal racket

[2]**verschrikkelijk** *bw (in hoge mate)* terribly, awfully; terrifically *(mbt iets positiefs): Sander maakte een* ~ *mooi doelpunt* Sander scored a terrific goal

verschrikking terror, horror: *de* ~*en van de oorlog* the horrors of war

verschroeien scorch; singe *(stof);* sear: *de tactiek van de verschroeide aarde* scorched earth policy

verschrompelen shrivel (up); atrophy *(orgaan): een verschrompeld gezicht* a wizened face

verschuilen, zich hide (oneself), lurk: *zich in een hoek* ~ hide (oneself) in a corner

verschuiven 1 move, shift; *(opzij)* shove aside 2 *(opschorten)* postpone

verschuiving 1 shift 2 *(opschorting)* postponement

verschuldigd due; indebted *(ook mbt hulp, diensten enz.): het* ~*e geld* the money due; *iem iets* ~ *zijn* be indebted to s.o., owe s.o. sth

versheid freshness

versie version

versierder womanizer, ladykiller

versieren 1 decorate: *de kerstboom* ~ trim the Christmas tree; *straten* ~ decorate the streets 2 *(verleiden)* pick up, get off with
versiering decoration
versimpelen (over)simplify
versjouwen drag away
verslaafd addicted (to), hooked (on): ~ *raken aan drugs* contract the drug habit; *aan de drank* (of: *het spel*) ~ *zijn* be addicted to drink (*of:* gambling)
verslaafde alcoholic; *(mbt drugs)* (drug) addict; *(mbt heroïne)* junkie
verslaafdheid addiction
verslaan defeat; beat *(sport)*: *iem* ~ *met schaken* defeat s.o. at chess
verslag report; commentary *(op radio, tv)*: *een direct* ~ *van de wedstrijd* a live commentary on the match; ~ *uitbrengen* report on, give an account of
verslagen 1 defeated, beaten 2 *(terneergeslagen)* dismayed
verslagenheid dismay (at), consternation (at)
verslaggever reporter; commentator *(op radio, tv)*
verslaggeving (press) coverage
verslapen, zich oversleep: *hij had zich drie uur* ~ he overslept and was three hours late
verslappen slacken; flag *(aandacht)*; wane *(aandacht)*: *de pols verslapt* the pulse is getting weaker
verslavend addictive
verslaving addiction, (drug-)dependence
verslechteren get worse, worsen, deteriorate
verslepen drag (off, away); tow (away) *(met sleepboot, takelwagen enz.)*
versleten 1 worn(-out), shabby: *tot op de draad* ~ threadbare 2 *(afgeleefd)* worn-out; burnt-out *(mens, dier)*: *een* ~ *paard* an old nag
versleuteling *(comp)* encryption
verslijten wear out: *hij had al drie echtgenotes versleten* he had already got through three wives
verslikken, zich 1 choke: *pas op, hij verslikt zich* watch out, it has gone down the wrong way; *zich in een graat* ~ choke on a bone 2 *(onderschatten)* underrate, underestimate
verslinden devour; eat up *(winst, afstanden)*; eat *(geld)*: *die auto verslindt benzine* that car drinks petrol; *een boek* ~ devour a book
verslingerd: *zij is* ~ *aan slagroomgebakjes* she is mad about cream cakes
[1]**versmallen** *intr, tr* narrow
[2]**versmallen, zich** narrow, become narrow(er): *ginds versmalt de weg zich* the road gets narrow(er) there
versmelten blend, merge
versnapering snack, titbit
versnellen, zich quicken, accelerate, speed up
versnelling 1 acceleration; increase (in) *(tempo)* 2 *(mechanisme)* gear: *in de eerste* ~ *zetten* put into first gear; *in een hogere* ~ *schakelen* change up, move into gear; *een auto met automatische* ~ a car with automatic transmission; *een fiets met tien* ~*en* a ten-speed bike
versnellingsbak gearbox
versnellingspook gear lever, gearstick
versnipperen 1 cut up (into pieces) 2 *(in te veel delen verdelen)* fragment; fritter away *(tijd, energie)*
versoepelen relax; *(wet ook)* liberalize
verspelen forfeit, lose: *een kans* ~ throw away a chance; *zijn rechten* ~ forfeit one's rights
versperren block; *(opzettelijk)* barricade: *iem de weg* ~ bar s.o.'s way; *de weg* ~ block the road
versperring barrier, barricade
verspillen waste; *(tijd ook)* fritter away
verspilling 1 wasting: ~ *van energie* wasting energy 2 waste: *wat een* ~*!* what a waste!
versplinteren smash; *(hout ook)* splinter: *die plank is versplinterd* that plank has splintered
versplintering smashing; *(ook fig)* fragmentation
verspreid scattered: *een over het hele land* ~*e organisatie* a nationwide organization; *haar speelgoed lag* ~ *over de vloer* the floor was strewn with her toys; *wijd* ~ widespread, widely (*of:* commonly) held *(opvatting)*
[1]**verspreiden** *tr* 1 spread, disperse, distribute; circulate *(geschriften, informatie)*: *een kwalijke geur* ~ give off a ghastly smell; *licht* ~ shed light; *warmte* ~ give off heat 2 *(uiteen doen gaan)* disperse
[2]**verspreiden, zich** spread (out): *de menigte verspreidde zich* the crowd dispersed
verspreiding spread, distribution
verspreken, zich make a slip (*of:* mistake)
verspreking slip of the tongue, mistake
[1]**verspringen** *intr* do the long jump: *zij sprong zes meter ver* she jumped six metres
[2]**verspringen** *intr* 1 jump 2 *(niet in één lijn liggen)* stagger: ~*de naden* staggered seams
verspringer long jumper; *(Am)* broad-jumper
versregel line (of poetry)
verst furthest, farthest: *het* ~*e punt* the farthest point; *dat is in de* ~*e verte niet mijn bedoeling* that's the last thing I intended
verstaan 1 *(horen)* (be able to) hear: *helaas verstond ik zijn naam niet* unfortunately I didn't catch his name; *ik versta geen woord!* I can't hear a word that is being said; *hij kon zichzelf nauwelijks* ~ he could hardly hear himself speak 2 *(begrijpen)* understand: *heb ik goed* ~ *dat …* did I hear you right …; *te* ~ *geven* give (s.o.) to understand (that) 3 *(als betekenis hechten aan)* understand, mean: *wat versta jij daaronder?* what do you understand by that? 4 *(goed kennen)* know: *zijn vak* ~ know one's trade
verstaanbaar 1 audible 2 *(begrijpelijk)* understandable: *zich* ~ *maken* make oneself understood
verstand 1 (power of) reason, (powers of) comprehension; *(hersenen)* brain(s): *gezond* ~ com-

mon sense; *een goed ~ hebben* have a good head on one's shoulders; *iem iets aan het ~ brengen* drive sth home to s.o.; *bij zijn (volle) ~* in full possession of one's faculties 2 *(kennis)* knowledge, understanding: *~ hebben van* know about, understand, be a good judge of; *daar heb ik geen ~ van* I don't know the first thing about that

[1]**verstandelijk** *bn* intellectual: *~e vermogens* intellect, intellectual powers

[2]**verstandelijk** *bw* rationally

verstandhouding understanding; *(contacten, betrekkingen)* relations: *een blik van ~* an understanding look; *een goede ~ hebben met* be on good terms with

verstandig sensible: *iets ~ aanpakken* go about sth in a sensible way

verstandskies wisdom tooth

verstandsverbijstering madness: *handelen in een vlaag van ~* act in a fit of madness (*of:* insanity)

verstedelijking urbanization

versteend petrified; *(ook fig)* fossilized

verstek default (of appearance): *~ laten gaan* be absent, fail to appear

verstekeling stowaway

verstelbaar adjustable

versteld stunned: *iem ~ doen staan* astonish s.o.; *~ staan (van iets)* be dumbfounded

verstellen 1 adjust 2 *(repareren)* mend, repair

versterken 1 strengthen; intensify *(licht, gevoelens)*: *geluid ~* amplify sound 2 *(tegen aanvallen)* fortify

versterker amplifier

versterking strengthening, reinforcement; amplification *(geluid)*: *het leger kreeg ~* the army was reinforced

versterven 1 *(ascetisch leven)* mortify oneself 2 *(geleidelijk sterven)* starve

verstevigen strengthen, consolidate; *(stutten)* prop up: *zijn positie ~* consolidate one's position

verstijven stiffen: *~ van kou* grow numb with cold; *~ van schrik* be petrified with fear

verstikken smother, choke

verstikkend suffocating: *~e hitte* stifling heat

verstikking suffocation

[1]**verstoken** *bn* deprived (of)

[2]**verstoken** *tr* spend on heating

verstokt hardened, confirmed: *een ~e vrijgezel* a confirmed bachelor

verstomd: *~ doen staan* strike dumb, astound; *~ staan* be dumbfounded (*of:* flabbergasted)

verstommen become silent: *het lawaai verstomde* the noise died down

verstoord annoyed, upset

verstoppen hide: *zijn geld ~* hide (*of:* stash) away one's money

verstoppertje hide-and-seek: *~ spelen* play (at) hide-and-seek

verstopt blocked (up): *mijn neus is ~* my nose is all stuffed up; *het riool is ~* the sewer is clogged

verstoren disturb: *het evenwicht ~* upset the balance; *de stilte ~* break the silence

verstoring disruption: *~ van de openbare orde* disorderly conduct

verstoten cast off, cast out: *een kind ~* disown a child

verstrekken supply with, provide with; *(uitdelen)* distribute: *de bank zal hem een lening ~* the bank will grant him a loan

verstrekkend far-reaching

verstrekking supply, provision

verstrijken go by; *(voorbijgaan)* elapse; *(aflopen)* expire: *de termijn verstrijkt op 1 juli* the term expires on the 1st of July

verstrikken entangle: *in iets verstrikt raken* get entangled in sth

verstrooid absent-minded

verstrooidheid absent-mindedness: *uit ~ iets doen* do sth from absent-mindedness

verstuiken sprain

verstuiver spray, atomizer

versturen send (off): *iets naar iem ~* send sth to s.o.; *per post ~* mail

versuft dizzy, dazed; stunned *(door schok)*

vertaalbureau translation agency

vertakken, zich *(zich uitsplitsen)* branch (off)

vertalen translate; interpret *(door tolk)*: *vrij ~* give a free translation; *uit het Engels in het Frans ~* translate from English into French

vertaler translator: *beëdigd ~* sworn translator

vertaling translation: *een ~ maken* do a translation

verte distance: *in de verste ~ niet* not remotely; *het lijkt er in de ~ op* there is a slight resemblance; *uit de ~* from a distance

vertederen soften, move: *zij keek het kind vertederd aan* she gave the child a tender look

verteerbaar digestible; *(fig ook)* palatable; acceptable: *licht ~ voedsel* light food

vertegenwoordigen represent

vertegenwoordiger 1 representative 2 *(agent)* (sales) representative

vertegenwoordiging 1 representation 2 *(personen)* delegation

vertekend distorted

vertekenen distort

vertekening distortion

vertellen tell: *een mop ~* crack a joke; *moet je mij ~!* you're telling me!; *dat wordt verteld* so they say; *zal ik je eens wat ~?* you know what?, *(dreigend)* let me tell you sth; *wat vertel je me nou?* I can't believe it!; *je kunt me nog meer ~* tell me another (one); *iets verder ~ aan anderen* pass sth on to others; *vertel het maar niet verder* this is just between us

verteller narrator

[1]**verteren** *intr (vergaan)* be consumed (*of:* eaten away): *dat laken verteert door het vocht* that sheet

is mouldering away with the damp

[2]**verteren** *tr* digest: *niet te ~* indigestible

verticaal vertical: *in verticale stand* in (an) upright position

vertier entertainment, diversion

vertikken refuse (flatly)

vertillen, zich strain oneself (in) lifting: *(fig) zich aan iets ~* bite off more than one can chew

vertimmeren alter, renovate

vertoeven sojourn, stay

[1]**vertonen** *tr* **1** show: *geen gelijkenis ~ met* bear no resemblance to; *tekenen ~ van* show signs of **2** *(een voorstelling geven)* show, present: *kunsten ~* do tricks

[2]**vertonen, zich** *(zich laten zien)* show one's face, turn up: *je kunt je zo niet ~ in het openbaar* you're not fit to be seen in public (like this); *ik durf me daar niet meer te ~* I'm afraid to show my face there now

vertoning 1 show(ing), presentation **2** *(wat vertoond wordt)* show, production: *het was een grappige ~* it was a curious spectacle

vertoon showing, producing: *op ~ van een identiteitsbewijs* on presentation of an ID

vertragen slow down; *(trein)* be delayed: *een vertraagde filmopname* a slow-motion film scene

vertraging delay: *~ ondervinden* be delayed

vertrappen tread on, trample underfoot

vertrek 1 departure; sailing *(boot)*: *bij zijn ~* on his departure; *op het punt van ~ staan* be about to leave **2** *(kamer)* room

vertrekdatum departure date, date of departure

vertrekhal departure hall

[1]**vertrekken** *intr* leave: *wij ~ morgen naar Londen* we are off to (*of:* leave for) London tomorrow

[2]**vertrekken** *tr* pull, distort: *zonder een spier te ~* without batting an eyelid

vertrekpunt start(ing point); point of departure *(ook fig)*

vertreksein departure signal, green light

vertrektijd time of departure

[1]**vertroebelen** *intr (troebel worden)* become clouded

[2]**vertroebelen** *tr* cloud; obscure *(ook fig)*: *dat vertroebelt de zaak* that confuses (*of:* obscures) the issue

vertroetelen pamper

vertrouwd 1 reliable, trustworthy: *een ~ persoon* a trusted person **2** *(op de hoogte)* familiar (with): *zich ~ maken met die technieken* familiarize oneself with those techniques

vertrouwdheid familiarity

vertrouwelijk intimate, confidential: *~ met iem omgaan* be close to s.o.; *~ met elkaar praten* have a heart-to-heart talk; *een ~e mededeling* a confidential communication

vertrouwelijkheid confidentiality

vertrouwen *zn* confidence, trust: *op goed ~* on trust; *ik heb er weinig ~ in* I'm not very optimistic; *~ hebben in de toekomst* have faith in the future; *vol ~ zijn* be confident; *iem in ~ nemen* take s.o. into one's confidence; *goed van ~ zijn* be (too) trusting

[2]**vertrouwen** *intr, tr* trust: *hij is niet te ~* he is not to be trusted; *ik vertrouw erop dat …* I trust that …; *op God ~* trust in God; *iem voor geen cent ~* not trust s.o. an inch

vertwijfeld despairing: *~ raken* (be driven to) despair

vertwijfeling despair, desperation

veruit by far: *~ de beste zijn* by far and away the best

vervaardigen make: *met de hand vervaardigd* made by hand; *deze tafel is van hout vervaardigd* this table is made of wood

vervaardiging manufacture, construction

[1]**vervagen** *intr* become faint *(of:* blurred); *(licht ook)* dim; *(zwakker worden)* fade (away)

[2]**vervagen** *tr (vaag maken)* blur, dim: *de tijd heeft die herinneringen vervaagd* time has dimmed those memories

verval 1 decline: *het ~ van de goede zeden* the deterioration of morals; *dit gebouw is flink in ~ geraakt* this building has fallen into disrepair **2** *(mbt waterspiegel)* fall

vervaldag expiry date

[1]**vervallen** *bn* **1** *(niet onderhouden)* dilapidated **2** *(armoedig)* bedraggled

[2]**vervallen** *intr* **1** *(bouwvallig worden)* fall into disrepair **2** *(raken tot)* lapse: *in oude fouten ~* relapse into old errors; *tot armoede ~* be reduced to poverty **3** *(niet meer gelden)* expire: *400 arbeidsplaatsen komen te ~* 400 jobs are to go (*of:* disappear); *die mogelijkheid vervalt* that possibility is no longer open; *de vergadering vervalt* the meeting has been cancelled

vervalsen 1 forge, counterfeit **2** *(met boze opzet veranderen)* tamper (with): *een cheque ~* forge a cheque

vervalser forger, counterfeiter

vervalsing forgery, counterfeit

vervangen replace, take the place of, substitute: *niet te ~* irreplaceable

vervanger replacement, substitute: *de ~ van de minister* the substitute minister

vervanging replacement, substitution

verveeld bored, weary: *(Belg) ~ zitten met iets* not know what to do about sth; *~ toekijken* watch indifferently

verveelvoudigen multiply

[1]**vervelen** *intr, tr* bore, annoy: *tot ~s toe* ad nauseam, over and over again

[2]**vervelen, zich** *(niet weten wat te doen)* be(come) bored: *ik verveel me dood* I am bored stiff

vervelend 1 boring **2** *(onaangenaam)* annoying: *een ~ karwei* a chore; *wat een ~e vent* what a tiresome fellow; *doe nu niet zo ~* don't be such a nuisance; *wat ~!* what a nuisance!

verveling boredom: *louter uit ~* out of pure boredom
vervellen peel
verven 1 paint **2** *(stoffen, haar)* dye
verversen 1 *(weer vers maken)* refresh **2** *(door nieuwe vervangen)* change, freshen
verversing replacement
verviervoudigen quadruple, multiply by four
vervliegen 1 *(mbt tijd)* fly **2** *(mbt vluchtige stoffen)* evaporate
vervloeken curse: *hij zal die dag ~!* he will rue the day!
vervoer transport, transportation: *met het openbaar ~* by public transport; *tijdens het ~ beschadigde goederen* goods damaged in transit
vervoerbedrijf transport company: *het gemeentelijk ~* public transport
vervoerder transporter, carry
vervoeren transport
vervoermiddel (means of) transport: *openbare ~en* public service vehicles
vervoersacademie centre for logistics and road transport studies
vervoersbedrijf *(goederen)* haulier; haulage firm; *(personen)* passenger transport company
vervoersonderneming transport company
vervolg 1 future **2** *(supplement)* continuation (of), sequel (to) **3** *(het vervolgen)* continuation: *~ op blz. 10* continued on page 10
vervolgcursus follow-up course
vervolgen 1 continue: *wordt vervolgd* to be continued **2** *(achtervolgen)* pursue; persecute *(vanwege opvattingen, ras)* **3** *(jur)* sue *(civiele zaken)*; prosecute *(strafzaken)*: *iem gerechtelijk ~* take legal action against s.o.
vervolgens then: *~ zei hij …* he went on to say …
vervolging 1 *(het vervolgd worden)* persecution **2** *(jur)* legal action *(of:* proceedings), prosecution: *tot ~ overgaan* (decide to) prosecute
vervolgonderwijs secondary education
vervolgopleiding continuation course; *(Am)* continuing education (course); advanced training
vervolgverhaal serial (story)
vervolledigen complete, round out
vervormen 1 *(mbt vorm)* transform; *(misvormen)* deform; disfigure **2** *(mbt klank)* distort: *geluid vervormd weergeven* distort a sound
vervorming transformation; *(misvorming)* disfiguring; deforming
[1]**vervreemden** *intr (vreemd worden aan)* become estranged *(of:* alienated): *van zijn werk vervreemd raken* lose touch with one's work; *van elkaar ~* drift apart
[2]**vervreemden** *tr* alienate, estrange: *zich ~ van* alienate oneself from
vervreemding alienation, estrangement
vervroegen advance, (move) forward: *vervroegde uittreding* early retirement
vervuild polluted, contaminated: *~e rivieren* polluted rivers; *~ water* contaminated water
vervuilen pollute, make filthy, contaminate
vervuiler polluter, contaminator: *de ~ betaalt* the polluter pays
vervuiling pollution, contamination: *de ~ van het milieu* environmental pollution
vervullen 1 fill: *dat vervult ons met zorg* that fills us with concern; *van iets vervuld zijn* be full of sth **2** *(voldoen aan)* fulfil; perform *(taak)*: *tijdens het ~ van zijn plicht* in the discharge of his duty **3** *(verwezenlijken)* fulfil, realize: *iemands wensen ~* comply with s.o.'s wishes
vervulling fulfilment; discharge *(van plichten)*; realization *(van dromen)*: *een droom ging in ~* a dream came true
verwaand conceited, stuck-up
verwaandheid conceit(edness), arrogance: *naast zijn schoenen lopen van ~* be too big for one's boots
verwaarloosbaar negligible
verwaarloosd neglected
verwaarlozen neglect
verwaarlozing neglect; negligence *(toestand)*
verwachten 1 expect: *daar moet je ook niet alles van ~* don't set your hopes too high; *lang verwacht* long-awaited; *dat had ik wel verwacht* that was just what I had expected **2** *(mbt zwangerschap)* expect, be expecting: *ze verwacht een baby* she is expecting (a baby), she is in the family way
verwachting 1 anticipation: *in ~ zijn* be expecting, be an expectant mother **2** *(wat men verwacht)* expectation; outlook *(van weer)*: *de ~en waren hoog gespannen* expectations ran high; *het overtrof haar stoutste ~en* it surpassed her wildest expectations; *~en wekken* arouse (one's) hopes; *beneden de ~en blijven* fall short of expectations, disappoint; *aan de ~ beantwoorden* come up to one's expectations
[1]**verwant** *zn* relative, relation
[2]**verwant** *bn* **1** *(mbt personen)* related (to) **2** *(mbt karakter, opvattingen)* kindred: *daar voel ik me niet mee ~* I feel no affinity for *(of:* with) that
verward 1 confused; (en)tangled *(draad enz.)* **2** *(onduidelijk)* confused, muddled, incoherent
verwarmen warm, heat: *de kamer was niet verwarmd* the room was unheated; *een glas hete melk zal je wat ~* a glass of hot milk will warm you up
verwarming heating (system): *centrale ~ aanleggen* put in central heating; *de ~ hoger* (of: *lager*) *zetten* turn the heat up *(of:* down)
verwarmingsbuis heating pipe
verwarmingsinstallatie heating system
verwarmingsketel (central heating) boiler
verwarren 1 tangle (up), confuse: *~d werken* lead to confusion **2** (met *met*) confuse, mistake: *u verwart hem met zijn broer* you mistake him for his

brother; *niet te ~ met* not to be confused with
verwarring entanglement, confusion; muddle: *er ontstond enige ~ over zijn identiteit* some confusion arose concerning (*of:* as to) his identity; *~ stichten* cause confusion; *in ~ raken* become confused
verwateren become diluted *(of:* watered down), peter out: *de vriendschap tussen hen is verwaterd* their friendship has cooled off
verwedden bet: *ik wil er alles om ~ dat …* I'll bet you anything that …
verweerd weather-beaten
verwekken beget, father: *kinderen ~* beget (*of:* father) children
verwekker begetter, father: *de ~ van het kind* the child's natural father
verwelken 1 wilt, wither 2 *(fig)* fade: *~de schoonheid* fading beauty
verwelkomen welcome, greet; *((be)groeten)* salute: *iem hartelijk ~* give s.o. a hearty welcome
verwend 1 spoilt, pampered: *zij is een ~ kreng* she is a spoilt brat 2 discriminating: *een ~ publiek* a discriminating public (*of:* audience)
verwennen spoil, indulge: *zichzelf ~* indulge (*of:* pamper) oneself
[1]**verweren** *intr* weather; erode *(rotsen);* become weather-beaten
[2]**verweren, zich** *(zich verdedigen)* defend oneself; *(fysiek)* put up a fight: *voor hij zich kon ~* before he could defend himself
verwerkelijken realize: *een droom* (of: *wens*) *~* make a dream (*of:* wish) come true
verwerken 1 process, handle, convert: *zijn maag kon het niet ~* his stomach couldn't digest it; *huisvuil tot compost ~* convert household waste into compost 2 *(bij het bewerken opnemen)* incorporate: *de nieuwste gegevens zijn erin verwerkt* the latest data are incorporated (in it) 3 *(psychisch)* cope with: *ze heeft haar verdriet nooit echt goed verwerkt* she has never really come to terms with her sorrow 4 *(aankunnen, opnemen)* absorb, cope with: *stadscentra kunnen zoveel verkeer niet ~* city centres cannot absorb so much traffic
verwerking processing, handling, assimilation, incorporation: *bij de ~ van deze gegevens* in processing (*of:* handling) these data
verwerkingseenheid: *de centrale ~* the mainframe, the processor
verwerkingstijd processing time
verwerpen reject, vote down, turn down
verwerven obtain, acquire; achieve *(roem)*
verweven (inter)weave: *hun belangen zijn nauw ~* their interests are closely knit; *met elkaar ~ zijn* be interwoven
verwezenlijken realize; fulfil *(hoop, wens);* achieve *(doel): plannen* (of: *voornemens*) *~* realize one's plans (*of:* intentions)
verwezenlijking realization, fulfilment
verwijderd remote, distant: *(steeds verder) van elkaar ~ raken* drift (further and further) apart; *een kilometer van het dorp ~* a kilometre out of the village
verwijderen remove: *iem uit zijn huis ~* evict s.o.; *iem van het veld ~* send s.o. off (the field)
verwijdering 1 removal: *~ van school* expulsion from school 2 *(verkoeling)* estrangement: *er ontstond een ~ tussen hen* they drifted apart
verwijding widening; *(med)* dila(ta)tion *(pupil, bloedvat)*
verwijfd effeminate, sissy
verwijsbriefje (doctor's) referral (letter)
verwijt reproach, blame: *elkaar ~en maken* blame one another; *iem ~en maken* reproach s.o.
verwijten reproach, blame: *iem iets ~* reproach s.o. with sth, blame s.o. for sth
verwijtend reproachful: *iem ~ aankijken* look at s.o. reproachfully
verwijzen refer: *een patiënt naar een specialist ~* refer a patient to a specialist
verwikkelen involve, implicate, mix up
verwikkeling complication
verwilderd 1 wild, neglected: *een ~e boomgaard* a neglected (*of:* an overgrown) orchard 2 *(uit fatsoen gebracht)* wild, unkempt, dishevelled 3 *(woest)* wild, mad: *er ~ uitzien* look wild (*of:* haggard)
verwisselbaar exchangeable, convertible: *onderling ~* interchangeable
verwisselen 1 (ex)change, swap 2 *(verwarren)* mistake, confuse: *ik had u met uw broer verwisseld* I had mistaken you for your brother
verwisseling (ex)change, interchange, swap
verwittigen inform, advise, notify
verwoed passionate, ardent, impassioned: *~e pogingen doen* make frantic efforts
verwoest destroyed, devastated, ravaged
verwoesten destroy, devastate, lay waste
verwoestend devastating, destructive
verwoesting devastation; *(mv ook)* ravages; *(vernieling)* destruction
verwonden *(met opzet)* wound; *(zonder opzet)* injure
verwonderd surprised; *(sterker)* amazed; astonished
verwonderen amaze, astonish
verwondering surprise; *(sterker)* amazement; astonishment: *het hoeft geen ~ te wekken dat …* it comes as no surprise that …
verwonding injury; *(moedwillig)* wounding; wound: *~en oplopen* sustain injuries, be injured
verwringen twist; *(vnl. fig)* distort; contort *(lichaam): een van pijn verwrongen gezicht* a face contorted with pain
verzachten *(minder hard)* soften; *(minder zwaar)* ease: *pijn ~* relieve (*of:* alleviate) pain
verzachtend mitigating, extenuating
verzadigd 1 *(na maaltijd)* satisfied, full (up) 2 *(vol)* saturated: *een ~e arbeidsmarkt* a saturated labour market

verzadigen saturate
verzadiging satisfaction, saturation
verzakken subside; *(bezinken)* settle; sink; *(doorzakken)* sag: *de grond verzakt* the ground has subsided (*of:* is subsiding)
verzamelaar collector
verzamel-cd compilation CD
[1]**verzamelen** *intr, tr (bijeenbrengen, komen)* gather (together), assemble; meet *(met opzet): zich ~* gather, assemble, *(losser)* congregate; *we verzamelden (ons) op het plein* we assembled (*of:* met) in the square
[2]**verzamelen** *tr* 1 collect; *(samenbrengen, oogsten)* gather; *(samenstellen)* compile: *krachten ~* summon up (one's) strength; *de verzamelde werken van ...* the collected works of ... 2 *(uit liefhebberij)* collect, save
verzameling 1 collection; *(samenkomst)* gathering; assembly; *(samenstelling)* compilation: *een bonte ~ aanhangers* a motley collection of followers; *een ~ aanleggen* build up (*of:* put together) a collection 2 *(wisk)* set
verzamelnaam collective term, generic term, umbrella term
verzamelobject collector's item
verzamelplaats meeting place (*of:* point) *(mensen);* assembly point
verzamelwoede mania for collecting things
verzanden get bogged down
verzegelen seal, put (*of:* set) a seal on: *een woning ~* put a house under seal
verzegeling sealing, seal: *een ~ aanbrengen* (of: *verbreken*) affix (*of:* break) a seal
verzeilen: *hoe kom jij hier verzeild?* what brings you here?; *in moeilijkheden verzeild raken* run into (*of:* hit) trouble, run into difficulties
verzekeraar insurer; *(bij levensverzekering ook)* assurer
verzekerd 1 assured (of), confident (of): *succes ~!* success guaranteed!; *u kunt ervan ~ zijn dat* you may rest assured that 2 *(mbt verzekeringen)* insured: *het ~e bedrag* the sum insured
verzekerde policyholder; *(verzekeringen ook)* insured party, assured party
verzekeren 1 ensure; assure *(personen): iem van iets ~* assure s.o. of sth 2 *(bevestigen, garanderen)* guarantee, assure 3 *(mbt verzekeringen)* insure; *(vnl. levensverzekering)* assure: *zich ~ (tegen)* insure oneself (against)
verzekering 1 assurance, guarantee: *ik kan u de ~ geven, dat ...* I can give you an assurance that ... 2 *(assurantie)* insurance; *(vnl. levensverzekering)* assurance: *sociale ~* national insurance, social security; *een ~ aangaan (afsluiten)* take out insurance (*of:* an insurance policy) 3 *(verzekeringsmaatschappij)* insurance company, assurance company
verzekeringsadviseur insurance adviser
verzekeringsagent insurance agent
verzekeringsmaatschappij insurance company, assurance company
verzekeringspolis insurance policy
verzekeringspremie insurance premium
verzekeringsvoorwaarden policy conditions
verzendadres dispatch address, address for delivery
verzenden send, mail, dispatch; *(goederen)* ship: *per schip ~* ship
verzender sender, shipper, consignor
verzending dispatch, mailing, shipping, forwarding
verzendkosten shipping (*of:* mailing, postage) costs
verzengen scorch: *een ~de hitte* a blistering heat
verzet resistance: *in ~ komen (tegen)* offer resistance (to)
verzetje diversion, distraction: *hij heeft een ~ nodig* he needs a bit of variety (*of:* a break)
verzetsbeweging resistance (movement), underground
verzetsgroep resistance group
verzetsstrijder resistance fighter, member of the resistance (*of:* underground)
[1]**verzetten** *tr* move (around), shift: *een vergadering ~* put off (*of:* reschedule) a meeting
[2]**verzetten, zich** *(tegenstand bieden)* resist, offer resistance (*of:* opposition)
verzieken spoil, ruin: *de sfeer ~* spoil the atmosphere
verziend long-sighted
verziendheid long-sightedness
verzilveren 1 (plate with) silver, silver-plate: *verzilverde lepels* plate(d) spoons 2 *(innen)* cash, convert into (*of:* redeem for) cash
verzinken sink (down, away), submerge: *in gedachten verzonken zijn* be lost (*of:* deep) in thought
verzinnen invent, think/make (*of:* dream, cook) up, devise: *een smoesje ~* think up (*of:* cook up) an excuse
verzinsel fabrication, invention, figment of one's imagination
verzoek 1 request, appeal, petition: *dringend ~* urgent request, entreaty; *aan een ~ voldoen* comply with a request; *op ~ van mijn broer* at my brother's request 2 *(verzoekschrift)* petition, appeal: *een ~ indienen* petition, appeal, make a petition (*of:* an appeal)
verzoeken request; petition *(per verzoekschrift);* ask, beg: *mag ik om stilte ~* silence please, may I have a moment's silence
verzoeknummer request
verzoenen reconcile, appease: *zich met iem ~* become reconciled with s.o.
verzoenend conciliatory, expiatory
verzoening reconciliation
verzorgd well cared-for, carefully kept (*of:* tended): *een goed ~ gazon* a well-tended lawn; *er ~ uit-*

zien be well dressed (*of:* groomed)
verzorgen look after, (at)tend to, care for: *tot in de puntjes verzorgd* taken care of down to the last detail
verzorgende care giver, carer
verzorger attendant, caretaker: *ouders, voogden of ~s* parents or guardians
verzorging care, maintenance, nursing: *medische ~* medical care
verzorgingsflat warden-assisted flat; *(Am)* retirement home with nursing care
verzorgingsstaat welfare state
verzorgingstehuis home; *(bejaardentehuis)* home for the elderly; old people's home, rest home
verzuim omission; non-attendance *(wegblijven);* absence: *~ wegens ziekte* absence due to illness
verzuimen be absent, fail to attend: *een les ~* cut (*of:* skip) (a) class
verzuipen 1 drown, be drowned 2 *(motor)* be flooded
verzuren sour, turn sour, go sour; *(melk ook)* go off; *(chem)* acidify: *verzuurde grond* acid soil
verzwakken weaken, grow weak; enfeeble *(persoon, economie); (aantasten)* impair
verzwaren make heavier; *(fig ook)* increase; *(sterker maken)* strengthen: *de dijken ~* strengthen the dykes; *exameneisen ~* make an examination stiffer
verzwarend aggravating
verzwijgen keep silent about; *(niet mededelen)* withhold; suppress; *(niet opgeven)* conceal: *iets voor iem ~* keep (*of:* conceal) sth from s.o.; *een schandaal ~* hush up a scandal
verzwikken sprain, twist: *zijn enkel ~* sprain one's ankle
vest waistcoat, vest; *(gebreid)* cardigan: *een pak met ~* a three-piece suit
vestibule hall(way), entrance hall, vestibule
[1]**vestigen** *tr* direct, focus: *ik heb mijn hoop op jou gevestigd* I'm putting (all) my hopes in you
[2]**vestigen, zich** settle: *zich ergens ~* establish oneself, settle somewhere
vestiging branch, office; *(verkooppunt)* outlet
vestigingsplaats place of business, registered office, seat; *(persoon)* place of residence
vesting fortress, fort, stronghold
vet *zn* fat; *(vloeibaar)* oil; *(smeer)* grease; *(druipvet)* dripping; *(varkensvet)* lard: *iets in het ~ zetten* grease sth
vet *bn, bw* 1 fat; *(melk ook)* rich; creamy 2 *(met veel vet)* fatty, greasy, rich 3 *(winstgevend)* fat; plum(my) *(baantje): een ~te buit* rich spoils 4 *(met vet verontreinigd)* greasy, oily: *een ~te huid* a greasy (*of:* an oily) skin 5 *(dik door veel inkt)* bold: *~te letters* bold (*of:* heavy) type, boldface; *~ gedrukt* in bold (*of:* heavy) type
vetarm low-fat
vete feud, vendetta
veter lace: *zijn ~s vastmaken (strikken)* do up (*of:* tie) one's shoelaces; *je ~ zit los!* your shoelace is undone!
veteraan veteran
veteranenziekte Legionnaire's disease
vetgehalte fat content, percentage of fat
vetkuif greased quiff
vetmesten fatten (up), feed up
veto veto: *het recht van ~ hebben* have the right (*of:* power) of veto; *zijn ~ over iets uitspreken* veto sth, exercise one's veto against sth
vetplant succulent
vettig 1 fatty; *(vet bevattend)* greasy: *een ~e glans* an oily sheen 2 *(met vet bedekt)* greasy; *(haar, huid ook)* oily
vetvlek grease stain, greasy spot (*of:* mark): *vol ~ken* grease-stained
vetvrij 1 greaseproof: *~ papier* greaseproof paper 2 *(geen vet (meer) bevattend)* fat-free, non-fat
vetzak fatso, fatty
veulen foal; *(hengstveulen)* colt; *(merrieveulen)* filly
vezel fibre; *(van weefsel ook)* thread; filament *(vnl. in plant of dier)*
vezelrijk high-fibre
vgl. *afk van vergelijk* cf., cp.
V-hals V-neck
via *(over, langs)* via, by way of, by, through; *(door middel van)* by means of: *~ de snelweg komen* take the motorway (*of Am:* expressway); *ik hoorde ~ mijn zuster, dat ...* I heard from (*of:* through) my sister that ...; *iets ~ ~ horen* learn (*of:* hear) of sth in a roundabout way, hear sth on the grapevine
viaduct viaduct, flyover, crossover; *(Am)* overpass
viagra viagra
vibrafoon vibraphone, vibes
vibratie vibration
vicaris vicar
vicepremier vice-premier
vicepresident vice-president; *(van bedrijf ook)* vice-chairman
vice versa vice versa
vicevoorzitter vice-chairman, deputy chairman
victoriaans Victorian
video video (tape, recorder): *iets op ~ zetten* record sth on video
videoapparatuur video equipment
videobewaking closed circuit TV
videocamera video camera
videocassette video cassette
videoclip videoclip
videofilm video (film, recording)
videofoon video(tele)phone
video-opname video recording
videorecorder video (recorder), VCR, video cassette recorder
videospel video game

videotheek video shop
vief lively, energetic
vier four; *(in data)* fourth: *~ mei* the fourth of May; *een gesprek onder ~ ogen* a private conversation, a tête-à-tête; *zo zeker als tweemaal twee ~ is* as sure as I'm standing here; *half ~* half past three; *ze waren met z'n ~en* there were four of them; *hij kreeg een ~ voor wiskunde* he got four out of ten for maths
vierbaansweg *(snelweg)* four-lane motorway; *(niet-snelweg)* dual carriageway; *(Am)* divided highway
vierde fourth: *de ~ klas* the fourth form (*of Am:* grade); *ten ~* fourthly, in the fourth place; *het is vandaag de ~* today is the fourth; *drie ~* three fourths, three-quarters; *als ~ eindigen* come in fourth
vierdelig four-part; four-piece *(suite, servies enz.)*
vieren 1 celebrate; observe *(feestdag, zondag); (herdenken)* commemorate: *dat gaan we ~* this calls for a celebration **2** *(laten schieten)* pay out, slacken: *een touw (laten) ~* pay out a rope
vierhoek quadrangle, rectangle, square
viering celebration; observance *(mbt feestdag, zondag); (herdenking)* commemoration; *(godsd)* service: *ter ~ van* in celebration of
vierjarig four-year-old; *(vier jaren durend)* four-year(s'); *(vierjaarlijks)* four-yearly
[1]**vierkant** *zn* square; *(figuur, opstelling ook)* quadrangle
[2]**vierkant** *bn* square: *de kamer meet drie meter in het ~* the room is three metres square, the room is three by three (metres)
vierkleurendruk four-colour printing
vierkwartsmaat four-four time, quadruple time, common time *(of:* measure)
vierling quadruplets, quads
viermaal four times
vierspan four-in-hand
viersprong crossroads
viertal (set of) four; *(mensen ook)* foursome
vieruurtje *(Belg)* tea break, mid-afternoon snack
viervoeter quadruped, four-footed animal
viervoetig four-footed, quadruped
viervoud quadruple
viervoudig fourfold, quadruple
vierwielaandrijving four-wheel drive
vies 1 dirty, filthy **2** *(onsmakelijk)* nasty, foul: *een ~ drankje* a nasty (*of:* vile) mixture || *bij een ~ zaakje betrokken zijn* be involved in dirty (*of:* funny) business; *ergens niet ~ van zijn* not be averse to sth; *die film viel ~ tegen* that film was a real letdown
viespeuk pig: *een oude ~* a dirty old man
Vietnam Vietnam
Vietnamees Vietnamese
viezerik pig, slob, dirty sod
viezigheid dirt, grime
vignet 1 device, logo, emblem **2** *(op auto)* sticker
vijand enemy: *dat zou je je ergste ~ nog niet toewensen* you wouldn't wish that on your worst enemy; *gezworen ~en* sworn (*of:* mortal) enemies
vijandelijk enemy, hostile
vijandelijkheid hostility, act of war
vijandig hostile, inimical: *een ~e daad* a hostile act; *iem ~ gezind zijn* be hostile towards s.o.
vijandigheid hostility, animosity, enmity
vijandschap enmity, hostility, animosity: *in ~ leven* be at odds (with)
vijf five; *(in data)* fifth: *~ juni* the fifth of June; *om de ~ minuten* every five minutes; *het is over vijven* it is past (*of:* gone) five; *een stuk of ~* about five, five or so, five-odd; *een briefje van ~* a five-pound note
vijfdaags five-day-old; *(vijf dagen durend)* five-day: *de ~e werkweek* the five-day (working) week
vijfde fifth: *auto met ~ deur* hatchback; *ten ~* fifthly, in the fifth place; *als ~ eindigen* come in fifth
vijfenzestigpluskaart senior citizen's ticket *(of:* pass)
vijfenzestigplusser senior citizen, pensioner
vijfhoek pentagon
vijfjarenplan five-year plan
vijfjarig five-year-old; *(vijf jaren durend)* five-year(s'); *(vijfjaarlijks)* five-yearly
vijfje five pound note; *(Am)* five dollar bill
vijfkamp pentathlon
vijfling quintuplets, quins: *zij kreeg een ~* she had quintuplets (*of:* quins)
vijftal (set of) five: *een ~ jaren* (about) five years, five (or so) years; *een vrolijk ~* a merry fivesome
vijftien fifteen; *(in data)* fifteenth: *~ maart* the fifteenth of March; *rugnummer ~* number fifteen; *een man of ~* about fifteen people, fifteen or so people
vijftig fifty: *de jaren ~* the fifties; *hij is in de ~* he is in his fifties; *tegen de ~ lopen* be getting on for (*of:* be pushing) fifty
vijftiger s.o. in his fifties
vijg *(vrucht(boom))* fig (tree) || *(Belg) dat zijn ~en na Pasen* that is (*of:* comes) too late to be of use
vijl file
vijlen file
vijs *(Belg)* screw
vijver pond
vijzel 1 *(krik)* jack **2** Archimedean screw
Viking Viking
villa villa: *halve ~* semi-detached house
villawijk (exclusive) residential area
villen skin, flay
vilt felt
vilten felt
viltje beer mat
viltstift felt-tip (pen)
vin 1 fin; *(van zeehond)* flipper: *geen ~ verroeren*

not raise (*of:* lift) a finger, not move a muscle 2 *(uitsteeksel, onderdeel)* fin; *(schoep)* vane

vinden 1 find, discover, come across; *(olie ook)* strike: *dat boek is nergens te ~* that book is nowhere to be found; *ergens voor te ~ zijn* be (very) ready to do sth, be game for sth; *iem (iets) toevallig ~* happen/chance upon s.o. (sth) 2 *(bedenken, uitdenken)* find, think of 3 *(achten, oordelen)* think, find: *ik vind het vandaag koud* I think it's (*of:* I find it) cold today; *ik zou het prettig ~ als …* I'd appreciate it if …; *hoe vind je dat?* what do you think of that?; *zou je het erg ~ als …?* would you mind if …?; *ik vind het goed* that's fine by me, it suits me fine; *vind je ook niet?* don't you agree?; *daar vind ik niets aan* it doesn't do a thing for me || *het met iem kunnen ~* get on (*of:* along) with s.o.; *zich ergens in kunnen ~* agree with sth; *zij hebben elkaar gevonden: a) (zijn het eens)* they have come to terms (over it); *b) (ze vormen een paar)* they have found each other

vinder finder, discoverer

vinding idea, invention

vindingrijk ingenious, inventive: *een ~e geest* a fertile (*of:* creative) mind

vindingrijkheid ingenuity, inventiveness, resourcefulness

vindplaats place where sth is found, site, location

vinger finger: *groene ~s hebben* have green fingers, *(Am)* have a green thumb; *lange ~s hebben* have sticky fingers; *met een natte ~* roughly, approximately *(mbt een schatting); als men hem een ~ geeft, neemt hij de hele hand* give him an inch and he'll take a mile; *hij heeft zich in de ~s gesneden (fig)* he got (his fingers) burned; *de ~ opsteken* put up (*of:* raise) one's hand; *iets door de ~s zien* turn a blind eye to sth, overlook sth; *iets in de ~s hebben* be a natural at sth; *een ~ in de pap hebben* have a finger in the pie; *met de ~s knippen* snap one's fingers; *hij had haar nog met geen ~ aangeraakt* he hadn't put (*of:* laid) a finger on her; *op de ~s van één hand te tellen zijn* be few and far between; *iem op de ~s tikken* rap s.o. over the knuckles; *iem op zijn ~s kijken* breathe down s.o.'s neck; *dat had je op je ~s kunnen natellen* that was to be expected

vingerafdruk fingerprint: *~ken nemen (van)* fingerprint s.o., take s.o.'s fingerprints

vingerhoed thimble

vingertop fingertip

vingerverf finger paint

vingerzetting fingering

vink 1 *(vogel)* finch; *(soortnaam)* chaffinch 2 *(tekentje)* check (mark), tick

vinkenslag *(Belg): op ~ zitten* lie in wait

vinnig sharp, caustic

vinyl vinyl

violet violet

violist violinist

viool violin, fiddle: *(op de) ~ spelen* play the violin (*of:* fiddle); *eerste ~* first violin; *hij speelt de eerste ~* he is (*of:* plays) first fiddle

vioolconcert violin concerto

viooltje violet: *Kaaps ~* African violet

virtueel virtual, potential: *een ~ winkelcentrum* a virtual shopping centre

virtuoos virtuoso

virus virus

virusinfectie virus infection, viral infection

virusscanner virus scanner

vis fish: *een mand ~* a basket of fish; *(collectief) er zit hier veel ~* the fishing's good here; *zo gezond als een ~* fit as a fiddle

Vis Pisces, Piscean

visagist cosmetician, beauty specialist, beautician

visakte fishing licence

visboer fishmonger

visgraat fish bone

vishandel fish trade; *(winkel)* fish shop *(of Am:* dealer)

vishandelaar fishmonger; *(Am)* fish dealer

visie view, outlook, point of view: *een man met ~* a man of vision

visioen vision: *een ~ hebben* see (*of:* have) a vision

visite 1 visit; call *(kort): bij iem op ~ gaan* pay s.o. a visit, call on s.o., visit 2 *(personen op bezoek)* visitors, guests, company

visitekaartje visiting card; (business) card *(van zakenman): zijn ~ achterlaten* make one's mark, establish one's presence

viskom fishbowl

vismarkt fish market

visnet fish net, fishing net

visrestaurant fish restaurant, seafood restaurant

visschotel fish dish

visseizoen fishing season; *(sport ook)* angling season

vissen 1 fish; *(sport ook)* angle: *op haring ~* fish for herring; *parels ~* dive (*of:* fish) for pearls 2 *(dreggen)* drag, dredge

Vissen Pisces

visser fisherman; *(hengelaar ook)* angler

visserij fishing, fisheries, fishery

vissersboot fishing boat

vissersvloot fishing fleet

vissoep fish soup

visstand fish stock

visstick fish finger

visueel visual: *~ gehandicapt* visually handicapped

visum visa: *een ~ aanvragen* apply for a visa

visvangst fishing, catching of fish: *van de ~ leven* fish for one's living

visvergunning fishing licence (*of:* permit)

visvijver fishpond

viswater fishing ground(s)

viswinkel fish shop *(of Am:* dealer), fishmonger's (shop)
vitaal vital: *hij is nog erg ~ voor zijn leeftijd* he's still very active for his age
vitaliteit vitality, vigour
vitamine vitamin: *rijk aan ~* rich in vitamins, vitamin-rich
vitrage net curtain
vitrine 1 (glass, display) case, showcase 2 *(etalage)* shop window, show window
vitten find fault, carp
vivisectie vivisection
vizier 1 sight: *iem in het ~ krijgen* spot s.o., catch sight of s.o. 2 *(ve helm)* visor
vj VJ, veejay
vla 1 *(ongev)* custard 2 *(vlaai)* flan; *(Am)* (open-faced) pie
vlaag 1 *(windstoot)* gust, squall 2 *(aanval)* fit, flurry: *in een ~ van verstandsverbijstering* in a frenzy, in a fit of insanity; *bij vlagen* in fits and starts, in spurts *(of:* bursts)
vlaai flan; *(Am)* (open-faced) pie
[1]**Vlaams** *zn* Flemish
[2]**Vlaams** *bn* Flemish || *~e gaai* jay
Vlaamse Flemish woman
Vlaanderen Flanders
vlag flag; *(van schip ook)* colours; *(vnl. scheepv; mil)* ensign: *met ~ en wimpel slagen* pass with *(of:* come through with) flying colours; *de Britse ~* the Union Jack
vlaggen put out the flag
vlaggenmast flagpole, flagstaff
vlaggenstok flagpole, flagstaff
[1]**vlak** *zn* 1 *(platte kant)* surface, face; *(diamant)* facet: *het voorste* (of: *achterste*) ~ the front *(of:* rear) face 2 *(niveau, gebied)* sphere, area, field: *op het menselijke ~* in the human sphere
[2]**vlak** *bn* 1 flat, level, even: *iets ~ strijken* level off sth, level sth out 2 *(ondiep)* flat, shallow
[3]**vlak** *bw* 1 *(zonder helling)* flat 2 *(recht)* right, immediately, directly: *~ tegenover elkaar* right *(of:* straight) opposite each other 3 *(zonder tussenruimte)* close: *~ achter je* right *(of:* just) behind you; *~ bij de school* close to the school, right by the school; *het is ~ bij* it's no distance at all; *het is hier ~ in de buurt* it's just round *(of Am:* around) the corner; *het ligt ~ voor je neus* it is staring you in the face, it's right under your nose
vlakaf *(Belg) (onomwonden)* plainly, bluntly
vlakbij nearby: *ik woon hier ~* I live nearby *(of:* close by)
vlakgom rubber, eraser
vlakte plain: *een golvende ~* a rolling plain; *zich op de ~ houden* not commit oneself, leave *(of:* keep) one's options open; *na twee klappen ging hij tegen de ~* a couple of blows laid him flat
vlam 1 flame: *~ vatten* catch fire, burst into flames; *in ~men opgaan* go up in flames 2 *(geliefde)* flame
Vlaming Fleming
vlammend fiery, burning: *een ~ protest* a burning protest
vlammenwerper flame-thrower
vlammenzee sea of flame(s)
vlamverdeler stove mat
vlas flax
vlecht braid, plait, tress: *een valse ~* a switch, a tress of false hair
vlechten braid, plait, twine
vlechtwerk plaiting
vleermuis bat
vlees 1 flesh; *(voedsel)* meat: *dat is ~ noch vis* that is neither fish, flesh, nor good red herring; *in eigen ~ snijden* queer one's own pitch; *mijn eigen ~ en bloed* my own flesh and blood 2 *(mbt vruchten, paddenstoelen)* flesh, pulp
vleesetend carnivorous
vleeseter meat-eater; *(vnl. mbt dieren)* carnivore
vleesmes carving knife
vleesschotel meat course *(of:* dish)
vleesverwerkend meat-packing
vleeswaren meat products, meats: *fijne ~* (assorted) sliced cold meat, cold cuts
vleeswond flesh wound
vlegel brat, lout
vleien flatter, butter up: *ik voelde me gevleid door haar antwoord* I was *(of:* felt) flattered by her answer
vleiend flattering, coaxing
vleierij flattery: *met ~ kom je nergens* flattery will get you nowhere
vlek 1 spot, mark, stain; *(huidvlek)* blemish; blotch *(door ziekte, koorts): die ~ gaat er in de was wel uit* that spot will come out in the wash 2 *(fig)* blot, blemish || *blinde ~ (in het oog)* blind spot (in the eye)
vlekkeloos spotless, immaculate
vlerk boor, lout
vleugel 1 wing: *de linker* (of: *rechter*) ~ the left *(of:* right) wing; *(sport) over de ~s spelen* play up and down the wings 2 *(piano)* grand piano
vleugelmoer wing nut, butterfly nut
vleugelspeler *(sport)* (left, right) winger
vleugje breath, touch: *een ~ ironie* a tinge of irony; *een ~ romantiek* a romantic touch
vlieg fly: *twee ~en in één klap (slaan)* kill two birds with one stone; *hij doet geen ~ kwaad* he wouldn't harm *(of:* hurt) a fly
vliegangst fear of flying
vliegbasis airbase
vliegbiljet airline ticket
vliegbrevet pilot's licence, flying licence: *zijn ~ halen* qualify as a pilot, get one's wings
vliegdekschip (aircraft) carrier
vliegen fly; *(snel voorbijgaan ook)* race: *de dagen ~ (om)* the days are simply flying; *hij ziet ze ~* he has got bats in the belfry; *eruit ~* get sacked; *met SakkersAirlines ~* fly SakkersAirlines || *erin ~*

vi

(zich laten beetnemen) fall for sth
vliegenier airman, aviator
vliegenmepper (fly) swatter
vliegenraam *(Belg)* gauze screen against flies
[1]**vliegensvlug** *bn* lightning
[2]**vliegensvlug** *bw* as quick as lightning, like lightning *(of:* a shot)
vliegenzwam fly agaric
vlieger kite: *een ~ oplaten* fly a kite
vliegeren fly kites *(of:* a kite)
vlieghoogte altitude
vlieginstructeur flying instructor
vliegramp plane crash
vliegreis flight
vliegroute flying route; *(van trekvogels)* flyway
vliegticket airline ticket
vliegtuig aeroplane; *(Am)* airplane; aircraft, plane: *~jes vouwen* make paper aeroplanes *(of:* airplanes); *met het ~ reizen* fly, travel by air *(of:* plane)
vliegtuigbemanning aircrew
vliegtuigindustrie aircraft industry
vliegtuigkaper (aircraft) hijacker
vliegtuigkaping (aircraft) hijack(ing)
vliegveld airport
vlier elder(berry)
vliering attic, loft
vlies film; skin *(op melk, om vruchten)*
vlijen lay down, nestle
vlijmscherp razor-sharp
vlijtig diligent, industrious
vlinder butterfly: *~s in mijn buik* butterflies in my stomach
vlinderdas bow tie
vlinderslag butterfly stroke
vlo flea: *onder de ~oien zitten* be flea-ridden
vloed (high) tide, flood (tide), rising tide: *het is nu ~* the tide is in; *bij ~* at high tide; *een ~ van klachten* a flood *(of:* deluge) of complaints
vloedgolf 1 *(vd vloed)* groundswell **2** *(door natuurramp)* tidal wave
vloei tissue paper: *een pakje shag met ~* (a packet of) rolling tobacco and cigarette papers
vloeibaar liquid, fluid: *~ voedsel* liquid food
vloeien 1 flow, stream: *in de kas ~* flow in **2** *(mbt papier)* blot, smudge
vloeiend flowing, liquid: *~e kleuren* blending colours; *een ~e lijn* a flowing line; *hij spreekt ~ Engels* he speaks English fluently
vloeipapier 1 blotting paper **2** *(dun papier)* tissue paper; *(voor sigaretten)* cigarette paper
vloeistof liquid, fluid
vloek curse: *er ligt een ~ op dat huis* a curse rests on that house; *een ~ uitspreken (over iem, iets)* curse s.o. (sth)
vloeken curse, swear (at): *op iets ~* curse *(of:* swear) at sth
vloer floor: *planken ~* planking, strip flooring; *met iem de ~ aanvegen* mop *(of:* wipe) the floor with s.o.; *ik dacht dat ik door de ~ ging* I didn't know where to put myself; *veel mensen over de ~ hebben* have a lot of visitors; *hij komt daar over de ~* he is a regular visitor there
vloerbedekking floor covering: *vaste ~* wall-to-wall carpet(ting)
vloerkleed carpet; *(klein)* rug
vloermat floor mat
vloertegel (paving) tile *(of:* stone): *~s leggen* pave, lay (paving) tiles
vloerverwarming underfloor heating
vlok 1 flock; *(haar ook)* tuft: *~ken stof* whirls of dust **2** flake: *~ken op brood* bread with chocolate flakes
vlonder 1 (wooden) platform, planking **2** pallet
vlooienband flea collar
vlooienmarkt flea market
vloot fleet
vlos floss (silk)
[1]**vlot** *zn* raft: *op een ~ de rivier oversteken* raft across the river
[2]**vlot** *bn, bw* **1** facile *(pen)*; fluent; smooth *(stijl)*: *een ~te pen* a ready pen; *~ spreken* speak fluently **2** *(zonder oponthoud)* smooth; ready *(antwoord)*; prompt *(betaling)*: *een zaak ~ afwikkelen* settle a matter promptly; *het ging heel ~* it went off without a hitch; *~ van begrip zijn* be quick-witted **3** *(gemakkelijk in de omgang)* sociable, easy to talk to: *hij is wat ~ter geworden* he has loosened up a little **4** *(niet stijf)* easy, comfortable: *hij kleedt zich heel ~* he is a sharp dresser **5** *(drijvend)* afloat
vlotjes smoothly, easily; *(vlug)* promptly: *alles ~ laten verlopen* have things run smoothly
vlotten go smoothly: *het werk wil niet ~* we are not making any progress *(of:* headway)
vlucht flight, escape: *wij wensen u een aangename ~* we wish you a pleasant flight; *iem de ~ beletten* prevent s.o. from escaping; *op de ~ slaan* flee, run (for it); *iem op de ~ jagen (drijven)* put s.o. to flight; *voor de politie op de ~ zijn* be on the run from the police
vluchteling fugitive; *(pol)* refugee
vluchtelingenhulp aid to refugees
vluchtelingenkamp refugee camp
vluchten flee, escape, run away: *uit het land ~* flee (from) the country; *een bos in ~* take refuge in the woods
vluchtgedrag flight
vluchtheuvel traffic island
vluchthuis *(Belg)* refuge *(of:* shelter) for battered women
vluchtig 1 *(kort)* brief; *(min)* cursory; *(vlug)* quick: *~e kennismaking* casual acquaintance; *iets ~ doorlezen* glance over *(of:* through) sth, skim through sth **2** *(van alcohol enz.)* volatile
vluchtleider flight controller
vluchtleiding flight *(of:* mission) control (team), ground control
vluchtmisdrijf *(Belg)* offence of failing to stop

vluchtpoging attempted escape
vluchtrecorder flight recorder, black box
vluchtstrook hard shoulder; *(Am)* shoulder
vluchtweg escape route
vlug 1 fast, quick: ~ *lopen* run fast; ~ *ter been zijn* be quick on one's feet; *iem te ~ af zijn* be too quick for s.o. 2 *(vrij snel)* quick; *(vnl. van bewegingen)* nimble; agile 3 *(spoedig)* quick, fast, prompt: *hij was ~ klaar* he was soon ready; *iets ~ doornemen* (of: *bekijken*) glance over (*of:* through) sth; ~ *iets eten* have a quick snack 4 *(alert)* quick, sharp: *hij behoort niet tot de ~sten* he's none too quick; *hij was er al ~ bij* he was quick at everything; ~ *in rekenen* quick at sums
vm. *afk van voormiddag* a.m.
vmbo *afk van voorbereidend middelbaar beroepsonderwijs* lower vocational professional education
VN *afk van Verenigde Naties* UN
VN-vredesmacht UN peace-keeping force
vo *afk van voortgezet onderwijs* secondary education
vocaal vocal
vocabulaire vocabulary
vocht 1 liquid; *(techn, med ook)* fluid 2 *(vochtigheid)* moisture, damp(ness): *de hoeveelheid ~ in de lucht* the humidity in the air
vochtig damp, moist: *een ~ klimaat* a damp climate; *de lucht is ~* the air is damp; *zijn ogen werden ~* his eyes became moist
vochtigheid 1 moistness, dampness 2 *(gehalte aan vocht)* moisture; *(lucht vnl.)* humidity
vod 1 rag: *een ~je papier* a scrap of paper 2 *(prul)* trash, rubbish: *dit is een ~* this is trash || *iem achter de ~den zitten* keep s.o. (hard) at it
voddenboer rag-and-bone man
[1]**voeden** *intr (voedzaam zijn)* be nourishing *(of:* nutritious)
[2]**voeden** *tr* feed: *die vogels ~ zich met insecten* (of: *met zaden*) these birds feed on insects (*of:* seeds); *zij voedt haar kind zelf* she breast-feeds her baby
voeder fodder, feed
voeding 1 feeding, nutrition: *kunstmatige ~* artificial (*of:* forced) feeding 2 *(voedsel)* food; *(voor dieren)* feed: *eenzijdige ~* an unbalanced diet; *gezonde* (of: *natuurlijke*) ~ health (*of:* natural) food 3 *(techn)* power supply
voedingsbodem breeding ground
voedingsindustrie food industry
voedingsmiddel food; *(vaak mv)* foodstuff: *gezonde ~en* healthy (*of:* wholesome) foods
voedingsstof nutrient
voedsel food: *plantaardig ~* vegetable food; ~ *tot zich nemen* take food (*of:* nourishment)
voedselhulp food aid
voedselpakket food parcel
voedselvergiftiging food poisoning
voedzaam nutritious, nourishing
voeg joint; *(naad)* seam: *de ~en van een muur dichtmaken (aanstrijken)* point (the brickwork of) a wall; *uit zijn ~en barsten* come apart at the seams
voege *(Belg): in ~ treden* take effect, come into force
voegen 1 join (up): *hierbij voeg ik een biljet van €100,-* I enclose a 100-euro note; *zich bij iem ~* join s.o. 2 *(toevoegen)* add: *stukken bij een dossier ~* add documents to a file 3 *(met specie)* point
voegwoord conjunction
voelbaar tangible, perceptible: *het ijzer wordt ~ warmer* the iron is getting perceptibly hotter
[1]**voelen** *intr* 1 feel: *het voelt hard* (of: *ruw, zacht*) it feels hard (*of:* rough, soft) 2 *(genegenheid kennen)* be fond (of), like: *iets gaan ~ voor iem* grow fond of s.o. 3 *(aantrekkelijk achten)* feel (like), like the idea (of): *veel voor de verpleging ~* like the idea of nursing; *ik voel wel iets voor dat plan* I rather like that plan; *ik voel er niet veel voor (om) te komen* I don't feel like coming
[2]**voelen** *tr* 1 feel: *leven ~* feel the baby move; *dat voel ik!* that hurts!; *zijn invloed doen ~* make one's influence felt; *als je niet wil luisteren, moet je maar ~* (you'd better) do it or else!; *voel je (hem)?* get it? 2 *(op de tast)* feel (for, after): *laat mij eens ~* let me (have a) feel
[3]**voelen, zich** feel: *zich lekker ~* feel fine, feel on top of the world
voeling touch, contact: ~ *houden met* maintain contact with, keep in touch with
voelspriet feeler, antenna
voer feed; *(ook fig)* food: ~ *geven* feed; ~ *voor psychologen* a fit subject for a psychologist
voerbak (feeding) trough, manger
[1]**voeren** *intr, tr* lead, guide: *dat zou (mij, ons) te ver ~* that would be getting too far off the subject; *de reis voert naar Rome* the trip goes to Rome
[2]**voeren** *tr* 1 *(van voering voorzien)* line 2 *(eten geven)* feed || *een harde politiek ~* pursue a tough policy; *een proces ~* go to court (over)
voering lining
voertaal language of instruction *(onderwijs)*; *(op congres enz.)* official language
voertuig vehicle
voet 1 foot: *op blote ~en* barefoot; *iem op staande ~ ontslaan* dismiss s.o. on the spot; *iem op vrije ~en stellen* set s.o. free; *(Belg) met iemands ~en spelen* make a fool of s.o.; *(Belg) ergens zijn ~en aan vegen* drag one's feet; *de ~en vegen* wipe one's feet; *dat heeft heel wat ~en in de aarde* that'll take some doing; *onder de ~ gelopen worden* be overrun; *iem op de ~ volgen* follow in s.o.'s footsteps; *de gebeurtenissen* (of: *de ontwikkelingen*) *op de ~ volgen* keep a close track of events (*of:* developments); *te ~ gaan* walk, go on foot; *zich uit de ~en maken* take to one's heels; *iem voor de ~en lopen* hamper s.o., get in s.o.'s way (*of:* under s.o.'s feet); *geen ~ aan de grond krijgen* have no success; ~ *bij stuk houden* stick to one's guns 2 *(onderste gedeel-*

vl

te) foot, base: *de ~ van een glas* the stem (*of:* base) of a glass 3 *(grondslag)* footing; terms *(mv): zij staan op goede* (of: *vertrouwelijke*) *~ met elkaar* they are on good (*of:* familiar) terms (with each other); *op ~ van oorlog leven* be on a war footing

voetafdruk footprint

voetbad footbath

[1]**voetbal** *zn (bal)* football

[2]**voetbal** *zn (sport)* football: *Amerikaans ~* American football; *betaald ~* professional football

voetbalbond football association

voetbalclub football club

voetbalcompetitie football competition

voetbalelftal football team: *het ~ van Ajax* the Ajax team

voetbalfan football fan

voetbalknie cartilage trouble

voetballen play football

voetballer football player

voetbalpasje football identity card

voetbalschoen football boot

voetbalstadion football stadium, soccer stadium

voetbalsupporter football supporter

voetbaluitslagen football results

voetbalvandaal football hooligan

voetbalvandalisme football hooliganism

voetbalveld football pitch

voetbalwedstrijd football match

voeteneind foot

voetfout foot-fault

voetganger pedestrian

voetgangersbrug footbridge, pedestrian bridge

voetgangersgebied pedestrian precinct *(of:* area)

voetgangersoversteekplaats pedestrian crossing, zebra crossing

voetje (little, small) foot: *~ voor ~* inch by inch

voetlicht footlights *(mv): iets voor het ~ brengen* bring sth out into the open

voetnoot 1 footnote 2 *(kanttekening)* note in the margin, critical remark *(of:* comment)

voetpad footpath

voetreis walking-trip, walking-tour, hike

voetspoor footprint; *(mv ook)* track; trail

voetstap (foot)step

voetstuk base; *(hoog)* pedestal: *iem op een ~ plaatsen* put (*of:* place) s.o. on a pedestal

voettocht walking tour, hiking tour

voetvolk foot soldiers *(mv);* infantry

voetzoeker jumping jack; *(ongev)* firecracker

voetzool sole (of the, one's foot)

vogel 1 bird: *(Belg) een ~ voor de kat zijn* be irretrievably lost; *de ~ is gevlogen* the bird has flown 2 *(persoon)* customer, character: *het is een rare ~* he's an odd character; *Joe is een vroege ~* Joe's an early bird

vogelgriep bird flu, avian influenza

vogelhandelaar bird-seller, bird-dealer

vogelhuis aviary; *(vogelkastje)* nesting box

vogelkooi birdcage

vogelnest bird's nest: *~en uithalen* go (bird-)nesting

vogelpest bird flu, avian influenza, fowl pest

vogelpik *(Belg)* darts

vogelpoep bird droppings

vogelverschrikker scarecrow

vogelvlucht bird's-eye view: *iets in ~ behandelen* sketch sth briefly; *iets in ~ tekenen* draw a bird's-eye view of sth

vogelvrij outlawed

voicemail *(telecom)* voice mail

vol 1 full (of), filled (with): *~ nieuwe ideeën* full of new ideas; *een huis ~ mensen* a house full of people; *met ~le mond praten* talk with one's mouth full; *iets ~ maken (gieten, stoppen)* fill sth up; *helemaal ~* full up, packed; *~ van iets zijn* be full of sth; *een ~ gezicht* a full (*of:* chubby) face; *zij is een ~le nicht van me* she's my first cousin 2 *(over de hele oppervlakte bedekt)* full (of), covered (with, in): *de tafel ligt ~ boeken* the table is covered with books; *de kranten staan er ~ van* the papers are full of it 3 *(waaraan niets ontbreekt)* complete, whole: *een ~le dagtaak* a full day's work, *(fig ook)* a full-time job; *het kostte hem acht ~le maanden* it took him a good (*of:* all of) eight months; *in het ~ste vertrouwen* in complete confidence; *een ~le week de tijd hebben* have a full (*of:* whole) week || *iem voor ~ aanzien* take s.o. seriously

volautomatisch fully automatic

[1]**volbloed** *zn* thoroughbred: *Arabische ~* Arab (thoroughbred)

[2]**volbloed** *bn* 1 full-blood(ed) *(bijv. socialist); (dieren ook)* pedigree: *~ rundvee* pedigree cattle 2 *(mbt paarden)* thoroughbred

voldaan 1 satisfied, content(ed): *een ~ gevoel* a sense of satisfaction; *~ zijn over iets* be satisfied (*of:* content) with sth 2 *(betaald)* paid: *voor ~ tekenen* receipt, sign for receipt

[1]**voldoen** *intr* (met *aan*) satisfy; meet *(voorwaarde);* carry out *(plichten);* comply with *(wet, regels): aan de behoeften van de markt ~* meet the needs of the market; *niet ~ aan* fall short of

[2]**voldoen** *tr* pay, settle: *een rekening* (of: *de kosten*) *~* pay a bill (*of:* the costs)

[1]**voldoende** *zn* pass (mark); *(net voldoende)* a bare pass: *een ~ halen voor wiskunde* pass (one's) maths

[2]**voldoende** *bn* sufficient, satisfactory: *één blik op hem is ~ om …* one look at him is enough to …; *jouw examen was net ~* you only just scraped through your exam; *het is niet ~ om van te leven* it is not enough to live on; *ruimschoots ~* ample, more than enough

[3]**voldoende** *bw* sufficiently, enough: *heb je je ~ voorbereid?* have you done enough preparation?

voldoening satisfaction

voldongen: *voor een ~ feit geplaatst worden* be

presented with a fait accompli
voldragen full-term
volgeboekt fully booked, booked up
volgeling follower; *(godsd ook)* disciple
[1]**volgen** *intr* 1 *(later komen)* follow; *(in reeks)* be next: *nadere instructies ~* further instructions will follow; *hier ~ de namen van de winnaars* the names of the winners are as follows; *op elkaar ~* follow one another; *als volgt* as follows 2 *(voortvloeien)* follow (on): *daaruit volgt dat ...* it follows that ...
[2]**volgen** *tr* 1 follow: *een spoor* (of: *de weg*) *~* follow a trail (*of:* the road) 2 *(mbt lessen, cursus)* follow, attend 3 *(handelen naar)* follow; pursue *(koers, beleid)*: *zijn hart ~* follow the dictates of one's heart
volgend following, next: *de ~e keer* next time (round); *wie is de ~e?* who's next?; *het gaat om het ~e* the problem is (*of:* the facts are) as follows
volgens according to; *(in overeenstemming met, ook)* in accordance with: *~ mijn horloge is het drie uur* it's three o'clock by my watch; *~ mij ...* I think ..., in my opinion ...
volgooien fill (up): *de tank ~* fill (up) the tank, fill her up
volgorde order; *(mbt nummers)* sequence: *in de juiste ~ leggen* put in the right order; *in willekeurige ~* at random; *niet op ~* out of order, not in order
[1]**volhouden** *intr (doorgaan)* persevere, keep on: *we zijn ermee begonnen, nu moeten we ~* now we've started we must see it through; *~!* keep it up!, keep going!
[2]**volhouden** *tr* 1 carry on, keep up: *dit tempo is niet vol te houden* we can't keep up this pace 2 *(blijven beweren)* maintain, insist: *zijn onschuld ~* insist on one's innocence; *iets hardnekkig ~* stubbornly maintain sth
volhouder stayer
volière aviary; *(in dierentuin ook)* birdhouse
volk 1 people, nation, race 2 *(lagere sociale klasse)* people, populace, folk: *een man uit het ~* a working(-class) man; *het gewone ~* the common people 3 *(menigte)* people: *het circus trekt altijd veel ~* the circus always draws a crowd
[1]**volkomen** *bn* complete, total
[2]**volkomen** *bw* completely: *dat is ~ juist* that's perfectly true
volkorenbrood wholemeal bread; *(Am)* wholewheat bread
volksbuurt working-class area (*of:* district)
volksdans folk dance
volksdansen folk dancing
volksgeloof popular belief (*of:* superstition)
volksgezondheid public health, national health
volksheld popular hero, national hero
volkslied 1 national anthem 2 *(traditioneel lied)* folk song
volksmond: *in de ~* in popular speech (*of:* parlance); *in de ~ heet dit* this is popularly called
volkspartij people's party
volksrepubliek people's republic: *de ~ China* the People's Republic of China
volksstam crowd, horde
volkstaal vernacular, everyday language
volkstelling census: *er werd een ~ gehouden* a census was taken
volkstuin allotment (garden)
volksuniversiteit *(ongev)* adult education centre
volksvermaak popular amusement (*of:* entertainment)
volksvertegenwoordiger representative (of the people), member of parliament, MP; *(Am)* Congressman
volksvertegenwoordiging house (*of:* chamber) of representatives, parliament
volksverzekering national insurance, social insurance
volksvijand public enemy, enemy of the people: *roken is ~ nummer één* smoking is public enemy number one
volkswoede popular fury (*of:* anger)
volledig 1 full, complete: *~e betaling* payment in full; *het schip is ~ uitgebrand* the ship was completely burnt out; *ik lees u de titel ~ voor* I'll read you the title in full 2 *(mbt tijd, ruimte)* full, full-time: *~e (dienst)betrekking* full-time job
volledigheid completeness
volledigheidshalve for the sake of completeness
volleerd fully-qualified
vollemaan full moon: *het is ~* there is a full moon; *bij ~* when the moon is full, at full moon
[1]**volleybal** *zn (bal)* volleyball
[2]**volleybal** *zn (sport)* volleyball
volleyballen play volleyball
vollopen fill up, be filled: *de zaal begon vol te lopen* the hall was getting crowded; *het bad laten ~* run the bath
[1]**volmaakt** *bn* perfect, consummate
[2]**volmaakt** *bw* perfectly: *ik ben ~ gezond* I am in perfect health
volmacht 1 power (of attorney), mandate, authority 2 *(schriftelijk bewijs)* warrant, authorization
volmondig wholehearted, frank: *~ iets bekennen* (of: *toegeven*) confess (*of:* admit) sth frankly
volop in abundance, plenty, a lot of: *~ ruimte* ample room; *het is ~ zomer* it is the height of summer; *er was ~ te eten* there was food in abundance
volpension full board
volproppen cram; *(eten)* stuff: *volgepropte trams* overcrowded (*of:* jam-packed) trams; *zich ~* stuff oneself
volslagen complete, utter: *een ~ onbekende* a total stranger; *~ belachelijk* utterly ridiculous
volslank plump; *(positief)* well-rounded
volstoppen stuff (full), fill to the brim (*of:* top)

volstrekt total, complete: *ik ben het ~ niet met hem eens* I disagree entirely with him
volt volt
voltage voltage
voltallig complete, full, entire: *het ~e bestuur* the entire committee; *de ~e vergadering* the plenary assembly (*of:* meeting)
voltijds full-time
voltmeter voltmeter
voltooid complete, finished: *een ~ deelwoord* a past (*of:* perfect) participle; *de ~ tegenwoordige* (of: *verleden*) *tijd* the perfect (*of:* pluperfect)
voltooien complete, finish
voltooiing completion
voltreffer direct hit
voltrekken execute *(vonnis, besluit);* celebrate; perform *(huwelijk)*
voltrekking celebration; performing *(huwelijk)*
voluit in full
volume volume, loudness
volumeknop volume control *(of:* knob)
volvet full-cream
volwaardig full; able(-bodied) *(arbeidskracht): een ~ lid* a full member
[1]**volwassen** *bn* adult, grown-up; mature *(mensen);* full-grown; ripe *(dieren, planten): ~ gedrag* mature (*of:* adult) behaviour; *ik ben een ~ vrouw!* I'm a grown woman!; *toen zij ~ werd* on reaching womanhood; *~ worden* grow to maturity, grow up
[2]**volwassen** *bw* in an adult *(of:* a mature) way: *zich ~ gedragen* behave like an adult
volwassene adult, grown-up
volwassenenonderwijs adult education
volwassenheid adulthood, maturity
volzet *(Belg) (bezet)* no vacancy
vondeling abandoned child: *een kind te ~ leggen* abandon a child
vondst invention, discovery: *een ~ doen* make a (real) find; *een gelukkige ~* a lucky strike
vonk spark || *de ~ sloeg over* the audience caught on
vonken spark(le), shoot sparks
vonnis judgement; *(in strafzaken)* sentence; *(schuldig of onschuldig)* verdict: *een ~ vellen (uitspreken) over* pass (*of:* pronounce, give) judgement on
vonnissen sentence, convict; pass judgement *(of:* sentence) (on)
voodoo voodoo
voogd guardian: *toeziend ~* co-guardian, joint guardian; *~ zijn over iem* be s.o.'s guardian
voogdij guardianship: *onder ~ staan* (of: *plaatsen*) be (*of:* place) under guardianship
voogdijraad guardianship board
voogdijschap guardianship
[1]**voor** *zn* **1** *(ploegsnede)* furrow **2** *(rimpel)* wrinkle, furrow
[2]**voor** *zn* pro, advantage: *het ~ en tegen van een ~stel* the pros and cons of a proposition
[3]**voor** *bw* **1** in (the) front: *een kind met een slab ~* a child wearing a bib; *de auto staat ~* the car is at the door; *hij is ~ in de dertig* he is in his early thirties; *~ in het boek* near the beginning of the book **2** *(mbt een volgorde; meer dan)* ahead, in the lead: *vier punten ~* four points ahead; *zij zijn ons ~ geweest* they got (t)here before (*of:* ahead of) us **3** *(mbt een gezindheid)* for, in favour: *ik ben er niet ~* I'm not in favour of that
[4]**voor** *vz* **1** for: *zij is een goede moeder ~ haar kinderen* she is a good mother to her children; *dat is net iets ~ hem: a) (passend)* that is just the thing for him; *b) (te verwachten)* that is just like him; *dat is niets ~ mij* that is not my kind of thing (*of:* my cup of tea) **2** *(niet achter)* before, in front of: *de dagen die ~ ons liggen* the days (that lie) ahead of us **3** *(in tegenwoordigheid van)* before, for **4** *(vroeger dan)* before, ahead of: *~ zondag* before Sunday; *tien ~ zeven* ten to seven **5** *(in de plaats van)* for, instead of: *ik zal ~ mijn zoon betalen* I'll pay for my son **6** *(ten voordele, behoeve van)* for, in favour of: *ik ben ~ FC Utrecht* I'm a supporter of FC Utrecht || *wat zijn het ~ mensen?* what sort of people are they?
[5]**voor** *vw* before: *~ hij vertrok, was ik al weg* I was already gone before he left
vooraan in (the) front: *~ lopen* walk at the front; *iets ~ zetten* put sth (up) in front
vooraanstaand prominent, leading
vooraanzicht front view
vooraf beforehand, in advance: *een verklaring ~* an explanation in advance; *je moet ~ goed bedenken wat je gaat doen* you need to think ahead about what you're going to do
voorafgaan precede, go before, go in front (of): *de weken ~de aan het feest* the weeks preceding the celebration
voorafgaand preceding, foregoing: *~e toestemming* prior permission
vooral especially, particularly: *dat moet je ~ doen* do that (*of:* go ahead) by all means; *ga ~ vroeg naar bed* be sure to go to bed early; *maak haar ~ niet wakker* don't wake her up whatever you do; *vergeet het ~ niet* whatever you do, don't forget it; *~ omdat* especially because
voorarrest remand, custody, detention: *in ~ zitten* be on remand, be in custody; *in ~ gehouden worden* be taken into custody
vooravond eve
voorbaat: *bij ~ dank* thank (*of:* thanking) you in advance; *bij ~ kansloos zijn* not stand a chance from the very start
voorbakken pre-fry: *voorgebakken friet* pre-fried chips (*of:* French fries)
voorbank front seats
voorbarig premature: *~ spreken* (of: *antwoorden*) speak (*of:* answer) too soon
voorbeeld example, model; instance: *een af-*

schrikwekkend ~ a warning; *een ~ stellen* make an example of s.o.; *iemands ~ volgen* follow s.o.'s lead (*of:* example); *tot ~ dienen* serve as an example (*of:* a model) for

voorbeeldig exemplary, model: *een ~ gedrag* exemplary conduct

voorbehoedmiddel contraceptive

voorbehoud restriction, reservation; condition: *iets onder ~ beloven* make a conditional promise; *zonder ~* without reservations

voorbehouden reserve

voorbereiden prepare, get ready: *zich ~ op een examen* prepare for an exam; *op alles voorbereid zijn* be ready for anything

voorbereidend preparatory: *~ wetenschappelijk onderwijs* pre-university education; *~e werkzaamheden* groundwork

voorbereiding preparation: *~en treffen* make preparations

voorbespeeld pre-recorded

voorbespreking preliminary talk

voorbestemmen predestine, predetermine: *voorbestemd zijn om te …* predestined (*of:* fated) to …

[1]**voorbij** *bn* past; *(na ww)* over: *die tijd is ~* those days are gone; *~e tijden* bygone times

[2]**voorbij** *bw* 1 past, by: *wacht tot de trein ~ is* wait until the train has passed 2 *(verder dan)* beyond, past: *hij is die leeftijd allang ~* he is way past that age; *je bent er al ~* you have already passed it

[3]**voorbij** *vz (verder dan)* beyond, past: *we zijn al ~ Amsterdam* we've already passed Amsterdam; *hij ging ~ het huis* he went past the house

voorbijgaan pass by, go by: *de jaren gingen voorbij* the years passed by; *een kans voorbij laten gaan* pass up a chance; *er gaat praktisch geen week voorbij of …* hardly a week goes by when (*of:* that) …

voorbijgaand transitory, passing: *van ~e aard* of a temporary nature

voorbijganger passer-by

voorbijkomen come past, come by, pass (by)

voorbijrijden drive past; *(op fiets, paard)* ride past

voorbijschieten whizz by || *zijn doel ~* overshoot the mark

voorbijtrekken pass: *hij zag zijn leven aan zijn oog ~* he saw his life pass before his eyes

voorbijvliegen fly (by): *de weken vlogen voorbij* the weeks just flew (by)

voorbode forerunner, herald; *(fig; voorteken)* omen: *de zwaluwen zijn de ~n van de lente* the swallows are the heralds of spring

voordat 1 *(mbt tijdstip)* before; *(met ontkenning)* until: *alles was gemakkelijker ~ hij kwam* things were easier before he came; *~ ik je brief kreeg, wist ik er niets van* I knew nothing about it until I got your letter 2 *(alvorens)* before (that)

voordeel 1 advantage, benefit: *Agassi staat op ~* advantage Agassi; *zijn ~ met iets doen* take advantage of sth; *~ hebben bij* profit (*of:* benefit) from; *hij is in zijn ~ veranderd* he has changed for the better; *3-0 in het ~ van Nederland* 3-0 for the Dutch side (*of:* team); *iem het ~ van de twijfel gunnen* give s.o. the benefit of the doubt 2 *(gunstige eigenschap, omstandigheid)* advantage, plus point: *de voor- en nadelen* the advantages and disadvantages; *een ~ behalen* gain an advantage

voordeelregel advantage rule

voordek foredeck

voordelig 1 profitable, lucrative: *~ kopen* get a bargain 2 *(zuinig, goedkoop)* economical, inexpensive: *~er zijn* be cheaper; *~ in het gebruik* be economical in use, go a long way

voordeur front door

[1]**voordoen** *tr* show, demonstrate

[2]**voordoen, zich** act, appear, pose: *zich flink ~* put on a bold front; *zich ~ als politieagent* pose as a policeman

voordracht lecture: *een ~ houden over* read a paper on, give a lecture on

voordragen 1 recite *(gedicht)* 2 *(als kandidaat voorstellen)* nominate, recommend

voordringen push forward *(of:* past, ahead), jump the queue

voorfilm short

voorgaan 1 go ahead (*of:* before), lead (the way): *dames gaan voor* ladies first; *iemand laten ~* let s.o. go first; *gaat u voor!* after you!, lead the way 2 *(prioriteit hebben)* take precedence, come first: *het belangrijkste moet ~* the most important has to come first

voorgaand preceding, former, last, previous: *op de ~e bladzijde* on the preceding page

voorganger predecessor

voorgekookt pre-cooked, parboiled: *~e aardappelen* pre-cooked potatoes; *~e rijst* parboiled rice

voorgeleiden bring in

voorgenomen intended, proposed: *de ~ maatregelen* the proposed measures

voorgerecht first course, starter

voorgeschiedenis *(mbt zaken)* previous history; *(mbt personen)* ancestry; past history

voorgeschreven prescribed, required

voorgevel face

voorgevoel premonition; foreboding *(van iets slechts)*: *ergens een ~ van hebben* have a premonition about sth

voorgoed for good, once and for all: *dat is nu ~ voorbij* that is over and done with now

voorgrond foreground: *op de ~ treden, zich op de ~ plaatsen* come into prominence; *iets op de ~ plaatsen* place sth in the forefront; *hij dringt zich altijd op de ~* he always pushes himself forward

voorhamer sledge(hammer)

voorhebben 1 have on, wear: *een schort ~* have on (*of:* wear) an apron 2 *(tegenover zich hebben)* have in front of: *de verkeerde ~* have got the wrong one (in mind)

voorheen formerly, in the past
voorhoede forward line, forwards
voorhoedespeler forward
voorhoofd forehead
voorhoofdsholteontsteking sinusitis
voorhouden represent, confront: *iem zijn slechte gedrag ~* confront s.o. with his bad conduct
voorhuid foreskin
voorin in (the) front *(in bus, trein);* at the beginning *(in boek)*
voorjaar spring, springtime
voorjaarsmoeheid springtime fatigue
voorkamer front room
voorkant front: *de ~ van een auto* the front of a car
voorkauwen repeat over and over
voorkennis foreknowledge; *(mbt misbruik)* inside knowledge: *~ hebben van* have prior knowledge of
voorkeur preference: *mijn ~ gaat uit naar* I (would) prefer; *de ~ geven aan* give preference to; *bij ~* preferably
voorkeurzender pre-set station
[1]**voorkomen** *zn* 1 appearance, bearing: *nu krijgt de zaak een geheel ander ~* things are now looking a lot different 2 *(het aangetroffen worden)* occurrence, incidence: *het regelmatig ~ van ongeregeldheden* the recurrence of disturbances
[2]**voorkomen** *intr* 1 occur, happen 2 *(aangetroffen worden)* occur, be found: *die planten komen overal voor* those plants grow everywhere 3 *(voor het gerecht verschijnen)* appear: *hij moet ~* he has to appear in court 4 *(toeschijnen)* seem, appear: *dat komt mij bekend voor* that rings a bell, that sounds familiar
[3]**voorkomen** *tr* prevent: *om misverstanden te ~* to prevent (any) misunderstandings; *we moeten ~ dat hij hier weggaat* we must prevent him from leaving; *~ is beter dan genezen* prevention is better than cure
voorkomend occurring: *dagelijks ~e zaken* everyday events, recurrent matters; *een veel ~ probleem* a common problem; *zelden ~* unusual, rare
voorkoming prevention: *ter ~ van ongelukken* to prevent accidents
voorland future: *dat is ook haar ~* that's also in store for her
voorlaten allow to go first, give precedence to
voorleggen present: *iem een plan ~* present s.o. with a plan; *een zaak aan de rechter ~* bring a case before the court
voorletter initial (letter): *wat zijn uw ~s?* what are your initials?
voorlezen read aloud, read out loud: *iem een brief* (of: *de krant*) *~* read aloud a letter (*of:* the newspaper) to s.o.; *kinderen houden van ~* children like to be read to; *~ uit een boek* read aloud from a book
voorlichten 1 inform: *zich goed laten ~* seek good advice; *we zijn verkeerd voorgelicht* we were misinformed 2 *(seksuele voorlichting geven)* tell (s.o.) the facts of life
voorlichter press officer, information officer
voorlichting information: *de afdeling ~ (ve bedrijf)* public relations department; *seksuele ~* sex education; *goede ~ geven* give good advice
voorlichtingsavond open information evening
voorlichtingsdienst (public) information service
voorlichtingsfilm information film; *(over bijv. leger ook)* publicity film
voorliefde predilection, preference, fondness
voorlopen 1 *(voorop lopen)* walk (*of:* go) in front 2 *(te snel lopen)* be fast: *de klok loopt vijf minuten voor* the clock is five minutes fast
voorloper precursor, forerunner
[1]**voorlopig** *bn* temporary, provisional: *een ~e aanstelling* a temporary appointment; *~ verslag* interim report
[2]**voorlopig** *bw* for the time being: *hij zal het ~ accepteren* he will accept it provisionally; *~ niet* not for the time being; *~ voor een maand* for a month to begin with
voormalig former
voorman foreman
voormiddag 1 morning 2 *(begin vd middag)* early afternoon
voorn roach
[1]**voornaam** *zn* first name: *iem bij zijn ~ noemen* call s.o. by his first name
[2]**voornaam** *bn* 1 distinguished, prominent: *een ~ voorkomen* a dignified (*of:* distinguished) appearance 2 *(belangrijk)* main, important: *de ~ste dagbladen* the leading dailies; *de ~ste feiten* the main facts
voornaamwoord pronoun: *aanwijzend ~* demonstrative pronoun; *bezittelijk ~* possessive pronoun; *betrekkelijk ~* relative pronoun; *persoonlijk ~* personal pronoun
voornamelijk mainly, chiefly
[1]**voornemen** *zn* intention; *(nieuwjaar ook)* resolution: *zij is vol goede ~s* she is full of good intentions; *het vaste ~ iets te bereiken* the determination to achieve sth
[2]**voornemen, zich** resolve: *hij had het zich heilig voorgenomen* he had firmly resolved to do so; *zij bereikte wat ze zich voorgenomen had* she achieved what she had set out (*of:* planned) to do
vooronderzoek preliminary investigation: *gerechtelijk ~* hearing
vooroordeel prejudice: *een ~ hebben over* be prejudiced against; *zonder vooroordelen* unbiased, unprejudiced
vooroorlogs pre-war
voorop in front, in the lead, first: *het nummer staat ~ het bankbiljet* the number is on the front of the banknote; *~ staat, dat …* the main thing is that …

vooropleiding (preliminary, preparatory) training
vooroplopen 1 walk (*of:* run) in front 2 *(het voorbeeld geven)* lead (the way): *~ in de modewereld* be a trendsetter in the fashion world
vooropstellen 1 assume: *laten we dit ~: …* let's get one thing straight right away: …; *ik stel voorop dat hij altijd eerlijk is geweest* to begin with, I maintain that he has always been honest 2 *(als belangrijkste beschouwen)* put first (and foremost): *de volksgezondheid ~* put public health first (and foremost)
voorouders ancestors, forefathers
voorover headfirst, face down: *met het gezicht ~ liggen* lie face down(ward); *~ tuimelen* tumble headfirst (*of:* forward)
voorpagina front page: *de ~'s halen* make the front pages
voorpaginanieuws front-page news
voorpoot foreleg, forepaw
voorpret pleasurable anticipation
voorproefje (fore)taste
voorprogramma *(theater)* curtain-raiser; supporting programme; *(bioscoop)* shorts: *een concert van Doe Maar met Frans Bauer in het ~* a Doe Maar concert with Frans Bauer as supporting act
voorraad 1 stock, supply: *de ~ goud* the gold reserve(s); *de ~ opnemen* take stock; *zolang de ~ strekt* as long as (*of:* while) supplies/stocks last; *niet meer in ~ zijn* not be in stock anymore; *uit ~ leverbaar* available from stock 2 *(levensmiddelen, provisie)* supplies, stock(s): *~ inslaan voor de winter* lay in supplies for the winter; *we zijn door onze ~ heen* we have gone through our supplies
voorraadkast store cupboard; *(Am)* supply closet
voorradig in stock *(of:* store), on hand: *in alle kleuren ~* available in all colours
voorrang right of way, priority: *~ hebben op* have (the) right of way over; *verkeer van rechts heeft ~* traffic from the right has (the) right of way; *geen ~ verlenen* fail to yield, fail to give (right of) way; *~ verlenen aan verkeer van rechts* give way (*of:* yield) to the right; *(de) ~ hebben (boven)* have (*of:* take) priority (over); *met ~ behandelen* give preferential treatment
voorrangsweg major road
voorrecht privilege: *ik had het ~ hem te verwelkomen* I had the honour (*of:* privilege) of welcoming him
voorrekenen figure out, work out
voorrijden drive up to the front *(of:* entrance, door)
voorrijkosten call-out charge
voorronde qualifying round, preliminary round
voorruit windscreen; *(Am)* windshield
voorschieten advance, lend: *ik zal het even ~* I'll lend you the money
voorschoot apron, pinafore
voorschot advance, loan
voorschotelen dish up, serve up
voorschrift 1 prescription, order: *op ~ van de dokter* on doctor's orders 2 *(regels)* regulation, rule: *aan de ~en voldoen* satisfy (*of:* meet) the requirements; *volgens ~* as prescribed (*of:* directed)
voorschrijven prescribe: *rust ~* prescribe rest; *op de voorgeschreven tijd* at the appointed time
voorseizoen pre-season
voorselectie pre-selection
voorsorteren get in lane: *rechts ~* get in the right-hand lane
voorspel 1 prelude, prologue: *het ~ van de oorlog* the prelude to the war 2 *(inleiding tot liefdesspel)* foreplay
voorspelbaar predictable
voorspelbaarheid predictability
voorspelen play
voorspellen 1 predict, forecast: *iem een gouden toekomst ~* predict a rosy future for s.o.; *ik heb het u wel voorspeld* I told you so 2 *(beloven)* promise: *dat voorspelt niet veel goeds* that doesn't bode well
voorspelling 1 prophecy 2 *(prognose)* prediction: *de ~en voor morgen* the (weather) forecast for tomorrow
voorspoed prosperity: *in voor- en tegenspoed* for better or for worse; *voor- en tegenspoed* ups and downs
voorspoedig successful, prosperous: *alles verliep ~* it all went off well
voorsprong (head) start, lead: *hij won met grote ~* he won by a large margin; *iem een ~ geven* give s.o. a head start; *een ~ hebben op iem* have the jump (*of:* lead) on s.o.
voorst first, front: *op de ~e bank zitten* be (*of:* sit) in the front row
voorstaan stand (*of:* be) in front: *de auto staat voor* the car is (out) at the front
voorstad suburb
voorstander supporter, advocate: *ik ben er een groot ~ van* I'm all for it
voorsteken overtake, pass
voorstel proposal, suggestion: *iem een ~ doen* make s.o. a proposal (*of:* proposition)
voorstelbaar imaginable, conceivable
[1]**voorstellen** *tr* 1 introduce: *zich ~ aan* introduce oneself to 2 *(opperen)* suggest, propose 3 *(de rol spelen van)* represent, play 4 *(een beeld geven van)* represent, depict: *het schilderij stelt een huis voor* the painting depicts a house || *dat stelt niets voor* that doesn't amount to anything
[2]**voorstellen, zich** imagine, conceive: *ik kan mij zijn gezicht niet meer ~* I can't recall his face; *dat kan ik me best ~* I can imagine (that); *stel je voor!* just imagine!
voorstelling 1 show(ing), performance: *doorlopende ~* non-stop (*of:* continuous) performance 2 *(afbeelding)* representation, depiction 3 *(denkbeeld)* impression, idea: *dat is een verkeerde ~ van*

zaken that is a misrepresentation; *zich een ~ van iets maken* picture sth, form an idea of sth
voorstellingsvermogen (power(s) of) imagination
voorstemmen vote for
voorsteven stem, prow
voorstopper centre back
voortaan from now on
voortand front tooth
voortbestaan continued existence *(of:* life), survival
[1]**voortbewegen** *tr* drive, move on *(of:* forward): *het karretje werd door stroom voortbewogen* the buggy was driven by electricity
[2]**voortbewegen, zich** *(voortgaan)* move on *(of:* forward)
voortborduren embroider, elaborate: *op een thema ~* elaborate *(of:* embroider) on a theme
voortbrengen produce, create, bring forth: *kinderen ~* produce children
voortbrengsel product
voortduren continue, go on, wear on
voortdurend constant, continual; *(onafgebroken)* continuous: *een ~e dreiging* a constant threat *(of:* menace); *haar naam duikt ~ op in de krant* her name keeps cropping up in the (news)-papers
voorteken omen, sign
voortent front bell (end), (front) extension; *(voor caravan)* awning
voortgang progress
voortgezet continued, further: *~ onderwijs* secondary education
voortijdig premature, untimely: *de les werd ~ afgebroken* the lesson was cut short; *~ klaar zijn* be finished ahead of time
voortkomen *(met uit)* stem (from), flow (from): *de daaruit ~de misstanden* the resulting *(of:* consequent) abuses
voortleven live on: *zij leeft voort in onze herinnering* she lives on in our memory
voortouw: *het ~ nemen* take the lead
voortplanten, zich 1 reproduce, multiply **2** *(zich verbreiden)* propagate, be transmitted: *geluid plant zich voort in golven* sound is transmitted *(of:* travels) in waves
voortplanting reproduction, multiplication, breeding: *geslachtelijke ~* sexual reproduction
voortplantingsorgaan reproductive organ
voortreffelijk excellent, superb: *hij danst ~* he dances superbly *(of:* exquisitely)
voortrekken favour, give preference to: *de een boven de ander ~* favour one person above another
voortrekker 1 pioneer **2** Venture Scout; *(Am)* Explorer
voortuin front garden *(of Am:* yard)
voortvarend energetic, dynamic
voortzetten continue, carry on *(of:* forward): *de kennismaking ~* pursue the acquaintance; *iemands werk ~* carry on s.o.'s work
[1]**vooruit** *bw* **1** ahead, further: *hiermee kan ik weer een tijdje ~* this will keep me going for a while **2** *(van tevoren)* before(hand), in advance: *zijn tijd ~ zijn* be ahead of one's time; *ver ~* well in advance
[2]**vooruit** *tw* get going, let's go, come on, go on: *~! aan je werk* come on, time for work
vooruitbetalen prepay, pay in advance
vooruitblik preview, look ahead: *een ~ op het volgende seizoen* a preview of *(of:* look ahead at) the coming season
vooruitdenken think ahead
vooruitgaan progress, improve: *zijn gezondheid gaat vooruit* his health is improving; *er financieel op ~* be better off (financially), profit (financially)
vooruitgang progress; *(verbetering ook)* improvement
vooruitkijken look ahead
vooruitkomen get on *(of:* ahead), get somewhere, make headway: *moeizaam ~* progress with difficulty
vooruitlopen anticipate, be ahead (of): *~d op* in advance of; *op de gebeurtenissen ~* anticipate events
vooruitstrevend progressive
vooruitzicht prospect, outlook: *goede ~en hebben* have good prospects
vooruitzien look ahead *(of:* forward): *regeren is ~* foresight is the essence of government
vooruitziend far-sighted; *(met visie)* visionary
voorvader ancestor, forefather
voorval incident, event
voorvallen occur, happen
voorverkiezing preliminary election; *(Am; mbt het presidentschap)* primary (election)
voorverkoop advance booking *(of:* sale(s)): *de kaarten in de ~ zijn goedkoper* the tickets are cheaper if you buy them in advance
voorverpakt pre-packed
voorverwarmen preheat
voorvoegsel prefix
voorwaarde 1 condition, provision: *onder ~ dat ...* provided that ..., on condition that ...; *onder geen enkele ~* on no account, under no circumstances; *iets als ~ stellen* state *(of:* stipulate) sth as a condition **2** *(handel)* condition; *(mv ook)* terms: *wat zijn uw ~n?* what are your terms?
voorwaardelijk conditional, provisional: *~e invrijheidstelling* (release on) parole; *hij is ~ overgegaan* he has been put in the next class *(of Am:* grade) on probation; *~ veroordelen* give a suspended sentence, *(met proeftijd)* put on probation
[1]**voorwaarts** *bn, bw* forward(s), onward(s): *een stap ~* a step forward(s)
[2]**voorwaarts** *tw* forward: *~ mars!* forward march!
voorwas pre-wash

voorwasmiddel pre-washer (and soaker)
voorwedstrijd preliminary competition *(of:* game)
voorwenden pretend, feign
voorwendsel pretext, pretence: *onder valse ~s* under false pretences; *onder ~ van* under the pretext of
voorwerk preliminary work
voorwerp object: *het lijdend ~* the direct object; *meewerkend ~* indirect object; *gevonden ~en* lost property
voorwetenschap foreknowledge; *(mbt misbruik)* inside knowledge
voorwiel front wheel
voorwielaandrijving front-wheel drive
voorwoord foreword, preface
voorzeggen prompt: *het antwoord ~* whisper the answer; *niet ~!* no prompting!
voorzet cross, centre; *(door het midden)* ball into the area: *een goede ~ geven* cross the ball well, send in a good cross
voorzetsel preposition
voorzetten 1 put *(of:* place) in front (of) **2** *(voor laten lopen)* put forward, set forward; *(klok ook)* put ahead **3** *(een voorzet geven) (vanaf de zijkant)* cross; *(door het midden)* hit the ball into the area
voorzichtig 1 careful, cautious: *~! breekbaar!* fragile! handle with care!; *iem het nieuws ~ vertellen* break the news gently to s.o.; *~ te werk gaan* proceed cautiously (*of:* with caution) **2** *(omzichtig)* cautious; *(tactvol)* discreet: *~ naar iets informeren* make discreet inquiries (about sth)
voorzichtigheid caution, care
[1]**voorzien** *bn* provided: *wij zijn al ~* we have been taken care of (*of:* seen to); *het gebouw is ~ van videobewaking* the buildiing is equipped with CCTV; *de deur is ~ van een slot* the door is fitted with a lock
[2]**voorzien** *tr* **1** foresee, anticipate: *dat was te ~* that was to be expected **2** (met *in*) *(zorgen)* provide (for), see to: *in een behoefte ~* fill a need; *in zijn onderhoud kunnen ~* be able to support oneself (*of:* to provide for oneself) **3** (met *van*) *(verschaffen)* provide (with), equip (with): *het huis is ~ van centrale verwarming* the house has central heating
voorzienigheid providence: *Gods ~* divine providence
voorziening provision, service: *sociale ~en* social services; *sanitaire ~en* sanitary facilities; *~en treffen* make arrangements
voorzijde front (side)
voorzitster chairwoman
voorzitten chair
voorzitter chairman: *mijnheer* (of: *mevrouw*) *de ~* Mr Chairman, Madam Chairman (*of:* Chairwoman); *~ zijn* chair a (*of:* the) meeting
voorzorg precaution: *uit ~ iets doen* do sth as a precaution(ary measure)
voorzorgsmaatregel precaution, precautionary measure: *~en nemen (treffen) tegen* take precautions against
voos 1 dried-out **2** hollow **3** rotten
[1]**vorderen** *intr* (make) progress, move forward, make headway: *naarmate de dag vorderde* as the day progressed (*of:* wore on)
[2]**vorderen** *tr* **1** demand, claim: *het te ~ bedrag is …* the amount due is …; *geld ~ van iem* demand money from s.o. **2** *(opeisen)* requisition
vordering 1 progress, headway: *~en maken* (make) progress, make headway **2** *(eis)* demand, claim: *een ~ instellen tegen iem* put in (*of:* submit) a claim against s.o.; *~ op iem* claim against s.o.
voren: *kom wat naar ~* come closer (*of:* up here) a bit; *naar ~ komen: a)* come forward; *b) (fig)* come up, come to the fore; *van ~* from (*of:* on) the front (side); *van ~ af aan* from the beginning
vorig 1 last, previous: *de ~e avond* the night before, the previous night; *in het ~e hoofdstuk* in the preceding (*of:* last) chapter; *de ~e keer* (the) last time **2** *(vroeger)* earlier, former: *haar ~e man* her former husband
vork fork
vorkheftruck forklift (truck)
vorm 1 form, shape, outline: *naar ~ en inhoud* in form and content; *de lijdende ~ van een werkwoord* the passive voice (*of:* form) of a verb **2** *(mal)* mould, form **3** (proper) form; *(fysiek)* shape; *(fysiek)* build: *in goede ~ zijn* be in good shape (*of:* condition)
vormen 1 shape, form, mould **2** *(doen ontstaan)* form, make (up), build (up): *die delen ~ een geheel* those parts make up a whole; *zich een oordeel ~* form an opinion
vormend formative: *algemeen ~ onderwijs* general (*of:* non-vocational) education
vormgever designer, stylist
vormgeving design, style, styling: *een heel eigen ~* a very personal (*of:* individual) style
vorming 1 formation **2** *(geestelijke ontwikkeling)* education, training
vormingswerk work in socio-cultural *(of Am:* sociological) training/education; *(mbt partiële leerplicht)* work in day-release courses *(of Am:* job corps program)
vorst 1 frost, freeze: *vier graden ~* four degrees below freezing; *strenge ~* hard (*of:* sharp) frost; *we krijgen ~* there's (a) frost coming; *bij ~* in frosty weather, in case of frost **2** *(koning)* sovereign, monarch: *iem als een ~ onthalen* entertain s.o. like a prince
vorstelijk princely, royal, regal, lordly: *een ~ salaris* a princely salary; *iem ~ belonen* reward s.o. generously
vorstenhuis dynasty, royal house
vorstin queen, princess, sovereign's wife, ruler's wife
vos fox: *een troep ~sen* a pack of foxes; *een sluwe ~* a sly old fox; *een ~ verliest wel zijn haren,*

maar niet zijn streken the leopard cannot change his spots
vossenjacht 1 *(spel)* treasure hunt 2 *(jacht op een vos)* fox hunt: *op ~ gaan (zijn)* go foxhunting, ride to (*of:* follow) the hounds
vouw crease, fold: *een scherpe ~* a sharp crease; *zo gaat je broek uit de ~* that will take the crease out of your trousers
vouwbaar foldable
vouwdeur folding door
vouwen fold: *de handen ~* fold one's hands (in prayer); *naar binnen ~* fold in(wards), turn in *(zoom)*
vouwfiets folding bike, collapsible bike
voyeur voyeur, peeping Tom
vraag 1 question; *(verzoek)* request: *een pijnlijke ~ stellen* ask an embarrassing (*of:* a delicate) question; *de ~ brandde mij op de lippen* the question was on the tip of my tongue; *vragen stellen* (of: *beantwoorden*) ask (*of:* answer) questions 2 *(behoefte)* demand, call: *~ en aanbod* supply and demand; *niet aan de ~ kunnen voldoen* be unable to meet the demand; *er is veel ~ naar tulpen* there's great demand (*of:* call) for tulips 3 *(opgave)* question, problem, assignment 4 *(vraagstuk)* question, issue, problem, topic: *dat is zeer de ~* that is highly debatable (*of:* questionable); *het is nog de ~, of …* it remains to be seen whether …
vraaggesprek interview
vraagprijs asking price
vraagstuk problem, question
vraagteken question mark; *(fig ook)* mystery: *de toekomst is een groot ~* the future is one big question mark
vraagzin interrogative sentence
vraatzucht gluttony
vraatzuchtig gluttonous, greedy
vracht 1 freight(age), cargo; *(wagen, trein)* load: *~ innemen* take in cargo (*of:* freight(age)) 2 *(last)* load, burden, weight: *onder de ~ bezwijken* succumb under the burden 3 *(hoeveelheid)* load, shipment 4 *(groot aantal)* (cart)load, ton(s)
vrachtbrief waybill; *(schip, trein, vliegtuig)* consignment note; *(bij bestelling)* delivery note, forwarding note
vrachtdienst freight service, cargo service
vrachtprijs freightage; *(schip, vliegtuig)* freight (rate); *(land)* carriage (rate), haulage (rate)
vrachtschip freighter, cargo ship
vrachtverkeer *(vrachtvervoer)* cargo trade, goods transport(ation); *(verkeer van vrachtauto's)* lorry (*of Am:* truck) traffic
vrachtvliegtuig cargo plane (*of:* aircraft)
vrachtwagen lorry; *(Am)* truck; *(gesloten)* van
vrachtwagenchauffeur lorry driver; *(Am)* truck driver; *(Am)* trucker
vragen *intr* 1 *(informeren)* ask (after, about), inquire (after, about): *daar wordt niet naar gevraagd* that's beside the point 2 *(het onvermijdelijk maken)* ask (for), call (for): *erom ~* ask for it; *dat is om moeilijkheden ~* that's asking for trouble
[2]**vragen** *intr, tr* 1 ask (for): *een politieagent de weg ~* ask a policeman for (*of:* to show one) the way; *zou ik u iets mogen ~?* would you mind if I asked you a question?, can I ask you sth?; *~ hoe laat het is* ask (for) the time 2 *(verzoeken)* ask, demand, request: *de rekening ~* ask (*of:* call) for the bill
[3]**vragen** *tr* 1 *(uitnodigen)* ask, invite 2 *(verlangen)* ask, request: *hoeveel vraagt hij voor zijn huis?* how much does he want for his house?; *gevraagd: typiste* wanted: typist; *je vraagt te veel van jezelf* you're asking (*of:* demanding) too much of yourself; *veel aandacht ~* demand a great deal of attention
[1]**vragend** *bn* interrogative: *een ~ voornaamwoord* an interrogative (pronoun)
[2]**vragend** *bn, bw* questioning
vragenlijst list of questions; *(formulier)* questionnaire; inquiry form
vragensteller questioner, inquirer, interviewer
vrede 1 peace: *~ sluiten met* conclude the peace with; *~ stichten* make peace 2 *(toestand van rust)* peace, quiet(ude): *~ met iets hebben* be resigned (*of:* reconciled) to sth, accept sth
vredesactivist peace activist
vredesakkoord peace agreement *(of:* treaty)
vredesbesprekingen peace talks *(of:* negotiations)
vredesbeweging peace movement
vredesconferentie peace conference
vredesdemonstratie peace demonstration
vredesduif dove of peace
vredesmacht peacekeeping force
vredesmissie peace mission
vredesoffensief peace offensive *(of:* initiative)
vredesonderhandelingen peace negotiations (*of:* talks)
vredesoverleg peace talks
Vredespaleis Peace Palace
vredespijp pipe of peace: *de ~ roken* smoke the pipe of peace, keep the (*of:* make) peace
vredesproces peace process
vredestijd peacetime
vredesverdrag peace treaty
vredig peaceful, quiet
vreedzaam peaceful, non-violent
[1]**vreemd** *bn* 1 strange, odd, unfamiliar, unusual: *een ~e gewoonte* an odd (*of:* a strange) habit; *het ~e is, dat …* the odd (*of:* strange, funny) thing is that … 2 *(van elders gekomen)* foreign, strange, imported: *zij is hier ~* she is a stranger here 3 *(uitheems)* foreign, exotic: *~ geld* foreign currency; *~e talen* foreign languages 4 *(niet van eigen familie)* strange, outside: *~ gaan* have an (extramarital) affair
[2]**vreemd** *bw (ongewoon)* strangely, oddly, unusually: *~ doen* behave in an unusual way; *~ genoeg* strangely enough, strange to say

vreemde 1 foreigner, stranger 2 *(geen familielid)* stranger, outsider: *dat hebben ze van geen ~* it's obvious who they got that from (*of:* where they learnt that)
vreemdeling foreigner, stranger: *ongewenste ~en* undesirable aliens; *hij is een ~ in zijn eigen land* he is a stranger in his own country
vreemdelingendienst aliens (registration) office
vreemdelingenhaat xenophobia
vreemdelingenlegioen foreign legion
vreemdelingenpolitie aliens police, aliens (registration) office
vreemdgaan cheat, sleep around, have extra-marital relations
vrees fear, fright: *hij greep haar vast uit ~ dat hij zou vallen* he grabbed hold of her for fear he should fall
vreetpartij blow-out
vreetzak glutton, pig
vrek miser, skinflint, Scrooge
[1]**vreselijk** *bn, bw* 1 terrible, awful: *~e honger hebben* have a ravenous appetite; *we hebben ~ gelachen* we nearly died (of) laughing 2 *(afschrikwekkend)* terrifying, horrible: *een ~e moord* a shocking (*of:* horrible) murder
[2]**vreselijk** *bw* terribly, awfully, frightfully: *~ gezellig* awfully nice
[1]**vreten** *zn* 1 fodder *(voor vee e.d.);* food *(voor huisdieren, wilde dieren);* forage *(voor paarden, koeien e.d.); (van afval)* slops 2 *(eten)* grub, nosh
[2]**vreten** *intr (knagen)* eat (away), gnaw (at), prey (on): *het schuldbesef vrat aan haar* the sense of guilt gnawed at her (heart)
[3]**vreten** *tr* 1 *(mbt personen, eten)* feed: *dat is niet te ~!* that's not fit for pigs! 2 *(gulzig eten)* stuff *(of:* cram, gorge) (oneself): *zich te barsten ~* stuff oneself to the gullet (*of:* sick) 3 *(mbt dieren)* feed, eat 4 *(verslinden)* eat (up), devour: *kilometers ~* burn up the road; *dat toestel vréét stroom* this apparatus simply eats up electricity
vreter glutton, pig
vreugde joy, delight, pleasure: *tot mijn ~ hoor ik* I am delighted to hear
vreugdekreet cry *(of:* shout) of joy
vreugdevuur bonfire
vrezen fear, dread, be afraid (of, that): *ik vrees het ergste* I fear the worst; *God ~* fear God; *ik vrees van niet* (of: *wel*) I'm afraid not (*of:* so); *ik vrees dat hij niet komt* I'm afraid he won't come (*of:* show up)
vriend 1 friend: *~en en ~innen!* friends!; *dikke ~en zijn* be (very) close friends; *even goede ~en* no hard feelings, no offence; *van je ~en moet je het maar hebben* with friends like that who needs enemies 2 *(geliefde)* (boy)friend: *ze heeft een ~(je)* she has a boyfriend || *iem te ~ houden* remain on good terms with s.o.
vriendelijk 1 friendly, kind, amiable: *~ lachen* give a friendly smile; *zou u zo ~ willen zijn om …* would you be kind enough (*of:* so kind) as to …; *dat is erg ~ van u* that's very (*of:* most) kind of you 2 *(aangenaam)* pleasant
vriendelijkheid friendliness, kindness, amiability
vriendendienst friendly turn, kind turn, act of friendship
vriendenkring circle of friends
vriendenprijsje give-away: *voor een ~* for next to nothing
vriendin 1 (girl)friend, (lady) friend: *zij zijn dikke ~nen* they're the best of friends 2 *(geliefde)* girl(friend): *een vaste ~ hebben* have a steady girl(friend), go steady
vriendjespolitiek favouritism, nepotism
vriendschap friendship: *~ sluiten* make (*of:* become) friends, strike up a friendship; *uit ~ iets doen* do sth out of friendship
vriendschappelijk friendly, amicable; in a friendly way: *~e wedstrijd* friendly match; *~ met elkaar omgaan* be on friendly terms
vriescel cold-storage room *(of:* chamber), freezer, deep-freeze
vrieskast (cabinet-type) freezer, deep-freeze
vrieskist (chest-type) freezer, deep-freeze
vriespunt freezing (point): *temperaturen boven* (of: *onder, rond) het ~* temperatures above (*of:* below, about) freezing (point)
vriesvak freezing compartment, freezer
vriezen freeze: *het vriest vijf graden* it's five (degrees) below freezing
vriezer freezer, deep-freeze
[1]**vrij** *bn* 1 free, open, unrestricted: *~e handel* free trade; *(zwemmen) de ~e slag* freestyle; *een ~ uitzicht hebben* have a clear (*of:* an open) view; *de weg is ~* the road is clear; *weer op ~e voeten zijn* be outside again 2 *(gratis)* free, complimentary 3 *(nog beschikbaar)* free, vacant: *die wc is ~* that lavatory is free (*of:* vacant, unoccupied); *de handen ~ hebben* have a free hand, have one's hands free; *een stoel ~ houden* reserve a seat
[2]**vrij** *bw (tamelijk)* quite, fairly, rather, pretty: *het komt ~ vaak voor* it occurs quite (*of:* fairly) often
vrijaf off: *een halve dag ~* a half-holiday, half a day off; *~ nemen* take a holiday (*of:* some time off)
vrijblijvend without *(of:* free of) obligations
vrijbuiter freebooter
vrijdag Friday: *Goede Vrijdag* Good Friday
[1]**vrijdags** *bn* Friday
[2]**vrijdags** *bw (op vrijdag)* on Fridays
vrijemarkteconomie free marker economy
vrijen 1 neck, pet: *die twee zitten lekker te ~* those two are having a nice cuddle 2 *(geslachtsgemeenschap hebben)* make love, go to bed
vrijer boyfriend, lover, sweetheart, (young) man
vrijetijdsbesteding leisure activities, recreation
vrijetijdskleding casual clothes *(of:* wear)

vrijgeleide (letter of) safe-conduct, safeguard, pass(port), permit
[1]**vrijgeven** *intr* give time off, give a holiday
[2]**vrijgeven** *tr (vrijlaten, het gebruik toestaan)* release: *de handel* ~ decontrol the trade; *iets voor publicatie* ~ release sth for publication
vrijgevig generous, free with, liberal with
vrijgevigheid generosity, liberality
vrijgezel bachelor, single: *een verstokte* ~ a confirmed bachelor
vrijgezellenavond 1 *(mannen)* stag-night; *(vrouwen)* hen-party 2 *(voor alleenstaanden georganiseerde avond)* singles night
vrijhandel free trade
vrijhandelsgebied free-trade zone *(of:* area)
vrijhaven free port
vrijheid *(het vrij zijn)* freedom, liberty: *het is hier ~, blijheid* it's Liberty Hall here; ~ *van godsdienst* (of: *meningsuiting*) freedom of religion (*of:* speech); *persoonlijke* ~ personal freedom (*of:* liberty); *kinderen veel ~ geven* give (*of:* allow) children a lot of freedom; *iem in ~ stellen* set s.o. free (*of:* at liberty), free/release s.o.
vrijheidsbeeld: *het Vrijheidsbeeld* the Statue of Liberty
vrijheidsberoving deprivation of liberty *(of:* freedom)
vrijheidsstrijder freedom fighter
vrijhouden 1 keep (free), reserve; *(mbt dag, tijd, geld ook)* set aside: *een plaats* ~ keep a place (*of:* seat) free; *de weg* ~ keep the road open (*of:* clear) 2 *(betalen voor iem)* pay (for), stand (s.o. sth)
vrijkaart free *(of:* complimentary) ticket
vrijkomen 1 come out; be set free, be released *(uit gevangenis)* 2 *(loskomen)* be released *(ook chem);* be set free 3 *(beschikbaar komen)* become free *(of:* available): *zodra er een plaats vrijkomt* as soon as there is a vacancy *(of:* place)
vrijlaten 1 release, set free *(of:* at liberty); *(mbt slaven ook)* liberate; *(mbt slaven ook)* emancipate 2 *(openlaten)* leave free *(of:* vacant); leave clear *(mbt open ruimte): deze ruimte ~ s.v.p.* please leave this space clear
vrijmaken reserve, keep (free): *tijd* ~ make time (for)
vrijmarkt unregulated street market
vrijmetselaar freemason, Mason
vrijmetselarij Freemasonry, Masonry
vrijmoedig frank, outspoken
vrijplaats refuge
vrijpleiten clear (of), exonerate (from)
vrijpostig impertinent, impudent, saucy
vrijspraak acquittal
vrijspreken acquit (from), clear: *vrijgesproken worden van een beschuldiging* be cleared of (*of:* be acquitted on) a charge
vrijstaan be free (to), be allowed (to), be permitted (to), be at liberty (to)
vrijstaand apart, free; detached *(huis): een ~ huis* a detached house
vrijstellen exempt *(van belasting, dienst enz.);* excuse *(van lessen);* release *(ve plicht): vrijgesteld van militaire dienst* exempt from military service
vrijstelling exemption, release, freedom: ~ *verlenen van* exempt from; *een ~ hebben voor wiskunde* be exempted from the maths exam
vrijster spinster: *een oude* ~ an old maid
vrijuit freely: *u kunt ~ spreken* you can speak freely || ~ *gaan: a) (schuldeloos zijn)* not be to blame; *b) (ongestraft blijven)* get off (*of:* go) scot-free, go clear/free
vrijwel nearly, almost, practically: *dat is ~ hetzelfde* that's nearly (*of:* almost) the same; ~ *niets* hardly anything, next to nothing; ~ *tegelijk aankomen* arrive almost simultaneously (*of:* at the same time); *het komt ~ op hetzelfde neer* it boils down to pretty well the same thing
vrijwillig voluntary; *(uit vrijwilligers bestaand, ook)* volunteer; of one's own free will, of one's own volition: ~ *iets op zich nemen* volunteer to do sth, take on sth voluntarily
vrijwilliger volunteer: *er hebben zich nog geen ~s gemeld* so far nobody has volunteered
vrijwilligerswerk voluntary work, volunteer work
vroedvrouw midwife
vroeg 1 early: *van ~ tot laat* from dawn till dusk (*of:* dark); *je moet er ~ bij zijn* you've got to get in quickly; *hij toonde al ~ tekentalent* he showed artistic talent at an early age; *volgende week is ~ genoeg* next week is soon enough; *niet ~er dan …* not before …, … at the earliest; *het is nog ~: a) (mbt dag)* the day is still young; *b) (mbt avond)* the night is still young; *'s morgens* ~ early in the morning 2 *(eerder dan verwacht)* early; *(mbt mensen ook)* young; *(vnl. mbt geboorte en dood)* premature: *een te ~ geboren kind* a premature baby
[1]**vroeger** *bn (voormalig)* previous, former: *zijn ~e verloofde* his former (*of:* ex-fiancée)
[2]**vroeger** *bw* formerly, before, previously: ~ *heb ik ook wel gerookt* I used to smoke; ~ *stond hier een kerk* there used to be a church here; *het Londen van* ~ London as it used to be (*of:* once was)
vroegpensioen early retirement
vroegrijp precocious; forward *(kind, meisje);* early-ripening *(vrucht): ~e kinderen* precocious (*of:* forward) children
vroegte: *in alle* ~ at (the) crack of dawn, bright and early
vroegtijdig early, premature
vrolijk cheerful, merry: ~ *behang* cheerful (*of:* bright) wallpaper; *het was er een ~e boel* they were a merry crowd; ~ *worden* get (a bit, rather) merry; *een ~ leventje leiden* lead a merry life
vroom pious, devout
vrouw 1 woman: *een alleenstaande* ~ a single (*of:* an unattached) woman; *achter de ~en aanzitten* chase (after) women, womanize; *de werkende* ~ working women, career women; *een ~ ach-*

ter het stuur a woman driver; *Vrouw Holle* Mother Carey 2 *(echtgenote)* wife: *man en ~* husband (*of:* man) and wife; *hoe gaat het met je ~?* how's your wife?; *een dochter van zijn eerste ~* a daughter by his first wife 3 *(speelkaart)* queen 4 *(bazin)* mistress, lady: *de ~ des huizes* lady (*of:* mistress) of the house

vrouwelijk 1 female; *(mbt beroep ook)* woman: *een ~e arts* a woman doctor; *de ~e hoofdrol* the leading lady role (*of:* part) 2 *(passend en kenmerkend)* feminine, womanly: *~e charme* feminine charm; *de ~e intuïtie* woman's intuition

vrouwenafdeling women's section *(of:* branch); *(in ziekenhuis)* women's ward, female ward

vrouwenarts gynaecologist

vrouwenbeweging feminist movement, women's (rights) movement

vrouwenblad women's magazine

vrouwenhandel trade *(of:* traffic) in women; *(blanke vrouwen)* white slave trade

vrouwenjager womanizer, ladykiller

vrouwenliteratuur women's literature

vrouwenpraatgroep women's circle, ladies' circle

vrouwenrol female part

vrouwtje 1 woman; *(mbt echtgenote)* wife(y): *hij kijkt te veel naar de ~s* he's too keen on women (*of:* the ladies) 2 *(bazin)* mistress 3 *(vrouwelijk dier)* female

vrouwvijandig anti-female, hostile to(wards) women

vrouwvriendelijk women-friendly

vrucht 1 fruit: *~en op sap* fruit in syrup; *verboden ~en* forbidden fruit 2 *(ongeboren jong, kind)* foetus, embryo: *een onvoldragen ~* a foetus that has not been carried to term 3 *(fig)* fruit(s), reward(s): *zijn werk heeft weinig ~en afgeworpen* he has little to show for his work; *~en afwerpen* bear fruit; *de ~en van iets plukken* reap the fruit(s) (*of:* rewards) of sth

vruchtbaar 1 fruitful, productive 2 *(groeizaam)* fertile *(ook mbt voortplanting);* fruitful: *de vruchtbare periode van de vrouw* a woman's fertile period; *een vruchtbare bodem vinden* find fertile soil

vruchtbaarheid fertility, fruitfulness

vruchteloos fruitless, futile

vruchtenpers fruit press

vruchtensap fruit juice

vruchtentaart fruit tart

vruchtvlees flesh (of a, the fruit), (fruit) pulp

vruchtwater amniotic fluid, water(s)

vruchtwateronderzoek amniocentesis

V-snaar V-belt

vso *afk van voortgezet speciaal onderwijs* comprehensive school system

V-teken V-sign

[1]**vuil** *zn* 1 refuse, rubbish; *(Am vnl.)* garbage: *iem behandelen als een stuk ~* treat s.o. like dirt; *~ storten* tip (*of:* dump, shoot) rubbish; *verboden ~ te storten* dumping prohibited, no tipping (*of:* dumping) 2 *(viezigheid)* dirt, filth

[2]**vuil** *bn, bw* 1 dirty, filthy; *(vervuild ook)* polluted: *de ~e kopjes* the dirty (*of:* used) cups; *een ~e rivier* a dirty (*of:* polluted) river 2 *(oneerlijk, onaangenaam)* dirty, foul: *iem een ~e streek leveren* play a dirty (*of:* nasty trick) on s.o.; *~e viezerik* (of: *leugenaar)* dirty (*of:* filthy) swine/liar 3 *(nijdig)* dirty, nasty: *iem ~ aankijken* give s.o. a dirty (*of:* filthy, nasty) look

vuiligheid dirt, filth

vuilmaken make dirty, dirty, soil

vuilnis refuse, rubbish; *(Am vnl.)* garbage

vuilnisauto dustcart; *(Am)* garbage truck, trash truck

vuilnisbak dustbin, rubbish bin; *(Am)* garbage can, trash can

vuilnisbakkenras mongrel

vuilnisbelt rubbish dump

vuilnishoop rubbish dump; *(Am)* garbage heap

vuilniskoker rubbish chute

vuilnisman binman; *(Am vnl.)* garbage collector

vuilniszak rubbish bag, refuse bag

vuilophaaldienst refuse collection

vuilstortplaats rubbish dump

vuiltje smut, speck of dirt *(of:* dust, grit): *een ~ in het oog hebben* have sth (*of:* a smut) in one's eye || *er is geen ~ aan de lucht* everything is absolutely fine (*of Am:* peachy keen)

vuilverbranding (waste, refuse, garbage) incinerator

vuist fist: *met gebalde ~en* with clenched fists; *een ~ maken* take a stand (*of:* hard line); *met de ~ op tafel slaan* bang one's fist on the table, take a hard line; *op de ~ gaan* come to blows; *uit het ~je eten* eat with one's fingers || *voor de ~ (weg)* off the cuff, ad lib

vuistregel rule of thumb

vuistslag punch

vuldop filler cap; *(Am)* fill cap

vulgair vulgar, common; rude *(taal, gedrag)*

vulkaan volcano

vulkaanuitbarsting volcanic eruption

vulkanisch volcanic: *~e stenen* volcanic rocks

vullen 1 fill (up); *(met lucht)* inflate: *het eten vult ontzettend* the meal is very filling 2 *(opvullen)* fill (up); stuff *(meubels, kussens e.d.);* pad *(kleding): een gat ~* fill (up) a hole; *een kip met gehakt ~* stuff a chicken with mince

vulling 1 filling *(ook van gebit);* stuffing *(van meubels, gerechten)* 2 *(verwisselbare patroon)* cartridge, refill

vulpen fountain pen

vulpotlood propelling pencil; *(Am)* refillable lead pencil

vunzig dirty, filthy

[1]**vuren** *bn* pine, deal

[2]**vuren** *intr* fire: *staakt het ~* cease fire

vurenhout pine(wood), deal

vurenhouten pine, deal

vurig 1 fiery, (red-)hot: *~e kolen* coals of fire **2** *(hartstochtelijk)* fiery, ardent, fervent; devout *(vnl. mbt geloof)*; burning *(verlangen)*: *~e paarden* fiery (*of:* high-spirited) horses; *een ~ voorstander van iets* a strong (*of:* fervent) supporter of sth; *daarmee was zijn ~ste wens vervuld* it fulfilled his most ardent wish

VUT *afk van vervroegde uittreding* early retirement: *in de ~ gaan* retire early, take early retirement

VUT-regeling *(ongev)* early-retirement scheme

vuur 1 fire: *voor iem door het ~ gaan* go through fire (and water) for s.o.; *het huis staat in ~ en vlam* the house is in flames; *ik zou er mijn hand voor in het ~ durven steken* I'd stake my life on it; *in ~ en vlam zetten* set ablaze (*of:* on fire); *met ~ spelen* play with fire; *een ~ aansteken* light a fire; *iem het ~ na aan de schenen leggen* make it (*of:* things) hot for s.o.; *een ~ uitdoven* put out (*of:* extinguish) a fire; *een pan op het ~ zetten* put a pan on the stove; *iem zwaar onder ~ nemen* let fly at s.o.; *tussen twee vuren zitten* get caught in the middle (*of:* in the firing line) **2** *(enthousiasme)* fire, ardour, fervour: *in het ~ van zijn betoog* in the heat of his argument

vuurbal fireball, ball of fire

vuurdoop baptism of fire

vuurgevecht gunfight

vuurhaard seat of the fire

Vuurland Tierra del Fuego

vuurlinie firing line, line of fire

vuurpeloton firing squad

vuurpijl rocket

vuurproef trial by fire; *(fig)* ordeal; acid test: *de ~ doorstaan* stand the test; *de ~ ondergaan* undergo a severe ordeal

vuurrood crimson, scarlet: *~ aanlopen* turn crimson (*of:* scarlet)

vuurspuwend erupting *(vulkaan)*; fire-breathing; fire-spitting *(draak)*

vuursteen flint

vuurtje 1 (small) fire: *het nieuws ging als een lopend ~ door de stad* the news spread through the town like wildfire **2** *(voor een sigaret enz.)* light: *iem een ~ geven* give s.o. a light

vuurtoren lighthouse

vuurvast fireproof, flame-resistant, heat-resistant: *een ~ schaaltje* an ovenproof (*of:* a heat-resistant) dish

vuurvliegje firefly

vuurvreter fire-eater

vuurwapen firearm, gun; *(meestal mv)* arm

vuurwerk 1 *(materiaal)* firework **2** *(gelegenheid)* (display of) fireworks

vuurzee blaze, sea of fire (*of:* flame(s))

VVV *afk van Vereniging voor Vreemdelingenverkeer* Tourist Information Office

VVV-kantoor tourist (information) office

v.w.b. *afk van voor wat betreft* as far as … is concerned

vwo *afk van voorbereidend wetenschappelijk onderwijs* pre-university education

waadvogel wader
waaien 1 blow; *(van wind)* be blown: *er woei een harde storm* a storm was blowing 2 *(wapperen)* wave, fly || *laat maar* ~ let it rip
waaier fan
waakhond watchdog
waaks watchful
waakvlam pilot light *(of:* flame)
waakzaam watchful
waakzaamheid watchfulness
Waal *(persoon)* Walloon
[1]**Waals** *zn* Walloon
[2]**Waals** *bn* Walloon
waan delusion: *iem in de ~ laten* not spoil s.o.'s illusions
waanzin madness: *dat is je reinste* ~ that is pure nonsense (*of:* sheer madness)
waanzinnig mad: ~ *populair zijn* be wildly popular
waanzinnige madman, maniac; *(vrl)* madwoman
[1]**waar** *zn* goods, ware(s): *iem ~ voor zijn geld geven* give value for money
[2]**waar** *bn* 1 true, real, actual: *de ware oorzaak* the real (*of:* actual) cause; *'t is toch niet ~!* you don't say!, not really!; *het is te mooi om ~ te zijn* it's too good to be true; *echt ~?* is that really true?, really?; *eerlijk ~!* honest! 2 *(echt)* true; *(voor zn)* actual; real: *een ~ genot* a regular (*of:* real) treat 3 *(juist)* true, correct: *dat is je ware* it's the real thing || *dat is ~ ook ...* that reminds me ..., by the way ...
[3]**waar** *bw* 1 where *(plaats);* what: *~ gaat het nu eigenlijk om?* what is it really all about? 2 *(betrekkelijk)* where *(alleen mbt plaats);* that; which *(met voorzetsel): de boodschap ~ hij niet aan gedacht had* the message (that, which) he hadn't remembered; *het dorp ~ hij geboren is* the village where (*of:* in which) he was born 3 wherever; *(overal)* everywhere; *(onverschillig waar)* anywhere: *meer welvaart dan ~ ook* more prosperity than anywhere else 4 really, actually: *dat is ~ gebeurd* it really (*of:* actually) happened
waaraan 1 what ... to: *~ ligt dit?* what is the reason for it?; *~ heb ik dit te danken?* what do I owe this to?, to what do I owe this? 2 *(betrekkelijk)* what *(of:* which) ... to/of: *het huis ~ ik dacht* the house (which) I was thinking of 3 *(onbepaald)* whatever ... to (*of:* of): *~ je ook denkt* whatever you're thinking of (*of:* about)
waarachter 1 behind which 2 *(vragend)* behind what *(of:* which)
waarachtig truly, really
waarbij at *(of:* by, near) ... which: *een ongeluk ~ veel gewonden vielen* an accident in which many people were injured
waarborg guarantee; *(onderpand)* security
waarborgen guarantee
waarborgsom deposit; *(jur)* bail
[1]**waard** *zn* landlord
[2]**waard** *bn* worth, worthy (of sth, s.o.): *laten zien wat je ~ bent* show s.o. what you're made of; *hij is haar niet* ~ he's not worthy of her; *na een dag werken ben ik 's avonds niets (meer)* ~ after a day's work I'm no good for anything; *veel ~ zijn* be worth a lot
waarde 1 value: *ter ~ van ...* at (the value of), worth ...; *voorwerpen van* ~ objects of value, valuables; *iem niet op zijn juiste ~ schatten* underestimate s.o.; *(zeer) veel ~ aan iets hechten* value sth highly; *weinig ~ aan iets hechten* attach little value to sth; *van ~ zijn, ~ hebben* be valuable, be of value 2 *(getal, bedrag dat een meter aanwijst)* value, reading: *de gemiddelde ~n van de zomertemperaturen* the average summer temperature
waardebon voucher, coupon; *(cadeaubon)* gift voucher *(of:* coupon)
waardeloos worthless: *dat is* ~ that's useless (*of:* hopeless)
waarderen appreciate, value: *hij weet een goed glas wijn wel te* ~ he likes (*of:* appreciates) a good glass of wine
waarderend appreciative: *zich (zeer) ~ over iem uitlaten* speak (very) highly of s.o.
waardering appreciation, esteem: *~ ondervinden (van)* win the esteem (*of:* regard) (of)
waardevol valuable, useful: *~le voorwerpen* valuables, objects of value
waardig dignified, worthy
waardigheid dignity, worth: *iets beneden zijn ~ achten* think sth beneath one's dignity (*of:* beneath one)
waardoor 1 (as a result of) what, how: *~ ben je van gedachten veranderd?* what made you change your mind?; *ik weet ~ het komt* I know how it happened, I know what caused it 2 *(betrekkelijk)* through which, by which, (which, that) ... through *(of:* by); *(met zin als antecedent)* (as a result of) which: *de buis ~ het gas stroomt* the tube through which the gas flows; *het begon te regenen, ~ de weg nog gladder werd* it started to rain, which made the road even more slippery
[1]**waargebeurd** *bn* true
[2]**waargebeurd** *bn: een ~ verhaal* a true story
waarheen 1 where, where ... to: *~ zullen wij vandaag gaan?* where shall we go today? 2 *(betrekke-*

lijk) where, to which, (which, that) … to: *de plaats ~ ze me stuurden* the place to which they directed me 3 *(onbepaald)* wherever: *~ u ook gaat* wherever you (may) go

waarheid truth, fact: *de ~ achterhalen* get at (*of:* find out) the truth; *om (u) de ~ te zeggen* to be honest (with you), to tell (you) the truth; *de ~ ligt in het midden* the truth lies (somewhere) in between; *een ~ als een koe* a truism

waarheidsgetrouw truthful, true

waarin 1 where, in what: *~ schuilt de fout?* where's the mistake? 2 *(betrekkelijk)* in which, where, (which, that) … in: *de tijd ~ wij leven* the age (that, which) we live in 3 *(onbepaald)* wherever, in whatever: *~ de fout ook gemaakt is* wherever the mistake was made

waarlangs 1 what … past *(of:* along) 2 *(betrekkelijk)* past which, along which, (which, that) … past *(of:* along): *de weg ~ hij gaat* the way he is going, the road along which he is going 3 *(onbepaald)* past whatever, along whatever: *~ zij ook kwamen* whatever way they came along

[1]**waarmaken** *tr* 1 *(bewijzen)* prove 2 *(realiseren)* fulfil: *de gewekte verwachtingen (niet) ~* (fail to) live up to expectations

[2]**waarmaken, zich** prove oneself

waarmee 1 what … with *(of:* by): *~ sloeg hij je?* what did he hit you with? 2 *(betrekkelijk)* with which, by which; *(met zin als antecedent)* which; (which) … with *(of:* by): *de boot ~ ik vertrek* the boat on which I leave 3 *(onbepaald)* (with, by) whatever: *~ hij ook dreigde, zij werd niet bang* whatever he threatened her with she didn't get scared

waarmerk stamp

waarmerken stamp: *een gewaarmerkt afschrift* a certified (*of:* an authenticated) copy

waarna after which: *~ Paul als spreker optrad* after which Paul spoke (*of:* took the floor)

waarnaar 1 what … at *(of:* of, for): *~ smaakt dat?* what does it taste of? 2 *(plaats, richting)* to which; after *(of:* for, according to) which, (which, that) … to *(of:* after, for): *het hoofdstuk ~ ze verwees* the chapter (that, which) she referred to 3 *(onbepaald)* whatever … to *(of:* at, for), wherever: *~ ik hier ook zoek, ik vind nooit wat* whatever I look for here, I never find anything

waarnaast 1 what … next to *(of:* beside) 2 *(betrekkelijk)* (which, that) … next to *(of:* beside) 3 *(onbepaald)* whatever … next to *(of:* beside): *~ je dit schilderij ook hangt* whatever you hang this picture next to

waarneembaar perceptible: *niet ~* imperceptible

waarnemen *intr, tr (als vervanger)* replace (temporarily), fill in, take over (temporarily), act: *de zaken voor iem ~* fill in for *(of:* replace) s.o.

waarnemen *tr (observeren)* observe, perceive

waarnemend temporary, acting

waarnemer 1 *(iem die observeert)* observer 2 *(iem die tijdelijk een betrekking vervult)* representative, deputy, substitute

waarneming 1 observation, perception 2 *(het vervangen)* substitution

waarom 1 why, what … for: *~ denk je dat?* why do you *(of:* what makes you) think so?; *~ in vredesnaam?* why on earth?, why for goodness' sake? 2 *(betrekkelijk)* why, (which, that) … for: *de reden ~ hij het deed* the reason (why, that) he did it 3 *(onbepaald)* for whatever, whatever … for: *~ hij het ook doet, hij moet ermee ophouden!* whatever he does it for, he has to stop it!

waaromheen 1 what … (a)round 2 *(betrekkelijk)* (a)round which: *het huis ~ een tuin lag* the house which was surrounded by a garden

waaronder 1 what … under *(of:* among), among what 2 *(plaats)* under which; among which *(inform): de boom ~ wij zaten* the tree under which we were sitting; *hij had een schat aan boeken, ~ heel zeldzame* he had a wealth of books, including some very rare ones 3 *(onbepaald)* under whatever, whatever … under: *~ hij ook keek, hij vond het niet* whatever he looked under, he couldn't find it

waarop 1 what … on *(of:* for), where 2 *(betrekkelijk)* (which, that) … on/in *(of:* by, to): *de dag ~ hij aankwam* the day (on which) he arrived; *de manier ~ beviel me niet* I didn't like the way (in which) it was done; *op het tijdstip ~* at the time that 3 *(onbepaald)* whatever … on: *~ je nu ook staat, ik wil dat je naar beneden komt* whatever you are standing on now, I want you to get down

waarover 1 what … over *(of:* about, across): *~ gaat het?* what is it about? 2 *(betrekkelijk)* (which, that) … over *(of:* about, across): *de auto ~ ik met je vader gesproken heb* the car of *(of:* about) which I've spoken with your dad 3 *(onbepaald)* whatever … about: *~ de discussie dan ook gaat, …* whatever the discussion is about, …

waarschijnlijk probable, likely: *dat lijkt mij heel ~* that seems quite likely to me; *~ niet* I suppose not; *meer dan ~* more than likely

waarschijnlijkheid probability, likelihood, odds: *naar alle ~* in all probability *(of:* likelihood)

waarschuwen 1 warn, alert: *ik heb je gewaarschuwd* I gave you fair warning, I told you so 2 *(op de hoogte brengen)* warn, notify: *een dokter laten ~* call a doctor 3 *(dreigen)* warn, caution: *ik waarschuw je voor de laatste maal* I'm telling you for the last time; *wees gewaarschuwd* you've been warned

waarschuwing warning; caution *(ook sport); (mbt betaling)* reminder; *(opschrift)* notice: *(sport) een officiële ~ krijgen* be booked *(of:* cautioned); *Waarschuwing! Zeer brandbaar!* Caution! Highly flammable!

waartegen 1 what … against *(of:* to): *~ helpt dit middel?* what is this medicine for? 2 *(betrekkelijk)* against which, to which, (which, that) … against (*of:* to): *de muur ~ een ladder staat* the wall against which a ladder is standing; *een raad ~ niets in te brengen valt* a piece of advice to which no objections can be made 3 *(onbepaald)* whatever … against (*of:* to)

waartoe 1 what … for (*of:* to), why 2 *(betrekkelijk)* (which, that) … for (*of:* to) 3 *(onbepaald)* whatever … for (*of:* to): *~ dit ook moge leiden* whatever this may lead to

waartussen 1 what … between (*of:* among, from): *~ moeten wij kiezen?: a) (uit twee)* what are we (supposed) to choose between; *b) (uit drie of meer)* what are the alternatives? 2 *(betrekkelijk)* between (*of:* among, from) which, (which, that) … between (*of:* among, from) 3 *(onbepaald)* whatever … between (*of:* among, from)

waaruit 1 from what: *~ bestaat de opdracht?* what does the assignment consist of? 2 *(betrekkelijk)* from which: *het boek ~ u ons net voorlas* the book from which you read to us just now

waarvan 1 what … from (*of:* of): *~ maakt hij dat?* what does he make that of? (*of:* from?), of (*of:* from) what does he make that? 2 *(betrekkelijk)* (which, that) … from; of whom *(mbt personen)*; whose: *100 studenten, ~ ongeveer de helft chemici* 100 students, of whom about half are chemists; *op grond ~* on the basis of which; *dat is een onderwerp ~ hij veel verstand heeft* that is a subject he knows a lot about 3 *(onbepaald)* whatever … from: *klei en hout, of ~ die hutten gemaakt zijn* clay and wood, or whatever those huts are made from

waarvandaan 1 where … from 2 *(betrekkelijk)* (which, that) … from 3 *(onbepaald)* wherever … from: *~ je ook belt, draai altijd eerst een 0* wherever you call from, always dial an 0 first

waarvoor 1 *(voor wat?)* what … for (*of:* about): *~ dient dat?* what's that for? 2 *(waarom?)* what … for: *~ doe je dat?* what are you doing that for? 3 *(betrekkelijk)* (which, that) … for: *een gevaar ~ ik u gewaarschuwd heb* a danger I warned you about 4 *(onbepaald)* whatever … for: *~ hij het ook doet, het is in elk geval niet het geld* whatever he does it for, it's not the money, that's for sure

waarzegster fortune-teller

waas haze; *(fig)* air; aura, film: *een ~ van geheimzinnigheid* a shroud of secrecy; *een ~ voor de ogen krijgen* get a mist (*of:* haze) before one's eyes

wacht 1 watchman 2 watch; *(van dief)* lookout: *(de) ~ houden* be on (*of:* stand) guard; *(Belg) van ~ zijn* be on night (*of:* weekend) duty, be on call 3 *(personen)* watch, guard || *iets in de ~ slepen* carry off sth, pocket (*of:* bag) sth

wachten 1 wait, stay: *op de bus ~* wait for the bus 2 *(afwachten)* wait, await: *iem laten ~* keep s.o. waiting; *waar wacht je nog op?* what are you waiting for?; *op zijn beurt ~* await one's turn; *(telefoon) er zijn nog drie ~den voor u* hold the line, there are three callers before you; *je moet er niet te lang mee ~* don't put it off too long 3 *(in het vooruitzicht staan)* wait, await (s.o.), be in store for (s.o.): *er wachtte hem een onaangename verrassing* there was an unpleasant surprise in store for him; *er staan ons moeilijke tijden te ~* difficult times lie ahead of us

wachter guard(sman), watchman

wachtgeld reduced pay

wachtlijst waiting list

wachtlopen be on patrol, be on (guard) duty

wachtpost watch (*of:* sentry, guard) post

wachtstand suspension mode, suspended mode

wachttijd wait, waiting period

wachtwoord password

wad (mud) flat(s), shallow(s) || *de Wadden* the (Dutch) Wadden

waden wade

waf woof

wafel waffle; *(knapperig)* wafer

[1]**wagen** *zn* 1 wagon; *(door paard, hand getrokken)* cart; *(bestelauto)* van; *(poppen-, kinderwagen)* pram 2 *(auto)* car: *met de ~ komen* come by car

[2]**wagen** *tr* 1 risk: *het erop ~* chance (*of:* risk) it; *wie niet waagt, die niet wint* nothing ventured, nothing gained 2 *(durven te ondernemen)* venture, dare: *zijn kans ~* try one's luck; *waag het eens!* just you dare!

wagenpark fleet (of cars, vans, taxis, buses)

wagenwijd wide open

wagenziek carsick

waggelen totter, stagger; *(van eend, dikke mensen)* waddle; *(van klein kind)* toddle

wagon (railway) carriage; coach *(voor reizigers)*; *(voor vracht)* wagon; *(voor vracht, gesloten)* van

wagonlading wagonload

wak hole: *hij zakte in een ~ en verdronk* he fell through the thin ice and (was) drowned

wake watch; wake *(bij dode)*

waken 1 watch, keep watch, stay awake: *bij een zieke ~* sit up with a sick person 2 *(het oog houden op)* watch, guard

wakker awake: *daar lig ik niet van ~* I'm not going to lose any sleep over it; *~ schrikken* wake up with a start; *iem ~ schudden* shake s.o. awake

wal 1 bank, embankment; *(mbt vesting, meestal mv)* wall 2 *(kade)* quay(side), waterside: *aan de ~* on shore; *van ~ steken* push off, go ahead, proceed 3 *(het vasteland)* shore: *aan ~ brengen* land, bring (sth, s.o.) ashore 4 *(verdikking)* bag *(onder ogen)* || *de ~letjes (in Amsterdam)* the red-light district (in Amsterdam)

walgelijk disgusting, revolting: *een ~e stank* a nauseating stench

walgen be nauseated, be disgusted, be revolted: *ik walg ervan* it turns my stomach

walging disgust, revulsion, nausea

Walhalla Valhalla

walkietalkie walkie-talkie

walkman® walkman

Wallonië the Walloon provinces in Belgium
walm (thick, dense) smoke
walmen smoke
walnoot walnut
walrus walrus
wals 1 roller **2** *(machine)* steamroller, roadroller; *(voor metalen, plastic, leer)* (rolling) mill **3** *(dans)* waltz
[1]**walsen** *intr* waltz
[2]**walsen** *tr (met een wals)* roll, steamroller; roll *(metaal, plastics, leer)*
walvis whale
wanbedrijf *(Belg)* criminal offence
wanbegrip fallacy, misconception, wrong idea, false idea
wanbeheer mismanagement
wanbetaler defaulter
wanbetaling default, non-payment
wand wall; face *(van rots)*; side *(van schip, doos, vat enz.)*; skin *(van vliegtuig enz.)*: *een buis met dikke ~en* a thick-walled tube
wandel walk
wandelaar walker; hiker *(grote afstanden)*
wandelen walk; *(lang, vnl. buiten)* ramble; *(trekken)* hike: *met de kinderen gaan ~* take the children for a walk
wandelend walking
wandelgang: *ik hoorde het in de ~en* I just picked up some gossip
wandeling walk; *(uitstapje)* ramble; *(sport)* hike
wandelpad footpath
wandelstok walking stick
wandeltocht walking tour
wandelwagen buggy, pushchair; *(Am)* stroller
wandkleed tapestry, wall hanging(s)
wandmeubel wall unit
wandrek *(mv)* wall bars
wang cheek: *bolle ~en* round (*of:* chubby) cheeks
wangedrag misbehaviour, bad conduct
wanhoop despair, desperation: *de ~ nabij zijn* be on the verge of despair
wanhoopsdaad act of despair, desperate act
wanhopen despair
wanhopig desperate, despondent, despairing: *iem ~ maken* drive s.o. to despair; *zich ergens ~ aan vastklampen* hang on to sth like grim death
wankel shaky, unstable: *~ evenwicht* shaky balance; *~e stoelen* rickety chairs
wankelen stagger, wobble
[1]**wanneer** *bw* when: *~ dan ook* whenever
[2]**wanneer** *vw* **1** *(als)* when: *~ de zon ondergaat, wordt het koeler* when the sun sets it gets cooler **2** *(indien)* if: *hij zou beter opschieten, ~ hij meer zijn best deed* he would make more progress if he worked harder **3** *(telkens als)* whenever, if: *(altijd) ~ ik oesters eet, word ik ziek* whenever I eat oysters I get ill
wanorde disorder, disarray: *de keuken was in de grootste ~* the kitchen was in a colossal mess
wanprestatie failure
wansmaak bad taste
[1]**want** *zn* mitt(en)
[2]**want** *vw* because, as, for
wanten: *hij weet van ~* he knows the ropes (*of:* what's what)
wantoestand disgraceful state of affairs
[1]**wantrouwen** *zn* distrust, suspicion
[2]**wantrouwen** *tr* distrust, mistrust
wantrouwend suspicious (of), distrustful
wantrouwig suspicious: *~ van aard* have a suspicious nature
WAO *afk van Wet op de Arbeidsongeschiktheidsverzekering* disability insurance act
WAO'er recipient of disablement insurance benefits
wapen 1 weapon; *(mv vaak)* arms: *de ~s neerleggen* lay down arms **2** *(familieteken)* (coat of) arms: *een leeuw in zijn ~ voeren* bear a lion in one's coat of arms
wapenbeperking arms limitation
wapenbezit possession of firearms *(of:* weapons)
wapenen arm; armour *(glas)*; reinforce *(beton)*
wapenkunde heraldry
wapenstilstand 1 armistice; *(vnl. tijdelijk)* suspension of arms (*of:* hostilities); ceasefire **2** *(fig)* truce
wapenstok *(ongev)* baton
wapenvergunning firearms licence, gun licence
wapenwedloop arms race
wapperen blow, fly, stream; *(van zeilen, vlag)* flap; flutter: *laten ~* fly, blow, stream, wave
war tangle, muddle, confusion: *in de ~ zijn* be confused; *iem in de ~ brengen* confuse s.o.; *plannen in de ~ sturen* upset s.o.'s plans
warboel muddle, mess; tangle *(van draden, haar)*
waren goods, commodities
warenhuis (department) store
warhoofd scatterbrain
[1]**warm** *bn* **1** warm, hot: *het ~ hebben* be warm (*of:* hot); *het begon (lekker) ~ te worden in de kamer* the room was warming up; *iets ~s* sth warm (*of:* hot) (to eat, drink) **2** enthusiastically: *~ lopen voor iets* feel enthusiasm for sth **3** warmly, pleasantly **4** *(hartelijk, vurig)* warm, warm-hearted, ardent: *een ~ voorstander van iets zijn* be an ardent (*of:* a fervent) supporter of sth **5** *(geestdriftig)* warmed up, enthusiastic **6** *(aangenaam)* warm, pleasant || *je bent ~!* you are (getting) warm! (*of:* hot!)
[2]**warm** *bw* warmly: *iem iets ~ aanbevelen* recommend sth warmly to s.o.
warmbloedig *(dierk)* warm-blooded
warmen warm (up), heat (up)
warming-up warm-up (exercise)
warmlopen 1 have warmed to, feel (great) enthusiasm for (s.o., sth): *hij loopt niet erg warm voor het plan* he has not really warmed to the plan

2 *(sport)* warm up, limber up
warmte warmth, heat: ~ *(af)geven* give off (*of:* emit) heat
warmtebron source of heat
warmwaterkraan hot(-water) tap
warrig knotty, tangled; *(fig)* confused; muddled
Warschau Warsaw
wartaal gibberish, nonsense: *(er) ~ uitslaan* talk double Dutch (*of:* gibberish)
warwinkel mess, muddle
[1]**was** *zn* wash, washing; *(wasgoed ook)* laundry; linen: *de fijne ~* the fine (*of:* delicate) fabrics; *de vuile ~ buiten hangen* wash one's dirty linen in public; *iets in de ~ doen* put sth in the wash
[2]**was** *zn (vettige stof)* wax: *meubels in de ~ zetten* wax furniture || *goed in de slappe ~ zitten* have plenty of dough
wasautomaat (automatic) washing machine
wasbaar washable
wasbak washbasin, sink
wasbeer racoon
wasbenzine benzine
wasdag wash(ing)-day
wasdroger (tumble-)dryer
wasem steam, vapour
wasgoed wash, laundry, linen
washandje face cloth; *(Am)* wash rag
wasknijper clothes-peg
waskrijt grease pencil
waslijn clothes line
waslijst shopping list, catalogue
wasmachine (automatic) washing machine
wasmand (dirty) clothes basket
wasmiddel detergent
waspoeder washing-powder, soap powder
[1]**wassen** *bn* wax: *een ~ beeld* a wax figure
[2]**wassen** *tr (waste, gewassen)* 1 wash; *(wassen en strijken ook)* launder; clean *(ramen): waar kan ik hier mijn handen ~?* where can I wash my hands?; *zich ~: a)* wash, have a wash, *(in bad ook)* have (*of:* take) a bath; *b) (vnl. dieren, met name kat)* wash oneself; *iets op de hand ~* wash sth by hand 2 *(de was doen)* wash, do the wash(ing)
wassenbeeldenmuseum waxworks
wasserette launderette
wasserij laundry
wastafel washbasin
wasverzachter fabric softener
[1]**wat** *onbep vnw* 1 something; *(om het even wat)* anything; *(met 'ook')* whatever: *ze heeft wel ~* she has got a certain something; *wil je ~ drinken?* would you like something to drink?; *zie jij ~?* do (*of:* can) you see anything?; *het is altijd ~ met hem* there is always something up with him 2 some, a bit (of); a little *(met ev)*; a few *(met mv)*: *geef me ~ suiker* (of: *geld*) give me some sugar (*of:* money); *geef mij ook ~* let me have some too; *~ meer* a bit (*of:* little) more; *~ minder* a bit (*of:* little) less || *heel ~ boeken* quite a few books, a whole lot of books; *dat scheelt nogal ~* that makes quite a (bit of a) difference; *~ kun jij mooi tekenen* how well you draw!; *~ een onzin* what (absolute) nonsense; *~! komt hij niet?* what! isn't he coming?
[2]**wat** *vr vnw* what; *(bij beperkte keuze)* which; *(verbazing uitdrukkend)* whatever: *~ bedoel je daar nou mee?* just what do you mean by that?, *(sterker)* just what is that supposed to mean?; *wát ga je doen?* you are going to do what?; *~ heb je 't liefste, koffie of thee?* which do you prefer, coffee or tea?; *~ zeg je?* (I beg your) pardon?; *~ is het voor iem?* what's he (*of:* she) like?
[3]**wat** *betr vnw* that; *(na iets, dat(gene))* which: *geef hem ~ hij nodig heeft* give him what he needs; *alles ~ je zegt, klopt* everything you say is true; *en ~ nog belangrijker is* and what's (even) more (important); *doe nou maar ~ ik zeg* just do as I say; *je kunt doen en laten ~ je wilt* you can do what (*of:* as you) please || *ze zag eruit als een verpleegster, ~ ze ook was* she looked like a nurse, which in fact she was (too)
[4]**wat** *bw* 1 somewhat, rather; *(een beetje)* a little, a bit: *hij is ~ traag* he is a little slow, he is on the slow side 2 *(zeer, erg)* very, extremely: *hij is er ~ blij mee* (of: *trots op*) he is extremely pleased with it (*of:* proud of it) 3 *(mbt verbazing)* isn't it (*of:* that, he) …, …, aren't they (*of:* those) …: *~ mooi hè, die bloemen* aren't they beautiful, those flowers; *~ lief van je!* how nice of you!; *(iron) ~ ben je weer vriendelijk* I see you're your usual friendly self again; *~ ze niet verzinnen tegenwoordig* the things they come up with these days; *~ wil je nog meer?* what more do (*of:* can) you want?; *~ zal hij blij zijn!* how happy (*of:* pleased) he will be!
water 1 water: *de bloemen ~ geven* water the flowers; *bij laag ~* at low water (*of:* tide); *stromend ~* running water; *een schip te ~ laten* launch a ship 2 *(vaarwater)* water; *(waterweg)* waterway
waterafstotend water-repellent; *(waterdicht)* waterproof
waterafvoer drainage (of water); *(rioolwaterverwerking)* sewage disposal
waterbed waterbed
waterbouwkunde hydraulic engineering: *wegen ~* civil engineering
waterbron spring
waterdamp (water) vapour
waterdicht waterproof *(kleding(stuk))*; watertight *(schoeisel, ruimte)*: *een ~ alibi* a watertight alibi
waterdoorlatend porous
wateren urinate
waterfiets pedalo, pedal boat
waterfietsen cycle (along) on a pedal boat
watergladheid *(Belg)* aquaplaning
watergolf 1 wave 2 *(in het haar)* set
watergolven set: *zijn haar laten ~* have one's hair set
waterhoen moorhen

waterhoofd hydrocephalus
waterig 1 watery; slushy *(sneeuw): ~e soep* thin soup 2 *(krachteloos)* watery; *(fig)* wishy-washy
waterijsje ice lolly; *(Am)* popsicle
waterkans *(Belg)* remote chance
waterkant waterside, waterfront: *aan de ~* on the waterfront
waterketel kettle
waterkoker electric kettle
waterlanders waterworks
waterleiding 1 water pipe *(of:* supply): *een huis op de ~ aansluiten* to connect a house to the water main(s) 2 waterworks, water pipes: *een bevroren ~* a frozen water pipe
waterleidingbedrijf waterworks
waterlelie water lily
Waterman *(astrol)* Aquarius
watermeloen watermelon
watermerk watermark
watermolen watermill
[1]**waterpas** *zn* spirit level; *(Am)* level
[2]**waterpas** *bn* level
waterpeil water level
waterpijp *(om te roken)* water pipe, hookah
waterpokken *(med)* chickenpox
waterpolitie river police; *(havens)* harbour police
waterpolo water polo
waterpomp water pump
waterpomptang adjustable-joint pliers; *(groot)* (adjustable) pipe wrench
waterput well
waterrijk watery, full of water
waterschade water damage
waterski water-ski
waterskiër water-skier
waterslang hose(pipe)
watersnood flood(ing)
watersnoodramp flood (disaster)
watersport water sport, aquatic sport
waterstaat *zie* minister
waterstand water level: *bij hoge* (of: *lage*) ~ at high (*of:* low) water
waterstof hydrogen
waterstofbom hydrogen bomb, fusion bomb, H-bomb
waterstofperoxide hydrogen peroxide
waterstraal jet of water
watertanden: *deze chocolaatjes doen mij ~* these chocolates make my mouth water
watertoren water tower
watertrappen tread water
waterval waterfall; fall *(vnl. mv): de Niagara ~len* Niagara Falls
waterverf watercolour
waterverfschilderij painting in watercolour, aquarelle
waterverontreiniging water pollution
watervliegtuig seaplane, water plane
watervogel waterbird
watervrees hydrophobia: ~ *hebben* be hydrophobic
waterweg waterway
waterzuivering water treatment
waterzuiveringsinstallatie *(mbt rioolwater)* sewage treatment plant
watje 1 wad of cotton wool *(of Am:* absorbent cotton) 2 *(doetje)* wally
watt watt
watten cotton wadding, cotton wool; *(Am)* absorbent cotton: *een prop (dot) ~* a plug (*of:* wad) of cottonwool; *iem in de ~ leggen* pamper (*of:* mollycoddle) s.o.
wattenstaafje cotton bud *(of Am:* swab)
wauwelen chatter; jabber *(onzin);* drone (on) *(vervelend)*
WA-verzekering third-party insurance
wax wax
waxen wax
waxinelichtje tealight
wazig 1 hazy; blurred *(beeld): alles ~ zien* see everything (as if) through a haze (*of:* in a blur) 2 *(suf)* muzzy, drowsy: *met een ~e blik in de ogen* with a dazed look in the eyes
wc 1 *afk van watercloset* WC, toilet, lavatory: *ik moet naar de wc* I have to go to the toilet 2 *(closetpot)* toilet(bowl)
wc-bril toilet seat
wc-papier toilet paper
we we, us: *laten we gaan* (of: *ophouden*) let's go (*of:* stop)
web web
webcam webcam
weblog weblog
webmaster web master
website website
websurfen surf (the web)
wecken can, preserve
wedden bet (on): *met iem ~ om een tientje dat* bet s.o. ten euros that; *denk jij dat Ron vandaag komt? - ik wed van wel* you think Ron will come today? - I bet he will
weddenschap bet: *een ~ verliezen* lose a bet
wedergeboorte rebirth
wederkerend reflexive
wederkerig mutual, reciprocal
[1]**wederzijds** *bn (mbt ieder van beide)* mutual, reciprocal: *de liefde was ~* their love was mutual
[2]**wederzijds** *bw* mutually
wedijveren strive (for)
wedloop race
wedren race
wedstrijd match, competition, game: *een ~ bijwonen* attend a match; *met nog drie ~en te spelen* with three games (still) to go
wedstrijdbeker (sports) cup
weduwe widow: *groene ~* housebound wife
weduwepensioen widows' benefit *(of:* pension)

weduwnaar widower
[1]**wee** *zn* labour pain, contraction: *de ~ën zijn begonnen* labour has started
[2]**wee** *bn* sickly
[3]**wee** *tw* woe: *o ~ als je het nog eens doet* woe betide you if you do it again
weeffout flaw, weaving fault
weefsel 1 fabric, textile; *(wijze van weven)* weave 2 *(biol)* tissue, web
weegbrug weighbridge
weegschaal (pair of) scales, balance: *twee weegschalen* two pairs of scales, two balances
Weegschaal *(astrol)* Libra
[1]**week** *zn* week: *een ~ rust* a week's rest; *volgende ~ dinsdag* next Tuesday; *een ~ weggaan* go away for a week; *door de ~* on weekdays; *over een ~* in a week from now; *dinsdag over een ~* Tuesday week, a week from Tuesday; *morgen over twee weken* two weeks from tomorrow; *vandaag een ~ geleden* a week ago today
[2]**week** *zn (het weken)* soak: *de was in de ~ zetten* put the laundry in (to) soak
[3]**week** *bn* 1 soft: *~ worden* soften; *een ~ gestel* a weak constitution 2 *(teerhartig)* weak, soft-hearted
weekblad weekly, (news) magazine
weekdier mollusc
weekeinde weekend: *in het ~* at (*of Am:* on) the weekend
weekenddienst weekend duty
weekendtas holdall; *(Am)* carryall
weekloon weekly wage
weelde luxury, over-abundance, wealth
weelderig luxuriant; lush *(plantengroei)*; sumptuous *(maaltijd)*
weemoed melancholy, sadness
Weens Viennese
[1]**weer** *zn* 1 weather: *mooi ~ spelen (tegen iem)* put on a show of friendliness; *~ of geen ~* come rain or shine 2 *(aantasting)* weathering: *het ~ zit in het tentdoek* the tent is weather-stained || *hij is altijd in de ~* he is always on the go
[2]**weer** *bw* 1 again: *morgen komt er ~ een dag* tomorrow is another day; *het komt wel ~ goed* it will all turn out all right; *nu ik ~* now it's my turn; *wat moest hij nu ~?* what did he want now?; *wat nu ~?* now what? 2 *(terug)* back: *heen en ~ gaan* (of: *reizen*) go (*of:* travel) back and forth; *heen en ~ lopen* pace up and down || *zo moeilijk is het nou ook ~ niet* it's not all that hard
weerbarstig stubborn, unruly
weerbericht weather forecast (*of:* report)
weergalmen echo, resound: *de straten weergalmden van het gejuich* the streets resounded with the cheers
weergaloos unequalled, unparalleled
weergave reproduction; *(van gebeurtenis)* account
weergeven 1 reproduce, render, represent; recite *(gedicht)*; convey *(betekenis, gevoel)* 2 *(reproduceren)* reproduce, repeat, report: *dit onderzoek geeft de feiten juist weer* this study presents the facts accurately 3 *(weerspiegelen)* reflect
weerhaak barb, beard
weerhaan weathercock, weathervane
weerhouden 1 hold back, restrain: *iem ervan ~ om iets te doen* stop (*of:* keep) s.o. from doing sth 2 *(Belg)* retain, keep: *de beslissing is ~* the decision is upheld
weerkaart weather chart, weather map
weerkaatsen reflect *(licht, beeld)*; reverberate; (re-)echo *(geluid)*: *de muur weerkaatst het geluid* the wall echoes the sound; *het geluid weerkaatst tegen de muur* the sound reflects off (*of:* from) the wall
weerklinken 1 resound, ring out: *een schot weerklonk* a shot rang out 2 *(weergalm geven)* resound, reverberate
weerleggen refute
weerlicht (heat, sheet) lightning
weerlichten lighten
weerloos defenceless
weerman weatherman
weeroverzicht weather survey: *en nu het ~* and now for a look at the weather
weerpraatje (the) weather in brief, weather report
weerskanten: *aan ~ van de tafel* (of: *het raam*) on both sides of the table (*of:* window); *van* (of: *aan*) *~* from (*of:* on) both sides
weersomstandigheden weather conditions
weerspiegelen reflect
weerspiegeling reflection: *een getrouwe ~ van iets* a true reflection (*of:* mirror) of sth
weerstaan resist, stand up to
weerstand 1 resistance, opposition: *~ bieden* offer resistance 2 *(aversie)* aversion
weerstation weather station
weersverwachting weather forecast
weerwoord answer, reply
[1]**weerzien** *zn* reunion; *(na korte tijd)* meeting: *tot ~s* goodbye, until the next time
[2]**weerzien** *tr* meet again, see again
weerzin disgust, reluctance, aversion, distaste: *iets met ~ doen* do sth with great reluctance
weerzinwekkend disgusting, revolting
wees orphan
weesgegroetje Hail Mary: *tien ~s bidden* say ten Hail Marys
weeshuis orphanage
weeskind orphan (child)
weetgierig inquisitive
weetje: *allerlei ~s* all kinds of trivia
[1]**weg** *zn* 1 road, way, track: *zich een ~ banen* work (*of:* edge) one's way through; *(iem) in de ~ staan* stand in s.o.'s (*of:* the) way; *(voor) iem uit de ~ gaan* keep (*of:* get) out of s.o.'s way, avoid s.o.; *een misverstand uit de ~ helpen* clear up a misunder-

standing; *een kortere ~ nemen* take a short cut; *op de goede* (of: *verkeerde*) *~ zijn* be on the right (*of:* wrong) track; *op ~ gaan* set off (on a trip), set out (for), go; *iem op ~ helpen* set s.o. up **2** *(middel, manier)* way, channel, means: *de ~ van de minste weerstand* the line (*of:* road) of least resistance **3** *(afstand)* way, journey: *nog een lange ~ voor zich hebben* have a long way to go

[2]**weg** *bw* **1** gone: *een mooie pen is nooit ~* a nice pen always comes in useful; *~ wezen!* (let's) get away from here!, (let's) get out of here!; *~ met …* away (*of:* down) with … **2** *(verrukt)* crazy **3** *(verwijderd)* away || *ze heeft veel ~ van haar zus* she takes after her sister, she is very like her sister

wegbergen stow away, put away

wegblazen blow away, blow off

wegblijven stay away

wegbranden: *die man is niet weg te brånden* there's no getting rid of that man

wegbrengen 1 take (away), deliver **2** *(vergezellen)* see (off)

wegcode *(Belg)* traffic regulations; *(ongev)* Highway Code

wegdek road (surface)

wegdenken think away: *de computer is niet meer uit onze maatschappij weg te denken* it's impossible to imagine life today without the computer

wegdoen 1 dispose of, part with, get rid of **2** *(opbergen)* put away

wegdragen carry away, carry off

wegdrijven float away, drift away

wegduiken duck (away); *(in water)* dive away

wegen weigh: *zwaarder ~ dan* outweigh; *zich laten ~* have oneself weighed, be weighed

wegenbelasting road tax

wegenbouw road building *(of:* construction)

wegenkaart road map

wegennet road network *(of:* system)

wegens because of, on account of, due to: *terechtstaan ~ …* be tried on a charge of …

Wegenwacht road-service; *(ongev)* AA-patrol, RAC-patrol; *(Am)* AAA road service

weggaan 1 go away, leave: *Joe is bij zijn vrouw weggegaan* Joe has left his wife; *~ zonder te betalen* leave without paying; *ga weg!* go away!, get lost!, *(verbaasd)* get away!, you're kidding! **2** *(verdwijnen)* go away: *de pijn gaat al weg* the pain is already getting less

weggebruiker road user

weggedrag *(verkeer)* driving (behaviour, manners), standards of driving

weggeven give away

weggevertje giveaway; *(eenvoudige vraag)* dead giveaway

wegglijden slip (away): *de auto gleed weg in de modder* the car slipped in the mud

weggooien throw away, throw out, discard: *dat is weggegooid geld* that is money down the drain

weggooiverpakking disposable container *(of:* packaging, package)

weghalen remove *(ook stelen)*; take away: *alle huisraad werd uit het huis weggehaald* the house was stripped (bare)

weghelft side of the road

weghollen run away, run off, dash away, dash off

wegjagen chase away: *klanten ~ door de hoge prijzen* frighten customers off by high prices

wegkijken frown away: *hij werd weggekeken* they stared at him coldly until he left

wegkomen get away: *de meeste favorieten zijn goed weggekomen bij de start* the favourites got (off to) a good start; *slecht* (of: *goed*) *~ bij iets* come off badly (*of:* well) with sth; *ik maakte dat ik wegkwam* I got out of there

wegkruipen crawl away, creep away

wegkwijnen pine away, waste away

weglaten leave out, omit

wegleggen 1 put aside, put away **2** *(sparen)* lay aside, set aside, save

wegligging road-holding

weglopen 1 walk away, walk off: *dat loopt niet weg* that can wait; *~ voor een hond* run away from a dog **2** *(niet terugkomen, deserteren)* run away, walk out; run off *(met een andere man, vrouw)*: *een weggelopen kind* a runaway (child) **3** *(wegvloeien)* run off, run out

wegmaken lose

wegmarkering road marking

wegnemen remove, take away; dispel *(angst, argwaan)* || *dat neemt niet weg, dat ik hem aardig vind* all the same I like him; *dat neemt niet weg, dat het geld verdwenen is* that doesn't alter the fact that the money has disappeared

wegomlegging diversion; *(Am)* detour

wegparcours road-racing circuit

wegpesten harass *(of:* pester) (s.o.) until he leaves

wegpiraat road hog

wegraken 1 faint **2** get lost

wegrennen run off *(of:* away)

wegrestaurant transport cafe, wayside restaurant

wegrijden drive off *(of:* away); *(fiets, paard)* ride off *(of:* away): *de auto reed met grote vaart weg* the car drove off at high speed

wegroepen call off *(of:* away)

wegschoppen kick away

wegslaan knock off *(of:* away): *weggeslagen worden (door wind, golven, bij overstroming)* be swept away

wegslepen tow away *(auto, boot)*; drag away *(iets zwaars)*

wegslikken swallow (down): *ik moest even iets ~* I had to swallow hard

wegsmelten melt away

[1]**wegspoelen** *intr (door het water meegevoerd worden)* be washed *(of:* carried, swept) away

[2]**wegspoelen** *tr* **1** wash away, carry away; *(in de*

wc) flush down 2 *(door spoelen)* wash down
wegstemmen vote out (of office), vote down
wegsterven die away *(of:* down), fade away
wegstoppen hide away, stash away: *weggestopt zitten* be hidden (*of:* tucked) away
wegstrepen cross off, cross out, delete
wegsturen send away
wegtrappen kick away
wegtrekken draw off, move away, withdraw: *mijn hoofdpijn trekt weg* my headache is going (*of:* disappearing)
wegvallen 1 be omitted *(of:* dropped): *er is een regel* (of: *letter*) *weggevallen* a line (*of:* letter) has been left out 2 *(van radiozender enz.)* fall away
wegvegen wipe *(of:* sweep, brush) away
wegverkeer road traffic
wegversmalling narrowing of the road; *(op verkeersbord)* road narrows
wegversperring roadblock
wegvervoer road transport
wegvliegen 1 fly away *(of:* off, out) 2 *(snel verkocht worden)* sell like hot cakes
wegvoeren carry away, carry off
wegwaaien be blown away, fly away, fly off
wegwerken get rid of; *(verorberen)* polish off; put away *(eten, drank);* smoothe away *(oneffenheden): iets op een foto ~* block out sth on a photo
wegwerker roadmender; *(Am)* road worker
wegwerpartikel disposable article; *(mv ook)* disposables
wegwerpbeker disposable cup
wegwerpmaatschappij consumer society
wegwezen clear off, clear out, push off, buzz off, scram: *jongens, ~!* let's get out of here!; *hé, jij daar, ~!* buzz off!, scram!
wegwijs familiar, informed
wegwijzer signpost
wegzakken sink
wegzetten set aside, put aside, put away *(of:* aside): *ik kon mijn auto nergens ~* I couldn't find anywhere to park
wegzinken sink, go under, subside
wei *zie* weide
weide 1 meadow; *(grasland)* pasture; grasslands 2 *(speelweide)* playground, playing field
weids grand
weifelachtig wavering, hesitant
weifelen waver, hesitate, be undecided: *na enig ~ koos ik het groene jasje* after some hesitation I opted for the green jacket
weigeraar refuser
[1]**weigeren** *intr* fail *(remmen); (vastzitten)* jam; be jammed: *de motor weigert* the engine won't start
[2]**weigeren** *tr* refuse, reject; turn down *(aanbod, kandidaat): een visum ~* withhold a visa; *iem iets ~* deny s.o. sth
weigering refusal; *(afwijzing)* denial
weiland pasture (land), grazing (land), meadow
[1]**weinig** *onbep vnw* little, not much, not a lot: *~ Engels kennen* not know much English; *~ of (tot) geen geld* little or no money; *er ~ van weten* not know a lot about it; *dat is veel te ~* that's insufficient (*of:* quite inadequate); *twintig pond te ~ hebben* be twenty pounds short
[2]**weinig** *bw* 1 little: *~ bekende feiten* little-known facts; *er ~ om geven* care little about it; *dat scheelt maar ~* it's a close thing 2 *(mbt tijd)* hardly ever: *~ thuis zijn* not be in often
[3]**weinig** *telw* few, not many: *slechts ~ huizen staan leeg* there are only a few unoccupied houses; *~ of (tot) geen mensen* few if any people
[1]**wekelijks** *bn* weekly: *onze ~e vergadering* our weekly meeting
[2]**wekelijks** *bw* 1 *(eens per week)* weekly, once a week, every week: *~ samenkomen* meet once a week 2 *(per week)* a week, per week: *hij verdient ~ 500 euro* he earns 500 euros a week
weken soak
[1]**wekenlang** *bn, bw* lasting several weeks
[2]**wekenlang** *bw* for weeks (on end)
wekken 1 wake (up); call *(op afspraak): tot leven ~* bring into being 2 *(opwekken)* awaken, arouse, stir, excite; create *(indruk)*
wekker alarm (clock): *de ~ op zes uur zetten* set the alarm for six (o'clock)
wekkerradio radio alarm (clock), clock radio
[1]**wel** *zn* welfare, well-being: *zijn ~ en wee* his fortunes
[2]**wel** *bw* 1 well: *en (dat) nog ~ op zondag* and on a Sunday, too! 2 *(nogal)* rather, quite: *het was ~ aardig* it was all right; *'hoe is het ermee?' 'het gaat ~'* 'how are you?' 'all right'; *ik mag dat ~* I quite like that; *het kan er ~ mee door* it'll do 3 *(vermoedelijk)* probably: *het zal ~ lukken* it'll work out (all right); *dat zal ~ niet* I suppose not; *je zult ~ denken* what will you think?; *hij zal het ~ niet geweest zijn* I don't think it was him; *dat kan ~ (zijn)* that may be (so); *hij zal nu ~ in bed liggen* he'll be in bed by now 4 *(met ev)* as much as; *(met mv)* as many as; *(met aantal)* as often as: *dat kost ~ 100 euro* it'll cost as much as 100 euro; *wat moet dat ~ niet kosten* I hate to think (of) what that costs 5 *(minstens)* at least, just as: *dat is ~ zo makkelijk* it would be a lot easier that way; *het lijkt me ~ zo verstandig* it seems sensible to me 6 *(helemaal)* completely, all: *we zijn gezond en ~ aangekomen* we arrived safe and sound || *och, ik mag hem ~* oh, I think he's all right; *dat dacht ik ~* I thought as much; *wat zullen de mensen er ~ van zeggen?* what'll people say?; *heeft hij het ~ gedaan?* did he really do it?; *hij komt ~* he will come (all right); *kom jij? misschien ~!* will you come?, I might!; *het is wél waar* but it ís true; *'ik doe het niet', 'je doet het ~!'* 'I won't do it', 'oh yes you will!'; *jij wil niet? ik ~!* you don't want to? well I do!; *liever ~ dan niet* as soon as not; *nietes! wélles!: a)* 'tisn't! 'tis!, *(Am)* it isn't, it is so! (*of:* too!); *b) (afhankelijk van ww in voorafgaande zin)* didn't! did!; *~ eens* once

in a while, *(vragend)* ever; *dat komt ~ eens voor* it happens at times; *heb je ~ eens Japans gegeten?* have you ever eaten Japanese food?; *dát ~* granted, agreed; *hij wou ~* he was all for it

[3]**wel** *tw* well, why: *~? wat zeg je daarvan?* well? what do you say to that? || *~ allemachtig!* well I'll be damned!; *~ nee!* of course not!

welbekend well-known, famous; *(vertrouwd)* familiar

welbespraakt eloquent

welbewust deliberate, well-considered

weldaad benefaction, charity

weldadig benevolent

weldoener benefactor

weldra presently

weleens once in a while, sometimes: *wil je ~ luisteren!* will you just listen (to me)!

weleer olden days *(of:* times)

welgemanierd well-mannered

welgemeend well-meaning, well-meant

welgesteld well-to-do, well-off

welgeteld all-in-all, all told

welig luxuriant, abundant

welingelicht well-informed

weliswaar it's true, to be sure: *ik heb het ~ beloofd, maar ik kan het nu niet doen* I did promise (, it's true), but I cannot do it now

[1]**welk** *onbep vnw (*vaak met *ook)* whatever, any (... what(so)ever); *(iets uit een beperkt aantal)* whichever; any: *~e kleur je ook (maar) wilt, om het even ~e kleur je wilt* take any colour whatsoever; *om ~e reden ook* for any reason whatsoever; *~e van de twee je ook kiest* whichever of the two you choose; *(geef me er maar een,) het geeft niet ~e* any (of them) will do, *(van 2)* either (of them) will do

[2]**welk** *vr vnw* which, what; *(zelfst)* which one: *om ~e reden?, met ~e bedoeling?* what for?; *~e van die twee is van jou?* which of those two is yours?

[3]**welk** *betr vnw* 1 *(personen)* who; whom; *(zaken, dieren)* which: *de man ~e u gezien hebt, is hier* the man (whom) you saw is here 2 *(bijvoeglijk)* which: *wij verkopen koffie en thee, ~e artikelen veel aftrek vinden* we sell coffee and tea, (articles) which are much in demand; *... vanuit ~e overtuiging hij ertoe overging om ...* ... from which conviction he proceeded to ...

welkom welcome: *je bent altijd ~* you're always welcome; *iem hartelijk ~ heten* give s.o. a hearty *(of:* cordial) welcome || *~ thuis* welcome home

welles yes, it is *(of:* does): *nietes! ~!* it isn't! it is!

welletjes quite enough: *'t is zo ~* that will do

wellicht perhaps, possibly

wellustig sensual, voluptuous

welnu well then: *~, laat eens horen* well then, tell me (your story)

welopgevoed well-bred: *~e kinderen* well brought up children

weloverwogen 1 (well-)considered: *in ~ woorden* in measured words 2 *(doelbewust)* deliberate: *iets ~ doen* do sth deliberately

welp 1 cub 2 *(padvinder)* Cub Scout

welstand 1 good health 2 well-being

welste: *een succes van je ~* a howling success

welterusten goodnight, sleep well

welvaart prosperity

welvaartsmaatschappij affluent society

welvaartsstaat welfare state

welvarend thriving; *(mbt personen ook)* well-to-do

welverdiend well-deserved *(lof);* well-earned *(salaris, rust);* just

welwillend kind, sympathetic; favourable *(kijk): ~ staan tegenover iets* be favourably disposed towards sth

welwillendheid benevolence, kindness: *dankzij de ~ van* by *(of:* through) the courtesy of

welzijn welfare, well-being

welzijnssector (field of) welfare

welzijnswerk welfare work, social work

wemelen teem (with), swarm (with): *zijn opstel wemelt van de fouten* his essay is full of mistakes

[1]**wenden** *tr* turn (about): *hoe je het ook wendt of keert* whichever way you look at it

[2]**wenden, zich** (met *tot*) turn (to), apply (to)

wending turn: *het verhaal een andere ~ geven* give the story a twist

wenen weep

Wenen Vienna

wenk sign, wink, nod

wenkbrauw (eye)brow: *de ~en fronsen* frown

wenkbrauwpotlood eyebrow pencil

wenken beckon, signal, motion

wennen 1 get *(of:* become) used (to), get *(of:* become) accustomed (to): *dat zal wel ~* you'll get used to it 2 *(aarden)* adjust, settle in *(of:* down)

wens 1 wish, desire: *zijn laatste ~* his dying wish; *mijn ~ is vervuld* my wish has come true; *het gaat naar ~* it is going as we hoped it would; *is alles naar ~?* is everything to your liking? 2 *(wat men iem toewenst)* wish, greeting: *de beste ~en voor het nieuwe jaar* best wishes for the new year

wenselijk desirable; *(raadzaam)* advisable: *ik vind het ~ dat ...* I find it advisable to ...

wensen wish, desire: *dat laat aan duidelijkheid niets te ~ over* that is perfectly clear; *nog veel te ~ overlaten* leave a lot to be desired; *ik wens met rust gelaten te worden* I want to be left alone; *iem goede morgen* (of: *een prettige vakantie*) ~ wish s.o. good morning *(of:* a nice holiday)

wenskaart greetings card

wentelen roll, turn (round), revolve

wenteltrap spiral staircase, winding stairs *(of:* staircase)

wereld world, earth: *zij komen uit alle delen van de ~* they come from the four corners *(of:* from every corner) of the world; *aan het andere eind van de ~* on the other side of the world; *wat is de ~*

toch klein! isn't it a small world!; *de ~ staat op zijn kop* it's a mad (*of:* topsy-turvy) world; *een kind ter ~ brengen (helpen)* bring a child into the world; *de rijkste man ter ~* the richest man in the world; *er ging een ~ voor hem open* a new world opened up for him; *de derde ~* the Third World
Wereldbank World Bank
wereldbeeld world-view
wereldbeker *(sport)* World Cup
wereldberoemd world-famous
wereldbevolking world population
wereldbol (terrestrial) globe
werelddeel continent
Werelddierendag World Animal Day
wereldgeschiedenis world history
wereldhandel world trade, international trade
Wereldhandelscentrum World Trade Centre
wereldkampioen world champion
wereldkampioenschap world championship; *(Am)* world's championship
wereldleider world leader
Wereldnatuurfonds World Wildlife Fund
wereldomroep world service
wereldontvanger world(-band) receiver, short wave receiver
wereldoorlog world war: *de Tweede Wereldoorlog* the second World War, World War II
wereldpremière world première
wereldranglijst world rankings
wereldrecord world record
wereldrecordhouder world record holder
wereldreis journey around the world, world tour
wereldstad metropolis
wereldtentoonstelling world fair
wereldvreemd unworldly; *(onrealistisch)* other-worldly
wereldwijd worldwide
wereldwinkel third-world (aid) shop
wereldwonder: *de zeven ~en* the Seven Wonders of the World
weren avert, prevent, keep out
werf 1 shipyard; dockyard *(ook marinewerf)*: *een schip van de ~ laten lopen* launch a ship 2 *(opslagplaats)* yard 3 *(Belg)* (building) site
werk work, job, task: *het verzamelde ~ van W.F. Hermans* W.F. Hermans' (collected) works; *ze houden hier niet van half ~* they don't do things by halves here; *dat is een heel ~* it's quite a job; *het is onbegonnen ~* it's a hopeless task; *aangenomen ~* contract work; *(vast) ~ hebben* have a regular job; *aan het ~ gaan* set to work; *aan het ~ houden* keep going; *iedereen aan het ~!* everybody to their work!; *iem aan het ~ zetten* put (*of:* set) s.o. to work; *er is ~ aan de winkel* there is work to be done; *~ in uitvoering* roadworks; *ieder ging op zijn eigen manier te ~* everyone set about it in their own way || *ze wilden er geen ~ van maken* they didn't want to take the matter in hand; *alles in het ~ stellen* make every effort to
werkbaar workable, feasible
werkbalk *(comp)* tool bar
werkbank bench; (work)bench *(voor houtbewerken e.d.)*
werkbespreking *(ongev)* discussion of progress
werkbezoek working visit
werkbij worker (bee)
werkdag working day, workday, weekday
werkdruk pressure of work
werkelijk real; *(waar)* true
werkelijkheid reality: *de alledaagse ~* everyday reality; *~ worden* come true; *in ~* actually; *dat is in strijd met de ~* that conflicts with the facts
werkeloos 1 idle 2 *(zonder baan)* unemployed
werken 1 work; *(techn ook)* operate: *de tijd werkt in ons voordeel* time is on our side; *iem hard laten ~* work s.o. hard; *hard ~* work hard; *aan iets ~* work at (*of:* on) sth; *~ op het land* work the soil (*of:* land) 2 *(van apparaten)* work, function: *dit apparaat werkt heel eenvoudig* this apparatus is simple to operate; *zo werkt dat niet* that's not the way it works 3 *(uitwerking hebben)* work, take effect: *de pillen begonnen te ~* the pills began to take effect || *zich kapot ~* work one's fingers to the bone; *een ongewenst persoon eruit ~* get rid of an unwanted person
werkend working; *(als werknemer ook)* employed: *snel ~e medicijnen* fast-acting medicines
werker worker
werkervaring work experience
werkgeheugen *(comp)* main memory
werkgelegenheid employment
werkgever employer
werkgeversorganisatie employers' organization (*of:* federation)
werkgroep study group, working party
werking 1 working, action, functioning: *buiten ~* out of order; *de wet treedt 1 januari in ~* the law will come into force (*of:* effect) on January 1st 2 *(uitwerking)* effect(s)
werkje *(patroon)* pattern
werkkamer study
werkkast broom cupboard
werkkleding workclothes, working clothes
werkklimaat work climate, work atmosphere
werkkracht worker, employee
werkkring post, job; *(werkomgeving)* working environment
werkloos unemployed, out of work (*of:* a job)
werkloosheid unemployment
werkloze unemployed person
werknemer employee
werknemersorganisatie (trade) union
werkonderbreking (work) stoppage, walkout
werkplaats workshop, workplace
werkruimte workroom
werksituatie work situation
werkstation *(comp)* workstation
werkster 1 (woman, female) worker 2 *(schoon-*

maakster) cleaning lady
werkstraf community service
werkstudent student working his way through college with a (part-time) job
werkstuk 1 piece of work 2 *(ond)* paper, project
werktafel work table, desk
werkterrein working space, work area
werktijd working hours; *(op kantoor)* office hours: *na ~* after hours
werktuig tool *(ook fig)*; piece of equipment, machine
werktuigbouwkunde mechanical engineering
werkuur working hour, hour of work
werkvergunning work permit
werkvloer shop floor
werkweek 1 (working) week 2 *(mbt school)* study week, project week: *op ~ zijn* have a study week (*of:* project week)
werkwijze method (of working); procedure *(van personen, commissies)*; (manufacturing) process *(bij fabricage)*; routine: *dit is de normale ~* this is (the) standard (operating) procedure
werkwillige non-striker
werkwoord verb: *onregelmatig ~* irregular verb
werkzaam 1 working, active; *(in dienst)* employed; engaged 2 *(actief)* active, industrious: *hij blijft als adviseur ~* he will continue to act as (an) adviser
werkzaamheden activities; *(verplichtingen, taken)* duties; operations *(mbt bedrijf)*; proceedings, business: *~ aan de metro* work on the underground
werkzoekende job-seeker, person in search of employment
werpen *(baren)* have puppies (*of:* kittens): *onze hond heeft (drie jongen) geworpen* our dog has had (three) pups
werper pitcher
werphengel casting rod
wervel vertebra
wervelend sparkling
wervelkolom vertebral column, spinal column, spine, backbone
wervelstorm cyclone, tornado, hurricane
wervelwind whirlwind, tornado: *als een ~* like a whirlwind
werven 1 recruit 2 *(Belg)* appoint
wervend attractive, compelling: *een ~e tekst* an attractive text
werving recruitment; *(soldaten ook)* enlistment; *(inschrijving)* enrolment: *~ en selectie* recruitment and selection
wesp wasp
wespennest wasps' nest
west 1 west(erly), westward; *(bw ook)* to the west 2 *(uit het westen)* west(erly); *(bw ook)* from the west
westelijk west, westerly, western, westward: *~ van* (to the) west of
westen west: *het ~ van Nederland* the west(ern part) of the Netherlands; *het wilde ~* the (Wild) West, the Frontier || *buiten ~ raken* pass out; *iem buiten ~ slaan* knock s.o. out (cold); *buiten ~ zijn (bewusteloos)* be out (cold)
westenwind west(erly) wind
westerlengte longitude west: *op 15° ~* at 15° longitude west
westerling Westerner; *(mbt een land)* westerner
[1]**westers** *bn ((als) in het westen)* western
[2]**westers** *bw* in a western fashion (*of:* manner)
West-Europa Western Europe
West-Europees West(ern) European
West-Indië (the) West Indies
westkust west coast
wet 1 law, statute: *een ongeschreven ~* an unwritten rule; *de ~ naleven* (of: *overtreden*) abide by (*of:* break) the law; *de ~ schrijft voor dat …* the law prescribes that …; *de ~ toepassen* enforce the law; *volgens de ~ is het een misdaad* it's a crime before the law; *volgens de Engelse ~* under English law; *bij de ~ bepaald* regulated by law; *in strijd met de ~* unlawful, against the law; *voor de ~ trouwen* marry at a registry office; *de ~ van Archimedes* Archimedes' principle 2 *(gezaghebbende gewoonte)* law, rule: *iem de ~ voorschrijven* lay down the law to s.o.
wetboek code, lawbook
[1]**weten** *zn* knowledge: *buiten mijn ~* without my knowledge; *naar mijn beste ~* to the best of my knowledge
[2]**weten** *tr* know, manage: *dat weet zelfs een kind!* even a fool knows that!; *ik had het kunnen ~* I might have known; *ik zal het u laten ~* I'll let you know; *~ te ontkomen* manage to escape; *ik zou weleens willen ~ waarom hij dat zei* I'd like to know why he said that; *daar weet ik alles van* I know all about it; *ik weet het!* I've got it!; *voor je het weet, ben je er* you're there before you know it; *ze hebben het geweten* they found out (to their cost); *hij wou er niets van ~* he wouldn't hear of it; *nu weet ik nóg niets!* I'm no wiser than I was (before)!; *je weet wie het zegt* look who is talking; *je moet het zelf (maar) ~* it's your decision; *je zou beter moeten ~* you should know better (than that); *hij wist niet hoe gauw hij weg moest komen* he couldn't get away fast enough; *als dat geen zwendel is dan weet ik het niet (meer)* if that isn't a fraud I don't know what is; *ik zou niet ~ waarom (niet)* I don't see why (not); *weet je wel, je weet wel* you know; *iets zeker ~* be sure about sth; *voor zover ik weet* as far as I know; *iets te ~ komen* find out sth; *als je dat maar weet!* keep it in mind!; *niet dat ik weet* not that I know; *weet je nog?* (do you) remember?; *weet ik veel!* search me! || *ik wist niet wat ik zag!* I couldn't believe my eyes!; *je weet ('t) maar nooit* you never know
wetenschap 1 *(het weten)* knowledge 2 *(studie)* learning; *(exacte vakken)* science; *(letteren, filoso-*

fie) scholarship; learning
wetenschappelijk scholarly; *(exact)* scientific: *voorbereidend ~ onderwijs* pre-university education; *~ personeel* academic staff, *(Am)* faculty
wetenschapper scholar; *(exacte vakken)* scientist; academic
wetgevend legislative
wetgever legislator
wetgeving legislation
wethouder alderman, (city, town) councillor: *de ~ van volkshuisvesting* the alderman for housing
wetsartikel section of a *(of:* the) law
wetsdienaar police officer
wetsontwerp bill: *een ~ aannemen* pass (*of:* adopt) a bill
wetsovertreding violation of a *(of:* the) law
wetswinkel law centre
wettelijk legal, statutory: *~e aansprakelijkheid* legal liability; *~e-aansprakelijkheidsverzekering* third-party insurance
wettig legal; *(erkend, rechtmatig)* legitimate; valid: *de ~e eigenaar* the rightful owner
weven weave
wever weaver
wezel weasel: *zo bang als een ~* as timid as a hare
[1]**wezen** *zn* **1** being, creature: *geen levend ~ te bespeuren* not a living soul in sight **2** *(essentie)* being, nature; *(substantie)* essence; *(substantie)* substance: *haar hele ~ kwam ertegen in opstand* her whole soul rose against it
[2]**wezen** *ww* be: *dat zal wel waar ~!* I bet!; *kan ~, maar ik mag hem niet* be that as it may, I don't like him; *wij zijn daar ~ kijken* we've been there to have a look; *laten we wel ~* (let's) be fair (*of:* honest) (now); *een studie die er ~ mag* a substantial study; *weg ~!* off with you!
wezenlijk essential: *van ~ belang* essential, of vital importance; *een ~ verschil* a substantial difference
wezenloos vacant: *zich ~ schrijven* write oneself silly; *zich ~ schrikken* be scared out of one's wits
whisky whisky: *Amerikaanse whiskey* bourbon; *Ierse whiskey* Irish whiskey; *Schotse ~* Scotch (whisky); *~ puur* a straight (*of:* neat) whisky
wichelroede divining rod, dowsing rod
wicht child
wie 1 *(vragend)* who; *(wiens)* whose; *(bij keuze uit twee of meer)* which: *van ~ is dit boek?* whose book is this?; *~ heb je gezien?* who have you seen?; *met ~ (spreek ik)?* who is this? (*of:* that?); *~ van jullie?* which of you?; *~ er ook komt, zeg maar dat ik niet thuis ben* whoever comes, tell them I'm out **2** who; *(wiens)* whose: *de man ~ns dood door ieder betreurd wordt* the man whose death is generally mourned; *het meisje (aan) ~ ik het boek gaf* the girl to whom I gave the book **3** *(welke persoon dan ook)* whoever: *~ anders dan Jan?* who (else) but John?; *~ dan ook* anybody, anyone, whoever || *~ niet akkoord gaat …* anyone who disagrees …
wiebelen 1 *(onvast staan)* wobble **2** *(schommelen, wippen)* rock: *ze zat te ~ op haar stoel* she was wiggling about on her chair
wieden weed
wieg cradle: *van de ~ tot het graf verzorgd* looked after from the cradle to the grave
wiegen rock
wiek 1 *(van molen)* sail, vane **2** *(vleugel)* wing
wiel wheel: *het ~ weer uitvinden* re-invent the wheel; *iem in de ~en rijden* put a spoke in s.o.'s wheel
wieldop hubcap
wielerbaan bicycle track, cycling track
wielersport (bi)cycling
wielklem wheel clamp
wielrennen (bi)cycle racing
wielrenner (racing) cyclist, bicyclist, cycler
wieltje (little) wheel; *(zwenkwieltje)* castor: *dat loopt op ~s* that's running smoothly
wienerschnitzel Wiener schnitzel
wiens whose
wier 1 alga **2** *(zeegras)* seaweed
wierook incense: *~ branden* burn incense
wiet weed, grass
wig wedge
wigwam wigwam
wij we: *(beter) dan ~* (better) than we are; *~ allemaal* all of us, we all
wijd 1 wide: *een ~e blik* a broad view; *met ~ open ogen* wide-eyed **2** *(ruim)* wide, loose: *~er maken* let out, enlarge *(kleren)* **3** *(van oppervlak)* wide, broad: *de ~e zee* the open sea
wijdbeens with legs wide apart
wijden 1 devote **2** *(godsd)* consecrate; *(een priester)* ordain: *gewijde muziek* sacred music
wijdte breadth, distance: *de ~ tussen de banken* the space between the benches
wijdverspreid widespread; *(min ook)* rife; rampant
wijf bitch: *een oud ~* an old bag
wijfje female
wijk district, area: *de deftige ~en* the fashionable areas
wijkagent policeman on the beat, local bobby
wijkcentrum community centre
wijken give in (to), give way (to), yield (to): *hij weet van geen ~* he sticks to his guns
wijkverpleegkundige district nurse
wijlen late, deceased: *~ de heer Smit* the late Mr Smit
wijn wine: *oude ~ in nieuwe zakken* old wine in new bottles
wijnfles wine bottle
wijngaard vineyard
wijnhandelaar wine merchant
wijnkaart wine list
wijnkenner connoisseur of wine
wijnstok (grape)vine
wijnstreek wine(-growing) region

wijnvlek birthmark

[1]**wijs** *zn* 1 way, manner: *bij wijze van spreken* so to speak, as it were; *bij wijze van uitzondering* as an exception 2 *(melodie)* tune: *hij kan geen ~ houden* he sings (*of:* plays) out of tune; *van de ~ raken* get in a muddle; *iem van de ~ brengen* put s.o. out (*of:* off) his stroke; *hij liet zich niet van de ~ brengen* he kept a level head (*of:* his cool) || *onbepaalde ~* infinitive

[2]**wijs** *bn, bw* wise: *ben je niet (goed) ~?* are you mad? (*of:* crazy?); *ik werd er niet wijzer van* I was none the wiser for it; *ik kan er niet ~ uit worden* I can't make head or tail of it

wijsbegeerte philosophy

wijsgeer philosopher

wijsheid wisdom; *(uitspraak)* piece of wisdom: *hij meent de ~ in pacht te hebben* he thinks he knows it all

wijsheidstand *(Belg)* wisdom tooth

wijsje tune

wijsmaken fool, kid: *laat je niks ~!* don't buy that nonsense!

wijsneus know(-it)-all

wijsvinger forefinger

wijten blame (s.o. for sth)

wijwater holy water

wijze 1 manner, way 2 wise man *(of:* woman); *(geleerde)* learned man *(of:* woman)

[1]**wijzen** *intr* 1 point: *naar een punt ~* point to a spot; *(fig) met de vinger naar iem ~* point the finger at s.o.; *er moet op worden gewezen dat …* it should be pointed out that … 2 *(aanduiden)* indicate: *alles wijst erop dat …* everything seems to indicate that …

[2]**wijzen** *tr* show, point out: *de weg ~* lead (*of:* show) the way

[3]**wijzen, zich** show: *dat wijst zich vanzelf* that is self-evident

wijzer indicator; *(van klok)* hand; pointer: *met de ~s van de klok mee* clockwise

wijzerplaat dial

wijzigen alter, change

wijziging alteration, change: *~en aanbrengen in* make changes in

wikkel wrapper

wikkelen wind; *(inpakken)* wrap (up); enfold

wil will; *(wens)* wish: *geen eigen ~ hebben* have no mind of one's own; *met een beetje goeie ~ gaat het best* with a little good will it'll all work out; *een sterke ~ hebben* be strong-willed; *zijn ~ is wet* his word is law; *ter ~le van* for the sake of

[1]**wild** *zn* 1 game: *~, vis en gevogelte* fish, flesh and fowl 2 *(wilde staat)* wild: *in het ~ leven* (of: *groeien*) live (*of:* grow) (in the) wild

[2]**wild** *bn, bw* wild: *~e dieren* wild animals; *~ enthousiast zijn over iets* go overboard about sth; *in het ~e (weg)* at random

wilde savage

wildernis wilderness

wildgroei proliferation

wildkamperen camp wild

wildpark wildlife park; *(voor de jacht)* game park (*of:* reserve)

wildplassen urinate in public

wildvreemd completely strange, utterly strange: *een ~ iemand* a perfect stranger

wildwestfilm western

wilg willow (tree)

wilgen willow

wilgenhout willow (wood)

Wilhelmus Wilhelmus, Dutch national anthem

willekeur 1 will; *(vrijheid van handelen)* discretion: *naar ~* at will, at one's (own) discretion 2 *(onrechtvaardige, grillige handelwijze)* arbitrariness, unfairness; *(grillig)* capriciousness

willekeurig 1 arbitrary; *(toevallig, op goed geluk)* random; *(lukraak)* indiscriminate: *neem een ~e steen* take any stone (you like) 2 *(eigenmachtig)* arbitrary, high-handed; *(grillig)* capricious

[1]**willen** *intr, tr* want, wish, desire: *het is (maar) een kwestie van ~* it's (only) a matter of will; *ik wil wel een pilsje* I wouldn't mind a beer; *wil je wat pinda's?* would you like some peanuts?; *ik wil het niet hebben (verbod)* I won't have (*of:* allow) it; *niet ~ luisteren* refuse to listen; *ik wil niets meer met hem te maken hebben* I've done with him; *ik wil wel toegeven dat …* I'm willing to admit that …; *ik wou net vertrekken toen …* I was just about (*of:* going) to leave when …; *dat had ik best eens ~ zien!* I would have liked to have seen it!; *ja, wat wil je?* what else can you expect?; *wat wil je nog meer?* what more do you want?; *wilt u dat ik het raam openzet?* shall I open the window (for you)?; *ik wou dat ik een fiets had* I wish I had a bike; *of je wilt of niet* whether you want to or not; *we moesten wel glimlachen, of we wilden of niet* we could not help but smile (*of:* help smiling); *dat ding wil niet* the thing won't (*of:* refuses to) go; *de motor wil niet starten* the engine won't start || *men wil er niet aan* people are not buying (it), nobody is interested

[2]**willen** *hulpww (mbt een gebod, verzoek)* will, would: *wil je me de melk even (aan)geven?* could (*of:* would) you pass me the milk, please?; *wil je me even helpen?* would you mind helping me?

wilskracht will-power, will, backbone

wimpel pennon, pennant

wimper (eye)lash

wind wind; *(bries)* breeze; *(harde wind)* gale: *bestand zijn tegen weer en ~* be wind and weatherproof; *geen zuchtje ~* not a breath of wind, dead calm; *een harde* (of: *krachtige*) *~* a high (*of:* strong) wind; *de ~ gaat liggen* the wind is dropping; *de ~ van voren krijgen* get lectured at; *kijken uit welke hoek de ~ waait* see which way the wind blows; *de ~ mee hebben: a)* have the wind behind one; *b) (fig)* have everything going for one; *(fig) een waarschuwing in de ~ slaan* disregard a warn-

ing; *tegen de ~ in* against the wind, into the teeth of the wind; *het gaat hem voor de ~* he is doing well, he is flying high || *~en laten* break wind
windbuks air rifle, airgun
windei: *dat zal hem geen ~eren leggen* he'll do well out of it
winden wind, twist, entwine; *(een sjaal)* wrap
windenergie wind energy
winderig 1 windy, blowy; *(niet sterk)* breezy; *(sterk)* stormy; *(ve streek)* windswept 2 *(winden latend)* windy, flatulent
windhaan weathercock
windhond greyhound; *(kleine)* whippet
windhoos whirlwind
windjack windcheater; *(Am)* windbreaker
windjak windcheater
windkracht wind-force: *wind met ~ 7* force 7 wind(s)
windmolen windmill: *tegen ~s vechten* tilt at windmills, fight windmills
windmolenpark wind park *(of:* farm)
windowdressing window dressing
windrichting wind direction; *(mv ook)* points of the compass
windroos compass card
windscherm windbreak
windsnelheid wind speed
windstil calm, windless, still
windstoot gust (of wind); *(met regen)* squall
windstreek quarter, point of the compass
windsurfen go windsurfing
windsurfer windsurfer
windvlaag gust (of wind); *(plotseling en hevig)* blast; *(met regen)* squall
windwijzer weathercock, weathervane
wingerd (grape)vine
winkel shop, store: *een ~ in modeartikelen* a boutique, a fashion store; *~s kijken* go window-shopping
winkelbediende shop-assistant, counter-assistant, salesman, saleswoman
winkelcentrum shopping centre *(of:* precinct)
winkeldief shoplifter
winkelen shop, go shopping, do some *(of:* the) shopping
winkelgalerij (shopping-)arcade
winkelhaak 1 *(in kleding)* three-cornered tear, right-angled tear 2 *(gereedschap)* (carpenter's) square
winkelier shopkeeper, retailer, tradesman
winkelketen chain of shops *(of:* stores), store chain
winkelpersoneel shopworkers, shop staff *(of:* personnel)
winkelstraat shopping street
winkelwagen (shopping) trolley
winnaar winner, victor; *(mv; van team ook)* winning team
[1]**winnen** *intr, tr* win: *het ~de doelpunt* the winning goal; *je kan niet altijd ~* you can't win them all; *~ bij het kaarten* win at cards; *~ met 7-2* win 7-2, win by 7 goals *(of:* points) to 2; *(het) ~ van iem* beat s.o., have the better of s.o.
[2]**winnen** *tr* 1 *(door inspanning verkrijgen)* win, gain; *(erts)* mine; *(erts)* extract: *zout uit zeewater ~* obtain salt from sea water 2 *(tot voordeel verkrijgen)* win, gain; *(steun)* enlist; secure: *iem voor zich ~* win s.o. over
winning winning, extraction; *(herwinning)* reclamation
winst 1 profit; *(vaak mv, rendement)* return; *(van bedrijf, ook)* earning(s); *(mv; speel-, gokwinst)* winning: *netto ~* net returns *(of:* gain, profit); *~ behalen* (of: *opleveren)* gain *(of:* make, yield) a profit; *tel uit je ~* it can't go wrong; *op ~ spelen* play to win 2 *(voordeel)* gain, benefit, advantage: *een ~ van drie zetels in de Kamer behalen* gain three seats in Parliament
winstdeling profit-sharing, participation
winstgevend profitable, lucrative; *(belonend)* remunerative; *(fig)* fruitful; *(rendabel)* economic
winstmarge profit margin, margin of profit
winstpunt point (scored)
winstrekening statement of profits, profit account
winter winter: *hartje ~* the dead *(of:* depths) of winter; *we hebben nog niet veel ~ gehad* we haven't had much wintry weather *(of:* much of a winter) yet; *'s ~s* in (the) winter, in (the) wintertime
winteravond winter evening
winterdag winter('s) day
winterdepressie seasonal affective disorder, SAD
winterhanden chilblained hands
winterjas winter coat
winterkoninkje wren
wintermaanden winter months
winterpeen winter carrot
winters wintery: *zich ~ aankleden* dress for winter
winterslaap hibernation, winter sleep: *een ~ houden* hibernate
winterspelen winter Olympics
wintersport winter sports: *met ~ gaan* go skiing, go on a winter sports holiday
wintertijd wintertime, winter season
win-winsituatie win-win situation
wip 1 seesaw: *op de ~ zitten* have one's job on the line 2 *(sprong)* skip, hop: *met een ~ was hij bij de deur* he was at the door in one bound 3 *(plat)* lay, screw
wipneus turned-up nose, snub nose
[1]**wippen** *intr* 1 hop, bound; *(huppelen)* skip 2 *(zich snel bewegen)* whip, pop: *er even tussenuit ~* nip *(of:* pop) out for a while; *zij zat met haar stoel te ~ van ongeduld* she sat tilting her chair with impatience 3 *(op een wip)* play on a seesaw

[2]wippen *tr (verwijderen)* topple, overthrow, unseat
wirwar criss-cross, jumble, tangle; snarl *(draden, struiken);* maze *(straten): een ~ van steegjes* a rabbit warren
wiskunde mathematics
wiskundeknobbel gift *(of:* head) for mathematics
wiskundig mathematic(al)
wispelturig inconstant, fickle, capricious
[1]wissel *zn* 1 *(wisselspeler)* substitute, sub: *een ~ inzetten* put in a substitute 2 *(verandering)* change, switch
[2]wissel *zn (spoorw)* points, switch: *een ~ overhalen* (of: *verzetten*) change *(of:* shift) the points
wisselautomaat (automatic) money changer, change machine
wisselbeker challenge cup
[1]wisselen *intr (afwisselen)* change, vary
[2]wisselen *intr, tr* 1 change, exchange: *van plaats ~* change places 2 *(fin)* change, give change: *kunt u ~?* can you change this? 3 *(uitwisselen)* exchange; bandy *(woorden, complimenten): van gedachten ~ over* exchange views *(of:* ideas) about
wisselgeld *(kleingeld)* change, (small, loose) change: *te weinig ~ terugkrijgen* be shortchanged
wisseling 1 change, exchange 2 *(verandering)* change, changing, turn(ing)
wisselkoers exchange-rate, rate of exchange
wisselslag (individual) medley
wisselspeler substitute, reserve; sub
wisselstroom alternating current, AC
wisseltrofee challenge trophy
wisselvallig changeable, unstable; uncertain *(bestaan);* precarious *(bestaan)*
wisselwachter pointsman, signalman
wisselwerking interaction, interplay
wissen 1 wipe 2 *(video, audio)* erase; *(comp)* delete
wit 1 white 2 *(verkocht beneden de vastgestelde prijs)* cut-price
witjes pale, white: *~ om de neus zien* look white about the gills
witlof chicory
witregel extra space (between the lines)
Wit-Rus White Russian, Belorussian
Wit-Rusland White Russia, Belorussia
witteboordencriminaliteit white-collar crime
wittebrood white bread
wittebroodsweken honeymoon
wittekool white cabbage
witten whitewash
witwassen launder *(zwart geld)*
WK *afk van wereldkampioenschap* World Championship
wodka vodka
woede 1 rage, fury, anger: *buiten zichzelf van ~ zijn* be beside oneself with rage *(of:* anger) 2 *(manie)* mania
woedeaanval tantrum, fit (of anger)
woeden rage, rave
woedend furious, infuriated
woef bow-wow, woof
woekeraar usurer; *(zwarthandelaar)* profiteer
woekeren 1 practise usury; *(mbt zwarte handel)* profiteer 2 *(het uiterste voordeel trekken van)* make the most (of): *met de ruimte ~* use *(of:* utilize) every inch of space 3 *(groeien ten koste van iets anders) (onkruid)* grow rank *(of:* rampant)
woekering uncontrolled growth; *(planten)* rampant growth
woekerprijs usurious price, exorbitant price
[1]woelen *intr* 1 toss about: *zij lag maar te ~* she was tossing and turning 2 *(zich druk door elkaar bewegen)* churn (about, around)
[2]woelen *tr* 1 *(grond dooreen mengen)* turn up (the soil) 2 *(wroeten)* grub (up), root (out): *de varkens ~ de wortels bloot* the pigs are grubbing up the roots
woelig restless: *~e tijden* turbulent times
woensdag Wednesday: *'s ~s* Wednesday, *(iedere woensdag)* on Wednesdays
[1]woensdags *bn* Wednesday
[2]woensdags *bw (op woensdag)* on Wednesdays
woerd drake
woest 1 savage, wild: *een ~ voorkomen hebben* have a fierce countenance 2 *(ruw)* rude, rough 3 furious, infuriated: *in een ~e bui* in a fit of rage 4 *(mbt land) (braak)* waste; *(onbewoond)* desolate
woestijn desert
wok wok
wokken stir fry
wol wool: *zuiver ~* 100% *(of:* pure) wool
wolf wolf
wolfraam tungsten
Wolga Volga
wolindustrie wool industry
wolk cloud || *een ~ van een baby* a bouncing baby
wolkbreuk cloudburst
wolkenkrabber skyscraper
wolkje cloudlet, little cloud, small cloud: *er is geen ~ aan de lucht* there isn't a cloud in the sky
wollen woollen, wool
wollig woolly: *~ taalgebruik* woolly language
wolmerk wool mark
wolvin she-wolf
wond wound; *(in ongeluk enz.)* injury: *een gapende ~* a gaping wound, a gash; *Joris had een ~je aan zijn vinger* Joris had a cut *(of:* scratch) on his finger
wonder 1 wonder, miracle: *het is een ~ dat ...* it is a miracle that ...; *geen ~* no *(of:* small) wonder, not surprising 2 *(wonderbaarlijke zaak, persoon)* wonder, marvel: *de ~en van de natuur* the wonders *(of:* marvels) of nature || *~ boven ~* by amazing good fortune
wonderbaarlijk miraculous; *(vreemd)* strange; curious

wonderkind (child) prodigy
wonderlijk strange, surprising
wonderolie castor oil
wonen live: *op zichzelf gaan ~* set up house, go and live on one's own
woning house; *(thuis)* home: *iem uit zijn ~ zetten* evict s.o.
woningbouw house-building, house-construction: *sociale ~* council housing, *(Am)* public housing
woningbouwvereniging housing association *(of:* corporation)
woningbureau housing agent's *(of:* agency)
woninginrichting home furnishing(s)
woningmarkt housing market
woningnood housing shortage
woonachtig: *hij is ~ in Leiden* he is a resident of Leiden
woonboot houseboat
woonerf residential area (with restrictions to slow down traffic)
woongroep commune
woonhuis (private) house; *(thuis)* home
woonkamer living room
woonkeuken open kitchen, kitchen-dining room
woonomgeving environment
woonplaats (place of) residence, address; *(op formulieren)* city; *(op formulieren)* town
woonruimte (housing, living) accommodation
woonst *(Belg)* 1 house 2 *(woonplaats)* (place of) residence
woonwagen caravan; *(Am)* (house) trailer
woonwagenbewoner caravan dweller; *(Am)* trailer park resident
woonwagenkamp caravan camp; *(Am)* trailer camp
woon-werkverkeer commuter traffic
woonwijk residential area; *(vnl. sociale woningbouw)* housing estate; *(wijk ve stad)* district; quarter
woon-zorgcomplex sheltered accommodation
woord word: *in ~ en beeld* in pictures and text; *met andere ~en* in other words; *geen goed ~ voor iets over hebben* not have a good word to say about sth; *het hoogste ~ voeren* do most of the talking; *hij moet altijd het laatste ~ hebben* he always has to have the last word; *iem aan zijn ~ houden* keep (*of:* hold) s.o. to his promise; *het ~ geven aan* give the floor to; *zijn ~ geven* give one's word; *het ~ tot iem richten* address (*of:* speak to) s.o.; *iem aan het ~ laten* allow s.o. to finish (speaking); *in één ~* in a word, in sum (*of:* short); *op zijn ~en letten* be careful about what one says; *iem te ~ staan* speak to (*of:* see) s.o.; *niet uit zijn ~en kunnen komen* not be able to express oneself, fumble for words; *met twee ~en spreken (ongev)* be polite
woordblind dyslexic
woordblindheid dyslexia
woordelijk word for word; *(letterlijk)* literal(ly)
woordenboek dictionary: *een ~ raadplegen* consult a dictionary, refer to a dictionary
woordenlijst list of words; vocabulary *(vnl. in studieboeken)*
woordenschat 1 lexicon 2 *(van een persoon)* vocabulary
woordenwisseling 1 exchange of words, discussion 2 *(twistgesprek)* argument
woordgebruik use of words
woordje word: *een hartig ~ met iem spreken* give s.o. a (good) talking-to; *ook een ~ meespreken* say one's piece
woordkeus choice of words, wording
woordsoort part of speech
woordspeling pun, play on words
woordvoerder 1 speaker 2 *(namens anderen)* spokesman
woordvolgorde word order
[1]**worden** *intr (gaan kosten)* will be, come to, amount to: *dat wordt dan €2,00 per vel* that will be 2.00 euro per sheet
[2]**worden** *hulpww (met lijdende vorm)* be: *er werd gedanst* there was dancing; *de bus wordt om zes uur gelicht* the post will be collected at six o'clock
[3]**worden** *koppelww* 1 be, get: *het wordt laat* (of: *kouder*) it is getting late (*of:* colder); *hij wordt morgen vijftig* he'll be fifty tomorrow 2 become: *dat wordt niets* it won't work, it'll come to nothing; *wat is er van hem geworden?* whatever became of him?
work-out work-out
worm worm
worp throw(ing); *(sport ook)* shot
worst sausage: *dat zal mij ~ wezen* I couldn't care less
worstelaar wrestler
worstelen struggle; wrestle *(sport)*: *zich door een lijvig rapport heen ~* struggle (*of:* plough) (one's way) through a bulky report
worsteling struggle, wrestle
worstenbroodje *(ongev)* sausage roll
wortel root; *(groente)* carrot: *3 is de ~ van 9* 3 is the square root of 9
wortelteken radical sign
worteltje carrot
worteltrekken extraction of the root(s)
woud forest
woudloper trapper
wraak revenge, vengeance: *~ nemen op iem* take revenge on s.o.
wraakactie act of revenge (*of:* vengeance, retaliation)
wrak wreck: *zich een ~ voelen* feel a wreck
wrakhout (pieces of) wreckage; *(aangespoeld ook)* driftwood
wrakstuk piece of wreckage; *(mv ook)* wreckage
wrang 1 sour, acid 2 *(onaangenaam)* unpleasant, nasty; wry *(glimlach)*
wrap wrap

wrat wart
wreed cruel
wreedheid cruelty
wreef instep
wreken revenge; *(vergelding)* avenge: *zich voor iets op iem ~* revenge oneself on s.o. for sth
wreker avenger, revenger
wrevel resentment; *(sterker)* rancour
wrevelig 1 peevish, tetchy, grumpy **2** *(prikkelbaar)* resentful
wriemelen fiddle (with)
wrijven 1 rub: *neuzen tegen elkaar ~* rub noses **2** *(poetsen)* polish: *de meubels ~* polish the furniture
wrijving friction
wrikken lever, prize
1**wringen** *intr (knellen)* pinch
2**wringen** *intr, tr* **1** wring: *zich in allerlei bochten ~* wriggle, squirm **2** *(door draaien verplaatsen)* wring; press *(kaas)*
wringer wringer, mangle
wroeging remorse
1**wroeten** *intr* root, rout: *in iemands verleden ~* pry into s.o.'s past
2**wroeten** *tr* burrow, root (up): *de grond ondersteboven ~* root up the earth
wrok resentment, grudge; *(sterker)* rancour
wrong roll, wreath; *(krans)* chignon; bun
wuiven wave
wurgen strangle
wurgslang constrictor (snake)
1**wurm** *zn* worm
2**wurm** *zn* mite: *het ~ kan nog niet praten* the poor mite can't talk yet
wurmen squeeze, worm
WVC *afk van (ministerie van) Welzijn, Volksgezondheid en Cultuur* (Ministry of) Welfare, Health and Cultural Affairs
WW *afk van Werkloosheidswet* Unemployment Insurance Act: *in de WW lopen (zitten)* be on unemployment (benefit), be on the dole
WW-uitkering unemployment benefit(s)

xantippe Xanthippe
x-as x-axis
X-benen knock knees: ~ *hebben* be knock-kneed, have knock knees
X-chromosoom X chromosome
xenofobie xenophobia
xtc xtc
xylofoon xylophone

y

yang yang
y-as y-axis
Y-chromosoom Y chromosome
yen yen
yes: *reken maar van ~!* you bet!
yeti yeti
yin yin
yoga yoga
yoghurt yogurt

Z

zaad 1 seed 2 *(sperma)* sperm, semen
zaadcel germ cell; *(dier, mens)* sperm cell
zaaddodend spermicidal
zaaddonor sperm donor
zaaddoos seedbox, capsule
zaadlozing seminal discharge, ejaculation
zaag saw
zaagmachine saw
zaagmeel sawdust
zaagsel sawdust
zaagvormig *(plantk)* serrate
zaaien sow: *onrust ~* create unrest; *interessante banen zijn dun gezaaid* interesting jobs are few and far between
zaaier sower
zaaigoed sowing seed
zaak 1 thing; *(voorwerp)* object 2 *(aangelegenheid)* matter, affair, business: *de normale gang van zaken* the normal course of events; *zich met zijn eigen zaken bemoeien* mind one's own business; *dat is jouw ~* that is your concern; *de ~ in kwestie* the matter in hand 3 *(transactie)* business, deal: *goede zaken doen (met iem)* do good business (with s.o.); *er worden goede zaken gedaan in …* trade is good in …; *zaken zijn zaken* business is business; *hij is hier voor zaken* he is here on business 4 *(bedrijf)* business; *(winkel)* shop: *op kosten van de ~* on the house; *een ~ hebben* run a business; *een auto van de ~* a company car 5 *(wat gebeurd is)* case, things: *weten hoe de zaken ervoor staan* know how things stand, know what the score is 6 *(onderwerp)* point, issue: *dat doet hier niet(s) ter zake* that is irrelevant, that is beside the point; *kennis van zaken hebben* know one's facts, be well-informed (on the matter) 7 *(gerechtszaak)* case, lawsuit: *Maria's ~ komt vanmiddag voor* Maria's case comes up this afternoon 8 affair: *Binnenlandse Zaken* Home (*of:* Internal) Affairs; *Buitenlandse Zaken* Foreign Affairs 9 *(belang)* cause
zaakje little matter/business *(of:* affair, thing); *(transactie)* small deal; *(karwei)* job: *ik vertrouw het ~ niet* I don't trust the set-up
zaakvoerder *(Belg)* manager
zaal 1 room; *(zeer groot)* hall 2 *(sportzaal; ziekenhuiszaal)* hall; ward *(ve ziekenhuis)*; auditorium *(ve schouwburg)* 3 *(gebouw voor bijeenkomsten, uitvoeringen)* hall, house: *een stampvolle ~* a crowded (*of:* packed) hall, a full house; *de ~ lag plat* it brought the house down
zaalsport indoor sport
zaalvoetbal indoor football
zacht 1 soft; *(glad)* smooth: *een ~e landing* a smooth landing; *~e sector* social sector 2 *(mbt het weer)* mild 3 *(niet grof)* kind, gentle: *op zijn ~st gezegd* to put it mildly 4 *(niet luid)* quiet, soft: *met ~e stem* in a quiet voice
zachtboard softboard
zachtjes softly; *(stil)* quietly; *(bedaard)* gently: *~ doen* be quiet; *~ rijden* drive slowly; *~ aan!* easy does it!, take it easy!; *~!* hush!, quiet!
zachtzinnig 1 *(van karakter)* good-natured, mild(-mannered) 2 *(niet ruw)* gentle, kind(ly); *(teder)* tender
zadel saddle
zadelen saddle (up)
zagen 1 saw (up) 2 *(vormen)* saw, cut: *planken* (of: *figuren*) *~* saw into planks (*of:* shapes)
zagerij sawmill
zak 1 bag; *(groot)* sack: *een ~ patat* a bag (*of:* packet) of chips; *(fig) iem de ~ geven* give s.o. the sack, sack s.o. 2 *(van kledingstuk)* pocket: *geld op ~ hebben* have some money in one's pockets (*of:* on one) 3 *(bergplaats voor geld)* purse: *uit eigen ~ betalen* pay out of one's own purse 4 *(inform) (scheldwoord)* bore, jerk; *(sterker)* bastard
zakagenda pocket diary; *(Am)* (small) agenda
zakboekje (pocket) notebook
zakcentje pocket money
zakdoek handkerchief
zakelijk 1 business(like), commercial 2 *(niet persoonlijk)* business(like), objective 3 *(bondig, nuchter)* compact, concise: *een ~e stijl van schrijven* a terse style of writing 4 *(praktisch)* practical, real(istic); down-to-earth
zakenbrief business letter
zakencentrum business centre
zakenleven business (life), commerce
zakenman businessman: *een gewiekst ~* a shrewd (*of:* an astute) businessman
zakenreis business trip
zakenrelatie business relation
zakformaat pocket size
zakgeld pocket money, spending money, allowance
zakken 1 fall, drop; *(zinken)* sink: *in elkaar ~* collapse 2 *(lager van niveau)* fall (off), drop, come down, go down; *(verzakken)* sink: *de hoofdpijn is gezakt* the headache has eased; *het water is gezakt* the water has gone down (*of:* subsided) 3 *(niet slagen)* fail, go down
zakkenrollen pick pockets
zakkenroller pickpocket: *pas op voor ~s!* beware of pickpockets!
zaklamp (pocket) torch; *(Am)* flashlight
zaklantaarn (pocket) torch, flashlight

zakloep pocket magnifying glass
zaklopen (run a) sack race
zakmes pocket knife
zakrekenmachientje pocket calculator
zaktelefoon mobile phone, portable phone, cellphone
zalencentrum function rooms
zalf ointment, salve: *met ~ insmeren* rub ointment (*of:* salve) on
zalig gorgeous, glorious, divine
zalm salmon
zalven put (*of:* rub) ointment on
zalving anointment (with)
zand sand: *~ erover* let's forget it, let bygones be bygones
zandbak sandbox
zandbank sandbank
zanderig sandy
zandkasteel sandcastle
zandkorrel grain of sand
zandloper hourglass; *(mbt eieren koken)* egg-timer
zandpad sandy path
zandsteen sandstone
zandstorm sandstorm
zandstralen sandblast
zandvlakte sand flat, sand(y) plain
zandweg sand track (*of:* road), dirt track
zandzak sandbag
zang song, singing; warbling *(van vogels)*
zanger singer; *(vnl. jazz en pop)* vocalist
zangerig melodious; *(mbt intonatie)* sing-song
zangkoor choir
zangleraar singing teacher
zangvereniging choir, choral society
zangvogel songbird
zaniken nag; *(klagen)* moan; whine
zappen zap
[1]**zat** *bn* 1 *(voor zn)* drunken; *(na ww)* drunk 2 *(moe, beu)* fed up: *'t ~ zijn* be fed up (with it)
[2]**zat** *bw (in overvloed) (voor zn)* plenty; *(na zn)* to spare: *zij hebben geld ~* they have plenty (*of:* oodles) of money; *tijd ~* time to spare, plenty of time
zaterdag Saturday
zaterdags *bn* Saturday
zaterdags *bw (op zaterdag)* on Saturdays
zatlap boozer
ze 1 she, her: *ze komt zo* she is just coming 2 *(mv)* they, them: *roep ze eens* just call them; *daar moesten ze eens iets aan doen* they ought to do sth about that
zebra zebra
zebrapad pedestrian crossing, zebra crossing
zede 1 custom; *(gebruik)* usage: *~n en gewoonten* customs and traditions 2 *(mv) (ethische norm)* morals, manners
zedelijk moral
zedenleer *(Belg; ond.)* ethics
zedenpolitie vice squad
zedenzaak vice case
zedig modest
zee sea: *een ~ van tijd* oceans (*of:* heaps) of time; *aan ~* by the sea, on the coast; *met iem in ~ gaan* join in with s.o., throw in one's lot with s.o.
zeebanket seafood
zeebeving seaquake
zeebodem ocean floor, seabed, bottom of the sea
zeef sieve; *(vloeistoffen)* strainer: *zo lek als een ~ zijn* leak like a sieve
zeefdruk silk-screen (print)
zeegat tidal inlet (*of:* outlet)
zeehaven harbour, seaport
zeehond seal
zeekaart sea chart, nautical chart
zeeklimaat maritime climate, oceanic climate
zeekoe sea cow
Zeeland Zeeland
zeeleeuw sea lion
zeelieden seamen, sailors
zeelucht sea air
[1]**zeem** *zn* shammy, chamois
[2]**zeem** *zn* shammy, chamois
zeemacht navy; *(mv)* naval forces
zeeman sailor
zeemeermin mermaid
zeemeeuw (sea)gull
zeemijl nautical mile
zeemleer chamois (*of:* shammy) leather, wash-leather
zeemleren chamois, shammy
zeep 1 soap 2 *(schuim)* (soap)suds || *iemand om ~ brengen* kill s.o., do s.o. in
zeepaardje sea horse
zeepbel (soap) bubble
zeepost overseas surface mail
zeeppoeder washing powder, detergent
zeepsop (soap)suds
[1]**zeer** *zn* pain, ache; sore: *dat doet ~* that hurts
[2]**zeer** *bn* sore, painful, aching: *een ~ hoofd* an aching head
[3]**zeer** *bw (in hoge mate)* very, extremely, greatly: *~ tot mijn verbazing* (very) much to my amazement
zeereis (sea) voyage; *(overtocht)* passage
zeerover pirate
zeeschip seagoing vessel, ocean-going vessel
zeeslag sea battle, naval battle; *(spel)* battleships
zeespiegel sea level
Zeeuws Zeeland *(voor zn)*
Zeeuws-Vlaanderen Zeeland Flanders
zeevaart seagoing; *(als branche)* shipping
zeevaartschool nautical college
zeevis saltwater fish, sea fish
zeewaardig seaworthy
zeewater seawater, salt water
zeewier seaweed
zeeziek seasick
zege victory, triumph; *(vnl. sport)* win

[1]**zegel** *zn (op brieven)* stamp
[2]**zegel** *zn (zegelafdruk)* seal: *zijn ~ ergens op drukken, zijn ~ hechten aan iets* set one's seal on sth, give one's blessing to sth
zegelring signet ring
zegen 1 blessing; *(kerk ook)* benediction: *(iron) mijn ~ heb je (voor wat het waard is)* you've got my blessing(, for what it's worth) 2 *(iets heilzaams)* blessing, boon: *dat is een ~ voor de mensheid* that is a blessing (*of:* boon) to mankind
zegenen bless
zegevieren triumph
zeggen 1 say, tell: *wat wil je daarmee ~?* what are you trying to say?, what are you driving at?; *wat ik ~ wou* by the way; *wat zegt u?* (I beg your) pardon?, sorry?; *wie zal het ~?* who can say? (*of:* tell?); *(in winkel) zegt u het maar* yes, please?; *zeg dat wel* you can say that again; *men zegt dat hij heel rijk is* he is said (*of:* reputed) to be very rich; *wat zeg je me daarvan!* how about that!, well I never!; *dat is toch zo, zeg nou zelf* it is true, admit it; *hoe zal ik het ~?* how shall I put it?; *nou je het zegt* now (that) you mention it; *zo gezegd, zo gedaan* no sooner said than done; *zonder iets te ~* without (saying) a word; *zeg maar 'Tom'* call me 'Tom'; *niets te ~ hebben* have no authority, have no say 2 *(betekenen)* say, mean: *dat wil ~* that means, i.e., that is (to say) 3 *(bewijzen)* say, prove 4 *(schriftelijk)* say, state || *laten we ~ dat …* let's say that …
zegje: *ieder wil zijn ~ doen* everyone wants to have their say
zegswijze phrase, saying
zeik *(inform)* piss
zeiken *(inform)* 1 *(plassen)* piss 2 *(zeuren)* go on, harp (*of:* carry) on
zeikerd *(inform)* bugger
zeikerig *(inform)* fretful, whiny
zeiknat *(inform)* sopping (wet)
zeil 1 sail: *alle ~en bijzetten* employ full sail, pull out all the stops; *onder ~ gaan: a)* set sail; *b) (fig)* doze off 2 *(vloerbedekking)* floor covering 3 canvas, sailcloth; *(dekzeil)* tarpaulin
zeilboot sailing boat
zeilen sail
zeiler yachtsman, yachtswoman, sailor
zeiljacht yacht
zeilplank *(sport)* sailboard
zeilsport sailing
zeis scythe
zeker 1 safe: *(op) ~ spelen* play safe; *hij heeft het ~e voor het onzekere genomen* he did it to be on the safe side 2 *(overtuigd, betrouwbaar)* sure, certain: *iets ~ weten* know sth for sure; *om ~ te zijn* to be sure; *vast en ~!, (Belg) ~ en vast!* definitely 3 *(waarschijnlijk) (bw)* probably: *je wou haar ~ verrassen* I suppose you wanted to surprise her; *je hebt het ~ al af* you must have finished it by now || *~ niet* certainly not; *op ~e dag* one day; *een ~e meneer Pietersen* a (certain) Mr Pietersen
zekerheid 1 safety; *(bewaring)* safe keeping: *iem een gevoel van ~ geven* give s.o. a sense of security; *voor alle ~* for safety's sake, to make quite sure 2 *(stelligheid)* certainty; *(overtuiging)* confidence || *sociale ~* social security
zekering (safety) fuse: *de ~en zijn doorgeslagen* the fuses have blown
zelden rarely, seldom: *~ of nooit* rarely if ever
zeldzaam rare
zeldzaamheid rarity
zelf self, myself, yourself, himself, herself, itself, ourselves, yourselves, themselves, oneself: *~ een zaak beginnen* start one's own business; *~ gebakken brood* home-made bread; *ik kook ~* I do my own cooking; *al zeg ik het ~* although I say it myself; *het huis ~ is onbeschadigd* the house itself is undamaged
zelfbediening self-service
zelfbedieningsrestaurant self-service restaurant
zelfbeheersing self-control: *zijn ~ verliezen* lose control of oneself
zelfbewust self-confident, self-assured
zelfbewustheid self-confidence, self-assurance
zelfde similar, very (same): *in deze ~ kamer* in this very room
zelfdiscipline self-discipline
zelfdoding suicide
zelfmedelijden self-pity
zelfmoord suicide: *~ plegen* commit suicide
zelfmoordterrorist suicide bomber *(of:* terrorist)
zelfontplooiing self-development; *(zelfverwerkelijking)* self-realization
zelfontspanner self-timer
zelfportret self-portrait
zelfrespect self-respect
zelfrijzend self-raising
zelfs even: *~ zijn vrienden vertrouwde hij niet* he did not even trust his friends; *~ in dat geval* even then so
zelfstandig independent; *(in eigen zaak)* self-employed: *een kleine ~e* a self-employed person
zelfstandigheid independence
zelfstudie private study, home study
zelfverdediging self-defence: *uit ~ handelen* act in self-defence
zelfvertrouwen (self-)confidence
zelfverzekerd (self-)assured
zelfwerkzaamheid self-activation; *(mbt leerlingen)* self-motivation; independence
zemelen bran *(geen mv)*
zemen leather
zenboeddhisme Zen (Buddhism)
zendamateur (radio) ham, amateur radio operator; *(MC'er)* CB-er
zendeling missionary
[1]**zenden** *intr* broadcast, transmit
[2]**zenden** *tr (sturen)* send: *iem om de dokter ~* send for the doctor

zender 1 broadcasting station, transmitting station 2 *(persoon)* sender 3 *(zendapparaat)* emitter, transmitter
zending supply; *(per post)* parcel; *(per post)* package
zendingswerk missionary work
zendinstallatie transmitting station *(of:* equipment)
zendmast (radio, TV) mast; *(heel hoog)* radio tower, TV tower
zendstation *(radio, tv)* broadcasting station, transmitting station
zendtijd broadcast(ing) time
zenuw nerve; *(mv)* nerves: *stalen ~en* nerves of steel; *de ~en hebben* have the jitters; *ze was óp van de ~en* she was a nervous wreck
zenuwachtig nervous: *~ zijn voor het examen* be jittery before the exam
zenuwachtigheid nervousness
zenuwcel neuron
zenuwgestel nervous system
zenuwslopend nerve-racking
zenuwstelsel nervous system
zenuwtrek tic: *een ~ in het ooglid* a twitch of the eyelid
zeppelin Zeppelin
zerk tombstone
zero tolerance zero tolerance
zes six; *(in data)* sixth: *hoofdstuk ~* chapter six; *iets in ~sen delen* divide sth into six (parts); *wij zijn met z'n ~sen* there are six of us; *met ~ tegelijk* in sixes; *~ min* barely a six; *voor dat proefwerk kreeg hij een ~* he got six for that test; *een ~je* six (out of ten), a mere pass mark
zesde sixth
zeshoek hexagon
zeshoekig hexagonal
zestal six
zestien sixteen; *(in data)* sixteenth
zestiende sixteenth
zestig sixty: *in de jaren ~* in the sixties; *voor in de ~ zijn* be just over sixty; *hij loopt tegen de ~* he is close on sixty, he is pushing sixty
zestigplusser over-60, senior citizen
zet 1 move: *een ~ doen* make a move; *jij bent aan ~* (it's) your move 2 *(duw)* push: *geef me eens een ~je* give me a boost, will you
zetbaas manager
zetel seat; *(Belg)* armchair
zetelen be established, have one's seat; reside
zetfout misprint
zetmeel starch
zetpil suppository
zetten 1 set, put; *(een zet doen)* move: *enkele stappen ~* take a few steps; *iem eruit ~* eject, evict s.o., throw s.o. out; *een apparaat in elkaar ~* fit together, assemble a machine, *(plannetje)* contrive, think up 2 *(koffie, thee)* make || *zet de muziek harder* (of: *zachter*) turn up *(of:* down) the music
zetter compositor
zetting setting
zetwerk typesetting
zeug sow
zeulen lug, drag
zeuren nag, harp; whine: *wil je niet zo aan mijn kop ~* stop badgering me; *iem aan het hoofd ~ (om, over)* nag s.o. (into, about)
[1]**zeven** *tr* sieve, sift; strain *(vloeistof)*
[2]**zeven** *telw* seven; *(in data)* seventh: *morgen wordt ze ~* tomorrow she'll be seven || *een ~ voor Nederlands* (a) seven for Dutch
zevende seventh
zeventien seventeen; *(in data)* seventeenth
zeventiende seventeenth
zeventig seventy
zever drivel
zeveren 1 slobber, slaver 2 *(kwijlen)* drivel
zgn. *afk van zogenaamd* so-called
zich 1 *(3e persoon)* himself, herself, itself, oneself, themselves; *(na vz)* him(self); her(self), it(self), one(self), them(selves): *geld bij ~ hebben* have money on one; *iem bij ~ hebben* have s.o. with one 2 yourself, yourselves: *vergist u ~ niet?* aren't you mistaken?
zicht 1 sight, view: *iem het ~ belemmeren* block s.o.'s view; *uit het ~ verdwijnen* disappear from view 2 *(inzicht)* insight
zichtbaar visible: *~ opgelucht* visibly relieved; *niet ~ met het blote oog* not visible to the naked eye
zichtbaarheid visibility, visibleness
zichtrekening *(Belg)* current account
zichzelf himself, herself, itself, oneself, themselves, self: *niet ~ zijn* not be oneself; *op ~ wonen* live on one's own; *tot ~ komen* come to oneself; *uit ~* of one's own accord; *voor ~ beginnen* start a business of one's own
ziedend seething, furious, livid
ziek ill, sick: *~ van iemands gezeur worden* get sick of s.o.'s moaning; *~ worden* fall ill *(of:* sick)
ziekbriefje sick note
zieke patient, sick person
ziekelijk 1 sickly 2 *(onnatuurlijk)* morbid, sick
ziekenauto ambulance
ziekenbezoek visit to a *(of:* the) patient
ziekenbroeder male nurse
ziekenfonds *(ongev)* (Dutch) National Health Service: *ik zit in het ~* I'm covered by the National Health Service
ziekenfondskaart *(ongev)* medical insurance card
ziekenhuis hospital
ziekenhuisopname hospitalization
ziekenverpleger nurse
ziekenzaal ward
ziekte 1 illness, sickness 2 *(een vorm van ziekte)* disease, illness: *de ~ van Weil* Weil's disease; *een ernstige ~* a serious disease *(of:* illness); *een ~ oplo-*

pen develop a disease (*of:* an illness)
ziektekiem germ (of a, the disease)
ziektekosten medical expenses
ziekteverlof sick leave
Ziektewet (Dutch) Health Law: *in de ziektewet lopen* be on sickness benefit (*of:* sick pay), *(Am)* be (out) on sick leave
ziel soul: *zijn ~ en zaligheid voor iets over hebben* sell one's soul for sth; *zijn ~ ergens in leggen* put one's heart and soul into sth; *hoe meer ~en, hoe meer vreugd* the more the merrier
zielenpiet poor soul
zielig 1 pitiful, pathetic: *ik vind hem echt ~* I think he's really pathetic; *wat ~!* how sad! 2 *(bekrompen)* petty
zielsgelukkig ecstatic, blissfully happy
zielsveel deeply, dearly: *~ van iem houden* love s.o. (with) heart and soul
[1]**zien** *intr* 1 see 2 *(kijken, er uitzien)* look: *Bernard zag zo bleek als een doek* Bernard was (*of:* looked) as white as a sheet 3 *(uitzicht geven)* look (out)
[2]**zien** *tr* 1 *(waarnemen, overwegen)* see: *(fig) iem niet kunnen ~* not be able to stand (the sight of) s.o.; *zich ergens laten ~* show one's face somewhere; *waar zie je dat aan?* how can you tell?; *ik zie aan je gezicht dat je liegt* I can tell by the look on your face that you are lying; *tot ~s* goodbye; *het niet meer ~ zitten* have had enough (of it), not be able to see one's way out (of a situation); *zie je, ziet u?* you see?, see? 2 *(proberen)* see (to it): *je moet maar ~ hoe je het doet* you'll just have to manage || *dat ~ we dán wel weer* we'll cross that bridge when we come to it
ziener seer
zier the least bit
ziezo there (we, you are)
zigeuner Gypsy
zigzag zigzag
zigzaggen zigzag
[1]**zij** *zn* side: *~ aan ~* side by side
[2]**zij** *zn (zijde)* silk
[3]**zij** *pers vnw* 1 she *(ev)* 2 they *(mv)*
zijde 1 side: *op zijn andere ~ gaan liggen* turn over; *van vaders ~* from one's father's side 2 *(spinsel van de zijderups)* silk
zijdeachtig silky
zijdelings indirect
zijden silk
zijderups silkworm
zijdeur side door
zijkant side
zijlijn 1 *(afsplitsing)* branch (line) 2 sideline; *(mbt voetbal, rugby e.d. ook)* touchline
[1]**zijn** *zn* being, existence
[2]**zijn** *intr* be: *er ~ mensen die ...* there are people who ...; *wat is er?* what's the matter?, what is it?; *we ~ er* here we are; *dat ~ mijn ouders* those are my parents; *dát is nog eens lopen* (now) that's what I call walking; *die beker is van tin* that cup is made of pewter; *als ik jou was, zou ik ...* if I were you, I would ...; *er was eens een koning ...* once (upon a time) there was a king ... || *Piet is voetballen* Piet is (out) playing football
[3]**zijn** *hulpww* 1 have: *er waren gunstige berichten binnengekomen* favourable reports had come in 2 be: *hij is ontslagen* he has been fired
[4]**zijn** *bez vnw* his, its, one's: *vader ~ hoed* father's hat; *dit is ~ huis* this is his house; *ieder het ~e geven* give every man his due
zijpad side path
zijrivier tributary
zijspan *(van motorfiets)* sidecar
zijspiegel wing mirror
zijspoor siding: *iem op een ~ brengen (zetten)* put s.o. on the sidelines, sideline s.o.
zijtak 1 side branch 2 *(aftakking)* branch
zijwaarts sideward, sideways
zijweg side road
zijwind side wind, crosswind
zilver silver
zilveren 1 silver 2 *(zilverkleurig)* silver(y)
zilveruitje pearl onion, cocktail onion
zin 1 *(taalk)* sentence 2 *(mv) (verstand)* senses: *bij ~nen komen* come to, come to one's senses 3 *(wil, mening)* mind: *zijn eigen ~ doen* do as one pleases; *zijn ~nen op iets zetten* set one's heart on sth 4 *(lust, wens)* liking: *ergens (geen) ~ in hebben* (not) feel like sth; *het naar de ~ hebben* find sth to one's liking; *~ of geen ~* whether you like it or not 5 *(betekenis)* sense, meaning: *in de letterlijke ~ van het woord* in the literal sense of the word 6 *(nut)* sense, point
zindelijk toilet-trained; *(dier)* clean; house-trained
zingen sing: *zuiver* (of: *vals*) *~* sing in (*of:* out) of tune
zink zinc
[1]**zinken** *bn (van zink)* zinc
[2]**zinken** *intr* sink: *diep gezonken zijn* have fallen low
zinloos 1 meaningless 2 *(nutteloos)* useless, futile: *het is ~ om ...* there's no sense (*of:* point) (in) ...(-ing)
zinloosheid 1 meaninglessness 2 *(nutteloosheid)* uselessness
zinnen: *dat zinde haar helemaal niet* she did not like that at all
zinnig sensible: *het is moeilijk daar iets ~s over te zeggen* it's hard to say anything meaningful about that
zinsbouw sentence structure
zinsdeel part (of a, the sentence); *(vragend)* tag
zinsverband context
zintuig sense
zintuiglijk sensual, sensory
zinvol significant; *(redelijk)* advisable; a good idea
zionisme Zionism

zippen *(comp)* zip, pack, compress
zit sit
zitbank *(canapé)* sofa, settee
zithoek sitting area
zitje 1 sit(-down); *(concreet)* seat *(op fiets e.d.)* **2** *(tafeltje met stoelen)* table and chairs
zitkamer living room
zitplaats seat
zitten 1 sit: *blijf ~: a)* stay sitting (down); *b) (form)* remain seated; *(school) ~ blijven* repeat a year; *gaan ~: a)* sit down; *b) (form)* take a seat; *zit je goed? (lekker?)* are you comfortable?; *aan de koffie ~* be having coffee; *waar zit hij toch?* where can he be?; *ernaast ~* be wrong, be out, be off (target); *wij ~ nog midden in de examens* we are still in the middle of the exams; *zonder benzine ~* be out of petrol; *(bijna) zonder geld ~* have run short of money **2** *(een functie bekleden)* be: *op een kantoor ~* be (*of:* work) in an office **3** *(mbt kleding)* fit: *goed ~* be a good fit **4** *(bezig zijn met)* be (… -ing), sit (… -ing): *we ~ te eten* we are having dinner (*of:* lunch); *in zijn eentje ~ zingen* sit singing to oneself || *met iets blijven ~* be left (*of:* stuck) with sth; *laat maar ~ (geen dank)* that's all right, (let's) forget it; *hij heeft zijn vrouw laten ~* he has left his wife (in the lurch); *met iets ~* be at a loss (what to do) about sth; *hoe zit het (dan) met …?* what about … (then)?; *(sport) de bal zit* it's a goal!, it has (gone) in!, it's in the back of the net!; *het blijft niet ~* it won't stay put; *hoe zit dat in elkaar?* how does it (all) fit together?, how does that work?; *daar zit wat in* you (may) have sth there, there's sth in that; *onder de modder ~* be covered with mud; *het zit er (dik) in* there's a good chance (of that (happening)); *eruit halen wat erin zit* make the most (out) of sth; *dat zit wel goed (snor)* that will be all right; *alles zit hem mee* (of: *tegen*) everything is going his way (*of:* against him); *hij zit overal aan* he cannot leave anything alone; *achter de meisjes aan ~* chase ((around) after) girls; *mijn taak zit er weer op* that's my job out of the way
zittenblijver repeater, pupil who stays down a class
zittend 1 sitting, seated **2** *(waarbij men veel zit)* sedentary **3** *(in functie zijnd)* incumbent
zitting 1 seat **2** *(vergadering)* session, meeting
zitvlak seat, bottom
zmlk-school *afk van school voor zeer moeilijk lerende kinderen* special school (for children with serious learning problems)
zmok-school *afk van school voor zeer moeilijk opvoedbare kinderen* special school (for children with serious behaviour problems)
[1]**zo** *bw* **1** so, like this (*of:* that), this way, that way: *zó doe je dat!* that's the way you do it!; *zó is het!* that's the way it is!; *als dat zo is …* if that's the case …; *zo zijn er niet veel* there aren't many like that; *zo iets geks heb ik nog nooit gezien* I've never seen anything so crazy; *zij heeft er toch zo een hekel aan* she really hates it; *een jaar of zo* a year or so **2** *(mbt maat, graad)* as, so: *het is allemaal niet zo eenvoudig* it's not as simple as it seems (*of:* as all that); *half zo lang* (of: *groot*) half as long (*of:* big); *hij is niet zo oud als ik* he is not as old as I am; *zo goed als ie kon* as well as he could; *zo maar* just like that, *(zonder toestemming te vragen)* without so much as a by-your-leave; *zo nu en dan* every now and then **3** *(zo meteen)* right away: *ik ben zo terug* I'll be back right away; *zo juist* just now || *het was maar zo zo* it was just so-so
[2]**zo** *vw* if: *zo ja, waarom; zo nee, waarom niet* if so, why; if not, why not; *je zult je huiswerk maken, zo niet, dan krijg je een aantekening* you must do your homework, otherwise you'll get a bad mark
[3]**zo** *tw* well, so: *goed zo, Jan!* well done, John!; *o zo!* so there; *zo, dat is dat* well (then), that's that; *mijn vrouw heeft een nieuwe computer aangeschaft! zo!* my wife has bought herself a new computer. Really?
zoab *afk van zeer open asfaltbeton* porous asphalt
zoals 1 like: *~ gewoonlijk* as usual **2** as: *~ je wilt* as (*of:* whatever) you like
zodat so (that), (so as) to: *ik zal het eens tekenen, ~ je kunt zien wat ik bedoel* I'll draw it so (that) you can see what I mean
zode turf: *dat zet geen ~n aan de dijk* that's no use, that won't get us anywhere
zodoende (in) this, (in) that way; *(daarom)* that's why, that's the reason
zodra as soon as: *~ ik geld heb, betaal ik u* I'll pay you as soon as I have the money; *~ hij opdaagt* the moment he shows up
zoek missing, gone: *~ raken* get lost || *op ~ gaan (zijn) naar iets* look for sth; *op ~ naar het geluk* in pursuit of happiness
zoekactie search (operation)
zoeken 1 look for, search for: *we moeten een uitweg ~* we've got to find a way out; *zoek je iets?* have you lost sth?; *hij wordt gezocht (wegens diefstal)* he is wanted (for theft) **2** *(trachten te verkrijgen, uit zijn op)* look for, search for, be after: *jij hebt hier niets te ~* you have no business (being) here; *zoiets had ik achter haar niet gezocht* I hadn't expected that of her
zoeklicht searchlight, spotlight
zoekmachine *(comp)* search engine
zoekmaken 1 mislay, lose **2** *(nutteloos besteden)* waste (on)
zoekplaatje *(ongev)* (picture) puzzle
zoekprogramma *(comp)* search engine
zoekraken get mislaid, be misplaced
zoektocht search (for), quest (for)
Zoeloe Zulu
zoemen buzz
zoemer buzzer
zoemtoon buzz; *(voortdurend)* hum; *(telefoon enz.)* tone; *(telefoon enz.)* signal
zoen kiss

zoenen kiss
zoet 1 sweet: *lekker* ~ nice and sweet **2** *(braaf)* sweet, good: *iem* ~ *houden* keep s.o. happy (*of:* quiet)
zoethoudertje sop
zoethout liquorice
zoetigheid sweet(s)
zoetje sweetener
zoetsappig namby-pamby, sugary
zoetwatervis freshwater fish
[1]**zoetzuur** *zn* (sweet) pickles
[2]**zoetzuur** *bn* **1** slightly sour *(of:* sharp) **2** *(ingemaakt)* pickled; *(saus)* sweet-and-sour
zoeven whizz (past)
zo-even *zie* zojuist
zogen breastfeed
zogenaamd so-called, would-be: *ze was ~ verhinderd* something supposedly came up (to prevent her from coming)
zoiets: ~ *heb ik nog nooit gezien* I have never seen anything like it; *er is ook nog ~ als* there is such a thing as
zojuist just (now)
[1]**zolang** *bw* meanwhile, meantime
[2]**zolang** *vw* as long as: *(voor)* ~ *het duurt (iron)* as long as it lasts
zolder attic, loft
zolderkamer attic room, room in the loft
zoldertrap attic stairs *(of:* ladder)
zomaar just (like that), without (any) warning: ~ *ineens* suddenly; *waarom doe je dat?* ~ why do you do that? just for the fun of it
zombie zombie
zomer summer: *van (in) de* ~ in the summer
zomeravond summer('s) evening
zomerdag summer('s) day
zomers summery
zomerspelen summer games, Summer Olympics
zomertijd summer(time); *(tijdregeling)* summer time
zomervakantie summer holiday
zon sun: *de ~ gaat op* (of: *gaat onder*) the sun is rising (*of:* setting); *er is niets nieuws onder de* ~ there is nothing new under the sun; *af en toe* ~ sunny periods
zo'n 1 such (a): *in ~ geval zou ik niet gaan* I wouldn't go if that were the case **2** such (a): *ik heb ~ slaap* I am so sleepy **3** *(soortgelijk)* just like **4** *(zo ongeveer)* about **5** *(willekeurig)* one of those || ~ *beetje* more or less; *ik vind haar ~ meid* I think she's a terrific girl
zondaar sinner
zondag Sunday
[1]**zondags** *bn* Sunday
[2]**zondags** *bw* on Sundays
zondagskind Sunday's child
zonde 1 sin **2** *(jammer)* shame: *het zou ~ van je tijd zijn* it would be a waste of time
zondebok scapegoat, whipping boy
zonder without || ~ *meer* just like that, of course, without delay
zonderling strange character, odd character
zondig sinful
zondigen sin
zondvloed Flood
zone zone; *(vnl. mbt gewassen)* belt
zoneclips solar eclipse
zonenummer *(Belg)* area code
zonkracht sunpower
zonlicht sunlight
zonnebaden sunbathe
zonnebank sunbed, solarium
zonnebloem sunflower
zonnebrand sunburn
zonnebrandolie sun(tan) oil
zonnebril sunglasses
zonnecel solar cell
zonne-energie solar energy
zonnehemel sunbed
zonneklep (sun) visor
zonnen sunbathe
zonnepaneel solar panel
zonnescherm *(voor een venster)* (sun)blind; parasol
zonneschijn sunshine
zonneslag sunstroke
zonnesteek sunstroke: *een ~ krijgen* get sunstroke
zonnestelsel solar system
zonnestraal ray of sun(shine)
zonnetje 1 little sun; *(fig)* little sunshine **2** *(zonneschijn)* sun(shine): *iem in het ~ zetten (iem prijzen)* make s.o. the centre of attention
zonnewende solstice
zonnewijzer sundial
zonnig sunny: *een ~e toekomst* a bright future
zonsondergang sunset
zonsopgang sunrise
zonsverduistering eclipse of the sun
zonwering awning, sunblind; *(jaloezie)* (venetian) blind
zoogdier mammal
zooi 1 mess **2** *(hoeveelheid)* heap, load
zool 1 sole **2** *(inlegstuk)* insole
zoölogie zoology
zoölogisch zoological
zoom 1 hem **2** *(buitenrand)* edge: *aan de ~ van de stad* at the edge (*of:* on the outskirts) of the city
zoomlens zoom lens
zoon son: *Angelo is de jongste* ~ Angelo is the youngest (*of:* younger) son; *de oudste ~: a)* the oldest son; *b) (van 2)* the elder son; *c) (van 3 of meer)* the eldest son
zootje 1 *(hoeveelheid)* heap, load: *het hele* ~ the whole lot **2** *(rommeltje)* mess
zorg 1 care, concern: *iets met ~ behandelen* handle sth carefully **2** *((voorwerp van) ongerustheid)*

concern, worry: *geen ~en hebben* have no worries; *dat is een (hele) ~ minder* that's (quite) a relief; *zich ~en maken over* worry about; *'t zal mij een ~ wezen, mij een ~* I couldn't care less
zorgelijk worrisome, alarming
zorgeloos carefree
zorgeloosheid *(het zonder zorgen zijn)* freedom from care *(of:* worry)
zorgen 1 see to, take care of; *(verschaffen)* provide; *(verschaffen)* supply: *voor het eten ~* see to the food; *daar moet jij voor ~* that's your job 2 *(verzorging geven)* care for, look after, take care of 3 *(opletten)* see (to), take care (to)
zorgtoeslag health care allowance
zorgverlof care leave
zorgverzekeraar health insurer, health insurance company
zorgvuldig careful, meticulous, painstaking: *een ~ onderzoek* a careful (*of:* thorough) examination
zorgvuldigheid care, carefulness, precision
zorgzaam careful, considerate: *een ~ huisvader* a caring father
[1]**zot** *zn* fool, idiot
[2]**zot** *bn, bw* crazy, idiotic; *(mal)* silly
[1]**zout** *zn* (common) salt
[2]**zout** *bn* 1 salty 2 *(gezouten)* salted
zoutarm low-salt
zoutje salt(y) biscuit, cocktail biscuit
zoutloos salt-free
zoutzak salt-bag: *hij zakte als een ~ in elkaar* he collapsed (like a burst balloon)
zoveel 1 as much, as many: *net ~* just as much (*of:* many); *dat is tweemaal ~* that's twice as much (*of:* many) 2 *(onbepaald)* so, that much *(of:* many): *om de ~ dagen* every so many days; *niet zóveel* not (as much as) that
zoveelste such-and-such; *(geïrriteerd)* umpteenth
[1]**zover** *bw* so far, this far, that far: *ben je ~?* (are you) ready?; *het is ~* the time has come, here we go!
[2]**zover** *vw* as far: *voor ~ ik weet niet* not to my knowledge, not that I know of
zowat almost: *ze zijn ~ even groot* they're about the same height
zowel both, as well as: *~ de mannen als de vrouwen* both the men and the women, the men as well as the women
z.o.z. *afk van zie ommezijde* p.t.o., please turn over
zozo so-so
z.s.m. *afk van zo spoedig mogelijk* asap, as soon as possible
zucht 1 *(verlangen)* desire, longing, craving 2 *(diepe uitademing)* sigh: *een diepe ~ slaken* heave a deep sigh
zuchten sigh
zuid south, south(ern); *(mbt wind ook)* southerly
Zuid-Afrika South Africa
Zuid-Afrikaan South African
Zuid-Amerika South America
Zuid-Amerikaan South American
[1]**zuidelijk** *bn* 1 southern 2 *(naar, uit het zuiden)* south(ern); *(wind ook)* southerly
[2]**zuidelijk** *bw* (to the) south, southerly, southwards
zuiden south: *ten ~ (van)* (to the) south (of)
zuidenwind south *(of:* southern, southerly) wind
zuiderbreedte southern latitude: *op 4° ~* at a latitude of 4° South
zuiderkeerkring tropic of Capricorn
Zuid-Europa Southern Europe
Zuid-Europees Southern European
Zuid-Holland South Holland
Zuid-Hollands South Holland
Zuid-Korea South Korea
Zuid-Koreaans South Korean
zuidkust south(ern) coast
[1]**zuidoost** *bn* south-east(ern); *(wind ook)* southeasterly
[2]**zuidoost** *bw* south-east(wards), to the south-east
Zuidoost-Azië South-East Asia
[1]**zuidoostelijk** *bn* south-east(ern); *(wind ook)* south-easterly
[2]**zuidoostelijk** *bw* (to the) south-east, south-easterly
zuidoosten south-east; *(streek)* South-East
zuidooster southeaster
zuidpool South Pole
Zuidpool *(gebied rond de zuidpool)* Antarctic
zuidpoolcirkel Antarctic Circle
zuidpoolgebied Antarctic, South Pole
zuidvrucht subtropical fruit
[1]**zuidwaarts** *bn* southward, southerly
[2]**zuidwaarts** *bw* south(wards)
[1]**zuidwest** *bn (uit het zuidwesten)* south-west(ern); *(wind ook)* south-westerly
[2]**zuidwest** *bw* south-west(wards), to the southwest
[1]**zuidwestelijk** *bn (uit, in het zuidwesten)* southwest(ern); *(wind ook)* south-westerly
[2]**zuidwestelijk** *bw* (to the) south-west, southwesterly, south-westwards
zuidwesten south-west; *(streek)* South-West
zuidwester 1 southwester 2 *(hoed)* sou'wester
zuigeling infant, baby
[1]**zuigen** *intr (sabbelen)* suck (on, away at)
[2]**zuigen** *intr, tr* 1 suck; *(van baby)* nurse 2 *(stofzuigen)* vacuum, hoover
zuiger piston
zuigfles feeding bottle
zuigtablet lozenge
zuil pillar, column, pile
zuinig 1 economical, frugal, thrifty; *(karig)* sparing: *~ op iets zijn* be careful about sth 2 *(voordelig)* economical; *(vaak in sam)* efficient: *een motor ~ afstellen* tune (up) an engine to run efficiently
zuinigheid economy, frugality, thrift(iness)

[1]**zuipen** *intr (mbt te veel alcohol)* booze || *zich zat ~* get sloshed (*of:* plastered)
[2]**zuipen** *tr* drink: *die auto zuipt benzine* that car just eats up petrol
zuiplap boozer, drunk(ard)
zuippartij drinking bout *(of:* spree)
zuivel dairy produce, dairy products
zuivelbedrijf dairy farm
zuivelfabriek dairy factory, creamery
zuivelproduct dairy product
[1]**zuiver** *bn* **1** pure: *van ~ leer* genuine leather **2** *(helder)* clear, clean, pure **3** correct, true, accurate: *een ~ schot* an accurate shot
[2]**zuiver** *bw* **1** purely **2** *(muz)* in tune
zuiveren clean, purify; *(onzuiverheden)* clear; *(wond)* cleanse: *de lucht ~* clear the air; *zich ~ van een verdenking* clear oneself of a suspicion
zuiverheid purity; *(correctheid)* soundness; *(nauwkeurigheid)* accuracy
zuivering purification
zuiveringsinstallatie purification plant; *(voor afvalwater)* sewage-treatment plant
[1]**zulk** *aanw vnw* such: *~e zijn er ook* that kind also exists
[2]**zulk** *bw* such: *het zijn ~e lieve mensen* they're such nice people
zullen **1** *(1e persoon mv)* shall; will; *(voorwaardelijk)* should; would: *maar het zou nog erger worden* but worse was yet to come; *dat zul je nu altijd zien!* isn't that (just) typical!; *wat zou dat?* so what?, what's that to you? **2** will, would, be going (*of:* about) to: *zou je denken?* do you think (so)?; *als ik het kon, zou ik het doen* I would (do it) if I could; *hij zou fraude gepleegd hebben* he is said to have committed fraud; *dat zal vorig jaar geweest zijn* that would be (*of:* must have been) last year; *wie zal het zeggen?* who's to say?, who can say?; *zou hij ziek zijn?* can he be ill? (*of:* sick?); *dat zal wel* I bet it is, I suppose it will, I dare say
zult brawn; *(Am)* headcheese
zuring sorrel
[1]**zus** *zn* sister; *(inform)* sis
[2]**zus** *bw* so: *mijnheer ~ of zo* Mr so-and-so, Mr something-or-other
zuster **1** sister **2** *(verpleegster)* nurse
[1]**zuur** *zn* **1** acid **2** *(in het zuur gelegd) (ongev)* pickles; pickled vegetables *(of:* onions) *(enz.)* **3** *(mbt maagsap)* heartburn, acidity (of the stomach)
[2]**zuur** *bn, bw* **1** sour: *de melk is ~* the milk has turned sour **2** *(chem)* acid
zuurkool sauerkraut
zuurstof oxygen
zuurstofmasker oxygen mask
zuurstok stick of rock
zuurtje acid drop
zuurverdiend hard-earned
zwaai swing, sweep; *(slingering)* sway; wave *(met arm)*
zwaaideur swing-door
zwaaien swing, sway; *(wuiven)* wave; flourish; brandish *(wapen)*; wield *(scepter)*: *met zijn armen ~* wave one's arms || *er zal wat ~* there'll be the devil to pay
zwaailicht flashing light
zwaan swan
zwaantje *(Belg)* motorcycle policeman
[1]**zwaar** *bn, bw* **1** heavy, rough; full-bodied *(wijn)*; strong *(wijn)*: *dat is tien kilo ~* that weighs ten kilos; *~der worden* put on (*of:* gain) weight; *twee pond te ~* two pounds overweight (*of:* too heavy) **2** *(moeizaam)* difficult, hard: *zware ademhaling* hard breathing, wheezing; *een zware bevalling* a difficult delivery; *een ~ examen* a stiff (*of:* difficult) exam; *hij heeft het ~* he is having a hard time of it **3** *(groot, aanzienlijk)* heavy, serious: *~ verlies* a heavy loss **4** *(mbt geluiden)* heavy; deep *(stem)*
[2]**zwaar** *bw (zeer, erg)* heavily, heavy, hard, seriously, badly: *~ gewond* badly (*of:* seriously, severely) wounded
zwaarbeladen heavy laden, heavily laden
zwaarbewolkt overcast
zwaard sword
zwaardvis swordfish
zwaargebouwd heavily built; *(mensen en dieren ook)* heavy-set; large-boned, thickset
zwaargewapend heavily armed
[1]**zwaargewicht** *zn (bokser)* heavyweight
[2]**zwaargewicht** *zn* heavyweight
zwaargewond badly, seriously wounded (*of:* injured)
zwaarmoedig melancholy, depressed: *~ kijken* look melancholy (*of:* depressed)
zwaarmoedigheid **1** depressiveness, melancholy **2** *(ziekte)* melancholia; depression *(tijdelijk)* **3** *(tijdelijke stemming)* melancholy, gloom, dejection
zwaarte **1** heaviness, weight **2** *(afmeting, omvang)* weight, size, strength
zwaartekracht gravity, gravitation
zwaartepunt centre, central point, main point
zwaarwegend weighty, important
zwaarwichtig weighty, ponderous
zwabber mop
zwabberen mop
zwachtel bandage
zwager brother-in-law
zwak **1** weak, feeble: *de zieke is nog ~ op zijn benen* the patient is still shaky on his legs **2** *(met weinig weerstand)* weak; *(mbt gezondheid)* delicate: *een ~ke gezondheid hebben* be in poor health **3** *(niet veel presterend)* weak, poor, bad: *~ zijn in iets* be bad (*of:* poor) at sth, be weak in sth **4** *(kwetsbaar)* weak, vulnerable **5** *(aanvechtbaar)* weak, insubstantial; poor *(bijv. excuus)* **6** *(nauwelijks waarneembaar)* weak, faint
zwakbegaafd retarded
zwakheid weakness, failing
zwakkeling weakling
zwakstroom low-voltage current, weak current

zwakzinnig mentally handicapped
zwakzinnigheid mental defectiveness *(of:* deficiency)
zwalken drift about, wander
zwaluw swallow: *één ~ maakt nog geen zomer* one swallow does not make a summer
zwam fungus
zwanenhals *(buis)* U-trap, gooseneck
zwanenzang swan song
zwang: *in ~ zijn* be in vogue, be fashionable, be in fashion
zwanger pregnant, expecting
zwangerschap pregnancy
zwangerschapstest pregnancy test
zwangerschapsverlof maternity leave
zwart 1 black, dark: *een ~e bladzijde in de geschiedenis* a black page in history; *~e goederen* black-market goods 2 *(vuil)* black, dirty: *iem ~ maken* blacken s.o.'s reputation || *~ op wit* in writing, in black and white
zwartboek black book
zwartepiet knave *(of:* jack) of spades
zwarthandelaar black marketeer, profiteer
zwartkijker 1 pessimist, worrywart 2 *(iem die geen kijkgeld betaalt)* TV licence dodger
zwartmaken: *iem ~* blacken s.o.'s good name (*of:* s.o.'s character)
zwartrijden 1 *(mbt autoverzekering, wegenbelasting)* evade paying road *(of Am:* highway) tax 2 *(in bus, trein)* dodge paying the fare
zwartrijder 1 *(mbt wegenbelasting)* road-tax dodger 2 *(mbt tram, bus, trein)* fare-dodger
zwartwerk moonlighting
zwartwerken moonlight, work on the side
zwart-wit black-and-white
zwavel sulphur
zwaveldioxide sulphur dioxide
[1]**zwavelzuur** *zn* sulphuric acid
[2]**zwavelzuur** *bn* sulphuric acid
Zweden Sweden
Zweed Swede, Swedish woman
Zweeds Swedish
zweefduik *(sport)* swallow dive; *(Am)* swan dive
zweefmolen whirligig
zweeftrein levitation train, maglev train
zweefvliegen glide
zweefvliegtuig glider
zweem trace, hint: *zonder een ~ van twijfel* without a shadow of a doubt
zweep whip, lash; *(rijzweep)* crop
zweepslag 1 lash, whip(lash) 2 *(spierverrekking)* whiplash (injury)
zweer ulcer; *(ettergezwel)* abscess; boil
zweet sweat: *het ~ breekt hem uit* he's in a (cold) sweat
zweetband sweatband
zweetdruppel drop *(of:* bead) of sweat
zweethanden sweaty hands
zweetvoeten sweaty feet
zwellen swell: *doen ~: a)* swell; *b) (doen bollen)* belly, billow; *c) (doen opbollen)* bulge
zwelling swell(ing)
zwembad (swimming) pool
zwemband water ring
zwembroek *(mv)* bathing trunks, swimming trunks
zwemdiploma swimming certificate
zwemles swimming lesson: *op ~ zitten* take swimming lessons
zwemmen swim: *verboden te ~* no swimming allowed; *gaan ~* go for a swim
zwemmer swimmer
zwempak swimming suit, swimsuit
zwemtas swimming bag
zwemvest life jacket *(of:* vest)
zwemvlies 1 *(mbt dieren)* web 2 *(mbt mensen)* flipper
zwemvogel web-footed bird
zwemwedstrijd swimming competition *(of:* contest)
zwendel swindle, fraud
zwendelaar swindler, fraud
zwendelen swindle
zwengel handle; *(draaikruk)* crank
zwenken swerve; *(scheepv)* sheer: *naar rechts ~* swerve to the right
zwenkwiel castor, roller
zweren 1 swear; *(gelofte afleggen)* vow: *ik zou er niet op durven ~* I wouldn't take an oath on it; *ik zweer het (je)* I swear (to you) 2 *(van gezwel)* ulcerate; *(van wond, zweer)* fester
zwerfkat stray cat
zwerfkind young vagrant, vagrant child, runaway
zwerftocht ramble; *(grote wandeling)* wandering
zwerfvuil (street) litter
zwerm swarm; flock *(troep)*
zwerven 1 wander, roam, rove 2 *(landlopen)* tramp (about), knock about 3 *(rondslingeren)* lie about
zwerver 1 wanderer, drifter 2 *(landloper)* tramp, vagabond
zweten sweat
zwetsen blather; *(opscheppen)* boast; brag: *hij kan enorm ~* he talks a lot of hot air
zwetser boaster, bragger
zweven 1 *(hangen)* be suspended: *boven een afgrond ~* hang over an abyss 2 *(in de lucht)* float; *(glijden, zweven)* glide 3 *(heen en weer gaan)* hover
zweverig 1 woolly, free-floating 2 *(in het hoofd)* dizzy
zwichten yield, submit; *(toegeven)* give in: *voor de verleiding ~* yield to the temptation
zwiepen bend: *de takken zwiepten in de wind* the branches swayed in the wind
zwier: *aan de ~ gaan* go on a spree
zwieren sway, reel; whirl

zwierig elegant, graceful; *(opzichtig)* dashing; flamboyant

[1]**zwijgen** *zn* silence: *het ~ verbreken* break the silence

[2]**zwijgen** *intr* be silent: *zwijg!* hold your tongue!, be quiet!

zwijger silent person: *Willem de Zwijger* William the Silent

zwijggeld hush money

zwijgplicht oath of secrecy

zwijgzaam silent, incommunicative, reticent

zwijmelen swoon

zwijn swine: *een wild ~* a wild boar

zwijnenstal pigsty

zwikken sprain, wrench

Zwitser Swiss

Zwitserland Switzerland

Zwitsers Swiss

zwoegen 1 *(ploeteren)* plod; drudge, slave (away); *(zwaar werk doen)* toil; labour 2 *(hijgen)* heave, pant

zwoel sultry; *(benauwd)* muggy

zwoerd rind

Inhoudsopgave supplement

Thematische woordgroepen

De tijd
Time

De jaargetijden
The seasons

lente *spring*
zomer *summer*
herfst *autumn*
winter *winter*

De dagen van de week
The days of the week

maandag *Monday*
dinsdag *Tuesday*
woensdag *Wednesday*
donderdag *Thursday*
vrijdag *Friday*
zaterdag *Saturday*
zondag *Sunday*

De maanden van het jaar
The months of the year

januari *January*
februari *February*
maart *March*
april *April*
mei *May*
juni *June*
juli *July*
augustus *August*
september *September*
oktober *October*
november *November*
december *December*

Hoe laat is het?
What is the time?

one o'clock

a quarter past one

half past one

a quarter to two

twenty-five past one

twenty-five to two

De belangrijkste tijdsaanduidingen
The most important indications of time

seconde *second*
minuut *minute*
kwartier *(a) quarter (of an hour)*
uur *hour*

dag *day*
week *week*
maand *month*
jaar *year*
eeuw *century*

dag *day*
nacht *night*
morgen *morning*
middag *afternoon*
avond *evening*

'S morgens *in the morning*
's middags *in the afternoon*
's avonds *in the evening, at night*
's nachts *at night*

om twaalf uur 's middags *at noon*
om twaalf uur 's nachts *at midnight*
voormiddags *a.m. (ante meridiem)*

namiddags *p.m. (post meridiem)*
om de andere dag *every other day*
dagelijks *daily*
wekelijks *weekly*
maandelijks *monthly*
jaarlijks *annually*

eergisteren *the day before yesterday*
gisteren *yesterday*
vandaag *today*
morgen *tomorrow*
overmorgen *the day after tomorrow*
verleden week *last week*
volgende maand *next month*
vóór morgen *before tomorrow*
over tien minuten *in ten minutes*
om twee uur *at two o'clock*
gedurende vier maanden *for four months*
tijdens de wedstrijd *during the match*
tegen vijven *by five o'clock*
binnen een week *within a week*
vandaag over een week *today week*
vandaag over veertien dagen *today fortnight*
2 april 2007 *April 2nd, 2007*

Feestdagen
Holidays

Nieuwjaar *New Year*
Pasen *Easter*
eerste paasdag *Easter Sunday*
tweede paasdag *Easter Monday*
Hemelvaartsdag *Ascension Day*
Pinksteren *Whitsun(tide)*

Kerstmis *Christmas*
kerstavond *Christmas Eve*
eerste kerstdag *Christmas Day*
tweede kerstdag *Boxing Day*
oudejaarsavond *New Year's Eve*

Hoeveelheden

Hoeveelheden
Quantities

Hoofdtelwoorden
Cardinal numbers

1	*one*	21	*twenty-one*
2	*two*	22	*twenty-two*
3	*three*	30	*thirty*
4	*four*	40	*forty*
5	*five*	50	*fifty*
6	*six*	60	*sixty*
7	*seven*	70	*seventy*
8	*eight*	71	*seventy-one*
9	*nine*	72	*seventy-two*
10	*ten*	80	*eighty*
11	*eleven*	90	*ninety*
12	*twelve*	91	*ninety-one*
13	*thirteen*	92	*ninety-two*
14	*fourteen*	100	*a (one) hundred*
15	*fifteen*	200	*two hundred*
16	*sixteen*	300	*three hundred*
17	*seventeen*	1.000	*a (one) thousand*
18	*eighteen*	100.000	*a (one) hundred thousand*
19	*nineteen*	1.000.000	*a (one) million*
20	*twenty*		

Rangtelwoorden
Ordinal numbers

eerste *first, 1st*
tweede *second, 2nd*
derde *third, 3rd*
vierde *fourth, 4th*
vijfde *fifth, 5th*
zesde *sixth, 6th*
zevende *seventh, 7th*
achtste *eighth, 8th*
negende *ninth, 9th*
tiende *tenth, 10th*
elfde *eleventh, 11th*

twaalfde *twelfth, 12th*
dertiende *thirteenth, 13th*
veertiende *fourteenth, 14th*
twintigste *twentieth, 20th*
eenentwintigste *twenty-first, 21st*
dertigste *thirtieth, 30th*
veertigste *fortieth, 40th*
tweeënveertigste *forty-second, 42nd*
vijftigste *fiftieth, 50th*
zestigste *sixtieth, 60th*
honderdste *hundredth, 100th*
duizendste *thousandth, 1000th*

De voornaamste maten en gewichten
The most important weights and measures

1 inch = *2,54 cm*
1 foot = *0,3048 m = 12 inches*
1 yard = *0,9144 m = 3 feet*
1 mile = *1,609 km*

1 ounce = *28,35 gram*
1 pound = *0,4536 kg = 16 ounces*
1 stone = *6,350 kg = 14 pounds*

1 pint = *0,5683* dm^3 *(liter)*
1 quart = *1,137* dm^3 *= 2 pints*

1 gallon (UK) = *4,546 liter = 4 quarts*
1 gallon (VS) = *3,785 liter*

Grammaticale hoofdlijnen

Zelfstandige naamwoorden

Vorming van het meervoud

Algemene regel: zet een *s* achter het zelfstandig naamwoord.

hand	*hands*	*month*	*months*		
minute	*minutes*	*day*	*days*		

▸ Uitzonderingen

1 Eindigt een z.nw. op een medeklinker + *y*, dan wordt de *y* vervangen door *ies*.

story	*stories*	*lady*	*ladies*	▸ *boy*	*boys*

2 Bij sommige woorden die eindigen op *f* of *fe*, wordt *f* of *fe* vervangen door *ves*.

knife	*knives*	*wife*	*wives*	▸ *safe*	*safes*
thief	*thieves*	*life*	*lives*		
half	*halves*	*shelf*	*shelves*		

3 Woorden die eindigen op een sisklank, krijgen de meervoudsuitgang *es*.

glass	*glasses*	*box*	*boxes*	*church*	*churches*

4 Onregelmatige meervoudsvormen.

child	*children*	*mouse*	*mice*	*foot*	*feet*
ox	*oxen*	*louse*	*lice*	*tooth*	*teeth*
man	*men*			*goose*	*geese*
woman	*women*				

5 Sommige woorden die eindigen op *o*, hebben als meervoudsvorm *oes*.

hero	*heroes*	*potato*	*potatoes*		

Bezitsvorm

1 Namen van mensen en dieren krijgen *'s* om bezit aan te geven.
That car belongs ***to John.*** Die auto is van John.
It's ***John's*** *car.* Het is de auto van John.
My ***friend's*** *car.* De auto van mijn vriend.
Those ***men's*** *wives.* De vrouwen van die mannen.
The ***cat's*** *tail.* De staart van de kat.

2 De bezitsvorm van dingen wordt gevormd met behulp van *of*.
This key belongs to that room. It's the key ***of that room.***
The door ***of the living room.*** De deur van de huiskamer.
The pages ***of your book.*** De bladzijden van jouw boek.
The days ***of the week.*** De dagen van de week.

▸ In het meervoud komt in plaats van *'s* alleen een *'* (als het meervoud eindigt op *s*).
My ***parents'*** *car.* De auto van mijn ouders.
A seven ***days'*** *journey.* Een reis van zeven dagen.

De bezitsvormen *'s* en *'* komen ook voor zonder hoofdwoord:
Is this your book? No, it is John's book. It is John's.
Is this your book? No, it is my father's book. It is my father's.
Is this your book? No, it is his parents' book. It is his parents'.

Persoonlijke en bezittelijke voornaamwoorden

I am in ***my*** *house.*	*It belongs to* ***me.***	*It's* ***mine.***
You are in ***your*** *house.*	*It belongs to* ***you.***	*It's* ***yours.***
He is in ***his*** *house.*	*It belongs to* ***him.***	*It's* ***his.***
She is in ***her*** *house.*	*It belongs to* ***her.***	*It's* ***hers.***
We are in ***our*** *house.*	*It belongs to* ***us.***	*It's* ***ours.***
They are in ***their*** *house.*	*It belongs to* ***them.***	*It's* ***theirs.***

This book isn't ***mine.*** Dit boek is niet van mij.
Is it ***yours?*** Is het van jou?
Is this coat ***mine*** *or* ***yours?*** Is deze jas van mij of van jou?
He is an old friend of ***mine.*** Hij is een oude vriend van mij.

We gebruiken het woord *it* als we het niet over personen hebben.
*Where is the bird? **It** is in **its** cage.* Waar is de vogel? Hij zit in zijn kooi.
*The space craft and **its** crew.* Het ruimtevaartuig en zijn bemanning.
***It's** cold.* Het is koud.
*The town and **its** old houses.* De stad en haar oude huizen.
*Have you seen this film? No, I haven't seen **it**.* Heb je deze film gezien? Nee, ik heb hem niet gezien.

Aanwijzende voornaamwoorden

Enkelvoud	Meervoud
this dit, deze	*these* deze
that dat, die	*those* die

Vragende voornaamwoorden

Who
Gebruikt voor personen
Who is that? It is John Smith.

What
Gebruikt voor dieren, dingen
What is that? It's a cat. It's a book.

Which
Which wordt gebruikt als je uit een groep moet kiezen (je weet uit hoeveel je moet kiezen).
Which of these boys is John? The one in the middle. Wie van deze jongens is John? Die in het midden.
Which of those dogs is yours? The one with the long tail. Welke van die honden is van jou? Die met de lange staart.
Which of these biros shall I give to dad? The thin one on the left. Welke van deze pennen zal ik aan pappa geven? Die dunne aan de linkerkant.

Whose
Whose pencils are those? Van wie zijn die potloden?
Whose car is this? Van wie is deze auto?

Werkwoorden en hulpwerkwoorden

Vervoeging

be zijn

	o.t.t.	o.v.t.	v.t.t.	v.v.t.
I	am	was	have been	had been
you	are	were	have been	had been
he	is	was	has been	had been
we	are	were	have been	had been
you	are	were	have been	had been
they	are	were	have been	had been

have hebben

	o.t.t.	o.v.t.	v.t.t.	v.v.t.
I	have	had	have had	had had
you	have	had	have had	had had
he	has	had	has had	had had
we	have	had	have had	had had
you	have	had	have had	had had
they	have	had	have had	had had

work werken

	o.t.t.	o.v.t.	v.t.t.	v.v.t.
I	work	worked	have worked	had worked
you	work	worked	have worked	had worked
he	works	worked	has worked	had worked
we	work	worked	have worked	had worked
you	work	worked	have worked	had worked
they	work	worked	have worked	had worked

De spelling van de derde persoon enkelvoud in de onvoltooid tegenwoordige tijd (o.t.t.)

In de 3e persoon enkelvoud komt achter het werkwoord een *s*. Na een *s*-klank komt *es* en als het werkwoord eindigt op een medeklinker + *y*, wordt de uitgang: medeklinker + *ies*.

I live, he lives *I come, he comes*
you dress, he dresses *we close, he closes*
I stay, he stays *I study, he studies*

De spelling van de onvoltooid verleden tijd (o.t.t.) en het voltooid deelwoord

De onvoltooid verleden tijd en het volt. deelwoord worden gevormd door *ed* te plaatsen achter de grondvorm van het werkwoord.

work, worked *look, looked* *wait, waited*

De slotmedeklinker wordt verdubbeld als de laatste lettergreep één klinkerteken bevat en de klemtoon heeft.

stop, stopped *admit, admitted* *prefer, preferred*

In het Engels wordt de *l* altijd verdubbeld: *travelled* (in het Amerikaans niet: *traveled*).

Een *y* voorafgegaan door een medeklinker wordt *ie*:

try, tried *cry, cried*

Stomme *e* valt weg:

precede, preceded *smoke, smoked*

Het gebruik van de tijden

1 De o.t.t. wordt in het Engels op nagenoeg dezelfde wijze gebruikt als in het Nederlands.

2 De o.v.t. wordt gebruikt wanneer je *alleen maar* aan het verleden denkt (er is *geen* verbinding met het heden).

*I **lived** there for four years.* Ik heb daar vier jaar gewoond. (Ik woon er nu niet meer.)
*Yesterday he **came** to see me.* Gisteren kwam hij me opzoeken.

Vaak staat in de zin een tijdsbepaling zoals: *yesterday, a week ago, in 2006.*

3 De voltooid tegenwoordige tijd (v.t.t.) wordt in het Engels gevormd door *have* + voltooid deelwoord en wordt gebruikt in de volgende gevallen:

a) Wanneer iets in het verleden begonnen is en nog steeds voortduurt.

*I've **lived** here since 1999.* Ik woon hier sinds 1999. (Ik woon er nog steeds.)
*He **has been** ill very long.* Hij is al lang ziek. (Hij is nog steeds ziek.)

▸ *He **was** ill last year.* Vorig jaar was hij ziek. (Hij is nu beter.)

Schematisch:

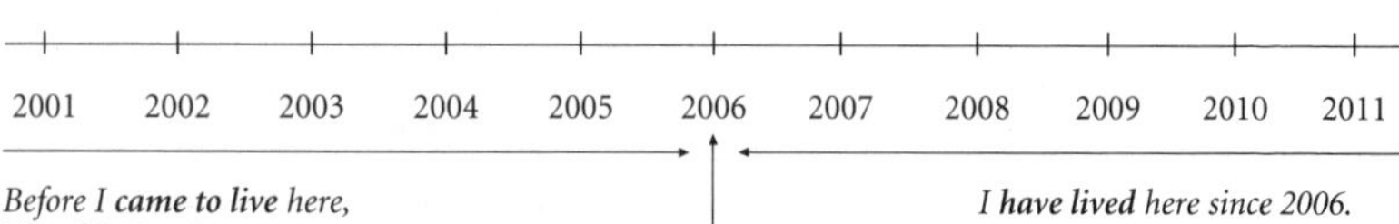

b) Wanneer iets gebeurt in een periode die nog niet voorbij is (bijv. deze week, vandaag).
*I've **been** to the disco twice this week.* Ik ben deze week (al) twee keer naar de disco geweest. (De week is nog niet om.)
*I **haven't seen** much of him this month.* Ik heb hem deze maand haast niet gezien.

▸ *I **went** to the cinema twice last week.* Ik ben vorige (de voorbije) week twee keer naar de bioscoop geweest.

c) Wanneer we denken aan het resultaat van iets dat in het verleden is gebeurd.
*It **has rained*** (alles is nu buiten nat).
*I've **lost** my watch* (mijn horloge is weg).
*I've already **read** that book* (ik heb het uit).

▸ *I **read** it last week. I **lost** my watch last week.* (Er staat een tijdsbepaling bij.)

4 Toekomst wordt in het Engels aangegeven met de hulpwerkwoorden *will* en *would*, vaak afgekort tot respectievelijk *'ll* en *'d*.

*I'**ll** see you tomorrow.*	*He said he'**d** see me next month.*
*He **will** be home at six.*	*He promised he **would** be home at six.*

Hulpwerkwoorden

Can/could worden gebruikt om aan te geven
- dat iemand in staat is iets te doen:
  *I **can** swim.* Ik kan zwemmen.
  *He said he **could** swim.* Hij zei dat hij kon zwemmen.
- dat iets niet mogelijk is:
  *I **can't** keep any money in my pocket.* Ik kan geen geld in mijn zak houden.
  *We concluded that the story **couldn't** be true.* We kwamen tot de conclusie dat het verhaal niet waar kon zijn.

May/might worden gebruikt om aan te geven
- dat iets mogelijk is:
  *He **may** be ill.* Hij is misschien wel ziek.
  *You **might** think I'm crazy but I'm not.* Je zou kunnen denken dat ik gek ben, maar dat ben ik niet.
- dat toestemming wordt/werd gegeven:
  *You **may** go to the disco tonight.* Je mag vanavond naar de disco.
  *Father said that I **might** go to the disco.* Vader zei dat ik naar de disco mocht.

Must geeft aan
- een bevel of opdracht:
  *You **must** not bring food and drink into the library.* Het is verboden eten en drinken mee te brengen in de bibliotheek.
- een logische gevolgtrekking:
  *If he isn't here, he **must** be still at home.* Als hij niet hier is, moet hij nog thuis zijn.
  *He **must** be eighty by now.* Hij moet nu wel tachtig zijn.

Should/ought to geven aan wat raadzaam is:
*I **should** go to the doctor at once, if I were you.* Ik zou meteen naar de dokter gaan als ik jou was.
*Let's hurry! We **ought to** be home at six!* Laten we opschieten! We moeten om zes uur thuis zijn.

Speciale werkwoordsvormen

Een vorm van *be* + voltooid deelwoord wordt gebruikt om de lijdende vorm te maken.

	Bedrijvende vorm	Lijdende vorm
o.t.t.	The postman delivers the post. De postbode bezorgt de post.	The post **is delivered** by the postman. De post wordt door de postbode bezorgd.
o.v.t.	The postman delivered the post. De postbode bezorgde de post.	The post **was delivered** by the postman. De post werd door de postbode bezorgd.
v.t.t.	The postman has delivered the post. De postbode heeft de post bezorgd.	The post **has been delivered** by the postman. De post is door de postbode bezorgd.
v.v.t.	The postman had delivered the post. De postbode had de post bezorgd.	The post **had been delivered** by the postman. De post was door de postbode bezorgd.
toekomst	The postman will deliver the post. De postbode zal de post bezorgen.	The post **will be delivered** by the postman. De post zal door de postbode bezorgd worden.

Dikwijls wordt in het Nederlands de constructie met *er* of *men* gebruikt.

It is said that the president will resign. Men zegt dat de president zal aftreden.
The thief was seen running away. Men zag de dief wegrennen.
A lot of time is being devoted to this project. Er wordt veel tijd aan dit project gewijd.

Een vorm van *be* + *-ing*-vorm wordt gebruikt:

1 wanneer iets gedurende een bepaalde tijd aan de gang is (in het Nederlands vinden wij dan vaak constructies als: bezig met..., aan het..., zit/ligt enz. te...).
I'm ***reading*** *a book at the moment.* Ik ben nu een boek aan het lezen.
He's not ***doing*** *anything now.* Hij zit nu niets te doen.
He's ***playing*** *the piano.* Hij zit piano te spelen.
She's ***staying*** *at that hotel.* Zij verblijft in dat hotel.

2 om nabije toekomst aan te geven.
I'm leaving *for the airport at six.* Ik ga om zes uur naar het vliegveld.
Are *you* ***coming*** *tonight?* Kom je vanavond?

3 *Be going to* geeft toekomst aan.
They ***are going to*** *send him to prison.* Hij gaat de gevangenis in.
They ***are going to*** *build an office block here in 2012.* Ze gaan hier in 2012 een kantoorgebouw neerzetten.

Andere constructies eindigend op *ing* ('gerund') worden:

1 gebruikt als onderwerp van een zin.
Swimming *is great fun.* Zwemmen is erg leuk.
Reading *books improves your grammar and vocabulary.* Het lezen van boeken is goed voor je grammatica en je woordenschat.

2 gebruikt na een aantal werkwoorden o.a. *like, enjoy, hate, keep (on), avoid, finish, stop, go on, start.*
We ***consider going*** *abroad this summer.* We overwegen om dit jaar naar het buitenland te gaan.
They ***stopped talking*** *when you came in.* Ze hielden op met praten toen jij binnenkwam.
I ***enjoy sailing*** *during my holidays.* Ik ga graag zeilen in mijn vakanties.

3 gebruikt na voorzetsels.
After cleaning *his teeth he went downstairs.* Toen hij zijn tanden had gepoetst, ging hij naar beneden.
I'm interested ***in buying*** *a boat.* Ik denk erover een boot te kopen.

Constructies met werkwoord - zelfstandig naamwoord of voornaamwoord - onbepaalde wijs komen voor na werkwoorden als: *hear, see, feel, find, watch* en na *let, have, make* (in de betekenis van *laten*).
The waiter would like to ***see us go.*** De kelner zou ons graag zien vertrekken.
I ***saw my friend come*** *downstairs.* Ik zag mijn vriend de trap af komen.
I ***had him clean*** *my car.* Ik liet hem mijn auto wassen.
I ***made John repeat*** *his words.* Ik liet John zijn woorden herhalen.

▸ Na *hear, see* enz. komt ook de constructie met een *-ing*-vorm voor. Deze is meer beschrijvend dan die met een onbepaalde wijs.
I ***heard him coming*** *back last night.* Gisteravond hoorde ik hem terugkomen.
I ***saw the car driving*** *up the lane.* Ik zag de auto de weg op komen rijden.

Constructies met werkwoord - zelfstandig naamwoord of voornaamwoord - voltooid deelwoord. Deze constructies komen voor na werkwoorden die een wil of wens aangeven en na *to see, hear, feel* enz.
He ***had a new house built.*** Hij liet een nieuw huis bouwen.
Father ***wants it done*** *immediately.* Vader wil dat het meteen gedaan wordt.
I'll ***get my car washed*** *tomorrow.* Ik zal morgen mijn auto laten wassen.
He ***saw the plane shot*** *down.* Hij zag dat het vliegtuig neergeschoten werd.

Bijwoorden

De meeste bijwoorden worden gevormd door *ly* achter een bijvoeglijk naamwoord, een deelwoord of een zelfstandig naamwoord te plaatsen.

pleasant - pleasantly
excited - excitedly
week - weekly

Hierbij kan de spelling veranderen:
-y wordt *i*: *speedy - speedily*
Maar: *gay - gayly* of *gaily, shy - shyly, dry - dryly* of *drily*
Maar: *day - daily*
-le wordt *-ly* na een medeklinker: *terrible - terribly*
-e verdwijnt soms: *whole - wholly, due - duly, true - truly*
-llly bestaat niet, dus je schrijft: *full - fully*

Soms verandert de betekenis:
close - close (nabij) of *closely* (nauwlettend)
hard - hardly (bijna niet)
late - late (laat) of *lately* (de laatste tijd)
near - near (nabij) of *nearly* (bijna)

Het bijwoord van *good* is *well.*

Voegwoorden en enkele andere verbindingswoorden

en*	*and**	*Here's your dictionary* **and** *there's mine.* Hier is uw woordenboek en daar is 't mijne.
dat	*that*	*She said* **that** *it didn't make any difference.* (5) Ze zei dat het geen verschil maakte.
want*	*for**	*He's going by boat,* **for** *he doesn't like flying.* Hij gaat met de boot, want hij houdt niet van vliegen.
maar*	*but**	*John is here,* **but** *where's Mary?* Jan is hier, maar waar is Mary?
dus	*so*	*It was a very long walk,* **so** *we were very tired.* (4) Het was een lange wandeling, dus waren we erg moe.
of*	*or**	*Do you prefer coffee* **or** *tea?* Heb je liever koffie of thee?

omdat	*because*	*I went shopping,* ***because*** *I needed some milk.* (4) Ik ging boodschappen doen, omdat ik melk nodig had.
wanneer	*when*	*I don't know* ***when*** *the train leaves.* (1) Ik weet niet wanneer de trein vertrekt.
voor(dat)	*before*	*Wash your hands* ***before*** *you start eating.* (1) Was je handen voordat je gaat eten.
nadat	*after*	***After*** *I've got dressed, I'll have breakfeast.* (1) Nadat ik me heb aangekleed, ga ik ontbijten.
sinds/sedert	*since*	***Since*** *when have you lived here?* (1) Sinds/sedert wanneer woon je al hier?
waar	*where*	*Do you know* ***where*** *the nearest bus stop is?* (2) Weet u waar de dichtstbijzijnde bushalte is?
of	*if*	*I'm not sure* ***if*** *he can come.* (5) Ik weet niet zeker of hij kan komen.
of ... of	*whether ... or*	*I don't know* ***whether*** *I'll send a letter* ***or*** *not.* (5) Ik weet niet of ik een brief zal sturen of niet.
als/indien	*if*	***If*** *that's a real leather jacket, I'll eat my hat.* (3) Als dat een echt leren jack is, ben ik een boon.
anders	*otherwise*	*Please phone before nine,* ***otherwise*** *I'll be out.* Bel vóór negenen op, anders ben ik weg.
hoewel/ofschoon	*(al)though*	*I'm going there anyway,* ***although*** *I know it's dangerous.* Ik ga er hoe dan ook heen, hoewel ik weet dat het gevaarlijk is.

De met een sterretje gemerkte voegwoorden verbinden elementen van gelijk belang (d.w.z. zijn nevenschikkend). De andere verbinden elementen van ongelijk belang, meestal hoofd- en bijzinnen. Er zijn bijzinnen van tijd (1), plaats (2), voorwaarde (3), reden of oorzaak (4), lijdendvoorwerpszinnen (5) enz.

Trappen van vergelijking

Bijvoeglijke naamwoorden van één lettergreep en tweelettergrepige bijvoeglijke naamwoorden die eindigen op *-le, -er, -ow,* medeklinker + *y* en *-some,* vormen hun trappen van vergelijking door achtervoeging van *er,* respectievelijk *est.* Alle andere vormen hun trappen van vergelijking door het woord *more,* respectievelijk *most* voor het bijvoeglijk naamwoord te plaatsen:

Eén lettergreep			
new	*newer*	*newest*	nieuw
big	*bigger*	*biggest*	groot
nice	*nicer*	*nicest*	aardig
Twee lettergrepen			
able	*abler*	*ablest*	bekwaam
easy	*easier*	*easiest*	gemakkelijk
certain	*more certain*	*most certain*	zeker
Meer dan twee lettergrepen			
beautiful	*more beautiful*	*most beautiful*	mooi
Onregelmatige trappen van vergelijking			
good	*better*	*best*	goed
bad	*worse*	*worst*	slecht
little	*less*	*least*	weinig
much	*more*	*most*	meer (bij enkelvoud)
many	*more*	*most*	meer (bij meervoud)

▸ even ... als *as ... as: He is* ***as tall as*** *his father.*
niet zo ... als *not so ... as: He is* ***not so tall as*** *his father.*
Hij lijkt sprekend op z'n moeder. *He's* ***just like*** *his mother.*

Zinspatronen

Ontkennende zinnen

Met het werkwoord *be.*

His name is Peter. His name is ***not*** *Peter. His name* ***isn't*** *Peter.*
They are here. They ***are not*** *here. They* ***aren't*** *here.*

Met de werkwoorden *can, could, may, might, will* (en *be going to*), *should* en *ought to, must* en *have to, need to, want to, 'd better, 'd rather, 'd like to.*

I can swim. I ***cannot*** *swim. I* ***can't*** *swim.*
He ought to go so late. He ***ought not*** *to go so late. He* ***oughtn't*** *to go so late.*
You ***had better not*** *do that again.*
I'd rather not *go now.*
They ***don't want to*** *help their parents.*
You ***don't have to*** *wait for me.*
I ***wouldn't like to*** *live in that country.*

Met het werkwoord *do:*

I speak English. I ***do not*** *speak English. I* ***don't*** *speak English.*
Peter saw him in London yesterday. Peter ***did not*** *see him in London yesterday.*
John knows German. John ***does not*** *know German.*

Met het werkwoord *have:*

I ***have not*** *much money.*
They ***hadn't*** *listened to their teacher.*
They ***didn't have*** *trouble with their spelling.*

Vraagzinnen

Met het werkwoord *be:*

His name is Peter. ***Is*** *his name Peter?*
They were here. ***Were*** *they here?*
It was cold. ***Was*** *it cold?*

Met de werkwoorden *can, could, may, might* enz.

John can swim. ***Can*** *John swim?*
Do *we* ***have to*** *be there at 10?*
Do *you* ***want to*** *go there alone?*
Do *we* ***need to*** *wait very long?*
Would *you* ***rather*** *go at once?*
Would *you* ***like to*** *stop the lesson now?*

Met het werkwoord *do:*

They know German. ***Do*** *they* ***know*** *German?*
They knew German. ***Did*** *they* ***know*** *German?*
Peter goes home at eight. ***Does*** *Peter* ***go*** *home at eight?*
Peter went home at eight. ***Did*** *Peter* ***go*** *home at eight?*

Woordvolgorde

De plaats van bijwoorden:

Yesterday *the two astronauts landed* ***on the Moon.***
The two astronauts landed ***on the Moon yesterday.***

De plaats van bijwoorden die een niet-bepaalde tijd aanduiden (bijwoorden als: *always, never, sometimes, frequently, generally* enz.):

I go home at six. I ***always*** *go home at six.*
I am happy. I'm ***always*** *happy.*
I can ask him for help. I can ***always*** *ask him for help.*
We have helped them. We've ***always*** *helped them.*

Let op dit verschil in woordvolgorde:
There's the dog. There ***it*** *is.*
Where's John? There ***he*** *is.*
Where are John's parents? There ***they*** *are.*

Let op de volgorde in de volgende uitdrukkingen:
What a beautiful lady ***she is.***
What high trees ***those are.***

Woordvolgorde in korte antwoorden:
Is he a student? Yes, ***he is.*** *No, he isn't.*
Did he meet many friends? Yes, ***he did.*** *No, he didn't.*

De plaats van woorden als *perhaps, possibly, maybe.*
Perhaps *they're farmers.*
Maybe *we can all go with them.*
Possibly *he's a teacher.*

Nog wat lastige gevallen

1 *one/ones*
One en *ones* kunnen de plaats innemen van zelfstandige naamwoorden in het enkelvoud, respectievelijk het meervoud:
Which book would you like, this ***one*** *or that* ***one****? I'd like the green* ***one.***
One komt hier dus in de plaats van *book.*

2 *each, every, all*
Wanneer we aan de gehele groep denken:
every + een enkelvoudig zelfst. nw.
all + een meervoudig zelfst. nw.
Nemen we de begrippen één voor één, individueel:
each + een enkelvoudig zelfst. nw.
each of + een meervoudig zelfst. nw.

▸ *every* day: yesterday and today and tomorrow, etc.
all day: from early morning till late at night.

3 *a little, little, some* (+ enkelvoud)
a few, few, some (+ meervoud)
I want ***a little*** *milk in my tea, but not too much.* Ik wil een beetje melk in mijn thee, maar niet te veel.
There's ***little*** *money in my purse, so I can't even buy an ice-cream.* Ik heb weinig geld in mijn portemonnee, dus ik kan zelfs geen ijsje kopen.
▸ *a little milk* = *some milk.* Tegengestelde: *no milk.*
little milk = *not much milk.* Tegengestelde: *much milk.*

A few *of his friends helped him to redecorate the house.* (Enkele van zijn vrienden ...)
He borrowed ***some*** *books from me.* (... enkele boeken)
Few *friends were there to help. Most of them were too busy with themselves.* (Weinig vrienden ...)
A few *friends* en ***some*** *friends* = meer dan twee, niet veel. Tegengestelde: geen vrienden (***no*** *friends*)
Few friends = niet veel (*not many*). Tegengestelde: veel vrienden (***many*** *friends*)

4 *much, many, a lot of, lots of* (veel)
much, a lot of, lots of (+ enkelvoud)
I don't have ***much*** *money.* Ik heb niet veel geld.
Young children should drink a ***lot of*** *milk (****lots of*** *milk).* Jonge kinderen moeten veel melk drinken.

many, a lot of, lots of (+ meervoud)

Many (a lot of, lots of) *people were present at the opening of the new swimming pool.* Er waren veel mensen bij de opening van het nieuwe zwembad.

a lot of en *lots of* worden gewoonlijk niet gebruikt in vragen en ontkenningen; *much* of *many* worden in plaats daarvan gebruikt.

Did he have **much** *trouble with grammar?* Had hij veel moeite met grammatica?

Lijst van onregelmatige werkwoorden

onbepaalde wijs	verleden tijd	voltooid deelw.	
arise	*arose*	*arisen*	ontstaan, verrijzen
awake	*awoke*	*awoken*	ontwaken, wekken
be (am/are)	*was/were*	*been*	zijn
bear	*bore*	*borne/to be born*	(ver)dragen/geboren worden
beat	*beat*	*beaten*	(ver)slaan
become	*became*	*become*	worden
begin	*began*	*begun*	beginnen
bend	*bent*	*bent*	buigen
bet	*bet(ted)*	*bet(ted)*	wedden
bind	*bound*	*bound*	binden
bite	*bit*	*bitten*	bijten
bleed	*bled*	*bled*	bloeden
blow	*blew*	*blown*	blazen, waaien
break	*broke*	*broken*	breken
breed	*bred*	*bred*	kweken, fokken
bring	*brought*	*brought*	brengen
build	*built*	*built*	bouwen
burst	*burst*	*burst*	barsten
buy	*bought*	*bought*	kopen
cast	*cast*	*cast*	werpen
catch	*caught*	*caught*	vangen
choose	*chose*	*chosen*	kiezen
cling	*clung*	*clung*	zich vastklemmen
come	*came*	*come*	komen
cost	*cost*	*cost*	kosten
creep	*crept*	*crept*	kruipen
cut	*cut*	*cut*	snijden
deal	*dealt*	*dealt*	handelen
dig	*dug*	*dug*	graven
do	*did*	*done*	doen
draw	*drew*	*drawn*	trekken, tekenen
drink	*drank*	*drunk*	drinken
drive	*drove*	*driven*	rijden, drijven
eat	*ate*	*eaten*	eten
fall	*fell*	*fell*	vallen
feed	*fed*	*fed*	(zich) voeden
feel	*felt*	*felt*	(zich) voelen
fight	*fought*	*fought*	vechten
find	*found*	*found*	vinden
fly	*fled*	*fled*	vluchten
fly	*flew*	*flown*	vliegen
forbid	*forbade*	*forbidden*	verbieden
forget	*forgot*	*forgotten*	vergeten
forgive	*forgave*	*forgiven*	vergeven
forsake	*forsook*	*forsaken*	in de steek laten
freeze	*froze*	*frozen*	vriezen
get	*got*	*got*	krijgen
give	*gave*	*given*	geven
go	*went*	*gone*	gaan
grind	*ground*	*ground*	malen, slijpen
grow	*grew*	*grown*	groeien, verbouwen, worden
hang	*hung*	*hung*	hangen
have	*had*	*had*	hebben
hear	*heard*	*heard*	horen
hide	*hid*	*hidden*	verbergen

hit	*hit*	*hit*	treffen
hold	*held*	*held*	houden
hurt	*hurt*	*hurt*	bezeren
keep	*kept*	*kept*	houden
know	*knew*	*known*	weten, kennen
lay	*laid*	*laid*	leggen
lead	*led*	*led*	leiden
leave	*left*	*left*	verlaten, laten
lend	*lent*	*lent*	(uit)lenen
let	*let*	*let*	laten, verhuren
lie	*lay*	*lain*	liggen
lose	*lost*	*lost*	verliezen
make	*made*	*made*	maken
mean	*meant*	*meant*	bedoelen, betekenen
meet	*met*	*met*	ontmoeten
mow	*mowed*	*mown*	maaien
pay	*paid*	*paid*	betalen
put	*put*	*put*	leggen, zetten
read	*read*	*read*	lezen
rend	*rent*	*rent*	(ver)scheuren
ride	*rode*	*ridden*	rijden
ring	*rang*	*rung*	bellen, klinken
rise	*rose*	*risen*	opstaan, opgaan, opstijgen
run	*ran*	*run*	rennen, hollen
saw	*sawed*	*sawn*	zagen
say	*said*	*said*	zeggen
see	*saw*	*seen*	zien
seek	*sought*	*sought*	zoeken
sell	*sold*	*sold*	verkopen
send	*sent*	*sent*	zenden
set	*set*	*set*	zetten
sew	*sewed*	*sewn*	naaien
shake	*shook*	*shaken*	schudden
shed	*shed*	*shed*	storten (tranen, bloed)
shine	*shone*	*shone*	schijnen (licht, zon)
shoot	*shot*	*shot*	schieten
show	*showed*	*shown*	laten zien, tonen
shrink	*shrank*	*shrunk*	krimpen, terugdeinzen
shut	*shut*	*shut*	sluiten
sing	*sang*	*sung*	zingen
sink	*sank*	*sunk*	zinken
sit	*sat*	*sat*	zitten
sleep	*slept*	*slept*	slapen
slink	*slunk*	*slunk*	sluipen
sow	*sowed*	*sown*	zaaien
speak	*spoke*	*spoken*	spreken
spend	*spent*	*spent*	uitgeven, doorbrengen
spit	*spat*	*spat*	spuwen
spread	*spread*	*spread*	zich verspreiden
spring	*sprang*	*sprung*	springen
stand	*stood*	*stood*	staan
steal	*stole*	*stolen*	stelen
stick	*stuck*	*stuck*	steken, kleven, plakken
sting	*stung*	*stung*	steken, prikken
stink	*stank*	*stunk*	stinken
strike	*struck*	*struck*	slaan, staken
string	*strung*	*strung*	rijgen, bespannen, besnaren
strive	*strove*	*striven*	streven
swear	*swore*	*sworn*	zweren, plechtig beloven

sweep	*swept*	*swept*	vegen
swim	*swam*	*swum*	zwemmen
swing	*swung*	*swung*	zwaaien
take	*took*	*taken*	nemen
teach	*taught*	*taught*	onderwijzen
tear	*tore*	*torn*	scheuren
tell	*told*	*told*	vertellen, zeggen
think	*thought*	*thought*	denken
throw	*threw*	*thrown*	gooien, werpen
thrust	*thrust*	*thrust*	stoten
tread	*trod*	*trodden*	(be)treden
understand	*understood*	*understood*	begrijpen, verstaan
wear	*wore*	*worn*	dragen (aan het lichaam)
weave	*wove*	*woven*	weven
weep	*wept*	*wept*	huilen, wenen
win	*won*	*won*	winnen
wind	*wound*	*wound*	winden
wring	*wrung*	*wrung*	wringen
write	*wrote*	*written*	schrijven

Gratis downloadversie woordenboek

Bij dit Van Dale Pocketwoordenboek hoort een gratis digitale versie, die van internet gedownload kan worden. Hiervoor heb je deze activeringscode nodig:

948821 161194 665196 100413 149796

Deze activeringscode is uniek en uitsluitend geldig voor dit woordenboek. De activeringscode kan maximaal 3 keer worden gebruikt.

- Ga naar www.vandale.nl/pocketwoordenboeken
- Vul je e-mailadres in om de software te downloaden
- Installeer de software. Tijdens de installatie moet je de activeringscode invoeren

Productvoorwaarden
- Internetverbinding
- Microsoft Internet Explorer 5.5 of hoger
- Windows 2000 / XP met .NET Framework versie 1.1

NF 173789